D1108699

DIKSIYUNARYONG
INGLES - PILIPINO
PILIPINO - INGLES

Ni

FELICIDAD T.E. SAGALONGOS

B.S.E., M.A.
Guro ng Pilipino
Pamantasan ng Pilipinas

National BOOK STORE
PUBLISHERS • METRO MANILA
PHILIPPINES

Published by National Book Store, Inc.

COPYRIGHT, 1968 by
National Book Store, Inc.

First Year of Publication, 1968

PCPM Certificate of
Registration No. SP 594

Printed by
Cacho Hermanos, Inc.

ISBN 971-08-1755-8

PAMBUNGAD

Ang aklat na ito ay katipunan ng mga salitang ginagamit sa karaniwang buhay sa araw-araw, sa paaralan at sa agham. Ang isang diksiyunaryong tulad nito ay kailangan sa pag-aaral ng wika. Sa mga nagnanasang maunawaang lubos ang salita, sa mga tumitiyak ng tunay na kahulugan ng salita, sa mga naghahanap ng tiyak na salitang nagsasaad ng kahulugang angkop sa isang tiyak na pagkakataon, ang aklat na ito ay inaasahang magiging kapaki-pakinabang.

Ang may-akda nito ay masusing nanaliksik sa iba't ibang sanggunian upang mapalawak at mapabuti ang katangian ng diksiyunaryong Pilipino. Samantalang sa kasalukuyang panahon ay may pagtatalu-talo tungkol sa wikang Pilipino, ang isinasaalang-alang ng may-akda sa pagsulat nito ay ang bayan at ang pagtanggap at paggamit nito ng mga salita ng kaniyang wika.

Alang-alang sa pagsulong ng ating wika!

FELICIDAD T.E. SAGALONGOS

iii

Handog Kay

Kgg. FELICISIMO T. SAN LUIS

Gobernador ng Laguna

MGA DAGLAT NA GINAMIT
(Abbreviations Used)

adj. .... Adjective

adv. .... Adverb

art. .... Article

conj. .... Conjunction

interj. .... Interjection

n. .... Noun

prep. .... Preposition

pron. .... Pronoun

v. .... Verb

NILALAMAN

UNANG BAHAGI

INGLES – PILIPINO

—A—

a, adj. isá (isáng).

aback, adv. pauróng.

abaca, n. abaká.

abaft, prep. sa likód.

abalone n. abalone, kabibing tainga.

abandon, v. pabayaan.

abandon, n. pagpapabayà, pagwawaláng-bahalà.

abandoned, adj. iniwan, nilisan, pinabayaan.

abandonment, n. pag-iwan, paglisan, pagpapabayà.

abase, v. pababain, ibaba, hamakin, dustaín.

abash, v. lituhín, guluhín.

abate, v. magbawa, humulaw.

abattoir, n. matadero.

abbess, n. abadesa.

abbey, n. abadía, (abadiya); monasteryo.

abbot, n. abád, monghe.

abbreviate, v. daglatín, paikliín, paigsiín.

abbreviation, n. daglát, abrebyasyón.

abdicate, v. magbitíw, magdimití.

abdomen, n. tiyán, sikmurà.

abduct, v. dukutin, gabutín, agawin, halbutín.

abed, adv. nasa-higaan, nasa-katre.

aberrant, adj. ligáw, naliligáw, pagala-galà, lisyá.

aberration, n. pagkakáibá, pagkakálihís, kasiraán.

abet, v. sulsulán, kampihán.

abettor, n. mánunulsól.

abhor, v. mangani, mandiri, mamuhî, mapoót.

abhorrence, n. panganganí, pandidiri, pagkamuhî, pagkapoót.

abhorrent, adj. kasuklámsuklám, nakamumuhî.

abide, v. tumirá, tumigil, maghintáy.

abide, by, umalinsunod.

abiding, adj. palagian, matatág, matibay.

ability, n. kaya, kakayahán.

abject, adj. abâ, hamak, mababà.

abjure, v. iwaksí, itakwíl, itatwâ.

ablactation, n. pagwawalay.

ablative, adj./n. layon ng pag-ukol, ablatibo.

ablaze, adj/adv. naglíliyáb, nag-áapóy, naglílingas, nag-aalab.

able, adj. maykaya, sanáy, maalam, matalino.

able-bodied, adj. may mala-

1

kás na katawán.

ablution, n. paghuhugas, paghihináw, paghıhilamos, paliligò.

abnegation, n. pagtitiís, pagbabatá, pagwawaksí.

abnormal, adj. abnormál, dikaraniwan, tiwalî, lisyâ, kakatwâ.

abnormality, n. kaabnormalán, kalisyaán, pagka-kakatwâ.

aboard, adv. nakasakáy, nakalulan

abode, n. tírahan, táhanan, túluyan.

abolish, v. buwagín, pawaláng-saysáy, gibaín.

abolition, n. pag-aalís, pagpapawaláng-bisà.

abominable, adj. kaaní-aní, nakaáaní, kamuhí-muhî, nakamúmuhî.

abominate, v. maaní, kaanihán masuklám, kasuklamán.

aboriginal, adj. una, katutubo't mulá-mulâ.

abort, v. malaglagán, maagasan.

abortifacient, adj./n. nakapagpápaagas, pampaagas.

abortion, n. pagpapaagas, pagkaagas, pagkalaglág.

abortive, adj. naagas, nalaglág, nawaláng-saysáy, nabigô.

abortionist, n. mángangagás.

abound, v. managanà, magkatusak, maglipanà, mamutiktík.

abounding, adj. nanánaganà, naglipanà, namúmutiktík.

about, adj. sa palibot, halos, **prep.** hinggíl sa (kay), malapit sa.

above, adv. sa itaás, nakatátaás. **prep.** sa itaás ng (ni).

aboveboard, adv./adj. waláng-dayà.

abracadabra, n. abrakadabra, bulóng.

abrade, v. kuskusín, lihahin, raspahín.

abrasion, n. gasgás.

abrasive, adj./n. panguskós, pangayod, pangaskás.

abreast, adj./n. magkaagapay, magkasabáy, magkaaalinsabáy.

abridge, v. paikliín, putulin, buurín.

aboard, adv. sa labás, sa ibáng bansá.

abrogate, v. nuluhin, pawalán ng bisà.

abrupt, abruptly, adv. biglâ, padalus-dalus, kagyát.

abscess, n. abseso.

absissa, n. (Geom.) absisa.

abscond, v. magtanan, tumalilís, lumayas.

absence, n. ausénsiyá, hindî

pagdaló, kakulangán.

absent, adj. walâ, ausente, absent, liban.

absolute, adj. absuluto, perpekto, kompleto, ganáp, lubós.

absolution, n. absulusyón, pátawad, pagpapatawad.

absolutism, n. absulutismo.

absolutist, n. absulutista.

absolve, v. patawarin, kalagán ng sala, absulbihán.

absorb, v. sipsipín, masipsíp, hithitín, mahithít, saklawín.

absorbent adj. absorbente, naninipsíp, nanghíhithít.

absorbing, adj. nakapagpápalimot.

abstain, v. di-lumahók, magpigil.

abstinence, n. abstinénsiyá, pagpipigil, pag-aayuno.

abstract, adj. abstrakto, baliwag.

abstract, n. katángiang esensiyál, buód.

abstract, v. hugutin, ihiwalay, alisín, paikliín, burahín.

abstruse, adj. baliwag.

absurd, adj. balighô, katawá-tawá, balintunà, waláng katotohanan.

absurdity, n. kabalighuán, kabalintunaan.

abundance, n. kasaganaan, kariwasaán.

abundant, adj. saganà, masaganà.

abuse, n. abuso, pag-aabuso, pagmamalabís, pananakít.

abusive, adj. mapang-abuso, mapagmalabís.

abut, v. dumaít, bumalantáy.

abyss, n. bangín, labíng.

acacia, n. (Bot.) akasya.

academic (al) adj. akadémikó.

academician, n. akadémikó, akademista.

academy, n. akademya, línangan.

acaudate, adj. punggî.

accede, v. sumang-ayon, pumayag, pahinuhod.

accelerate, v. pabilisín, magpabilís, patulinin, magpatulin, padaliín.

accelerator, n. akseleradór, pampabilís, pampatulin.

accent, n. hagkís, puntó, diín, tuldík.

accept, v. tanggapín, kilalalanin, paniwalaan, pumayag.

acceptable, adj. matátanggáp, maáaring tanggapín, nakalulugód, kanais-nais.

acceptance, n. pagtanggáp, pagkakátanggáp.

access n. daán, dáanan, pagpapasok.

accessible, adj. maáaring marating, kayang maabót. maáaring makuha.

accessory, n. aksesorya, sangkáp. kagamitan.

accident, n. aksidente, pagkakátaón, sakunâ, disgrasya.

accidental, adj. aksidentál, di-inaasahan, nagkátaón.

acclaim, v. aklahaman, palakpakán, parangalán, ipagbunyî.

acclamation, n. aklamasyón, pagbubunyî, palakpák, pagdiriwang.

acclimatize, v. maaklimatá, mabihasa.

acclivity, n. akyating dahilíg.

accolade, n. akolada, parangál.

accommodate, v. pagkaloobán, pagbigyán, malulan, magkasya.

accommodating, adj. mapagbigáy-loób, mapagmagandáng-loób.

accommodation, n. bigáy-loób, areglo.

accommodations, n. mátutuluyan, mátitirhán.

accompaniment. n. akompanyamyento, saliw.

accompanist, n. (Mus.) akompanyente, tagasaliw.

accompany, v. samahan, ihatíd, saliwan.

accomplish, n. isagawâ. tuparín, isakatuparan, ganapín.

accomplice, v. kómplisé, kasapakát.

accomplishment, n. ang natapos, nayarì, ang naganáp, ang natupád, kagalingan, kahusayan.

accord, n. kásunduan. pagalinsunód, ugmaan. pagkakásundô.

accordance, n. pagkakásundô. pagsang-ayon, pag-alinsunód.

according to, prep. ayon sa. ayon kay (kina).

accost, v. batiin, bumatì.

account, v. ipaliwanag, magpaliwanag, iulat, mag-ulat, managót, sagutín.

account, n. kuwenta, utang. ulat, pagtutuós, paliwanag. salaysáy, sanhî, dahilán.

accountant, n. kontadór públikó, tagapagtuós.

accounting, n. kontaduría, (kontaduriya).

accountment, n. ekipo, kasangkapan.

accredit, v. akreditahán, bigyáng-kapangyarihan, paniwalaan, pagtibayin.

accretion, n. tubò, suloy, talbós.

accrue, v. magkadagdág, magkabentaha, magkatubò.

acculturation, n. akulturasyón, pagsagap ng ibáng kalinangán.

accumulate, v. matipon, makatipon, mábuntón, dumami.

accumulation, n. pagtitipon, buntón, pagdami.

accurate, n. wastô, tamà, iksakto.

accuracy, adj kawastuán, pagkawastô, kaiksaktuhán.

accursed, adj sinumpà, kondenado.

accusation, n. sumbóng, sakdál, bintáng, hablá.

accusative, adj. akusatibo, palayón.

accuse, v. isumbóng, isuplóng, isakdál, ihablá pagbintangán.

accused, adj. isinuplóng, isinakdál, násasakdál, náhahablá, pinagbintangán, isinumbóng.

accustom, v. mahirati, mabihasa, kabihasnán pagkábihasnán.

accustomed, adj. kináugalian, pinagkáugalian, bihasa, kinábihasnán, hiratí, kináhiratihan, nágawì, pinagkágawián.

ace, n. alás, batíkán.

acentric, adj. walâ sa gitnâ, waláng kalágitnaan.

acephalous, adj. waláng-ulo.

acerate, adj. hugis-karayom.

acerbity, n. paklá, asim, kahát.

acervate, adj. kumpúl-kumpól.

acetone, n. asetona.

acetylene, n. asetileno

ache, v. sumakít, humapdi, kumirót.

ache, n. sakít, kirót, hapdî, anták.

achieve, v. matapos, mayarì, gawín, ganapín, maganáp, matamó, makamtán, maabót, masapit.

achievement, n. nagawâ, naganáp, nayarì.

acid, n. ásidó.

acidic, adj. maasim.

acidify, v. ásiduh'n.

acidity, n. kaásiduhán.

acidosis, n. (Med.) asidosis.

acknowledge, v. kumilala, kilalanin, tanggapín, magpasalamat.

acknowledgment, n. pagkilala, pagtanggáp, pagpapasalamat.

acme, n. sukdulan.

acne, n. tagihawat.

acolyte, n. akólitó, sákristán,

monasilyo.
acoustics, n. akústiká.
acquaint, v. ipaalam, ipaki-
lala, magpabatíd, ipabatíd,
ipatalós, ipatalastás.
acquaintance, n. kakilala,
pagkákilala, kaalaman.
acquainted, adj. magkakila-
la, alám, talós.
acquiesce, v. bayaan, kunsin-
tihín.
acquire, v. matamó, makam-
tán. makuha, mabilí, má-
mana.
acquisitive, adj. mapangu-
ha, mapangamkám, mapag-
angkín, sakím.
acquit, v. pawaláng-sala, ka-
lagán ng sagutín.
acquittal, n. pagpapawaláng-
sala.
acrid, adj. masigíd, maang-
háng.
acrimony, n. talas ng salitâ,
nakasásakit na pananali-
tâ.
acrobat, n. akróbatá, sirkero.
acrophobia, n. akropobya,
takot sa tayog.
across, adv./prep. pahaláng,
sa magkábila, sa kabilâ, sa
kabilâ ng.
act, n. akto, pasiyá, yugtô,
gawá.
act, v. gumawâ, gumanáp,
umakto, magpasiyá, pagpa-

siyá, pagpasiyahán.
acting, adj. gumáganáp, gu-
mágana, pansamantalá.
acting, n. pag-akto.
action, n. aksiyón, ginawâ,
galáw.
activate, v. aktibahín, paga-
lawín, pukawin, gisingin,
pagawín.
active, adj. aktibo, laging
may ginágawâ, masiglá, gi-
síng, maliksí, nagbíbisà,
buháy.
activity, n. aktibidád, pagka-
aktibo, paggaláw, pagki-
los, gáwain.
actor, n. artista, bituin, is-
tár.
actual, adj. kasalukuyan, tu-
nay, totoó.
actuality, n. kasalukuyan, ka-
tunayan.
actuary, n. aktuwaryo, eskri-
bano, tagatalâ, notaryo.
actuate, v. pagalawín, paki-
lusin, ibunsód, pasiglahín.
acuity, n. talas, hayap, tulis.
acumen, n. talas ng isip, ta-
lino, katalusán.
acuminate, adj. patilós.
acute, adj. tulis, matalas, ma-
tinís, mahigpít, malubhâ.
adagio, adv. adagio, mara-
han.
adage, adj. kawikaan.
adamant, adj. matigás na ma-

tigás, matimtiman, di-máibaling, may matigás na pusò.

Adam's apple, (Anat.) tatagukan.

adapt, v. iayon, iakmâ, ibagay, ialinsunód.

adaptable, adj. magaáng iayon (ibagay.)

adaptation, n. pag-ayon, pagaakmâ, pagbabagay.

adapter, n. panghugpóng, adapter.

add, v. pagsamahin, sumahin, idagdág, dagdagán, damihan, paramihin.

adder, n. bíborá, ahas na makamandág.

addict, n. adikto.

addition, n. dagdág, karagdagan, pagdaragdág.

address, v. kausapin, magtalumpatì, direksiyunán, lagyán ng direksiyón.

address, n. direksiyón, tinítirhán, tírahan; talumpatì.

adenoid. n. adenoid.

adenoma, n. adenoma.

adept, adj. dalubhasà, sanáy, bihasa.

adequacy, n. kasapatán, pagka-kainaman.

adequate, adj. sapát, kainaman, katamtaman, hustó.

adhere, v. manikít, mangapit, kumabít, manghawak, tumangkilik.

adherence, n. paninikít, pangangapit, pagtangkilik.

adherent, n. tagatangkilik. tagataguyod, tagasunód, alagád. adj. makapit, madikít.

adhesive, adj. malagkít.

adipose, n. tabâ.

adjacent, adj. karatig, katabí, kalapít, kabalantáy.

adjective, n. pang-urì, adhetibo.

adjoining, adj. kanugnóg.

adjourn, v. magwakás, wakasán, magtapós, tapusin, itigil.

adjunct, adj. kasama. kakabít, kasangkáp.

adjust, v. mag-ayos, ayusin, isaayos, ibagay, iayon.

adjustment, n. pag-aayos, pag-aaregló, pagkakamâ.

adjutant, n. ayudante.

administer, v. mangasiwà, pangasiwaan.

administration, n. pángasiwaan, administrasyón, pangangasiwà.

administrative, adj. pampángasiwaan, administratibo.

administrator, n. tagapangasiwà, administradór.

admirable, adj. kahanga-ha-

7

ngà.

admiral, n. almirante.

admiralty, n. almirantasgo.

admiration n. paghangà.

admire, v. humangà, hanga-an.

admirer, n, tagahangà.

admissible, adj. matátang-gap, maáaring tanggapín.

admission, n. pagpapasok, pagpasok, pagtanggáp, pag-amin.

admit, v. papasukin, tangga-pín, pananggapán, aminin.

admonish, v. payuhan, pag-payuhan, paalalahanan.

admonition, n. payo, paalaala, pagunitâ.

ado, n. guló, sikút-sunat, kus-kús-balungos.

adobe, n. adobe, batóng sil-yár.

adolescence, n. adolesénsiyá, pagbibinatâ, pagdadalagá, kabataan.

adolescent, adj./n. adolesen-te, nagbíbinatâ, nagdádalagá, batà.

adonis, n. adonis, magandáng lalaki.

adopt, v. ampunín, mag-am-pón, angkinín, gamitin.

adoption, n. pag-aampón, adopsiyón.

adoptive, adj. adoptibo, inam-

pón.

adorable, adj. kapintu-pintu-hò, kaibig-ibig, adorable.

adoration, n. adorasyón, pa-mimintuhò, pagsambá.

adore, v. mamintuhò, pintu-huin, sambahín, sumambá.

adorn, v. adórnohán, dekoras-yunán, palamutian, pagan-dahín, gandahán.

adornment, n. adorno, deko-rasyón, palamuti.

adrenal, adj./n. (Anat.) ad-renál, katabí ng bató.

adrift, adj. lutáng, nakalu-tang, palutang-lutang.

adroit, adj. maalam, matali-no, mabilís gumanáp.

adulate, v. mamuri.

adulation, n. pamumuri.

adult, adj./n. adulto, matan-dâ, maygulang, maykagu-langan.

adulterant, n. pambantô, adulterante, pampalabnáw.

adulterate, v. haluan, bantu-án, palabnawín.

adulterated, adj. mayhalò, maybantô, pinalabnáw.

adulterer, n. adúlteró, mánga-ngalunyâ, mambababae, mang-aapíd.

adulteress, n. adúlterá, ká-lunyâ, babae, kaapíd.

adulterous, adj. adulterino, mapangálunyâ, **mapang-**

apíd.

adultery, n. adulteryo, panga ngalunyâ, pang-aapíd, pakikiapíd.

adulthood, n. pagka-adulto, pagka-maygulang, katandaán, pagka-matandâ.

advance, v. isulong, iuna, umabante, iabante, umuna, umunlád.

advance, n. abante, pag-unlád, kaunlarán, pagbubunsód, páuná.

advanced, adj. adelantado, maunlád, masulóng, náuuná.

advantage, n. bentaha, kapanáigan, pakinabang, kalamangán.

advantageous, adj. mabentaha, kapaki-pakinabang, nakabúbuti.

advent, adbiyento, pagsilang, pagdatíng.

adventist, n. adbentista.

adventure, n. abentura, karanasan, gawáng mapangahás.

adventurer, n. abenturero.

adventuress, n. abenturera.

adverb, n. (Gram.) pang-abay, adbérbiyó.

adversary, n. katunggalì, kaaway.

adversative, adj. kontra, salungát, pasalangsáng, pa-

hidwâ.

adverse, adj. pasalungá, pa salubóng, nakasásamâ.

adversity, n. kasáwian, kasamaáng palad, masamáng kapalaran.

advertise, v. mag-anúnsiyó, ianúnsiyó, magpabatíd, ipabatíd.

advertisement, n. anunsiyó.

advice, n. payo, aral, pangaral, tagubilin.

advisable, adj. máipápayo, máitátagubilin.

advise, v. payuhan, pagpayuhan, itagubilin, tagubilinan, ipatalós, ipatalastás, patalastasán.

adviser, n. tagapayo.

advisory, adj. nagpapayo.

advocacy, n. pagtataguyod, pagtangkilik.

advocate, v. itaguyod, tangkilikin, ipagtanggól, magtanggól.

advocate, n. tagataguyod, tagapagtanggól.

adz, adze, n. aswela, asaról.

aegis, n. egis, kalasag, pananggá, proteksiyón.

aeon, eon, n. eon, di-masukat na habà ng panahón.

aerate, v. pahanginan, ayrihán.

aerial, n. eryal, antena.

aerodrome, n. aeródromo.

himpilan ng eruplano, pá-
lapagan.

aerogram, n. pahatíd-radyo.

aeronaut, n. aeronauta.

aeroplane, n. eruplano.

aerosol, n. érusól, pangkulap.

afar, adv. sa malayò.

affable, adj. magiliw, ma-
pagmahál.

affair, n. gáwain, ásikasu-
hín, pagdiriwang.

affect, v. maimpluensiyahán,
madalá, makapinsalà, ma-
kasamâ, makapagpabago.

affectation, n. pakitang-tao,
pagkukunwarì,   pag-alem-
bong.

affection, n. damdamin, hi-
lig ng loób, kalooban, pag-
giliw, pag-ibig, pagtingín.

affectionate, adj. mapagma-
hál, masíntahin, magiliw.

affiance, n. tiwalà, pananá-
lig, sumpaan, kásunduang
pakákasál.

affidavit, n. affidavit (apida-
bit); alusithâ.

affiliate, n. umanib, makia-
nib, sumapì, makisapì.

affiliation, v. pag-anib, pag-
sapì, pagka-kaanib, pagka-
kasapì.

affinity, n. pagka-magkaang-
kán,   pagka-magkamag-
anak.

affirm, v. patunayan, patotó-

hanan, panindigán.

affirmation, n. patunay, pag-
papatibay, patotoó.

affirmative, adj. sang-ayon,
paayón, apirmatibo.

affix, v. sélyuhán, tatakán,
lagdaán, pirmahán.

affix, n. panlapì.

afflict, v. pakáguluhín, sak-
tán.

affliction, n. sakít, karamda-
man, kagúluhan, kagípitan,
kasáwian.

affluence, n. kasaganaan,
kariwasaan, kayamanan.

affluent, adj. masaganà, ma-
risawâ, mayaman.

afford, v. makaya, magbigáy,
magbunga.

affray, n. away, babág, áli-
tan, basag-ulo.

affright, v. takutin, sindakìn.

affront, v. insúltuhin, upa-
salain.

affront, n. insulto, upasalà.

affire, adj. nagdídingas, nag-
aapóy, naglíliyáb.

afloat, adj. nakalutang, lu-
táng, kumákalat.

afoot, adj./adv. may nangya-
yaring....

aforesaid, adj. sinabi sa
itaás.

aforethought, adj. sinadyâ,
tinangkâ.

afraid, adj. takót, natátakot,

10

nahíhintakutan.

after, adv. matapos, pagkatapos, makaraán, pagkaraán.

after, prep. sunód sa, kasunód ng.

aftermath, n. pangaláwáng bunga, konsekwénsiyá, bunga.

afternoon, n. hapon.

afterward, (s) adv. matapos, pagkatapos, makaraán, pagkaraán.

again, adv. ulî, mulî.

against, prep. nakaharáp sa (kay); kaharáp ng (ni); salungát sa, laban sa (kay); kontra sa (kay) labág sa.

agape, adj. nakangangá, nagtátaká.

agar-agar, n. agar-agar, gulaman.

agate, n. ágatá.

age, n. gulang, tandâ, panahón, tagál ng buhay, tandâ.

aged, adj. matandâ, apò, pinatandâ, inimbák.

ageless, adj. di-tumátandâ, waláng pagkatandâ.

agency, n. ahénsiyá, tanggapan, opisina.

agenda, n. adyenda, ahenda, talausapan, talagáwain.

agent, n. ahente, tagaganap, kasangkapan, kinatawán,

sugò.

agglutinative, adj. lapi-lapì.

aggrandize, v. dakilain, palakhín.

aggravate, v. lumalâ, palalaín, palubhaín, lumubhâ.

aggregate, n. kabuuán, totál, kalahatán, katipunan.

aggression, n. pandarahás, pananalakay, pagsalakay.

aggressive, adj. marahás, mapandahás, masigasig.

aggressor, n. mandarahás, mánanalakay.

aggrieve, v. apihín, agrabyaduhin, dustaín, alipustaín.

aggrieved, adj. agrabyado, naáapí.

aghast, adj. nasísindák, gulilát, námanghâ.

agitate, v. alugín, kalugín, haluin, batihín, mamukaw, pukawin, manulsól, sulsulán.

agitator, n. mánunulsól, ahitadór, panghalò, pambatí, pangkalóg, pang-alóg.

ago, adv. lumipas, nakalipás.

agog, adj. sabík na sabík, di-mápakalí.

agonize, v. maghingalô, magdusa, maghirap.

agony, n. aguniya, hingalô, paghihingalô, pagtitiís.

agrarian, adj. agraryo, pambukid, pangkabukiran.

agree. v. pumayag, payagan, makipagkásundô, makipag-ayos, umayon, ayunan.

agreement, n. kásunduan, pag-ayon, pagsang-ayon, pagkakásundô.

agriculture, n. agrikultura, pagbubukid, pagsasaka.

agriculturist, n. agrikultor, magbubukíd, magsasaka.

agronomist, n. agrónomó.

agronomy, n. agronomiya.

aground, adj./adv. nápasad-sád, nabagbág.

ague, n. lagnat, malarya, kaligkíg.

ahead. adv. sa bukana, sa unahán, una, lalong maaga.

aid, n. tulong, abuloy, saklolo, tustós.

aide-de-camp, n. ayuda-de-kampo.

ail, v. magkasakít, mabagabag, masaktán.

ailment, n. karamdaman, hinà ng katawán.

aim, v. itutok, ipuntirya; layunin, hangarín, naisin, magsikap, sikapin.

aim, n. pagtutok, pagpuntirya, ang pinatátamaan, layon, hangád, nasà.

aimless, adj. waláng-tinútungo, waláng-pinúpuntá.

air, v. pahanginan, ihingá,

ihayág, n. himig, pagmamataás, pagmamalakí; hangin, simoy.

airdrome, n. aeródromó, himpilan ng mga eruplano, páliparan.

airness, n. pagka-mahangin, pagka-maaliwalas.

airing, n. pagyayangyáng, pagpapahangin.

airlift, n. paglululan sa eruplano.

airmail, n. koreong panghimpapawíd, (palipád-koreo).

airy, adj. mahangin, masayá. masiglá.

aisle, n. pasilyo, kóridór.

ajar, adj. nakaawáng, bahagyang nakabuká.

akimbo, adj. nakapamaywang.

akin, adj. kaurì, kamag-anak. katulad.

alabaster, n. alabastro.

alacrity, n. masayá't madalíng pagganáp, pagsunód, kaliksihán.

alarm, n. alarma, hudyát, pagkagulat, pangambá, takot.

alarm, v. papag-ingatin, takutin, hudyatán.

alarming, adj. nakákatakot.

alarmist, n. alarmista, mánanakot

albino, n. albino, anák-araw.

album, n. album, aklát-díkitan ng larawan.

alchemy, n. alkimya.

alcohol, n. alkohól.

alcoholic, alkohólikó, maglalasing.

alcove, n. alkoba.

ale, n. (beer), serbesa.

alert, adj. handâ, listo, maingat, madalíng umunawà.

algebra, n. alhebra.

algophobia, n. takot sa masakít.

alibi, n. dahilán, pagdadahilán, alibáy.

alien, adj. banyagà, dayuban, estranghero, kaibá.

alienate, v. ilipat sa ibá, ibaling sa ibá, ilayô.

alight, v. dumapò, lumunsád, umibís, bumabâ.

align, v. ituwíd, pumila, ipila.

alignment, n. pagtutuwíd, pagpila, pagpipila, paghanay, paghahanay, pagpapahanay.

alike, adj. pareho, magkapareho, kamukhâ, katulad, kawangis.

alimentation, n. pakain, pagpapakain.

alimony, n. sustento.

alive, adj. buháy, gısíng, masiglá, umíiral.

alkali, n. alkalí.

alkaline, adj. alkalina.

alkalinity, n. kaalkalihán.

alkaloid, n. alkaloyde.

all, adj. lahát, buô, pron, lahat, tanán, bálaná. n. lahát.

Allah, n. Ala, Bathalà.

allay, v. payapain, patahimikin.

allege, v. iparatang, sabihin, isaysáy, hinuhain.

allegiance, n. pananalima, pagtatapát, katapatán.

allegory, n. alegoriya, talinghagà.

allegretto, adj. alegreto.

allegro, adj. alegro.

alleluia, intrj. Aleluya!

allergic, adj. taluhiyáng.

allergy, n. pagka-taluhiyáng; taluhiyáng.

alleviate, v. pagaanín, bawahan, paginhawahin.

alley, n. kalyehón.

alliance, n. alyansa, pagtutulungán, samahan, pagkakáisá, liga.

allied, adj. alyado, magkaugnáy.

alligator, n. buwaya, kaymán.

alliteration, n. aliterasyón, ulit-tunóg.

allocate, v. ipamahagi, ipamudmód, iukol, ilaán, pagbahá-bahaginin.

allocation, n. alokasyón, bahagi, ukol.

allocution, n. talumpatì.

allot, v. pag-ayaw-ayawín, italagá.

allow, v. bayaan, payagan, tulutan, pahintulutan.

allowable, adj. ipinahíhintulot, di-ipinagbábawal.

allowance, n. sustento, gugol na ipinahihintulot, tustós, panggastos.

alloy, n. aloy, huluán.

all right, Colloq. kasiyá-siyá; tamà.

All Saints Day, Todos-los-Santos. (Araw ng mga Santó.)

All Souls Day, Araw ng mga Káluluwá.

allude, v. ipahiwatig, mábanggít, bumanggít.

allure, v. painan, akitin, tuksuhín, gayumahin, ganyakín.

alluring, adj. mapang-akit, mapanghalina, mapanggayuma.

allusion, n. banggít, hiwatig,

alluvial, adj. pasigan, dalampasigan.

ally, v. umanib, makianib, n. alyado, kakampí, kapanalig.

alma mater, n. Alma Mater.

(Inang Diwà.) Ináng Páaralán.)

almanac, n. almanake.

almighty, adj. makapangyarihan

almond, n. almendras, pilì.

almost, adv. halos.

alms, n. limós, karidád, káwanggawâ.

aloft, adv. sa itaás, sa taluktók, sa ibabaw ng.

aloha, n. aloha.

alone, adj. nag-íisá, waláng kasama, adv. lamang.

along, prep./adv.

   all along, samantala.

   all along the way, habang daán.

   along towards evening, sa pagabí.

   along the road, sa gilid ng daán.

   along the shore, sa kahabaan ng baybáy-dagat.

   come along; halika na.

   come along with me, sumama ka sa akìn.

   how are you getting along? kumustá ka?

   walk along the street, mag-lakád ka sa daán.

alongside, adv./prep. katabí, kapiling (ng), kaagapay (ng), kaalinsabáy (ng.)

aloof, adj. malayô, waláng-interés, hiwaláy, ilág.

alopecia, n. pangangalbó, pagka-kalbó.

aloud, adv. malakás, (maingay).

alpaca, n. alpaka (wool), lanang alpaka.

alpha, n. alpha, unang titik ng alpabetong Griyego.

alphabet, n. alpabeto.

already, adv. na

also, adv. din, (rin), man, (namán), patí, at sakâ.

altar, n. altár, dambanà.

alter, v. magbago, baguhin.

alteration, n. pagbabago.

altercation, n. babág, bábagan, basangal.

alternate, adj. turnu-turno, salít-salít, halí-halili, salí-salisí, n. kahalili, katurno, kasalít.

alternating, adj. pánunuran, hálinhinan, patláng-patláng.

alternative, n./adj. alternatiba, mapamímilian, mapapagpilian,

alternator, n. heneradór,

although conj. kahit na, káhiman, bagamán.

altimeter, n. altímetró, panukat-taás.

altitude, n. taás, tayog, layog.

alto, n. (Music) alto.

altogether, adv. buô, ganáp, lubós, puspós, sa kabuuán.

altruism, n. altruismo, pakikipagkapuwâ.

altruistic, adj. altruista, mapakipagkapwa, waláng-pagiimbót, di-maimbót.

alum, n. alumbre, tawas.

aluminum, aluminium, n. aluminyo.

alumna, n. alumna, nagtapós.

alumnus, n. alumnus, nagtapós.

alveolus, n. albeolo, kaguangán.

always, adv. lagì, palagì, parati.

A.M., a.m., n.u. (sa umaga).

amah, n. nars, sisiwa.

amalgam, n. amalgama.

amalgamation, n. pagsasamasama, amalgamasyón.

amanuensis, n. amanwensis, tagasulat,

amaranth, n. amaranto.

amass, v. magbuntón, ibuntón, magtipon, tipunin, magkamál.

amateur, n. baguhan, amatyúr.

amaze, v. gulatin, manggulat, gitlahín, mangitlá, magpataká, papagtakhín

amazement, n. pagkagulat, pagkagitlá, pagtataká, paghangà.

amazing, adj. nakakágulat,

nakakágitlá, kataká-taká, kahanga-hangà.

ambassador, n. embahadór, sugò.

ambassage, n. embahada, pásuguan.

amber, n. ambár.

ambergris, n. ámbargrís.

ambient, adj. libót, palibot, palibut-libot, paligid, paligid-ligid.

ambiguous, adj. ambigwo, ditiyák, malabò, alimín, dimáipaliwanag.

ambit, n. ámbito, palibot, gilid.

ambition, n. ambisyón, lunggatî, lunggátiin, adhikâ, adhikain, hangád, hángarin.

ambitious, adj. ambisyoso, mapaglunggatî, mapaghangád.

amble, n. hakbáng:

ambrosia, n. ambrosya, pagkain ng mga diyoses.

ambulance, n. ambulánsiyá.

ambulant, adj. pagalà, gumágalà.

ambuscade, ambush, n. pikot, tambáng, pagtambáng, pagpikot.

ambush v. tumambang, tambangán, mamikòt, pikutin.

ambusher, v. mánanambáng, mámimikot.

amelliorate, v. pabutihin, magpabuti.

amen, intrj. Amén, Siyá nawâ.

amenable, adj. maáarì, handâ, laáng managót.

amend, v. iwastô, itamà, baguhin, magsusog, susugan.

amendment, n. pagwawastô, pagbabago, susog.

amends, n. bayad-pinsalà, gantimpagál.

amenity, n. mabuting pakikiharáp, magiliw na pakikitungo.

amenorrhea, n. amenorea, pagka-di-panaugan.

American, n./adj. Amerikano. (Fem. Amerikana).

amethyst, n. amatista.

amiable, adj. See affable.

amicable, adj. See affable.

amid, amidst, prep. sa gitnâ ng, sa laot ng, sa loob ng.

amiss, adj./adv. mali, di-dapat, walâ sa lugár.

amity, n. pagkakaibigan, pagkakáunawaan, pagkakásundô.

ammonia, n. amonyako.

ammunition, n. munisyón, pamunglô.

amnesia, n. amnesya, pagkalimot.

amnesty, n. amnistiya, kapatawaráng panlahát.

amoeba, n. ameba.

amok, amuck, n. huramentado.

among, prep. sa gitnâ ng, kasama ng.

amorous, adj. amorosa, masintahin, mapagmahál.

amorphous. adj. amorpo, waláng tiyák na hugis.

amortization, n. amortisasyón.

amount, n. kabuuán, halagá, dami, v. umabot, makaabot (sa).

amperage, n. amperahe.

ampere, n. ampcryo.

amphibian, adj. ampibyo, panlupà-pantubig, panghangin, pantubig.

amphitheater, n. ampiteatro.

ample, adj. malawak, malakí, sapát.

amplifier, n. pampalakí, pampalakás.

amplify, v. palakihín, palakasín.

amplitude, n. lakí, lakás, kasapatán.

ampoule, n. ampolya.

amputate, v. putulin.

amulet, n. antíng-antíng, amuleto.

amuse, v. maglibáng, manlibáng, libangín.

amusement, n. líbangan.

anachronistic, adj. malî (sala) sa panahón.

analysis, n. surì, pagsusurì, pagkakasurì, análisís.

analyze, n. magsurì, suriin, analisahín.

anarchism, n. anarkismo.

anarchist, n. anarkista.

anarchy, n. anarkiya.

anatomy, n. anatomiya.

ancestor, n. ninunò

ancestry, n. pinagnunuan, matandáng angkanan.

anchor, n. angkora, pasangit. angkla. v. dumuóng, pumondo.

anchorage, n. angklahe, angkladero, pagduóng, pagpondo.

anchovy, n. dilis.

ancient, adj. matandâ, antigo, lumà.

and, conj. at.

andante, adj. (Mus.) andante.

andantino, adj. (Mus.) andantino.

anecdote, n. anékdotá.

anemia, n. anemya, kakulangán sa dugô.

anent, prep. hinggil sa (kay).

anesthesia, n. anestesya, pangimay.

anew, adv. ulî, mulî.

angel, n. anghél.

angelic, angelical, adj. ang-
helikal, malaanghél.
angelus, n. ánghelús, oras-
yón.
anger, n. galit, pagkagalit,
ngalit, pagngangalit.
angina, n. anghina.
angle, v. mamansíng. n. áng-
guló, sulok, pananáw.
Angles, v. Anglikano.
Anglicize, v. isainglés; ingli-
sín.
Anglo-Saxon, n./adj. Anglo-
Sahón.
angry, adj. galít, nagágalit,
maygalit.
anguish, n. hapdî, kirót, pig-
hatî, dusa, dalamhatì.
angular, adj. patulís, may-
ángguló.
aniline, n. anilina.
animadversion, n. tuligsâ,
pintás, upasala, pulà.
animal, n. hayop, animál, adj.
parang hayop, bruto.
animality, n. kahayupan, pag-
ka-hayop.
animate, v. buhayin, pasigla-
hín.
animated, adj. buháy, masig-
lá.
animosity, n. animosidád,
masamáng kaloobán.
anise, n. anís.
ankle, n. bukung-bukong,
buól.

anklet, n. angklet, tobiyera.
annalist, n. analista, kronista,
istoryadór.
annals, n. anales, króniká,
kasaysayan.
annex, v. ikabít, isanib, isa-
ma. n. aneks, dagdág, sibi,
sangáy.
annihilate, v. puksaín, ma-
muksâ, lipulin, manlipol,
munglayín.
annihilation, n. pagpuksâ,
pagkapuksâ, paglipol, pag-
kalipol.
anniversary, n. anibersaryo,
kaarawán, pagdiriwang.
annotate, v. anotahán, lag-
yán ng mga talâ
announce, v. magbalità, mag-
pabalità, ibalità, ipabalità,
ipatalastás, magpatalastás.
announcement, n. paunawà,
balità, patalastás.
announcer, n. anaunser, ta-
gapagpahayag, tagasalay-
sáy.
annoy, v. guluhín, gambala-
in, yamutín.
annoyance, n. kaguluhan, ka-
gambalaán, pagkayamót.
annual, adj. táunan, taún-ta-
ón, anwal.
annuity, n. táunang pensiyón,
táunang sustento.
annul, v. nuluhin, pawaláng-
bisà.

annulment, n. pagkanulo, pagpapawaláng-bisà.

annular, adj. hugis-síngsíng.

annunciation, n. (Eccl.) Anunsiyasyón.

anode, n. ánodó.

anodyne, n./adj. anodino, pampaginhawa.

anoint, v. pahiran ng langís.

anomalous, adj. tiwalî, anómaló, lisyâ.

anomaly, n. katiwalián, anomaliya.

anonymous, adj. anónimó, tagô, lihim, di-alám kung sino.

anopheles, n. anópelés

another, pron. isá pa, ibá. adj. isá pang, ibáng.

answer, n. sagót, tugón. v. sumagót, tumugón, managót, panagután, sagutín, tugunín.

ant, n. guyam, langgám.

antagonism, n. antagonismo, pagsalangsáng, pagsalungát.

antagonist, n. kalaban, kasalungát.

antagonistic, adj. mapanalangsáng, mapanlabán, mapanalungát.

antagonize, v. sumalangsáng, salangsangín, sumalungát, lumaban, labanan, salungatín.

antarctic, adj. antartiká.

anteater, n. hayop na kainglanggám.

antecede, v. máuná, unahan, manguna, pangunahan.

antecedent, adj. náuná, náuuná, nanguna, nangúnguna.

antecessor, n. ang sinundán.

antechamber, n. antesala.

antediluvian, adj. bago nagkagunaw.

antelope, n. antílopé.

antemeridian, adj. antemeridyano, bago tumanghalì.

antenna, n. antena, eryál.

antepenult, n. antepenultimá, ikatló mulâ sa hulíng pantíg.

anterior, adj. una, sa unahán, sa harapán.

anthem, n. awit, imno.

anthology, n. antolohiya, katipunan.

anthracite, n. karbóng matigás, uling-bató.

anthrax, n. antraks.

anthropoid, adj. antropoide, mukháng tao.

anthropology, n. antropolohiya, aghám ng tao, palatauhan.

anthropologist, n. antropólogó.

anti, prep. anti, laban sa, kontra.

anticipate, v. manguna, una-
han, pangunahan, umagap,
agapan, umasám, asamín.

anticlimax, n. pasirà sa suk-
dulan.

antidote, n. ántidót, lunas.

antiphatic (al), adj. antipá-
tiko, (ká) ; nakákainís.

anthipathy, n. antipatiya,
inís, pagkainís.

antiphlogistic, adj. antiplo-
hístiká, pampahulas, magá.

antiquarian, antiquary, n.
antiquarian, antikwaryo.

antiquated, adj. tumandâ na,
sinauna, makalumà.

antique, adj. antigo, matan-
dâ, n. relikya, kasangka-
pang antigo.

antiquity, n. katandaán, ma-
tandáng panahón, dating
panahón.

antisepsis, n. antisepsis, lang-
gás, paglalalangás.

antiseptic, adj. antiseptik,
panlanggás.

antisepticize, v. maglanggás
langgasín.

antithesis, n. hidwaang-pak-
sâ, antítesís.

antler, n. sungay ng usá, sa-
ngá-sangáng sungay.

antonym, n. antónimó, salu-
ngát-kahulugán.

antrum, n. lunggaan.

anus, n. butas sa puwít.

anvil, n. palihán, pandayan.

anxiety, n. balisa, pagkabali-
sa, bagabag, pagkabaga-
bag.

anxious, adj. balisá, nabába-
gabag.

any, pron./adj. alín man,
(alinmán), kahit anó.

anybody, anyone, pron. sino
man (sínumán).

anything, pron. anó man
(anumán).

anyhow, adv. kahit paanó,
paanó't paanó man; sa pa-
paanó man.

anywhere, adv. kahit saán,
saán man (saanmán); ka-
hit saanmán.

aorta, n. aorta, punong dá-
luyan.

apart, adv. hiwaláy, pahiwa-
láy, kurang-lahì)

apartheid, n. aparteid, (Bú-
kurang-lahì)

apartment, n. apartment, ak-
sesorya.

apathetic, adj. tigíl, waláng-
bahalà, waláng-interés.

apathy, n. pagka-waláng-ba-
halà, pagka-waláng-interés.

ape, n. bakulaw, orangutang,
v. manggaya, gayahin,
manggagád, gagarín.

aperture, n. butas, siwang,
awáng, bibíg, bungangà,

bokilya.

apex, n. tuktók, taluktók.

apharesis, n. aperesis, pag-kakaltás ng unang titik o pantíg.

aphasia, n. apasya, pagka-di-makapagsalitâ.

aphid, n. kutong-pananím.

aphorism, n. aporismo, kasa-bihán.

apiary, n. laywanan.

apience, adj. bawa't isá

apocalypse, n. apokalipsis.

apocope, n. apókopé, pagkal-tás sa hulíng tunóg o pan-tíg ng salitâ.

apodal, adj. waláng-paá.

apogee, n. kálayu-layuan, káituktukan.

Apollo, n. Apolo.

apologetic, adj. humjhingî (mapaghingî) ng pauman-hín.

apologize, v. humingî ng pa-umanhín.

apology, n. apolohiya, paghi-ngî ng paumanhín.

apoplexy, n. apoplehiya.

apostasy, n. apostasiya, pag-babalikwás.

apostate, n. apóstatá.

apostle, n. apostól, alagád, disípuló.

apostleship, apostolate, n. apostolado, pagka-apostól.

apostolic, adj. apostólikó —

(ká)

apostrophe, n. kudlít, após-tropé.

apothegm, n. apotema, kasa-bihán.

apotheosis, n. apoteosis, pag-luluwalhatì, kaluwalhatian.

appall, v. manlumó, panlu-muhán, mahindík, paghin-dikán.

appaling, adj. nakapanlúlu-mò, nakahíhindîk.

apparatus, n. aparato, ka-sangkapan.

apparel, n. kasuután, damít.

apparent, adj. kita, hayág, malinaw.

apparition, n. multó.

appeal, v. umapelá, magha-ból, makiusap, pakiusapan, v. apelasyón, habol, pag-hahaból, pakiusap.

appear, v. humaráp, mákita, lumabás, lumitáw, mag-mukhang...

appearance, n. pagharáp, paglabás, paglitáw, itsura, anyô.

appease v. patahimikin, pati-wasayín.

appeasement, n. nagpapata-himik, pagpapayapà.

appeaser, n. pampayapà, pam-palubag.

appellant, n. apelante.

append, v. ikabit, itaták, ilagdâ, idagdág.

appendectomy, n. apendíktomí.

appendicitis, n. apendisitis.

appendix, n. apéndisé; dahong dagdág (in books)

appetite, n. ganang kumain, gana.

appetizer, n. pampagana, appetizing, adj. nakapagpápagana, nakapagpápatakám.

applaud, v. pumalakpák, palakpakán, purihin, papurihan.

applause, n. palakpák.

apple, n. mansanas.

appliance, n. kasangkapan, kagamitán.

applicable, adj. maáarì, lapat, dapat, nárarapat.

applicant, n. áplikánt, ang may kahilingan.

application, n. pagpapahid, paglalagáy, paggamit, paghiling, hilíng.

apply, v. ilagáy, ilipat, gamitin, humilíng, hilingín.

appoint, v. hirangin, itakdà.

appointment, n. paghirang, nombramyento, pagkakáhirang, tipán, pakikipagtipán.

apportion, v. pagbahá-bahaginin, pag-ayáw-ayawin.

appositive, adj. apostibo, pa-

munô.

appraisal, n. taya, tantiyá, tasa, tasasyón, bintáy.

appraise, n. tasahan, bintayin, tayahin, tantiyahín.

appraiser, n. tasadór.

appreciable, adj. nápupuná. maáaring mápuná, nápapansín, nádaramá.

appreciate, v. magpahalagá, pahalagahán, kalugdán, malugód.

appreciation, n. pahalagá, pagpapahalagá, lugód, pagkalugód.

apprehend, v. máunawaan, maintindihán, dakpin,aréstuhín.

apprehension, n. unawà, pagkakaintindí, pagdakíp.

apprehensive, adj. madaling makáunawà, balisá, nangángambá.

apprentice, n. aprendís, nagsisimulâ, baguhan.

apprise, v. pasabihan, balitaan, pagbigáy-alamán.

approach, v. lumapit, lapitan. n. paglapit, daán.

approbation, n. mabuting palagáy, pagpapatibay.

appropriate, adj. dapat, nárarapat, karapat-dapat. v. tamà, ukol, magtakdâ, itakdâ, maglaán, ilaán.

appropriation, n. pag-angkín,

presupwesto, laáng-gugulín.

approval, n. pagpapatibay, pagkakápatibay.

approve, v. pagtibayin, patunayan, masiyahán.

approximate, adj. malapit, halos wastô, v. maglapit, halos magíng.

approximately, adv. halos, humigít-kumulang.

appurtenant, adj. ukol, náuukol, kasama, kakabít.

April, n. Abríl.

apron, n. tapis, apron (epron); dilantál.

apt, adj. bagay, nábabagay, mahilig, maalam, madaling matuto.

aptitude, n. kadaliáng mátuto, hilig, kakayahán.

aqualung, n. aparatong hingahan sa tubig.

aquamarine, n. agwamarina, berde-asúl, lungtiáng-bugháw.

aquarellist, n. akwarelista.

aquarium, adj. akwaryum.

aquatic, adj. tubigan, sa tubig.

aqueduct, n. akwadukto, pádaluyan, páagusan, tubo ng tubig.

aqueous, adj. akwoso, agwado.

aquilline, adj. hugis-tukâ,

agilenyo.

arabesque, n. arabesko.

arable, adj. bukirín, línangin, áraruhin.

arachnid, n. aráknidá, pamilya ng alalawà.

arachnoid, adj. malaalalawa, araknoyde.

Aramaic, Aramean, n. Arameo.

arbiter, n. hukóm, huwés, tagahatol.

arbitrary, adj. arbitraryo, dimakatuwiran, di-matutulan.

arbitrate, v. makiníg at magpasiyá, litisin at hatulan.

arbitration, n. pagdinig at pagpapasiyá, paglilitis at paghatol.

arbor, n. balag.

arc, n. arko, balantók.

arcade, n. arkada.

arcanum, n. lihim, sekreto, hiwagà.

arch, n. arko, balantók.

archaeologist, archeologist, n. arkeólogó.

archeology, archeology, n. arkeolohiya.

archaic, adj. matandâ sinauna.

archangel, n. arkanghel.

archbishop, n. arsobispo.

archbishophric, n. arsobispado.

arched, adj. arkeado, inarkuhán, binalantukán.

archer, n. mámamanà, arkero.

archery, n. pamamanà, balyesteriya.

archetype, n. pinagmuláng anyô, arketipo, prototipo.

archfiend, n. dimonyo, diyablo, punong dimonyo.

archipelago, n. kapuluán, arkipélagó.

architect, n. arkitekto.

architectonic, architectural, adj. arkitekturál.

architecture, n. arkitektura.

archives, n. artsibo, sinupan.

archist, n. artsibero, tagasinop.

arctic, adj. ártikó.

ardent, adj. maalab, maapóy, marubdób, madamdamin.

ardor, n. alab, liyáb, apóy.

arduous, adj. matarík, mahirap akyatín, mahirap.

area, n. lapad, lawak.

areca palm, n. bunga.

arena, n. arena, larangán.

argent, adj. pinilakan, pinutián.

argue, v. mangatwiran, pangatuwiranan.

argument, n. argumento, katwiran, pakikipagtalo.

aria, n. arya, himig.

arid, adj. tigáng, tuyô, tuyót.

arise, v. tumindíg, bumangon, tumayô.

aristocracy, n. aristokrasya.

aristocrat, adj. aristókratá.

Aristotelian, Aristotelic, adj. Arestotélikó.

arithmetic, n. aritmétika, (pagtutuós).

ark, n. arka.

arm, n. bisig, braso.

arm, n. sandata. **v.** armasán, paarmasán, bigyáng-lakás.

armada, n. armada, plota.

armadillo, n. armadilyo.

armament, n. armamento.

armature, n. balutì, armadura.

armchair, n. silyón, likmuan.

armed, adj. armado, sandatahán.

armful, n. sangkayungkóng.

armhole, n. kábitan ng manggás.

armistice, n. armistisyo, tigil ng labanan.

armlet, n. brasaleta.

armor, n. balutì, kutamaya, armor.

armored, adj. binalutian, maybalutì.

armory, n. ameriya, arsenál, taguán ng sandata.

armpit, n. kilikili.

arms, n. armás, sandata.

army, n. hukbó, ehérsitó.

arnica, n. árniká.

aroma, n. samyô, halimuyak, bangó.

aromatic, adj. aromátikó, mabangó, mahalimuyak.

around, adv. sa palibot, sa paligid, sa tabí-tabí, diyán lamang, sa malapit.

arouse, v. gisingin, pukawin, pasiglahín.

arpeggio, n. (Mus.), arpeggio.

arquebus, n. alkabús, panà.

arrack, n. alak.

arraign, v. paharapín sa húkuman.

arrange, v. iayos, ayusin.

arrangement, n. pag-aayos, pag-aareglá.

arrant, adj. pusakál.

array, v. maghanay, ihanay, pahilerahin.

arrears, n. atraso sa utang, hulihán, atraso sa upa.

arrest, v. arestuhin, dakpin, bihagin, sawataín. n. aresto, pagdakíp, paghuli, pagsasawatâ.

arrival, n. datíng, pagdatíng, pagdatál, pagsapit.

arrive, v. dumatíng, dumatál, sumapit.

arroba, n. 25, 36 lb. aroba.

arrogance, n. arogánsiyá, pagpapalalò, pagmamataás.

arrogant, adj. arogante, palalò, mapagmataás.

arrogate, v. angkinín, ilitin.

arrow, n. panà, tunod, pletsa.

arsenal, n. arsenál, pintungan ng sandata, bodegang sandátahan.

arrowroot, n. ararú.

arsenic, adj. arséniko.

arson, n. panununog, arson.

art, n. arte, sining, kadalubhasaan.

arteriosclerosis, n. paninigás ng ugát (sa dugô).

arteritis, n. arteritis, pamamagâ ng arterya.

artery, n. arterya, dáluyangdugô.

artesian well, n. poso-artisyano.

artful, adj. magalíng, dalubhasà, maarte.

arthritis, n. artritis, pamamagâ ng kasukasuán.

article n. bagay, kalakal, artikuló, tindá, pantukoy, lathalà, pangkát.

articulate, v. paghugpungín, magsalitâ, magpahayag, adj. hugpúng-hugpóng, malinaw na sinabi, binigkás na malinaw, nakapagsásalitâ.

artifact, n. ártipák, yaringtao, niyarì ng tao.

artifice, n. artipisyo, pakanâ,

linláng, laláng, dayà.

artificial, adj. artipisyál, hu-
wád, pakunwarî, di-tunay.

artillery, n. artileriya.

artisan, n. artesano, mang-
gagawang may pinagdada-
lubhasaan

artilleryman, n. artilyero.

artist, n. artista.

artistic, adj. artístikó, masi-
ning, maarte, maypansala.

artistry, n. kaartihán, kasi-
ningan, pagka-masining.

artless, adj. waláng-sining,
di-sanáy, magaspáng,

as, adv. katulad, kagaya, ka-
pareho, kagaya ng, katulad
ng.

asbestos, n. asbestos.

ascend, v. umakyát, puman-
hík, pumaitaás, umahon,
bumarangká.

ascendancy, n. pagtaás ng
kapangyahiran, paghaharì,
kapanáigan.

ascension, n. pagtaás, pag-
akyát, pagpanhík.

ascent, n. dahilíg, akyatin.

ascertain, v. alamín, pag-ala-
mín, mag-usisà, usisain.

ascrible, v. mag-ugnáy, iug-
náy, gawíng dahilán.

asexual, adj. aseksuwál, wa-
láng-sekso.

ash, ashes, n. abó.

ashamed, adj. nápapahiyâ,

nahíhiyâ.

ashen, adj. inabuhán, mala-
abó, kulay-abó.

ashore, adv. sa baybáy-dagat,
sa baybayin, sa tabíng-da-
gat.

Asia, n. Asya.

Asian, Asiatic, adj. Asyátikó.

aside, adv. sa tabí.

asintine, adj. ungás, isip-bu-
riko, tangá.

ask, v. magtanóng, itanóng
tanungín, makiusap, paki-
usapan, humilíng, hilingán,
humingî, hingín, hingán.

askance, adv. paismíd, pasu-
limpát, pairáp.

askew, adj. tagilíd, patagilíd,
pabaluktót, hiwíd, pahi-
wíd

asleep, adj./adv. tulóg, natú-
tulog,

asparagus, n. aspáragus, as-
párago.

aspect, n. aspekto, tayô, ka-
táyuan, lagáy, itsura, ti-
ngín, naturalesa, katutu-
bong katángian, sangkáp.

asperity, n. gaspáng, lupít,
pagka-waláng awà, init ng
ulo.

aspersion, n. kalumniya, pa-
ninirang-puri, tuligsâ, pu-
ná, pintás.

asphalt, n. aspalto.

asphyxia, n. aspíksiyá, pagkaínis.

asphyxiating, adj. aspiksiyante, nakaiinís.

aspirant, n. aspirante, kandidato, ang nagháhangád.

aspirate. n. tunóg ng hihingá, hiningá, paghingá, v. bigkasíng pahingá.

aspiration, n. aspirasyón, paghingá, hangád.

aspirator, n. aspiradór, bombang panghigop.

aspire, v. maghangád, hangarín.

aspirin, n. áspirín, asperina.

ass, n. buriko, asno, kabayong buro.

assail, v. atakihin, dumaluhong, tuligsaín, manuligsá, daluhungin.

assailant, n. mang-aatake, mánunuligsâ, mandadaluhong, mandadalumog, mánanalakay.

assassin, n. tagapatáy, tagakitil, mámamatay-tao.

assault, n. atake, pag-aatake, tuligsa, panunuligsâ, pambubugbóg.

assay, n. basò, pagbasò, pagsusurì.

assemblage, n. pagtitipon, montada, pagmomontada.

assemble, v. tipunin, magtagpô, pagkabít-kabitín.

assembly, n. asamblea, kapulungan, bátasan, kongregasyón, pagtitipon.

assemblyman, n. asambleista,

assent, v. umayon, sumangayon, ayunan, sang-ayunan, makiayon, n. pagsangayon, pakikiayon.

assess, v. magtasa, tasahan, maglapat ng multá, maghalagá, halagahán, maglapat ng buwís.

assert, v. magsaysáy, isaysáy, ipahayag, manindigan, panindigán.

assessment, n. tasasyón, tasa, halaga, pagtatasa.

assessor, n. asesór, tagatasa.

asset, assets, n. pangangari, propyedád, ari-arian.

assiduity, n. sigsá, sigasig.

assiduous, adj. masigsá, masigasig, masikap, masipag.

assign, v. italagá, hirangin, itakdâ, ilagáy, itoka.

assignment, n. takdáng-aralín, bigáy na pagawâ, palilipat ng títuló.

assimilate, v. pagtularan, lumagom, maglagom, lagumin.

assist, v. tumulong, magbigáy-tulong, tulungan.

assistance, n. tulong, pagtulong, saklolo.

assistant, n. assistente. katulong, pangalawá.

associate, v. sumama, makianib, pag-ugnay-ugnayín, pagsamahin, kasosyo, kaanib, kapanalig, kagawad.

association, n. sámahan, kapisanan, bákasan.

assonance, n. asonánsiyá, tugmâ, tugmaan, pag-uulit ng tunóg patinig.

assort, v. uriin, klasipikahín,

assortment, n. surtido, sarisarì.

assuage, v. pagaanín, paalwanín, payapain.

assume, v. ipalagáy na tunay, magkunwâ, mangamkám, kamkamín.

assumption, n. Asunsiyón, katiyakan, pangako, palagáy.

assurance, n. siguridád, kasiguruhan, katiyakan, pangakò.

assure, v. siguruhin, ipasiguro, pasiguruhan, patunayan, tiyakín, mangakò, ipangakò.

asterisk, n. astérikó.

asthma, n. asma, hikà.

asthmatic, adj. asmátikó, (-ká) híkam.

astern, adv. sa hulihán, planeta.

asteroid, n. asteroyde, planeta. **adj.** parang bituin.

astigmatism, n. astigmatismo, malabong tingín. paglabò ng matá.

astir, adj. aktibo, gumágaláw, kumíkilos.

astonish, v. mágitlá, gitlahín, magtaká, papagrakhín, mámanghâ. manghaín.

astonishing, adj. nakakagitlá, nakagigitlá, nakagugulat, nakapagtátaká.

astraddle, adj. nakasakláng.

astral, adj. astrál.

astray, adj. námamalî, nagkakámalî.

astringent, n. nakapagpapakipot.

astrologer, adj. astrólogó, mambibituin.

astrology, n. astrolohiya.

astronomer, n. astrónomó, dalubituin.

astronomy, n. astronomiya.

astrophysics, n. astropísiká.

astute, adj. matalas, maalam, matalısik, matalino.

asunder, adv. baha-habagi, pirá-pirasó, duróg na duróg.

asylum, n. asilo, bahay-ulila, bahay-ampunan.

at, prep. sa, nasa.

atavism, n. atabismo, himbalík.

ataxia, n. ataksiyá.

atelier, n. atelyer, istudyo.

athanasia, n. atanasya, immortalidád, pagka-waláng-kamátayan.

atheism, n. ateismo, pagka-waláng-Diyós.

atheist, n. ateo, taong-waláng Diyós.

atheistic, (-al) -adj. ateístikó, kawaláng-Diyós.

athlete, n. atleta, manlalarò.

athletic, adj. malakás, matipunò.

athletics, n. atletiks.

athwart, adv. sa kabilâ, sa ibayo.

atlas, n. mapa ng daigdíg, aklát ng mga mapa.

atmosphere, n. atmósperá, himpapawíd.

atom, n. átomó, atom.

atomic, adj. atómiká, -(kó) atomik.

atomizer, n. atomisadór, aromatisadór.

atone, v. uyanan, magtakíp. pagtakpán.

atonement, n. pag-uuyan, pagtatakíp-sala,

atop, adv./adj. sa itaás, sa ibabaw.

atrocious, adj. nápakalupít, kahilá-hilakbót, nakapang-hihilakbót, tampalasan.

atrocity, n. katampalasa-

nan, labis na kasamaán.

atrophied, adj. yayát, kaliráng.

atrophy, n. atropya, págkayayát, pangangalirang.

attabal, n. atabál, tamból.

attach, v. magkabit, ikabít, kabitán, magdugtóng, i-dugtóng, dugtungán.

attachment, n. pagmamahál, kátapatáng-loób, pagkakakabít.

attack, v. atakihin, lusubin, salakayin, pagsalakay.

attain, v. maganáp, magampanán, matamó, matupád, tamuhín, maabót, makuha, abutín, máisakatúparan.

attaintment, n. ang naganáp, ang naabot, ang pinagaralan, ang náisakatúparan.

attar, n. atar, buyak, munmón.

attempt, v. umató, atuhín, tikmán, subukin, magtangkâ, tangkaín, magsumikap, pagsumikapan. n, pag-ató, pagsubok, tangkâ, pagsusumikap, pagpupunyagî.

attend, v. dumaló, daluhán, pakinggán, mag-asikaso, asikasuhin, mag-alagà, alagaan.

attendance, n. pagdaló, ang mga dumaló.

attendant, adj. kasama, bunga. **n.** ang dumaló, tagapaglingkód.

attention, n. atensiyón, pansín, asikaso, pag-aasikaso.

attentive, n. maasikaso, mapagmasíd, mapag-alaala.

attentuate, v. panipisín, palabnawín, bantuán.

attest, v. patunayan, patibayan, saksihán.

attic, n. itaás ng kísamé.

attire, v. magdamít, manamít, damtán, **n.** damít, kasuután, pananamít.

attitude, n. aktitúd, tayô, anyô, ayos, saloobín, pakiramdám.

attorney, n. atorni, abugado, manananggól.

attract, v. umakit, akitin, mang-akit, maakit, hikayatin,

attraction, n. pag-akit, pangaakit, pang-akit, gayuma, halina.

attractive adj. kaakit-akit, kahalí-halina, nakaháhalina.

attribute, v. ipalagáy na dahilán, pinagkahulugán, ipalagáy na bunga, **n.** katángian.

attrition, n. pagkuskós, pagkaskás, pagkatkát.

attune, v. apinahán, iugmâ.

auburn, n. mapuláng-madiláw.

auction, n. subasta, almoneda. **v.** isubasta, ipagsubasta, ialmoneda, ipag-almoneda.

auctioneer, n. subastadór.

audacious, adj. pangahás, marahás, waláng-takot.

audacity, n. kapangahasán, karahasán.

audible, adj. diníg, náririnig, nápakikinggán, malinaw.

audience, n. mga mánonoód, mga nanónoód, mga tagapakiníg, madlâ, pagdiníg.

audio, adj. pandiníg, pampadiníg, pantainga.

audit, v. magsurì sa tuós, suriin ang tuós. **n.** pagsusuri ng tuós.

audition, n. awdisyón, pandiníg, pagdiníg.

auditor, n. tagapakiníg, auditór, oyente, awditór.

auditorium, n. auditoryum, (awditoryum) bulwagan.

auger, n. barena.

aught, n. sero, (walâ) **adv.** waláng-anumán.

augment, v. magdagdág, dagdagán, magpunô, punán, damihan, paramihin.

augmentative, adj. maybigáydagdág, awmentatibo.

augur, v. manghulà, hulaan,

maging pangitain, magba-
balá.
augury, n. hulà, pángitain,
badhâ.
August, n. Agosto.
august, adj. darakilà, kara-
ngál-dangalan.
aunt, n. tiyá, ale.
aura, n. linagnág, luning-
níng.
aureate, adj. ginintuán, ma-
luningníng na parang gin-
tô.
aureole, n. aureola, (awreola)
sikat.
auricle, n. tainga, auríkuló.
aurora, n. liwaywáy, bukáng-
liwaywáy, madalíng-araw.
auscultation, n. ausukultas-
yón, pakikiníg sa tunóg ng
loób ng katawán.
auspices, n. tangkilik.
auspicious, adj. mabuti, ma-
galíng, buwena-mano.
austere, adj. mahigpít, maba-
lasik, seryo, simple.
austerity, n. higpít, kahig-
pitán, kawaláng-rangyâ, sá-
pilitáng pagtitipíd.
authentic, adj. auténtikó, le-
hítimó, kapani-paniwalà
tunay, totoó, mapaníniwa-
laan, kapani-paniwalà.
authenticate, v. patunayan,
patotóhanan.

authenticity, n. pagka-awtén-
tikó, pagka-lehítimó, pag-
ka-henwino.
author, n. gumawâ, ang lu-
mikhâ, ang sumulat, ang
umakdâ, ang may akdâ,
ang nagsimulâ.
authoritative, adj. binigyáng-
kapangyarihan, dapat sun-
dín, dapat paniwalaan, may
kapangyarihan.
authority, n. may kapangya-
rihan, autoridád, batayáng
patunay.
authorization, n. autorisas-
yón, pagbibigáy-kapangya-
rihan, pagbibigáy-pahintu-
lot.
authorize, v. autorisahán,
bigyáng-kapangyarihan, tu-
lutan, pahintulutan, big-
yáng pahintulot.
authorized, adj. autorisado,
maypahintulot.
authorship, n. pang-aakdâ,
pangangathâ, pagka-mang-
aakdâ, pagka-mángangat-
hâ.
auto, automobile, n. auto,
automobil.
autobiography, n. autobiyo-
grapiya, sariling-talambu-
hay.
autobus, n. autubús.
autochonus, adj. likás, ka-
tutubo, mulantubò, datin-

tubò.

autoclave, n. autoklabe, lutuáng may presyón.

autocracy, n. autokrasya, (awtokrasya)

autocrat, n. autókratá, (awtókratá).

autocratic, adj. autokrátikó, (awtokrátikó)

autogyro, n. autohiro, (awtohiro)

autograph, n. autográp, awtográp, pirmá, lagdâ.

automatic, adj. automátikó, mekánikál.

automation, n. automasyón, (awtomasyón)

automaton, n. autómatón, (awtómatón)

automobile, n. automobil, (awtomobil)

automotive, adj. pang-automotór, (pang-awtomotór)

autonomous, adj. autónomó, (awtónomó) may sariling pámahalaán, nagsásarili.

autopsy, n. autopsiyá (awtopsiyà)

autumn, n. otonyò, taglagás.

auxiliary, adj. auksilyár, katulong, pantulong, suplemento, pandagdág.

avail, v. magsamantalá, gumamit, gamitin, magbigáy-pakinabang, n. pakinabang, benepisyo, bentaha, kaga-

mitán.

available, adj. maáaring makuha, handâ, naháhandâ, magágamit.

avalance, n. guhò, pagkaguhò, huhô, pagkahuhô.

avarice, n. kasakimán, pagka-masakím, pagka-mánga-ngamkám, takaw, siba

avaricious, adj. masakím, mapangamkám, masibà.

Ave Maria, Abá Ginoóng María.

avenge, v. maghiganti, mambengga, paghigantihán, ipaghiganti.

avenger, n. manghihiganti, tagapaghiganti, benggadór.

avenue, n. abenida.

aver, v. isaysáy, patunayan.

average, adj. karaniwan, pangkaraniwan, normál, promedyo, norma.

Avernus, n. Aberno, impiyerno.

averse, adj. di-gustó, ayaw, ilág, salungát, tutol, di-mahilig.

aversion, n. pagka-di-gustó, kawaláng-gustó, pagkaayaw, kaayawán, pagka-ilág, pagka-saluugát, pagka-di-mahilig.

avert, v. umilag, ilagan, umiwas, iwasan, pigilan, agapan.

aviary, n. paharera, kulungán ng ibon.

aviation, n. abyasyón.

aviator, n. abyadór, piloto.

aviatrix, n. abyatrís, abyadora.

aviculture, n. abikultura, pag-iibon, pag-aalagà ng ibon.

avid, adj. sabík, matakaw.

avidity, n. pagka-magustuhin, kagustuhán, pagka-sabík, kasabikán.

avocado, n. abukado.

avocation, n. líbangan, dibersiyón.

avoid, v. umilag, ilagan, umiwas, iwasan, layuán.

avoidable, adj. maíilagan maíiwasan.

avoidance, n. pag-ilag, pagiwas, paglayô, pagtatanan, pagtatagò.

avoirdupois, n. aberdupwá, timbáng, bigát.

avow, v. sabihing-tápatan, táhasang ipahayag, aminin.

avowal, n. pagsasabing-tapát, táhasang pahayag.

await, v. mag-abáng, abangán, hintayín, maghintáy.

awake, adj. gisíng, listo, alisto. v. mágisíng, gisingin, pukawin.

award, v. ibigáy, ipremyo, prémyuhán, igantimpalà,

gantimpalaan, n. bigáy, premyo, gantimpalà, kaloób, gawad.

aware, adj. námamalayan, batíd, nabábatíd, alám, nálalaman, talós, natátalós.

away, adv. malayò, palayô, walâ, umalís.

awe, n. sindák, hintakót, mapitagang pagkatakot.

awed, adj. nasísindak, maysindák, nahíhintakutan, may mapitagang pagkatakot.

awesome, adj. nakasísindák, nakahíhintakot.

awkward, adj. mabagal, makupad, kaláy, lampá, di-sanáy, asiwâ.

awl, n. punsón, pamutas.

awning, n. tolda, kulandóng, habong.

awry, adj. tabingî.

ax, axe, n. palakól, putháw.

axilla, n. kilikili.

axiom, n. aksiyoma, símulain, kawikaán.

axis, n. aksis, pinag-íinugan, páinugan.

axle, n. ehe.

azalea, n. asalea.

Aztec, n./adj. Asteka — (ko)

azure, n. asúl-seleste, bugháw-langit, asulado, asul na malinaw.

azurite, n. asurita.

—B—

baa, n. baà, ang iyák ng tu-
pa.

babble, n. ukò, saluysóy, dal-
dál, ungol.

babel, n. babél, linggál, ka-
ìngáy.

baboon, n. bakulaw.

baby, n. sanggól, pásusuhín,
batà.

baccaulareate, n. batsilye-
rato.

bacchanel, adj. bakanál, ma-
ingay na pistahan, ohiya.

bachelor, n. batsilyér, hina-
tà.

bacillary, adj. basilár.

bacillus, n. basilo, mikrobyo.

back, n. likód, likurán, kabi-
lâ, sandalan. v. katigan,
pangalawahán, pustahán,
iurong, paurungin.

backache, n. sakít sa likód,
lumbago.

backbite, v. manirang-puri.

backbone, n. gulugód, tigás,
tibay ng loób, lakás.

backdoor, adj. patagô, lihim,
sa likurán.

backer, n. tagataguyod, ta-
gakatig, tagatangkilik.

backfire, n. pigil-sunog, ha-
rang-sunog,   tumbalík-pu-

tók, bugá, balik-gantí.

background, n. kaligiran, pa-
libot,   batayán,   sáligan,
sanligan.

backhand, n. palong paiwâ,
pahirís, sulat-paiwâ.

backhanded, adj. paiwâ, pa-
hilís, di-tapát.

backing, n. taguyod, tangki-
lik, tulong.

backlash, n. balík-ayon, gan-
tíng-daluyong, igkás, tal-
bóg.

backlog, n. atraso.

backpay n. bakpey, sahod sa
nakaraán.

backstage, n. likód ng in-
tablado.

backstroke, n. himbalangáy.

backsaw, n. serutso.

backward, adv. pauróng, hu-
lí, atrasado, sinauna.

backwoods, n. malayong gu-
bat.

bacon, n. bekon, tusino, ta-
pang baboy.

bacteria, n. bakterya.

bactericide,   n.   pamatáy-
bakterya.

backteriology, n. bakteryolo-
hiya.

bad, adj. masamâ, di-mabuti,

malubhâ, sirâ, bulók.

badge, n. kondckorasyón, sagisag, dibisa, tsapa.

badinage, n. kantiyáw, tuksó, tudyó, birò.

badminton, n. laróng bádmintón.

baffle, v. manlitó, mambígô, lituhín, biguín. **n.** bapol.

baffling, adj. nakalílitó.

bag, n. bag, supot, maleta. **v.** mamintóg, papintugín, mahuli, hulihin.

bagasse, n. bagaso, sapal, sapá.

bagatelle, n. bagatela, muntíng bagay.

baggage, n. bagahe, daládalahan.

bagpipe, n. gatya.

bagpiper, n. gatyero.

bail, n. piyansa, lagak. **v.** piyánsahán, maglimás, limasán.

bailable, adj. maáaring mapiyánsahán.

bailift, n. agwasíl.

bailwick, n. balwarte, sakop ng agwasíl.

bait, n. pain. **v.** painan, ipain.

baize, n. bais.

bake, v. maglutò sa hurnó, maghurnó.

baker, n. hurnero, panadero.

bakery, n. panaderya.

balance, n. timbangan, ekilíbriyó, nátirá, balanse. **v.** timbangín.

balcony, n. balkón, balkonahe.

bald, adj. panót, kutyog, kalbó.

bale, n. pardo.

baleful, adj. mapangláw, malungkót, nalúlungkót, nagbábalà.

balk, v. tumigil, humintô, mag-urong, pigilin, biguín.

ball, n. bola, bayle, sayáw.

ballad, n. balada, awit.

balladry, n. tuláng pambalada.

ballast, n. balasto, pabigát.

balloon, n. lobo, balún, palintóg.

ballerina, n. balerina, mánanayaw ng baléy.

ballet, n. baléy, sayaw na baléy.

ballistics, n. balístika.

ballot, n. balota. **v.** magbalota.

balm, n. pamahid, pabangó, balsamó, ungguwento, nakapagpápasariwà.

balmy, adj. balsámikó, kalmante, aromátíkó, mabangó.

balneology, n. balneolohiya, aghám ng gamót-paligò.

balsa, n. kutsóng-kahoy.

balsam, n. bálsamó.

baluster, n. balustre, barandilya, gabay.

bamboo, n. kawayan.

bamboozle, v. lokohin, dayain, linlangín.

ban, v. ipagbawal. n. pagbabawal.

banal, adj. waláng-kuwenta, waláng-saysáy, matabáng, waláng-lasa.

banana, n. saging.

band, n. bigkís, buklód, banda, pangkát, talì.

bandage, n. bendahe, benda.

bandanna, n. bandana.

banderole, n. banderola.

bandit, n. tulisán, bandido, bandolero.

bandmaster, n. músikó mayór, maestro ng banda.

bandore, n. bandurya.

bandsaw, n. lagaring pabilóg.

bandstand, n. grolyeta.

bandy, v. magpálitan, magpalipat-lipat, (sa maraming bibíg) kumalat (na balità).

bandy-legged, adj. sakáng.

bane, n. nakamámatáy, nakapúpuksâ, kamandág, sakunâ.

bang, n. bong, kalabóg, putók.

bang, n. bangs, palawít (na buhók).

banish, v. idestiyero, ipatapon, paalisín, pawiin.

banishment, n. pagdedestiyero, pagtatapon, pagpapaalís, pagburá, pagpawì.

banister, n. pasamano.

banjo, n. bándiyó.

bank, n. bángko, buntón, pampáng, pasigan, dalampasigan, tabíng-dagat, aplaya.

bank, v. maging bangkâ, itagilid sa paglikô, maglagak sa bangko, umasa, asahan.

banker, n. bangkero, taong bangko.

bankrupt, adj. bangkarote, insolbente, waláng ibabayad.

bankruptcy, n. pagka-bangkarote.

banner, n. bandera, bandilà.

banns, n. tawag, paunawà, babalâ.

banquet, n. bangkete. piging.

bantam, adj. maliít, muntî, munsík, bantam.

bantamweight, n. bigát-bantam, (118 libra pababâ).

banter, n. kantiyáw.

banzai, intrj. Mabuhay! Habang panahón! Sampúng libong taón!

baptism, n. bautismo, binyág, pagbibinyág.

baptistery, n. bautisteryo. (bawtisteryo).

baptize, v. magbinyág, binyagán, ngalanan, pangalanan.

bar, n. bar, deretso, abugasiya, bareta, halang.

bar, v. hadlangán, pagbawalang pumasok, pagbawalang gumantí, di-isama.

bar, prep. liban sa, maliban sa.

barb, n. lengguweta.

barbarian, adj. bárbaró, salbahe, mailáp.

barbarism, n. barbarismo, kabalbalán, barbarismo, ugaling labuyo, ugaling ligáw.

barbarity, n. kalupitán.

barbate, adj. balbasin, mabalbás.

barbecue, n. barbikyu, litsón. v. ibárbikyu, barbikyuhín.

barred, adj. maytalím, tinalimán.

barber, n. barbero, manggugupit.

bard, n. bardo, makatà, manunulà.

bare, adj. waláng-takíp, waláng damít, hayág, lantád. v. ihayág, ilantád, ibunyág.

barebacked, adj. sa kabayong waláng-siya.

barefaced, adj. deskarado,

— (da) waláng-hiyâ, dinahihiyâ.

barefoot, adj. tapák, lakád, waláng sapín sa paá.

bareheaded, adj. waláng-sumbrero, waláng-kupyâ, waláng-takíp sa ulo.

bargain, n. kásunduan, kontrata, baratilyo, kálakalán.

barge, n. gabara, kaskó.

baritone, n. barítonó.

bargeman, n. gabarero, kaskero.

bark, v. kumahól, kahulán, tumahól, tahulán.

bark, n. balakbák, balát-kahoy.

bark, barque, n. (Naut.) barkó.

barkeeper, n. kantinero, tabernero.

barkentine, n. bergantín.

barley, n. (Bot.) sebada.

barn, n. kamalig, bangán, tambubong.

barnacle, n. susóng-dagat.

barometer, n. barómetró, panukat-panahón.

baron, n. barón, (baroness) baronesa.

barouche, n. karwahe.

barracks, n. kuwartél, himpilan.

barracuda, n. (Icht.) barakuda.

barrage, n. harang, hadláng, kurtina ng apóy, putungan ng artileriya.

barrel, n. bariles, kanyón.

barren, adj. baóg, tigáng, tangá, hangál, tuyót.

barricade, n. harang, halang, kutà, moóg, balakíd.

barrister, n. abogado.

barrom, n. bar, taberna, kantina.

barrow, n. kinapóng baboy, anggarilyas, karitilya.

barter, n. baligyâ, pálitan, pagpapálitan.

basal, adj. básikó, pundamentál.

basalt, n. (Min.) basalto.

bascule, n. timbang báskulá.

base, n. pundasyón, base, paanán, beis, batayán. **v.** ibatay, pagbatayan.

base, adj. hamak, mababà, mababang-urì.

baseball, n. beisbol.

baseboard, n. sálalayán, katangán.

baseborn, adj. anák pawis, plebeyo, anák-sa-ligaw.

baseless, adj. waláng pinagbábatayán.

basement, n. silong.

bashful, adj. mahinhín, mahiyain, kimî.

basic, adj. básikó.

basilica, n. basilika.

basilisk, n. balisisko, serpiyente.

basin, n. palanggana, lunas.

basis, n. batayán, saligán.

bask, v. magpaaraw, magpainit, maarawan, mainitan.

basket, n. basket. **v.** ibasket, basketín.

basketball, n. basketbol.

bass, n. baho, lagong, lapulapo.

bassinet, n. kuna.

bastard, adj. bastardo, anák-sa-ligaw.

baste, v. maghilbana, hilbanahan, magtutos, tutusan, magsulsí, sulsihán, ihilbana.

basting, n. paghihilbana.

bastion, n. balwarte, kutà, portalesa.

bat, n. bat. **v.** bumát, pumalò.

bat, n. (Zool.) kabág, pánikì, báyakan.

batch, n. sanggáwaạn, pulutóng, barkada, bungkós, tungkós.

bath, n. palĭgò, paliligò.

bathe, v. maligò, magpaligò, paliguan.

bathos, n. lungkót na nakakaḷuwá.

bathtub, n. banyadera, banyera, pấliguáng-lubluban.

batiste, n. batista.

battallion, n. batalyón.

batten, n. pirasong tablá, tablilya.

batten, v. tumabâ, patabain.

batter, v. aldabisín, bugbugin. mambugbóg. n. bater.

battery, n. bateriyá, pila.

battle, n. batalya, paghahamok, pagbabaka, labanán, digmaan.

battlefield, n. larangán ng digmà.

battleplane, n. eruplanong pandigmà.

battleships, n. bapor-pandigmà. buke-de-gera.

batty, adj. parang kabág, malapániki, hibáng, hangál. lukú-lukó.

bawd, n. bugaw.

bawdy, adj. mahalay, bastós, indesente.

bawl, v. humagulgól, sumigáw, isigáw.

bay, n. loók; (baíya) alulóng; kastanyo. v. magkakahól, umalulóng.

bayonet, n. bayoneta.

bazaar, n. basár, almasén. tindahan.

beach, n. aplaya, tabíng-dagat, baybáy-dagat. v. isadsád.

beacon, n. hudyát na apoy,

ilaw ng parola, hudyát.

bead, n. butil, abaloryo.

beak, n. tukâ.

beaker, n. baso, ínumang baso, (Chem.) baso-pikulo, biker.

beam, n. biga, sepo, braso, pinggá, palangkà, sinag. v. suminag.

bean, n. bins, abas, lentehas.

bear, v. magdalá, dalhín, magtagláy, taglayin, mamunga, manganák, madalá, mapadpád, matiís, tiisín, pagtiisán.

bear, n. oso,

bearable, adj. maáagwantá, mapalálampás, madádalá, matítiís, mabábatá.

board, n. balbás, misáy, bungót.

bearer, n. maydalá, maytagláy.

bearing, n. kiyás, kilos, bikas, tikas, asal, pag-aasal.

bearskin, n. balát-oso, (balat ng oso), muryón.

beast, n. béstiyá, hayop, animál.

beastly, adj. malahayop, may-pagka-hayop, kaaníaní.

beat, v. paluin, hampasín, madaíg, daigín, talunin, kumumpás, tumibák, bug-

39

bugín, pukpukén, dikdikín, bayuhín, makauna, maunahan.

beat, n. palò, hampás, bugbóg, tugtóg, pukpók, dikdík, tibók.

beat, adj. pagód, patâ.

beaten, adj. paldák, kináugalian, karaniwan, pinanipís, sa pukpók, talo, tinalo, sukò, pinasukò.

beater, n. pambatí, batidór.

beatification, n. beatipikasyón.

beatify, v. beatipikahán.

beating, n. pagpalò, pagtibók, pagbatí.

beau, (Fr.) n. lalaking pusturyoso, manliligáw, kasintahan.

beauteous, adj. marilág.

beautician, n. byutisyan, (biyutisyan) manggagandá.

beautification, n. pagpapagandá.

beautifier, n. pampagandá.

beautiful, adj. magandá, marikít.

beautify, v. pagandahín, palamutian, gayakán.

beauty, n. gandá, kagandahan, dikít, kariktán, karilagán, alindóg.

because, adv./conj. sapagká't, (pagká't) dahil sa, yáyamang.

beck, beckon, n. kawáy, tawag.

beckon, v. kumawáy, kawayán, tawagin, tawagan.

becloud, v. paulapan, palabuin, padilimín.

become, v. bumagay, mábagay, mangyari.

becoming, adj. bagay, nábabagay, nárarapat.

bed, n. tulugán, katre, kama.

bedbug, n. surot.

bedclothes, n. damít-pangkatre.

bedding, n. kagamitáng pangkatre.

bedeck, v. gayakán, palamutian.

bedfellow, v. kasiping, katabí sa paghigâ.

bedlam, n. manikomyo, guló, kagúluhan, linggál, kálinggalan.

bedpan, n. urinola-tsata, urinolang-dapâ.

bedridden, adj. nakaratay, náraratay.

bedrock, n. batóng pang-ilalim.

bedroom, n. silíd-tulugán, kuwartong tulugán.

bedsore, n. sugat-datay.

bedspread, n. kubrekama.

bedtime, n. oras ng pagtulog.

bee, n. bubuyog, himbubuyog.

beef, n. karníng baka.

beefsteak, n. bisték.

beehive, n. pukyót, bahay-pukyutan, bahay anilan.

beekeeping, n. apikultura, pagpupukyutan, pag-aanilan.

Belzebub, n. diyablo, dimonyo, Lusipér, Satanás.

beer, n. serbesa, bir.

beeswax, n. pagkít.

beet, n. rimulatsa.

beetle, n. uwáng, uáng, salágubang, salágintô.

befall, v. mangyari.

befit, v. maging bagay, magindapat.

before, adv. nóong una, dati, dati-rati, nang una, sa unahán, bago, prep. sa unahán ng (ni), sa harapán ng (ni).

beforehand, adv. muna, antimano.

befriend, v. kaibiganin.

beg, v. humingî, humiling, magpalimós humingî ng limós, mamanhík, pamanhikán, manikluhód, panikluhurán.

beget, v. maging amá, umanak, maging sanhî, magkabisà, paggalingan, pagmulán.

begin, v. magsimulà, simulan, mag-umpisá, umpisa hán.

beginner, n. orihinador, baguhan, bago.

beginning, n. simula, umpisa.

begone, intrj. Alis! Layas! Sulong!

begonia, n. (Bot.) bigonya.

begrime, n. dumhán, putikan.

begrudge, v. manghilì, panaghilian, mainggít, kainggitán, mag-uungól, ungulan.

beguile, v. manlibáng, libangín, manlinláng linlangín, mandayà, dayain.

behalf, n. panig, interés, kapakanán, ngalan, pagtatanggol.

behave, v. kumilos nang wastô, magpakaayos, magpakabaít.

behavior, n. kundukta, asal, pag-aasal, kilos, gawî.

behead, v. pugutan, putulan ng ulo.

behest, n. utos, atas, mandamyento, mandato.

behind, adv. hulí, atrasado, sa likurán, sa hulihán, sa kabilâ, sa likurán ng (ni), sa hulihán ng (ni), sa kabilâ ng (ni).

behold, v. tumingín, tingnán, masdán, pagmasdán, intrj. Tingnán mo! Malasin mo!

beholden, adj. may-utang,

may-utang-na-loób.

behoove, v. mákailangan.

being, n. eksisténsiyá, (kaituhán, karituhan), kalikasán, katauhan, pagkatao.

belch, v. dumighál, dumigháy, magluwâ, iluwâ, bumugá, sumuka.

beleaguer, v. kubkubín, salikupín, palibutan.

belfry, n. kampanaryo, bátingawan.

belie, v. mapasinungalingan, mapabulaanan.

belief, n. paniwalà, pananalig, paniniwalà.

believe, v. maniwalà, paniwalaan.

believer, n. ang maypaniwalà, ang may pananalig.

belittle, v. maliitín, papagmukhaíng maliít, hamakin, kutyaín.

bell, n. kampanà, batingáw.

bellicose, adj, mahilig satunggálian, paláawáy, mukháng mandirigmâ.

belligerence, n. pagka-mapandigmâ.

belligerent, adj. mapandigmâ, mapanlabán, mapanghamít.

bellow, n. atungal, ungal, pasigáw na pagmumurá.

bellows, n. búlulusan, hungkuyan.

belly, n. tiyán, pusón, buyon. sikmurà.

bellyland, v. ilapág na padapâ ng eruplano.

belong, v. mapakabít, mápasama, mákasama, magíng pangangarì (propyedád) ni (ng), makaurì (ng).

belongings, n. pangngangarı, pag-aarì (ari-arian, propyedád).

beloved, n./adj., mahál, sintá, giliw, irog, mutyâ, darling.

below, adv./prep. sa ibabâ, sa ibabâ ng, sa ilalim, sa ilalim ng, mababâ.

belt, n. sinturón, bigkís, kurea, kapookán.

belting, n. kuryahe.

bemoan, v. ipagdalamhatì, itaghóy, manambitan, dumaíng.

bench, n. bangkô, pagka-hukóm, húkuman, korte.

bend, v. baluktutín, ikilô, hubugin, hutukin, supilin, payukuín.
n. likô, paglikô, kilô, pagkilô.

bender, n. pambaluktót, pangkilô.

beneath, adv./prep. sa ilalim, sa ilalim ng, di-karapat-dapat sa.

benedict, adj. bagong kasál, **n.** matandáng binatang bagong kasál.

Benedictine, n. Benediktino (-na).

benediction, n. bindisyón, basbás.

benefaction, n. benepaksiyón, bigáy-biyayà, donasyón, kaloób.

benefactor, n. benepaktór, maykaloób, maybigáy-biyayà.

beneficence, n. benepisensiyá, paggawâ ng mabuti, kabutihan, káwanggawâ.

beneficient, adv. benépikó. gumagawâ ng mabuti, nakabúbuti, mapakikinabangan.

beneficial, adj. nakabúbuti, nagbíbigáy-pakinabang.

beneficiary, n. benepisyaryo, ang makíkinabang.

benefit, n. benepisyo, pakinabang, kagálingan, kabutihan.

benevolence, n. benebolénsiyá, kabutihang loób, kagandahang-loób, káwanggawâ.

benevolent, adj. mabutingloób, magandang-loób, mapagkáwanggawâ, matulu-

ngín.

Benggali, n. Benggali.

bengal light, n. luses na benggala.

benighted, adj. ginabí, inabot ng dilím.

benign, adj. maamong-loób, mairog, benigno, magiliw.

bent, adj. baluktót, disidido, yarì na ang loób, handâ, mahilig. **n.** hilig, tirà.

benumb, v. mapasmá, mamanhíd, mawalán ng pandamá.

benzene, n. bensina.

benzoin, n. bensoyna.

bequest, n. pamana, mana, erénsiyá.

bequeath, v. magpamana, ipamana.

berate, v. kagalitan, murahin.

bereave, v. maulila, ulilahin.

bereavement, n. pagkaulila.

berg, n. sambundók na yelo.

bergamot, n. bergamota.

beriberi, n. panás, beriberi.

berline, n. berlina.

berry, n. (beri), sarsamora, kranberi, arándano, ubas na matiník, **raspberry,** prambuwesas, **Strawberry,** presas, istroberi.

berserk, adj./adv. hibáng sa galit, galít na galít.

berth, n. dáungan, puwáng

na majikutan, kamarote, kama.

beryl, n. berilo.

beseech, v. sumamò, magsumamò, mamanhík, makiusap.

beset, adj. batbát, tadtád ng, punô ng, kubkób, nápapalibutan.

beside, adv./prep. bukód, bukód sa, malapit, sa tabi ng (ni).

besiege, v. kubkubín, palibutan,

besmear, v. dumhán, mantsahán, dungisan, bahiran.

best, adj. pinakamabuti, pinakamagalíng, pinakamahusay.

bestial, adj. bestiyál, parang hayop, malupít.

bestiality, n. kahayupan.

bestow, v. magbigáy, ibigáy, igawad, maggawad.

bet, n. pustá, tayâ. v. pumustá, magpustahan, pustahán, tumayâ, tayaán.

betel, n. (palm) ikmó, (nut) bunga.

Bethlehem, n. Belén.

betray, v. magkánuló, ipagkánuló, magtaksíl, pagtaksilán.

betroth, v. mangakong pakákasál, makipagtípanan.

betrothal, n. kásunduang pa-

kákasál.

better, adj. lalong mabuti, higít na mabutí, nakahíhigít. v. pabutihin, pagalingín.

betterment, n. kagálingan, pagpapabuti.

between, prep./adv. sa pagitan (ng, ni).

bevel, n. bisel.

beverage, n. ínumin.

bevy, n. pulutóng, barkada, kawan.

bewail, v. tumangis, itangis, tangisan, ipagdalamhatì, ikalungkót.

beware, v. mag-ingat, pagingatan, mangalagà, pangalagaan.

bewilder, v. manlitó, lituhín, malitó, maguló, guluhín.

bewitch, v. kulamin, gawayin, ingkántuh'n.

bewitching, adj. kabighá-bighanì, nakagágayuma.

beyond, adv./prep. malayò, doón sa malayò, sa ibayo (ng), sa di abót ng, lampás (sa), di kaya.

bias, n. prehuwisyo, hilig, bayas, hirís.

bib, n. babadór, babero, bib.

Bible, n. Bíblia, (Bíbliyá).

Biblical, adj. Biblikó.

bibliographer n. bibliógrapó.

bibliography, n. bibliograpiya.

bibliophile, n. bibliópiló.

bibolous, adj. absorbente, masipsíp, palainom.

bicameral, n. bikamerál, may dalawáng sangáy.

bicarbonate, n. bikarbonato.

biceps, n. (Anat.) dagá-dagaan.

bicker, v. magtalo, magtaltalan.

biscuspid, n. bikúspidé, ngiping pangalis.

bicycle, n. bisikleta.

bid, v. tumawad, tumampá, tumawad sa subasta, magutos, utusan, mag-anyaya, anyayahan, n. tawad, tampá.

bidding, n. utos, atas, tawag, anyaya, subasta, tawad. tampá.

bidding, n. utos, atas, tawag, bide, v. mátirá, tumigil, manirahan, maghintáy.

biennial, adj. biyenál, tuwíng ikalawáng taón, dálawang taón.

bier, n. kalandrá, andás.

bifocal, adj. doble-bista.

bifurcate, v. magsangá ng dalawá.

big, adj. malakí, mataás, matayog, dakilà.

bigamist, n. bígamo, may dalawáng asawa.

bigamy, n. bigamya, pagda-

dalawáng asawa.

bigger, adj. lalong malakí, higít na malakí.

bigness, n. kalakihán, kalakhán, pagka-malakí.

bigot, n. panátikó.

bigotry, n. panatismo, pagkapanátikó kapanátikuhán.

bigwig, n. malakíng tao.

bilateral, adj. kabilaan.

bile, n. tubig-atáy, bilis, baltík sa ulo, init ng ulo.

bilingual, adj. bilíngguwé.

bilious, adj. bilyoso, ináatáy.

bill, n. tukâ, panukalang batás, kuwenta, papél de bangko, paskíl, kartelón.

billboard, n. bilbord.

billford, n. kalupì, kartera, portamoneda.

billiards, n. bilyár.

billion, n./adj. bilyón, libong milyón.

billionaire, n. bilyonaryo.

billow, n. daluyong, alon.

billy goat, n. lalaking kambíng, barakong kambíng.

bimonthly, adj. tuwíng dalawáng buwán, dálawahang buwán.

bin, n. balaong, imbakan, pintungan.

binary, adj. tambalan, binar, yo, doble.

binaural, adj. para sa dalawáng tainga.

bind, v. talian, bigkisán.
pag-isahín, pagsamahin,
pagbuklurín.
binoculars, n. lárgabista.
biographer, n. biyógrapó, má-
nanalambuhay.
biography, n. biyograpiya,
talambuhay.
biological, adj. biyolóhiko.
biologist, n. biyólogó.
biology, n. biyolohiya.
biopsy, n. biyopsis.
biped, adj. bípedó, dálawa-
hang paá, may dalawáng
paá.
bird, n. ibon.
birth, n. kapangánakan.
birthday, n. araw ng kapa-
ngánakan, kumpleanyos,
kaarawán.
birthmark, n. balat, pinaglihi-
hán.
birthplace n. poók na sini-
langan.
birthright, n. katutubong ka-
rapatán.
birthstone, n. bató ng kapa-
ngánakan.
biscuit, n. galyetas, biskotso,
biskuwít.
bisect, v. hatiin.
bisector, n. bisektris, guhit
na panghatì.
bisexual, adj. biseksuwál, ba-
bai-lalaki, (balaki).
bishop, n. obispo, (in chess)

alpíl.
bishopric, n. obispado.
bismuth, n. bismuto.
bison, n. (Zool.) bisonte.
bit, n. bukado, talím, ngipin,
palitón, muntíng piraso.
bitch, n. inahíng aso, puta.
bite, v. kumagát, mangagát,
kagatín, n. subò, sangka-
gát, kagát, sugat ng kagát.
biting, adj. nangangagát, ma-
talím, matalas, mahayap,
nakahihiwà, nakasúsugat.
bitter, adj. mapaít.
bitterness, n. kapáitan, ka-
saklapán.
bittersweet, adj. agridulse,
matamís na mapaít.
bivalent, adj. bibalente,
bivalve, n. bibalbo, kabibi.
bivouac, n. bibak v. magbi-
bak.
biweekly, adj. makálawáng
linggo, kinsenál.
bizarre, adj. kakaibá, ka-
katwâ, kagilá-gilalas.
blabber, n. daldál, satsát.
black, n./adj. itím, maitím,
negro, madilím, luksâ.
blackboard, n. pisara, blak-
bord.
blacken, v. paitimín, padili-
mín, sómbrahán.
blackguard, n./adj. imbí, wa-
láng-hiyâ.
blackhead, n. (Med.) tagiha-

wat.

blacking, n. pampaitím.

blackish, adj. maitím, itím, initimán, negrusko.

blackmail, n. pasuhol, blakmeil. santahe.

blackness, n. kaitimán, pagka-maitím.

blacksmith, n. pandáy.

bladder, n. pantóg.

blade, n. dahon, talím, espada. sable.

blame, v. manisi, sisihin, papanagutin, n. sisi, kapanágutan. pananágutan.

blameless, adj. waláng pagkakámali, di-masísisi.

blanch, v. paputiín, kulahín, ikulâ. adj. maputî, maputlâ.

bland. adj. suwabe, mayumì, maamò, mahinahon.

blandishment, n. papuri, palugód.

blank, adj. blangko, emblangko, waláng-lamán, waláng-saysáy, waláng-nangyari. n. puwáng.

blanket, n. blangket, kumot, manta. v. balutin, latagan.

blank verse, tuláng waláng tugmâ.

blare n. tunóg ng trompeta.

blarney, n. blarni, salitáng mapang-akit.

blase, adj. suyâ, blasé.

blaspheme, v. magwaláng-

pakundangan, magwaláng-pitagan.

blasphemous, adj. waláng-pakundangan, waláng-pitagan.

blasphemy, n. pagwawaláng-pakundangan, pagwawaláng-pitagan.

blash, n. hihip ng hangin, tunóg ng sirena, bugá ng hangin, putók, sabog. v. paputukin, pasabugin, patilapunin.

blasting, n. pandidinamita.

blatant, adj. masigáw, palasigáw, maingay, bastós.

blather, n. daldál, satsát.

blaze, n. lagabláb, sikláb, liyáb. v. maglagabláb, magsikláb, magningníng.

blaze, n. talà, mantsáng putî, gatlâ, tapyás, v. maggatlâ, magtapyás.

blazon, n. blasón, sagisag ng sandata.

bleach, v. mamutí, paputiín, magkulá, kulahín.

bleak, adj. iláng, mailáng, magináw na magináw, malungkót, makasisirà, ng loób.

blear-eyed, adj. maykulabà, kinúkulabà.

bleat, n. huni ng tupa, huni ng kambíng.

bleed, v. dumugô, magdugô,

paduguín, kunan ng dugô.

blemish, n. depekto, kapinta-
san, dungis, mantsá. **v.**
dungisan, mantsahán.

blench, v. umuklô, umukdô,
umigtád,

blend, v. paghaluin, pagsa-
mahin, paglahukín. **n.** halò,
lahók, timplá.

bless, v. bindisyunán, basba-
sán, pagpalain.

blessed, adj. sagrado, banál.

blessing, n. basbás, bindis-
yón.

blight, n. pagkalantá, pagka-
tuyót,

blind, adj. bulág, di-maka-
unawà. **v.** bulagin, padili-
min.

blindfold, n. piríng. **v.** pi-
ringán, takpán ang matá.

blink, v. kumuráp, kumisáp.

bliss n. lugód, kalugurán, ga-
lák, kagalakán, pagtatalík.

blister, n. lintóg, lintós.

blithe, adj. masáyahin, ma-
giliw, may magaáng pusò,

blitzkrieg, n. bliskrig.

bloat, v. mamagâ, bumintóg.

blob, n. paták, bulâ, labusab.

bloc, n. pangkát, lápian.

block, n. bloke, mansana. **v.**
harangan.

blockade, n. blokeo, pagkub-
kób. **v.** kubkubín.

blockader, n. blokeadór, má-

ngungubkób.

blockhead, adj./n. tangá, ha-
ngál.

blood, n. adj. rubyo (-ya)

blood n. dugô.

blood-curdling, adj. nakapa-
ngingilabot, kasindák-sin-
dák.

bloodhound, n. asong sabwe-
so.

bloodless, adj. waláng-dugô,
waláng-pakiramdám.

bloodletting, n. plebotomiya,
pagpapadugô.

bloodshed, n. danak ng dugô.
pátayan.

bloodshot, adj. matáng na-
múmulá sa dugô.

bloodstone, n. helyótropó
(elyótropó.)

bloodsucker, n. máninipsíp-
dugô, bampiro.

bloodthirsty, adj. uháw sa
dugô.

bloody, adj. madugô, duguán.

bloom, n. bulaklák, pamumu-
laklák, panahón ng kagan-
dahan. **v.** mamulaklák, ma-
nariwà.

bloomer, n. blumer.

blooming, adj. namúmulak-
lák, malusóg na malusóg,
magandáng-magandá.

blossom, n. See **bloom.**

blot, n. mantsá, dungis.
pawì. **v.** mantsahán, dungi-

san, pawiin, sikántihín.

blouse, n. blusa.

blow, v. humihip, sumimoy, bumugá, hipan, pasabugin. n. bugá, singá, hampás, hihip, suntók, dagok,

blower, n. supladór, hihip, bintiladór.

blowgun, n. búgahan.

blowhole, n. butas na síngawan (pásingawan).

blowpipe, n. suplete, hihipán, hihip.

blowtorch, n. lámparáng panghinang.

blowup n. putók, silakbó, palakí.

bludgeon, n. pamugbóg, garote.

blue, adj. asúl, bugháw, matamláy, namámangláw.

blueprint, n. bluprint.

bluff, adj. lapád, prangko. n. talampás, linláng, blap, paghahambóg.

bluffer, n. blaper, hambóg, bulastóg.

bluing, n. tinà, pantinà, pangkulay.

bluish, adj. asulado, malaasúl, malabugháw.

blunder, v. magkálitú-litó, magkadarapà, magkamalî. n. pagkakámalî.

blunt, adj. di-makáramdám, di-makápansín, mapuról.

blur, n. anag-ag, bakát, kulabô.

blurt, v. mápabulalas.

blush, v. mamulá, mahiyâ, mápahiyâ,

bluster, v. mag-ingáy, magmaingáy.

boa, n. sawá, bitín, manlilingkís.

boar, n. baboy, babuy-ramó.

board, n. tablá, kartón, pagkain, pakain.

boarder, n. pupilo, nangangasera.

boarding, house, n. pángaserahan.

boast, v. maghambóg, ipaghambóg, paghambugán. n. pahahambóg, kahambugán, pagyayabáng.

boat, n. bangkâ, bapór.

boating, n. pamamangká.

boatman, n. mámamangkâ.

bob, n. pugók, bab, v. tumayún-tayón, tumangú-tangô, patangú-tanguín.

bobbin, n. ikirán, kidkiran, bobina.

bobby pin, n. bábipín.

bobby-soxer, n. dalágindíng.

bobsled, n. paragos.

bodice, n. kurpinyo, kursé.

bodkin, n. punsón.

body, n. katawán, pinaka-katawán, bangkáy, sustán-

siyá, punò, kalamnán, ku-
werpo.

bodyguard, n. bantáy, badi-
gard, guwárdiyá.

bog, n. kuminóy, burak, ka-
burakan

bogus. adj. palso, huwád.

bogy, n. impakto, multo,
boil, v. kumulô, pakuluín,
magpakulô. **n.** pigsá, bukol.

boiler, n. pákuluan, kaldero.

boisterous, adj. maingay, ma-
guló, maligalig.

bold, adj. pangahás, mata-
pang, waláng-takot, mara-
hás.

bolster, n. mahabang-unan,
abrasadór. **v.** itaguyod, ita-
yô.

bolt, n. trangka, piyesa, rol-
yo, tornilyo, tunod, panà.
v. sumibad, sumikad, umig-
kás, lumayas, lumipas, lu-
mamon, lamunin.

bomb n. bomba, **v.** bómba-
hín, .mambomba.

bombard, v. mambagsák,
(bagsakán) ng bomba.

bombardier, n. bombardero.
mambabagsák ng bomba.

bomber, n. bombardero, erup-
lanong pambomba.

bombsight, n. puntírahang
teleskópikó, sipatáng teles-
kópyó.

bonanza, n. bonansa, minang

saganà.

bond, n. talì, bigkís, buklód.
kásunduan, piyansa.

bondage, n. kabusabusan, ka-
alipnán.

bonded, adj. piyansado.

bone, n. butó, tiník ng isdâ. **v.**
v. alisán ng butó, alisan
ng tinik.

bonfire, n. sigá, pasigâ,
bompair.

bonnet, n. bunete, gora.

bonny, adj. magandá, mari-
kít, marilág.

bonus, n. bonus, dagdág.

bony, adj. mabutó, matiník.
butuhán,

boob, booby, n. bobo.

boogie woogee, n. bugiwugi.

book, n. libró, aklát.

bookbinder, n. engkuwader-
nadór, mang-aaklát.

bookbinding, n. engkuwader-
nasyón, pabalát.

bookcase, n. istante ng libró.

book-end, n. panukod-aklát.

booking, n. rehistro, pagpa-
patalâ, pagpapalistá.

bookish, adj, paláarál, masi-
pag mag-aral, palábasá.

bookkeeper, n. búkiper, may
ingat ng aklát talaán, te-
nedór-de-libros.

bookkeeping, n. bukiping.
kantabilidád.

booklet, n. buklet, pulyeto.

bookmaker, n. manlalathalà, tagapustá

bookmark, n. bukmark, markadór. panandâ (sa aklát).

bookmobile, n. aklatang ambulante.

bookplate, n. etiketa ng may arì ng aklát.

bookrack, n. atnil.

bookseller, n. librero.

bookstore, n. libreriya, tindahan ng aklát.

bookworm, n. pulilya, uód, bibliópiló, takaw-aklát.

boom, n. bung, hagunghóng, dagundóng. biglâng kariwasaan. v. humagunghóng, dumami, biglâng umunlád.

boomerang, n. búmeráng.

boon, n. pabór, pakiusap, bigáy-palà, kahilingan.

boor, n. hamak na tao, rústiko, tagabukid.

boost, v. umatang, atangan, ibunsód, pasiglahín, mangatang

booster, n. atang, bunsód, pasiglá.

boot, n. botas.

bootblack, n. limpiyabota.

booth, n. habong, tanghalan, kuwarto.

boothose, n. kalsetón.

bootjack, n. sakabotas.

bootleg n. bintî ng botas, kontrabando ng alàk.

bootlick, v. manghimod-paá.

booty, n. botín. ninakaw, dinambóng.

booze, n. alak.

border, n. border, gilid, tabihán, hanggahan, orla, senepa, baybáy.

bore, v. magbutas, butasin, makainíp, inipin, makayamót, yamutín.

boredom, n. pagkainíp, pagkayamót.

born, adj. isinilang, inianák, ipinanganák.

borrow, v. humirám, manghirám, hiramín, hiramán, humaláw, halawín.

borrowed, adj. hirám, hinirám, utang, inutang,

borrower, n. manghihiram, mángungutang.

bosom, n. dibdíb, sinápupunan.

boss, n. boss, punò, tagapamahalà, amo.

bossy, adj. mapag-amu-amuhan.

botanical, adj. botanikál.

botanist, n. botánikó.

botany, n. botániká.

botfly, n. bangaw.

both, adj./pron. ang dalawá, kápuwâ. adv./conj. pareho.

bother, v. manlitó, lituhín, gambalain. abalahin, guluhín. n. guló, bagabag, gambalà.

bothersome, adj. pang-abala, nakákaabala nakagúguló.

bottle, n. botelya, bote, v. isa-botelya, botelyahín.

bottleneck, n. daáng-makipot, antala, abala.

bottom, n. ilalim, pang-ilalim, lunas,

bottomless, adj. waláng-ilalim.

boudoir, n. tukadór, sariling silíd.

bough, n. malakíng sangá.

boullion, n. kaldong malinaw, sopas.

boulder, n. malakíng bató, talampás.

boulevard, n. bulebár, lansangan.

bounce, v. tumalbóg, patalbugín, lumundág, **n.** kalabóg, lagapák, talbóg, pagtalbóg.

bouncer, n. báunsér, tagapagpaalís.

bound, adj. patungo.

bound, n. hangganan, lupang paligid. v. hangganán, ipaloób, paligiran.

bound, v. lumundág, pumitlág, tumalbóg, **n.** lundág. pitlág, talbóg.

bound, adj. nakatalì, nakagapos, maytungkulin, sadyâ, pinabalatán.

boundary, n. hangganan. báundarí.

bounder, n. taong barumbado.

boundless, adj. waláng-hangganan, malawak.

bounteous, adj. liberál, bukás-kamáy, máramihan. saganà.

bountiful, adj. marami. saganà, liberál, bukás-kamáy.

bounty, n. kagandahang-loób, gantimpalà, biyayà.

bouquet, n. pumpón ng bulaklák, palumpón, bukéy.

bourgeois, adj. burgés, gitnâ.

bourgeoisie, n. burgesiya, lípunang gitnâ.

bout, n. timpalák. páligsahan, kontest, tunggálian. labanán.

boutonniere, n. butunyér.

bovine, adj. mabagal, makupad.

bow, v. baluktutín, yumukô, iyukô, yumukód, iyukód, sumukò, ikilô, **n.** yukô, pagyukô, pagsukò.

bow, n. busog, arko, yukód, buhól.

bowel, n. bituka.

bower, n. gloryeta, balag.

bowl, n. tasón, mangkók, sulyaw, bola ng bawling.

bowlegged, adj. sakáng.

bowling, n. bawling.

bowman, n. arkero, pletsero, mámamanà.

bowstring, n. kuwerda, (pisì) ng busog.

box, n. kahón, kaha, suntók, dagok, v. magsuntukan, sumuntók, manuntók, ikahón, ilagáy sa kahón.

boxcar, n. purgón, bagón, merkansiya.

boxer, n. boksingero.

boxing, n. boksing, suntukan, box kite, n. bulador na mukháng dahón.

box office, n. takilya.

boy, n. batang lalaki, totoy, boy, utusán.

boycott, n. boykoteo. v. boykoteuhin.

boy scout, n. boy iskaut, batang iskaut.

bra, n. bra, brasyér.

brace, v. talian, bigkisán, higpitán, patibayan, tukuran, suhayan. n. grapa, ipitán, patibay, suhay.

bracelet, n. brasaleta, pulseras, galáng.

bracer, n. brasál, patibay, pampalakás,

brachium, n. bisig, braso.

bracket, n. modilyón, tukod, braket.

brackish, adj. maalát-alát, maalá-alá.

bract, n. brákteá.

brad, n. puntilya, ispiga, pakò.

bradawal, n. punsong tuwíd.

brag, v. magyabáng, maghambóg, magparangalan, ipagyabáng, ipaghambóg, ipagpárangalan.

braggadocio, n. yabang, pagyayabáng, kayabangan.

braggart, adj. mayabang, hambóg.

Brahman, n. Brakmán, Brakmín.

braid, v. tirintasín, pilihín. n. tirintás.

brain, n. utak, katalinuhan, talino.

brainless, adj. waláng-utak, waláng-isip.

brainy, adj. mautak, matalino.

brake, n. preno.

brakeman, n. bantáy-preno; brekman.

bran, n. darák.

branch, n. sangá, sangáy. v. magsangá.

brand, n. marká, taták, hero, panghero, dupong, urì.

brandish, v. iyambâ, iambâ, iwasiwas, iwagaywáy.

brandy, n. brandi, kunyák.

brash, adj. dalás-dalás, nagmámadalî,

brass, n. tumbaga, bronse, tansô.

brassiere, n. brasyér, bra.
brat, n. batang malikót.
bravado, n. brabado, pagtata-
páng-tapangan.
brave, adj. matapang, may
malakás na loób, waláng
takot, v. pangahasán, mag-
lakás-loób, magmatapáng.
bravery, n. katapangan.
bravura, n. pakitang karaha-
sán pakitang ningníng.
brawl, n. taltalan, tákapan,
away.
breach, n. sirà, pagkasirà,
puwáng, pagsirà, gihà.
bread, n. tinapay.
breadstuff, n. arina.
breadth, n. luwáng, lapad,
lawak, papa.
breadwinner, n. tagapaghá-
napbuhay.
break, v. pirasuhin, pagpirá-
pirasuhin, bahaginin, pag-
baha-bahaginin, sirain, gi-
baín, basagin, durugin,
breakable, adj. masiraín, ma-
dalíng masirà, babasagín,
mahunà.
breakage, n. sirà, pagkasirà.
breakfast, n. almusál, aga-
han.
breakwater, n. rompeolas,
harang sa alon.
breast, n. dibdíb, pitsó, suso.
breastbone, n. esternán, butó
ng dibdíb.

breastpin, n. brotse, alpiler.
breastplate, n. pretól, peto.
breastwork, n. trintsera.
breath, n. hiningá, hingá.
breathe, v. humingá, hinga-
hán.
breathing, n. paghingá.
breathless, adj. di-humíhi-
ngá, patáy.
breathtaking, adj. nakakágu-
lat, hakot-lugód.
breeches, n. pantalón, sala-
wál, kalsón.
breed, v. mag-anák, mang-
anák, mamisâ, magsup-
líng, magpalahì, mag-ala-
gà, magpalakí. v. dasa, la-
hì, urì, kastá, angkán.
breeding, n. ugalì, kapinu-
han, pag-aalagà, pagsusup-
líng, pagpapasuplíng.
breeze, n. simoy, hihip (ng
hangin).
breezy, adj. mahangin, ma-
siglá, buháy.
breviary, n. brebyarbo, aklát-
dásalan.
brevity, n. kaigsián, kaik-
lián.
brew, v. gumawâ ng serbesa,
magserbesa, magbunsód,
magpakulô.
brewery, n. serbeseriya.
bribe, n. suhol, v. sumuhol,
suhulan.
bribery, n. pagsuhol, pagpa-

pasuhol.

bric-a-brac, n. abal-abal, alganas.

brick, n. ladrilyo (laryó)

brickbat, n. tuligsâ, upasalà.

bride, n. nobya, babaing ikinákasál.

bridegroom, n. nobyo, lalaking ikinákasál, lalaking bagong kasal.

bridesmaid, n. abay, abay ng nobya, abay ng nobyo.

bridge, n. tuláy, taytáy.

bridgework, n. pagyayarì ng tuláy, pustiso, kabitan ng pustiso.

bridle, n. brida, preno ng bibíg.

brief, adj. maigsî, maigsíngsabi, n. alegato, pangangatwiran.

brig, n. bergantin.

brigade, n. brigada.

briefing, n. paliwanag sa gágawin, briping.

brigadier, n. brigadyér.

brigand, n. bandido, tulisán.

brigandage, n. panunulisán, panghaharang.

bright, adj. maningníng, maliwanag, makináng, matalino.

brighten, v. kumináng, pakinangín, pasayahín, sumayá.

bright's disease, n. sakít sa bató, nepritis.

brilliance, n. kaningningán, brilyo, karikitán, katalinuhan, katalasan.

brilliant, adj. maluningníng, marilág, matalino. n. hiyás, brilyante, diyamante.

brim, n. gilid, tabihan.

brimful, adj. pantáy-labì, punô, pagawpáw.

brimstone, n. asupre; malilang.

brindled, adj. bulik, batíkbatík.

brine, n. salmuwera, tubigalat.

bring, v. dalhín, ipagsama.

brink, n. tangwá, bingit.

brisk, adj. maliksí, mabilís, masiglá.

brisket, n. pitsó.

bristle, n. matigás na buhók, buhók baboy. v. mangalisag, manindíg.

brittle, adj. malutóng, marupók.

broach, v. simulán, pasimulán, imungkahí, ilathalá. malawak, malinaw.

broadcast, v. magsabog. isabog, sabugan maghasík, ihasík, hasikán, ipamalità, ipangalandakan, ibrodkast, magbrodkast n. pagsasabog, paghahasík, brodkast.

broadcasting, n. pagbobrodkast, brodkasting.

broaden, v. paluwangín, paluwangán magpaluwáng, palaparin, magpalapad.

broadside, n. tabihán, tagiliran, putók-salakay sa tagiliran, papél na. may limbág sa iisáng panig.

broadsword, n. espadón.

brocade, n. brokado.

brocoli, n. brokoli, urì ng kóliplór.

brochure, n. brosyúr, pulyeto,

broil, v. mag-ihaw, iihaw,

broke, adj. bangkarota, waláng-kuwarta.

broken, adj. sirâ, nagambalà, gibâ, nagkapirá-pirasó.

broker, n. broker, koredór kambista.

brokerage, n. koretahe.

bromide, n. bromuro.

bronchitis, n. (Med.) brongkitis.

bronze, n. tansô, bronse.

brooch, n. brotse, alpilér.

brood, n. mga pinisâ, mga sisiw, mga inakáy, suplíng, ínahinin. v. lumimlím, humalimhím, limlimán, halimhimán, mag-isíp.

brooder, n. inkubadór, páhalimhiman.

brook, n. batis, batisan. v. tiisín, tulutan.

brooklet, n. muntíng batis.

broom, n. walís.

broomstick, n. tatangnán ng walís.

broth n. sabáw, kaldo.

brothel, n. burdél, bahay-áliwan.

brother, n. kapatíd na lalaki.

brotherhood, n. kápatiran.

brother-in-law, n. bayáw.

brotherly, n. pangkapatíd, pangmagkapatíd, mairugín, mabaít, parang kapatíd.

brow, n. kilay, tuktók, noó.

browbeat, v. bulasin, pagmatigasán, pagsungitan.

brown, n. adj. moreno (-na) kayumanggí.

brownie, n. duwende.

brownish, adj. mórenohín, káyumanggihín.

brownout, n. braunaut.

browse, v. manginá-nginain, magbasá-basá.

bruise, n. pasâ, lamóg, galos, gasgás.

brunette, n. moreno (-na), brunét.

brunt, n. tindí, lakás, bigát.

brush, n. sipilyo, brotsa, eskoba, pinsél. v. sipilyuhín eskobahin, magpinsél.

brush-off, n. pagtanggí.

brusque, adj. pabiglá-biglâ.

brutal, adj. malupít, makahayop, brutál.

brutality, n. brutalidád, kalupitán, kabagsikán.

brutalize, v. pagmalupitán, pagbangisán.

brute, adj. brutò, animál, hayop.

bubble, n. bulâ, espuma, bulák.

bubonic plague, salot bubóniká.

buck, n. barako, dolyár. **v.** mag-almá.

bucket, n. timbâ.

buckle, n. hebilya, hibilya. **v.** ihibilya.

buckler, n. adarga, pananggól.

buckram, n. bukarán.

bucksaw, n. lagaring nakabastidór, serutso.

buckshot, n. malakíńg perdigón, baksyat.

buckskin, n. balát ng usá.

bucolic, n. bukólikó, pastoríl, pangkabukiran.

bud, n. buko, supang, usbóng

Buddha, n. Buda, Buddha.

Buddhism, n. Budismo.

buddy, n. katoto, kaibigan.

budge, v. umibô, kumibô, kumilos, gumaláw.

budget, n. badyet, presupwesto.

buffalo, n. kalabáw, tamaráw.

buffer, n. depensa, tope, pam-

buli.

buffet, n. sampál, suntók.

buffet, n. bupé, páminggalan, istante.

buffoon, n. bubo, payaso.

bug, n. (banana) salágubang, (coconut) uáng, (potato) tangà, (bedbug) surot, (goldbug) saláginto.

bugaboo, n. panakot.

bugle, n. korneta, trompeta, tambulì.

bugler, n. kornetero, trompetero, mánanambulì.

build, v. magtayô, magtindíg, gumawâ, lumikhâ, magbuô.

builder, n. konstruktór, magtatayò.

building, n. gusalì, edipisyo.

built-in, adj./n. bilt-in, kapit sa dingdíng.

bulb, n. bulbo, bombilya.

bulge, n. umbók, tambók.

bulging, adj. maumbók, matambók.

bulk, n. lakí, kalakhán, kabuuán, malakíng bahagi.

bulky, adj. nápakalakí.

bull, n. bula pontipisya, toro, tauro.

bulldog, n. buldóg.

bulldoze, v. manakot, takutin, gamitan ng buldoser.

bullet, n. bala, punglô.

bulletin, n. bulitín, ulat, repórt.

bullfight, n. kurida ng toro.
bullfighter, n. torero, toreadór.
bullfighting, n. kurida ng toro.
bullfrog, n. palakáng kabkáb.
bullheaded, adj. terko, matigás ang ulo.
bullion, n. bulyon, bara.
bully, n. matón, v. manakot, takutin.
bulwark, n. balwarte, muóg.
bum, n. hampaslupà, bagamundo. v. mabuhay sa panghihingî, mag-aligandó.
bumblebee, n. bubuyog, himbubuyog.
bump, v. mábunggô, maumpóg, máuntóg, n. bunggô, umpóg, untóg.
bumper, adj. magaling na magaling. n. depensa.
bumptious, adj. mapaghambóg, palalò.
bumpy, adj. bakú-bakô.
bun, n. kuneho, pusód.
bunch, n. langkáy, pumpón, pulutóng.
bundle, n. balutan, talì, bigkís, bungkós.
bungalow, n. búnggaló.
bunghole, n. bibíg ng tunél.
bungle, v. lampahín, daskulín.
bunion, n. bunyon, lipák.

bunk, n. hígaan.
bunkhouse, n. tulugán ng mga manggagawà.
bunting, n. lanilya, damít pangwatawat.
buoy, n. boya, palutang.
buoyant, adj. lutáng, nakalutang, masayá.
burden, n. pásanin, ságutin. pananágutan. v. kargahán.
burdensome, adj. nápakabigát.
bureau, n. káwanihan, eskritoryo, pupitre, kómodá.
bureaucracy, n. burokrasya.
bureaucrat, n. burókratá.
bureaucratic, adj. burokrátikó.
burette, n. bureta.
burglar, n. manloloób.
burial, n. libíng, paglilibíng.
burin, n. buríl, sinsél, pangukit.
burl, n. buhól, bukó.
burlap, n. burlap.
burlesque, n. burlesko, burlésk.
burly, adj. matipunò, maskulado.
burn, v. sunugin, pasuin. mapasò, banlián, mábanlián, magningas, magliyáb, silabín. n. pasò.
burner, n. mitsero, páningasan, kalán.
burnish v. kuskusín.

burnoose, n. alburnos.

burnt, adj. sunóg, tupók, upós.

burp, n. dighál, digháy.

burr, n. pang-ukit, paít.

burrow, n. lunggâ.

burrstone, n. batóng gilingán.

bursa, n. bulsá, sako.

bursar, n. tesorero, ingat-yaman.

burst, v. tumilapon, sumambulat, pumutók, sumabog.

bury, n. ilibíng, ibaón.

bus, n. bus.

bush, n. mababang halaman, palumpóng.

bushel, n. busel, panega.

bushing, n. busing.

bushy, adj. malagô.

business, n. negosyo, hanapbuhay, gáwain, kapakanán.

buss, n. halík.

bust, n. busto.

bust, v. pumutók, paputukín, bangkarotahin, mabangkarota.

bustle, n. kaguló, káingayán.

busy, adj. may ginágawâ, ckupado, abalá.

busybody n. mapanghimasok.

but, conj. nguni't, subali't, dátapwa't. **prep.** kundî, maliban sa.

butcher, n. butser, mángangatay.

butler, n. mayordomo.

butt, n. kulata, upós, tampulan, suwág.

butter, n. mantikilya. **v.** mantikilyahín.

butterfat, n. mantikà ng gatas.

butterfingered, adj. may mahinang dalirì.

butterfly, n. parúparó, aliparó, paparó.

buttocks, n. puwít.

button, n. butones, botón. **v.** butunisan, ibutones.

bottonhole, n. uhales. **v.** uhalisan, mag-uhales.

buttonhook, n. pansuít ng butones.

buttress, n. alalay, estribo, tukod.

buxom, adj. bilugá't malusóg madibdíb.

buy, v. bumilí, bilh'n, mamilí, makábilí, magpabilí, ipabilí, ibilí.

buyer, n. mámimili, tagabilí.

buzz, n. haging, agang. hugong.

buzzing, adj. humâhaging, umúugong, humúhugong, umáagang.

buzzard, n. malaking uwák.

by, prep. malapit sa, sa tabí ng, sa tabí ni (-niná).

bygone, adj. lumipas, nakalipas.

by-law, n. tuntunin, álitun-
tunin.
by-pass, n. daáng sinsayan. v.
luktuán, lakdawán.
by-path, n. landás.

by-products, n. produktong-
dagdág, residyo.
by-word, n. kasabihán, salá-
wikaín.

—C—

cab. n. taksi, piskante.
cabal, n. intriga.
cabala, n. okultismo.
cabaret, n. kabarét.
cabbage, n. repolyo.
cabin, n. kabanya, kamarote.
cabinet, n. gabinete, istante,
kómodá.
cable, n. kable, kablegrama.
v. kumable, káblihán.
cabman, n. tsupér ng taksi.
caboose, n. kusinà, purgón,
kabús.
cabotage, n. kabutahe.
cabriolet, n. kabriolé.
cacao, n. kakáw.
cachalot, n. isdáng balyena.
cache, n. hukay, báunan, ta-
guán. v. itagò sa báunan.
cachet, n. selyo, kapsulá, kas-
yé.
cahexia, n. pagka-masasak-
tín, kahinaan ng katawán.
cachinnate, v. humalakhák.
cachou, n. pampabangó ng hi-
ningá.
cachucha, n. katsutsa.
cacique, n. kasike, apò.

cackle, n. kakak, puták. v.
kumakak, pumuták.
cackling, n. pagkakak, pag-
puták.
cacophony, n. kakoponiya,
linggál.
cactus, n. kaktus, hagdam-
batò.
cad, n. taong barumbado.
cadastral survey, katastro.
cadaver, n. bangkáy.
cadaverous, adj. mukháng
bangkáy.
caddie, caddy, n. kadi, v.
magkadi.
cadence, n. kadénsiyá; inda-
yog, kumpás, diín ng pan-
tíg.
cadenza, n. kadensa.
cadet, n. kadete, bunsó.
cadmium, n. kadmiyó.
cadre, n. kadre, balangkás.
caduceus, n. kaduseo.
caducous, adj. nalálagas,
nanlálagas, madalíng masi-
rà, nawawalán ng bisà, lu-
mílipas.
caecum, n. bitukang pugók,

sekum.
caesarian, adj. sesaryo, sesaryan.
caesura, n. sesura, tigil, lakdáw.
cafe, n. kápihan, restawrán.
cafeteria, n. kapeteriya.
caffeine, n. kapeyna.
caftan, n. kasuutáng turko.
cage. n. hawla, kulungán, basket.
cageling, n. ibong nakakulóng.
cagey, adj. maingat, maalagà.
canoot, n. kasapakát, katiyáp, kasabwát.
cairn, n. buntón ng bató, muhon.
cajeput, n. kayepute.
cajole, v. manghibò hibuin, manghimok, himukin, mang-udyók, udyukán.
cajolery, n. hibò, himok, udyók.
cake, n. keyk. **v.** mamuô, manigás.
calabash, n. kalabasa.
calaboose, n. kalaboso, kálabusan.
calamine, n. kalamina.
calamity, n. kalamidád, sakunâ, kapahamakán.
calamus, n. kálamó, gulugód ng pakpák.
calash, n. kalesa.

calcaneus, n. kalkáneó, butó ng sakong.
calcas, n. ispulón.
calcareous, adj. kalkaryo, kalero.
calciferous, adj. may-apog.
calcification, n. kalsipíkasyón, petripikasyón, pamumuung-bat18.
calcify, v. magmalabat18, mauung-bat18.
calcimine, n. litsada, pintáng-putíng-apog, **v.** litsadahan, pintahán ng putíngapog.
calcium, n. kálsiyá.
calculable, adj. makákalkulá, matátaya.
calculate, v. kalkulahín, tayahin, tantiyahín, tuusín.
calculating, adj. kinákalkulá, tinátaya.
calculation n. kálkuló, kalkulasyón, taya, tantiyá, tuós, kuwenta.
calculator, n. kalkuladór, túusan.
calculus, n. kálkulús.
caldron, n. kaldera, kaldero.
calefaction, n. pagpapainit.
calendar, n. kalendaryo.
calender, n. satinadór, mákináng pipisán.
calf, n. guyà, bisiro, tiyán ng bintî.
calfskin, n. balát-guyà, ba-

lát-bisiro.

caliber, n. kalibre, kakaya-hán, kaurián.

calibrate, n. gatlangán, kali-brahán.

calico, n. kaliko.

caliper, n. kalibradór.

caliph, n. kalipa.

caliphate, n. kalipato.

calisaya, n. kalisaya.

calisthenics, callisthenics, n. himnasya, pagpapalakás.

calk, caulk, v. pasakan, ta-palan.

call, v. tumawag, tawagin, tawagan, ipatawag, mana-wagan, ngalanan, panga-lanan, ingalan, ipangalan, dumalaw, bumisita. **n.** ta-wag, sigáw, panawagan, dalaw, pangalan.

caller, n. bisita, dalaw.

calligraphy, n. kaligrapiya, porma ng pagsulat.

calling, n. gáwain, hanapbu-hay, propesyón.

callosity, n. lipák, kalyo.

callous, adj. naninigás, wa-láng-pakiramdám.

callow, adj. walâ pang bala-hibo, murà, bubót, waláng karanasan.

calm, adj. mahinahon, tahi-mik, payapà, panatag. **v.** huminahon, tumahimik, magíng payapà, magíng pa-

natag, patahimikin, pahi-nahunin, payapain.

calmative, adj. kalmante.

calmness, n. hinahon, katahi-mikan, kapanatagan.

calomel, n. kalomelanos.

calorie, n. kaloriya.

calorimeter, n. kalorímetri-kó.

calumniate, v. paratangan, siraang-puri.

calumny, n. kalúmniyá, pani-nirang-puri.

calvary, n. kalbaryo.

calyx n. takupis, sapó ng bu-laklák.

cam, n. kam, leba.

camaraderie, n. kamaráderí, mabuting pagsasama.

camber, n. landáy, kumbadu-ra.

cambist, n. kambista.

cambium, n. balok.

cambric, n. kambráy, batista.

camel, n. kamelyo.

camelback, n. gomang panri-kaping.

cameleer, n. kamelyero.

camellia, n. kamelya.

camelopard, n. hirapa.

camel's hair, n. buhok-kamel-yo.

cameo, n. kamyo.

camera, n. kámerá, kodak, kamará.

cameraman, n. kámeramán,

potógrapó.

camion, n. bagóng mababà, karo, track.

camise, n. kamisón.

camomile, chamomile, n. mansanilya.

camouflage, n. kámuplás, balatkayô.

camp, n. kamp, kampo, v. magkampamento, humimpíl.

campaign, n. kampanya, pakikilaban, v. magkampanya, makikampanya.

campanile, n. kampanaryo.

camper, n. kamper, ang nagkákampo.

campfire, n. sigâ sa kampo, pugata.

camphor, n. alkampór.

camphorated, adj. alkampurado.

campus, n. kampus.

can, n. lata. v. ilata, latahin.

can, v. (In Tag. use prefixes) ma-, maka-, as in can go, makaáalis; maáari.

canaille, n. taong-hamak.

canal, n. kanál.

canaliculate, adj. kanál-kanál.

canaliculus, n. kanál na munsík.

canalize, v. kanalán.

canape, n. kanapé, pampagana.

canard, n. linláng, laláng.

canary, n. kanaryo.

cancel, v. kanselahín, kaltasín, pawaláng-bisà, bawiin.

cancellation, n. kanselasyón, pagkaltás, pagpapawalángbisà.

canceller, n. kanseladór.

cancer, n. kanser, kángkaró.

cancroid, adj. kanseroso, kángkaroso.

candelabrium, n. kandelabra.

candent, adj. nagniningas.

candid, adj. waláng-kiníkilingan, tapát, malinaw, dalisay.

candidacy, n. kandidatura, pagkakandidato.

candidate, n. kandidato.

candied, adj. kinendi, ginawáng kendi.

candle, n. kandilà.

candy, n. kendi.

cane, n. tungkód, bastón, tikín.

canella, n. kanela.

canine, n. uring-aso, aso.

canister, n. kánistér, sisidlán.

canker, n. sugat na may gangrena, singáw sa bibíg, kángkaró.

canna, n. kana.

cannabis, n. (Bot.) kányamo.

canned, adj. delata.

cannery, n. délatahan, kánerí.

cannibal, adj. kanibál, antropópagó.

cannikin, n. tabong-lata.

cannon, n. kanyón

cannonade, n. panganganyón, **v.** kanyunín, manganyón.

cannoneer, n. kanyunero, mánganganyón, tagakanyón.

cannula, n. kánulá.

canny, adj. maalam, maingat, maalagà, dalubhasà.

canoe, n. kanoa, lundáy, bangkâ.

canon, n. kanon, kánonés, pámantayan, kanonigo.

canoness, n. kanonesa.

canonical, adj. kanónikó.

canonize, v. kanonisahín, ipalagáy na santó.

canopy n. pabelyón, habong.

canorous, adj. mahimig, maalalad.

cant, n. sungkî, wikaín, pananalitâ.

cantaloupe, n. milóng bilóg

cantankerous, adj. buktót, paláawáy.

cantata, n. kantata.

cantatrice, n. mángangantá, kantora.

canteen, n. kantín, kantina.

canter, n. marahang kabig, yagyág, imbáy.

cantharides, n. (Pharm.)

kantáridás.

canthus, n. (Anat.) sulók ng matá.

canticle, n. kántikó, awit.

cantilever, n. pabitín, modilyón.

canto, n. kanto, awit, bahagi.

canvas, n. lona, kambas, liyenso.

canvasback, n. patong-dagat.

canvass, n. magbiláng ng boto, mangalap, siyasatin.

canvasser, n. tagakambas, magkakambas.

canyon, n. bangín, labíng.

caoutchouc, n. gomang puro.

cap, n. gora, takíp, **v.** takpán.

capability, n. kapasidád, talino, kakayahán.

capable, adj. kapás, maykaya, magalíng.

capacious, adj. kayang maglamán, maluwáng, malakí.

capacitance, n. kapasitánsiyá.

capacitor, n. kapasitór.

capacity, n. kapasidád, kakayahán, lawák, lamán, bulumen.

cap-a-pie, adv. mulâ sa ulo hanggáng paá.

caparison, n. kaparasnó.

cape, n. kapa, abrigo, balabal, kabo, tangos.

caper, n. kandirít, kalikután.

capias, n. utos ng pagdakíp.

capillary, adj. kapilár, mala-buhók.
capital, n. puhunan, kapitál, adj. mahalagá.
capitalist, n. kapitalista, mámumuhunán.
capitalization, n. kapitalisasẏón, pamumuhunan, palakíng-titik.
capitalize, v. kapitalisahán, puhunanin, pamuhunanan, palakiháng-titik.
capitol, n. kapitolyo.
capitulate v. sumukò.
capitulation, n. pagsukò.
capon, n./adj. kapón, kinapón.
caponize, v. kapunín.
capote, n. kapotè.
capriccio, n. kapritso.
caprice, n. kapritso.
capricious, adj. kapritsoso, (-sa)
capricorn, n. kaprikórniyó sungay-kambíng.
capsicum, n. sili.
capsize, bumaligtád, mápabaligtád, tumaób, mápataob.
capstan, n. kabistán, kabrestante.
capsule, n. kápsulá.
captain, n. kapitán.
caption, n. pamagát, títuló.
captious, adj. mapanghuli, mapanilò, mapunahín.

captivate, v. bihagin, akitin.
captivation, n. pagkabihag, pagkaakit, pagkabighanì.
captivator, n. mámimihag, mang-aakit, mámimighaní.
captive, adj. kaptibo, nábihag, nabighanì.
captivity, n. pagkabihag, pagkapiít.
captor, n. kaptór, ang dumakíp, mambibihag.
capture, n. pagbihag, pagkakabihag, pagdakíp, pagkakádakíp, v. bihagin, dakpin, hulihin.
capuchin, n. capuchino, kaputsino.
car, n. karo, awto, kotse.
carabao, n. kalabáw.
caracole, n. karakól, pagpapalikú-likô.
carafe, n. karapé, garapa.
caramel, n. karamelo.
caramelize, v. karameluhin.
carat, n. kilates.
caravan, n. karabana, barkada.
caraway, n. (Bot.) alkarabea, karawé.
carbide, n. karburo.
carbine, n. karbin, karabina.
carbohydrate, n. karboiḋrato.
carbolic, adj. pénikó.
carbon, n. karbón.
carbonate, n. karbonato.
carboy, n. damahuwana.

carbuncle, n. karbúngkuló, bukol na maligno, mapuláng nanínilaw.

carburetor, n. karburadór.

carcass, n. bangkáy, patáy.

carcinoma, n. kanser, karsinoma.

card, n. kard, kartón, kómikó.

cardmon, n. (Bot.) kardamono.

cardcase, n. tarhetero.

cardiac, adj. kardiyako, pampusò.

cardigan, n. kárdigán.

cardinal, adj. nápakamahalagá, prinsipál, n. kardenál.

cardinalate, n. kardenalato.

cardiogram, n. kardiyógramá.

cardiography, n. kardiyógrapiya.

cardiology, n. kardiyolohiya.

carditis, n. karditis.

cardship, n. mangpagantso sa sugál.

care, n. alagà, asikaso, pamamahalà, kalingà, pagmamahál.

careen, v. tumagilid, itagilid.

career, n. karera, propesyón, gáwaing pambuúng-buhay.

carefree, adj. waláng-álalahanin, waláng-ligalíg.

careful, adj. maingat. maalagà.

careless, adj. waláng-ingat. waláng-alagà.

caress, n. lambíng, karinyo. himas, hagpós. v. hagpusín, himasin. maglambing. paglambingán, karínyuhin.

caret, n. tuldík na pakupyá. karet.

caretaker, n. kátiwala. tagapag-alagà.

careworn, adj. hagód. hagót, pagód.

carex, n. (Bot.) espadanya. estoke.

carfare, n. pamasahe. plete, bayad sa sakáy.

cargo, n. lulan, kargá, kargamento.

caricature, n. karikatura. v. isakarikatura, karikaturahin.

caricaturist, n. karikaturista.

caries, n. bulók na butó. siráng ngipin.

carillon, n. karilyón, kampanang may tugtugin.

carload, n. sambagón, sambagóng-punô.

carmelite, n./adj. carmelita, lanang pino.

carminative, adj. karminatibo.

carmine, n. karmín.

carnage. n. pátayan, matan-sa.

carnal. adj. karnál, makalamán. malibog.

carnation, n. kulay-karné, kulay-lamán, klabél-doble.

carnival, n. karnabál.

carnivorous, adj. karníboró, kaing-karné.

caroche, n. karosa.

carol, n. karol, bilyansiko.

carom. n. karambola.

carotid, n. (Anat.) karótidá.

carousel, n. maingay na pistahan, lásingan.

carp. n. karpa. buwámbuwán.

carpal, adj. ng pulsó, sa pulso. pampulsó. pampupulsuhan.

carpel. n. karpelo, butil ng ubod.

carpenter, n. karpintero, alwagi.

carpet, n. alpombra, latag.

carpet-bag, n. karpeta.

carpus, n. pupulsuhan, munyeka.

carriage, n. pagdadalá, tindíg. tikas, halagá ng pagpapadalá, dálahan, karwahe.

carrier, n. may dalá, tagadalá.

carrion, n. karníng-bulók. lamang-bulók.

carrot, n. karot, sanaorya.

carry, v. magdalá, dalhín. ipagdalá.

cart, n. karitón.

cartage, n. karitahe.

cartel, n. kásunduang pálitan ng mga bilang, kartél.

cartilage, n. kartílagó.

cartman, n. karitero.

cartographer, n. kartógrapó.

cartography n. kartógrapiya.

carton, n. kahóng kartón.

cartoon, n. karikatura, kartún.

cartoonist, n. karikaturista.

cartridge, n. kartutso, punglô.

caruncle, n. palong.

carve, v. umukit, mang-ukit, ukitin, lumilok, manlilok, lilukin.

carver, n. mang-uukit, pangukit, manlililok, panlilok.

carving, n. pang-uukit, larawang inukit, panlililok, nililok.

cascade, n. lágaslasan, kaskada.

case, n. kaso, katáyuan, pangyayari, kaukulán. kaha.

caseharden, v. patigasín ang balát.

casein, n. kaseyna.

casement, n. dahon ng bintanà.

caseous, adj. malakeso.

casework, n. pagsusurì ng (sa) kaso.

cash, n. kuwaltang hawak.

cashbook, n. aklat ng kaha.

cashier, n. kahero (-ra).

cashier, v. itiwalág, sisanti-hín, tanggihán.

cashew, n. balubad, kasúy.

casino, n. kasino, "casino"

cask, n. bariles, tunóg.

casket, n. estutse, kabaong.

cassava, n. kamoting-kahoy.

casserole, n. kasirola.

cassia, n. kasya.

cassock, n. sutana.

cassowary, n. (Zool.) kaswar-yo.

cast, v. ihagis, iitsá; ipukól, ibató, maglunó, n. pukól, hagis, itsá, mga artista.

castanets, n. kastanyitas, kastanwelas.

castaway, adj. itinapon, na-bagbág, napadpád.

caste, n. kasta, uring panli-punan, lipì.

castigate, v. kastiguhin, pa-rusahan.

castigation, n. kastigo, paru-sa.

Castilian, n. Kastila.

castle, n. kastilyo, tore.

castor, n. kastór, lansinà.

castrate, v. kapunín.

casual, adj. kaswál, nagkáta-

ón, paná-panahón, impor-mál.

casualty, n. aksidente, kapa-hamakán, sakunâ.

cat, n. pusà.

catabolism, n. katabolismo.

cataclysm, n. kataklismo, sa-kunâ.

catacomb, n. katakumba, li-bingan-yungíb.

catafalque, n. katapalko, bu-rulán.

Catalan, n. adj. Katalán.

catalectic, n. kataléktikó, may pungos na isáng pan-tíg.

catalepsy, n. katalépsiyá, pa-ninigás ng muskuló.

catalogue, n. katálogó.

catalysis, n. katálisís, pam-padalî.

catamaran, n. balsá, lamò.

cataplasm, n. kataplasma, ta-pal.

catapult, n. katapulta, páig-kasan.

cataract, n. katarata, talón, kulabà.

catarrh, n. sipón.

catastrophe, n. katástropé. malakíng kapahamakán.

catch, v. hulihin, dakpín, má-huli, máratnán, abutin, maabutan. n. huli, násilò, pansaló.

catcher, n. tagasaló, katser.

catching, adj. nakákahawa, nakaháhalina.

catechism, n. katesismo.

catechist, n. katekista.

catechize, v. katikisahín.

catechumen, n. katikúminó.

categorial, adj. kategórikó, lubós, tuwiran.

category, n. kategoriya, kaurián.

catena, n. kadena, kawíng.

cater, v. magpakain, mangontrata ng pagpapakain, manustós.

caterer, n. katerér, abastesedór.

caterpillar, n. higad, tilas, uód.

catfish, n. kandulì, hitó.

catgut, n. kuwerda, bagtíng.

catharthic, adj. katátiká, purgá.

cathedra, n. kátedrá.

cathedral, n. katedrál.

catheter, n. kátetér, sonda, tarol.

cathetrize, v. sóndahán, tarulan.

cathode, n. kátodó.

Catholic, n. adj. Katólikó.

Catholicism, n. Katolisismo, pagka-Katólikó.

catholicity, n. katolisidád, kakatólikuhán.

catholicon, n. katolikón, panáseá, gamút-lahát.

cat's-eye, n. matáng-pusà, kalsidonya, krisoberilo.

cat's paw, n. sangkalan, kinasangkapan.

catsup, n. ketsup.

cattail, n. espadanya, buntutpusà.

cattle, n. mga baka, ganado.

Caucasian, n./adj. Kawkasó.

caucus, n. kaukus, ambulong.

caudate, adj. maybuntót.

caul, n. kaul, umento, amniyón.

cauldron, n. kaldero.

cauliflower, n. koliplor.

causal, adj. pananhî, panahilán.

causality, n. sanhian, kasanhián.

causative, adj. pananhî, pabigáy-bisà.

cause, n. sanhî, dahilán, katwiran, mutibo, puntahin, panig, pinagmulán, v. maging sanhî, maging dahilán, pagmulán, papangyarihin.

causeless, adj. waláng-sanhî, waláng-dahilán.

causerie, n. sálitaan, úsapan.

causeway, n. andamyo, taytáy, lansangang lágusan.

caustic, adj. kaústikó, nakakápasò, mapangutyâ, matalas, malubhâ.

cauterize, v. kawterisahín,

pasuin, heruhan.

cautery, n. kawteryo, pagpasò, paghehero.

caution, n. babalâ, ingat, **v.** paunawaan, babalaán.

cautious, adj. maingat, maalagà.

cavalcade, n. kabalgata, kábayuhán, prusisyón, parada, padyant.

cavalier, n. kabalyero, máginoó, hinete, galán.

cavalry, n. kabalyeriya.

cave, n. kuweba, yungíb.

cave-in n. guhò, lugsô.

cave-in, v. gumuhò, lumugsô.

caviar, n. kabyár, bagoong ng isdâ.

cavity, n. lugóng, ukà, butas.

cavort, v. maglulundág, magaalmá.

cayenne pepper, n. pamintón.

cayman, n. kaymán, buwaya.

cease, v. itigil, matapos, tapusin.

ceaseless, adj. waláng-tigil, waláng-likát.

cedar, n. (Bot.) sedro, sedar.

cede, v. ibigáy, ipagkaloób, ilipat, isalin.

cedilla, n. sedilla, markang pantunóg-S sa C.

ceiba, n. buboy, kapók.

ceiling, n. kísamé, pinakamataás, taluktók.

celebrant, n. selebrante, ang nagdíriwang, maypistá.

celebrate, v. magdiwang, ipagdiwang, magpistá, magpistá, magdaos ng kasáyahan.

celebrated, adj. bantóg, balità, kilalá.

celebration, n. pagdiriwang, pagdaraos.

celebrity, n. taong bantóg, taong tanyág.

celerity, n. liksí, kaliksihán, bilís, kabilisán.

celery, n. apyo, kintsáy.

celestial, adj. selestiyál, panlangit, makalangit, dibino.

celiac, adj. ukol sa lugóng ng tiyán, silyako.

celibacy, n. selibato, pagpapakabasal, di-pag-aasawa.

celibate, n. sélibé, **adj.** waláng-asawa.

cell, n. silíd, selda, saray, sélulá.

cellar, n. selar, bodega sa silong.

cello, n. tselo, biyolintselo.

cellular, adj. selulár, seluloso.

cellophane, n. sélopén.

celluloid, n. seluloyde.

cement, n. semento, **v.** magsimento, siméntuhán, pagisahín, patibayin.

cemetery, n. sementeryo, líbingan.

cenesthesis, n. senestesya, kamalayan.

cenotaph, n. senotapyo, tumba, bantayog.

censer, n. isensaryo, súuban.

censor, n. sensór, krítikó, tagapuná.

censorious, adj. sensoryo, kritikón, labis mamintás.

censorship, n. sensura, pagsesensura.

censurable, adj. sensurable, kapuná-puná, dapat sisihin.

censure, n. sensura, puná.

census, n. senso.

cent, n. séntimós, pera.

cental, n. kintál.

centaur, n. sentauro, sentawro.

centenarian, adj. sentenaryo, dadantaunín, dadaaníngtaon, ikasandaáng-taón.

gitnaan, v. gumitnâ, igitnâ.

center of gravity, gitnáng panimbangan.

centerpiece, n. panggitnâ, pangkálagitnaan.

centesimal, n. sentesimál, ikasandaán.

centigrade, n. sentígradó.

centigram, n. sentigramo.

centiliter, n. sentilitro.

centime, n. séntimós, pera.

centimeter, n. sentimetro.

centipede, n. alupihan, antipalo.

central, adj. gitnâ, kalágitnaan, sentrál, pángunahín.

centrifugal, adj. paikót, séntripugál.

centripetal, adj. paikít, sentrípetál.

centrosome, n. sentrosoma.

centropshere, n. kalágitnaan ng daigdíg, kalágitnaang masa.

centuple, adj. sandaáng ibayo.

centuplicate, v. gawíng makásandaán.

centurion, n. senturyón.

century, n. siglo, dantaón.

cephalic, adj. pang-ulo, ukol sa ulo, sepálikó.

cephalopod, n. sepalópodó.

ceraceous, adj. seráseó, maypagkít.

ceramics, n. serámiká.

cerate, n. serato.

cereal, n. seryal, butil.

cerebellum, n. (Anat.) serebelo.

cerebral, adj. serebrál, pangutak.

cerebrate, v. makaisip, umisip.

cerebration, n. pag-isip, paggamit ng utak.

cerebrospinal, adj. serebroes- pinál, pang-utak-gulugód.

cerebrum, n. utak, serebro.

cerecloth, n. ule, damít na ule.

cerise, n. seresa, kulay-sere- sa.

cerement, n. ule, damít-pam- burol, damít panlibíng.

ceremonial, adj. seremonyál, ritwál.

ceremony, n. seremonya.

Ceres, n. Ceres, diyosa ng tu- mútubong pananím.

cerium, n. seryo.

cermet, n. seramál.

cernous, adj. nakahilig, tá- tangú-tangô, tátayun-ta- yon.

ceroplastic, n. seroplástiká.

certain, adj. tiyák, sigurado, totoó, maáasahan, di-maíi- lagan, ayós na.

certainly, adv. siyangâ, tala- gá na, oo ngâ.

certainty, n. katiyakán, ka- siguruhán.

certificate, n. sertipiko, ser- tipikado, patunay, patibay.

certified, adj. sertipikado, si- nertipikahán, pinatibayan, pinatunayan.

certifier, n. sertipikadór, ta- gapagpatunay.

certify, v. sertipikahán, pati- bayan, patunayan.

certiorari, n. certiorari.

cerulean, adj. serulyo, bug- háw-langit.

cerumen, n. tutuli.

ceruminous, adj. matutulí.

ceruse, n. albayalde.

cervical, adj. (Anat.) serbi- kál, panliíg, ukol sa liíg.

cervicodorsai, adj. (Anat.) serbikodorsal, panlikúd-li- íg.

cervine, adj. ng lahing usá.

cervix, n. liíg, batok, likúd- liíg.

cesarean, adj. sesaryan, se- saryo.

cessation, n. pagtigil, pag- humpáy.

cession, n. paglilipat, pagsa- salin.

cesspipe, n. tubong pande- sagwe, tubong pátuluán.

cesspool, n. posonegro.

cesura, n. sesura, untól, ti- gil.

chafe, v. painitin, painitan. kuskusín, gasgasín, yamu- tín.

chaff, n. ipá.

chaffer, n. barát.

chaffinch, n. ibong pinsón.

chagrin, n. kabiguán, pagka- bigô, kahihiyán, pagkahi- yâ.

chain, n. kadena, tanikalâ,

pangaw.

chair, n. silya, úpuan.

chaise, n. karwahe, kalesín, tiburín.

chalcedony, n. kalsedonya.

chalet, n. tsalét.

chalice, n. kalis, kopa.

chalk, n. yeso, tsok, tisa.

challenge, n. hamon, paghamon. v. hamunin, retuhin, hamitín.

challenger, n. retadór, manghahamon.

chamber. n. kuwarto, silíd, kamará, bulwagan.

chamberlain, n. tsambelán.

chambermaid, n. kamarera.

chameleon, n. hunyangò.

chamfer, aáb, kanál, ukit.

chamois skin, n. gamusa.

champ, v. ngumalót, ngalutín.

champagne, n. sampán, alak.

champaigne, n. yano, sabana.

champignon, n. kabuté.

champion, n. kampeón, tagapagtanggól, magtanggól, ipagtanggól, magtaguyod, itaguyod.

championship, n. kampeonato, pagtatanggól, pagtataguyod.

chance, n. pagkakátaón. adj. di-inaasahan. v. mágkataón, magbaká-sakalì.

chancel, n. presbiteryo, harapán ng altár.

chancellor, n. kansilyér.

chancery, n. kansilyeriya, tanggapan ng kansilyér.

chancre, n. tsangkro, simulâ ng sípilís.

chandelier, n. aranyá, tsandelyér.

chandelle, n. sibád na pataás, siyandél v. sumibád na pataás, magsiyandél.

chandler, n. magkakandilâ.

change, n. pagbabago, pagpapalít, paghahalili, pagiibá, pamalít. v. magbago, baguhin, magpalít, palitán, maghalili, halinhán, magibá, ibahín.

changeable, adj. pabagu-bago, madalíng mabago, madalíng magbago.

changeless, adj. waláng-bago, waláng-pagbabago.

changer, n. magpapalit, kambiyadór.

channel, n. agusán, tubong páagusán, daanán, tsanel. v. magkanál, kanalán, paagusin, paraanin.

chanson, n. kansiyón, awit.

chant, v. umawit, kumantá. n. awit, kantá.

chanter, n. kantór, mang-aawit.

chanticleer, n. tandáng.

chantry. n. kapilya, bakuran

ng nitso.

chaos, n. kaos, kasaligutgután.

chaotic, adj. kaótikó, saligutgót.

chap, n. tao, mamà.

chapel, n. kapilya.

chaperon, n. siyaperón, kasama.

chaplain, n. kapilyán, pari, pastor.

chaplet, n. putong na bulaklak, grinalda, rosaryo.

chapter, n. kabanatà, kapítuló, sangáy.

char, v. ulingin, papag-ulingin, sunugin, silabín.

character, n. karakter, letra, titik, uri, katángian, kakaniyahán, panauhan, tauhan, papél, taong-kakatwâ.

characteristic, adj. karakterístikó, katangi-tangì.

characterization, n. karakterisasyón, pagpapanauhan.

characterize, v. karakterisahín, magpanauhan, panauhanin, maglarawan, ilarawan.

charade, n. tsarada larong pantomina.

charcoal, n. uling.

charge, n. kargá, dalá, kapanágutan, tungkulin, halagá, sumbóng, sakdál, paratáng, lusob, paglusob. **v.**

kargahán, isumbóng, ibintáng, pagbintangán, papanagutín, halagahán, lusubin.

charger, n. kabayo, kargahan, pangkargá.

chariness, n. pagka-maingat.

chariot, n. karosa.

charioteer, n. karosero.

charitable adj. karitatibo, mapagkáwanggawà.

charity, n. karidád, káwanggawâ.

charlatan, n. tsarlatán, taong bulaan.

charlatanry, n. kabulaanan.

charm, n. halina, panghalina, alindóg, galing, gayuma, panggayuma, **v.** ingkántuhín, gayumahin, akítin, halinahin, bigyáng-lugód.

charming, adj. kaakit-akit, mapang-akit, mapanghalina, nakalúlugód.

charnel, n. libingan.

chart, n. tsart, karta.

charter, n. kasulatan, dokumento, karapatáng-kaloob, pahintulot, **v.** bigyán ng prankisya, alkilahin.

chary, adj. matipid, maingat.

chase, v. habulin, hagarin, tugisin. **n.** paghabol, paghagad, pagtugis, habulán, hagarán, tugisán.

chaser, n. manghahabol,

manghahagad, mánunugis.

chasm, n. abismo, bangín, abra, labíng.

chassis, n. tsasis, armasón.

chaste, adj. kasto, basal, dalisay, busilak, waláng-dungis.

chasten, n. kastiguhin, parusahan, dalisayin.

chastity, n. kastidád, pagkabasal, pagkadalisay, kabirhinán.

chasuble, n. kasulya.

chat, v. mag-usap, magsálitaan,·n. usapan, pag-uusap.

chateau, n. kastilyo.

chattel, n. biyenes-muwebles.

chatter, v. dumaldál, magdadaldál.

chatterbox, n. daldalera, (-ro), daldál.

chatty, adj. madaldál, daldalera (-ro).

chauffeur, n. tsupér.

chaulmbora, n. kaulmúgra.

chauvinist, n. patriotero, (-ra).

cheap, adj. mura, waláng-kuwenta.

cheat, v. mandayà, magdayà, dayain.

cheater, n. magdarayà.

cheating, n. pagdarayà.

check, v. tsekán, pígilan, patunayan ihabilin, hakihin. **n.** tsek.

checker, n. tseker, tagatsék.

checkerboard, n. damahán, tablero, tablerong pangahedres.

checkered, adj. kuwadri- kuwadrilyo, paibá-ibá.

checkers, n. dama.

checkmate, v. maghaki, mang· haki, hakihin. **n.** paghaki.

cheek, n. pisngí.

cheep, n. siyáp, huni.

cheer, v. pasiglahín, mangalíw, aliwín, bigyáng-buhay, buhayin. **n.** damdamin, sayá, buhay, tuwâ, alíw.

cheerer, n. tagaalíw, tagaalò, tagapagpasiglá, tagasigáw.

cheerful, adj. masayá, nagágalák, buháy.

cheerfulness, n. pagka-masayá, pagka-masiglá.

cheese, n. keso.

cheesecake, n. kesadilya, larawan ng babaing hubú't hubád.

cheesecloth, n. gasang magaspang.

cheeseparing, n. tipíd na tipíd.

cheesy, adj. malakeso, parang keso.

chef, n. punong kusinero.

chela, n. sipit (ng alimango, alimasag, atb.).

chemical, adj. kimíkó, **n.** pro-

duktong kímikó.
chemise, n. kamisón.
chemist, n. kímikó.
chemistry, n. kímiká.
cherish, v. mahalín, itangì.
cheroot, n. trompetilya, tabako.
cherry, n. seresa, kulay seresa.
cherub, n. kerubín.
cherubic, adj. anghelikál, malaanghel.
chess, n. ahedrés.
chest, n. kahón, kaha, kabán, dibdíb, pitsó.
chestnut n. (Bot.) kastanyas.
chevalier, n. máginoó, kabalyero.
chevron, n. sebron.
chew, v. ngumuyâ, nguyaín, ngumatâ, ngataín.
chiaroscuro, n. pagsosombra.
chiasma, n. sagbatan, kiyasma.
chibouk, n. sibuka.
chic, adj. makisig, magarà.
chicanery, n. panlilinláng, panlalansí.
chick, n. sisiw, inakáy.
chicken, n. manók.
chicken-hearted, adj. duwág,
chicory, n. atsikorya.
chide, n. sisihin, sumbatán, kagalitan.
chief, n. hepe, punò, tsip, **adj.** pinakamataás, pángunahín,

prinsipál.
chieftain, n. punò ng lipì, ulo, kabesa.
chiffon, n. tsipón, gasa.
chilblain, n. sabanyon, pamamagâ ng paá (kamay).
child, n. batà.
childbearing, n. panganganák.
childhood, n. kabataan, pagkabatà.
childish, adj. parang batà. musmós, pambatà.
chili n. sili.
chill, n. gináw, ngiki, kaligkíg. v. magináw, maginawán, kaligkigín ngikihin. palamigín.
chilly, adj. magináw, malamíg.
chime, n. tunóg ng kampanà, karilyon, himig, músiká.
chimera, n. kimera, kinikitá, ilusyón, guníguní.
chimney, n. tsiminea, tubo ng kingké, páusukán.
chimpanzee, n. tsimpansé.
chin, n. babà.
china, n. porselana, losa.
China, n. Tsina.
Chinaman, n. Intsík.
chine, n. gulugód, lamáng-gulugód.
Chinese, n. adj. Intsik.
chink, n. biták, gahak, putók, lamat.

chip, n. tatal, tapyás, piraso,
hilis, akbá.

chirography, n. kirograpiya.

chiromancy, n. kirománsiyá.

chiropodist, n. pedikuro, kal-
yista.

chiropactic, n. kiropráktiká.

chiropractor, n. kiropráktikó.

chirp, n. siyáp, huni. v. su-
miyáp, humuni.

chisel, n. paít, lukób, sinsél.
v. paitín, sînsilín,

chit, n. tsit, bale, dalagin-
díng.

chitchat, n. daldalan, satsa-
tan.

chivalrous, adj. may asal-má-
ginoó, mapitagan.

chivalry, n. pagka-máginoó,
pagka-máginoó sa asal.

chloral, n. klorál.

chlorate, n. klorato.

chloride, n. kloruro.

chlorination, n. klorusasyón.

chlorine, n. kloro, klorin.

chloroform, n. kloropormo.

chlorophyl, n. kloropila.

chlorosis, n. klorosis, pame-
merde.

chock, n. kalsó, kunyás.

chockful, adj. punúng-punô,
pantáy-labî.

chocolate, n. tsokolate.

choice, n. pagpilì, opsiyón,
mapagpípilian, ang napilì,
ang pinilì, adj. pilì, hirang,

mainam.

choir, n. koro.

choke, v. sakalín máhirinan,
inisín, mainís.

chocker, n. tsoker, reguladór
ng hangin.

cholera, n. kólerá.

choleric, adj. magagalitín.

cholesterol, n. kolesteról.

choose, v. pumilì, mamilì, pi-
liin, pamilian.

chop, v. magsibák, magtad-
tád, magtabás.

chopper, n. tagasibák, taga-
tadtád.

chopstick, n. sipit ng Intsík.

chopsuey, n. sapsúy.

chord, n. kuwerdas.

chore, n. gáwain sa bahay.

choree n. trokeo.

choreography, n. koreograpi-
ya, sining ng sayáw.

choriambic, n. koryambo, adj.
koryámbikó.

chorion, n. (Anat.) supot ng
bahay-batà, kuryón.

chorister, n. korista.

choroid, n. koroydes, adj. ko-
roydeó.

chorus, n. koro.

chosen, adj. pilì, hirang, pi-
nilì, hinirang.

chow, n. pagkain.

chrestomathy, n. krestoma-
tiya.

chrism, n. krisma, santo-óleó.

chrisom, n. damít-pábinya-
gan.

Christ, n. Kristo, Hesukristo.

christen, n. binyagán, ngala-
nan.

Christendom, n. Kakristiya-
nuhan.

christening, n. binyagan,
pagbibinyág.

Christhood, n. Kakrístuhán,
pagka-Kristo.

Christian, n., adj. Kristiyano,
binyagan.

Christianism, n. Kristiyanis-
mo, pagka-Kristiyano.

Christianize, v. Kristiyanu-
hin, papagíng-Kristiyano.

Christianization, n. Kristiya-
nisasyón.

Christianlike, adj. parang
Kristiyano.

Christlike, adj. parang Kristo.

Christmas, n. Paskó ng Nabi-
dád, Pasko ng pagsilang ni
Hesús.

chroma, n. kulay-kroma.

chromate, n. kromato.

chromatic, adj. kromátikó,
hinggíl sa kulay.

chromatics, n. kromátiká, ag-
hám ng kulay.

chromatography, n. kromato-
grapiya.

chromatolysis, n. kromatóli-
sís, pagpupugnáw ng kro-
matina.

chromatophore, n. kromato-
poro, séluláng dalá-kulay.

chrome, n. kromo.

chromo, n. kromo, larawang
makulay.

chromosome, n. krómosóm.

chromosphere, n. kromóspe-
rá, himpapawíd ng plane-
ta.

chronic, adj. krónikó, tala-
mák.

chronicle, n. króniká, kasay-
sayan, ulat.

chronicler, n. kronista, taga-
ulat, mánanalaysáy.

chronologer, n. kronolohista.

chronologic, adj. kronolóhikó,
sunúd-sunód sa panahón.

chronology, n. kronolohiya.

chronometer, n. kronómetró,
panukat-panahón.

chrysalid, n. krisálidá, tilas,
higad.

chrysantemum, n. krisante-
mo.

chubby, adj. bilugán, namí-
mintóg.

chuck, n. kalabít, tapík, wak-
sí, v. kalabitín, tapikin,
iwaksí.

chuck, n. liíg at balikat, man-
dríl.

chuckle, n. ngisi, v. ngumisi,
magngingisí, ngisihan.

chum, n. katoto, kaibigan,

chunk, n. tigkál, malakíng

piraso, bugál.

church, n. simbahan, iglesya.

churchgoer, n. taong mapa-
nimbá.

churchman, n. taong simba-
han.

churchyard, n. patyò ng sim-
bahan.

churlish, adj. tagabukid, ma-
gaspáng, magagalitín, ma-
tipíd.

churn, n. mantikera, batide-
ra, mantikilyahan, v. halu-
in, batihin, alugín, pabula-
ín.

churr, n. pagaspás, pagispís.

chute, n. pádaus-usan, para-
kaida.

chyle, n. kilo.

chylifactive, adj. kilipikatibo.

chylification, kilipikasyón.

chylify, v. kilipikahín.

chylous, adj. kiloso.

chyme, n. kimo, sibaryo.

cicada, n. kuliglíg.

cicatrice, n. langíb, pilat, pik-
lát.

cicatrize, v. maglangíb, pa-
paglangibín.

cicierone, n. giya, siserone.

cider, n. sidra, katás ng man-
sanas.

cigar, n. sigaro, tabako.

cigarette, n. sigarilyo.

cilia, n. pilíkmatá, pilíksélu-
lá, pilík-pilík.

ciliate, adj. maypilík, maba-
lahibo.

cimex, n. surot.

cimmerian, adj. malagím, lu-
bóg sa karimlán.

cinch, n. satiyán, bigkís.

cinchona, n. kina, singkona.

cincture, n. sintura, bigkís.

cinder, n. uling, dupong, abó.

cinema, n. sine. pelíkula, pu-
tíng tabing, sinihán.

cinematography, n. sinema-
tograpiya.

ceneraruim, n. siniraryo.

cinerator, n. krematoryo, in-
siniradór, sunugán.

cinnabar, n. sinábriyó.

cinnamon, n. kanela.

cinquain, n. límahang taludtód.

cipher, n. sero, pamilang, kó-
digóng lihim.

circa, prep./adv. sirka, sa
palibot ng.

circle, n. bilog, sírkuló, pali-
gid, paikót, lípunan. v. bi-
lugan, magpaikut-ikot.

circlet, n. munting bilog.

circuit, n. palibot, paligid,
pagligid, ruta, sírkuwít.

circuitous, adj. paikit-ikit,
paikut-ikot, maligoy.

circular, adj. pabilóg, paikít,
paikót, bilugán n. sirku-
lár, palibot-sulat.

circularize, v. bilugin, pabi-

lugan. padalhán ng sirku-
lár.

circulate, v. umikit, umikot,
lumigid. magpaikit-ikit,
magpaikut-ikot, magpali-
gid-ligid, ilibot, palibutin.
paglaganap, pagkalat.

circumambient, adj. palibot,
paligid.

circumcise, v. tuliin, patulì,
magpatulì, patulian, ipatu-
lì.

circumcision, n. sirkunsisyón,
pagtutulì, pagpapatulì.

circumference, n. sirkumpe-
rensiya, kabilugan, tikop,
paligid, palibot.

circumflex, n. sirkumpleho,
pakupyâ.

circumlocution, n. ligoy, kali-
guyan, pagka-maligoy.

circumnavigate, v. magligid-
layag. pagligid-layagan,
papagligid-layagin.

circumnavigation, n. paglili-
gid-layag. pagkakápagli-
gid-layag.

circumnavigator, n. manlili-
gid-layag, sirkumnabiga-
dór.

circumscribe, v. guhitan ang
palibot, bilugan, paligiran.

circumspect, adj. maingat,
maalagà.

circumstance, n. sirkunstán-
siyá, tayô, katáyuan, lagáy,

kalágayan.

circumstantial, adj. sirkuns-
tansiyál, ayon sa nangyari,
insidentál, maáaring nang-
yari.

circumbent, n. palibutan, pa-
ligiran, pikutin, biguín, li-
tuhín.

circus, n. sirko.

cirrhosis, n. siro, sirosis, pa-
ninigás ng himaymáy.

cirro-cumulus, n. alapaap.

cist, n. katô.

cistern, n. sisterna, tangké
ng tubig.

citadel, n. kutà, muóg.

citation, n. tawag, banggít,
pagsipì, papuri, parangál.

cite, n. tawagin, banggitín,
sipiin, tukuyin.

cithara, n. sítará, kudyapî.

citify, v. mag-ugaling-lung-
sód, papag-ugaliing-lung-
sód.

citizen, n. mámamayán.

citizenship, n. pagka-máma-
mayán.

citrate, n. sítrató.

citric, adj. sítrikó.

citrin, n. sitrino, bitamina B.

citron, n. sintunis, dalang-
hita.

citronella, n. sitronela.

citrus, n. sitro.

city, n. lungsód, siyudád.

city-state, n. lungsód-bansá.

civet-cat, n. musang.

civic, adj. sibiká, pangmámamayán.

civics, n. karunungang síbiká, karunungang pangmámamayán.

civil, adj. sibíl, pambayan.

civilian, n. sibilyan, paysano, mámamayán.

civility, n. pagka-magalang.

civilization, n. sibilisasyón, kabihasnán.

civilize, v. sibilisahín, linangín, edukahín, sanayin.

civilized, adj. edukado, sibilisado, maykabihasnán.

civism, n. sibismo, mabuting pamamayan.

clack, v. ngumawâ, dumaldál, kumakak, pumutak, n. ngawâ, daldál, tagúpák.

clad, adj. bihis, nagagayakán.

claim, v. hingín, angkinín. n. hilíng, pag-angkín.

claimant, n. ang mayhilíng, ang humíhingî

clairvoyant, adj. bidente, nakahúhulà.

clam, n. almeha, kabibi, paros, tulyá.

clamat, adj. pasigáw, ·pahiyáw.

clamber, v. sumampá, sampahín, mangunyapit, pangunyapitan.

clammy, adj. basá-basâ, malambót, malagkít.

clamor, v. magsumigáw, isigâw. n. sigáw, hiyáw, tutol na pasigáw.

clamorous, adj. maingay, maguló.

clamp, n. grapa, ipitán.

clan, n. angkán, hinlóg.

clannish, adj. makaangkán.

clang, n. tang, teng, kalatóng, telembang.

clank, n. kalantóg, kalampág.

clap. v. pumalakpák, palakpakán, mamayagpág. n. palakpák.

clapper, n. badaho, pangkatók, tagapalakpák.

claptrap, n. akit-palakpák.

claret, n. klarete, tinto.

clarify, v. magpalinaw, linawin, linawan, magpalíwanag, ipaliwanag, pagpaliwanagan.

clarinet, n. klarinete.

clarion, n. klarín.

clarity, n. linaw, kalinawan. liwanag, kaliwanagan.

clash, v. magkábanggâ, magkábungguan, magkálaban. n. lagapák, tagupák, dagubáng, banggaan, bangguan, ságupaan, labanán.

clasp, v. yakapin, yapusín, iaspilé, ibutunes, ihebilya, hawakan, pisilín, n. hebilya, brotse, kotsete, kawit, kawíng, yakap, yapós.

class, n. urì, klase, pangkát, lípunan, ranggo, grado, antás. v. klasipikahín, uriin.

classic, n. klásikó, klasik. klásikál, pángunahín.

classification, n. klasipikasyón, pag-uurì, kaurián, pagkakapag-urì.

classroom, n. silíd-klásihan.

classy, adj. may mataás na urì, mainam, maurì.

classmate, n. kaklase.

clatter, n. kalantóg, kalampág, guló, daldál.

clause, n. artíkuló, pangkát, tadhanà, sugŋáy.

claustrophobia, n. klaustropobya, takot na mákulóng.

clavichord, n. manikordiyo.

clavicle, n. balagat, klabíkulá.

claw, n. kukó, pangalmót, gantso.

clay, n. luád, luwád, arsilya.

clean, adj. malinis, dalisay. v. maglinis, linisin.

clean-cut, adj. makinis.

cleaner, n. tagalinis, panlinis.

cleanliness, n. pagka-malinis, kalinisan.

cleanse, v. maglinis, linisin,

clear, adj. maliwanag, sinág, makináng, makinis, bukás,

malayà, malinaw. v. paliwanagan, ilawan, palinawin, pawaláng-sala, alisan ng salabid.

clearance, n. pagpapalinaw, pagpapaliwanag, luwág ng daanán.

clearing, n. pagpapalinaw, pagpapaliwanag.

clearness, n. kalinawan, kaliwanagan.

cleat, n. patibay, pamigil-dulás.

cleavage, n. biyák, hatì.

cleave, (1) v. kumatig, katigan, kumapit, kapitan, dumikít, dikitán, sumama, samahan, makisama.

cleave, (2) v. biyakín, hatiin, hiwagín.

cleaver, n. pangkatay, panlapà, panghiwág.

clef, n. klabe, liyabe.

cleft, n. biták, lahang.

cleft, adj. hatî, biyák.

clemancy, n. pagka-maawáin, habág, pagkahabág, baít. kabáitan. hinahon, kahinahunan.

clement, adj. maawáin, may magaáng pagpapasiyá, mahinahon.

clench, v. higpitán ang hawak.

clergy, n. klero,

clergyman, n. klérigo, parì.

clerk, n. eskribyente.

clever, adj. maalam, matalas, mabilís.

cleverness, n. kaalaman, katalasan, kabilisán.

cliche, n. klitse, sabing paulit-ulit.

click, n. klik, kaltís, lagitík, lagutók, v. makásundô.

client, n. kliente, sukì.

clientele, n. klientela.

cliff, n. talampás, batóng matarík.

climacteric, adj. klimaktériko. v. panahóng klimaktérikó.

climactic, adj. pasukdól.

climate, n. klima, panahón

climatology, n. klimatolohiya.

climax, n. kasukdulán, karurukan.

climb, v. umakyát, akyatín.

clime, n. klima, poók.

clinch, v. ipirmí, irimatse, rimatsihán, patibayan, magsunggaban, n. paglalapar, hulíng pukpók, rimatse.

cling, v. kumapit, dumikít, dumigkít, magpatuloy, yumapós, yapusán.

clinging, adj. nakakapit, nakadigkít.

clinic, n. klíniká.

clinical, adj. pangklíniká.

clink, n. kalansíng.

clip, n. klip. v. gupitín, putulin, tabasan.

clipper, n. makinılyang pambuhók, panghinuko, pamputol.

clipping, n. sipí, kliping, sinipì.

clique, n. pandilya, pangkát.

cloak, n. kapa, manto.

clobber v, bugbugín, aldabisín.

clock, n. relós, orasán. v. orasin, orasan.

clockwise, adv. pakanán.

clod, n. tigkál, bugál, lupà, hangál.

clodhopper, n. mag-aararo, tagabukid.

clog, n. hadláng, bakyâ.

cloister, n. klaustro, kumbento.

close, adj. sarado, nakapinid, nakakulóng, nákukulóng, malihim, lihim masikíp, matapát, matalik, mahigpít, magkapantáy. v. sarhán, ipinid, takpán, pagsamahin, pag-isahín, tapusin, yariin, wakasán. adv. malapit.

close fertilization, n. sariling pagsisimilya.

close-fisted, adj. kuripot.

close-grained, adj. masinsín.

closure, n. pagsasará, pagpi-
pinid, pagtatapós, pagwa-
wakás.

closet, n. kloset, muntíng
silíd.

clot, v. mamuô.

cloth, n. damít, tela, kayo.

clothe, v. magdamít, (mag-
suót), magbihis, bigyán ng
damit, damtán.

clothes n. damít, kasuután,
pananamít.

clothesline, n. sampayan.

clothespin, n. sipit, pang-ipit
ng damít.

clothing, n. damít, panana-
mít.

cloud, n. ulap, alapaap, da-
gím.

cloudburst, n. biglang úlán.

cloudland, n. lupà (daigdíg)
ng ulap, lupà (daigdíg) ng
pangarap.

cloudlet, n. muntíng ulap.

cloudy, adj. maulap, maala-
paap.

cloves, n. klabo, klabong-
pakò.

cloven, adj. hatî, biyák.

clover, n. trebol.

clown, n. bubo, payaso, ma-
pagpapatawá.

cloy, v. masuyà, maumay,
matusing, maibay, magsa-
wà.

club, n. pamugbóg, pambam-
bú, batutà, kiab, kapisanan,
v. bugbugín, bambuhín,
magkaisá.

clue n. susì, hiwatig, hima-
tón.

clump, n. buntón, kimpál,
kumpól, yabág.

clumsy, adj. lampá, padas-
kúl-daskól.

cluster, n. kumpól, langkáy,
pumpón, buwíg, kulumpón,
pulutóng.

clutch, v. sunggabán, kapi-
tan, kuyumin. n. hawak
paghawak, pagsunggáb,
pagkapit, klats.

clutter, v. guluhín, siksikán
ng kung anú-anó.

clyster, n. enema, labatiba,
sumpít.

coach, n. kotse, tagasanay. v.
turuan, sanayin.

coachman, n. kutsero.

coact, v. magsama sa pag-
ganáp.

coaction, n. magkasamang
pagganáp.

coadjutor, n. koadhutór,

coagulate, v. mamuô, ma-
kurtá.

coal, n. karbón, uling.

coalesce, v. magkáisá, ma-
gíng iisá.

coalition, n. koalisyón, pag-
kakáisá, pagsasama.

coarse, adj. mababang urì, magaspáng.

coarson, v. magpagaspáng, pagaspangin.

coast, n. baybayin, baybáy-dagat, dalampasigan. v. mamaybáy-dagat, magpa-daus-os.

coat, n. amerikana, kapa, balabal, balát, balok. v. balutin, balutan.

coax, v. himukin, suyuin,

cob, n. busil, busal ng maís, tigkál, piraso.

cobalt, n. kobalto.

cobbler, n. manggagawà ng sapatos, sapatero.

cobblestone, n. giharo, batóng bilóg-lapád.

cobra, n. ulupóng, kobra.

cobweb, n. bahay-álalawà, bahay-gagambá.

coca, n. koka.

cocaine, n. kokayna.

coccyx, n. kukote. puil.

cochineal, n. kutsinilya, grana, pangulay-karmín.

cochlea, n. susô ng tainga.

cock, n. tandáng, liyabe, pangkasá. v. gumirì, tumaás, itaás, ikasá.

cockade, n. espakarela, laso.

cock-a-hoop, adj. hambóg, mayabang.

cockatoo, n. kakatúa, lorong palungán.

cockatrice, n. basilisko.

cocked hat, sumbrerong may pardilyas na lukób.

cockerel, n. tatyaw, katyaw.

cock-eyed, adj. duling, banlág, tabingî, hibáng, katawá-tawá.

cockfight, n. sabong.

cockfighter, n. sabungero, sasabungin.

cockhorse, n. kabá-kabayuhan.

cocklorum, n. tandáng na enano, taong-pasiti.

cockpit, n. sabungán, galyera.

cockscomb, n. palong.

cockspur, n. tari, tahíd.

cockroach, n. ipis.

cockrow, n. unang tilaok, umagang umaga.

cocksure, adj. sigurado, nakatítiyák.

cocktail, n. kakteil, magi-máginoohan.

cocky, adj. hambóg.

coco, n. niyóg.

cocoa, n. kakáw.

cocoon, n. bahay-uód.

cod, n. bakaláw.

coddle, v. palayawin, mimahín, pasulakán.

code, n. kódigó, batás, símulain, senyál.

codeine, n. kodeyna.

codex, n. libro-manuskristo, Banál na Kasulatan.

codicil, n. kodisilo, dagdág na tadhanà, apendisé.

codification, n. kodipikasyón.

codify, v. kodipikahín, pagsamá-samahin.

coed, n. koed.

coefficicent, adj. pang-ibayo, koepisyente.

coequal, adj. kapantáy,

coerce, v. puwérsahín, pilitin,

coercion, n. koersiyón, pamumuwersa.

coessential, adj. kaesénsiyá, kasinlikás.

coeternal, adj. kasingwalángwakás.

coeval, adj. kagulang, katandâ, kapanahón.

coexecutor, n. kasamang ehekutór.

coexist, v. magkasamang naging . . . , sabáy umiral.

coffee, n. kapé.

coffer, n. kaha, kabán.

coffin, n. kabaong, ataúl.

cog, n. ngipin, enggranahe, munting piraso.

cogent, adj. kapani-paniwalà, makatuwiran.

cogitate, v. magmuni, magisíp.

cognac, n. kunyák.

cognate, adj. kognado, kaurì, kasing-urì.

cognition, n. pagkaalám, kaalamán.

cognizance, n. pang-unawà, pagkaunawà, pansín, kamalayan.

cognomen, n. apelyido, ngalan, pangalan, tagurî.

cogon, n. kugon.

cohabit, v. magpisan (bilang mag-asawa).

coheir, n. kamana.

cohere, v. magkapit-kapit.

coherence, n. kaugnayán, pagkakaúgnáy, ugnayan.

coherent, adj. ugnáy-ugnáy, nagkakáisá, pikpík.

cohort, n. tropa, mga kawal, mga tagataguyod.

cohesion, n. kohesyón, pagka-dikít-dikít.

cohesive, adj. dikít-dikít, kapít-kapít.

coiffure, n. kwapyúr, ayos ng buhók.

coil, n. ikid, kidkid, rolyo.

coin, n. moneda, kuwarta, sinsilyo, baryá, pera, v. lumikhâ, mag-imbento, maggawâ, magbuô.

coinage, n. pagmomoneda, paggawâ ng kuwarta, imbensyón, paglikhâ.
coincide, v. magkásabáy, másabáy, magkátaón, mataón.
coincidence n. pagkakápagsabáy, pagkákataón.
coinsurance, n. magkasamang pagpapaseguro.
coinsure, v. magkasamang magpaseguro.
coir, n. himaymáy ng bunót, bunót.
coke, n. tining ng karbón.
colander, n. salaán.
cold, n. lamíg, gináw, sipón, kaligkíg. adj. malamíg, magináw, matamláy.
coldness n. lamíg, kalamigán, pagka-malamíg, gináw, kaginawán, pagka-magináw.
coleopterous, adj. kolyopteró.
coleslaw, n. ensaladang repolyo.
colic, n. kólikó.
coliseum, n. koliseo.
colitis, n. kolitis.
collaborate, v. magsamang gumawâ, magkusang tumulong, magíng kolaboradór.
collaborator, n. kasama sa paggawâ, kusang katulong, kolaboradór.

collapse, v. gumuhò, masirà, mawalán ng loób, magkasakít, mawalán ng hangin.
collapsible, adj. tiklupin.
collar, n. kulyár, kuwelyo kuwintás.
collarbone, n. balagat.
collate, v. maghambing, paghambingín, suriin, patunayan.
collateral, adj. kolaterál, kasama, kaugnáy, kapantáy, panggarantiya.
collation, n. pagtitipon, pagsasama-sama, kulasyón.
colleague, n. kapanalig, kasama.
collect, n. dalanging pambungad.
collect, v. tipunin, ipunin, mag-ipon, manguha, maningíl, singilín, magilak, maglikom, likumin.
collection, n. koleksiyón, katipunan, pagtitipon, pag-iipon, pagsingíl, kobransa kolekta.
collective, adj. kolektibo, sama-sama, magkakasama.
collectivism, n. kolektibismo.
collector, n. kolektór, tagatipon, tagaipon, tagasingíl, kobradór, mániningil.
college, n. koléhiyó, dálubhasaan.

collegial, adj. kolehiyál, kole-
hiyala.

collegian, n. estudyante sa
koléhiyó, mag-aarál sa dá-
lubhasaan.

collegiate, adj. kolehiyado,
pandálubhasaan.

collet, n. kulyár, énggaste

collide, v. mábanggâ, magká-
banggaan, mábunggô, mag-
kábungguan.

colligate, v. bigkisín, buklu-
rín, pagsamahin.

collision, n. banggaan, bung-
guan.

collocate, n. pagtabí-tabihín
iayos, isaayos, ayusin.

collodion, n. kolodyón.

colluid, adj. helatinoso, ma-
lahelatina.

colloidal, adj. koloyde, koloy-
dál.

colloquial, adj. kolokyál,
pangkaraniwan.

collotype, n. kolotipya, pagli-
limbág-potohelatina.

collusion, n. sápakatan, sáb-
watan.

collyruim, n. koliryo.

cologne, n. kolonya.

colon, n. malakíng bituka,
tutuldók, kolon.

colonel, n. koronél.

colonial, adj. kolonyál, sakóp.
n. taong-kolonyál, taong-
sakóp.

colonist, n. kolono, tagasa-
kop

colonize, v. kolonisahín, sa-
kupin.

colonization, n. kolonisasyón,
pagsakop, pananakop.

colonnade, n. kulumnata, pe-
ristilo, talaháligihan.

colony, n. kolonya, lupang sa-
kop.

colophon, n. kolopón, inskrip-
siyóng pangwakás, sagisag
ng manlalathalà.

color, n. kulay, kolór, wata-
wat. v. kulayan, kolorán.

coloration, n. kolorasyón,
pagkukulay, pangungulay.

colored, adj. may kulay, ki-
nulayan.

coloratura, n. koloratura.

colorist, n. kulurista, mángu-
ngulay, pintor.

colorless, adj. waláng kulay

colossal, adj. malayog, ma-
lawak, kagilá-gilalas.

colostrum, n. unang gatas,
kolostro.

colt, n. potro, bisiro.

columbary, n. bahay-kalapati.

columbine, adj. kolumbina,
parang kalapati.

column, n. pilár, haligi, ku-
lumna, tudlíng, hanay, pi-
la.

columnar, adj. kulumnár, parang haligi, nakahanay, pila-pila.

columnist, n. kulumnista, mánunudlíng.

coma, n. koma, pagkawalángulirát.

comatose, adj. komatoso, nasa koma, waláng malay.

comb, n. sukláy. **v.** magsukláy, suklayín, galugarin.

combat, n. kumbate, labanán. **v.** lumaban, makibaka.

combatant, n. manlalabán, mandirigmâ, kawal.

combative, adj. mapanlabán, mapanghamok.

combination, n. kombinasyón, pagsasama, halò, paghahalò.

combine, v. pag-isahín, pagsamahin. **n.** pederasyón, sang-ísahan.

combustible, adj. madalíng maglingas, madalíng masunog.

combustion, n. kumbustiyón, paglilingas.

come, v. lumapit, dumatíng, sumapit.

comedian, n. komikó, payaso

comedy, n. komedya.

comely, adj. nakalúlugód tingnán, magandá.

comet, n. kometa.

comfort, v. aluin, áliwín, paginhawahin. **n.** alíw, ginhawa, alò.

comfortable, adj. maginhawa, alò.

comic, adj. komik, katawátawá, nakakátawá.

comity, n. galang, paggalang.

comma, n. koma, kuwít.

command, v. magmando, imando, mag-utos, iutos, ipag-utos, utusan, **n.** mando, utos, atas.

commandant, n. komandante.

commandeer, n. komander, punò.

commander, v. samsamín sa hukbó.

commandment, n. utos, atas, mandamyento.

commando, n. hukbóng panlusob, komando.

commemorate, v. mag-alaala, alalahanin, magdiwang, ipagdiwang.

commence, v. magsimulâ, simulán, pumasok.

commencement, n. simulâ, umpisá, gradwasyón, pagtatapós.

commend, v. purihin, papurihan, pagkátiwalaan, ipagkátiwalà.

commendation, n. papuri, parangál, rekomendasyón.

commensurate, adj. magka-kasukát, magkasinlawak, magkasindami, magkapan-táy.

comment, n. puná, pansín, pa-liwanag, palagáy, kuru-ku-rò.

commentator, n. komentaris-ta, tagapaglahad ng kuru-kurò.

commerce, n. komérsiyó, pa-ngangalakal.

commercial, adj. komersiyál, pangkálakalán, pangkala-kal.

commercialism, n. merkanti-lismo.

commercialize, v. komérsiyu-hín, kalakalin.

comingle, v. makihalubilo.

commiserate, v. makiramay, damayan, maawà, magda-láng-awà, kaawaan.

commiseration, n. pakikira-may, pagdadaláng-awà.

commisar, n. komisár, komi-saryo.

commisariat, n. komisaryat.

commisary, n. komisaryo.

commission, n. komisyón, utos, tagubilin, tungkulin, paggawâ, pursiyento.

commissioner, n. komisyuna-do.

commit, v. ipatiwalà, ihabi-

lin, ipasok, gumawâ, ga-wín.

commitment, n. akò, pangakò.

committee, n. komité, lupon.

commodious, adj. maluwág, maaliwalas, kasiyá-siyá.

commodity, n. mga bagay-ba-gay, kagamitán, tindá, ka-lakal.

commodore, n. komodoro, pu-nò ng eskuwadra.

common, adj. karaniwan, panlahát, laganap, kapare-ho, hamak, mababà.

commoner, n. taong-pangka-raniwan.

commonplace, n. karaniwan, ordinaryo, palasák.

commonweal, n. kagalingang pambayan.

commonwealth, n. komon-wels, kapamansaán.

commotion, n. guló, ligalíg.

communal, adj. kumunál, pangmadlâ.

commune, n. kumuna.

commune, v. maglipón, mag-pulong, magtalamitam, ma-kipagtalamitam, magku-munyon, manginabang.

communicant, adj. kumulgan-te.

communicate, v. magsabi, sa-bihin, magbalità, ipabali-tà, ibalità, magpabalità, magpahatíd, magpatalas-

tás, magsulatán, mangha-
wa, magkumunyón.

communication, n. kumuni-
kasyón, pahatíd, pabaiità,
patalastás, páhatiran, Ji-
ham.

communicative, adj. mahi-
lig magbalità, masalitâ.

communion, n. kumunyón,
pamamahagi, pakikisama,
pagrarayama, pagniniíg,
pagkukumunyon.

communique, n. patalastás.

communism, n. komunismo.

communist, n. kumunista.

community, n. kumunidád,
pámayanán.

commutable, adj. kunmutable,
maáaring palitán.

commutation, n. kunmutas-
yon, paghahalili, bawas-
parusa.

commutator, n. komyutetor,
pambalis.

commute, v. palitán, papali-
tán, bawasang-parusa, big-
laíng-bayad, magparoo't-
parito araw-araw.

compact, adj. pikpík, masin-
sin, siksík, buô.

compact, n. kompak, bánití,
kásunduan.

companion, n. kasama, kasos-
yo ,kasamahan.

companionable, adj. magaáng
kasamahin, magiliw.

companionship, n. pagsasa-
ma, mabuting pagsasama-
hán.

company, n. kasama, kasama-
hán, panauhin, kompaniya,
pangkát, korporasyón, ka-
pulungan.

comparable, adj. máitutulad,
maáaring itulad.

comparative, adj. maiháham-
bíng, pahambíng.

compare, v. ikompará, iham-
bíng, paghambingín, mátu-
lad, mákatūlad.

comparison, n. paghaham-
bíng, pagtutulad, pághaha-
lintulad.

compartment, n. komparti-
mento, silíd, pitak.

compass, n. aguhon, kómpas,
área, palibot, hanggahan,
pangguhit-bilog.

compassion, n. awà, habág.
simpatiya.

compassionate, adj. maawa-
ín, mahábagin.

compatible, adj. kabagay,
magkabagay, kasundô,
magkasundô, kabagáng, ka-
tugón, magkatugón.

compatriot, n. kababayan, ka-
mámamayán.

compel, v. mamilit, pilitin.

compendium, n. kumpendiyo,
abstrakto, paiklî, buód,

sinopsis, balangkás, mga sinipì.

compensate, v. tapatán, tumbasán, pantayán, bayaran.

compensation, n. kompensasyón, gantí, gantimpalà, bayad, upa, pabuyà, pagwawastô.

compete v. magpánaigan, makipagpánaigan, magkompetónsiyá, makipagkompeténsiyá.

competence, n. pagkakainaman, kasapatán, kakayahán.

competent, adj. sapát, kainaman, maykaya, magalíng magtrabaho. may angkop na kakayahán.

competition, n. tunggálian. paglalaban, pagpapánaigan, páligsahan.

competitor, n. kakompeténsiyá, kalaban, katimpalák.

compilation, n. kompilasyon, katipunan, pagsasama-sama.

compile, v. kompilahín, tipunin, pagsamá-samahin.

complacence, (-cy) n. pagkakakontento, kasiyahán, kasiyahán, kasiyaháng-loób.

complacent, adj. kontento, nasísiyahán, nalúlugod.

complain, v. dumaíng, maghimutók, magdamdám, magsumbóng, magsakdál.

complaint, n. daíng, himutók, panimdím, sumbóng, sakdál.

complaisance, n. pagka-magiliw.

complaisant, adj. magiliw, mairog.

complement, n. komplemento. pampunô, pambuô, kagánapan.

complete, adj. punô, tapós, lubós, ganáp, buô, lahát. **v.** buuín, punuín, ganapín, tapusin, yariin, hustuhín.

completion, n. pagbubuô. pagpupunô, **pagganáp**, pagkaganáp, pagkatapós, pagtatapós, pagyarì, pagyayarì, paghuhustó.

complex, adj. may maraming bahagi, langkapan, dalawáng bahagi, hugnayan, magusót, salimuót.

complex, n. (Psychol.) kompleho, damdaming-piít.

complexion, n. kutis, anyô, itsura.

complexity, n. kagusután, kasalimuután.

compliance, n. pagsunód, pagtupád, pagsang-ayon.

complicate, v. guluhín, makaguló, pahirapin.

complicated, adj. komplikado. guló, salimuót, mahirap unawain.

complication, n. komplikasyón.

complicity, n. pagkakasabwát.

compliment, n. papuri, paghangà, batì, álaala.

complimentary, adj. nagpapahayag ng paghangà, komplimentaryo, álaala.

complot, n. pagsasábwatan, sápakatan.

comply, v. sumunód, sundín, umayon, sumang-ayon.

component, n. sangkáp, kasangkáp, katambál, pangkát.

comport, v. mag-asal, magugalì, mag-anyô.

comportment, n. asal, ugalì, anyô, tayô, tindíg.

compose, v. buuín, gumawà, lumikhâ, likhaín, kumathâ, kathaín.

composed, adj. binuô, nilikhâ, kinathâ, mahinahon, matiwasáy.

composer, n. mánunulà, kompositór, kahista.

composite, n. kompuwesto, sama-sama.

composition, n. komposisyón, kayarián, pagsasama-sama, paghahalò, pag-aayos.

compositor, n. kompositór.

compost, n. abono, patabâ, agsaman.

composure, n. hinahon, kapanatagan.

compound n. kampo, looban.

compound, adj. kompuwesto, sangkapan, haluán, tambalan pinagsama.

comprehend, v. matantô, máunawaan.

comprehensible, adj. madalíng matantô, madalíng maunawaan.

comprehension, n. katantuán, pagkáintindí, kasaklawán.

comprehensive, adj. maraming sakláw. malawak na pang-unawà.

compress, n. tapal, patsé.

compress, v. diinán, pikpikín, siksikín, paikliín, buurín.

compress, adj. pikpík, pinikpík, siksík, pipís, tipî.

compression, n. kompresyón, pagpikpík, pagpipís.

compressor, n. kompresór, pamikpík, pamipís.

comprise, v. maglamán, lamanín, sumakláw, saklawín, buuín.

compromise, n. kompromiso, pagkakápasubò, kásunduan.

comptometer, n. kontómetró, mákináng-túusan.

comptroller, n. kontroler, ta-
gapamahalà.

compulsion, n. kompulsiyón,
pagka-sápilitán, pamimilit,
sápilitáng pagpapairal.

compulsory, adj. sápilitán.

compunction, n. agam-agam,
panimdím, pagsisisi, pagka-
hiyâ.

computation, n. pagtutuós,
katuusán, kalkuló, tantiyá.

compute, v. tuusín, kálkulu-
hín, kuwéntahín.

comrade, n. kasama, kamara-
da, kaibigan.

con, v. pag-aralan, isaulo,
sauluhin. n. panig na kala-
ban.

conation, n. pagpupunyagî,
pagsisigasig.

concatenate, v. pagkawíng-
kawingín, pagtalí-taliin.

concave, adj. malukong.

conceal, v. itagò, ikublí, ili-
ngíd, ilihim, ipaglihim.

concealment, n. pagtatagò,
pagkukublí,   paglilingíd,
paglilihim,

concede, v. ipagkaloób, ibi-
gáy, pumayag, payagan, su-
mukò, magbigáy-daán.

conceit, n. ego, siging, bani-
dád, bálunlugód, kapala-
luán, kaakuhán.

conceited, adj. masiging, ma-
bálunlugód,   mayabang
makaakó.

conceive, v. maglihí, mag-
buntís, isaisip, isipin.

concentrate, v. pisanin sa
gitnâ,   pagsamá-samahin.
sidhián.

concentration, n. kosentras-
yón.

concentric, adj. konséntrikó.
may íisáng gitnâ.

concept, n. isip, isipan, kai-
sipán, palagáy, larawang-
isip, diwang pabuód.

conception, n. isip, isipan,
paglilihí, paghakà.

conceptualism n. konseptu-
walismo.

conceptualist n. conseptuwa-
lista.

concern, v. máukol, magkaro-
ón ng kinálaman. n. kapa-
kanán, pakialám, balisa,
pagkabalisa.

concerned, adj. balisá, nabá-
balisa, nabábahalà.

concerning, prep. tungkól sa
(kay), hinggíl sa (kay).

concert, n. armoniya, túgu-
nang-tunóg, pagkakásundo,
konsiyerto.

concerted, adj. pinagtulu-
ngan, pinagkásunduán, pi-
nagsabáy.

concession, n. konsesyón, pagkilala, kaloób.

concessionaire, n. konsesyonaryo.

conch, n. kontsa.

conchology, n. kontsolohiya.

concierge, n. portero, bantáy-pintô.

conciliate, v. manuyò, magpalubag-loób, kaibiganin, papagkásunduín.

conciliation, n. konsilasyón, mulíng pagkakasundô.

concise, adj. maigsî, binuód, sa kauntíng salitâ.

conclave, n. konglabe.

conclude, v. tapusin, wakasán, yariin, hinuhain.

conclusion, n. wakás, katapusán, kongklusyón, hinuhà, pasiyá.

conclusive, adj. pangwakás, nakahíhikayat, tiyák.

concoct, v. maglutò, lumikhâ, maghalu-halò.

concomitant, kasama, kakabít, kaugnáy, karamay.

concord, n. pagkakásundô, kásunduan.

concourse, n. pagtitipon, katipunan.

concrescence ,n. kambál-tubò.

concrete, adj. kongkreto, tunay, nádaramá, sustansiyál, tahás.

concubinage, n. pangangagulo, pambababae, panlalalaki.

concubine, n. kaagulo, kálunyâ, babae.

concupiscence, n. libog, kalibugan.

concupiscent, adj. malibog.

concur, v. umayon, sumangayon, sumama, samahan, magkáisá, tumulong, tulungan, magtulungán.

concurrence, n. pag-ayon, pagsang-ayon, pagsama, pagkakáisá, pagtutulungán.

concurrent, adj. magkaayon, kaayon, kaisá, kasundô, kapanahón.

concussion, n. kongkusyón, pagkabulbóg.

condemn, v. parusahan, hatulan, sumpaín.

condensation, n. kondensasyón.

condense, v. kondensahín, pikpikín, palaputin, paigahín, paigsiín.

condensed, adj. kondensada.

condenser, n. kondenser.

condescend, v. magpakababà, pumatol, marapatin, bumabâ.

condescension, n. pagpapakababâ, pagpatol, pagmamarapat, pagbabâ.

condiment, n. rekado, pampalasa.

condition, n. kondisyón, kailangan, tadhanà, katáyuan.

condolence, n. pakikiramay, pakikidalamhatì.

condone, v. pagpaumanhinán, palampasín, patawarin.

conduce, v. magbunga, magambág, magkabisà, humilig, panggalingan.

conducive, adj. maáaring magbunga, mag-áambág, magkakabisà, hihilig.

conduct, v. akayin, pangunahan, patnubayan, ihatíd, pamahalaan, magkunduktór, umasal, mag-asal. n. pag-akay, pangunguna, pamamatnubay, paghahatíd, pagkukunduktór, pamamahalà, asal, ugalì.

conduction, n. kunduksiyón, transmisyón, patalaytáy.

conductivity, n. kunduktibidád.

conductor, n. kunduktór, may batón, talaytayan.

conduit, n. tubo ng tubig, pádaluyán, kanál.

cone, n. kono.

confabulate, v. magsálitaan, mag-usap.

confabulation, n. konbersasyón, sálitaan.

confection, n. kompeksiyón. kakanín.

confederacy, n. kompederasyón, lápian, liga.

confederate, n. kasama, kapanig.

confer, v. ipagkaloób, igawad, magpulong, magsanggunián.

conference, n. komperénsiyá. pulong.

confess, v. magkumpisál, mangumpisál, magtapát, ipagtapát.

confession, n. kompesyón, pangungumpisál.

confessional, n. kompesiyunaryo, pákumpísalan.

confessor, n. kompesór.

confetti, n. kompeti.

confidant, n. katápatang-lihim.

confide, v. manalig, magtiwalà, pagtapatán ng lìhim.

confidence, n. kumpiyansa, tiwalà, pananalig.

confident, adj. maykumpiyansa, maytiwalà, umáasa.

confidential, adj. kompidensiyál, lihim, sarilinan.

confine, v. manatili sa loób, mátirá sa loób, magkásiyá, ikulóng.

confinement, n. pagkakábilanggô, pagkakákulóng, pagkakátigil.

confirm, v. patibayan, pagtibayin, patunayan, bigyáng-bisà.

confirmation, n. patibay, patotoó, patunay, kumpíl.

confiscate, v. samsamín, embárguhín, ilitin.

confiscation, n. kompiskasyón, pagsamsám, pag-embargo, pag-ilit, pang-iilit.

conflagration, n. sunog, siláb.

conflict, n. labanán, paglalaban, tunggálian, hidwaan.

confluence, n. tagpuang-agusán, tagpuan, libumbán.

conform, v. kumomporme, sumang-ayon, umalinsunód.

conformity, n. kompormidád, pagka-kaayon, pagka-katulad.

confound, v. guluhín, lituhín.

confraternity, n. kápatiran, kompraternidád.

confront, v. komprontahín, pamukhaán, papagharapín, paharapín.

Confucianism, n. Kompusyanismo.

confuse, v. lituhín, pagkámalán.

confusion, n. pagkalitó, kalituhán, pagkakaguló, kaguluhán.

confute, v. pabulaanan, pasinungalingan.

conga, n. kongga.

congeal, v. mamuô sa lamíg, magyelo, mamuô, manigás, lumapot, makurtá.

congelation, n. pamumuô sa lamíg, pagyèyelo, pagbubuú-buô, paninigás, paglapot.

congenial, adj. kaisáng-panlasa, kabagáng, kabagay.

congenital, adj. konghénitó, kasilang, (kasabáy-silang), katutubò,

congest, v. magsikíp, mapunô, mábarahán.

conjested, adj. masikíp, punô, maybará, barado.

conglomerate, adj. kumpúlkumpól, langkáy-langkáy, halu-halò, sarisarì.

conglutinate, adj. magkadigkít.

congratulate, v. bumatì, batiin.

congratulation, n. batì, pagbatì.

congregate, v. magtipon, magtipun-tipon, mag-umpók, mag-umpúk-umpók.

congregation, n. konggregasyon, pagtitipon.

congress, n. konggreso, kapulungan.

congressional, adj. konggresyonál, kongresyonál, ng konggreso, (kongreso)

congruent, adj. maytapát-tapát na guhit, tapát-tapát, katugón, kasundô.

congruous, adj. bagay, kabagay, kaugmâ, katugón, marapat, makatuwiran.

conic, conical, adj. tulís, patulís, kónikó.

coniferous, adj. koníperó.

conjecture, n. hulà, hinalà, palá-palagáy.

conjugal, adj. kónghugál, pangmag-asawa.

conjugate, v. ikasál, kasalín, banghayín, konghugahín.

conjugation, n. bangháy, pagbabangháy, konghugasyón.

conjunction, n. pagdurugtóng, pag-iisá, pagtatagpô, pangatníg.

conjunctiva, n. konhuntiba, balok-matá.

conjunctive, n. pang-ugnáy.

conjunctivitis, n. konhuntibitis, (pamamagâ ng balokmatá).

conjuration, n. konhuro, bulóng, pagmamáhiyá, salamangká.

conjure, v. magmáhiyá, magsalamangká.

conjurer, n. bruho, nigromante, salamangkero.

connect, v. ikabít, pagkabitín, iugnáy.

connective, n. pang-ugnáy.

connection, n. koneksiyón, kaugnayán, kawíng, pinagkabitán.

connivance, n. pagpapabayà, pagtutulot, pangungunsintí, sápakatan.

connoisseur, (Fr.) n. "connoissuer" dalubhasà sa sining.

connote, v. ipahiwatig, ihimatón.

connubial, adj. konhugál, matrimonyál.

conoid, adj. hugis-kono, patulís.

conquer, v. malupig, lupigin, talunin, mangibabaw, mapangibabawan.

conqueror, n. manlulupig, kongkistadór.

conquest, n. kongkista, panlulupig, pananakop, lupang nilupig.

consanguineous, adj. kadugô.

consanguinity, n. pagka-kadugô.

conscience, n. konsiyénsiyá, budhî.

conscientious, adj. makonsiyénsiyá, mabudhí.

conscious, adj. may malay, makamalayan, nádaramá,

nápapakiramdamán, gisíng, sinadyâ, sadyâ.

consciousness, n. malay, kamalayan, pagka-gisíng, kaisipán, isip.

conscript, v. reluktahíng sápilitán.

conscription, n. pagreluktang sápilitán.

consecrate. v. kcnsagrahín, banalín. ihandóg, ialay.

consecration. n. konsagrasyón. paghahandóg, pagaalay.

consecutive, adj. konsekutibo, sunúd-sunód, dugtúng-dugtóng.

consensus, n. pagkakasundúsundô.

consent. v. magpahintulot, pahintulutan, pumayag, payagan. n. pahintulot, kapahintulután.

consequence, n. konsekwénsiyá, bunga, bungang pangyayari, káhihinatnán.

consequently, adv. kayâ, samakatuwíd.

conservation, n. konserbasyón. pagpapanatili, pangangalagà.

conservatism, n. konserbatismo.

conservative, adj. konserbatibo, mapagpanatili ng dati,

maingat, makalumà, katamtaman.

conservatory, n. konserbatoryo.

conserve, v. ingatan. pangalagaan, papanatilihin, magkonserbá. n. minatamís, inimbák.

consider, v. isipin, pag-aralan, isaalang-alang, ipalagáy.

considerable, adj. karapat-dapat isaalang-alang. may kahalagahán, maykalakhán.

considerate, adj. mapagwari, mapaghulò. mapagbigáyloób, magiliw.

consideration, n. konsiderasyón, paghuhulò, pagsasaalang-alang, pagtingín, paggalang.

consign, v. ibigáy, ilipat, dalhín, paalagaan, ipaiwi. magpaiwi, ipatinda.

consignee, n. pinagbigyán, pinagpadalhán, pinagpatindahán.

consignment, n. paiwi. patindá.

consignor, n. maypaiwi. maypatinda.

consist, n. buuín.

consistency, n. konsisténsiyá, lapot, kalaputan, labnáw. kalabnawán.

consistent, adj. matatág, pá-natilihan, kaugmâ.

consistory, n. konsistoryo, kapulungan, konseho.

consolation, n. konsuwelo, alíw, palubag-loób.

console, v. aliwín, libangín.

console, n. mesang kabít sa dingdíng; mesang istante, bahay-radyo.

consolidate, v. pagsamahin, pag-isahín, palakasín.

consomme, (Fr.) n. con-somme, sopas na malinaw.

consonance, n. pagsisintunóg, pagsisintinig, pagsisinghi-mig, konsonánsiyá.

consonant, adj. katunóg, mag-kakatunóg, magkatunóg, **n.** konsonante, katinig.

consort, n. konsorte, esposo, esposa.

consort, v. makisama, maki-sama, makipagsámahan, sa-mahan, ihatíd.

conspicuous, adj. kita, lantád, hayág, madalíng mápansín.

conspiracy, n. sápakatan, kombinasyón, túunan.

conspirator, n. konspiradór.

conspire, v. magsápakatan, magsabwatan.

constable, n. konstable,

constabulary, n. konstabular-yo.

constancy, n. katibayan ng loób, katapatáng loób, ka-tatagán.

constant, adj. matibay, mata-tág, matapát, pirmihan, pa-ulit-ulit.

constellate, v. mangaglúning-ningan.

constellation, n. konstelasyón, talabituinan, pulutóng ng mga bituin.

consternation, n. sindák, pag-kasindák, takot, pangam-bá.

constipation, n. tibí.

constituency, n. mga botante, distrito, tagataguyod.

constituency, adj. bumúbuô. pambuô, pansaligáng-ba-tás.

constitute, v. hirangin, nóm-brahán, itatag, itayô, mag-batás, magbuô, bumuô.

constitution, n. konstitusyón. pagsasabatás, pagtatatag. kabuuán, pangangatawán, saligáng-batás.

constitutional, adj. konstitus-yunál, katutubò, pampala-kás, batay sa saligáng-ba-tás.

constitutionality, n. pagka-ayon sa konstitusyón.

constrain, v. pilitin, puwér-sahín, igapos, gapusin, iku-lóng, pisilín.

constrained, v. pilít, napípili-
tan, pigíl, napípigilan.

constraint n. pagpipilit, pa-
mimilit, pagpipigil, pami-
migil, kahihiyán.

constrict, v. humigpít, higpi-
tán, ilingkís, lingkisín,
umigsî, umurong.

constrictor, n. manlilingkís.

construct, v. magbuô, bu꞉ín,
magtayô, itayô, magtindíg,
mag-ayos, ayusin.

construction, n. konstruksi-
yón, pagtatayô, pagtitindíg.

constructive, adj. konstruk-
tibo, pabuô, mapagbuô.

construe, v. magpaliwanag,
ipaliwanag, bigyáng-kahu-
lugán, suriin, magsurì.

consubstantial, adj. kaurì, ka-
lamán.

consuetude, n. ugalì, asal.

consul, n. konsul, sugò.

consulate, n. konsulado.

consult, v. magkonsulta,
kumunsulta, sumanggunì,
sangguniin, isanggunì.

consultant, n. ang pinagsá-
sanggunian, ang sumásang-
gunì.

consultative, adj. kunsultati-
bo.

consume, v. kainin, lamunin,
ubusin, lipulin.

consumer, n. mámimili, taga
bilí, tagagamit.

consummate, adj. lubós, pus-
pós, ganáp. v. lubusín, pus-
pusín, ganaping lubós.

consummation, n. kaganapan,
kalubusán.

consumption, n. kunsumo, ki-
nain, nakain, nalamon, ni-
lamon, pagkaubos; tuberku-
losis, tisis.

consumptive, v. mapanirà,
nakasísirà, aksayá, mapag-
aksayá, tisikó (ká). n. ta-
ong-tísikó (-ká).

contact. n. kontakto, sagì, hi-
pò, dugtóng, dugsóng. v.
kóntakín. makipagkontak,
sumagì. isagì, sagiin. ma-
kipag-alám.

contagion, n. hawa, lalin.

contagious, adj. nakakáha-
wa. nakakálalin.

contain, v. maglamán, mala-
mán, makayang lamanín,
masakláw, mapigilan.

container, n. lalagyán, sisid-
lán.

contaminate, v. dumhán, ma-
dumhán, bulukín, salaula-
in, hawahan, lalinan.

contemn, v. hamakin dusta-
ín.

contemplate, v. magnilay-ni-
lay.

contemplation, n. pagninilay-
nilay.

contemplative, adj. mapagni-
lay, mapagbulay.

contemporaneous, adj. kapa-
nahón, kagulang, kasabáy,
kaalinsabáy.

contempt, n. paghamak, pang-
hahamak, panghihiyâ.

contemptuous, adj. mapang-
hamak, mapanghiyâ.

contemptible, adj. kahamak-
hamak, kalibák-libák, ka-
awa-awà, marawal.

contend, v. makipagkompe-
ténsiyá, makiagaw, maki-
pag-agawán, makipaglaban,
makipagtunggálian, ikat-
wiran, imatwíd.

content, n. lamán, nilálamán,
kahulugán, kapasidád.

content, adj. kontento, nasí-
siyahán, v. bigyáng-kasiya-
hán, pairugan, pagbigyán.
n. kasiyahán, kasiyaháng-
loób, satispaksiyón.

contention, n. kontensiyón,
paglalabanan, tunggálian,
katwiran.

contentious, adj. mapanalan-
sáng, mapanlabán, palá-
awáy.

contest, n. timpalák, páligsa-
han, labanán.

contest, v. tutulan, labanan,
ipakipaglaban.

contestant, n. kontestant, ka-
kompeténsiyá, katimpalák,
kalaban, katunggalì.

context, n. kawawaan, susi
ng kahulugán.

contextual, adj. kuha sa ka-
wawaan.

contexture, n. lala, habi, ka-
yo, tela.

contiguity, n. lapit, kalapi-
tán, pagka-karatig.

contiguous, adj. karatig, ka-
balantáy, kadait.

continent, n. kontinente, lu-
palop, (kalupalupan). adj.
mapagpigil.

continental, adj. kontinentál,
panlupalop.

contingence, n. posibilidad
ang maáaring mangyari,
ang maáaring magíng gu-
gol.

contingent, adj. maáaring
mangyari, posible. n. pang-
kát na kumakatawán.

continual, adj. tulúy-tulóy,
waláng-tigil, paulit-ulit,
pálagian.

continuance, n. pagpapatu-
loy, pagsusunúd-sunód, pa-
nanatili, karugtóng.

continue, v. tumulóy, magpa-
tuloy, ipagpatuloy, itulóy.

continuity, n. see conti-
nuance.

continuous, adj. see continual.

continuum, n. kontinuum, katuluyan.

contort, v. magpabalú-baluktót, kukunín, ikukó.

contorted, v. magpabalú-baluktót, pagka-baluktót.

contortionist, n. mámamaluktót, kontorsiyunista.

contour, n. kontorno, tabas, hugis.

contraband, n. kontrabando, kalakal na puslít.

contrabandist, n. kontrabandista, mámumuslít.

contrabass, adj. kontrabaho.

contraception, n. kontrasepsiyón, pagpipigil-lihí.

contract, n. kásunduan, kontrata.

contract, v. makipagkontrata, makipagkasunduan, mangontrata, magkaroon, mangurong, mangiklî, kaltasán, paigsiín.

contraction, n. kontraksiyón, pangingiklî, kaltás, pangangaltás.

contractor, n. kontratista, mángongontrata.

contradict, v. kontrahín, salungatín, sumalungát.

contradiction, n. kontradiksiyón, salansáng.

contradictory, adj. pasalansáng, pasalungát.

contradistinction, n. kalabang-urì, kaibáng-urì.

contraindicated, adj. makasásamâ.

contralto, n. kontralto.

contraption, n. kontrapsiyón, gawá-gawâ, pakanâ.

contrary, adj. laban, tutol, salungát, kaibá, labág.

contrast, n. kaibhán, pagiibá. **v.** pag-ibahín, pagibahín, pag-ibá-ibahín.

contravene, v. sumalungát, salungatín, sumalunga, salungahin, lumabág, labagín.

contretemps, n. di-inaasahan balakíd.

contribute, v. umambág, mag-ambág, ambagán, dumagdág, dagdagan, magdagdág, makaragdág, magabuloy, abuluyan, umabuloy.

contribution, n. kontribusyón, ambág, abuloy.

contributor, n. ang nag-ambág, tagaambág, mangaambág.

contribution, n. kontribusyón, ambág, abuloy.

contrite, adj. kóntritó, nagsísisi.

contrition, n. kontrisyón, pagsisisi.

contrivance, n. paraán, pamamaraán, pakanâ, imbento, kagamitan.

contrive, v. gumawâ ng paraán, gawán ng paraán, balakin, gawín.

control, v. pigilin, magpigil, kontrolín, magkontról, iayos, ayusin, supilin, makapangyari, patnugutan, patnubayan, pamahalaan, pangasiwaan. n. kontról, kapangyarihan, kapangyarihang makapigil, pamamahalà.

controller, n. tagaayos, tagapigil.

controversy, n. pagtatalo, álitan.

contumacious, adj. suwaíl, mapanuwáy, mapanghimagsík.

contumacy, n. kasuwailán, pagka-mapanuwáy, pagka-mapanghimagsík.

contumely, n. pang-aalipustâ, pandurustâ.

contusion, n. bugbóg, pasâ, buldóg.

vonumdrum, n. bugtóng, paláisipán.

convalesce, v. magpalakas, magpagalíng.

convalescence, n. kombalesénsiyá, pagpapalakás, pagpapagalíng.

convene, v. magtipon, magkatipon, paharapín, tawaging humaráp.

convenience, n. kombenyénsiyá, kabagayan, kaangkupán, alwán, kaalwanán, kaginhawahan.

convenient, adj. maginhawa, maalwán.

convent, n. kumbento.

convention, n. kombensiyón, pulong, kaugalián, kalakaran.

conventional, adj. kumbensiyunal, ayon sa pinagkásunduan, ayon sa kaugalian.

converge, v. magtagpô, magkatagpo, magkasagpo.

convergence, n. pagtatagpô, pagsasagunsón, pagtatagpo.

conversant, adj. may malalim na kaalamán, sanáy, bihasa, marunong.

conversation, n. kombersasyón, slitaan, pag-uusap.

conversational, adj. kombersasyonál, masalitâ.

conversationalist, n. magalíng makipagsálitaan, matalinong makipag-usap.

converse, v. makipag-usap, makipagsálitaan. n. kombersasyón, sálitaan.

converse, adj. baligtád, tumbalík. n. ang kabaligtarán, ang katumbalikán.

conversion, n. kombersiyón, pagbabagong-loób, pagtutumbalík, pagbabagong-anyô.

convert, v. kombertihín, magbago, baguhin, papagbaguhin, papalitán.

convertible, adj. kombértiból, kombertible, báligtarin, tutumbalikin.

convex, adj. kukób, lukób, maumbók.

convexity, n. kakukubán, pagka-kukób, kalukubán, pagka-lukób, kaumbukan, pagka-maumbók.

convey, v. dalhín, isakáy, ipabatíd, ipahayag, ilipat.

conveyance, n. pagdadalá, pagsasabi, paglilipat, sasakyán.

conveyor, n. tagadalá, tagalipat.

convict, v. mapatunayang maysala, hatulan.

convict, n. ang sentensiyado, ang nahatulan, bilanggô.

conviction, n. kombiksiyón, pagpapatunay sa pagkaká-

sala, paghatol, hikayat, paniwalà.

convince, v. kumbinsihín, makumbinsí, papaniwalain, hikayatin.

convincing, adj. kapaní-paniwalà, nakahíhikayat, mabisà.

convivial, adj. masayá, masiglá.

convocation, n. kombokasyón, pagtitipon, pagpupulong.

convoke, v. tipunin, papagtipunin, tawagin, tawaging magpulong.

convolution, n. kumbulusyón, likaw-likaw, kulú-kulubót.

convoy, v. samahan, ihatíd, patnubayan. n. kumbóy, eskorte, agapay, bantáy.

convulse, v. magkumbulsiyón, subaan, manginíg, mangatál.

convulsion, n. kumbulsiyón, subà, pangangatál, panginginíg.

cony, coney, n. kuneho.

coo, v. kumurukutók, mangurukutók.

cook, v. maglutò, lutuin, ilutò. n. kusinero (-ra), tagapaglutò.

cookbook, n. aklát ng paglulutò.

cooker, n. lutuán.

cookery, n. sining ng paglu-
lutò.
cooky, cookie, n. kuki.
cool, v. lumamíg, palamigín.
adj. malamíg-lamíg, mahi-
nahon, presko.
coolant, n. sustánsiyáng pam-
palamíg.
cooler, n. pálamigan, kuler.
cooile, n. piyóng-Intsík.
coop, n. hawla, kulungán, bi-
langguan. v. ikulóng, kulu-
ngín.
cooper, n. manggagawà ng
bariles, magbabariles.
cooperate, v. magtulungán,
makipagtulungán.
cooperation, n. kooperasyón,
pagtutulungán, pakikipag-
tulungán.
coordinate, adj. kapantáy, ka-
hanay, kaurì.
coordination, n. koordinas-
yón, kaayusan, tuwangang
pagganáp.
coordinator, n. tagaayos, ta-
gaugnáy, tagapamagitan.
cop, n. pulís. v. manalo, ma-
gíng panalunan, mahuli,
madakip, nakawin.
cope, n. kapa, plubya.
cope, v. struggle, magampa-
nán, máipagtagumpáy, ma-
kaya, makayang magawâ.
copier, n. tagakopya, tagasi-
pì.

coping, n. albardilya, pang-
ibabaw ng padér.
copious, adj. saganà, dagsá-
dagsâ, napakaramì.
copper, n. tansô, kobre, tum-
baga.
copperas, n. kaparosa, bitrio-
lo, berde.
copra, n. kopra, kalibkib.
copula, n. kawíng.
copulative, adj. kopulatiba.
pangawíng.
copy, n. kopya. sipì. v. ku-
mopya, kopyahín, tumulad.
tularan, manggagád, gaga-
rín.
coquet, adj. alembong. kirí,
landî, malimbáng.
coquetry, n. kaalembungán.
kalimbangán, kakirihán.
coquette, n. landî, kirî.
coral, n. kurales, bulaklák na
bató.
cord, n. pisì, talì, panalì.
kurdón.
cordial, adj. taús-pusò, tapát.
n. kurdiyál, pampalakás.
makabuhay.
cordiality, n. pagka-taús-pu-
sò. pagka-magiliw.
cordiform, adj. hugis-pusò.
cordillera, n. kordilyera, ka-
bundukan.
cordon, n. kurdon, sínggulȯ,
hanay na nakaligid.
cordovan, n. kurdubán.
corduroy, n. kurduróy.

core, n. ubod, kaibuturan, ka-
lágitnaan.

corespondent, n. kapanagót,
kasamang nanánagot.

coriaceous, adj. makatad, ma-
kunat.

coriander, n. kulantró.

cork, n. kortso, tapón, v. ta-
punán, lagyán ng tapón.

cormorant, n. kurbihón, máni-
nisid-isdâ.

corn, n. maís, kalyo, lipák.

corny, adj. korni.

cornea, n. busilak, kornya.

corner, n. sulok, ángguló,
kanto, panulukan.

cornet, n. korneta, kornetín,
tambulì.

cornice, n. kornisa.

cornucopia, n. kornukopya.

corolla, n. tálulutan, korola.

corollary, n. korolaryo, kon-
sekwénsiyá, kaugnáy na
bunga.

corona, n. korona, alero, pu-
tong, sinag, dikláp.

coronary, adj. koronaryo.

coronation, n. koronasyón,
pagkokorona, pagpuputong.

coroner, n. koroner, piskisi-
dór.

coronet, n. koronita, muntíng-
korona.

corporal, adj. korporál, pang-
katawán, n. kabo.

corporate, adj. pinag-isá
pinaglakip, inkorporado
(-da).

corporation, n. korporasyón,
samahán.

corporeal, adj. korporyál,
materyál, pisikál, nádara-
má.

corps, n. kor (kuwerpo), pu-
lutóng.

corpse, n. bangkáy.

corpulence, n. korpulénsiyá,
kalakhán ng katawán, kor-
pulent.

corpulent, adj. korpulento,
matipunò.

corpuscle, n. korpúskuló,
(katawáng-dugô).

corral, n. kurál, kulungán.

correct, v. iwastô, itamà, itu-
wíd, remédyuhán, lunasan.
adj. wastô, tamà, tuwíd.

correction, n. koreksiyón,
pagwawastô, pagtutuwíd,
parusa.

corrector, n. tagawastô, taga-
korék.

correlate, v. pag-ugnayín,
pag-ugnáy-ugnayín.

correlation, n. pag-uugnáy,
pag-uugnáy-ugnáy.

correlative, adj. magkaug-
náy, magkakaugnáy.

correspond, v. magkátugón,
magkábagay, sumulat, mag-
sulatán.

correspondence, n. pagka-makatugón, pagka-magkabagay, liham, pagsusulatán.

correspondent, adj. katapát. kaanyô, kaayon. n. kasulatán, kalihaman, tagapagbalità.

corridor, n. pasilyo, daanán.

corroborate, v. patunayan, patotohanan.

corroboration, n. patunay, patotoó.

corrode, v. kalawangin, maagnás.

corrosive, adj. korosibo, nakaúukit, nakasísirà

corrugated, adj. kurugado, kulú-kulubót.

corrupt, adj. marumíng budhî, imbî, bulôk. v. parumihíng budhî, gawíng balakyót.

corruption, n. kurupsiyón, kabalakyután, kabulukan, katiwalián.

corsage, n. korsads, bulaklák.

corset, n. korset (kurse).

cortege, n. mga kasamahán, mga tauhan, pangkát.

cortex, n. bulaklák, balat, kortesa.

corundum, n. korindón, (bugháw) na sapiró, (mapuláng) rubí.

coruscate, v. kumisláp-kisláp.

coruscation, n. pagkislápkisláp.

corvette, n. korbeta.

coryza, n. sipón, sipón sa ulo.

cosmetic, n. kosmétikó.

cosmic, adj. kósmiko, pansanlibafter, pansantinakpán, pansansinukuban.

cosmos, n. kosmos, sanlibután, santinakpán, sansinukuban.

Cossack, n./adj. Kosako (-ka).

cost, n. halagá, presyo, bayad, singíl. v. magkahalagá, ipabayad, ipagastá.

costly, adj. mahál, mahalagá, magastos.

costume, n. damít, pananamít, kasuután.

cot, n. kubo, dampâ, kamilya, tihirás.

coterie, n. pulutóng, pangkát.

cotillion, n. kotilyón.

cotta, n. sobrepelís.

cottage, n. kabanya, kasutsa, dampâ.

cotter, n. talasok.

cotton, n. algodón, koton.

cotyledon, n. kotiledón.

couch, n. supá, hiligán, silyón. v. itagò, balutin, takpán.

cougar, n. puma, leóng-bundók.

cough, n. ubó, tikhím.

council, n. konsilyo, konseho, kapulungán.

councilman, n. konsehál, kagawad ng konseho.

counsel, n. payo, konseho, abogadong tagapayo, abogadong sanggunián.

counselor, n. tagapayo, abogado, mánananggól.

count, v. bumilang, magbiláng, bilangin, isama, ibilang. n. bilang, número, pagbilang.

countable, adj. nábibilang, mábibilang.

countenance, n. pagmumukhâ, itsura ng mukhâ. v. harapín, paburán, hiligan ng loób.

counter, n. pambilang, numeradór, kaha, tagabilang.

counteract, v. salungatín, biguín, hadlangán, bawasang-bisà.

counterattack, n. gantíng-lusob. v. gumantíng-lusob.

counterbalance, n. panimbáng, kontrapeso.

countercharge, n. gantíngsakdál, labang-sakdál.

counterclockwise, adj. adv. saliwâ sa pihit ng rilós, pakaliwâ.

counterfeit, adj. huwád. v. manghuwád, huwarán,

counterfeiter, n. manghuhuwád, palsipikadór.

counterfoil, n. talunaryo, talón.

counterintelligence, n. pangkát-manlilinláng.

counterirritant n. kontrairitante.

countermand v. magtamaulí, pagtamaulián, bawiin ang utos.

counteroffensive, n. gantíngsalakay, gantíng-suóng.

counterpart, n. katumbás, katapát, kamukhâ.

counterpoint, n. kontrapunto.

counterrevolution, n. himagsík sa himagsík.

countersign n. kontrasenyas, tugóng-senyál, lagdáng patibay, lihim na hudyát.

counterweight, n. panimbáng. pang-agaw timbáng.

countess, n. kondesa

countless, adj. di-mabilang. nápakarami.

country, n. bayan, lupang tinubuan, bansâ, kabukiran. distrito, púrók,

countrymen, n. kababayan. tagabukid.

countryside, n. kabukiran.

bukid.

coup, n. bigláng golpe.

coupe, n. kupé.

couple, n. dalawá, pares, magkapareha, mag-asawa, **v.** ikawíng, pagkawingín, iugnáy, pag-ugnayín, magsama, pagsamahin.

coupler, n. panghugpóng.

couplet, n. kopla, tulángkopla.

coupon, n. kupón.

courage, n. tapang, tibay ng loób.

courageous, adj. matapang, waláng-gulat.

courier, n. kuryer, tanging mensahero.

course, n. kurso, karera, mga aralín, ruta, daán, daanán, paraán, putahe.

course, n. paraanin, manakbó.

court, n. húkuman, husgado, tribunál, korte, patyò, pálaruan, ligaw, panliligaw. **v.** manligaw, mangibig, manuyò, suyuin.

courteous, adj. magalang, magiliw.

courtesan, n. babaing-bayan, puta.

courtesy, n. kortesiya, paggalang.

courthouse, n. gusaling panghúkuman.

courtier, n. kortesano.

courtly, n. galante, máginoohín, pino.

courtship, n. panliligaw, pangingibig.

cousin, n. pinsan.

cove, n. kalookan, sulok.

covenant, n. kásunduan, tipán, pakto, testamento.

cover, v. takpán, balutin, damtán, ikublí, itagò. **n.** takíp habong, plato.

coverage, n. ang abót masakláw, ang kayang maabót.

coverlet, n. sobrekama, kubrekama.

covert, adj. natatakpán, kublí, lihim, liblíb.

covet, v. nasain, pagnasaan, imutín, pag-imbután, kamkamín.

covetous, adj. mapag-imbót, mapagkamkám, sakím.

covey, n. mga inakáy, kawan.

cow, n. baka. **v.** takutin, sindakín, pasukuin.

coward, adj. duwág, mahinang-loób.

cowardice, n. karuwagán, kahinaang-loób.

cowboy, n. koboy, bakero.

cower, n. mangayupapà, yumukô.

cowherd, n. pastól ng baka.

cowhide, n. balát ng baka, kuwero.

cowl. n. kaputsa, tukaról, ta-
lukbóng. kubyerta, hud.

cowlick, n. buhók na lawít.

cowpea, n. garbansos.

coxalgia, n. koksalhiya, sa-
kit sa baywáng.

coxcomb, n. palong ng ma-
nók.

coy, adj. mahiyain, mabini,
mahinhín.

coyness, n. pagka-mahiyain.
kahinhinán, pagka-mahin-
hín.

cozy, adj. maginhawa, ma-
alwán.

crab, n. krustasya, kangreho.

crack n. putók, lagitík, lab-
tík, lagutók, basag, lamat.
v. pumutók, magkalamat.
adj. batikán, mahusay.

cracker, n. kraker, paputók.

crackle, v. mamitík-mitík,
pumutók-putók.

cradle, n. kuna, indánayan.
áluyan.

craft, n. arte, sining, galíng
ng kamáy, upisyo, katusu-
han, sasakyán.

craftsman, n. artisano.

crafty, adj. magdarayà, man-
lilinláng, tuso, mapanlin-
láng, suwitik.

crag, n. batóng-ungós.

cram, v. isamuol, magpaka-
bundát.

cramp, n. manhíd, ngimay,
kalambre. v. diinán, pigi-
lan.

crampon, n. tinasang pang-
kapit.

crane, n. tagák, grua.

cranial, adj. kranyano.

craniology, n. kranyolohiya.

craniotomy, n. kranyotomiya.

cranium, n. bao ng ulo, bu-
ngô, kranea.

crank, n. manigeta, pihitán.
pamihit, taong siglahin,
taong may kulukyà sa ulo.

cranky, adj. siglahin, úlia-
nin, sumpungin, magagali-
tín.

cranny, n. bíták, lahang.

crape, n. krespón.

craps, n. larô ng dais.

crash, v. bumagsák, lumaga-
pák, kumalabóg, n. laga-
pák, tagupák, kalabóg, da-
gubáng, banggà, paglag-
pák, bagsak.

crass, adj. bastós, magas-
páng, waláng-isip.

crate, n. kanasto, bastâ.

crater, n. krater, bungangà
ng bulkán.

cravat, n. kurbata.

crave, v. sumamò, magsù-
mamò, mamanhík, naisin,
nasain, hanapin.

craven, adj. duwág, takót.

craving, n. pagnanasa, pag-
nanais, pananabík.
craw, n. butsé, balumbalu-
nan.
crawfish, n. ulàng.
crawl, v. gumapang, umusád,
mag-alipód.
crawl n. baklád, kural, kulu-
ngán.
crayon, n. krayon.
craze, v. maloko. masiraan
ng ulo. n. pagkahumaling
moda.
crazy, adj. loko, ulól, hibáng,
sirá-sirá.
creak, v. umagitít, umalatiit.
n. agitít, alatiit.
creaky, v. maagitít, maalatiit.
cream, n. krema, kákanggatâ,
diláw na námumulá-mulá,
krema, buód, ubod.
crease, n. marká ng tiklóp,
tupî, kulubót, pileges.
create, v. lumikhâ, likhaín,
mag-imbento, imbéntuhín,
lalangín, gumawâ, gawín.
creation, n. paglikhâ, pagla-
láng, kathâ, imbento, ki-
nathâ.
creative, adj. malikhaín. ma-
panlikhâ.
creator, n. maylikhâ. mayga-
wâ, maykathâ. Ang Kuma-
pál. Ang Lumikhâ, Diyós.
creature, n. nilikhâ, nilaláng,
kinapál.

credence, n. paniwalà, pana-
nalig, kréditó.
credential, n. kredensiyál.
katibayan.
credible, adj. mapaníniwala-
an, kapaní-paniwalà.
credit n. kréditó, mabuting
pangalan, dangál, pani-
walà, pagkilala, tiwalà. v.
maniwalà, paniwalaan, ki-
lalaning mulâ (sa, kay).
creditor, n. ang may pautang,
ang pinagkakautangan.
credo, n. kredo, sumásampa-
lataya.
credulity, n. pagka-mapani-
walaín.
credulous, adj. mapaniwalain,
madalíng maniwalà.
creed, n. paniniwalà, pana-
nampalataya, kredo.
creek, n. muntíng ilog.
creep, v. gumapang, mag-ali-
pód.
creese, n. kris, balaráw.
cremate, v. magsunog (ng
bangkáy), sunugin (ang
bangkáy).
cremation, n. pagsunog (ng
bangkáy), insinirasyón.
crematory, n. hurnong sunu-
gán (ng bangkáy), insini-
radór.
crepe, n. krespón, krep.
crepuscle, n. takipsilim.
crescendo, n. kresendo.

crescent, n. bagong buwán, buwáng hugis-sukláy. adj. lumalakí, palakí.

crest, n. palong, plumahe, itaás, taluktók, palupo, kresta.

crestfallen, adj. lungayngáy, babâ ang palong, layláytukâ, nawalán ng siglá.

cretaceous, adj. kretáseó, maapog, apugín.

cretonne, n. kretona.

crevice, n. bitak, puwáng:

crew, n. tripulante, manggagawà.

crewel, n. estambre.

crib, n. sabsaban, aluyan, kuna.

crick, n. pulikat.

cricket, n. kerwè, kriket, grilyo.

crime, n. krimen.

criminal, adj. kriminál, n. kriminál, pagka-salarín.

criminality, n. pagka-kriminál, pagka-salarín.

criminology, n. kriminolohiya.

crimp, v. pag-alún-alunín, pagkulú-kulubutín.

crimpy, adj. kulú-kulubót, gusút-gusót.

crimson, n. krimson, pulángpulá. adj. kulay-dugô.

cringe, v. umuklô, mangayupapà, maggumapang, maglumuhód.

cringle, n. garutso.

crinkle, v. pagbalu-baluktutín, pagkulú-kulubutín.

crinoline, n. krínolín.

cripple, n./adj. lumpó, piláy. v. lumpuhín, pilayin.

crisis, n. krisis, panahóng gipít, kalubhaán ng sakít.

crisp, adj. kulót, malutóng, masiglá, maliksí, bagungbago.

crisscross, crisscrossing, adj. salá-salabát, salú-salubóng, pakurus-kurús.

criterion, n. pánukatan, pámantayan, pánuntunan.

critic, n. krítikó, mámumuná, tagapuná.

critical, adj. mapamuná, mapamulà, mapamintás, maselang.

criticize, n. krítiká, puná, pulà.

criticize, v. mamuná, punahín, salangsangín, pintasán.

critique, n. krítiká, puná.

croak, v. kumokak, umuwák, umungol, patayín. n. ungol, kokak, uwák.

crochet, n. krusé, paggantsilyo.

crockery, n. mga babasagín, bahilya.

crocodile, n. buwaya.

crony, n. katoto, kaibigan.

crook, n. kilô, mánananso.

crooked, adj. kilô, baluktôt, balakyót.

croon, v. magkrun, humiging, umawit, kumantá.

crooner, n. kruner.

crop, n. butsé, balumbalunan, ani, puti. v. putulin, pungusin, gapasin, anihin, lumitáw, umusbóng.

croquet, n. laróng kroké.

croquette, n. krokét, bola-bola.

crosier, n. bákuló, tungkód ng obispo.

cross, n. krus (kurús), dusa, sákripisyo.

cross, v. mag-antandâ, kurusán, tumawíd, bumagtás, itawíd. adj. bugnutin, mainit ang ulo, pahaláng, mistiso.

cross section, bahaging paputól, kroseksiyón.

crotch, n. gantso, kawíng.

crotchet, adj. kapritsoso

crouch, v. yumukô, umuklô, mangulungkót.

croup, n. puwít, puwitan, ubóng dalahit.

crow, v. tumilaok, magmalakí.

crowbar, n. bareta.

crow, n. uwák.

crowd, n. libumbón, pulutong. v. sumiksík, siksikín.

crown, n. korona, putong, v. koronahan, putungan.

crucial, adj. krusyál, mahigpít, malubhâ.

crucible, n. krisól áliman, lusawan, mahigpít na pagtitikím.

crucifix, n. krusipiho, krus.

crucifixion, n. krusipiksiyón. pagpapakò sa krus.

crucify, v. ipakò sa krus, krusipikahín, pagmalupitan.

crude, adj. di-repinado, magaspáng, hiláw, murà, luwalóy.

cruel, adj. malupit, waláng-awà.

cruelty, n. kalupitán, pagkawaláng-awà, kabagsikán.

cruet, n. binagrera, boteng lalagyán ng sukà.

cruise, n. biyahe, paglalakbáy, magpalayág-layág. maglakbáy-dagat, maglagalág, maglakbáy, magbiyahe.

cruiser, n. krusero, bantáybaybayin.

cruller, n. donat, (doughnut).

crumb, n. muntíng butil.

crumble, v. magkádurúg-duróg, gumuhò.

crumple, v. lukutin, kulubutín.

crunch, v. ngatngatín, ngasabín, ngalutín.

crupper, n. batikola, pambuntót.

crusade, n. krusada, kílusan.

crusader, n. krusado, kawal ng krusada.

crush, v. ipitin, durugin, supilin, pasukuin, puksaín.

crust n. pasta, tigás na pangibabaw, balakbák.

crustacean, n./adj. krustasyo.

crutch, crutches, n. muleta, tungkód.

crux, n. hirap, suliranin, hiwagà, taluktók.

cry, v. sumigáw, humiyáw, umiyák, dumaíng. n. sigáw, hiyáw, iyák, tangis.

crypt, n. kripta, gruta.

cryptic, adj. tagô, lingíd, mahiwagà, baliwag.

cryptogram, n. sipra, patalastás na ikinódigó.

crystal, n. bubog, kristál. adj. malinaw, maliwanag.

crystalline, adj. kristalina, parang-kristál, parang-bubog.

crystallization, n. kristalisasyón, pagkikristál, pamumuóng parang kristál, kaganapán.

crystallize, v. magkristál, mamuóng parang kristál, maganáp.

crystallography, n. kristalograpiya.

crystalloid, adj. kristaloyde.

cub, n. batang tigre, batang león, batang oso, batang lobo, batang toro.

cubbyhole, n. maginhawang sulok.

cube, n. kubo, dais. v. kiyubín, gawíng kiyúb, kubituhin.

cubic, adj. kúbikó, kubikál, kiyúb.

cubism, n. kubismo.

cubicle, n. kuwartito, muntíng silíd.

cuckoo, n. ibong kukko. adj. loko, lukú-lukó.

cucumber, n. pipino.

cucumiform, adj. hugis-pipino.

cud, n. pansa.

cuddle, v. kalungkungín, yumakap, yapusín, yakapin.

cudgel, n. pamugbóg, pambambú.

cue, n. hanay, pila, tako, panumbók, parte, papél, hudyát, tirintás, pahiwatíg.

cuff, n. sampál, tampál, punyós.

cuisine n. pangungusinà paglulutò.

culinary, adj. pangkusinà, ukol sa paglulutò.

cull, v. mamilì, piliin, hirangin.

culminate, v. manaluktók, makaabót sa sukdulan.

culmination, n. kataluktukán, kasukdulán.

culottes, n. kulúts, ('culottes').

culpable, adj. kulpable, maysala, maykasalanan.

culprit, n. kriminál, salarín.

cult, n. kulto, rito, pananampalataya, panata, sekta.

cultist, n. magkukultó, kultista.

cultivate, v. magbungkál, bungkalín, maglináng, linangín, magbukid, bukirin, pangalagaan, pagyamanin.

cultivated, adj. lináng, maykalinangán, makinis.

cultivation, n. pagbungkál, paglináng, kalinangán, kultura.

cultivator, n. mambubungkál, pambungkál.

cultural, adj. kulturál, pangkalinangán, pangkultura.

culture, n. kultura, kalinangan, pagbungkál, pamumungkál.

cultured, adj. maykultura, kulto, maykalinangan, maypinag-aralan.

culver, n. kalapati, batúbató.

culvert, n. alkantarilya, (kantarilya).

cumber, v. hadlangán, pabigatán.

cumbersome, adj. mabigát, maligalig, nakaáabala.

cumulate, v. ibuntón, tipunin, ipunin.

cumulation, n. buntón, tipon, natipon.

cumulative, adj. kumulatibo, palakí, paramí, padagdág.

cumulo-cirrus, n. alapaap, kúmulo-siros.

cumulo-nimbus, n. dagím. kúmulo-nimbus.

cumulo-stratus, n. kimpál ng ulap na lapád, kúmulo-istrato.

cumulus, n. bilugáng kimpál ng ulap, kúmuló.

cuneate, adj. patulís.

cuneiform, adj. patulís. **n.** sulat na patulís, kuniporma.

cunning, adj. maalam, dalubhasà, matalas, tuso.

cup, n. kopa, tagayán, kalis, tasa, puswelo.

cupboard, n. páminggalan, platera.

cupcake, n. 'cake'.

cupful n. sangkopang punô.

Cupid n. Kupido.

cupidity, n. kaimbután, ka-
sakimán, kasibaan.

cupola, n. kúpulá, domo, sim-
buryo.

cupping, n. pagbebentosa.

cur, n. asong mababang urì.

curable, adj. kurable, mapa-
gágalíng, malúlunasan, ma-
gágamot.

curagao, n. alak-kurasáw.

curate, n. kura, parì.

curative, adj. kuratibo, na-
kagágalíng, nakabúbuti. n.
remedyo, gamót, lunas.

curator, n. guwardiyán, kus-
todyo, katiwalà.

curb, n. barbada, pamigil, gi-
lid, pamigil. v. kontrolín,
pigilin.

curd, n. namuóng gatas, kur-
tá.

curdle, v. mamuô, makurtá,
lumapot, manlapot.

cure, n. panggagamót, re-
medyo, lunas, gamót, pag-
galíng, pagpapagaling. v.
gamutín, pagalingín, luna-
san.

curfew, n. hudyát ng paglig-
pít, kórpiyú.

curio, n. kiyuryo.

curiosity, n. kuryusidád, pag-
ka-mausisà.

curious, adj. kuryoso, mausi-
sà.

curl, v. kulutín, pagbilug-bi-
lugín, ringlitín, likawin
n. buhók na kulót, ringlet,
likaw.

curmudgeon, n. taong sakím,
taong mapangamkám.

currant, n. pasas-Korinto.

currency, n. pananalapî, pag-
ka-palasák, pagkapangka-
salukuyan.

current, adj. kasalukuyan,
laganap, kumakalat. n. kur-
yente, agos, hihip, alimbu-
káy, aliyun.

curriculum, n. kuríkulúm,
kaaralán.

currier, n. kurtidór, mángu-
ngultí.

curry, v. punasan, kayuran.

curse, n. lait, tungayaw, sum-
pà, blaspemya. v. manlait,
laitin, sumpaín.

cursive, adj. kursiba, parang
sulat-kamáy.

cursory, adj. pahapáw, mada-
lian, biglaan.

curt, adj. maiklî, maigsî, pa-
biglâ.

curtail, v. pungusan, paik-
liín, bawahan.

curtain, n. kurtina, tabing,
telón.

curtsy, n. yukód, bigáy-ga-
lang.

curule, n. kurul, luklukan.

curvaceous, adj. may magandáng hugis.

curvature, n. kurba, kurbatura, balantók.

curve, n. likô, paglikô, kurba. v. ilikô, baluktutín, ibaluktót.

curvilinear, adj. kurbilíneó.

cushion, n. almuwada, almuwadón, pátalbugan, salúbayó.

cusp, n. tilos, dulong-tilós, taluktók, punta.

cuspid, n. ngiping kuspid.

cuspidor, n. lúraan, kuspidór.

custard, n. létseplán.

custard apple, n. anonas.

custodian, n. kustodyo, tagapag-alagà, tagaingat.

custody, n. pag-iingat, pagaalagà, pagbabantáy.

custom, n. ugalì, kaugalián, kustumbre.

customs, n. adwana.

cut, n. hiwà, iwà, gilít, tabas, istilo, saksák, bawas, reduksiyón, liban, komisyón, bahagi, putol. v. hiwain, iwaan, gilitín, saksakín, putulin, tagpasín, gapasin, gamasin, tabasin, hugisan, tabasan, bawasan.

cutaneous, adj. kutáneó, pambalát.

cutaway coat, tsaké, lebita.

cute, adj. kiyût, kaakit-akit, magandá.

cuticle, n. pang-ibabaw ng balát, epidermis.

cutlass, n. alpanghe.

cutler, n. kutsilyero.

cutlery, n. kutsileriya, mga panghiwà.

cutlet, n. tsuleta, sanghiwang karné.

cutter, n. kortadór, pamutol, panghiwà, panggilít, kortadór, tagaputol, tagahiwà, tagagilít.

cuttlefish, n. hibya.

cyanide, n. siyanuro.

cycle, n. siklo, ikot, ligid, panahón, bisikleta.

cyclist, n. siklista.

cyclone, n. siklón, buhawì, bagyó, unós, sigwâ.

cyclopedia, n. siklopedya, ensiklopedya.

cygnet, n. sisiw ng sisne.

cylinder, n. silindro, bumbungan.

cylindrical, adj. silindrikál, hugis-bumbóng.

cymbal, n. símbaló, kumpiyáng.

cynic, n. sínikó, mapamintás, mapamuná.

cynical, adj. sinikál, mapamintás, mapamuná.

cynicism, n. sinisismo.
cynosure, n. tampulan.
cypher, n. sipra, sero, walà.
cyst, n. kisto, surón, katô.
cystous, adj. kistoso, mayka-
tô.
cystocele, n. luslós ng pantóg.
cytogenetics, n. sitohenesya.
cytokinesis, n. sitokinesis.
cytologist, n. sitólogó.

cytology, n. sitolohiya.
cytolysin, n. sitolisina.
cytolysis, n. sitólisís.
cytoplasm, n. sitoplasma.
cytoplast, n. sitoplasto.
czar, n. Sar.
czarina, n. Sarina.
Czech, n./adj. Tseko.
Czechoslovakia, n. Tsekoslo-
bakya.

—D—

dab, n. dampî, tapík, mara-
hang pahid, v. dampián,
tapikín, idampì, itapík, ipa-
hid.
dabber, n. pandampî, pama-
hid, tagadampi, tagapahid.
dabble, v. kumawkáw, kuma-
lawkáw, sabuyan, wisikán,
magpalarú-laró.
dabster, n. taong sawsáw sa
kahit anong trabaho.
dachsund, n. patsón.
dactyl, n. dáktiló.
dad, daddy, n. tatay, tatang,
itáy, papá, papáng.
dado, n. dado.
daffodil, n. narsiso.
daft, daffy, adj. banggák,
tunggák, hangal.
dagger, n. daga, punyál.
daily, adv./adj. araw-araw,
pang-araw-araw.

dainty, adj. masaráp, mali-
namnám, maganda, mase-
lang, pino, makinis.
dairy, n. págatasán, letseri-
ya.
dais, n. plataporma, intabla-
do.
daisy, n. margarita.
dale, n. muntíng lambák.
dalliance, n. pagluluwát, pag-
tatagál, paglalaró.
dally, v. mag-ansikót, mag-
luwát, laruín.
dalmatic, n. dalmátiká.
dam, n. presa, saplád, dam,
v. presahan, saplarán.
dam, n. inahín, páinahan.
damage, n. pinsalà, sirà ba-
yad-pinsalà.
damask, n. damasko.
dame, n. dama, sinyora, ale.
damn, v. sumpaín, laitin.

damnable, adj. kasumpá-
sumpâ.
damnation, n. maldisyón.
pagsumpâ.
damned, adj. kondenado.
damp, adj. basá-basâ, úme-
dó, matamláy.
dampen v. basaín, basá-basa-
in, patamlayín, papanlami-
gín.
damsel, n. dalaga, bínibini.
dance, v. sumayáw, magsa-
yáw, n. sayáw, sáyawaŋ,
pagsayáw.
dancer, n. mánaŋayaw.
dandelion, n. amargón, ngi-
ping-león.
dander, n. galit, init ng ulo.
dandle, v. iugóy, iyugyóg.
dandruff, n. balakubak.
dandy, n. lalaking magatod,
pusturyoso, magalíng.
Dane, n./adj. Danés.
danger, n. panganib, piligro.
dangerous, adj. mapanganib,
piligroso.
dangle, v. bumitin-bitin, lu-
mawít-lawít.
dangling, adj. nakabitin, na-
kalawít.
dank, nápakaúmedó, mahalu-
migmíg.
danseuse, n. dansarina, bay-
larina.
dap, v. tumalbóg.

dapper, adj. muntî ngunit
maliksí, makinis.
dappled, adj. hubero, pinta-
do.
dare, v. mangahás, pangaha-
sán, hamunin.
daredevil, n. taong-pangahás.
daring, n. kapangahasán, pag-
ka-mapagsápalarán.
dark, adj. madilím, malagím,
maitím.
darken, v. kumulimlím, dumi-
lím, padilimín, paitimín,
paitimán, palagimín.
darkish, adj. madilím-dilím,
maitím-itím.
darkness, n. dilím, karimlán,
tiniblás.
darkroom, n. darkrum, silíd
na madilím.
darksome, adj. kulimlím, li-
lom.
darling, n. sintá, mahál.
darn, v. magsulsí, sulsihán,
n. sulsí.
dart, n. palasô, suligì, panà.
igtád, hagibís, harurót.
Darwinian, adj. Darwinyano,
mala-Darwin, maka-Dar-
win.
Darwinism, n. Darwinismo.
dash, v. dumaluhong, suma-
gasì, isalpók, ibagsák, iha-
gis, n. hampás, salpók, pag-
kabigô, katitíng, gatláng.

dashboard, n. dasbord, sanggá sa saboy, panel, tapalodo.

dashing, adj. masiglá, maliksí, mapagpasikat.

dastard, n. duwág, buktót, buhóng.

data, n. datos.

date, n. petsa, panahón, típanan, tagpuan, v. pétsahan, makipagtipán.

dative, adj. datibo, kalaanan.

daub, v. kapulin, bahiran, n. kapol.

daughter, n. anák na babae, iha.

dauntless, adj. pangahás, matapang, mapusók.

dawdle, v. mag-aksayá ng panahón, magbulakból.

dawn, n. bukáng-liwaywáy, madaling-araw, v. magbukáng-liwaywáy.

day, n. araw, panahón.

daze, v. tuliruhín, tuligin, matuliró, matulíg, pagkatuliró, pagkatulíg.

dazzle v. silawin magpahangà, masilaw, pahangain, mapahangà.

dazzling, adj. nakasísilaw.

deacon, n. diyákonó, deaconess, diyákonesa.

dead, adj. patáy, waláng-buhay, yumao.

deaden, v. pahinaan, hinaan, pahinain, bawasan ng ingay.

deadly, adj. nakamámatáy, makamatáy, parang patáy, masigasig, patál, waláng-humpáy.

deaf, adj. bingí.

deafen, v. bingihín.

deafening, adj. nakabíbingí, makabingí.

deafness, n. kabingihán.

deal, v. mamigáy, ipamigáy, pamumudmód, magnegosyo, makitungo, pakitunguhan. n. pamimigáy, transaksiyón, trato.

dealer, n. komersiyante, negosyante, mángangalakál, bangkâ, bangkero.

dean, n. dekano.

dear, adj. mahál, sintá, taimtím, n. mahál, sintá, giliw.

dearth, n. kasalatán, kawalán, kakulangán.

death, n. pagkamatáy, kamatayan.

debacle, n. bahâ, sakunâ, guhò.

debar, v. di-isama, alisín, tanggalín.

debark, v. lumunsád, bumabâ.

debase, v. hamakin, manghamak.

debate, v. makipagtalo, magtalo, magdebate, **n.** diskusyón, pagtatalakayán, pagtatalo.

debater, n. debatista, polemista.

debauchery, n. paglalasíng, kasibaan, kaimbihán, kaliluhan, kahalayan.

debilitate, v. huminà, manghinà, papanghinain.

debility, n. panghihinà, kahinaan.

debit, n. débitó, pagkakautang.

debonair, adj. makisig, masayá, mairog.

debris, n. sukal, yabat, guhò, buntón ng batóng duróg.

debt, n. utang, pagkakautang, pananágutan, sala, pagkakásala.

debtor, n. may-utang.

debut, n. dibú, unang labás, pasinaya.

debutante, n. dibutante.

deca, pref. pû.

decade, n. dekada, sampúng taón.

decadence, n. pagbabà ng urì, panghihinà.

decagon, n. dekágonó, planang may sampúng tabihán.

decalcomania, n. dekal, kalkumaniya.

decalescence, n. bigláng paginít.

decalogue, n. dekálogó, sampúng utos.

decamerous, adj. sampuan, may sampúng bahagi.

decameter, n. dekámetró.

decamp, v. umalís sa kampamento.

decant, n. itigis, isalin.

decanter, n. boteng tigisán, dekanter.

decapitate, v. pugutan, putúlan ng ulo.

decapitation, n. pagpugot, pamumugot.

decapitator, n. pamugot, mámumugot.

decapod, adj. may sampung paá.

decarbonize, v. alisán ng karbón.

decasyllabic, adj. may sampung pantíg, dekasilábiká.

decathlon, n. dekatlón, sampung páligsahan.

decay, v. mabulók, masirà, mabilasâ, magapók, **n.** pagkabulók, pagkasirà, pagkabilasâ, pagkagapók.

deceased, adj. patáy, namatáy, yumao, nasirà.

deceit, n. dayà, pagdarayà.

deceitful, adj. magdaraya, mapaglaláng.

deceive, v. magdayà, dayain, manlinláng, linlangín.

decelerate, v. magpahinà, pahinaan:

December, n. Disyembre.

decency, n. desensiya, katumpakán, kahinhinán.

decennary, n./adj. desenyál. desenaryo, ikasampúng taón. tuwíng sampúng taón.

descent, adj. desente, nárarapat, mahinhín, kainaman.

decentralize, v. desentralisahín. bahagini't ipamahagi.

deception, n. desepsiyón, dayà, laláng, linláng.

deceptile, adj. madayà, nakalilinláng, mápapagkámalián.

decide, v. magpasiyá, ipasiyá, pagpasiyahán.

decided, adj. tiyák, malinaw, disidido.

decigram, n. desígramó.

deciliter, n. desilitro.

decimal, n./adj. desimál.

decimate, v. diyesmahín, pagpaná-panampuín.

decipher, v. desiprahín, turan.

decision, n. disisyón, pasiyá kapasiyahán.

decisive, adj. disisibo, madalî, maagap, mahigpít, tiyakan.

deck, n. kubyerta, sahíg, pakete ng baraha, v. gayakan, palamutihan.

deckle, n. panggilid.

declaim, v. magdeklamá, ideklamá, bumigkás, bigkasín.

declamation, n. deklamasyón, pagbigkás, talumpatì.

declamatory, n. deklamatoryo.

declaration, n. deklarasyon, pahayag, paunawà, pagsasaysáy.

declarative, adj. deklaratibo, pasaysáy.

declare, v. ideklará, isaysáy, magsaysáy, ipahayag, magpahayag, isaád, magsaád.

declension, n. deklensiyón, páukulan.

declination, n. pagsinsáy, paglikô, pagtungó, pagkiling, pagtanggí.

decline, v. lumikô, suminsáy, tumanggí, tanggihán, manghinà, tumungó, lumubóg. lumayláy, mabigô, n. pagbagsák, pangnihinà. panlulupaypáy, talabis, dalisdís.

decoction, n. dekoksiyón, pinakuluán, binanlián.

decode, v. desiprahín.

decollete, adj. eskotado.

decolorant, n./adj. pang-alís ng kulay.

decolorize, v. alisán ng kulay.

decoloration, n. dekolorasyón, pangungupas, pamumutlâ, pamumutî.

decompose, v. malanság, magkápirá-pirasó, magapók, bulukín, bayaang mabulók, magapô.

decomposition, n. dekomposisyón, pagkalanság, pagkagapô, pagkabulok.

decorate, v. magdekorasyón, magpalamuti, palamutihan, gayakán, kondekorahán.

decoration, n. dekorasyón, adorno, palamuti, gayák.

decorative, adj. pang-adorno, pampalamuti.

decorator, n. dekorador, tagapalamuti, tagagayak, kasangkapang pampalamuti, pampalamuti.

decorous, adj. bagay, nárarapat, angkóp.

decorticate, v. balakbakán, talupan, akbahán.

decorum, n. dekoro, karangalán, kabagayán, kaayusan.

decoy, n. pangatî, pagganyák, pain.

decrease, v. lumiít, umuntî, bumabà, umiklî, huminà,

manghinà, **n.** pagliít, paguntî, pag-iklî, panghinà, bawas.

decree n. utos, dekreto, batás, ordenansa, **v.** magutos, iutos, ibatás, iorden.

decrepit, adj. paugód-ugód, ulianin, hukluban.

decry, v. salangsangín, hamakin, muntin.

dedicate, v. ilaán, itaán, ihandóg, ialay.

dedication, n. dedikasyón, paglalaán, handóg, alay, pagtatalagá, lúbusang paglilingkód.

deduce, v. maghulò, huluin, pagbatayan, panghawakan.

deduct, v. alisín, bawasin, huluin.

deduction, n. pag-aalís, paghuhulò, deskuwento.

deductive, adj. mapangháhawakan, mapaghuhuluan, mapagbábatayan.

deed, n. gawâ, ginawâ, akto, aksiyón, kasulatán, katibayan, asanya.

deem, v. akalain, ipalagáy, isipin.

deep, adj. malalim, seryo, lubóg.

deer, n. usá.

deface, v. dispigurahán, papangitin, dungisan.

defalcation, n. panlulustáy, despalko.

defamation, n. paninirang-puri.

defame, v. manirang-puri, siraang--puri.

default, n. pagpapabayà, di-pagganáp, di-pagdaló, pag-kukulang, pagkakámali, v. magpabayà, di-maganáp, di-dumaló, magkulang, magkamalî.

defeat, v. tumalo, talunin, malupig, lupigin, mapasu-kò, pasukuin, n. pagkatalo, pagkalupig, pagsukò, pag-kabigô.

defeatism, n. madalíng pag-papatalo.

defeatist, n. taong madalíng patalo.

defecate, v. magtapon ng du-mí.

defect, n. depekto, kakulá-ngán, sirà, kapintasan.

defection, n. paglayô, pag-alís, pagtitiwalág.

defective, adj. may depekto, kulang, may sirà, may ka-pintasan.

defend, v. magtanggól, ipag-tanggól, magsanggaláng, ipagsanggaláng.

defendant, n. násasakdál, ang akusado.

defender, n. tagapagtanggól,

mánananggól, tagapagsang-galáng.

defense, n. pagtatanggol, pagsasanggaláng, depensa.

defensible, adj. máipagtá-tanggól.

defensive, adj. nagtátanggól, may-pagtatanggól, panang-gól.

defer, v. ipagpaliban, antala-hin, ibitin, pigilan, magbi-gáy-loób, pagbigyáng-loób, pumayag, payagan.

deference, n. pakundangan, pagbibigáy-loób, bigáy-pi-tagan.

deferment, n. pagpapaliban, pagkaantala.

deferred, adj. inantala, bi-nimbín.

defiance, n. hamon, pangha-hamon, tigás ng ulo, pag-laban.

defiant, adj. nangháhamon, matigás ang ulo, lumálaban.

deficiency, n. kakulangán, pagkukulang.

deficient, adj. kulang, may-depekto.

deficit, n. depisit, pagkuku-lang.

defile, v. lapastanganin, du-ngisan.

define, v. hangganán, ilara-wan, ipaliwanag, pakahuluganán, uriin.

definite, adj. tiyák, direkto, eksakto, malinaw.

definition, n. katuturán, paliwanag, kalinawan.

definitive, adj. pantiyák, panlinaw, pambigáy-tangì, buô.

deflagrate, v. magsikláb.

deflate, v. paimpisín, pakupisín, makumpís, makuyumpís, mawalán ng hangin.

deflated, adj. impís, kupís, kuyumpís.

deflation, n. pagkaimpís, pagkakupís, pagkakuyumpís, pagkakumpís.

deflect, v. lumihís, suminsáy.

deflection, n. paglihís, pagkalihís, pagsinsáy, pagkasinsáy.

deflower, v. pitasan ng bulaklák, pugayan ng puri.

defluxion, n. tulò, kayat.

defoliate, v. alisán ng dahon.

deform, v. pasamaín ang anyô, dispigurahín, siraan ang hugis, papangitin, pumangit.

deformity, n. kasamaán ng anyô, kasalantaán, depormidád.

defraud, v. mandayà, dayain, mang-ilit, ilitín, manubà, subain, manansô, tansuín.

defray, v. magbayad, bayaran, paglaanan ng pambayad, gumastá, gumugol.

deft, adj. maliksí, sanáy, dalubhasà.

defunct, adj. patáy, dipunto.

defy, v. manghamon, hamunin, lumaban, labanan.

degenerate, v. bumabâ, sumamâ, masirà, mabulók.

deglutition, n. paglunók, paglulón.

degradation, n. pagka-mabamá, pagigíng hamak, pagkahamak.

degrade, v. ibabâ, pababaín, itiwalág, sesantihín, hamakin.

degree, n. digrí, antás, hakbáng, baitáng, grado, sidhí.

dehisce, v. bumukád, bumukadkád.

dehiscence, n. pagbukád, pagbukadkád.

dehydrated, adj. igá.

dehydrate, v. paigaán.

dehydration, n. pagpapaigá.

deicide, n. mámamatay-bathalà.

deify, v. bathalain, diyusín, ariing-diyós.

deign, v. marapatin, loobín.

deity, n. diyós, diyosa, bathalà.

dejected, adj. nalúlumbáy, nalúlungkót.

delay, v. pigilan, antalahin, bimbinín, ipagpaliban, magtagál, magluwát, magpaliban-liban, n. pagpigil, pag-antala, pagbinbín. pagtatagál, pagpapaliban.

delectable, adj. kaaya-aya, kalugúd-lugód.

delectation, n. lugód, tuwâ, galák.

delegate, n. kinatawán, delegado.

delegation, n. delegasyón pagpapakatawán.

delete, v. kaltasín, alisín, burahín.

deletrious, adj. nakasásakít, nakasásamâ.

deletion, n. pag-aalís, pagkaltás, pagburá.

deliberate, v. bulay-bulayin, pag-ukulan ng isip, wariin, sumangguni, makipagpálitang kurò, adj. mapagbulay-bulay, mahinay, kusà, sadyâ, sinadyâ.

leliberation, n. pagbubulaybulay, pag-uukol ng isip, ingat, alagà, pagkukusà pananadyâ.

delicacy, n. kisig, kapinuhan, kadilikaduhan, dilikadesa, kaselangan, gulusina, kakanín.

delicate, adj. pino, malinamnam, maselang, delikado

delicious, adj. masaráp, malinamnán.

delight, n. galák, lugód, tuwâ, sayá, v. galakín, bigyáng-lugód. bigyáng-tuwâ, pasayahin.

delight, adj. kalugúd-lugód, nakalúlugod.

delineate, v. idrowing, iguhit, ilarawan.

delineation, n. pagdodrowing, pagguhit, paglalarawan.

delineator, n. dilinyente.

delinquency, n. dilingkuwénsiya, pag-iwas sa tungkulin, paglabág sa tungkulin, pagkakasala, pagkukulang.

delinquent, adj. dilingkuwente.

deliration, n. pagkahibáng, deliryo.

deliration, n. pagkahibáng, nagdídidiliryo.

deliver, v. iligtás, hanguin, palayain, alpasán, dalhín, ihatid, bumigkás, umanák, manganák.

deliverance, n. paglayà, pagkasagíp, pagkapagligtás.

delivery, n. hatíd, paghahatíd pagliligtás, pagbigkás, panganganák.

dell, n. libís, labák.

delta, n. wawà, bungangà ng ilog.

deltoid, adj. hugis-trianggu-ló, hugis-tatsulok, deltoy-de.

delude, v. manlinláng, linla-ngín.

deluge, ॥. dilubyo, malakíng bahà, gunaw, dagsâ,

delusion, n. dayà, linláng, malíng paniniwalà, halu-sinasyón.

delve, v. magdukál, dukalín, magsaliksík, saliksikín.

demagnetize, v. didimanta-hán, alisán ng balanì.

demagogue, n. demagogo.

demand, v. hingín, hilingin, **n.** hingî, hilíng, pangangaí-langan.

demarcation, n. patuto, hang-ganan.

demean, v. magpakahamak, mag-asal.

demeanor, n. asal, pag-uuga-lì.

demented, adj. sirâ ang ulo, lukú-lukó, hibáng.

dementia, n. kasiraán ng ulo, pagka-loko.

demerit, n. demerit, kapinta-san, kasalanàn

demesne, n. lupang sakóp, re-hiyón, balwarte.

demigod, n. malabathalà, ma-ladiyós.

demijohn, n. dámahuwana.

demilitarize, v. alisán ng hukbó.

demimondaine, n. babaing malayà.

demimonde, n. daigdíg ng ba-baing malayà.

demise, n. pagkamatáy, pag-yao, kamátayan.

demit, v. magbitíw, magdemi-tí.

demitasse, n. munting tasa ng kapé.

demobilization, n. demobili-sasyón.

demobilize, v. magdemobili-sá, demobilisahín.

democracy, n. demokrasya.

democrat, n. demókratá.

democratic, adj. demokrátikó, pambayan, pangmadlâ.

demographer, n. demógrapó.

demography, n. demograpiya.

demolish, v. iguhò, paguhuin, gibaín, wasakín.

demolition, n. pagpapaguhò, pagwasák, paggibâ.

demon, n. demonyo, diyáblo, impakto.

demonology, n. demonolohiya.

demoniac, adj. nadimonyo-hán, maladimonyo.

demonstrate, v. ipakita, ipa-malas, iturò, patunayan, ilarawan, ipaliwanag, ma-mahayag.

demonstrative, adj. nagpá-
pakilala, mapagpahayag,
(Gram.) pamatlíg.

demoralize, v. demoralisahín,
pasamaín, siraan ng loób,
guluhín.

demote, v. ibabâ, idemót.

demotics, n. demótiká, (palá-
lípunan).

demount, v. dismuntahín,
ilunsád.

demulcent, adj. demulsente,
emulyente, (nakagíginha-
wa).

demur, v. mag-ulik-ulik, mag-
bantulót, tumutol.

demure, adj. seryó, pormál,
mahinhín.

demurrer, n. (Law) "demur-
rer", (tutol).

den, n. den, yungíb, kuweba,
selda.

denationalize, v. alisán ng
pagkabansâ, denasyonali-
sahán.

denaturalize, v. denaturalisa-
hán.

denatured, adj. denaturado.

dendriform, adj. hugis-pu-
nungkahoy.

dengue, n. dengge, lagnát sa
butó.

denial, n. pagtanggí, pagpa-
pahindî, pagkakaít, pagka-
kailâ.

denim, n. denim.

denizen, n. máninirahan, na-
katirá.

denominate, v. ngalanan, big-
yán ng tawag.

denomination, n. denominas-
yón, uring-tawag, sekta.

denominator, n. denomina-
dór, pambahagi.

denotation, n. palátandaan,
himatón, ngalan, kahulu-
gán.

denouement, n. desenlase, ka-
sukdulán, kinalabasán.

denounce, v. isuplóng, idi-
núnsiyá, isumbóng, mag-
sumbóng, tuligsaín, ataki-
hin.

denouncement, n. suplóng,
sumbóng, dinunsiya, sum-
bóng, sakdál, dimanda, tu-
ligsâ.

dense, adj. kitkít, masikíp,
masinsín, makapál, mala-
pot.

density, n. densidád, tangá,
pagka-kitkít, pagka-masi-
kíp, kasinsinán, kakapalán,
kalaputan, katangahán.

dent, n. yupî, v. mayupî.

dental, adj. dentál, pangngi-
pin, hinggíl sa dentisteri-
ya.

dentate, adj. may tabiháng
ngipíng-ngipín

dentiform, adj. hugis-ngipin.

dentrifrice, n. dentipriko, panghiso, panlinis ng ngipin.

dentine, n. dentina.

dentist, n. dentista.

dentistry, n. dentisteriya.

dentition, n. dentisyón, pagngingipin, ayos ng ngipin.

denture, n. ngiping pustiso.

denude, v. hubarán, talupan, maagnás.

denunciate, v. see denounce.

deny, v. tumanggí, tanggihán, itanggí, magkaít, ipagkaít, pagkaitán, magtatwâ, tatwaán, itatwâ, magpahindî, pahindián.

deodorant, adj. pamawing-amóy, pang-alís-bahò.

deontology, n. deontolohiya.

deoxidize, v. deoksidahín.

deoxygenate, v. deoksihenahín.

depart, v. umalís, yumao, lumisan, lumayô, mamatáy, pumanaw.

departed, adj. nakaraán, panahóng lumipas, namatáy, nasirà.

department, n. departamento, kágawarán, sangáy.

departure, n. pag-alís, pagyaon, paglisan, pagbabago.

ban, manghawakan, umasa,
depend, v. manangan, mana-

asahan, mabatay, masalalay, masalig.

dependable, adj. maáasahan, mapagkákatiwalaan.

dependence, n. pananganganan, panghahawakan, pagtitiwalà, pag-asa, lupang sakop.

dependent, adj. nanánangan, nanánaban, umáasa.

depict, v. maglarawan, ilarawan, iguhit.

depilate, v. magbunót ng buhók, bunutan ng buhók, maghimulmól, himulmulán.

depilatory, adj. pampalugon, nakalúlugon, **n.** depilatoryo, gamót na pampalugon.

deplete, v. ubusin, sairín, maubos, masaíd.

deplorable, adj. nakalúlungkót, kahiná-hinayang.

deplore, v. malungkót, manlumò, manghinayang.

deploy, v. mangalat, magsikalat.

depolarize, v. despolarisahán.

depopulate, v. alisán ng tao.

deport, v. ipatapon, idestiyero.

deportation, n. pagpapatapon, pagdedestiyero.

deportee, n. ang ipinatapon, ang desterado.

deportment, n. asal, ugalì, kikilos.

depose, v. itíwalág, tanggalín, manaksí.

deposit, v. ilagak, idepósitó. magdepósitó, ilagay, patiningin. **n.** lagak, depósitó, tining, tambák.

depositary, n. depositaryo, lágakan, hábilinan.

deposition, n. deposisyón, pananaksíng sinumpaá

depot, n. dipo, bodega, imbakan, lagakán, himpilan ng tren.

deprave, v. pasamaín, turuan ng masamâ, ipahamak.

depraved, adj. pinasamâ, naturuan ng masamâ, buhóng.

depravity, n. kasamaán, kurupsisyón, kabuktután.

deprecate, v. ikalungkót, walaíng-saysáy.

deprecatory, adj. nalúlungkót, naghíhinayang.

depreciate, v. murahan, babaan ang halagá, maliitín, mawalán ng halagá.

depreciation, n. depresyasyón, pagbabâ ng halagá, pagmamaliít.

depredate, v. manloób, mandambóng, magnakaw.

depredation, n. panloloób, pandarambóng, pagnanakaw.

depress, v. diináng pababâ,

palungkutín, patamlayín, ibabâ.

depressed, adj. nakababâ, matamláy, nalulumbáy.

depression, n. ukà, lugóng, lumbáy, kagípitan, pagsasalát.

deprivation, n. pagkawalâ, kadahupán.

deprive, v. alisán, agawan, pagkaitán.

depth, n. lalim.

depurate, v. dalisayin.

deputation, n. deputasyón, delegasyón.

deputize, v. gawíng kinatawán.

deputy, n. diputado, ahente, kinatawán.

deracinate, v. bunutin.

derail, v. diskarilín, madiskaríl.

deranged, adj. sirâ ang ulo, lukú-lukô, hibáng.

derelict, adj. pinabayaan, iniwan, pabayà, **n.** hampaslupà.

dereliction, n. pagpapabayà, pagka-pabayà.

deride, v. pagtawanán, manuyâ, tuyaín.

derision, n. tuyâ, panunuyâ, libák, panlilibák.

derivation, n. pinagkunan, pinagmulán, pinaghanguan.

derivative, adj. deribatibo,

salitáng hangò.

derive, v. kunin (sa), hangu-
in, manggaling.

dermatology, n. dermatolohi-
ya.

derogate, v. mamintás, manu-
ligsâ.

derogatory, adj. namímintás,
nanúnuligsâ.

derrick, n. derik, mákináng
pambuhat.

dervish, n. mongheng Moha-
metano.

descend, v. bumabâ, lumu-
song.

descendant, n. inanák, inapó,
pinag-apuhán.

descent, n. pagbabâ, pagpa-
naog, paglusong, biglláng-
lusob, angkán, lipì, lahì.

describe, v. ilarawan, iguhit,
idrowing.

description, n. deskripsiyón,
paglalarawan.

descriptive, adj. naglálara-
wan.

descry, v. mátanáw, mámar-
síd, matiktikán, mábanaa-
gan.

desecrate, v. lapastanganin,
magwaláng-pakundangan.

desecration, n. paglapasta-
ngan, pagwawaláng-pakun-
dangan.

desert, n. desyerto, disyerto,
iláng.

desert, n. tapát na gantimpa-
là, lapat na parusa.

desert, v. iwan, lisanin, pa-
bayaan, tumakas, takasan.

deserter, n. desertór, takas.

desertion, n. desersiyón, pag-
iwan, paglisan, pagtakas.

deserve, v. magindapat, ma-
gíng karapat-dapat, dapat
makamít.

deserved, adj. tapát, lapat,
wastô.

deserving, adj. karapat-da-
pat, may-méritó.

deshabille, n. kasuutáng ma-
ginhawa, damít pambahay.

desiceate, v. matuyô, tuyuín,
patuyuín.

desideratum, n. desideratum.

design, n. disenyo, guhit, di-
buho, plano, intensiyón,
balangkás, hangád, v. mag-
plano, magdisenyo, magdi-
buho.

designate, v. ipakita, ipama-
las, tiyakín, iturò, italagá,
hirangin, markahán.

designation, n. designasyón,
nómbramyento, indikasyón,
marká, tungkulin, títuló.

designer, n. disenyadór.

desirable, adj. kanais-nais,
kaibig-ibig.

desire, v. magnais, naisin,
magnasà, nasain, pitahin,

lunggatiín, maghangád, ha-
ngarín, n. nais, nasà, pita,
lunggatî, hangád.

desirous, adj. nagnánais, nag-
nánasà, naglúlunggatî,
nagháhangád.

desist, v. tumigil, magtigil,
tigilan, humintô, maghin-
tô, hintuán.

desk, n. desk, mesita, eskri-
toryo, pupitre.

desolate, adj. iláng, waláng-
tao, malagím, nasalanta,
nag-iisá, pinabayaan.

desolation, n. lagím, pang-
láw, kalumbayán, lumbáy.

despair, v. mawalán ng pag-
asa.

despatch, see **dispatch.**

desperado, n. desperado, tu-
lisáng mabangís, matón.

desperate, adj. desperado
(-da), walâ nang pag-asa,
mapanganib, gipít na gipít.

desperation, n. desperasyón.

despicable, adj. nakamúmu-
hî, kamuhí-muhî.

despise, v. pagmataasán, ha-
makin, kamuhián.

despite, n. poót, pagkapoót,
kapootán, malisya, masa-
máng hangád.

despite, prep. kahit na, sa
kabila ng.

despoil, n. nakawan, pag-ili-

tan, agawan, dambungín.

despoliation, n. pandaram-
bóng, pananakeo.

despondent, adj. panlulupay-
páy, katamlayán, nawáwa-
lán ng pag-asa.

despot, n. déspotá, maka-
pangyarihang harì, autó-
kratá.

despotic, adj. despótikó, di-
matutulan, tiránikò.

despotism, n. despotismo.

dessert, n. postre himagas.

destination, n. destinasyón,
púpuntahán, patutungu-
han, puntahin, tútunguhin,
destino.

destine, v. idestino, italagá,
maukol.

destiny, n. destino, palad, ka-
palaran, katalagahán, tad-
hanà, hantungan.

destitute, adj. dahóp, hika-
hós, dukháng-dukhà.

destitution, n. destitusyón,
kasalatán, paghihikahós,
karukhaán.

destroy, v. gibaín, sirain,
wasakín, ibagsák, puksain,
patayín.

destroyer, n. máninirà, mang-
gigibà, mámumuksà, má-
mamatay, tagakitíl.

destruction, n. pagkasirà,
pagkagibà, pagkawasák.

destructive, adj. nakasísira,

nakagígibâ, panirà, pang-
gibâ, mapanirà, mapang-
gibâ,
desuetude, n. pagka-di-gina-
gamit.
desultory, adj. paluksú-luksó,
palipat-lipat, waláng-kaa-
yusan, walang-kawawaan.
detach, v. ihiwalay, ibukód,
tanggalín, kalagín, kalasín.
detachment, n. paghiwalay,
pagkatanggál, destakamen-
to.
detail, n. detalye, sangkáp,
bahagi.
detail, v. italagá sa isáng
misyón, italagá.
detailed, adj. masusì.
detain, v. pigilin, antalahin,
bimbinín.
detect, v. tiktikán, manma-
nán, tuklasín, mátuklasán.
detectaphone, n. paniktík sa
teléponó.
detection, n. paniniktík, pag-
manmán.
detective, n. detektib, tiktík.
detector, n. detektór.
detention, n. pagpigil, pag-
kakápigil, pagkaantala.
deter, v. hadlangán, pahina-
in ang loób.
detergent, adj., n. panlinis.
deteriorate, v. sumamâ, bu-
mabâ ang urì, manghinà.
deterioration, n. pagsamâ,

pagbabâ ng urì, panghihi-
nà, pagkabulok.
determinable, adj. maáaring
matiyák, maháhangganán.
determinant, n. pantiyák,
pinagkákatiyakán, ikina-
papagtiyák.
determinate, adj. tiyák, ta-
hás.
determination, n. pagtitiyák,
pagpapasiyá, tibay ng
loób.
determine, v. hangganán, ta-
pusin, wakasán, magpa-
siyá pagpasiyahán, tiya-
kín.
determined, adj. disidido,
yarì ang loób.
deterrent, adj./n. nakapípi-
gil, pampigil.
detest, v. mamuhî, kamuhián.
detestable, adj. nakamúmuhî,
nakasúsuklám.
dethrone, v. alisín sa trono,
itiwalág sa pagka-harì.
detonate, v. paputukín.
detonator, n. pampaputók,
detonadór.
detour, n. ditúr, sinsayan,
ligirán. v. magditúr, su-
minsáy, lumigid.
detoxicate, v. lunasan, alisan
ng lason.
detract, v. alipustaín, kut-
yaín, aglahiin.
detractor, n. mag-aalipustâ,

mangungutyâ.

detrain, v. lumunsád sa
tren.

detriment, n. sirà, pinsalà.

detrimental, adj. nakasísirá,

detrition, n. pagkagasgás.

detruncate, v. tagpasín, ta-
basín, putulin.

deuce, n. (In card games)
dos, dalawá. (In tennis)
diyús, patas, salot, kabu-
wisitan, diyablo.

deuterogamy, n. ikalawáng
pag-aasawa.

deuteronomy, n. deuteronom-
yo.

devaluate, n. ibabâ, babaan
ng halagá.

devanagri, n. debangrí, alpa-
betong Sánskritó.

devastate, n. pugnaw'n, tu-
pukin, puksaín, lipulin,
gibaín, iwasák.

devastation, n. pagkapug-
naw, pagkatupok, pagka-
puksâ, pagkagibâ, pagka-
wasák.

develop, v. ilahad talakayin,
ihayág, pakilusin, paunlạ-
rín, patubuin, maglináng,
linangín, magrebelá, re-
belahín, magdebelop, debe-
lopin, lumakí, palakihín.

developer, n. panrebelá, de-
bélopér.

development, n. paglalahad,

pagtalakay, paghahayág,
pagpapakilos, pagpapaun-
lád, pagpapatubò, paglili-
náng, pagrerebelá, pagde-
debelop, paglakí, pagpapa-
lakí, pangyayari.

deviate, v. lumihís, lumikô,
magbago ng direksiyón,
gumindá.

deviation, n. paglihís, pag-
likô, pagbabago ng direksi-
yón, paggindá.

device, n. pamamaraán, pa-
ra'n, imbento, sagisag, pa-
kanâ, kasangkapan, kaga-
mitán.

devil, n. diyablo, dimonyo,
v. paanghangán.

deviled, adj. pinaanghangán.

devilish, adj. maladiyablo,
maladimonyo.

devilment, n. kadiyábluhan,
kadimonyuhan.

devious, adj. palikú-likô,
paese-ese, náliligáw, na-
mamalî, baluktót.

devise, v. mag-isíp, magba-
lak, gumawâ ng paraán,
mag-imbentó, lumikhâ.

devitalize, v. alisán ng lakás,
alisán ng siglá.

devoid, adj. waláng-walâ.

devolution, n. paglilipat, pag-
sasalin, pagmamana.

devolve, v. málipat, mápali-
pat, másalin, mápasalin,

mámana, mápamana, ma-
nahin.

devote, v. mag-ukol, iukol,
magtalagá, italagá, mag-
handóg, ihandóg, magpa-
kalubóg.

devoted, adj. banál, nápaká-
mapagmahál, lubóg na lu-
bóg, matapát.

devotee, n. deboto, may pa-
nata.

devotion, n. debosyón, pana-
ta, pagka-matapát, pag-
sambá, paglilingkód, pag-
sintá.

devour, v. lamunin, sabsabín,
laklakín, sakmalín, silain,
puksaín, tupukín.

devout, adj. mapanata, ba-
nál, tapát, taimtím, relihi-
yoso (-sa).

dew, n. hamóg.

dewy, adj. mahamóg.

dexter, adj. kanan, sa kanan,
paborable, mapalad.

dexterity, n. liksí, kaliksihán
ng kamáy, talas ng isip.

dexterous, adj. sanáy, dalub-
hasà, maykamáy.

dextral, adj. mahilig sa ka-
nang kamáy, hilíg sa ka-
nan, pakanán.

dextrin, n. dextrin, dekstrin.

dextroglucose, n. "dextrog-
lucosa", (dekstroglukosa).

dextrorotation n. inog na pa-

kanán.

dextrose, n. dextrosa", "dex-
trose", (dekstros).

dice, n. bétu-betò, (dais).

diabetes, n. diyabetes.

diabetic, adj. diyabétikó
(-ka).

diablerie, n. kadiyabluhan,
pangkukulam, karunungan
sa dimonyo, labis na kapu-
sukán.

diabolic, adj. may kadiyablu-
hán, parang diyabló.

diaconal, adj. diyakonál.

diaconate, n. diyakonato.

diacritic, diacritical, adj. pa-
látandaan, bantás.

diactinic adj. diyaktínikó.

diadelphous, adj. diadelpo.

diadem, n. diyadema.

diagnose, v. diyagnostikahín,
kilalanin ang sakít.

diagnosis, n. diyagnosis.
pagkilala ng sakít.

diagonal, adj. diyagunál, hi-
rís, pahirís, hiwás, n. diya-
gunál, guhit na hirís, ayos
na hirís.

diagram, n. dáyagrám, ba-
langkás, guhit na paba-
langkás.

diagraph, n. diyágrapó, ka-
sangkapang pangguhit.

dial, n. dayal, mukhâ, (ra-
dio) pihitán, v. dumayal,
dayalin.

dialect, n. diyalekto, wikà.

dialectic, dialectical, adj. diyalektál, pandiyalekto.

dialectic, dialectics. n. pángangatwiran, lóhiká.

dialectician, n. diyaléktikó.

dialog, dialogue, n. diyálogó, sálitaan, pag-uusap, ságutan.

dialysis, n. diálisís, pagtunaw, pagbubukód.

diameter, n. diyámetró, bantód.

diamond. n. diyamante.

diandrous, adj. diandro.

diapason, n. diyapasón, (ugmaan ng mga tono).

diaper, n. lampín.

diaphanous, adj. trasparente, sinág, aninaw.

diarrhea, n. kursó, bululós.

diaphoresis, n. pagpapapawıs na máramihan.

diaphoretic adj. mahigpít magpapawis, **n.** pampapawis na máramihan.

diaphragm, n. diyapragma, binubong. membrana.

diaphysis, n. bahaging mahabà ng butó.

diary, n. taláarawán, ulat na pang-araw-araw, akláttaláarawán.

diastole, n. diástolé, (hibók, paghibók).

diathermy, n. diyatérmiyá.

painit sa lamán.

diathesis, n. diyatesís, (katalagahán ng katawán sa sakít).

diatonic, adj. diyatónikó.

diatribe, n. alimura, tuligsâ, lait, upasala.

dible, n. pangulkól, panguykóy.

dichotomy, n. pagkahatì, pagsasangá, pagsasangá-sangá, pagkahatì sa ayon at di-ayon.

dichromatic. adj. dikromátikó, (may dalawáng kulay).

dicker, v. tumawad, tawaran.

dicotyledon, n. dikotiledón, (pánakluban)

dictaphone, n. diktapón,

dictate, v. magdiktá, idiktá, diktahán mag-utos. iutos, utusan. **n.** pamamatnugot, utos, atas, mando.

dictation, n. pagdidiktá.

dictator, n. diktadór.

dictatorial, adj. diktatoryál.

diction, n. pilì ng salitâ, paraán ng pagpapahayag. pananalitâ.

dictionary. n. diksiyunaryo, talahuluganan.

dictum, n. "dictum", (diktum), pahayag, simulain, hatol, pasiyá.

didactic, adj. didáktikó, may aral.

diddle, v. magtatarang, mag-papadyák, magkandirít.

didymous, adj. kambál, tambál.

die, v. mawalán ng buhay, mamatáy, mawalâ, humintô, masabík.

die, n. dado, bétu-betò, estampador, molde.

diehard, n. talunang-di-patalo.

dielectric, n. harang-koryente.

dieresis, diaeresis, n. diyeresis, (dagdág-pantíg).

diet, n. diyeta, pagkain sa araw-araw pagpapadiyeta.

dietetics, n. diyetétiká.

differ, v. máibá, mábukód, magkáibá, di-umayon.

difference, n. diperénsiyá, pagkakaibá, kaibhán, hidwaan.

different, adj. ibá, di-pareho, magkaibá, hiwalay, di-pangkaraniwan, sarisarì.

differentia, n. (Logic) "differentia", (kaurián).

differential, n. adj. diperensiyál.

differentiate, v. ibahin, pag-ibá-ibahín, pagbukúd-bukurín.

difficult, n. mahirap, di-maalwán.

difficulty, n. hirap, kahira-pan, paghihirap, kagípitan, krisis.

diffident, adj. torpe, dungô,

diffuse, v. kumalat, mangalat, pakalatin, lumaganap, palaganapin. adj. kalát, laganap.

dig, v. maghukáy, hukayin, magdukál, dukalín.

digest, v. tunawin, matunaw, paigsiín buurín, tipunin ayon sa urì, isiping mabuti.

digest, n. buód, kódigó.

digestible, adj. dihestible, maáaring matunaw.

digestion, n. dihestiyón, panunaw.

digestive, adj. dihestibo, makatunaw.

diger, n. tagahukay, manghuhukay.

diggings, n. mga nahukay, pinaghukayan, túluyan, tírahan.

digit, n. númeró, pamilang, bilang, dalì, pigura, dalirì.

digitalis, n. dihitál.

digitiform, adj. hugis-dalirì.

diglot, adj. bilingguwe, sa (ng) dalawáng wikà.

dignified, adj. mahál, marangál, kagalang-galang.

dignify, v. dangalín, bigyáng-karangalán, parangalán.

dignitary, n. dignitaryo, taong dakilà, taong mahál.

dignity, n. dignidád, karangalán, kamáhalan.

digress, v. lumihís, lumayô, umibá.

digression, n. paglihís, paglayô, pag-ibá.

dike, n. tambák, pilapil.

dilapidated, adj. sirá-sirâ, gibá-gibâ, guhu-guhò.

dilatation, n. pagluwáng, pagkahiklát, paglakí.

dilate, v. lumuwáng, paluwangín, mahiklát, hiklatín, lumakí, palakihín.

dilated, adj. maluwáng, hiklát, malakí, lumálakí.

dilatory, adj. pang-abala, pampatagál, mapagpabukas, makupad.

dilemma, n. dilema, linggatong, súliranín.

dilettante, n. apisyunado, ámatyúr.

diligence, n. sipag, sikap, sigasig,

diligent, adj. masipag, masikap, masigasig.

dillydally, v. magpaumatumat, mag-aksayá ng panahón.

diluent, adj./n. pambantô, pampalabnáw.

dilute, v. magbantô, bantuán, palabnawín.

diluted, adj. may bantô, bi-

nantuán, pinalabnáw.

dilution, n. pagbabantô, pagpapalabnáw.

dim, adj. malamlám, malabò. v. palabuin, palamlamín, padilimín, padimlán.

dimension, n. dimensiyón, sukat, lawak, halagá, lakí.

diminish, v. magbawas. bawasan, lumiít, umuntî, huminà, manghinà, untí-untíng mawalâ.

diminution, n. pagbabawas, pagliít, pag-untî, paghinà, untí-untíng pagkawalâ.

dimunitive, adj. munti, munsík.

dimity, n. dímití, kotonya.

dimmer, n. panlamlám.

dimness, n. kalamlamán, kalabuan.

dimorphism, n. dimorpismo, kadalawahang-anyô.

dimple, n. biloy, puyó sa pisngí.

dimwit, n. (Slang) tangá, hangál.

din, n. linggál.

dindle, n. kumalatíng, n. pagkalatíng.

dine, v. mananghalian, maghapunan.

diner, n. kainán, kumedór.

dingdong. n. telembang, kalembang.

dingy, adj. nangíngitím, marumí, maagiw.

dinner. n. tanghalian, hapunan, piging.

dinosaur, n. dinosauro.

dinothere, n. dinoteryo.

dint, n. pukpók, hampás, lakás.

diocesan, adj., n. diyosesano.

diocese, n. diyósesís, obispado.

diorama, n. diyorama.

dioxide, n. dioksido.

dip, v. isawsáw, ilubóg, itubóg, basaín, salukin, itungó, sumisid. **n.** sawsáw, lubóg, tubóg, tungó, lusong, libís, labák.

diptheria, n. dipterya.

dipthong, n. diptonggo, kambál-patinig.

diphyllous, adj. may dalawáng dahon.

diploma, n. diploma.

diplomacy, n. diplomasya.

diplomat, n. diplomátikó.

diplomatic, adj. diplomátikó (-ká).

diplopia, n. pagkaduling (diplópiyá).

dipper, n. sandók, panalok.

dipsomania, n. dipsomanya, maglalasing.

dipsomaniac, adj. dipsómanó, maglalasing.

dipterous, adj. dípteró, may dalawáng pakpák.

diptych, n. díptiká, polder.

dire, adj. katakut-takot, napakasamâ.

direct, adj. direkto, tuwíd pinakamalapit, pinakamadalî, tiyakan. **adv.** tulúy-tulóy.

direction, n. direksiyón, pamamatnugot, pamamahalà, utos, turò, hilig, dako, panuto.

directive, n. direktiba.

directly, adv. tuwiran, kaagád.

director, n. direktór, patnugot.

directorate, n. patnúgutan.

directory, n. direktoryo.

directress, n. direktora.

dirge, n. luksáng-awit, luksáng-tugtugin.

dirk, n. daga, balaráw, punyál.

dirty, adj. marumí, nakaáaní, mahalay, masamâ.

disability, n. kawaláng-kaya, kasalantaán, kapinsalaan ng katawán.

disable, v. alisán ng lakás, alisán ng kapangyarihan, lumpuhín, papanghinain, alisán ng bisà.

disabled, adj. baldado, nawalán ng lakás, nawalán ng kapangyarihan, nalumpó, napinsalà.

disabuse, v. iwastô, iahon sa
kamálian.

disadvantage, n. desbentaha,
kagahulán, hadláng, katá-
yuang di-nakabúbuti.

disadvantageous, adj. des-
bentahoso, di-makabúbu-
ti, di-makagágalíng.

disagree, v. di-magkásundo,
magkáibá, magkágalít,
magtalo, magkálaban.

disagreeable, adj. nakagága-
lit, di-kasiyá-siyá, masa-
mâ.

disagreement, n. hidwaan,
pagtatalo, pagkakaíbá.

disallow, v. itanggí, ipagkaít,
di-ipahintulot.

disappear, v. mawalâ, mapa-
ram, maglahò.

disappearance, n. pagkawa-
lâ, paglalahò.

disappoint, v. biguín, mabi-
gô, di-masiyahán, di-ma-
kapagbigáy-kasiyahán.

disappointment, n. kabiguán,
pagkabigô, pagka-di-nasi-
yahán.

disapproval, n. desaprobas-
yón, di-pagpapatibay, pag-
tutol, di-pagsang-ayon.

disapprove, v. di-pagtibayin,
tanggihán, di-pahintulu-
tan.

disarm, v. desarmahán, ali-
sán ng armás.

disarmament, n. desarme.
pagsasalong.

disarrange, v. disareglahín.
guluhín.

disarranged, adj. desaregla-
do, maguló, magusót.

disarticulate, v. pagtanggál-
tanggalín.

disassemble, v. lansagín.

disaster, n. disastro, sakunâ,
kapahamakán.

disastrous, adj. desastroso,
nakapagpápahamak.

disavow, v. tanggihán, itat-
wâ, tumangging managót.

disband, v. buwagín, paghi-
wá-hiwalayín, tangkalagín.

disbar, v. bawian ng karapa-
tán, itiwalág sa poro.

disbelieve, v. di-paniwalaan.

disburden, v. ibisán, ibsán,
maibsán.

disburse, v. magbayad, ba-
yaran, gumugol, gugulan.

disc, see disk.

discalced, adj. deskalso, ya-
pák.

discard, v. itapon, iwaksí,
alisín.

discern, v. mákita. mámalas.
máunawaan, mákilala, má-
puná.

discerning, adj. may matalas
na matá, madalíng umuna-
wà, mapagmasíd.

discharge, v. madiskargá.

diskargahín, magbabâ, ibabâ, kalagán, paputukín, pakawalán, itiwalág, gumanáp, gumanáp ng tungkulin.

discharge, n. pagbababâ, paglulunsád, pagkakalág, pagpapalayà, paputók, pag-papaputók, pagtupád ng tungkulin, pagtitiwalág.

disciple, n. disípuló, alagád.

disciplinarian, n. disiplinante, manunupil.

discipline, n. dîsiplina, panunupil, pagsupil, kaayusang-asal, tuntunin. **v.** disiplinahin, supilin, parusahan.

disciplined, adj. disiplinado, maydisiplina, supíl.

disclaim, v. itatwâ, itakwíl, isiwalat.

disclose, v. ipaalám, ihayág, isiwalat.

disclosure, n. paghahayág, pagpapaalám, pagsisiwalat.

discoid, adj. lapád at bilóg.

discolor, v. kumupas, mangupas.

discolored, adj. kupás.

discomfiture, n. pagkatalo, kabiguán, kahihiyán.

discomfort, n. kawaláng-ginhawa, balisa, linggatong, hirap ng kalooban.

discommode, v. alisán ng ginhawa.

discompose, v. bagabagin, guluhín, lituhín.

discomposure, n. bagabag, kaguluhán, kalituhán.

disconcert, v. see **discompose,** hiyaín, biglâng ibahín.

disconnect, v. paghiwalayín tanggalín, lagutín, putulin.

disconnected, adj. hiwaláy. tanggál, putól, lagót.

disconsolate, adj. waláng-alíw, nalúlungkót.

discontent, n. kawaláng-kasiyahán, pagka-di-masiyahán.

discontinue, v. tumigil, itigil, tigilan, di-itulóy.

discontinuity, n. kawaláng-ugnayan.

discord, n. kawaláng-áyunan, labanán, álitan.

discordant, adj. maguló, nakagúguló, di-ugmâ, maingay.

discount, v. bawasin, alisín, di-ibilang, walaíng-saysay, **n.** deskuwento, bawas, tawad.

discourage, v. sirain ang loób, pigilin.

discourse, n. pagpapahayag, paglalahad, pagpapaliwa-

nag, panayam, talumpatì,
pag-uusap, pagtalakay. v.
magpahayag, ipahayag,
maglahad, ilahad, magpa-
liwanag, ipaliwanag, mag-
panayam, magtalumpatì,
tumalakay, talakayin.

discourteous, adj. waláng-
galang, bastós.

discourtesy, n. kawaláng-
galang, kabastusán.

discover, v. mátagpuán, má-
laman, matuklasán, mádu-
kál.

discover, n. tuklás, pagtuk-
lás, pagkátuklás.

discredit, v. sirain ang ti-
walà, pasinungalingán. n.
kasiraang-tiwalà, diskrédi-
tó.

discreet, adj. maalagà, ma-
ingat.

discrepancy, n. pag-iibá, pag-
kaibá, kaibahán.

discrepant, adj. nag-iibá-ibá,
nagkakáibá.

discrete, adj. hiwaláy, bukód,
bawa't isá'y ibá, may ibá't
ibáng bahagi.

discretion, n. pagkahiwaláy,
pagkabukód, pagka-ibá-ibá,
kalayaan sa pagpapasiyá,
sariling paghatol, mala-
yang pagpilì, kabáitan.

discriminate, v. pagbukúd-
bukirin,   pag-ibá-ibahín,

magtangì, itangì. adj. bu-
kúd-bukód, ibá-ibá, nagta-
tangì, mapagtangì.

discriminating, adj. nagtá-
tangì. mapagtangì, tangî.

discrimination, n. diskrimi-
nasyón, pagtatangì, kaka-
yaháng pumilì ng maga-
líng.

discriminatory, adj. may iti-
natangì, may kiníkilingan.

discursive, adj. paibá-ibá ng
paksâ, maligoy, palayú-la-
yô.

discuss, n. diskás.

discuss, v. talakayin. pag-
usapan, mangatwiran, pa-
ngatwiranan, magtalo, pag-
talunan.

discussion, n. pagtatalakay,
pag-uusap, pangangatwi-
ran, pagtatalo.

disdain, v. di-marapatin, ma-
liitín, pagmataasán, n. di-
pagmamarapat, pagmama-
liít, pagmamataás.

disdainful, adj. mapagmali-
ít, mapagmataás, mapang-
hamak.

disease, n. sakít, pagkakasa-
kít.

diseased, adj. maysakít, may
karamdaman.

disembarked, v. lumunsád,
bumabâ.

disembarkation, n. paglunsád.

disembarrass, v. ibsán sa kahihiyán, alisán ng balakíd.

disembody, v. ihiwaláy sa katawán.

disembowel, v. paulwaín ang bituka.

disemboweled, adj. ulwâ ang bituka, may ulwáng bituka.

disenchant, v. kalagán sa pagka-engkanto, mawalán ng paghangà.

disencumber, v. alisán ng pátong. tubusín, hanguin sa utang.

disengage, v. bumitiw, tumanggál, bitiwan, tanggalín, kumalág, kalagín, kalagán.

disentangle, v. kalasín, linawin, ayusin.

disfavor, n. pag-ayáw, pagka-waláng-gustó.

disfigure, v. dispigurahín, pasamaín ang anyô, papangitin.

disfranchise, v. alisán ng prangkisya, alisán ng karapatán.

disfrock, v. hubdán ng sutana.

disgorge, v. iluwâ, ibugá.

disgrace, n. kasiraáng-dangál, kasiraáng-puri, kahihiyán, kaayupan.

disgraceful, adj. nakasísirang-puri, nakahíhiyâ.

disgruntle, v. galitin, yamutín, alisán ng kasiyahán. biguín.

disguise, v. magdisprás, magbalatkayô, magpakitangtao. n. balatkayô, disprás, pakitang-tao.

disgust, n. pagkaaní, pagkasuklám, pagkayamót.

disgusted, adj. naáaní, nasúsuklám, nayáyamót.

disgusting, adj. nakayáyamót, nakaáaní, nakasúsuklám.

dish, n. plato, pinggán, putahe, pagkain.

dishearten, v. alisán ng siglá, sirain ang loób.

disheartened, adj. nawalán ng siglá, nasiraan ng loób.

dishevel, v. ilugay, ilayláy, ilawít, guluhín, gusutín.

dishonest, adj. madayà, magdarayà. di-tapát.

dishonesty, n. pagdarayà, kawaláng-dangál, kaliluhan.

dishonor, n. see disgrace.

disillusion, n. disilusyón, pagkamatáy. ng pag-asa, pagkabigô ng pangarap, pagkasirà ng tiwalà.

disinclined, adj. waláng-gustó, di-gustó, nag-uulik-ulik.

disinfect, v. disimpektahín,

maglanggás, langgasín.

disinfectant, n. disinpektante, panlanggás, pamatáymikrobyo.

disinfection, n. disimpeksiyón.

disinherit, v. di-pamanahan, di-papagmanahin, alisán ng mana.

disintegrate, v. madurog, magkádurúg-duróg, mapiraso, magkápirá-pirasó.

disinter, v. hukayin sa pagkakábaón, hukayin, dukalín.

disinterested, adj. disinteresado, di-maimbót, waláng-bahalà, di-nakikialám.

disjoin, v. paghiwalayín, tanggalín.

disjoined, adj. tanggál, hiwaláy.

disjunctive, adj. pahiwaláy, patanggál.

disk, n. disko, plaka.

dislike, v. ayawán, umayáw, di-mágustuhán. n. pagayáw, antipatiya.

dislocated, adj. linsád, balî, nabalian.

dislodge, v. máitabóy, matanggál, matigkál.

disloyal, adj. di matapát, sukáb, lilo, taksíl.

disloyalty, n. kawaláng-katapatán, kaliluhan, kataksi-

lán.

dismal, adj. mapangláw, malagím, nakasísindák.

dismantle, v. hubarán, hubdán, alisán ng kasangkapan.

dismay, v. gulatin, sindakín, papanghilakbutín, papanlumuhín.

dismember, v. hiwagín, paghiwág-hiwagín, munglayín.

dismiss, v. dismisín, paalisín, palabasín, pauwiín, sisántihín, itiwalág.

dismount, v. umibís, bumabâ, tanggalín.

disobedience, n. pagsuwáy, di-pagsunód.

disobedient, adj. masuwayín, mapaglabág sa utos.

disobey, v. sumuwáy, suwayín, lumabág sa utos, labagín ang utos.

disorder, n. guló, kaguluhán, gusót, kagusután.

disorderly, adj. maguló, magusót, maligalig.

disorganize, v. guluhín, sirain ang ayos.

disorient, v. iligáw, bilingin, máligáw, mabiling, lituhín, malitó.

disown, v. itatwâ, itakwíl, dikilalanin.

disparage, v. hamakin, aglahiin.

disparate, adj. di-magkapan-
táy, di-magkatulad.

disparity, n. pagka-di-magka-
pantáy, di-magkatulad.

dispassionate, adj. may ma-
lamíg na kaloobán, mahi-
nahon, matapát.

dispatch, v. magpadalá, ipa-
dalá, palakarin, tapusin
agád. **n.** mensahe, pahatíd,
balità, pagpatáy.

dispel, v. itabóy, iabóy, pa-
wiin, alisín, iwaksí.

dispensary, n. dispensaryo,
págamutan.

dispensation, n. dispensas-
yón, pamamahagi, takdâ,
kalág, eksensiyón.

dispense, v. mamahagi, ipa-
mahagi, ilapat, ipairal, pa-
librihín, magpatawád, pa-
tawarin.

disperse, v. maghiwá-hiwa-
láy, mangalat, ikalat, pala-
ganapin, ihasík, pawiin.

displace, v. tinagín, alisín sa
lugár, paalisín.

display, v. ipakita, iladlád,
itanghál, iparada, **n.** paki-
ta, pamalas, tanghál, pa-
rada.

displease, v. galitin, pasama-
ín ang loób, alisán ng ka-
siyahán.

disposal, n. ayos, pag-aayos,
pagsasaayos, pagtatapon,

pagpapasiyá, pagbibigáy.

dispose, v. ilagáy sa lugár,
iayos, ayusin, isaayos, ita-
lagá, pagpasiyahán, ita-
pon, ipamigáy, ipagbili.

disposition, n. disposisyon,
hilig, nilóloób, katángian,
ugalì, takbó ng isip.

dispossess, v. kamkamán, ili-
tan, agawan.

disproportionate, adj. waláng
proporsiyón, tabingî, kabi-
lán.

disprove, v. pasinungalingan,
pabulaanan.

dispute, v. magtalo, pagtalu-
nan, tumutol, tutulan, ma-
gatwiran. **n.** pagtatalo, tu-
tol.

disqualify, v. di-papaginda-
patin, alisán ng kapangya-
rihan o karapatán, alisán
ng kaya, mawalán ng kara-
patán.

disquietude, n. kawaláng-ka-
tahimikan, balino.

disquisition, n. pagtalakay,
salaysáy, sanaysáy.

disregard, v. di-pansinín,
huwág pansinín, bayaan.

disreputable, adj. waláng-pu-
ri, waláng-dangál.

disrespect, n. kawalang-ga-
lang, kawaláng-pitagan.

disrespectful, adj. waláng
galang, waláng-pitagan.

disrobe, v. maghubád, maghubu't hubád.

disrupt, v. sirain ang takbó, lagutín, guluhín.

dissatisfaction, n. kawaláng-kasiyahán, samâ ng loób.

dissatisfy, v. makawaláng-kasiyahán.

dissect, v. hiwagín.

dissemble, v. magkunwarî, magdisimulá, magbalatkayô.

disseminate, v. maghasík, magsabog, isabog, ikalat, ipangalat, ipalaganap, palaganapin.

dissension, n. pagkakasirà, paghihidwaan.

dissent, v. sumalungát, sumalangsáng.

dissenter, n. disidente, di-kasang-ayon, kasalungát.

dissentious, adj. paláawáy, panig-panig.

dissert, v. tumalakay, talakayin.

dissertation, n. disertasyón, tesis, akdâ.

disservice, n. masamáng paglilingkód, pinsalà.

dissimilar, adj. magkaibá.

dissimilitude, n. kawalán ng pagtutulad, kaibhán.

dissimulate, v. see dissemble.

dissipate, v. kumalat, paka-

latin, aksayahín.

dissipated adj. kalát, sabóg, aksayá, sinayang, imbî, marawal.

dissociate, v. ihiwaláy, ibukód, ilayô.

dissolute, adj. mabisyo, marawal, mahilig sa masamâ.

dissolution, n. pagkatunaw, pagkasirà, pagwawakás, pagkabuwág ng samahán.

dissolve, v. tunawin, matuñaw, magtunaw, tapusin. pawaláng-bisà.

dissolvent, n. panunaw, pantúnaw.

dissonant, adj. malíng tunóg, di-kaugmáng tunóg.

dissuade, v. papagbaguhing-loób, pigilan.

disyllabic, adj. dadalawahíng pantíg.

distance, n. distánsiyá, layò, pagitan, agwát.

distant, adj. malayò, hiwaláy.

distaste, n. pag-ayáw, pagkanasásamaán-sa-lasa.

distasteful, adj. nakasúsuyà, nakayáyamot.

distemper, n. init ng ulo, sumpóng.

distend, v. lumuwáng, mahiklát, lumapad, lumawak, lumakí.

distill, v. distilahín

distillation, n. distilasyón.

distillery, n. distileriya.

distinct, adj. ibá, kaibá, hiwaláy, bukód, tangì, malinaw, maliwanag.

distinction, n. kaibahán, pagkaibá, tandâ, katanyagán, karángalan, kalinawan.

distinctive, adj. namúmukód, katangi-tangì.

distinguish, v. makilala, kilalanin, mapagbukúd-bukód, itanyág, gawaran ng karángalan.

distinguished, adj. balità, bantóg, bunyî, dakilà, katangi-tangì.

distort, v. baluktutín, ibahín, baguhin, bigyán ng malíng kahulugán.

distorted, adj. baluktót, pilipít, tabingî.

distract, v. ibaling ang pansín sa ibá, guluhín, gambalain.

distracted, adj. nalibáng, guló, litó.

distraction, n. distraksiyón, kagúluhan, kalituhan, kakambalaán.

distress, n. sakít, dusa, takot, pighatî, bagabag, kasáwian, kagípitan, **v.** papagkasaktín, papaghira-

pin, papamighatiín.

distribute, v. ipamahagi, ikalat, ipangalat, mamigáy, ipamigáy, ipamudmód.

distribution, n. distribusyón, pamamahagi, pamimigáy, pamumudmód.

district, n. distrito, purók.

distrust, v. pag-alinlanganan, pagdudahan. **n.** pagkakulang-tiwalà, alinlangan, pag-aalinlangan, duda, pagduda.

distrustful, adj. alinlangan, kulang-tiwalà, waláng-tiwalà.

disturb, v. guluhín, bagabagin, abalahin, gambalain.

disturbance, n. guló, kaguluhan, bagabag, ligalig, abala.

disulfide, n. bisulpuro.

disunite, v. papaghiwalayín, hatiin, bahaginin, sirain ang pagkakáisá (ng).

ditch, n. kanál, sangká, (Mil.) trintsera. **v.** magkanál, magbambáng.

dither, n. panginginíg sa pag-asa, panginginíg sa galák.

dithyramb, n. ditirambo, tuláng masidhí.

ditto, adv. ditto, pareho, iyón dín.

ditty, n. awit, kantá, dalít,

kundiman.

diuresis, n. diyuresis, labis na pag-ihî.

diuretic, adj. diurétikó, pampaihì.

diurnal, adj. diyurno, arawaraw, pang-araw.

diva, n. primadona, kantatrís.

divan, n. dibán, supá.

divaricate, v. magsambát, magsangá.

dive, v. sumisíd, sumugbá, pasisirin. **n.** pagsisid.

diver, n. tagasisid, buso.

diverge, v. mangalat, maghiwaláy, magkáibá, magkáibá-ibá, magsangá, magsangá-sangá, lumayô.

divers, adj. ibá-ibá, ibá't ibá, sarisarì.

diverse, adj. magkaibá, ibá.

diversify, v. pag-ibá-ibahín, baguhín.

diversion, n. paglihís, paglilihís, pag-iibá-ibá, paglilibáng, libangan.

diversity, n. pagkakáibá-ibá.

divert, v. ilihís, ibaling, iligáw, libangín.

divest, v. hubarán, pagkaitán, alisán, agawan.

divide, v. hatiin, bahaginin, partihín, paghiwalayín, papaghiwalayín, paglayuín, papaglayuín.

dividend, n. dibidendo, tubò, pakinabang.

divider, n. partidór, tagabahagi, partisyon, dingdíng na pamagitan.

dividers, n. kumpás (kómpas).

divination, n. dibinasyón, hulá, panghuhulà.

divine, adj. dibino, banál, malabathalà, makalangit, kahanga-hangà, maka-Diyós.

divinity, n. dibinidád, kadiyusán, pagka-Diyós, kabathalaán, pagka-Bathalà.

divisible, adj. maháhatì, mabábahagi.

division, n. dibisyón, paghahatì, pagbabahagi, urì, paghihiwaláy, hidwaan, tabikì, sangáy, pangkát.

divisor, n. dibisór, pambahagi.

divorce, n. dibórsiyó, kalágkasál. **v.** magdiborsiyo.

divorcee, n. ang diborsiyado, (-da).

divulge, v. ihayág, ibunyág, isiwalat, ipagtapát.

dizziness, n. hilo, pagkahilo, liyó.

dizzy, adj. hiló, nahihilo, liyó, nalíliyó.

do, v. isagawâ, isakatúparan, gumawâ, gumanáp, gana-

pín, gampanán, yariin, wa-
kasán, magsumikap.

dobbin, n. kabayong mabait.

docile, adj. madaling turuan,
maamò, masúnurin.

dock, n. piyér, pantalán, da-
ungán punduhan. v. du-
maóng, pumundó.

docket, n. talaan.

doctor, n. doktór, mangga-
gamot, pahám, pantás.

doctorate, n. doktorado.

doctrinal, adj. doktrinál.

doctrine, n. doktrina, simu-
lain, paniniwalà.

document, n. dokumento, ka-
sulatan.

documentary, adj. dokumen-
tál, násusulat, pangkasu-
latan.

documentation, n. dokumen-
tasyón.

dodder, v. manginíg, manga-
tál, kumalúg-kalóg.

dodeca, prefix labindalawá.

dodecagon, n. dodekagón, po-
lígonóng may labindala-
wáng sulok (anggulo- at
labindalawáng tabihán).

dodecasyllabic, adj. lalabin-
dalawahing-pantíg, labin-
dálawahang-pantíg.

dodge, v. umilag, umigtád,
umiwas, iwasan. n. lin-
láng, laláng.

doe, n. usáng babae.

doeskin, n. balát-usá.

doff, v. maghubád, magpu-
gay, mag-alís, alisin, iwak-
sí.

dog, n. aso, taong imbí. v.
sundán-sundán.

doggerel, n. tulà ng bulág.

dogma, n. dogma, simulain,
paniwalà.

dogmatic, adj. dogmatiko.

doily, n. doyli.

doing, doings, n. gawâ, ka-
gagawán.

dole, n. rasyón, limós, bigáy-
awà.

doldrums, n. lumbáy, tamláy,
tigil.

doleful, adj. kalungkút-lung-
kót, lipós ng pighatî.

doll, n. munikà (manikà).

dollar, n. dolar.

dolorous, adj. masakít, ma-
kirót, mahapdî, kahapis-
hapis.

dolphin, n. delpín (delfin).

dolt, adj. hungháng, ungás,
banggák, tunggák.

domain, n. dominyo, lupang
sakóp.

dome, n. kúpulá, simboryo,
bóbedá.

domesday, n. Araw ng Pag-
huhukóm.

domestic, adj. doméstikó,
pantáhanan, yari sa táha-
nan, yari sa sariling ban-

sâ, alagà, maamò. **n.** alilà, utusán.

domesticate, v. domestikahín, magpaamò, paamuin.

domicile, n. tírahan, táhanan, túluyan.

dominant, adj. dominante, nagháharì, nakapangyáyari, nangíngibabaw, pángunahin.

dominate, v. dominahán, masupil, supilin, mapangibabawan.

domination, n. dominasyón, paghaharì, pagsakop.

dominations, n. mataás na antás ng mga anghél, dominasyones.

domineer, v. manupil, manlupig.

domineering, adj. mapanupil, mapanlupig.

dominical, adj. dominikál, ukol sa Panginoón, panLinggó.

dominican, adj. dominiko.

dominion, n. dominyo, kapangyarihan, lupang pinamamahalaan.

domino, n. dominó, antipás.

don, n. ginoó, don, máginoó.

don, v. magsuót (ng damít), magbihis.

doña, n. donya, sinyora, ginang.

donate, v. magdonasyón, ido-

nasyón, magkaloób, ipagkaloób, igawad.

donation, n. donasyón, bigáy, kaloób, gawad.

donkey, n. buro, buriko.

donor, n. donadór, donante, maybigáy, maykaloób.

don't, huwág, hindî.

doodle, n. gurí, gurí-gurí. **v.** gumurí, maggurí-gurí.

doom, n. paghuhukóm, hatol, tadhanà, kapalaran, kamátayan, kasáwian. **v.** hatulan, hukumán, itadhanà.

door, n. pintô.

doorcase, n. hambahe.

doorkeeper, n. portero.

doorsill, n. ubrál.

doorstep, n. hakbangan sa harapán ng pintô.

doorstop, n. tope ng pintô.

doorway, n. pintuan.

dope, n. apyan, narkótikó, impormasyón, datos.

dormant, adj. natútulog, diaktibo.

dormitory, n. dormitoryo, tulugán.

dorsal, adj. dorsál, panlikód, ng likód, sa likód.

dory, n. bangkáng pangisdâ.

dose, n. dosis.

dot, n. tuldók, puntito. **v.** tuldukán.

dotage, n. pagka-ulianin, isip-batà, labis na pagpapalayaw.

dotard, n. matandáng hukluban, matandáng ulianin.

dote, v mahalín nang labis, palayawin, mag-ulianin, mag-isip-batà.

dottle, n. kulilì ng tabako.

dotty, adj. hibáng, nahíhibáng, nalóloko.

double, adj. doble, pinagdalawá, parís, ibayo **n.** ibayo, doble, kamukhâ, panghalili, dálawahan. **v.** pagdalawahín, dóblihín, ibayuhin, pag-ibayuhin, mákamukhâ.

doublet, n. tsaleko.

doubloon, n. doblón.

doubt, v. mag-alinlangan, pag-alinlanganan, magduda, pagdudahan. **n.** alinlangan, duda.

doubtful, adj. malabò, di-tiyák, di-maurì, dudoso.

doubtless, adj. waláng alinlangan, waláng duda, tiyák, sigurado.

douche, n. dutsa, regadera.

dough, n. masa, tapay.

doughnut, n. "doughnut" (donat).

doughty, adj. matapang, malakás.

dour, adj. matigás, mahigpit, malagím.

douse, v. busan, ilublób, itu-

bóg, patayín.

dove, n. kalapati (paloma).

devecot, n. bahay-kalapati.

dovetail, n. aáb na buntútkalapati.

dowager, n. gining, tagapagmanang biyuda.

dowdy, adj. bulagsák manamít.

dowel, n. tarugo, pakong kahoy.

down, n. balahibong malambót, balahibong bulák-bulák.

down, adj. ibabâ, sa ibabâ, palalím, pababâ, palusong, paliít, káliwaan. **v.** bumabâ.

dowry, n. dote, bigáy-kaya.

doxology, n. Glorya, Luwalhatî, Papuri sa Diyós, Luwalhatì sa Amá.

doze, v. umidlíp, mag-antók, magtukâ. **n.** idlíp, hipíg.

dozen, n. dosena, labindalawá.

drab, adj. kayumanggíng patáy, mapangláw, waláng kuwenta.

drachm, n. drakma.

draft, n. hïla, arastre, lagók, higop, bangháy, buradór, dibuho, drowing, guhit, plano, hihip ng hangin, tawag sa hukbô, tara, lubóg, lalim. **v.** magbalangkás, magbangháy, magtalagá ng tao.

draftee, n. ang nátawag.

draftsman, n. delinyante.

drafty, adj. mahangin.

drag, v. hilahin, arástrihín, kaladkarín. **n.** hila, arastre, kaladkád, panghila, pang-arastre, pangkayod.

draggle, v. kaladkarín (sa lupà, sa dumí).

draggletail, n. sayang de kola, sayang may buntót.

dragline, n. lubid na panghila.

dragnet, n. lambát na káladkarin, (dragnet).

dragon, n. dragón.

dragonfly, n. tutubí.

dragoon, n. dragún, kabalyeriyang sinandatahan.

drain, v. patuluin, paagusin, patuyuín, ubusin, umagos. **n.** tulò, agos, tuluán, agusán, kanál, desagwe, tubo.

drainage, n. pagpapatulò, pagpapaagos, tuberiyás, desagwe, pátuluán, páagusán.

drainpipe, n. tubong pátuluán.

dram, n. drakma, muntíng lagók.

drake, n. tandáng na pato.

drama, n. dulà, drama.

dramatic, adj. madramá, madulà, madulain.

dramatics, n. pagsulat ng dulà, pagtatanghal ng dulà.

dramatist, n. dramaturgo, mánunulát ng dulà, (mandudulà).

dramaturgy, n. dramaturhiya, pandudulà, panunulat ng dulà, pagtatanghál ng dulà.

dramatize, v. isadrama, isadulà, dramahin, dramatisahín.

drape, v. kulubungán ng damít, magsabit ng kurtina, **n.** kulubóng na damít.

drapery, n. damít, tela, damít na palawít.

drastic, adj. marahás, mabagsík.

draw, v. hilahin, batakin, bunutin, hugutin, halawín, ilabás, mákuha, magdibuho, magdrowing, gumuhit, makaakit, tumanggáp, makatanggáp.

drawing, n. dibuho, drowing.

drawn, adj. bunót.

drawl, v. magsalitáng mahinà. **n.** mahinay na pagsasalitâ.

dray, n. karitóng kargahan.

dread, v. matakot, katakutan, masindák, kasindakán. **n.** takot, sindák.

dreadful, adj. nakákatakot, nakasísindák, nakakasindák, kahilá-hilakbót.

dreadnaught, n. taong-waláng-takot, akorasado.

dream, n. panaginip, pangarap. v. managinip, mangarap.

dreary, adj. nakalúlungkót, nakalálagím, malagím.

dredge, n. draga, v. magdraga, dragahin.

dregs, n. tining, latak.

drench, v. pigtaín, tigmakín.

dress, v. ihanay, gayakán, damtán, bihisan, magdamít, magbihis, ihandâ, talian. n. damít, pananamít, kasuután.

dribble, v. pumaták-paták, sipá-sipain, patalbúg-talbugín.

driblet n. muntíng piraso, kapurát, katitíng, sampaták.

dried, adj. tuyô, tinuyô.

drier, dryer, n. pantuyô.

drift, n. direksiyón, tinútungo, hilig, tulak, galáw, paglutang, pagkaanod. v. lumutang, maanod, mapayíd.

drill, n. pamutas, balibol, barena, pagsasanay, dril. v. magbutas, butasin, magbalibol, balibulin, magbare-

na, barenahin, magsanay, sanayin, magdril, drilín.

drink, v. uminóm, inumín, bumarik, barikin, tumagay, tagayin. n. ínumin, agwa-tiyempo, alak, inumín.

drip, v. pumaták-paták, papaták-patakín.

drivel, n. magkayat-laway, magsalitáng parang batà.

drizzle, n. ambón, anggí, ampiyas. v. umambón, umampiyas, umanggí.

drogue, n. anklang palutang.

droll, adj. katawá-tawá, nakakátawá, kómiká, kakatwâ.

dromedary, n. dromedaryo, kamelyong Arabé.

drone, n. bubuyog, taong batugan, ugong, hugong.

drool, v. kayatan ng laway, magsalitáng pagagó.

droop, v. lumayláy, lumuylóy, lumawít, tumamláy, lumumbáy.

drop, n. paták, bigláng babâ, laglág, hulog, tulò. v. pumaták, tumulo, lumubóg, bumabâ, malaglág mahulog. ilaglág, ihulog, iwan, pabayaan.

droplet, n. muntíng paták.

dropper, n. pamaták.

dropsy, n. panás, pamamanás.

dross, n. taing-metál, kala wang, dumí, tae, ipot, sukal

drove, n. kawan, manada.

drown, v. malunod, lunurin.

drowse, n. mag-antók, antukín, magtukâ, maghikâb, mapaidlíp.

drowsy, adj. nakakaantók, nag-aantók.

drub, v. hampasín, paluin, bugbugín.

drudge, v. magpakahirap, pagpakahirapan. **n.** taong nagpápakahirap.

drudgery, n. pagpapakahirap, pagtitiís ng hirap.

drug, n. droga, gamót.

druggist, n. drogista, butikaryo.

drugstore, n. parmasya, butika (botika).

drum, n. tamból, tuóng, dram.

drunk, adj. lasíng, langó.

drunkard, n. lasenggo, maglalasing, buratsero.

dry, v. tuyuin, patuyuin, matuyô. **adj.** tuyô, tuyót, uháw, naúuhaw, di-makawili, tigáng.

dual, adj. dálawahan, dalawá.

dub, v. gawíng kabalyero, gawaran ng parangál, nga-

lanan, bulihín, kintalán ng tunóg.

dubious, adj. nagpapaduda, di-tiyák, di-masiguro, kahiná-hinalà.

duchess, n. dukesa.

ducky, n. dukado.

duck, v. umuklô, iuklô ang ulo, yumukô, umilag. **n.** pato, bibi, itik.

duct, n. pádaluyan, páagusan, tubo, tuberiya.

ductile, adj. duktíl, malambót na makunat, plastik.

dub, n. bombang palyado.

dude, n. taong marangyâ.

dudgeon, n. init ng ulo, galit.

due, adj. inutang, nautang, utang na dapat nang bayaran, angkóp, bagay, dahil sa. **n.** karapatán, utang.

duel, n. duwelo, desapyo, akíp.

duet, n. duwo, duweto, sáliwan.

dug, n. utóng.

dugout, n. kanoa, bangkâ, taguáng hinukay.

dulcet, adj. masaráp pakinggán, mahimig, malambíng.

dulcify, v. tamisán patamisín, lambingán.

dulcinea, n. giliw, sintá.

dull, adj. tangá, dungô, di-makintáb, malamlám, mapuról, nakákainíp, malabò.

v. alisán ng kintáb, palamlamín, papurulín, palabuin.

dub, adj. pipi, tikóm bibíg.

dumbfound, n. manghaín, gulilatin.

dummy, n. pipi, apáw, taong tangá, pantalya, huwád. **adj.** artipisyal.

dump, v. ibuntón, itambák, ibagnâ. **n.** básurahán.

dumpling, n. bola-bola, undáy-undáy.

dumpy, adj. pandák.

dun, n. maningíl na paulit-ulit, **adj.** morenong abuhín, di-makintáb.

dunce, n. taong-hangál.

dune, n. buntón ng buhangin.

dung, n. ipot, dumí, manyúr,

dungeon, n. pangawan, bartulina.

duodenum, n. duwodeno.

dunk, v. isawsáw.

duo, n. duweto, sáliwan.

duodecimal, adj. labindálawahan.

dupe, n. taong-lukuhín, taong utú-utô.

duplex, adj. dálawahan, doble.

duplicate, adj. n. duplikado, kopya, ikalawáng kopya, ikalawang sipì.

dulicator, n. duplikadór, mákinang pangopya.

duplicity, n. pandarayà, pagdadalawáng-mukhâ.

durable, adj. magtátagál, matatág, matibay.

dura meter, n. balot na matigás, durameter.

duramen, n. tigás ng kahoy.

duration, n. tagál, kalaunan, panahóng itinagál.

dures, n. pamimilit, panggigipít, pagpipiít.

during, prep. noóng panahón ng (ni).

dusk, n. takip-silim, agaw-dilím, lagím.

dusky, adj. madilím-dilím, maitím-itím, malagím.

dust, n. alikabók.

dusty, adj. maalikabók.

Dutch, n./adj. Ulandés.

duteous, adj. masúnurin, mapaglingkód.

dutiable, adj. dapat ipagbayad ng buwís, búwisin.

duty, n. tungkulin, obligasyón, buwís, bayad sa adwana.

dwarf, n. enano (unano).

dwarfish, adj. parang enano, bulilít.

dwell, v. tumirá, manirahan, mamahay, tumigil.

dwindle, v. umuntî, lumiít, kumauntî, untí-untíng maubos.

dye, n. tinà. **v.** tinain, dampulín.

dynamic, adj. dinámikó, mabisà.

dynamics, n. dinámiká, aghám dinámiká.

dynamism, n. dinamismo.

dynamist, n. dinamista.

dynamite, n. dinamita.

dynamiter, n. dinamitero.

dynamo, n. dínamó.

dynamometer, n. dinamómetró.

dynastic, adj. dinástiká.

dynasty, n. dinastiya.

dyne, n. dina, sukat-lakás.

dysentery, n. iti, pag-iiti, disenteriya.

dysfunction, n. di-wastóng panunungkól.

dysgenics, n. aghám ng pagkasirà ng lahì.

dyspeptic, n. dispéptikó, taong may masiraíng sikmurà.

dysphagia, n. hirap sa paglunók.

dysphasia, n. sakít na panghihinà sa wikà.

dysphonia, n. panghuhumál.

dyspnea, n. disnea, hingal, hirap sa paghingá.

dystrophy, n. malí-malíng kain.

dysuria, n. balisawsáw.

—E—

each, adj. bawat (bawa't). **pron.** bawa't isá, ang lahát.

eager, adj. sabík, nasásabík, masiglá, masigasig, nagígiliw, handâ.

eagle, n. ágilá, banoy.

ear, n. tainga, pandiníg, pagdiníg, pakikiníg.

earl, n. konde.

earldom, n. kondado.

early, adv., adj. maaga, maagap.

earn, v. kumita, kitain, magtubò, makinabang, matamó, tamuhín, makamít, ka-

mitín.

earnest, adj. taimtím, marubdób, tapát, n. depósitó, páuná, pangakò, mabuting kaloóbán.

earth, n. daigdíg, mundó, sangkalupaán, lupà.

ease, n. alwán, kaalwanán, ginhawa, kaginhawahan, gaán, kagaanán, dali, kadalián. **v.** guminhawa, paginhawahin, paalwanín, pagaanín, padaliín.

easel, n. kabalyete, (ng pintór).

east, n. silangan, kasilanganan.

Easter, n. Paskó ng Pagka-
buhay.

easy, adj. maalwán, magaán,
madalî, maginhawa.

eat, v. kumain, kainin.

eaves, n. sibi, sulambí, med-
ya-agwa.

eavesdrop, v. mangulinig, ma-
kiníg na palihím.

eavesdropper, n. mángunguli-
nig, taong lihim na nakí-
kiníg.

ebb, n. kati, pagkati, babâ
ng tubig, urong ng tubig,
urong ng dagat.

ebonite, n. ebonita.

ebony, n. ebanó, kahoy na
maitím.

ebullient, adj. kumúkulô,
súmulák,

eccentric, adj. hiwíd, lihís sa
gitnâ, kakatwâ, kakaibá,
pamalî-malî.

ecclesiastic, adj. eklesyásti-
kó, pansimbahan. **n.** parè,
taong-simbahan.

ecclesiasticism, n. klerikalis-
mo.

echelon, n. eskalón.

echo, n. alingawngáw.

eclampsia n. eklampsiyá,
kombulsiyón (ng nangá-
nganak).

eclectic, adj. mapamilì.

eclipse, n. eklipse, lahò.

eclogue, n. tuláng pastorál.

ecology, n. ekolohiya.

economical, adj. matipíd,
masimpán, ekonomikó,
pangkabuhayan, ukol sa
pagtitipíd.

economics, n. karunungang
pangkabuhayan.

economist, n. ekonomista, da-
lubhasà sa paninimpán.

economize, v. magtipíd, mag-
simpán.

economy, n. ekonomiya, pag-
titipíd, pagsisimpán.

ecstasy, n. lubós na kagala-
kán, pagtatalík, katalikán.

ecstatic, adj. galák na galák,
nagtátalik sa galák.

ecstatic, adj. galak na galak,
nagtatalik sa galak.

ectoderm, n. ektodermo.

ectogenic, adj. ektóhenó.

ectoplasm, n. ektolasma.

ecumenical, adj. ekumínikó,
pandaigdigan.

eczema, n. eksema.

eddy, n. rimulino, pamumu-
yó, pamumusód.

edema, n. panás, pamamanás.

Eden, n. Edén, Paraiso.

edentate, adj. waláng-ngipín.

edge, n. gilid, tabihán, lay-
layan, hanggahan, hang-
ganan, talím. **v.** talimán,

lagyán ng talím, gumitgít, makagitgít.

edible, adj. makákain, maáaring makain.

edict, n. edikto, dekreto, utos.

edification, n. paghuhubog ng budhî, panuto.

edifîce, n. gusalî, edipîsyo.

edify, v. hubugin ang budhî, turuan, ituntón' sa mabuting halimbawà.

edit, v. editahán, iwastô upang ilathalà, mamatnugot, patnugutan.

edition, n. edisyón, labás.

editor, n. editór, patnugot.

editorial, n. editoryál, pangulong tudlíng.

educate, v. edukahín. linangín, turuan, sanayin.

educated, adj. edukado, maypinag-aralan, sanáy, malináng.

education, n. edukasyón, pinag-aralan, napag-aralan.

educative, adj. edukatibo, may-itinúturò, napagkukunang-turò.

educator, n. edukadór.

educe, v. hugutin, hanguin, pagkunan, paghugutan, paghanguan.

eel, n. palós, igat.

eerie, eery, adj. nakatátakot, nakasísindák, nakapangígilabot.

efface, v. burahín, pawiin, katkatín.

effect, n. bisà, epekto, bunga, katuparan, katunayan, pag-iral, konsekwénsiyá.

effective, adj. mabisa, epektibo, maepekto.

effectiveness, n. pagka-mabisà.

effeminate, adj. kilos-babae.

efferent, adj. palayô, palabás.

effervescent, adj. bumúbulák.

effete, adj. gasgás, gastado, nanghinà.

efficacious, adj. mabisà, mabagsík, masidhî.

efficacy, n. bisà, bagsík, sidhî.

efficiency, n. kabutihang gumawâ, kakayaháng gumawâ, mabisang paggawâ.

efficient, adj. mabuting gumawâ, mabisang gumawâ.

effigy, n. larawan, imahen, taú-tauhan.

efflorescence, n. pamumulaklák.

effluence, n. agos, pag-agos, daloy pagdaloy.

effluvium, n. alimuom, hunáb, singáw, bahò.

effort, n. punyagî, pagpupunyagî, sikap, pagsisikap,

pagsusumikap, pagsasakit, pagsusumakit.

effrontery, n. kalapastanganan, kapangahasán.

effulgence, n. luningníng, kináng, karilagán.

effusion, n. buhos, pagbuhos, pagbubuhos, bulwák, pagbulwák, silakbó ng damdamin.

egg, v. ibunsód, ibuyó, sulsulán.

egg, n. itlóg.

eggplant, n. talóng.

ego, n. sarili, pagkamakaakó.

egoism, n. egoismo, (kamakaakuhán).

egoist, n. egoista, (makaako).

egotism, n. egostismo, (pamumuhat-sariling-bangkô).

egoist, n. egoista. (taong mapamuhat ng sariling bangkô).

eggregious, adj. garapál, pusukál.

egress, n. paglabás, pag-alís, paglitáw, lábasan.

egret, n. (Ornith.) ayrón.

Egypt, n. Ehipto.

Egyptian, n. adj. Ehípsiyó.

Egyptologist, n. Ehiptólogo.

Egyptology, n. Ehiptolohiya

eider, n. patong-dagat.

eidolon, n. pantasma, pantom, ídoló, imahen.

eight, n./adj. waló.

eighteen, n./adj. labingwaló

eighth, adj. ikawaló.

eighty, n./adj. walumpû.

either, pron. alinmán sa dalawá, isá't isá, bawa't isá sa dalawá. **adj.** alinmán. **adv.** man, din, (rin). **conj.** o . . o.

ejaculate, v. bumigkás, magpamutawì, bumulalas, ibulalas.

ejaculation, n. bulalas, hakulatorya.

eject, v. ihagis, itapon, itabóy, itiwalág, sisántihín, paalisín.

eke, v. magdagdág ng kaúkauntî.

elaborate, adj. maingat na pagkakagawâ, pinagpakahirapan, salí-salimuót **v.** gawíng detalyado, ganapíng buô, painamin.

eland, n. antílopéng Aprikano.

elapse, v. magdaán, makaraán, lumipas.

elastic, adj. elástikó, nahúhutok, nahúhubog.

elasticity, n. elasticidád, pagkamahúhutok, **pagka-**mahúhubog.

elate, v. bigyáng-lugód, pali-
gayahin.
elbow, n. siko, kodo.
elder, adj. nakatátandâ, ma-
tandâ, apò.
elderly, adj. maykatandaán,
maykagulangan.
eldest, adj. pinakamatandâ.
elect, v. ihalál, iboto, piliin,
hirangin, adj. pilì, pinilì,
hirang, hinirang.
election, n. eleksiyón, hála-
lan.
electioneer, v. magkampanya
sa eleksiyón.
elector, n. elektór, botante.
electorate, n. elektorado.
electric, adj. elektrika, elek-
trikál, pandagitab.
electrician, n. elektrisista,
mandaragitab.
electricity, n. elektrisidád,
dagitab.
electrify, v. elektripikahán,
elektripikahín, dagitaban,
dagitabin, gulatin, gitla-
hín.
electrocute, v. elektrokuta-
hín, patayín sa dagitab,
maelektrokutá, mamatáy,
sa dagitab, mákuryente.
electrode, n. elektrodó.
electrolysis, n. elektrólisís.
electrolyte, n. elektrólitó.
electromagnet, n. elektro-
imán, balaning-dagitab.

electron, n. elektron.
electronic, adj. elektrónikó.
electronics, n. karunungang
elektróniká.
electropathy, n. elektroterap-
ya.
electroplate, v. galbanisa-
hán, elektroplateahán.
electroplating, n. galbano-
plastiya, elektroplatea.
electroscope, n. elektroskop-
yo.
electrostatic, adj. elektrostá-
tikó.
electrostatics, n. elektrostá-
tiká.
electrotechnics, n. elektrotek-
niyá.
electrotype, n. elektrotipo.
eleemosynary, adj. mapagká-
wanggawâ, ipinagkáwang-
gawâ, inilimós.
elegance, n. kinis, kakinîsan,
kisig, garà, bikas, kasela-
ngan ng panlasa.
elegant, adj. makinis, maki-
sig, magarà, mabikas, ma-
selang sa panlasa, pihîkan.
elegiac, adj. elehiyako.
elegist, n. elehista.
elegy, n. elehiya.
element, n. elemento, sang-
káp, simulain, arte, sining,
bahaging pamuô.
elementary, adj. elementar-
ya, panimulâ.

elephant, n. elepante, gadya.
elephantiasis, n. elepantiasis.
elephantine, adj. elepantino, gaelepante, sinlakí ng elepante,
elevate, v. itaás, pataasín, iasenso, paasénsuhín, dakilain, dangalín.
elevation, n. taás, pagtataás, asenso, pag-asenso, pagdakilà.
elevator, n. asensór.
eleven, n. labing-isá.
eleventh, adj. ikalabíng-isá.
elf, n. duwende.
elicit, v. mahugot, máílabás, máihayág.
eligible, adj. karapat-dapat, kaangkupán.
eliminate, v. alisín, di-isama, iwaksí, iwan, di-pansinín, ilabás, idumí.
elision, n. elisyón, pungos, kaltás.
elite, n. pilì sa pilì, hirang sa hirang.
elixir, n. eliksír, inuming pampalakás, kordiyál, gamót-lahát.
Elizabethan, adj. Isabelyano.
elk, n. alse, malakíng usá.
elkhound, n. asong pang-alse, asong pangmalakíng-usá.
ellipse, n. elipse.
ellipsis, n. elipsis, omisyón, kaltás.

ellipsoid, adj. elipsoyde, tambilugín.
elliptic, adj. elíptikó, hugistambilóg, maykaltás, maypungos.
elm, n. olmo.
elocution, n. elokusyón, pananalumpatì, madamdaming pambabasa.
elocutionist, n. elokusyunista, nambibigkás, mánanalumpatî.
elongate, v. pahabain, habaunatin.
elongated, adj. habâ, unát.
elope, v. magtanan, tumakas.
elopement, n. pagtatanan, pagtakas.
eloquence, n. elokwénsiyá, mabisang pananalitâ.
eloquent, adj. elokwente, mabisang manalitâ.
else, adj. pa, ibá pa. adv. sa ibá, conj. kung hindî, kung dî.
elucidate, v. ipaliwanag, linawin.
elude, v. umilag, ilagan, umiwas, iwasan, tumipas, magtanan.
elusive, adj. mahirap hulihin, magalíng umilag, mahirap unawain, madulás.
em, n. em.
emaciation, n. pamamayát, pangangayayat.

emanate, v. magmulâ, manggaling.

emanation, n. pagmumulâ, panggagaling.

emancipate, v. palayain, iligtás sa kaalipnán.

emancipation, n. emansipasyón, pagpapalayà, pagliligtás

emancipator, n. emansipadór, tagapagpalayà, tagapagligtás.

emasculate, v. kapunín, alisán ng pagkalalaki, pahinain.

embalm, v. embalsamahín.

embankment, n. tambák, binundók.

embark, v. sumakáy (sa bapór), lumulan, lumayág.

embarrass, v. hadlangán, gipitín, hiyaín.

embarrassment, n. kagípitan, nakahihiyáng kátáyuan, kahihiyán.

embassy, n. embahada, pásuguan.

embattle, v. ihandâ sa pakikidigmâ.

embed, v. iengkahe.

embellish, v. pagandahín, gandahán, pakisigin, gayakán.

embellishment, n. pagandá, adorno, gayák.

ember, n. baga, dupong, agi-

pó.

embezzle, v. lumustáy, manlustáy, lustayín.

embezzlement, n. paglustáy, panlulustáy.

embezzler, n. manlulustáy, dispalkadór.

embitter, v. papaitín, pamaitán.

emblazon, v. ukitan ng sagisag, sagisagin.

emblem, n. emblema, símboló, sagisag.

emblematic, adj. emblemátikó, nanánagisag.

embodiment, n. pinaka-katawán, pinaka-kaluluwá, kabuuán.

embody, v. bigyáng-katawán, buuín, katawanín.

embolden, v. patapangin, pasiglahín.

embosom, v. isadibdíb, isapusò.

emboss, v. patambukin, pabukulín, paalsahín.

embrace, v. yakapin, yapusín, isama, saklawín n. yakap, yapós.

embrocation, n. embrokasyón, panghaplás, panghilot.

embroider, v. magburdá, burdahán.

embroidery, n. burdá.

embroil, v. dalakitin, idalakit, isangkót.

embryo, n. embriyón, hermén.

embryologist, n. embriyólogó.

embryology, n. embriyolohiya.

emcee, n. maestro ng seremonya, gurò ng palátuntunan.

emerge, v. lumitáw, sumipót, gumitaw, makaahon.

emergence, n. paglitáw, pagsulpót, paggitaw, pag-ahon.

emergency, n. emerhénsiyá, bigláng pangangailangan, pangyayaring di-inaasahan, kagípitan.

emeritus, adj. emériṭó.

emergy, n. esmeríl.

emetic, adj. pampasuka, pampaduwák.

emigrant, n. emigrante, mángingibang-bayan, mandarayuhan, dayuhan.

emigrate, v. mangibáng-bayan, mandayuhan.

emigration, n. emigrasyón, pandarayuhan.

eminence n. eminénsiyá, tayog, katayugan, taás.

eminent, adj. eminente, mataás, dakilà, tanyág.

emissary, n. emisaryo, sugong lihim.

emission, n. emisyón, pagpapalabás.

emit, v. magpalabás, palabasín.

emmenagogue, n. emenagogo.

emollient, adj./n. pampalambót, pampadulás, panghaplás.

emolument, n. gantimpagál, sahod, pakinabang, bayad.

emote, v. magpakita, magpahayag, magpahalatâ ng damdamin.

emotion, n. emosyón, damdamin.

emotional, adj. madamdamin, pamukaw-damdamin.

emotionalism, n. emosyonalismo, sentimentalismo.

emotive, adj. nagpápahayag ng damdamin.

empathy, n. empatiya, pagkapukaw-damdamin.

emperor, n. emperador.

emphasis, n. empasís, diín.

emphasize, v. bigyáng-diín, pag-ukulang-bigát.

emphatic, adj. empátikó, mariín.

empire, n. imperyo, kaharian.

empirical, adj. impírikó, (kuha) sa karanasan.

employ, v. bigyán ng empleo, gumawâ, gumamit, gamitin, maggugol ng panahón. n. empleo.

emporium, n. emporya, basár.

empower, v. bigyáng-kapang-yarihan.

empress, n. emperatrís.

empty, adj. waláng-lamán, basiyó, alisán ng lamán.

empyrean, n. karurukan ng langit.

emu, n. emu.

emulate, v. tumulad, tularan.

emulsion, n. emulsiyón.

en, n. en.

enable, v. itulot.

enact, v. isabatás, aktuhín, umakto.

enactment, n. pagsasabatás.

enamel, n. esmalte, balát-ngipin, balát-porselana.

enamoured, adj sumísintá, umíibig.

encampment, n. kampamento.

encase, v. ilagáy sa kahón, ikahón.

enchain, v. tanikalaán, itanikalà.

enchant, v. kulamin, ingkántuhín, halinahin, bihagin.

enchanter, n. mangkukulam, manghahalina, mámimihág.

enchanting, adj. kahalí-halina.

enchantment, n. pagkahalina, pagkaingkanto.

enchantress, n. ingkantadora.

encircle, v. palibutan, pabilu-

gan, paligiran.

enclose, v. ilakip, isama, kulungín.

enclosure, n. lakip, bakod.

encomium, n. engkomyo, papuri, parangál.

encompass, v. pikutin, palibutan, paligiran, bakuran.

encore, intrj. ulit!

encore, n. hilíng na pag-uulit.

encounter, v. mákatagpô, magtagpô, magkasagupà, magkálaban, magkáharáp. n. kombate, laban, pagbabaka.

encourage, v. pasiglahín, pukawin, buhayin ang loób, patapangin, paasahin.

encouragement, n. pasiglá, pagpapasiglá, palakásloób, pamukaw-loób.

encouraging, adj. nakapagpápasiglà, nakapagpápalakás ng loób.

encroach, v. manghïmasok, panghimasukan, makialám, pakialamán, makalampás.

encumber, v. kargahán, pabigatán.

encumbrance, n. kargá, grabamen, ságutin, kapanágutan.

encyclical, n., adj. ensikliká.

encyclopedia, n. ensiklopedya.

encyclopedic, adj. ensiklopédikó.

encyclopedist, n. ensiklopedista

encysted, adj. nagkakatô, kinatô, engkistado.

end, n. wakás, katapusán, dulo, layon, kamátayan. v. wakasán, magdulo, tapusin, magwakás, tumigil, mamatáy.

endanger, v. ilagáy sa panganib, málagáy sa panganib, manganib.

endear, v. mámahál, mápamahál, ikâpamahál.

endearing, adj. mapagmahál, malambîng, malamyós.

endearment, n. lamyós, lambíng.

endeavor, n. ato, pag-ato, punyagî. sikap. v. umato, atuhin, magpunyagî, magsikap.

endemic, adj. katutubò, (endémikó) naturál.

endocrine, n. endokrina, (endokrin).

endoderm, n. endodermo.

endogeny, n. endohénesís.

endorse, v. lagdaán sa likurán, aprobahán, itaguyod, ilipat.

endorsement, n. lagdâ sa likód, pagpapatibay, taguyod, paglilipat.

endosmosis, n. endosmosis.

endosperm, n. endospermo.

endothermic, adj. endotérmikó.

endow, v. magkaloób, ipagkaloób, pagkalooban.

endowment, n. kaloób, dulọt. bigáy, katángiang tagláy.

endurance, n. tatág, pagkamatatág, pagtitiís, pagpapatuloy, pagka-matirà.

endure, v. manatili, magpakatatág, matagalán.

enduring, adj. nanánatili. patuloy, nagtátagál, matibay, matatág, matiisin, mapagbatá.

enema, n. enema, labatiba.

enemy, n. kaaway, kalaban.

energetic, adj. enerhétikó. buháy, malakás, masiglá.

energize, v. aktibahín, bigyáng-buhay, bigyáng-lakás.

energy, n. enerhiya, katutubong kapangyarihan, lakás ng pagganáp, sigsá. punyagî.

enervate, v. nérbiyusin. panghinaan ng loób, mawalán ng lakás.

enforce, v. ipatupád, pairalin, ipasunód.

enfranchise, v. bigyáng-prangkisya, tanggapin sa pagka-mámamayán.

engage, v. mangakò, bigyáng-empleo, upahan, sumali, lumahók, makipagkasundóng pakákasál.

engage, v. kumuha, kumásundô, sagupain, mag-ukol ng panahón, gamitin ang panahón.

engagement, n. típanan, kásunduan, tungkulin, pangakò, sita, ságupaan.

engaging, adj. kaakit-akit, makatawag-pansín, kaibigibig.

engender, v. magbunga, panggalingan, umanák, maganák, magíng dahilán.

engine, n. mákiná, motór, lokomotura, aparato, makinarya.

engineer, n. inhinyero, makinista. v. pamahalaan, pangasiwaan, gawán ng paraán, mamaraán.

English, n./adj. Inglés.

engrave, v. mag-ukit, iukit, ukitin, ikintál.

engraving, n. ukit, grabado, laminá, istampá.

engross, v. maglubóg, magpakalubóg, mahumaling, pagpakahumalingan.

engulf, v. sumakmál, sakmalín, manalikop, salikupin.

enhance, v. dagdagán, palakihín, taasán, patayugin, pabutihin, pagalingín.

enigma. n. enigma, hiwagà,

kababalaghán, panlitó.

enigmatic, adj. enigmátikó, mahiwagà, mabalaghán.

enjoin, v. iutos, ipag-utos, ipagbilin, bawalan, pagbawalan.

enjoy, v. ikalugód, ikatuwâ, magtamasa, tamasahin.

enkindle, v. sindihán, paalabin, pukawin.

enlarge, v. lakhán, palakhín.

enlarger, n. ampliadór.

enlargement. n. pagpapalakí, amplipikasyón.

enlighten, v. turuan, ipaalam, pagpaliwanagan, bigyáng-karunungan.

enlightened, adj. maykabihasnán, marunong, maypinag-aralan.

enlightenment, n. turò, instruksiyón, paliwanag, pagpapaliwanag, kabihasnán, kalinangán.

enlist, v. magpatalâ, magpalistá.

enlistment, n. pagpapatalâ, pagpapalistá.

enliven, v. animahín, bigyáng-buhay, pasiglahín.

enmity, n. enemistád, poót, yamót, galit.

ennoble, v. dangalín, dakilain.

enormity, n. kalakhán, kasukdulán, kalubusán.

enormous, adj. nápakalakí, sukdól na sukdól, lubós na lubós.

enough, adj. sapát, kainaman, katamtaman.

enplane, v. mag-eruplano, sumakáy sa eruplano.

enrage, v. galitin, yamutín.

enrapture, v. bigyáng-luwalhatì, papagtalikín sa lubós na ligaya.

enrich, v. payamanin, patabaín, pabutihin, pagalingín.

enroll, v. mag-enról, magpatalâ, magpalistá, ienról, italâ, ilistá.

ensconce, v. itagò, ikublí, magpaalwán ng tayô.

ensemble, n. kabuuán, pagkakasáma-sama.

enshrine, v. idambanà, dambanahin.

enshroud, v. saputan.

ensign, n. watawat, bandilà, abanderado, alperes.

ensilage, n. kumpáy na bastâ.

enslave, v. alipinin, busabusin.

ensnare, v. siluin, patibungán.

ensue, n. sumunód, magíng bunga, humalili.

ensure, v. magtiyák, tiyakín, garantiyahan, akuin, magsiguro, siguruhin.

enswathe, v. balutin, balabalan.

entail, v. mákailangan, mangailangan, kailanganin.

entangle, v. pagsalá-salabirín, pagbuhúl-buhulín, guluhín.

entanglement, n. pagkakásalá-salabíd, pagkakábuhúl-buhól.

entente, n. únawaan, kásunduan.

enter, v. pumasok, pasukin, sumapì, magsimulâ, bumaón.

enteric, adj. pambituka, (entérikó).

enterprise, n. empresa, gáwain, pakasam, lakás ng loób.

enterprising, adj. malakás ang loób, masigasig.

entertain, v. istimahín, libangín, isaalang-alang.

entertainment, n. pagtanggáp, panlilibáng, pangaalíw.

enthrall, v. alipinin, busabusin, bihagin, baghanín.

enthrone, v. entronisahín, iluklók, sa trono, itrono.

enthusiam, n. alab, init, siglá, interés, inspirasyón, damdamin.

enthusiast. n. entusyasta.

enthusiastic adj. masiglá,

maalab, masigasig.

enthymeme, n. entimema.

entice, v. udyukán, hibuin, tuksuhín, rahuyúin.

enticement, n. pang-uudyók, panghíhibò, panunuksó, panrarahuyò.

enticer, n. mang-uudyók, manghihibò, manrarahuyò mánunuksó.

entire, adj. buô, ganáp, lahát.

entirety, n. kabuuán, kalahatán.

entitle, v. magbigáy karapatán, pamagatán.

entity, n. entidád.

entomb, v. ilagáy sa nitso, ilibíng.

entomology, n. entomolohiya.

entourage, n. mga tauhan, mga kasamahán.

entrails, n. lamáng-loób.

entrance, n. pagpasok, entrada, pasukán, pintô, tárangkahan, pagpasok.

entrance, v. palugdín, bigyáng lugód, pahangain, papagtalikin.

entrap, v. patibungan, siluin.

entreat, v. sumamò, magsumamò, mamanhík, makiusap.

entreaty, n. samò, pamanhík, luhog, pakiusap.

entrench, v. magkutà, magtayô ng kutà, makialám.

entrepreneur, n. empresaryo.

entrust, v. ipagkátiwalà, pagkátiwalaan, ihabilin, paghabilinan.

entry, n. pasukán, pagpasok, pagtatalâ, lahók, entrada, pag-eentrada, simulâ, pasimulâ.

entwine, v. pagpuluputin, paglikawin.

enumerate, v. isá-isahin, baybayín, bilangin, númeruhán.

enumeration, n. enumerasyón, pag-iisá-isá, pagbilang, pagnunúmeró.

enunciate, v. bigkasín, isaysáy, magsalitâ, ipamalità.

enuresis, n. enuresis, sakit na pag-iihî.

envelop, v. balutin, kubkubín, palibutan.

envelope, n. sobre.

enviable, adj. kahili-hilì, nakaiinggit.

envious, adj. mainggitin, mapanaghilì.

environment, n. kaligiran, palibot, paligid.

envoy, n. sugò, padaláng-sugò.

envy, n. inggít, pananaghilì.

eon, n. eon, mahabang panahón.

epaulet, n. épolét.

epenthesis, n. epentesis, singit-tunóg.

ephemera, n. epímerá, tagáliságng-araw.

ephemeral, adj. epímeró, pang-iságng-araw, may maigsíng buhay.

ephemeris, n. epimérides, kalindaryo, almanake, taláarawán.

epic, n. épiko, darangán, tuláng épikó.

epicardium, n. epikárdiyó.

epicarp, n. epikarpo.

epicene, adj. episeno, may kasáriang di-tiyák.

epicenter, n. katapát ng gitnâ, episentro.

epicure, n. epikúreó, taong maselang sa pagkain.

epidemic, n. epidemya, sakít na gumágalà, salot.

epidermis, n. epidermis, ibabaw ng balát.

epidiynis, n. epidídimó.

epigastrium, n. epigastrío, itaás ng sikmurà.

epiglottis, n. epiglotis, punò ng dilà.

epigram, n. epigramá, kawikaán, kasabiháng maigsî.

epilepsy, n. epilépsiyá.

epileptic, adj. epilépsiyá.

epilogue, n. epílogó, pana-

pós, pangwakás.

Epiphany, n. Epipaniyá, Pista ng Tatlong Haring Mago.

Episcopalian, n./adj. Episkopál.

episcopate, n. episkopado, obispado.

episode, n. episodyo, pangyayari.

epistomology, n. epistomolohiya.

epistle, n. epístolá, liham, kalatás, sulat.

epistolary, n. epistolaryo.

epitaph, n. epitapyo, pahimakás.

epithalamion, n. tuláng pangkasál, awit na pangkasál, epitalamyo.

epithet, n. banság, taguri.

epitome, n. buód, kabuurán.

epitomize, v. buurín, paigsiáng-sabi.

epoch, n. époká, panahón.

equable, adj. di-pabagu-bago, matatág, tiwasáy.

equal, v. tumbasán, pantayán. n. kapareho, kapantáy. adj. magkapareho, pantáy-pantáy.

equality, n. pagka-magkapanpantáy, pagkakápantáypantáy.

equalize, v. pantayín, pagpantayín, parehohin, pagparehohin.

equanimity, n. ekwanimidád, katiwasayán, hinahon.

equate, v. gawíng magkapantáy, ipantáy.

equation, n. pantayan, pagpapantáy.

equator, n. ekwadór.

equatorial, adj. ekwatoryál.

equestrian, n. mángangabayó, hinete.

equidistant, adj. magkasinlayò.

equilateral, adj. magkakapantay sa tabihán.

equilibrium, n. ekilíbrió, balanse, kapanuluyan.

equine, adj. ukol sa kabayo, n. kabayo.

equinox, n. ekinóksiyó.

equip, v. bigyán ng kasangkapan, bigyán, ihandô.

equipage, n. ekipo, kasangkapan, kagamitán.

equitable, adj. ekitatibo, makatárungan, waláng-kiníkilingan.

equity, n. ekidád, katárungan, pagkapantáy.

equivalence, n. ekibalénsiyá, pagka-kapantáy.

equivalent, adj. ekibalente, kapantáy, kawangis, katumbás.

equivocal, adj. ekíbokó, ambigwo, alim-im, kambál-ka-

hulugan, di-tiyák.

era, n. era, panahón, époká.

eradicate, v. bunutin, puksalipulin.

erase, v. burahín, pawiin, katkatin.

erase, v. burahín, pawiin,

erasure, n. pawì, burá.

ere, prep./conj. bago.

erect, adj. tayô, nakatayô, tuwíd, tindíg, nakatindíg. v. itayô, magtayô, magtindíg, itindíg, magtatag.

erection, n. pagtayô, pagtatayô, pagtindíg, pagtitindíg, pagtuwíd, pagtutuwíd, pagtatatag.

erelong, adv. di-magtatagál.

erg, n. erg.

Erin, n. Irlanda.

Eris, n. diyosa ng hidwaan.

eristic, adj. erístikó, mahilig sa pakikipagtalo.

ermine, n. arminyo.

erode, v. agnasín maagnás, maukà.

Eros, n. Eros, diyós ng pagibig, Kupido.

erosion, n. agnás, pagkaagnás.

erosive, adj. n..kakaagnás, mapang-agnás

erotic, adj. erótikó, maliyág, masintahin, malibog, nalílibugan.

err, v. mámalî, magkámalî,

magkásala.

errand, n. sadyâ, pakay, bilin, utos.

errant, adj. galâ, pagala-galâ, malí-malî.

errata, n. erata, talaán ng mga malî, (talamálian).

erratic, adj. waláng direksiyón, palaboy, kakatwâ, di-karaniwan.

erroneous, adj. námamalî, malî, di-wastô.

error, n. malî, pagkakámalî, kamálian.

ersatz, n./adj. kapalít, pamalít.

erstwhile, adv. dati, datihan, matandâ.

erudite, adj. matalisik, matalino, marunong.

erudition, n. katalisikan, katalinuhan, karunungan.

erupt, v. bumugá, sumabog, pumutók.

eruption, n. pagputók, pagsabog, pagbugá pagtilapon.

erysipelas, n. erisipela, kulebrang-tubig.

erythema, n. eritema, pamumulá ng namámagâ.

erythrism n. eritrismo, labis na pamumulá ng balahibo.

erythroblast, n. eritroplasto, iná ng korpuskulóng pulá.

erythrocyte, n. eritrosito,

korpuskulong pulá, katawáng-dugóng pulá.

erythropoiesis, n. eritropoyisis, pagyarì ng eritrosito mulâ sa utak-butó.

escadrille, n. eskuwadrilyang panghimpapawíd, pangkát ng anim na eruplano.

escalade, n. iskalada, lusob na paakyát-hagdán.

escalator, n. iskaladór, hagdáng gumágaláw.

escapade, n. pag-aalpás, paghuhulagpós, kalokohan.

escape, v. tumanan, tumakas, lumayas, pumuga, mag-alpás, makaligtás, makaiwas. n. pagtatanan, pagtakas, paglayas, pagpuga, pagaalpás, pagkalibré, pagiwas.

eschatology, n. eskatolohiya.

escheat, n. rebersiyón, pagbabalík.

eschew, v. umiwas, umilag.

escort, n. eskolta, gúwardiyá, bantáy, hatíd, abay, talibà, kumbóy. v. eskoltahán, bantayán, ihatíd, abayan, talibaan, kumbuyán.

escriptoire, n. eskritoryo, eskribaniya.

escrow, n. plika.

esculent, adj. makákain, nakákain.

escutcheon, n. eskudo.

Eskimo, n. Eskimo, adj. Eskimál.

esophagus, n. lalaugan.

esoteric, adj. esoterikó, panarili, lihim, mahiwagà.

espalier, n. balag, pákapitán.

Esperanto, n. Esperanto.

espionage, n. pang-eespiya, pamamatyáw.

espouse, n. asawa, esposo, esposa. v. mag-asawa, pakasál, itaguyod, tangkilikin, ipagtanggól, yakapin.

espy, v. mákita, mátuklasán.

esquire, n. eskudero.

essay, n. sanaysáy, punyagî, pagpipilit. v. magpunyagî, pagpunyagián, magpumilit, pagpumilitan.

essayist, n. mánanaysáy.

essence, n. esénsiyá, sustánsiyá, kakaniyahán, hilagyô, pabangó.

essential, adj. esensiyál, kailangang-kailangan, pinakamahalagá, katutubò, lubós na lubós.

establish, v. magtatag, itatag.

establishment, n. pagtatatag, pagtatayô, establesimyento.

estate, n. estado, katáyuan, ari-arian, mana.

esteem, n. pagtingín. pagtatangì, pagmamahál, mabu-

ting palagáy. v. bigyánghalagá, pahalagahán, mahalin, magbuô ng palagáy.

ester, n. ester.

esthesia, n. pakiramdám, (estesya).

esthesis, n. simulâ ng pakiramdám, pagdamá, (estesis).

esthete, n. taong masining. taong maibigín sa magagandá.

esthetic, n., adj. estétikó, (-ká)

esthetics, n. estétika.

estimate, v. pahalagahán, bigyáng-halagá, tayahin. tantiyahín, bintayín. n. estimasyón, pahalagá, tuós, taya, tantiyá, pagtingín, pagtatangì.

estivation, n. tulog-tagaráw.

Estonian, n./adj. Estonyano.

estoppel, n. hadláng, balaksilà.

estrance, v. papagkagalitín, papaglayuín, ibadlíng, iwalay.

estuary, n. wawà, bungangà ng ilog.

et cetera, (Lat.) at iba pa etc., atb.

etch, v. ipaukit sa ásidó, ukitin sa ásidó.

etching, n. etsing, ukit, ukit

sa ásidó.

eternal, adj. eterno, waláng-hanggán, waláng-wakás, waláng-maliw.

ethane, n. etano, dimetilo.

ether, n. eter, himpapawíd, papawirín, alangaang.

ethereal, adj. panghimpapawíd, pang-alangaang, panlangít.

ethic, adj. étikó, morál.

ethics, n. étikó, aghám ng kamoralán, kamoralán.

Ethiop, n. Etíopé.

Ethiopia, n. Etyopya.

Ethiopian, adj. Etyópikó.

ethmoid, n. etmoydes, butó ng ilóng.

ethnic, adj. étnikó, panlahì, panlipì.

etnographer, n. etnógrapó.

etnography, n. etnograpiya.

etnologist, n. etnólogó.

etnology, n. etnolohiya.

ethyl, n. etilo.

ethylene, n. etileno.

etiolate, v. papamutlaín, papamutiín.

etiology, n. etyolohiya, aghám ng pagsusurì sa pinanggagalingan ng sakít.

etiquette, n. etiketa, tuntunin ng kabutihang-asal.

Etruria, n. Etrurya.

Etrurian, n., adj. Etrusko.

etymologist, n. etimólogó.

etymology, n. etimolohiya, palamulaan ng mga salitâ.

etymon, n. salitáng-ugát.

eucalyptus, n. eukalipto.

Eucharist, n. Eukaristiya.

Eucharist, adj. Eukarístikó.

Euclid, n. Euklides.

Euclidean, adj. Euklides.

eugenics, n. euhenesya, paladálisayang-lahì.

eulogize, v. magpapuri, magbigáy-puri, magparangál.

eulogy, n. eulohiya, papuri, bigáy-puri, parangál.

eunuch, n. eunuko, taong kapón, lalaking kinapón.

euphemism, n. eupemismo, salitáng-palubag.

euphonious, adj. cupónikó, may magandáng tunóg, may maluwág na tunóg.

euphony, n. euponiya, mabuting tunóg.

Eurasian, n., adj. Eurasyo, Eurasyátikó.

eureka intrj. Eureka!, Alam ko na!

Europe, n. Europa.

European, n. Europeo (-a)

eurythmy, n. euritmiyá.

Eustachian tube, n. tubo ni Eustaquio.

Euterpe, n. Euterpe. musa ng músiká.

euthanasia n. eutanasya, tiwasáy na pagkamatáy.

euthenics, n. aghám ng pag-papabuti sa sangkatauhan.

evacuate, v. bakantihín, lisa-nin, umurong, lumikas, dumumí.

evacuation, n. ebakwasyón pag-urong, paglisan, pag-likas, pagdumí.

evacuee, n. taong lumikas.

evade, v. umiwas, tumalilís, tumanan.

evaluate, v. pahalagahán.

evanescent, adj. napapawì, nawáwalâ, panandálian.

evangel, n. ebanghelyo, ma-buting balita, ebangelista.

evangelical, adj. ebangheli-kál.

evaporate, n. sumingáw. pa-singawín, kondensahín. pa-igahín.

evasion, n. pag-iwas.

evasive, adj. paiwás, patali-lís.

eve, n. bispirás, gabí.

even adj. pantáy, patag, ka-hilera, pares, buô, eksakto.

evening, n. gabí.

event, n. pangyayari, pagka-kátaón.

eventide, n. silim, takíp-si-lim, pagtatakíp-silim.

eventuality, n. ang maáaring mangyari.

eventually, adv. mangyayari rin, masasapit din, dara-

ting din ang panahón.

ever, adv. kailanmán, lagì.

every, adj. bawa't, balà na.

evict, v. paalisín, palayasin.

evidence, n. ebidénsiyá, pa-tunay, katunayan.

evident, adj. malinaw, mali-wanag, lantád, halatâ.

evil, adj. masamâ, balakyót, makasalanan, nakapípin-salà.

evince, v. magpakita, ipaki-ta, patunayan, patotoha-nan.

evoke, v. makatawag, maka-pukaw.

evolution, n. ebulusyón, pag-siból, pagsulong.

evolve, v. sumiból, tumubò, sumulong, umunlád, mang-galing, magbuó, mag-isíp.

ewe, n. tupang babae, ina-híng tupa.

ewer, n. pitsél.

ex, pref. dati.

exacerbate, v. papamaitín, papalakhín.

exact, adj. eksakto, wastô, ti-yák, hustó, v. hingán, ku-nan, papagbayarin, singi-lín.

exaggerate, v. magmalabís, palubhaín.

exaggerated, adj. labis, ma-labis

exaggeration, n. eksaheras-

175

yón, pagmamalabís.

exalt, v. itaás, dangalín, dakilain.

exaltation, n. eksaltasyón, pagbibigáy-dangál, pagdakilà.

exalted, adj. matayog, marangál, dakilà.

examination, n. iksamen, pagsusulit.

examine, v. iksaminin, sulitin, siyasatin, tanungín.

example, n. halimbawà.

exasperate, v. galitin, yamutín, inisín.

excavate, v. hukayin, dukalín.

excavation, n. hukay, paghukay, pagdukál.

excavator, n. panghukay, tagahukay, manghuhukay.

exceed, v. lumampás, makalampás, lampasán, humigít, makahigít, mahigtán.

exceeding, adj. adv. labis, higít, lampás, lalò.

excellence, n. kagálingan, ka-

exceeding, adj. adv. labis hikadakilaán.

excellency n. ekselénsiyá, katayugan, kadakilaán.

excellent, adj. magalíng, mahalagá, dalubhasà, dakilà.

excelsior, adj. mataás na mataás, dakilang-dakilà.

excelsior, n. pinagkatamán.

except, pref. maliban sa, liban sa.

exception, n. kataliwasán, tutol.

exceptional, adj. di-pangkaraniwan, pambihirà, namúmukód.

excerpt, n. sipì, sinipì.

except, n. labis, kalabisán.

excessive, adj. labis na labis. masyadong labis.

exchange, n. pálitan.

exchangeable, adj. maáaring palitán.

excise, v. hiwain, putulin.

excitable, adj. madalíng mapukaw.

exciting, adj. nakapagpápasiglá, mapamukaw-loób.

exclaim, v. magbulalas, ibulalas, sumigáw, humiyáw.

exclamation, n. bulalas, sigáw, hiyáw.

exclude, v. di-isama, alisín, tanggalín, di-isali.

exclusive, adj. esklusibo, panarili, solo, buô.

excommunicate, v. eskumunikahín, itiwalág.

excoriate, v. talupan, bakbakán, lapain, alisán ng balát.

excrement, n. tae, ipot, dumí.

excrescence, n. butlíg.

excruciate, v. pahirapan, papagdusahin.

exculpate, v. pawalán ng kasalanan.

excursion, n. eskursiyón, pagliliwalíw.

excursive, adj. pagala-galà, palibut-libot.

excusable, adj. maipagpápaumanhín, mapatátawad.

excuse, v. magpatawad, patawarin, humingí ng paumanhín, magpaumanhín. n. paumanhín, patawad, dahilán, sanhî.

execrable, adj. nakarírimarim, nápakasamâ.

execrate, v. karimariman, kaanihán, sumpaín, tungayawin.

execute, v. ipatupád, ipaganáp, isagawâ, ganapín, gampanán, patayín, bitayin.

execution, n. pagpapatupád, pagpapaganáp, pagsasagawâ, pagganáp, pagbitay.

executioner, n. berdugo, tagabitay.

executive, n. ehekutibo, tagapagsagawâ, tagapagpaganáp.

executor, n. ehekutór, tagapagpaganáp.

exemplary, adj. ulirán, panghalimbawà, kapuri-purí.

exemplify, v. gawín ulirán, ipakitang halimbawà.

exempt, exempted, adj. eksento, di-kasama, ligtás, malayà.

exercise, n. ehersisyo, pagsasanay, pagganáp, panunungkól, v. mag-ehersisyo. magsanay, gumanáp, manungkól.

exert, v. magpunyagî, pagpunyagián, magpumilit. pagpumilitan.

exertion, n. pagpupunyagî, pagpupumilit.

exhalation, n. paghingâ, singáw, pagsingáw.

exhale, v. humingá, ihingá, hingahán.

exhaust, v. sairín, ubusin, gasgasín, pagurin, pagalin. n. pálabasan, pásingawan.

exhaustible, adj. masásaíd, maúubos.

exhaustion, n. pagkasaíd, pagkaubos, lubós na pagkapagod.

exhaustible, adj. masásaíd, nakapanánaíd, nakaúubos, nakapang-uubos, buô, ganáp.

exhibit, n. itanghál, ipakita, ihayág. n. tanghál, pakita, eksibit, ebidénsiyá, patunay.

exhibition, n. eksibisyón, tanghalan, pagtatanghál.

exhilarate, v. pasiglahín, bigyáng-buhay, aliwín.

exhort, v. hikayatin sa mabuti.

exhortation, n. panghihikayat sa mabuti.

exhume, v. eksumahín, hukayin.

exigency, n. mahigpít na pangangailangan.

exile, v. itapon, idestiyero. n. destiyero, tapon, ang desterado, ang itinapon.

exist, v. mabuhay.

existence, n. eksisténsiyá, buhay, katunayan, kapanatilihán.

exit, n. eksit. lábasan, salida.

exonerate, v. patawarin, kalagán ng kasalanan.

exorbitant, adj. labis, masyado.

exorcise, v. tawasin, bulungán, gamutín sa bulóng.

exorcism, n. pagtatawas, paggamót sa bulóng.

exotic, adj. kakaibá, kakatwâ, banyagà.

expand, v. lumawak, palawakin, palakihín.

expanse, n. lawak, kalawakan, laot, kalautan.

expansion, n. paglawak, pagkalat, paglakí.

expatiate, v. magpaliwanag nang mahabà.

expect, v. umasa, asahan, maghintáy, hintayín.

expectancy, n. pag-asa, paghihintáy.

expectorant, adj. expektorante, pampadahak, pampalurâ.

expectorate, v. dumahak, lumurâ, ilurâ.

expectoration, n. dahak, lurâ, pagdahak, paglurâ.

expediency, n. kabagayán, pangangailangan.

expedient, adj. bagay, kailangan.

expedition, n. ekspidisyón, paglalakbáy, biyahe, agap, kadalián, kaagapan.

expeditious, adj. mabisà, mabilís, madalî, maagap.

expel, v. espulsahín, tanggalín, itiwalág, paalisín.

expend, v. gumastá, gastahán, gumugol, gugulan, gugulin.

expenditure, n. gastos, gugol, gugulín.

expensive, adj. magastos, magugol, mahál.

experience, n. esperyénsiyá, karanasan, pinagdanasan, kaalaman, karunungan.

experiment, n. esperimento, pagsubak, pagtitikím.

expert, n./adj. esperto, sanáy, dalubhasà.

expiate, v. pagbayaran ang kasalanan.

expire, v. humingá, matapos, magwakás, mamatáy.

explain, v. magpaliwanag, maglahad, ilahad.

explanation, n. paliwanag, paglalahad.

expletive, n. salitáng dagdág.

explicit, adj malinaw, tiyák.

exploration, n. paggalugad, panggagalugad, esplorasyon.

explode, v. pumutók, sumabog, tumilapon.

explore, v. esplorahín, galugarin.

explorer, n. manggagalugad, esploradór.

explosion, n. putók, sabog, tilapon, esplosyón.

explosive, n. paputók. adj. esplosibo.

exponent, n. esponente, tagapagpaliwanag, tagataguyod, tipo, típikó.

export, n. esportasyón, luwás, pagluluwás, kalakal na palabás. v. mag-esportasyón. magluwás, iluwás, magpalabás ng kalakal.

expose, v. itampák, ihayág, ibunyag, ilantád, ipakita.

exposition, n. esposisyón, pagbubunyág, paghahayág, paglalantád, pagtatanghál.

exposure, n. see exposition.

expound, v. talakayin, ipaliwanag.

express, v. ipahayag, sabihin, ipagtapát, ipaalam. adj. malinaw, tiyák, madalî, matulin.

expression, n. espresyón, pahayag, pananalitâ, pangungusap, pamimigkás.

expressive, adj. makahulugán, mabisà, mahalagá.

expulsion, n. espulsiyón, pagpapaalís, pagpapalayas.

exquisite, adj. eskisito, mainam, nápakainam, pino, napakabuti.

extemporaneous, adj. di-inihandâ, biglaan, daglian.

extemporize, v. gawíng biglaan, gawíng waláng-handâ

extend, v. iabót, ilahad, palakihín, palawigin, magpakita.

extensive, adj. malawak, malawig.

extent, n. abót, abót-sakláw, lawak, lakí, estensiyón.

exterior, n. esteryór, labás.

exterminate, v. puksaín, lipulin.

external, adj. panlabás.

extinct, adj. wala na, patáy na.

extinction, n. pagkawalâ, kamátayan, pagkagibâ, pagkapuksâ.

extinguish, v. patayín, tapusin, gibaín, puksaín.

extinguisher, n. pampatáy.

extirpate, v. labnutín, bunutin, hugutin.

extol, v. papurihan, parangalán, dakilain.

extort, v. piliting magbigáy.

extortion, n. estorsiyón, panghuhuthót.

extortioner, n. manghuhuthót.

extra, n. ekstra, **adj.** ekstra, labis, palabis.

extract, v. estrakto, katás, pínigâ. **v.** katasín, pigaín, bunutin.

extraction, n. pagkatás, pagpigâ, pagbunot.

extradition, n. estradisyón.

extraneous, adj. galing sa labás, di-kailangan.

extraordinary, adj. di-pangkaraniwan, pambihirà, kapansín-pansín.

extravagance, n. estrabagánsiyá, kalabisán, labis na paggastá.

extravagant, adj. labis na labis, aksayá, mapag-aksayá.

extravaganza, n. estrabagansa, palipád- diwà, palipáddamdamin.

extreme, adj. sukdulan, duyuhan.

extremity, n. dulo, duyo, paá't kamáy.

extricate, v. makabunot (hal. sa hirap), makaligtás, makaalpás, makahulagpós.

extrinsic, adj. palabás, palayô, di-kabilang, di-kailangan, banyagà.

exuberance, n. kasaganaan, kakapalán, kalabisán.

exude, v. pumawis, pawis, ipawis.

exult, v. magdiwang, masayá.

exultant, adj. galák na galák, lugód na lugód.

eye, n. matá, tingín, paningín. **v.** tumingín, tumitig, titigan.

eyeball n. bilog ng matá, itím ng matá, busilig.

eyebrow, n. kilay.

eyeglass, n. salamíng pangmatá.

eyehole, n. butas-matá.

eyelash, n. pilikmatá.

eyeless, adj. waláng-matá, bulág.

eyelet, n. butas-butas, aylet.

eyelid, n. talukap-matá, takip-matá.

eye-opener, pampadilat-matá, nakagugulat na balità, isang lagók na alak, pampagising.

eyepiece, n. silipán.

eyeshot, n. abot-tanáw, abót-tingín.
eyesight, n. paningín.
eyesore, n. di-magandáng tánawin.
eyestrain, n. pagod ng matá.
eyetooth, n. pangil, ngipíngtulís.

eyewash, n. panghugas ng matá.
eyre, n. pagligid, mga hukóm na paligid.
eyrie. n. pugad-lawin.
Ezekiel, n. Eczequiel.
Ezra, n. Ezra.

—F—

fable, n. pabula.
fabric, n. tela, kayo.
fabricate, v. itayô, gawin, mag-imbento.
fabulous, adj. pabuloso, kamanghá-manghâ.
facade, n. patsada, harapan, mukhâ.
face, n. mukhâ, harapán. v. humaráp, harapín, labanan.
facet, n. paseta, panig, tapyás.
facetiae, n. katawanan.
facetious, adj. mapagpatawá, palábirô.
facile, adj. maalwán, magaán, madalî.
facilitate, v. paalwanín, pagaanín, padaliín.
facility, n. pasilidád, alwán, gaán, dalî.
facsimilé, n. paksímilé, kopya, sipì.

fact, n. pangyayari, katotóhanan.
faction, n. partido, lápian, pangkát.
factious, adj. mapagpangkát, mapaghimagsík.
factitious, adj. artipisyál, laláng.
factor, n. paktór, kabuô, sanhî, salik.
factory, n. pábriká, págawaan.
factotum n. paktotum, tagagawâ.
faculty, n. pakultád, kapangyarihan, kakayahán, sintido.
fad, n. uso, moda, kalakaran.
fade, v. malantá, kumupas, maglahò.
fag, v. magpakapagud-pagod.
fagot, n. bigkís na panggatong.

Fahrenheit, n. Fahrenheit.

fail, v. magkulang, kulangin, mabigô, manghinà, mahulog.

failing, n. kakulangán, **adj.** nagkúkulang.

failure, n. pagkukulang, pagkabigô, pagkahulog.

fain, adj. nalulugód. **adv.** buóng-lugód.

faint, adj. mahina, mahiyain, malabò. **v.** mawalán ng malay, himatayín lumabo.

fair, adj. kaaya-aya, magandá, mapusyáw, mabuti.

fairway, n. daanan, damuhán.

fairy, n. ada, diwatà.

faith, n. paniniwalà, pananampalataya, tiwalà.

fake, v. magkunwâ, manghuwád, mandayà. **n.** huwád.

fakir, n. fakír.

falcon, n. palkón, halkón.

fall, v. mahulog, malaglág, gumuhò, mabihag. **n.** pagkahulog, pagkalaglág, pagguhò, otonyo, taglagás, talón.

fallacious, adj. di-totoó, ditunay.

fallacy, n. palasiya.

fallen, adj. laglág, lagás, nawalán ng puri, natalo.

fallible, adj. malamáng mag-

kámalî, maáaring magkamalî.

falling, adj. nalálaglág, nalálagas.

fallow, n. lupang bungkál nguni't di-tinatamnán.

false, adj. di-totoó, huwád, di-wastô.

falsehood, n. kasinungalingan.

falsification, n. palsipikasyón, panghuhuwád.

falsifier, n. palsipikadór, manghuhuwád.

falsify, v. palsipikahín, huwarán.

falsetto, n. adj. (Mus.) (Phot.) palseto.

falter, v. mag-ulik-ulik, magbantulót.

fame, n. kabantugán, katanyagán.

famed, adj. bantóg, tanyág, balitang-balità.

familiar, adj. kilaláng-kilalá, alám na alám, karaniwan.

familiarity, n. tapát na pagkikilala, lubós na kaalamán.

familiarize, v. magbihasá, pagsanayan, alamíng mabuti.

family, n. pamilya, mag-anak.

famine, n. taggutom, tagsalát.

famous, adj. bantóg, balità, tanyág, bunyî.

famished, adj. gutóm, pasál.

fan, n. paypáy, abaniko, pamaypáy, tagahangà.

fanatic, adj. panátikó

fanaticism, n. panatisismo.

fancy, n. harayà, kapritso, hilig ng loób. **adj.** di-karaniwan.

fandango, n. pandanggo.

fanfare, n. hihip ng mga tambulì, linggál, parangyâ.

fang, n. pangil.

fantan, n. pantan.

fantasia, n. pantasya.

fantasm, n. pantasma.

fantastic, adj. pantastiko, kamanghá-manghâ.

fantasy, n. pantasiya, imahinasyón, guniguní.

far, adj./adv. malayò, higít, ibáng-ibá.

farad, n. farad.

faraday, n. faraday.

farce, n. pagkukunwâ, palabás na katawanán.

fare, n. pasahe, plete, bayad-sakóy, pasahero, pagkain. **v.** mangyari, magdanas.

farewell, intrj. paalam. **n.** pamamaalam. **adj.** paalís, pahimakás.

farm, n. bukid, sakahán. **v.** magbukid, maglináng,

magsaka.

farirer, n. magbabakál.

farrow, n. mga biík, mga buláw.

farthingale, n. sayang na baskagan.

fasces, n. fasces, baras at putháw.

fascia, n. bendahe, talì, lamad.

fascicle, n. kumpól, balaybáy.

fascinate, v. halinahin, akitin.

fascinating, adj. kahalí-halina, kaakit-akit.

fascination, n. pagkahalina, pagkaakit.

fascism, n. pasismo.

fascist, n. pasista.

fashion, n. kayarián, anyô, itsura, tabas, moda, uso ugali. **v.** maghugis, hugisan, magporma, iporma, gawín, iangkóp, yariin.

fast, adj. matatág, matulin, mabilís, maliksí.

fast, n. ayuno, kulasyon. **v.** mag-ayuno, magkulasyón.

fasten, v. pagkabitín, ikabít.

fastidious, adj. pihikan, maselang.

fastness, n. pagkalapat, katalinuhan, kabilisán.

fat, adj. matabâ. **n.** taba.

fatal, adj. patál, nakamámatáy.

fate, n. tadhanà.

father, n. amá, ang nagsimulâ, padre, pare.

fathom, v. arukín, tarukín, unawain. **n.** brasa.

fatigue, n. pagod, pagál. **v.** pagurin, pagalín.

fatuous, adj. tangá, hangál.

faucet, n. gripo.

fault, n. kamálian, kasalanan, pagkukulang, kapintasan.

fauna, n. paláhayupan, pauna.

favor, n. kagandahang-loób, tangkilik, biyayà, tulong. **v.** pagmamagandáng loób, tangkilikin, paburán.

favorable, adj. paburable, bentahoso, sang-ayon.

favorite, n. adj. paborito (-ta).

favoritism, n. paboritismo, pagka-maykinikilingan.

fawn, n. anák-usá, muntíng usá. **v.** maglambíng.

faze, v. lituhín.

fealty, n. katapatán.

fear, n. pangambá, takot. **v.** mangambá, matakot.

feasible, adj. magágawà, máisásagawâ

feast, n. pistá.

feat, n. gawáng katangi-tangì, pakitang-galíng.

feather, n. plumahe, pakpák. balahibo.

feature, katángian ng mukhâ, detalyeng litáw. **v.** tampók na palabás, itampók.

febrile, adj. may lagnát, nilalagnát.

February, n. Pebrero.

feces, n. dumí, tae, ipot.

fecund, adj. mabunga, matabâ, buntís.

federal, adj. pederál.

federation, n. pederasyón, unyón, sang-ísahan.

fee, n. upa, bayad, alkilá, butaw.

feeble, adj. mahinà, masasaktín, di-sapát.

feed, v. pakanin, kumpayan, patukaín. **n.** pakain, kumpáy patukâ, pakain.

feeder, n. ang nagpápakain, ang nagpápatukâ.

feel, v. salatín, kapkapín, damdamín, maramdamán. makadamá.

feeler, n. pandamdám, pandamá, pansalát, sungót.

feign, v. magkunwâ, harayain, kathaín.

feldspar, n. (Min.) peldespato.

felicitate, v. pelisitahán, batiin.

felicitous, adj. maligaya, angkop.

felicitation, n. pelisitasyón, batì, maligayang-batì.

felicity, n. pelicidad, ligaya, kaligayahan.

feline, adj. pusaín, pelino.

feel, v. magputol, putulin, magtumbá, itumbá.

fellow, n. kasama, tao, **adj.** kapwâ.

fellowship, n. samahán, kapisanan, pagsasamahán.

felon, n. kriminál, salarín, sugat sa ugpóng ng dalirì.

felonious, adj. kriminál.

felony, n. kakriminalán, katampalasanan.

felt, n. piyeltro.

female, n. babae, pambabae.

feminine, adj. peminino, pambabae.

femininity, n. peminidád, pagka-babae, kababaihan.

feminism, n. peminismo.

femoral, adj. pemorál, pambaywáng.

femur, n. pemur, butúng-hità

fen, n. labón, latian, tarlák.

fence, n. bakod, kurál. **v.** bakuran, mag-esgrima.

fencing, n. esgrima, kagamitang pambakod.

fend, v. mananggá, mananggól, sanggahín, makaisa, makapag-isá.

fender, n. pananggá, panang-

gól, depensa.

ferment, n. pahilab, paalsá. **v.** magpahilab, pahilabin. umasim, mangguló.

fermentation, n. pag-asim. paghilab, pag-alsá, ligalig, guló,

fern, n. eletso, pakô.

ferocious, adj. mabangis. mabalasik.

ferocity, n. kabangisán, balasik.

ferret, n. urón. **v.** palabasin sa taguán.

ferriage, n. barkahe, bayad sa tawíd.

ferric, adj. périkó, ng bakal, pambakal.

ferriferous, adj. may lamáng bakal.

ferrotype, n. perotipo.

ferrous, adj. persoso.

ferruginous, adj. peruhinoso.

ferrule, n. kalupkóp, buklód.

ferry, n. bantilan, tawiran. **v.** itawíd.

ferryboat, n. bangkáng pantawíd, pamantíl.

fertile, adj. matabâ, mayaman, mabunga.

fertility, n. pertilidád, pagka-matabâ, pagka-mabunga.

fertilize, v. gawíng pertil.

patabaín, lagyán ng patabâ (manyúr).

ferule, n. palmeta, pamalò.

fervent, adj. maalab, mainit, matapát, taimtím.

fervid, adj. maramdamin.

fervor, n. init ng damdamin, kaalaban, kataimtiman.

festal, adj. pamistá, de-gala.

fester, v. magnanà, magnaknák, mamagâ, manghapdî.

festival, n. pistá, piyesta.

festive, adj. masayá.

festivity, n. papistá, kapistahán, pagdiriwang.

festoon, n. bitin, gayák, tawíd.

fetch, v. kaunín, sunduín, kunin, magpabiií.

fete, n. pistá. v. pigingín, parangalán ng pagdiriwang.

fetid, adj. mabahò, maantót mabantót.

fetish, n. anito.

fetlock, n. balbás sa paá ng kabayo.

feters, n. tanikalâ sa paá.

fettle, n. kahandaán. pagka handâ.

fetus, n. peto.

feud, n. álitan, kágalitan

feudal, adj. peudál.

feudalism, n. peudalismo.

fever, n. lágnat.

few, adj./pron. kauntî, kakauntî, ilán.

fewness, n. pagka-kákauntî, pagka-íilán.

fez, n. gorang Turko, sombrerong Muslim.

fiance, n. nobyo, katipán.

fiancee, n. nobya, katipán.

fiasco, n. prakaso, kabiguán.

fiat, n. utos na mahigpít.

fib, n. kabulaanan. v. magbulaan.

fiber, n. hilatsá, hiblá, sulid.

fibrin, n. pibrina.

fibrous, adj. pibroso, mahilatsá, malamuymóy, mahimaymáy.

fibula, n. peroné, imperdible, kalulód.

fickle, adj. salawahan, pabagu-bago.

fickleness, n. pagkasalawahan.

fictile, adj. mahubugín, mahutukín.

fiddle, n. biyolín. v. magbiyulín, paglaruán, galawín.

fidelity, n. katapatán.

fidget, v. di-mápakalí.

fidgety, adj. di mapakalí, balisá.

fiduciary, n. katiwalà.

fie, intrj. mahiyâ ka.

field, n. bukid, bukirín, lináng, larangán.

fiend, n. maligno, impakto, dimonyo.

fierce, adj. mabagsik.

fiery, adj. maapóy, mag-aapóy.

fife, n. típanó.

fifer, n. máninipanó.

fifteen, n. adj. labinlimá.

fifth, adj. ikalimá.

fiftieth, n. ikalimampú.

fifty, n. adj. limampû.

fig, n. igos.

fight, n. laban, labanán, tunggalián, hidwaan, pagpupunyagî, v. makilaban, makipag-away, magpunyagî.

fighting, n. laban, away. adj. mapanlaban.

figment, n. katháng-diwà, hagap.

figure, n. pigura, hugis, itsura, anyô, sagisag, número. v. ilarawan, magtuós, tuúsin, tayahin.

filaceous, adj. malamuymóy.

filament, n. pilamento, lamuymóy.

filch, v. mangupit, mangumit, magnakaw.

filcher, n. mángungupit, mang-uumit, magnanakaw.

file, n. tipon, buntón, kikil. v. ayusin, iayos, tipuin, itagò, kikilin.

filial, adj. pilyál, ng anak.

filibuster n. pilibustero. v. magpilibustero.

filibusterism, n. pilibusterismo.

filigree, n. piligrina, labór.

Filipino, n./adj. Pilipino, (Fem.) Pilipina.

fill, v. punuín, punuán, tuparín, tupdín, tapalán.

filler, n. pampunó.

fillet, n. laso, isáng hiwà ng karné.

fillip, n. pitik, kalabít.

filly, n. putrangkâ.

film, n. pelíkulá, plaka. v. isapelikula.

filter, n. salaán, panalâ, v. salain.

filth, n. dumí, pusalì.

filtrate, n. ang sinalà.

fin, n. palikpík, aleta.

final, adj. pinál, hulí, panghulí.

finale, n. pinale, katapusán.

finance, n. pamimilak, pananalapî. v. bigyáng puhunan, tustusán ng salapî.

financial, adj. ukol sa pamimilak, ukol sa pananalapî.

financier, n. pinansiyero, mamimilak.

find, v. mákita, mákuha.

fine, n. multá, rekargo. v. papagmultahín, multahán.

fine, adj. manipís, pino, magalíng, mainam.

finery, n. palamuti, magagandáng kasuután.

finesse, n. pinés, lubós na kadalubhasaan.

finger, n. dalirì ng kamáy.

finical, adj. napakaselang.

finish, n. wakás, katapusán.

finished, adj. tapós na, walâ na, yarì, niyarì.

finisher, n. tagatapos, tagayarì, pantapos, panyarì.

finishing, n. pagtatapós, kasukdulán, adj. hulí.

finite, adj. limitado, may hangganan.

Finn, n. Pinlandés, (Fem.) Pinlandesa.

Finnish, n. adj. Pinlandes.

finny, adj. mapalikpík.

fiord, n. piyordo.

fir tree, n. abeto

fire, n. apóy. sunog. v. sindihán, paningasin, paputukín.

firing, n. pagpapaputók, pagsisindí, pagpapaningas.

firm, adj. pirmí, mahigpít, matatág, matapát, matigás.

firm, n. sámahan, kapisanan, korporasyón, kompanyá.

firmament, n, langit, himpapawíd,

first, n. adj. adv. una, nangunguna, primero (-ra) pangunahín, pinakamahalagá.

fiscal, adj. piskál, ukol sa pananalapî, v. piskál.

fish, n. isdâ. v. mangisdâ.

fission, n. pisura, pagkahatì, pagkadurog, paghahatianák, pisyón.

fissure, n. biyák, bitak, putók.

fist, n. kamay na kuyóm, kamaó.

fisticuff, n. suntukan.

fistula, n. pistulá, naknák sa batok ng kabayo.

fit, adj. angkóp, bagay, dapat, malusog. v. bumagay, ibagay, iangkóp, n. sumpóng, silakbó, sasál.

fitful, adj. panagu-bago, urong-sulong.

five, n. adj. limá.

fix, v. ikabít, ipirmí, kumpunihín, itakdâ, tiyakín kagipitan.

fixation, n. (Chem. Photog.) pihasyón, pakapit.

fixative, n. adj. pihatibo, pampakapit.

fixture, n. parte, aksesoryo.

fizzle, v. sumagitsít, sumirít,

flabby, adj. luylóy.

flaccid, adj. mahinà at mabuay.

flag, n. bandera, bandilà, watawat.

flagellant, n. plahelante.

flagon, n. praskó.

flagrant, adj. lantarang kasamaán.

flagpole, n. tagdán ng watawat.

flail, n. panggiík, panlugás.

flak, n. plak, kontra-eroplano.

flake, n. iskama, bulak-bulak.

flambeau, n. antortsa, sulô, suligì.

flamboyant, adj marangyâ maluhò, magatod.

flame, n. ningas, alab.

flamingo, n. plamengko.

flanders, n. plandes.

flange, n. giliran, sanggá sa gilid, sagká.

flank, n. tagiliran, giliran, gilid, n. managilid.

flannel, n. pranela.

flap, n. pardilya, oha.

flare, n. ansisilaw. v. magsikláb.

flash, v. kumisláp, magdikláb. **n.** kisláp, silakbó, saglít.

flashy, adj. makináng, nangínginíng.

flask, n. prasko.

flat, adj. patag, pantáy, hupâ, nakaiiníp, waláng lasa, eksakto.

flatish, n. isdáng lapád.

flatiron, n. prinsa, plantsa.

flatten, v. pantayín, patagin.

flatter, v. purihin kunwarì.

flattery, n. pakunwaring papuri.

flatulence, n. kabag, taból ng tiyán.

flaunt, v. ipagparangyâ.

flavescent, adj. maniláw-niláw.

flavor, n. lasa, lasap, linamnám.

flavoring, n. pampalasa, pampasaráp, pampalinamnám.

flaw, n. mantsá, pintás, kahunaán, lamat, depekto, kamálian.

flax, n. lino, sulid.

flay, v. talupan, parusahan.

flea, n. pulgás, hanip.

fleck, n. dungis, amol, dusing.

fledge, v. tubuan ng bagwis, magkapakpák

fledgeling, n. babagong nabagwisán.

flee, v. tumakas, tumanan.

fleece, n. belyón, balahibo ng tupa.

fleet, n. plota, hukbóng-dagat. adj. maliksí, matulin. v. madalíng lumipas.

flesh, n. lamán, karné.

flex, v. pakiluín, hubugin.

flexible, adj. mahúbugin, masúnurin.

flick, n. labtík, n. pilantík.

flicker, v. kumuráp, kumisáp.

flight, n. lipád, paglipád, paglayas.

flighty, adj. malipád. malayog.

flimsy, adj. mahuná. mabuay. mabuwáy, manipís.

flinch, v. umudlót, umuktô.

fling, v. ihagis, ipukól, iitsá.

flint, n batóng pingkian, batóng kiskisan.

flip, v. ihagis na pataás, labtikin.

flippant, adj. mabiró, malaró.

flirt, v. manlimbáng, pakatál-katalín.

flirtation, n. paglilimbáng, limbangan.

flirtatious, adj. malimbáng, mapaglimbáng.

flit, v. sumalimbáy, humagibis.

float, v. lumutang, magpalutang.

flock, n. kawan, langkáy, ganado, pangkát, pulutóng.

v. magtipun-tipon, magsama-sama, pagkalumutan.

flog, v. bugbugín, hampasin. látiguhín, hagupitín.

flood, n. bahâ, apaw. v. bumahâ, umapaw.

floodlight n. sulóng-kalát

floor, n. sahíg, palapág. v. (Colloq.) mapatumbá.

floorworker, n. tagapanihalà sa almasén.

flop, v. bumagsák, mábagsák, mabigô, pumagaypáy, pagaypáy, kabiguan.

flora, n. plora, mga pananim.

floral, adj. pambulaklák, ng bulaklák, ukol sa bulaklák.

florescent, adj. mabulaklák. namumulaklák.

floret, n. munting bulaklák.

floriculture, n. plorikultura.

florid, adj. mabulaklák.

florin, n. plorín.

florist, n. plorero, magbubulaklák.

floss, n. lamuymóy na sutlâ. buhók, maís.

flossy, adj. malasutlâ. sinutlâ.

flotage, n. lutang.

flotilla, n. munting plota.

flounce, v. umigtád. pumagaypáy.

flounder, n. isdáng lapád. **v.** magpumiglás, mag-umalpás.

flour, n. arina.

flourish, v. yumabong, sumi-ból, umunlád, ikumpás, ikumpáy. **n.** tugtóg.

flout, v. hamakin, insultuhín.

flow, v. umagos, dumaloy, tumulò, bumaiisbís, manalaytáy. **n.** agos, daloy, tulò, balisbís, daluydóy, talaytáy.

flower, n. bulaklák. **v.** mamulaklák.

flu, n. trangkaso, impluensa.

fluctuate, v. magpabagu-bago, bumabâ-tumaás.

flue, n. tsiminea, páusukán.

fluency, n. tatás, dulás sa pagpapahayag.

fluent, adj. matatás.

fluffy, adj. malambot na maliróy-liróy.

fluid, adj. líkidó, tubig, tunáw, lusáw.

fluidity, n. pagka-likido, kalabnawán.

fluke, n. talím ng salapáng

flume, n. páagusán, kanál.

flummery, n. mahablangka.

flunk, v. mahulog, malaglág. mangalabasa.

flunkey n. utusáng nakauniporme.

fluorescence, n. pangingináng, ploresénsiyá.

flourescent, adj. makináng, ploresente.

flouroscope, n. pluoroskopyo.

flurry, n. bigláng guló, pagkalitó.

flush, v. mamulá, hugasan, busan ng tubig, **adj.** punó, lipós, pantáy.

fluster, v. lituhín, guluhín.

flute, n. plawta.

flutter, v. pumagaypáy, pumagaspás, wumagaywáy, wumasiwas. **n.** pagaspás, wagaywáy, wasiwas, katál.

fluvial, adj. plubiál.

flux, n. agos, tulò, kursó, pampakapit ng hinang.

fly, v. lumipád, **n.** langaw.

foal, n. bisiro, potro, potrilyo.

foam, n. bulâ, espuma. **v.** bumulâ; mag-espuma.

fob, n. bulsang panrilós.

focal, adj. pokal, panggitnâ.

focalize, v. ipokus, pagitnaín, ipagitnâ.

focus, n. pocus, gitnâ, sentro.

fooder, n. kumpáy.

foe, n. kaaway, kalaban.

fog, n. ulap.

foghorn, n. tambulì, sirena.

fogy, n. taong atrasado.

foible, n, hinà, kahinaan.

foil, v. biguín, daigín, n. plorete, dahon, asoge.

foist, v. ipanansò, ipandayà.

fold, v. tiklupín, itiklóp, ilupî, salikupin, yakapin. n. tiklóp, lupî, kongregasyón.

folder, n. polder, sipitán.

foliage, n. mga dahon.

folio, n. santiklóp na posas.

folk, n. mga tao, kamag-anak, katutubò.

folklore, n. poklor, kaalamáng-bayan.

folktale, n. kuwentong-bayan.

folkway, n. ugaling-bayan.

follicle, n. (Anat.) polikulo.

follow, v. sumunód, sundán, sumama, samahan, tuntunin, tularan, itaguyod.

folly, n. kaululán, kalokohan.

foment, v. magbunsód, ibunsód.

fond, adj. magiliw, mapagmahál, mahilig, maibigín.

fondle, v. paglamyusán, himasin, hagpusin.

font, n. puwente, bukál, binditahan.

food, n. pagkain.

fool, n. ungás, v. magluku-lukuhan, maglarô, laruín, manloko.

foot, n. paá, piyé, talampakan, paanan, bahagi ng taludtód.

football, n. putbol.

footbridge, n. taytáy.

footfall, n. yabág, tunóg ng lakad.

foothold, n. tuntungan.

footgear, n. kasuutáng pampaá.

footlights, n. kandilehas.

footloose, adj. malayà.

footnote, n. talábabâ.

footpad, n. manghaharang.

footpath, n. landás.

footpound, n. librapiyé.

footprint, n. bakás ng paá.

footrest n. patungán ng paá.

footwear, n. kalsado.

footworn, adj. pagód na paa sa kalalakad.

foppish, adj. pusturyoso mapagmagarâ.

for, prep. para sa, dahil sa, alang-alang sa.

forage, n. pakain sa hayop, kumpáy. v. maghanáp ng mákakain.

foray, v. mandambóng, dambungín.

foramen, n. butas, busabós.

forbear, v. magpigil, maghunos-dilì.

forbears, n. mga ninunò, pinag-angkanán.

forbid, v. magbawal, ipagba-
wal, pagbawalan.
forbidding, adj. mapagbawál.
force, n. lakás, puwersa.
forceps, n. pinsás, sipit.
ford, n. táwiran, bantilan. v.
tumawíd.
fore, adv. sa unahán. adj.
una, n. unahán, bukana.
forearm, n. bisig, braso, v.
maghandâ ng armás, mag-
sandata.
foreboding, n. salagimsím, li-
gamgám, kutób.
forebrain, n. bukanang-utak.
forecast, v. manghulà, hula-
an. n. prediksiyón, hulá,
babalà.
foreclose, v. hadlangán, sam-
samin ang nakasanglâ.
foreclosure, n. pagsamsám
ng nakasanglâ.
foredom, v. hulaang mápapa-
hámak, ilán sa kabiguán.
n. kapalaran.
forefather, n. ninunò
forefinger, n. hintuturò.
forefoot, n. paá sa ulunán,
paáng unahán.
forefront, n. bukana, unahán.
foregather, v. magtipun-ti-
pon, magsama-sama.
foreglimpse, n. tingin sa hi-
náharáp.
forego, v. ipaubayà, iwaksi.

foregoing, adj. náuuná, nasa
unahán.
foregone, adj. dati, nakaraán.
foreground, n. bukana, hara-
pán.
forehead, n. noó.
foreign, tagaibáng-bansá, da-
yuhan, banyagà.
foreman, n. kapatás, katiwa-
là.
foremast, n. palu-palò.
foremost, adj. pángunahín.
forenoon, n. bago tumang-
hali
forensic, adj. ukol sa pag-
tatalo.
foreordain, v. ilaán, itala-
gá.
forerunner, n. prekursor.
foresail, n. punong-layág.
foresee, v. mahulaan, maki-
nikinita.
foreshadow, v. magbadhâ,
magpahiwatig.
foreshore, n. aplayang-pinag-
katihan.
foreshortening, n. perspek-
tiba, patamang-sipat.
foresight, n. prebisyón, n.
panginginitá.
foreskin n. lambi, supót.
forest. n. gubat, kakahuyan.
forester, n. manggugubat,
tanod-gubat.
forestry, n. panggugubat, pa-
lágubatan.

foretaste, n. pag-asám. v. asamín.

foretell, v. manghulà, hulaan.

forethought, n. páunáng-isip.

forever, adv. kailánman, magpakailánman.

forevermore, adv. magpahanggáng kailán man.

forewarn, v. paunahang-sabi, paalalahanan.

foreword, n. paunáng salitâ.

forfeit, v. magpakatalo, parusa.

forfeiture, n. pagpapakatalo, parusa.

forge, n. pandayan. v. magpandáy, pandayín, manghuwád, huwaran.

forger, n. manghuhuwád, palsipikadór.

forgery, n. panghuhuwád, palsipikasyon.

forget, n. lumimot, limutin, kalimutan, malimot. makalimot, malimutan, makalimutan.

forgive, v. magpatawad, patawarin, magpaumanhín, pagpaumanhinán, ipagpaumanhín.

fork, n. tenedór.

forlorn adj. iniwan, nilisan, nag-íisá, namamangláw, kaawa-awà.

form, n. anyô, hugis itsura, ayos. v. anyuán, hugisan, gawín, hubugin.

formal, adj. pormál, ayon sa ugalì.

formality, n. pormalidád.

format, n. pormat, kaanyuán.

formative, adj. nakahúhubog.

former, adj. una, nauná, dati.

formerly, adv. datihan, nóong una, noóng araw.

formidable, adj. nakatatakot, nakasísindak, makapangyarihan.

formula, n. pormulá.

formulary, n. pormularyo.

formulate, v. pórmulahín, magpórmulá.

formulation, n. pormulasyón.

forsake, v. iwan, pabayaan, talikdán.

forsooth. adv. sa katotohanan.

forswear, v. itakwíl, itatwâ.

fort, n. kutà, moóg, muralya.

forte, n. galíng, katángian.

forth, adv. sa labás, pasulóng.

forthcoming, adj. dárating, nálalapít.

forthwith, adv. agád, kaagád, agád-agád.

fortification, n. portipikasyón, tanggulan.

fortify, v. palakasín, kutaan.

fortissimo, fortisimo, malakás na malakás.

fortitude, n. katatagán, tibay ng loób.

fortnight, n. dalawáng linggó.

fortnightly, adj., adv. dálawaháng linggó, kinsenas.

fortress, n. kutang-tanggulan.

fortuitous, adj. nagkátaón, aksidentál.

fortunate, n. mapalad, maykapalaran.

fortune, n. portuna, palad, kapalaran, yaman.

forty, n., adj. apatnapú.

forum, n. porum, poro, hukuman.

forward, adv. pasulóng, sa unahán, abante, adj. maagap, pangahás.

fossil, n. posil, abók sa bató.

fossilize, v. manigás, magíng bató, magíng sinauna.

foster, v. tustusán, itaguyod, alagaan, adj. pangalawá, ampón, inampón.

foul, adj. masamâ, marumí, di-makatárungan, mabahò.

found, v. magtayô, magtatag, magbuô.

foundation, n. batayán, símulain, panimulâ, pagtatatág.

founder, n. tagapagtatag, pundidór.

foundling, n. sanggól na itinapon.

foundry, n. pundisyón.

fount, fountain, n. bukál, balong, pontanya, kadluan.

fountainhead, n. punò ng bukál, inang-balong, matáng-tubig.

four, n. adj. apat.

fowl, n. maypakpák, pabo, gansâ, pato, itik, bibe, manók.

fox, n. (Zoology) sora, sorò.

foxy, adj. mapanlinláng.

foyer, n. bukanang bulwagan.

fracas, n. basag-ulo, bangayán.

fraction, n. praksiyón, bahagi, v. praksiyunín.

fractional, adj. praksiyunál, kákauntî.

fracture, n. balì, pilay, basag, lamat.

fragile, adj. mahunâ, marupók, babasagín, mahinà.

fragment, n. pragmento, piraso, bahagi.

fragmentary, adj. pirá-pirasó, bahá-bahagi.

fragrance, n. bangó, halimuyák, halimunmón.

fragrant, adj. mabangó, mahalimuyák, mahalimunmón.

frail, adj. may marupók na pagkatao.

frame, n. balangkás, armadura, kuwadro, magbuô, magtayô, magtatag, magbalak, balakin.

franc, n. prangko.

franchise, n. prangkisya, karapatán, pahintulot.

Franciscan, adj./n. Pransiskano.

frank, adj. prangko, tapát, direkto,- tahás.

frankincense, n. insenso.

frankness, n. prangkesa.

frantic, adj. gulúng-guló, galít na galít.

fraternal, adj. praternál pangkapatíd.

fraternity, n. praternidád kápatiran.

fraternize, v. makipagkápatiran, makipagkaibigan.

fratricide, n. pagpatáy sa kapatíd na lalaki, praktisidyo.

fraud, n. dayà, linláng, katiwalián.

fraudulent, adj. maydayà mapanlinláng, tiwali.

fraught, adj. punô, batbát lipós.

fray, n. taltalan, basag-ulo

away, **v.** manasnás, manisnís, magasgás.

frazzled, adj. gisí-gisî.

freak, n. kapritso, sumpóng, taong-kakatwâ, taong-abnormál, **adj.** pambihirà, dilikás, kakatwâ.

freakish, adj. kapritsoso, sumpungin, abnormal, kakatwâ

freckle, n. pekas.

freckled, adj. mapekas, maypekas.

free, adj malayà, libre, waláng-bayad, ligtás

freebooter, n. pirata, tulisáng-dagat, mandarambóng.

freedom, n. aklayan, kasarinlán, kaligtasan.

freemason n. prankmasón, prangkomasón

freemasonry, n. prangkomasoneriya, masoneriya.

freeze, papamuuin sa lamig, papagyeluhin, manigás sa lamíg

freezer, n. priser, pálamigan.

freezing point, puntó ng pag yelo

freight, n. lulan, kargá, paktura, **v.** magkargá, maglulan, ipapaktura.

French, n./adj. Pransés.

frenzied, adj. nahihibáng, nauulól nagdidiliryo.

frenzy, n. pagkanibáng, pagkaulól, diliryo.

frequency, n. limit, dalás, bilís.

frequent, adj. malimit, madalás. **v.** dumalaw nang malimit, magdadaláw.

frequentative, adj. prekwentatibo, pamaulit.

fresco, n. pinturang alpresko. **v.** magpintáng alpresko.

fresh, adj. sariwà, bago, pangahás, marahás, baguhan, bagitò.

freshman, n. baguhan, bagong pasok.

fret, v. gasgasín, magasgás, galitin, yamutín, mainíp, mabalisa. **n.** galit, yamót, balisa, kalado, traste ng gitara.

friable, adj. madurugín, madaling madurog.

friar, n. prayle.

fricasee, n. sarsiyadong karné.

friction, n. priksiyón, kiskís, kuskós, hagod.

Friday, n. Biyernes.

fried, adj. prito, pritos.

friend, n. kaibigan.

frigate, n. pragata.

fright, n sindák, pangit na bagay.

frighten, v. sindakín, takutín.

frightful, adj. kasindák-sindák, katakut-takot.

frigid, adj. magináw, nápakalamíg, matamláy.

frill, n. eskote, pileges.

fringe, n. orla, gilid. **v.** orlahán.

fripery, n. palamuting bulgár.

frisk, v. maglulundag, magluluksó.

frisky, adj. malundag, magluksó.

fritter, n. pritilya, maruyà **v.** aksayahin, sayangin

frivolous, adj. malarô, mapaglarô, palabirô, munting bagay.

friz, frizz, v. kulutin.

frizzler, n. risadór, pangkulót.

fro, adv. mulà, galing, palayò, pabalik, pauróng.

frock, n. tunikó, abitó, blusa.

frog, n. palakà.

frolic, n. pagsasayá, pagdiriwang.

frolicsome, adj. masayá, malarô, malikot.

from, prep. mulà sa (kay, kiná), galing sa (kay, kiná), buhat sa (kay, kiná), dahil sa (kay, kiná), sa (kay, kiná).

frond, n. dahon.

front n. unahan, harapán, itsura, prontera. **adj.** sa harapán. **v.** humaráp, tingnán, tanawín, bumukana.

frost, n. hamóg na nagyelo, singáw na nagyelo.

frosting, n. prosting, aysing.

froth, n. espuma, bulâ.

frown, v. magkunót-noó, sumimangot, magmasungít, magsungít. n. kunót ng noó, simangot.

frowzy, adj. limahíd, nanlilimahíd.

frozen, adj. ilado, nagyelo, namuô sa lamíg.

fructiferous, nagbúbunga, mavbunga, namumunga.

fructify, v. mamunga, papamungahin.

frugal, adj. matipíd, masimpán.

fruit, n. bunga, prutas, kinalabsán, supling, anák.

fruitage, n. pamumunga.

fruitful, adj. mabunga, saganà.

fruition, n. pagkabunga, pagkakamít.

fruitless, adj. waláng-bunga, di mamumunga, baóg.

frustrate, v. biguín, hadlangan, talunin.

frustration, n. kabiguán, pagkabigô.

fry, v. iprito, pritusin, n.

munting isdâ, dulóng, kakawág, alamáng.

fuddle, v. malasíng, malangó, lasingín, languhín.

fudge, n. kuwento, kathâ, kending tsokolate, kabulaanan.

fuel, n. gatong, panggatong.

fugitive n./adj. takas, puga. adj. kúpasin, madaling maparam.

fulcrum, n. pulkro, huwitan, katangán.

fulfill, v. tuparín, ganapín, gampanán, isagawâ, gawín, isakatúparan.

fulfillment, n. katúparan, kagánapan.

full, adj. punô, lipôs, tigmák, busóg, buô.

fulminant, n. perminante.

fulminate, v. pumutók, magbubusá.

fulsome, adj. lasò, labis.

fumatory, n. páusukán, tupahán.

fumarole, n. bibíg ng bulkán.

fumble, v. mag-apuháp, kakapá-kapâ.

fume, n. asó, usok, singáw, silakbó, pagngangalit. v. umasó, umusok, umasbók, sumingáw.

fumigant, n. pansuob.

fumigate, v. magsuób, suubín

fumigation, n. pagsusuób.

fun, n. kátuwaán, kasáyahan, paglalarô, paglilibáng.

function, n. pagganáp, pagtupád, tungkulin, pagdiriwang. v. tumupád, gumanáp, magsagawâ.

functional, adj. punsiyunál.

functionary, n. punsiyunaryo, pinunong-bayan.

fund, n. pondo, laáng-gugol, laang-salapî, kuwalta.

fundamental, adj. pundamentál, essensiyál.

funeral, n. libíng.

fungi, n. mga onggo.

fungicide, n. pamatáy-onggo.

fungus, n. onggo, onggilyo.

funicle, n. pisì, muntíng kuwerdas.

funiculus, n. puníkuló, kurdón ng pusod.

funnel, n. embudo, sahodbalisungsóng, tsiminea.

funny, adj. nakatátawá, katawá-tawâ, nakapagpápatawá, kómikó, mapagpatawá.

fur, n. katad, balahibo ng hayop.

furbelow, n. palawít.

furbish, v. bulihin, pakini-

sin.

furfur, n. balakubak, anán.

furious, adj. nagngángalit, mabagsik, mabangis.

furl v. balumbunín, ibalumbón, lulunín, ilulón, tiklupín, itiklóp.

furlough, n. lisénsiyá, pahintulot, bakasyón.

furnace, n. hurnó, pugón.

furnish, v. bigyán, bigyán ng kailangan, tustusán.

furnishings, n. kagamitán, kasangkapan, muwebles.

furniture, n. muwebles, kasangkapan sa bahay.

furor, n. guló, pagkakaguló, siglá, sigyá.

furred, adj. mabalahibo, bálahibuhín.

furrow, n. daáng-araro, sangká, ukà, kanál, kulubót, kunót.

further, adj. lalong malayò, lampás. adv. higít na malayò, at sakâ. v. isulong, ibunsód, itaguyod.

furtherance, n. pagbubunsód, taguyod, pagpapaunlád.

furthermore, adv. conj. at sakâ, bukód pa, bukód sa roón, tangì sa riyán.

furthermost, adj. kálayú-layuan, pinakamalayò.

furtive, adj. palihím, panakáw.

fury, n. matindíng galit, kabangisán.

fuse, n. mitsá, pusible, piyús. **v.** matugnáw, mapugnáw, pagsamahin.

fuselage, n. puselahe.

fusible, adj. maáaring mapundí.

fusillade, n. pamumutók, pagpuputukan.

fusion, n. pusyón, unyon, pagsasama.

fuss, n. kuskos-balungos, kes-yu-kesyo. **v.** magkukuskos-balungos.

fussy, adj. makuskós-balungos, makuriri.

fusty, adj. maamag, mapulilyo.

futile, adj. waláng pangyayarihan, waláng saysáy.

future, n. adj. hináharáp, kinábukasan.

fuzz, n. pelusa.

fuzzy, adj. pelusín, di-malinaw.

—G—

gab, n. tabíl, tatás, kadaldalán. **v.** magtatabíl, magdadaldál, magsasatsát.

gabardine, n. gabardín.

gabble, v. dumaldál, sumatsát, magtitilaók.

gabby, adj. matabíl, madaldál, masatsát.

gabion, n. gabyón.

gable, n. gablete, sibi, balisbís.

gad, n. punsón, aguhón. **v.** maggalâ, magpagala-galà

gadabout, adj. galâ, libót. **v.** taong-galâ, taong-libót.

gadget, n. kasangkapan, kagamitán, gadget.

gadfly, n. bangaw, bangyáw.

Gael, Gaelic, n./adj. Gaélikó.

gaff, n. kalawit, tarì, taga.

gag, n. busál, birò. **v.** busalán, sikangan, tapalan sa bibíg.

gage, n. akò, sanglâ, hamon, panukat, tantiyá, tulin ng hangin. **v.** sukat, tayahin, kalkuluhín.

gaiety, n. sayá, kasáyahan.

gain, v. kumita, kitain, matamó, makuha, makamít, magtubò, tubuin, madagdagán, dumami.

gainsay, v. tuligsaín, salungatín, tanggihán, tutulan.

gait, n. lakad, paglakad, paso, marahang kabíg.

gaiter, n. polaynas, legings, bursigí.

gala, n./adj. — gala — adj. — de-gala.

galactic, adj. galáktikó.

Galatian, n. Gálatá.

galaxy, n. galaksiyá, katipunan ng mga piling tao.

gale, n. hanging malakás, hanging hagibís, silakbó.

galena, n. galena, ináng-tinggâ.

Galician, n. adj. Galisyano.

Galilean, n. adj. Galileo.

galimatias, n. paggagagu-gaguhan.

galiangle, n. diláw.

galiot, n. galyota.

galipot, n. galipodyo, agwarás, krudo.

gall, n. apdó, bilis.

gallant, adj. asal-mahál, kabalyero, mapitagan, galante, magiting.

gallantry, n. galanteriya, pag-asal-mahál, pagka-mapitagan.

gallery, n. galeríya, bulwagan, tanghalan, palko, ang publikó.

galley, n. galera, kusinà.

Gallic, n. adj. Galikano, Galo.

gallinaceous, adj. mamanukin.

gallivant, v. maggalâ, maglagalág, maglibót.

gallon, n. galón.

gallop, n. takbóng-kabíg.

gallows, n. bibitayán, bibigtihan.

galstone, n. bató sa apdó.

galore, adj./adv. kayramirami, saganang-saganà.

galosh, n. tsangklo.

Galtonian, adj. Galtonyano.

galvanic, adj. galbánikó, istimulante.

galvanize, v. galbanisahán.

galvanometer, n. galbanómetró.

gamble. v. magsugál, pumustá, makipagsápalarán.

gambler, n. hugadór, mánunugal.

gambling, n. sugál, pagsusugál.

gamboge, n. gomaguta.

gambol, v. magpaluksú-luksó.

gambrel, n. bukung-bukong, sibi ng bubóng.

game, n. larô.

gamin, n. batang-palaboy, kántubóy.

gamut, n. buóng-iskala, buong sakláw.

gander n. malaking gansâ.

Gandhi, n. Gandhi.

gang, n. pandilya, barkada, gang.

ganglion, n. ganggliyó.

gangplank, n. tuláy na tablá, daanán.

gangrene, n. ganggrena, kanggrena.

gangster, n. gangster, salarín, kriminál.

gannet, n. ibong mángingisdâ.

gaol, n. bílangguan, piitán.

gap. n. butas, guáng, puwáng.

gape, v. humikáb, ngumangá, mápangangá, tumitig.

garage, n. garahe.

garb, n. pananamít kasuután. v. damtán, bihisan.

garbage, n. basura.

garble, v. guluhín, paglahúk-lahukín.

garden, n. hardin, hálamanán.

gardener, n. hardinero.

gardenia, n. gardenya.

gardening, n. paghahardin, paghahalamanan, ortikultura.

garantua, n. gargantua.

gargle, v. magmumog, ipagmumog, mumugin.

gargoyle, n. gárgolá.

garish, adj. marangyâ, mapagparangyâ.

garland, n. girnalda.

garlic, n. bawang.

garment, n. damit, bistidura.

garner, v. magtipon, tipunin, makatipon, granero.

garnet, n. granate, garnet.

garnish, v. palamutian, gayakán.

garret, n. loób ng bubungán.

garrison, n. gárisón.

garrote, n. garote.

garrulous, adj. matabíl, masalitâ.

garter, n. ligas, garter.

gas n. gas.

gaseous adj. gaseoso.

gash, n. iwà, tagâ, laslás.

gasket, n. gasket.

gaskins, gaskin, n. polaynas na balát.

gasoline, n. gasolina.

gasp, v. humingal, maghaból ng hiningá.

gastralgia, n. gastrálhiya, sakít sa sikmurà.

gastric, adj. gastrikó.

gastrin, n. gastrin.

gastritis, n, gastritis.

gastroenteritis, n. gastroenteritis.

gastronomy n. gastronomiya, aghám ng mabuting pagkain.

gastropod, n. gastropoda.

gate, n. tárangkahan, entrada, pasukán.

gatekeeper, n. portero, bantáy-pintô, tanod-pintô.

gather, v. ipunin, anihin, magtipon, tipunin.

gaucherie, n. katórpehán.

gaud, n. palamuting mumurahin.

gaudy, adj. marangyâ, nagmárangyâ, nagmámagarâ.

Gaul, n. dating Galya, Galo,

Pránsiyá.

Gaulish, adj. Galikano, Galo, Pránsés.

gaunt, adj. yayát, hapís.

gauntlet, n. guwantelete, balutì ng kamáy.

gauze, n. gasa.

gavel, n. malyete.

gawk, n. gunggóng, hangál. **v.** tumangá-tangá.

gay, adj. masayá.

gaze, v. tumitig, titigan.

gazebo, n. balkóng may bintanà.

gazelle, n. gasela.

gazer, n. mirón.

gazette, n. gaseta.

gazetteer, n. gasetero, diksiyunaryong heográpiko.

gear, n. pananamít, guwarnisyón, engranahe.

geeko, n. tuko.

geisha, n. geysa.

gel, v. mamuô, manigás.

gelatine, n. helatina, gulaman.

gelatinous, adj. helatinoso, malahelatina, malagulaman.

gelation, n. pamumuô, panigás.

geld, v. magkapón, kapunín

gelded, adj. kinapón, kapón.

gelder, n. mangangapón, tagakapón.

gelding, n. hayop na kinapón, ang kinapón.

gelid, adj. elado, namuô sa lamíg.

gem, n. hiyás, alahas.

geminate, adj. parís, doble, kambál-kambál.

gemini, n. héminí, ang kambál.

gemma, n. katawáng parang buko.

gendarme, n. pulís, pulisyá.

gender, n. héneró, kasárian, tauhín.

genealogist, n. henealohista, mánanaláangkanan.

genealogy, n. heneálohiya, taláangkanan.

general, adj. panlahát, kalahatán, karaniwan, henerál.

generate, v. magsuplíng, magbigáy-simulâ, lumikhâ, mag-anák, gumawâ.

generation, n. henerasyón, panganganák, salinlahì, paggawâ, paglikhâ.

generator, n. heneradór, dinamo.

generatrix, n. heneratrís, iná.

generic, genérikó.

generosity, n. henerosidád, pagka-mapagbigáy-loób, kabutíhang-loób.

generous, adj. mapagbigáy mapagbigáy-loób, bukáspalad.

genesis, n. hénesís, orihen, pinagmulán.

genethliac, adj. pangkapangánakan.

genetics, n. henesya, paláangkanan.

genial, adj. henyál, grasyoso, masáyahin, magiliw.

geniality, n. pagkagrasyoso, pagka-masáyahin, pagkamagiliw.

genital, adj. henitál.

genitive, adj. henetibo, paarî.

genius, n. henyo, talino.

genre, n. urì, kategoriyá.

gens, n. hinlóg sa panig ng lalaki.

genteel, adj. hentíl, mahál, magalang, mabikas.

gentian, n. hensiyana.

gentle, adj. anak--mahál, mabaít, mabinì, marahan.

gentry, n. gitnáng lípunan.

genuflect, v. magtiklóp-tuhod, pagluhód.

genuine, adj. tunay, tapát, auténtikó.

genus, n. héneró, urì, klase.

geocentric, adj. heoséntrikó, panggitnáng-daigdíg.

geochemistry, n. heokímiká.

geodesy, n. heodesya.

geodetic, adj. heodésikó.

geodynamics, n. heodinámiká.

geogeny, n. heohenya.

geognosy, n. heognosya.

geographer, n. heógrapó.

geographic, adj. heográpíkó.

geography, n. heograpiya.

geoid, n. heoyde, hugis ng daigdíg.

geologic, adj. heológikó.

geologist, n. heólogó.

geology, n. heolohiya.

geomancy, n. heománsiyá, panghuhulà sa guhit.

geometric, adj. heométrikó.

geometrician, n. heométrikó.

geometry, n. heometriya.

geomorphology, n. heomorpolohiya.

geophagus, adj. heópagó, kain-lupà.

geophysics, n. heopísiká.

geopolitics, n. heopolítiká.

geoponics, n. heoponiya, agrikultura.

georama, n. heorama, globo heográpikó.

george, n. jorge.

geotropism, n. heotrópismo.

geranium, n. heranyo.

geriatrics, n. heryátriká.

germ, n. suloy, supang, semilya, embriyón, bakterya, mikrobyo.

German, adj. n. Alemán.

germane, adj. kaugnáy, angkóp.

germanium, n. hermanyo.

germicide, n. pamatáy-mikrobyo.

germinate, v. sumuloy, sumupang.

gerontology, n. herontolohiya.

gerund, n. herúndiyó, pandiwaring pangngalan, pangngalang-diwà.

Gestapo, n. Gestapo.

gestate, v. magbuntís.

gestation, n. pagbubuntís.

gesticulate, v. ikumpás ang kamáy, magkukumpás.

gesticulation, n. hestikulasyón, pagkukumpás.

gesture, n. kilos, galáw, pahayag.

get, v. makuha, kunin, matamó, tamuhín, matanggáp, tanggapín, kitain, mahuli, hulihin.

gewgaw, n. laruán.

ghastly, adj. nakapanghihilakbót, kasindák-sindák, mukháng-multó.

ghost, n. multó.

ghoul, n. bampiro.

giant, n. higante, adj. nápakalakí.

gibberish, n. sálitaang waláng-kawawaan.

gibbet, n. bibitayán.

gibbon, n. matsíng gibón.

gibous, adj. naumbók, bukót.

giblet, n. menudilyo.

Gibraltar, n. Gibraltár.

giddy, adj. hiló, nahíhilo, salawahan.

gift, n. regalo, kakayahán, talino.

gig, n. kalisín, lantsa.

giggle, v. humalikhík.

gigolo, n. gígoló.

gild, v. duraduhin, kalupkupán ng gintô.

gilder, n. doradór.

gill, n. hasang.

gilt, n. kalupkóp na gintô, gilded, adj. ginintuán.

gimbalas, n. balansines.

gimlets, n. munting barena, balibol.

gimmick, n. gimik, pamamaraán.

gin, n. hinebra.

ginger, n. luya.

gingerly, adv. maingat na maingat.

gingham, n. gingam.

gingival, adj. ng ngidngíd.

gingivitis, n. pamamagâ ng ngidngíd.

giraffe, n. hirapa.

girasol, n. hirasól.

gird, v. sinturunán, talian, bigkisán, maghandà.

girder, n. sepo, tahilan, pinggá.

girdle, n. sinturón, paha, kursé.

girl, n. batang babae, kasin-
tahan.

gist, n. buód, kákanggatâ.

give, v. magbigáy, ibigáy,
igawad.

gizzard, n. balumbalunan.

glace, adj. makinis at maki-
náng.

glacial adj. glasyál.

glacier, n. giasyer, kimpál ng
yelo.

glad, adj. nagágalak, maliga-
ya, nalulugód.

gladden, v. magalák, matu-
wâ, malugód.

glade, n. parang.

gladiator, n. gladyadór.

gladiolus, n. gladyola.

gladness, n. galák, tuwâ, lu-
gód.

glair, n. klara ng itlóg.

glamor, n. alindóg, halina.

glamorize, v. puspusín ng
alindóg, alindugán.

glamorous, adj. maalindóg,
mapanghalina.

glamorousness, n. pagka-ma-
alindóg.

glance, n. daplís, sulyáp. v.
sulyapán, masulyapán.

gland, n. glándulá.

glare, v. magningníng, man-
lisik. n. ningníng, liwanag
na nakasísilaw, panlilisik.

glaring, adj. nanlilisik, na-
kasísilaw, malinaw.

glass, n. bubog, kristál, sa-
lamín, baso.

glaucoma, n. glaukoma.

glaucous, adj. lungtiáng ma-
niláw-niláw.

glaze, salaminán, barnisán.

glazed, adj. glasyado, satina-
do.

gleam, n. kináng, sinag, kis-
láp. v. kumináng, kumis-
láp, manginang.

glean, v. manghimalay, ma-
mulot.

glee, n. galák, tuwâ, sayá,
awit na waláng saliw.

glen, n. makipot na lambák.

glib, adj. madulás, maluwág,
matatás.

glide, sumalimbay, v. mag-
palutáng. n. salimbay, pá-
lutáng.

glider, n. glayder.

glimmer, v. umandáp-andáp,
kumuráp-kuráp. n. andáp,
kuráp.

glimpse, n. sigláw.

glint, n. kináng, kisláp.

glioma, n. glioma.

glisten, v. manginang, ma-
ngisláp.

glitter, v. kumináng, kumis-
láp, n. kináng, kisláp.

gloam, n. silim, takip-silim.
agaw-dilím.

gloat, v. tumitig na nasísi-
yahán.

global, adj. pambuóng-daig-
dig.

globate, adj. bilugán.

globe, n. globo, ang daigdig.

globe-trotter, n. manlalak-
báy-daigdíg.

gloom, n. kulimlím, halos-di-
lim, poók na madilím,
lungkót

gloomy, adj, madilím, ma-
lungkót.

glory, n. luwalhatì, glorya.

gloss. n. kintáb, kináng. v.
pakintabín, pakinangín.,

glossary, n. glosaryo.

glossy, adj. makintab, maki-
náng.

glottis, n. glotis.

glottology, n. aghám ng wikà
lingguwistiká.

glove, n. guwantes, glab.

glow, v. magningníng, mag-
baga. n. pagniningníng
pagbabaga.

glower, v. mandilat, manli-
sik ang matá.

glucose, n. glukosa.

glue, n. kola, pandikít. v.
ikola, idikít.

glum, adj. mapangláw, mala-
gim.

glut, v. lumamon, lamunin.

gluten, n. gluten

glutinous, adj. glutinoso,
malagkít.

glutton, n. taong-masibà.

gluttonous, adj. masibà, ma-
takaw.

gluttony, n. kasibaan, kata-
kawan.

glycerine, n. glîserına.

glycerol, n. gliseról.

glycogen, n. adj. glikóhenó.

gnarl, v. umangil. n. bukó ng
kahoy.

gnarled, adj. mabukó, bukúl-
bukól, buhúl-buhól.

gnash, magngalit.

gnat, n. nikník.

gnaw, v. ngatngatín.

gnome, n. enano, nunò sa
punsó.

gnu, n. busépaló.

go, v. lumakad, tumungo,
magpuntá, lumayô, magpa-
tuloy, umalís, mawalâ.

goad, n. panundót, agihón. v.
sundutín.

goal, n. láyunin, hángarın,
túnguhin.

goat, n. kambíng.

gob, n. kimpál, marino.

gobble, v. laklakin, lamunin.

goblet, n. kopa.

goblin, n. duwende, tiyanak.

gobo, n. gobo, pananggá.

gocart, n. karitilva.

God, n. Diyós, Bathalà, Lu-
mikhâ, Maylıkhà.

goggle, v. sumulimpát, mag-
dulíng, dumilat. n. sulim-
pát, dilát.

going, n. pag-alís, pagtungo, pagpuntá. adj. umaandár, aktibo, patuloy.

goiter, n. goiter, bosyò.

gold, n. gintô, oro.

golf, n. golp, v. maggolp.

golgotha, n. kalbaryo.

goliath, n. higante.

gondola, n. góndolá.

gondolier, n. gondolero.

gone, adj. walâ na.

gonfalon, n. gompalón, pendón.

gong, n. gong, agong.

gonococcus, n. gonokoko.

gonophore, n. gonóporó.

gonorrhea, n. gonorea.

good, adj. mabuti, kasiyá-siyá, kabutihan, kagálingan.

goof, n. (U.S. slang), taongtangá.

goofy, adj. (U.S. slang), tangá.

goon, n. (U.S. slang) matón.

goose, n. gansâ.

gopher, n. hayop na naglúlunggâ.

gore, n. dugô, namuóng dugô. v. suwagín.

gorge, n. lalamunan, butsé, pagbubulták, bangín. v. lumamon, magbulták.

gorgeous, adj. marilág, maringal.

gorilla, n. gurilya.

gory, adj. madugô, tigmák

ng dugô.

gosling, n. sisiw ng gansâ.

gospel, n. ebanghelyo.

gossamer, n. sutlâ, gansáng Pilipino.

gossip, n. satsát, balí-balità. tsismis.

goth, n. godo.

gothic, adj. gótikó.

gouache, n. pinturang guwás.

gouge, n. paít na médyakanya. v. dalirutin.

goulash, n. gulás unggaró.

gourd, n. kalabasino, ínuman, bote.

gourmand, n. taong masarápkumain.

gourmet, n. taong mapamili ng pagkain.

gout, n. artritis, pamamagâ ng kasúkasuan.

govern, v. pamahalaan, mamahalà.

governess, n. yaya.

government, n. pámahalaán, gobyerno.

governmental, adj. pampámahalaán.

governor, n. gobernadór, punong-lalawigan.

gown, n. túniká, bestido, toga.

grab, v. daklutín, saklutín, sunggabán, agawin.

grabble, v. kumapá-kapâ, maghahalugáp, magpagapang-gapang.

grace, n. kabáitan, grasya, gandá ng kilós. v. palamutian, parangalán.

gracious, adj. grasyoso, magiliw, mapagbiyayà, mabaít.

gradate, v. pagsunúd-sunurín, pagbaí-baitangín, pagantás-antasín.

gradation, n. grado, gradasyón, pagbabaí-baitáng, pag-aantás-antás.

grade, n. hakbáng, grado, antás, klase, urì, baitáng. v. uriin, pantayín, pagpantayín.

gradual, adj./adv. gradwál, baitang-baitáng, hakbánghakbáng, antás-antás, untí-untî.

graduate, n. gradwado, nagtapós, takalán.

graduation, n. gradwasyón, pagtatapós, patláng-panakal.

graft, n. grapting, pasuplíng, paugát, katiwalián.

grafter, n. grapter, manguumít.

grail, n. kalis.

grain, n. butil, grano.

grainy, adj. granulár, butílbutíl.

gram, n. gramo.

grammar, n. gramátiká, ba-

larilà.

granary, n. kamalig, bangán.

grand, adj. dakilà, bunyî, punò, maringal, saganà, mahál.

grandeur, n. kadakilaan, karingalán.

grandiloquence, n. mabulaklák na pagpapahayag.

grange, n. granha, asyenda.

granite, n. granito.

granny, n. lolita, lola, tandâ.

grant, v. ayunan, payagan, ibigáy.

igawad, n. konsesyón, bigáy, kaloób.

granular, adj. granulár, butíl-butíl.

grape, n. ubas.

grapefruit, n. suhà, lukbán, kahél.

grapevine, n. baging ng ubas.

graph, n. grápiká, talángguhit. v. magtalángguhit, talángguhitin.

graphic, adj. grápikó, palarawán.

graphite, n. grapito.

graphology, n. grapolohiya.

grapnel, n. sinapete.

grapple, v. bunuín, magbunô, sunggabán, hawakan.

grasp, v. sunggabán, daklutín, hawakan, máunawaan. n. paghawak, abót ng kamáy, unawà.

grasping, adj. matakaw, mapangamkám.

grass, n. damó, sakate.

grate, v. magkudkód, kudkurín, magkayod, kayurin. **n.** rehas, berhas, ngiló.

gráteful, adj. nagpápasalamat, kumikilala ng utang na loób.

gratification, n. gantimpalà, kasiyahán, kalugurán.

gratify, v. bigyáng-kasiyahán, pairugan.

gratifying, adj. kasiyá-siyá, kalugúd-lugód.

gratis, adv. gratis, librè, waláng-bayad.

gratitude, n. gratitúd, pagkilala ng utang na loób, pagpapasalamat.

gratuitous, adj. di-hiningî, waláng pabayad.

gratuity, n. bigáy-palà, gantinpagál.

grave, adj. mahalagá, seryo, maselan. **n.** líbingan, hukay.

gravel, n. graba, kaskaho.

gravitation, n. pagkahúlogbigát, grabitasyón.

gravitate, v. mahulugbigat, grabitasyón.

gravity, n. kahalagahán, kalubhaán hulugbigát, grabidád,

gravy, n. sarsa.

gray, grey, adj. gris, abuhin, kulay-abó, mapangláw.

graze, v. papanginainin, manginain, dumaplís, daplisán.

grazier, n. ganadero, pastól baka.

grease, n. grasa. **v.** grasahan.

great, adj. malakí, makapangyarihan, mahál, dakilà.

greed, n. katakawan.

greedy, adj. matakaw, masibà, masakím.

green, adj. berde, lungti, bastós.

greenhouse, n. imbernákulo, pásibulán, punlaan.

greet, v. bumatì, batiin.

greeting, n. batì.

gregarious, adj. mahilig magsama-sama, mahilig makisama.

grenade, n. granada, bombagranada.

grenadier, n. granadero.

greyhound, n. galgo, lebrél.

grid, n. parilya, rehas, berhas.

gridle, n. tortera.

gridiron, n. parilya, ihawan.

grief, n. dalamhatì, pighatî, lumbáy.

grievance, n. agrabyo, kaapihán, karáingan.

grieve, v. magdalamhatì, mamighatî, ipagdalamhatì.

grievous, adj. nakalúlungkót, kalungkút-lungkót, kahambál-hambál.

griffin, n. galeón.

grill, n. parilya, ihawán. v. mag-ihaw. iihaw, pagtatanungín.

grille, n. rehas, berhas.

grim, adj. mabangís, mabalasik, kakilá-kilabot.

grimace, n. simangot, ngiwî, ngibit. v. sumimangot, ngumiwî, ngumibit.

grime, n. uling, dumí.

grimy, adj. marumí, marungis, madusing.

grin, n. ngisi, ngitî. v. ngumisi, ngumitî.

grind, v. gilingin, ihasà, itagís, pihitin. n. mahigpít na paggawâ.

grip, v. hawakang mahigpít, hawak na mahigpít, hawakán, malatín.

gripe, n. (U.S. colloq.) reklamo, samâ ng loób.

grippe, n. impluwensa, plu. trangkaso.

grisly, adj. kakilábot-kilabot.

grist, n. ang ipakíkiskis.

grist mill, n. kiskisan

grizzle, adj. kulay abó.

grit, n. buhangin, tigás ng

bató, tibay.

groan, n. daing, halinghíng, haluyhóy. v. dumaing, humalinghíng, humaluyhóy.

grocer, n. groser, abasero.

grocery, n. grocery, gróseri.

grog, n. ínuming nakalálasíng.

groggy, adj. langó, lasíng.

groin, n. singit.

grommet, n. anilyong pangkurdón.

groom, n. sota, nobyo. v. almusawahin, iskobahin, ayusin, pagandahín, ihandâ.

groove, n. tudlîng, kanál, landás ng paldák.

grope, v. kapaín, kumapákapâ, mag-apuháp.

gross, n. gruesa. adj. makapál, magaspáng, nakahihiyâ.

grotesque, adj. grutesko, kagila-gilalás, kakaibá.

grotto, n. gruta, kuweba, yungíb.

grouch, n. init ng ulo.

grouchy, adj. mainit ang ulo.

ground, adj. giniling, dinurog, pinulbós.

ground, n. lupà, katwiran, paniwalà.

group, n. grupo, pulutóng, pangkát, pagtitipon.

grove, n. muntíng gubat.

grovel, v. maggumapang, manikluhód.

grow, v. tumubò, sumiból, dumami, tumaás, lumawak, umunlád.

growl, n. ungol, v. umungol.

growth, n. pagtubò, pagsiból, paglakí.

grub, n. uód, pagkain.

grudge, n. samá ng loób, inggít v. magtaním ng samá ng loób, mainggít, mahilì, ınapilitang magbigáy.

gruel, n. malabnáw na nilugaw.

gruelling, adj. mahigpít, máhigpitan.

gruesome, adj. kasindák-sindák, kahilá-hilakbót.

gruff, adj. magaspáng, masungit, pagalít.

grumble, v. umungol, bumulúng-bulóng.

grumpy, adj. mainit ang ulo, galít.

grunt, v. umigík, n. igík.

g-string, n. bahág.

guano, n. guwano.

guarantee, n. garantiya, prenda sanglâ. v. garantiyahán, garantisahan, sagutín, panagután.

guarantor, n. garantisadór, piyadór.

guard, n. guwardiyá, bantáy, tanod. v. guwardiyahán, bantayán, tanuran, pangalagaan, ipagtanggól.

guarded, adj. binábantayán, tinátanuran, maingat.

guardian, n. guwardiyán, tagapag-alagà, protektór.

guava, n. bayabas.

guerdon, n. gantimpalà.

guerilla, n. gerilya.

guess, v. manghulà, hulaan, isipin, akalain. n. palagáy, hulà, hinuhà.

guest, n. panauhin, dalaw, bisita.

guffaw, n. halakhák, hagakhák.

guidance, n. akay, patnubay.

guide, v. patnubayan, akayin. n. giya, patnubay, tagaakay.

guidon, n. banderita, giyón.

guild, n. gremyo, unyón, kapatiran.

guile, n. linláng, laláng, dayà.

guillotine, n. gilotina.

guilt, n. pagkakásala, kasalanan.

guilty, adj. nagkásala, maykasalanan, maysala.

guinea pig, n. kunehilyo.

guise, n. itsura, anyô, pananamit, balátkayô.

guitar, n. gitara.

gulch, n. bangín.

gulf, n. loók, kalookan.

gull, n. tagák.

gullet, n. lalaugan.

gullible, adj. mapaniwalain.
gully, n. di-pangglâ, barangka.
gulp, v. lulunín, lunukíng biglâ.
gum, n. gilagid, dagtâ.
gumption, n. talino, baít.
gun, n. baríl.
gurgitation, n. pagsulák, pagkulô.
gurgle, v. lumagaslás, lumagukgók.
gush, v. bumulwák, bumugalwák, sumalagwák, bulwák, sagalwák, tilandóy.
gusher, n. posong matilandóy ng pitrolyo.
gushing, adj. bumúbulwák, tumitilandóy, umaapaw.
gusset, n. patigás.
gust, n. silakbó, bugsô ng hangin.
gustation, n. pagtikím, paglasa.
gusto, n. gana, pagkagustó, saráp, lubós na pagkalugód.
gusty, adj. mahangin.
gut, n. bituka, supot na sut-

lâ.
guts, n. tigás ng loób, tibay ng loób.
gutta-percha, n. gutapertsa.
gutted, adj. ukâ, inuk-ók.
gutter, n. alulód, kanál, bahay na marawal.
guttersnipe, n. batang palaboy.
guttle, v. lumamon.
guttural, adj. impit, paimpit **n.** tunóg na impít.
guy, n. suhay, albáy, tao.
guzzle, v. maglalanggâ, magiinóm.
gymnasium, n. himnasyo.
gymnastic, adj. himnástikó.
gymnastics, n. himnasya.
gynecologist, n. hinekólogó.
gynecology, n. hinekolohiya.
gyp, v. mandayà manansó, mádayà, matansô.
gypsum, n. yeso.
gypsy, n. hitano.
gyration, n. inog.
gyrate, v. uminog, mag-iinóg.
gyroscope, n. hiroskopyo,
gyrostatics, n. hirostátiká.
gyves, n. pangaw.

—H—

ha, intrj. a! naku, ku!
haberdasher, n. tindero, kamisero.
haberdashery, n. kamiseriya,

tindahan.
habiliment, n. damít, panamít, kasuután.
habit, n. damít, pananamít,

ábitó: ugalì, gawì, hilig, bisyo.

habitat, n. tírahan. poók na tírahan.

habitation, n. pagtirá, pananahanan, tirahan.

habitual, adj. kinágawián, kináugalian.

habituate, adj. matítirahán, maáaring matirhán.

habituate, v. ugaliin, puntaháng malimit.

habitude, n. katutubong katángian, ugaling hilig ng loób.

habitue, n. habitné, madalás na dalaw.

hacienda, n. asyenda, lupaín.

hack, v. tadtarín, tabtabín, hiwá-hiwaín.

hack, n. kabayong páupahán, mánunulát. na nagpápaupá.

hackle, n. balukag o balahibo sa liíg ng manók.

hackney, n. sasakyáng paupahán.

hackneyed, adj. nápaka-karaniwan na, gastado, gasgás.

hades, n. táhanan ng mga patáy, kabiláng-buhay.

hadji, n. (Ar.) hadji.

haematocryal, adj. (Zool.) dugúng-lamíg,

haematothermal adj. dugúng init.

haematoxylin, adj. (Bot.

Chem.) hematoksilina.

haft, n. tatangnán, hawakán.

hag, n buruha, matandáng babaeng hukluban.

haggada, n. hagada.

haggadist, n. hagadista, maghahagadá.

haggard, adj. nangangalumatá, hagód.

haggle, v. magtalo, pagtalunan, magtatawád, makipagtawarán, baratín.

haggler, adj. regatera, (ro).

haggish, adj. malabruha, mukháng bruha.

hagiography, n. talambuhay ng mga santo.

hagiology, n. hagyolohiya, kasaysayan ng mga sinulat ng mga santo.

hail, n. graniso, ulán. v. batiin, saluduhan, tawagin, manggaling sa. intrj. Aba!

hair n. buhók, balahibo.

Haitian, n., adj. Hayitano (-na)

hakenkreuz, n. swastika, suwástiká.

halation, n. (Phot.) pagkalat ng liwanag, aureola.

halcyon, adj. payapà, panatag.

hale, adj. malusóg, waláng sakít, malakás.

half, n. adj. kalahatì. (hatí)

214

halitus, n. hingá, hiningá, singáw.

halitosis, n. mabahong hininga, halitosis.

hall, n. bulwagan, salas, gusalî, pasilyo.

hallelujah, intrj. aleluya!

hallow, v. santipikahín, konsagrahín.

hallowed, adj. pinagpalà, konsagrado.

halloween, n. halowín, bispirás ng Todos-los-Santos.

hallucination, n. kinikitá, alusinasyón.

hallucinosis, n. (Psychiatry) alusinosis.

hallux, n. (Anat.) hinlalakí, daliring tukod.

halo, n. sinag, koronang sinag, halo.

halogen, n. (Chem.) halóhenó.

haloid, n./adj. (Chem.) halóydeó.

halt, n. hintô, tigil. **v.** humintô, tumigil. **adj.** piláy

halter, n. soga, (suga), pansuga, silò.

ham, n. (Anat.) hità, hamón.

hamburger, n. hamburger.

hamlet, n. muntíng nayon.

hammer, n. martilyo, pamukpók, malyete, masilyo.

hammerhead, n. (Icht.) pa-

tíng na may ulong-lapád.

hammock, n. hamaka, duyan.

hamper, n. kanasto, ropero. **v.** hadlangán, pabigatán, gapusin.

hamspring, n. tendón, litid ng pigî.

hand. n. (Anat.) kamáy, kontról, kakayahán, palakpák, mano.

handbarrow, n. angarilyas.

handbell, n. kampanilya.

handbill, n. ohaswelta. (pamaskíl)

handbook, n. manwál (hanbuk).

handcar, n. trole.

handcuff, n. posas.

handful, n. sandakót.

handicap, n. hándikáp, (pataán, palamáng) kapansanan.

handicap, n. sagabal, balakid, kakulangan.

handicraft n. gáwaing-kamáy.

handiwork, n. gawáng-sining.

handicraftsman, n. artesano.

handkerchief, n. panyô, panyolito.

handle, v. hawakan, tangnán. **n.** hawakán, tatangnán.

handless, adj. wa'áng-kamáy.

handmade, adj. yaring-kamáy.

handmaid, n. dama.
handmill, n. mulinilyo.
hand-organ, n. organilyo.
handout, n. pamigáy.
handrail, n. pasamano.
handsaw, n. serutso.
handspike, n. palangká.
handspring, n. pagtutumba-
  lintóng.
handwriting, n. sulat-kamáy
handy, adj. abot ng kamáy,
  malapit, katabí, sanáy.
handy man, n. manggagawà
  ng kahit anó.
handsome, adj. magandá,
  makisig, saganà.
hang, v. ibitin, isabit, isam-
  páy, bitayin, kumapit,
  umasa, n. kahulugán, pa-
  raán.
hank, n. likaw, labay, rolyo.
hanker, v. lunggatiin, naisin.
hanky-panky n. dayà, laláng.
haphazard, n. pagkakátaón,
  kung anó man ang masu-
  wertehan. adv. padaskúl-
  daskól, di-sinásadyâ.
hapless, adj. waláng-suwerte,
  sawimpalad.
haply, adv. kaypalà, baka-sa-
  kalì.
happen, v. mangyari, magká-
  taón.
happening, n. pangyayari.
happiness, n. kaligayahan,
  luwalhatì.

happy, adj. maligaya, malu-
  walhatì.
harakiri, n. harakiri.
harangue, n. talumpatì, dis-
  kurso. v. pagtalumpatian,
  pagdiskúrsuhán.
harass, v. pagurin; pagalín,
  balisahin, guluhín.
harbinger, n. prekursór, ang
  nangúnguna.
harbor, n. puwerto, kanlu-
  ngan. v. kupkupín, patulu-
  yin, magdamdám, magkim-
  kím.
hard, adj. matigás, matirà,
  malupít, mahirap.
hare n. (Zool.) liyebre. (As-
  tron.) lepus.
harebrained, adj. waláng ta-
  rós.
hareliped, adj. bingót.
harem, n. harem, (harén).
haricot, n. (Bot.) abitsuwe-
  las.
hark, v. makiníg, pakinggán.
harlequin, n. arkelín.
harlot, n. puta, patutot, ma-
  samáng babae.
harm n. pinsalà, sakít, kasa-
  maán. v. pinsalain, saktán,
  sugatan.
harmful, adj. nakapípinsalà,
  nakasásamâ.
harmless, adj. di-makakaanó,
  di-makasasamâ.
harmonic, adj. kaugmâ, ka-

tunóg.

harmonica, n. silindro.

harmonious, adj. magkaugmâ, magkaayon.

harmony, n. armoniya, ugmaan, ayunang-tunóg.

harness, n. guwarnisyón, v. isingkáw.

harp, n. (Mus.) alpá, (Astron.) lira. v. ipahayag, isatinig, ulit-ulitin.

harpy, n. (Myth.) arpiyas.

harquebus, n. alkabús.

harpoon, n. arpón.

harridan, n. matandáng babaeng kuluban.

harrow, n. (Agr.) suyod, kalmót.

harrowing, adj. nakalúlungkót, nakapanghíhilakbót.

harry, v. dambungín, guluhín, yamutín, balisahin.

harsh, adj. magaspáng, bastós, malupit, magaralgál.

harum-scarum, adj. (Colloq.) padalus-dalus, waláng-tarós.

harvest, n. ani, v. umani, mag-ani, anihan.

has-been, n. (Colloq.) taong nilipasan.

hash, n. pagkaing pinikadilyo.

hasheesh, n. kanabis, hasis.

hasp, n. kábitan.

haste, n. pagmamadalî, pag-

dadalás-dalás, tulin, bilís.

hat, n. sumbrero, kupyâ.

hatch, v. mamisâ, magpakanâ.

hatchery, n. pámisaan, ingkubadór.

hatchet, n. palatáw, putháw.

hate, n. poót, pagkapoót, pag kasuklám. v. mapoót, kapootán.

haughty, adj. mapagmataás, mapagmalakí.

haughtiness, n. pagmamataás, pagmamalakí.

haul, v. hilahin, arástrihín, remorkihin, n. hila, batak, hatak.

haunch, n. (Anat.) pigî.

haunt, v. dalawing malimit, pagmultuhán. n. paboritong poók.

hauntboy, n. (Mus.) obóe.

huanteur, n. pagmamataás, pagmamalakí.

have, v. may, mayroón, hawakan, ariin, taglayín.

havelock, n. panakíp ng gora.

haven, n. puwerto, poók na waláng panganib, duungán.

haversack, n. (Mil.) dálahàng-baon.

havoc, n. pagkagibâ, pagkapuksâ.

Hawaiian, n./adj. Hawayano, -(na).

hawk, n. (Orn.) lawin.

hawk, v. maglakô.

hawker, n. maglalakò.

hawk-eyed, adj. may matáng matalas.

hay, n. (Bot.) dayami, gini-ikan.

hay fever, n. sipóng may lagnát.

hayfield, n. dayamihan.

hayfork, n. okra.

hayrake, n. kalaykáy ng da-yami.

haystack, n. mandalâ ng da-yami.

haywire, n. kawad ng daya-mi.

hazard, n. panganib, peligro. v. makipagsápalarán, ipag-sápalarán.

hazardous, adj. mapanganib, piligroso.

haze, n. kulabóng singáw, ulap, paghihirap. v. mag-pahirap, pahirapan.

hazel, n. (Bot.) abelyano, akstanyo.

hazing, n. pagpapahirap.

hazy, adj. malabò, maulap.

he, pron. siyá.

head, n. (Anat.) punò, ulo.

headache, n. sakit ng ulo.

headboard, n. sanggá sa ulu-nán.

headdress, n. palamuti sa ulo.

header, n. panguna.

headgear, n. pang-ulo.

headhunter, n. mámumugot.

heading, n. pamagát, título.

headland, n. kabo, tangwáy.

headless, adj. waláng-ulo.

headlight, n. ilaw sa ulunán.

headline, n. punong pamagát

headlong, n. una ang ulo, pa-lásubô.

headman, n. punò, pánguna-hing tauhan, tagapugot.

headmaster, n. prinsipál, pu-nong-gurò.

head-on, adj. ulo sa ulo.

headquarters, n. himpilan.

headship, n. pagkapunò.

headrest, n. patungán ng ulo.

headspring, n. inang-balong.

headstall, n. busál.

headstone, n. lapidá.

headstrong, adj. matigás ang ulo.

headwaiter, n. punong sirbi-yente.

headway, n. pagsulong.

headwind, n. hanging kasalu-bong.

headwork, n. isipín.

heady, adj. pangahás, mara-hás, nakalálasing, maulo.

heal, v. palusugín, gamutín, pagalingin.

health, n. kalusugán, lakás ng katawán.

healthy, adj. malusóg.

heap, n. buntón, maraming-
marami. v. ibuntón, mag-
buntón, itambák.

hear, v. máriníg, pakinggán
dinggín.

hearing, n. pandiníg, bista,
paghuhukóm.

hearsay, n. balí-balità, sabí-
sabí.

hearse, n. karo ng patay.

heart, n. pusò, kalágitnaan.

heart-ache, n. hapdî ng pu-
so

heartbreak, adj. dalamhatì.

heartfelt, adj. taós-pusò.

heartiness, n. pagka-magiliw.

heartless, adj. waláng-pusò.

heartsick, adj. namimighatî.

heartstirring, adj. makati-
nag pusò.

heartstring, n. bagtíng ng
pusò.

heartwood, n. tigás ng kahoy.

hearty, adj. magiliw.

hearth, n. ápuyan, dapugán,
pugón, táhanan.

heat, n. init, mataás na tem-
peratura. v. painitin, pa-
initan, uminit, magpainit.

heath, n. parang, maturál.

heave, v. isalyá, ihagis, bu-
hatin. n. buhat, salyá, ha-
gis.

heaven, n. kalangitán, langit.

heavenly, adj. parang langit.
(makalangit.)

heavy, adj. mabigát, maha-
lagá, matindí.

Hebraic, adj. Ebraiko.

Hebrew, n. Ebreo.

heckle, v. mangantiyáw, kan-
tiyawán, budyukín.

heckler, n. mángangantiyáw,
pamumudyók.

hectare, n. ektarya.

hectic, adj. masigláng-ma-
siglá, panunuyót, di-mapa-
kalí.

hectograph, n. ektógrapó.

hedge, n. pimpín, v. pimpi-
nán, hadlangán, harangan.

hedgeborn, adj. may maba-
bang lipì.

hedgehog, n. baboy kaliság
(porkupiño).

hedgehop, n. pagpapalipád
nang napakababà.

heebjeebies, n. (Slang), ner-
biyos, labis na pagkalasa-
síng.

heed, n. pansín, puná, tingín.
v. pansinín, mag-ingat,
pag-ingatan.

heel, n. sakong, sukáb.

heft, v. bintayín, magbintáy.

hefty, adj. mabigát, mati-
punò.

hegemony, n. liderato, pamu-
munò, pamininunò.

hegira, n. égirá.

heifer, n. dumalagang baka.

height, n. taás, kataasán, tayog, katayugan.

heinous, adj. nakasúsuklám, tampalasan, buktót.

heir, n. eredero, tagapagmana.

heirloom, n. erénsiyá.

heirship, n. karapatang magmana.

helicopter, n. helikopter.

heliography, n. helyógrapó.

heliography, n. helyograpiya.

helioscope, n. helyoskopyo.

heliotherapy, n. helyoterapya.

helium, n. helyo.

helix, n. likaw-likaw, élisé.

hell, n. impiyerno.

hello, intrj. heló, (haló).

helm, n. ugit, timón.

helmet, n. helmet, balutì sa ulo.

helminthiasis, n. pagka-binúbulati.

helmsman, n. tagaugit.

help, n. tulong, adyá, abuloy, saklolo, v. tumulong, adyahán, abuluyan, saklolohan, makabuti.

helpful, adj. matulungín.

helpless, adj. mahinà, waláng-kaya.

hem, n. laylayan, tupì. lupî.

hem, intrj. ehém!

hematal, adj. hématál, hinggíl sa dugô, pandugô.

hematic, adj. hemátikó; ng

dugô, para sa dugô.

hematin, n. hematina.

hematology, n. hematolohiya, aghám hinggíl sa dugô.

hematoma, n. bukol na may dugô, hematoma.

hemialgia, n. hemyalgiya, sakít ng kalahating ulo.

hemlock, n. abeto.

hemoglobin, n. hemoglobina, pulá ng dugô.

hemophilia n. hemopilya, pagka-maduguín.

hemoptysis, n. hemoptisis, paglurâ ng dugô.

hemorrhage, n. emoráhiyá, pagdurugô.

hemorroid, n. almuranas, emorodyo.

hemp, n. kanyamô

Manila hemp, n. abaká.

hen, n. inahín.

hence, adv. mulâ rito, mulâ ngayón, sa gayón, kayâ, samakatwíd.

henceforth, adv. mulâ ngayón.

henceman, n. kampón, tagataguyod, kakampí.

henpecked, adj. dominado (ng esposa), talusaya.

hepatitis, n. hepatitis, pamamagâ ng atáy.

heptachord, n. heptakordo kudyapíng may pitóng bagtíng.

heptagon, n. heptágonó.

heptagonal, adj. heptagonál.

heptateuch, n. heptateuko, unang pitóng aklát ng matandáng tipán.

her, pron./adj. kaniyá, niyá.

herald, n. talibà, tagapagbalità.

heraldic, adj. heráldikó.

heraldry, n. heráldiká.

herb, n. yerba, damó.

herbaceous, adj. maladamó, parang damó.

herbage, n. tubò ng damó, (damuhán).

herbalist, n. yerbalista, (erbularyo).

herbarium, n. erbaryo.

herbivorous, adj. erbiboro, (kain-damó).

Herculean, adj. Herkúleó.

Hercules, n. Herákleó, (Herakleó).

herd, n. kawan, ganado.

here, adj. dito, dini.

hereabouts, adv. sa palí-palibot dito.

hereafter, adv. pagkatapos nitó, sa dárating, sa hináharáp, kabiláng-buhay.

hereat, adv. dahil dito.

hereby, adv. sa pamamagitan nitó.

herein, adv. sa loób nitó.

hereinafter, adv. sa súsunód dito.

hereinbelow, adv. sa ibabâ nitó.

hereof, adv. nito.

hereon, adv. dito.

hereto, adv. dito.

heretofore, adv. hanggáng sa ngayón.

herewith, adv. kalakip nitó.

hereditable, adj. maáaring mámana.

hereditary, adj. námamana, minámana.

hereditary, n. erénsiyá, mana, pagmamana.

heresy, n. erehiya.

heretic, n. erehe.

heretical, adj. erétikó.

heritage, n. mana, minana, erénsiyá.

hermaphrodite, adj. binabae.

hermeneutic, adj. tapát sa kahulugán, hermeneútikó.

hermetic, adj. ermétikó, dimahanginan.

hermit, n. ermitanyo.

hermitage, n. ermita.

hernia, n. luslós.

hero, n. bayani, bida, pángunahíng tauhan.

heroine, n. bidang babae.

heron, n. (Varieties of): tikling, kandanggaok, kandurò, tagák.

herpes, n. erpes, buni.

herring, n. isdáng sasardinasin.

hers, pron. kaniyá, (niyá).

herself, pron, siyá na rin.

hesitant, adj. atubilî, alinlangan, urung-sulong.

hesitate, v. mag-atubilì, mag-alinlangan, mag-alangán.

hesitation, n. pag-aatubili, pag-aalinlangan, pag-uurung-sulong.

heterodyne, n. adj. heterodina.

heterogramous adj. heterógramó.

heterogramy, hetorogramya.

heterogeneous, adj. nagkakáibá-ibá.

heuristic, adj. heurístikó, makapukaw-saliksík.

hew, v. tagpasín, palakulin.

hex, n. ingkanto, gaway, **v.** manggaway.

hexagon n. heкságonó.

hexapod, adj. may anim na paá.

hiatus, n. butas, awang, hakdáw.

heyday n. kasikatan, kapanahunan.

hibernate, v. umiberna.

hibernation, n. pag-iberna.

hibernation, n. pag-iberna.

hiccup, n. sinók.

hick, n. tagabukid, probinsiyano.

hickory, n. nugal.

hide, n. balát, katad, kuwero,

v. itago, magtago, ipaglihim, ilingíd.

hideout, n. taguán.

hideous, adj. kahindík- hindík, napakapangit, kasuklám-suklám.

hidrosis, n. pawis, pagpawis, pamamawis.

hie, v. magmadalî, daliín.

hierarchy, n. herarkiya.

hieroglyphic, n. heroglípikó.

higgledy-piggledy, adv. gulúng-guló.

high, adj. adv. matáas, matayog.

highborn, n. anák-mahál.

highbrow, n. taong matalisik.

hinge, n. bisagra, batayán, **v.** bisagrahán, lagyán ng bisagra, pagbatayan.

hint, n. hiwatig, pahiwatig, **v.** ipahiwatig.

hinterland, n. liblib na poók, kaliblibán.

highfaluting, adj. mapagpanggáp.

highjacker, n. mangangagáw ng lulang kalakal.

highland, n. kabundukan.

high mass, n. misa mayór.

highway, n. karetera, haywey.

hike, v. maglakád nang mahabà, pataasín, dagdagán, **n.** paglalakád.

hiker, n. taong mapaglakád.

hilarious, adj. masayáng-maingay.

hilarity, n. maingav na pagsasayá.

hill, n. buról.

hillbilly, n. taong-bundók.

hillock, n. muntíng buról.

hilly, adj. maburól.

hilt, n. puluhán.

hilum, n. matá.

him, pron. kaniyá, sa kaniyá.

himself, pron. siyá na rin.

hind, adj. hulí, pamáhulihán, likurán, hulihán.

hindbrain, n. likuráng utak.

hinder, n. hadlangán, antalahin, pigilan, makasagabal.

hindgut, n. dulong bituka.

Hindi, n. Hindi.

hindrance, n. sagabal, balaksilà, hadláng.

Hindustani, n. Hindustani

hip, n. pigî, baywáng.

hipbone, n. balakáng.

hipjoint, n. kasukasuan ng balakáng.

hipped, adj. matamláy.

hippodrome, n. hipódromó. (ipódromó)

hippophagous, adj. kumaкain ng kabayo, palákain ng kabayo.

hippopotamus, n. hipopótamús, (ipopótamó).

hire, n. alkilá, upa bayad,

v. umupa, bumayad, umalkilá, alkilahín.

hirsute, adj. may makapál na buhók, buhukán.

hirudinoid, adj. mukháng lintâ.

his, pron. kaniyá, (kanyá), niyá.

Hispania, n. Hispanya.

Hispanic, adj. Hispánikó, (-ka).

Hispanicism, n. Hispanismo, Espanyolismo.

Hispanidad, n. Hispanidád.

hispid, adj. makalisag, kálisagín.

hiss, n. sutsót, singasing, hingasing.

histology, n. histolohíya.

historian, n. istoryadór, mánanalaysáy.

history, n. istorya, kasaysayan.

historic, adj. istórikó, (nakasaysayan).

historical, adj. pangkasaysayan.

histrionics, n. histrióniká, pag-akto, pag-arte.

hit, v. tumamà, tamaan, patamaan, hampasín, paluin, pukpukín.

hitch, v. italì, isuga, isingkáw. **n.** sagabal, hadláng.

hitchhike, v. makisaкáy, makisunò.

hither, adv. dini, dito.

hitherto, adv. hindî pa, hang-gáng ngayón.

hive, n. bahay-pukyutan.

hives, n. urtikarya, tagula-báy, ímunimom.

ho, intrj. ho, hah.

hoard, n. tinipon, tipong na-katágò. **v.** magtipon, tipu-nin, magtinggál.

hoarder, n. mánininggál.

hoarding, n. panininggál.

hoarse, adj. malát, namáma-lát, paós, namamaos.

hoary, adj. namúmutî sa ka-tandaán, kupás na kupás.

hoax, n. daya, laláng, lin-láng, birong linláng.

hobble, v. umikâ, umiká-ikâ, italì, isuga.

hobbledehoy, n. batang lala-king lalabintaunín.

hobby, n. líbangang-gawain.

hobbyhorse, n. kaba-kabayu-han (ng mga batà).

hobgoblin, n. duwende.

hobnob, v. makihalubilo, ma-kipagtalamitam.

hobo, n. hampaslupà.

hock, n. tarso, korba, tiyán ng bintî.

hocus-pocus, n. hokus-pokus

hodgepodge, n. bahóg, halu-halò.

hoe, n. asaról, **v.** mag-asaról, asarulín.

hog, n. baboy.

hoist v. itaás, hilahing pata-ás.

hoity-toity, adj. may mali-kót na pag-iisip, mapagma-taás.

hokum, n. dayà, laláng, lin-láng.

hold v. humawák, hawakan, tumaban, tabanan, pigilin, panatilihin.

hole, n. butas.

holiday, n. pistá.

holiness, n. kasagraduhan, kasantuhán, kabánalan.

Holland, n. Olanda.

Hollander, n. Olandés.

holler, v. humiyáw, sumigáw.

hollow, adj. hungkág, buaw, humpák, hupyák, mala-gong, waláng-halagá. **n.** kabidád, lugóng, butas, lunggâ.

holly, n. asebo.

hollyhock, n. malbarosa.

holocaust, n. holokausto, pag-kapugnáw.

holster, n. kaluban, (ng pis-tola.)

holy, adj. banál, maka-diyós.

homage, n. paggalang pintu-hò, pitagan, parangál.

home, n. táhanan, tírahan.

homesickness, n. galimgím, pagkagiliw sa táhanan, hidláw.

homestretch, n. duluhan.
homeward, adv. pauwî.
homework, n. gawaing-pantáhanan.
homeopath, n. homyopatá.
homeopathy, n. homyopatiya.
homicidal, adj. omisida, makamatáy-tao.
homicide, n. omisidyo, pagpatáy tao.
homiletics, n. oratorya sagrada, pagsesermón.
homily, n. omiliya, sermón, parangál.
hominoid, adj. mukháng tao, malatao.
hominy, n. giniling na maís.
homogeneous, adj. omohéneó, kaurì, kasangkáp.
homogenous, adj. kamulâ, kanunò.
homologous, adj. omólogó, kayarì.
homonymous, adj. katunóg, omónimó.
homosexual, adj. omoseksuwál.
homosexuality, n. omoseksuwalidád, kaomoseksuwalán.
hone, n. tágisan, lagisan, hasaán, v. itagís, ilagís, ihasà.
honest, adj. marangál, mápapagkátiwalaan, tapát, waláng-dayà.

honesty, n. dangál, karángalan, pagka-marangál, pagka-makatotoó.
honey, n. pulut-pukyutan.
honeybee, n. pukyutan.
honeycomb, n. panilan.
honeymoon, pulút-gatâ.
honeysuckle, (Bot.) madreselba.
honk, n. hongk.
honky-tonk, n. serbeseriya.
honor, n. dangál, karángalan, parangál. v. parangalán, dakilain.
honorable, adj. kagalang-galang.
honororium, n. onararyum, (gantimpagál).
honorary, adj. pandangál.
honorific, adj. pamitagan.
hood, n. pandóng, pindóng,
hoodlum, n. butangero, gangster.
hoodwink, v. mandayà, manlinláng, dayain, linlangín.
hoof, n. kukó (ng kabayo, atb.)
hook, n. kawit, kalawit.
hookworm, n. bulati (sa tiyán).
hooky, play hooky, v. maglakwatsa, mag-aligandó.
hooligan, n. bagabundo, butangero.
hop, n. buklód, anilyo.
hoosegow, n. kalabusan, pii-

tán.

hoot, v. sumigáw na paag-
lahî.

hop, v. lumundág, magkandi-
rít. n. sayáw.

hope, n. pag-asa, tiwalà.

hopscotch, n. pikô.

horde, n. horda, libumbón
ng tao.

horizon, n. orisonte, kagili-
ran.

horizontal, adj. orisontál,
pahigâ.

hormone, n. hormon.

horn, n. sungay, tambulì
turutót, busina.

hornet, n. putaktí.

horny, adj. masungay, sunga-
yán.

horology, n. orolohiya.

horoscope, n. oroskopyo.

horrible, adj. nakapanghíhi-
lakbót, nakagágalit.

horrify, v. sindakín, takutin.

horror, v. sindák, takot.

horse, n. kabayo.

horsehair, n. buhúk-kabayo.

horsehide, n. katad-kabayo.

horseman, n. mangangabayó.

horsepower, n. lakás-kabayo.

horserace, n. karera ng kaba-
yo.

horseshoe, n. bakal ng kaba-
yo.

horsetail, n. buntút-kabayo.

horticulture, n. holtikultura,

paghahalaman.

horticulturist, n. hortikultór.

hossana, n. hosana.

hose, n. medyas, tubong-go-
ma.

hosier, n. magtitindá ng
medyas.

hosiery, n. negosyo sa med-
yas.

hospitable, adj. may bukás-
pintô, mapagtanggáp, ma-
giliw tumanggáp.

hospital, n. ospitál, págamu-
tan.

hospitality, n. pagka-may-
bukás-pintô, (ospitalidád),
pagkamagiliw-tumanggáp.

hospitalize, v. dalhín sa os-
pitál, ospitalín, iospitál.

host, n. hukbó, punong-abala,
mayhandâ, ostiyá.

hostage, n. prenda, bihag-sa-
gót.

hostel, n. tuluyan, panulu-
yan.

hostess n. hostes.

hostile, adj. ostíl, laban, ka-
laban, salungát, galít.

hostility n. ostilidád pagka-
kalaban, pagka-kaaway.

hostler n. establero, sota.

hot adj. mainit, masilakbó,
maangh, áng.

hour, n. oras.

house, n. bahay, táhanan, tí-
rahan.

hovel, n. silungán, habong, dampâ.

hover, v. magpaligid-ligid.

how, adv. paanó, papaanó gaanó.

howitzer, n. howitser.

howl, v. tumambáw, kumayangkáng mag-alulóng, umangal. n. tambáw, kayangkáng, alulóng, angal.

hoyden, n. babaeng pilya.

hub, n. kuko (ng ruweda), hurung-hurungan, sentro, kalágitnaan

hubbub, n. linggál, híyawan, guló.

huckster, n. maglalakò.

huddle, v. mag-umpukan, magsiksikan. n. umpukan siksikan.

hue, n. kulay, kolór.

hue, n. sigáw, hiyáw.

hug, v. yakapin yapusín. n. yakap, yapós.

huge, adj. malakíng-malakí.

hulahula, n. hulahula.

hull, n. balát, balok, bunót, bayna, kaskó.

hullabaloo, n. linggál, guló.

hum, v. umugong, humiging, umungol, n. ugong, higing, ungol, huni.

human, adj. pantao, ng tao, n. tao.

humane, adj. may ugaling tao, may mabuting kalo-

obán.

humanism, humanity, n. pagkatao ng tao.

humanitarian, adj. makatao,

humanize, v. gawing makatao.

humankind, n. sangkatauhan.

humble, adj. mababang-loób, di-mapagmataás, abâ.

humbug, n. daya, linláng, magdarayà, manlílinláng.

humdinger, n. tao, (bagay), na may katangi-tanging galíng.

humdrum, adj. nakabábagót, nakaíiníp.

humid, adj. basá-basà, halumigmíg, úmedó.

humidifier, n. panghalumigmíg (pampaúmedó).

humidify, v. pahalumigmigín, (paumeduhín)

humidity, n. kahalumigmigán.

humerus, n. butó ng bisig, úmeró.

humiliate, v. hiyaín.

humiliation, n. pagkahiyâ.

humiliating, adj. nakahíhiyâ.

humor, n. umór, kaloobán, pagpapatawá, pagkakómikó, v. bagayan, palayawin sundín.

humorist, n. umorista, (taong mapagpatawá).

humorous, adj. nakakátawá.

hump, n. umbók.
humpback, n. kubà, bukót.
humus, n. lupang-itím.
hunch, n. bukol, umbók.
hunchback, n. kubà, bukót.
hundred, n./adj. sandaán.
Hungarian, n./adj. Unggaro.
hunger, n. gutom, pasal, ha-
	yók, pagkasabík. v. mapa-
	sal, mahayók.
hungry, adj. gutóm.
hunk, n. piraso, tigkál.
hunky-dory, adj. nakasísiyá,
	mainam.
hunt, v. manugis, manghuli,
	maghanáp, hanapin.
hunter, n. kasadór, mánga-
	ngaso, mámamaril.
hunting, n. kaseriya, panga-
	gaso, pamamaríl.
hurdle, v. lumundág, lunda-
	gín, n. lundagan.
hurl, v. ihagis, ipukól, iba-
	róg.
hurly-burly, n. guló, linggál,
	ingay.
hurrah, intrj. hurá! huréy!
	mabuhay!
hurricance, n. unós, buhawì.
hurry, v. magmadalî, magda-
	lás-dalás.
hurt, v. saktán, masakít.
hurtle, v. humagibís.
husband, n. esposo, asawa. v.
	pangasiwaan ng buong ti-
	píd, gamitan ng buong ti-

píd.
husbandry, n. pangangalagà
	sa hayop, pag-aalagâ ng
	hayop.
husbandman, magbubukíd,
	magbubungkál.
hush, v. patahimikin,
husk, n. bunót, upak, balok,
	balát.
husky voice, tinig na agás.
husky, adj. matipunò, agás.
hussar, n. húsar.
hussy, n. babaysót.
hustle, v. pangatawanán, ba-
	likatin.
hut, n. dampâ.
hutch, n. kahón, kulungán
hyacinth, n. hasinto.
hybrid, n./adj. híbrido.
hydra, n. hidra.
hydrant, n. boka-inséndiyó.
hydrate, n. hidrato.
hydrated, adj. hidratado.
hydraulic, adj. hidraúliká.
hydrogin, n. hidróhenó.
hydroplane, n. hidroplano.
hydroscope, n. hidroskopyo.
hyene, n. hiyena.
hygene, iheyene, pagpapapaka-
	lusóg.
hymen, n. himen.
hymeneal, n. awit nupsiyál,
	epitalamyo.
hymn, n. imno, awit, dalít.
hyperbole, n. hiperbole, pag-
	mamalabís.

228

hypercritical, adj. labis mamintás.

hypersensitive, adj. nápakamaramdamin.

hypersonic, adj. hipersónikó.

hypertension, n. alta-presyón.

hypen, n. gitlíng, giyón.

hypnosis, n. hipnosis.

hypnotic, n. hipnótikó.

hypontism, n. hipnotismo.

hypnotize, v. hipnotisahín.

hypochondria, n. hipokóndriyá

hypocrisy, n. hipokresiya, pagkukunwâ, pagpapaim-

babáw.

hypocrite, n. hipokrita, taong mapagkunwâ.

hypodermic, adj. hipodérmikó

hypodermis, n. hipodermis.

hypogastrium, n. hipogástriyó.

hypotension, n. mababang presyón.

hypotenuse, n. hipotenusa, bagtás.

hypothesis, n. hipótesís, hinuhà.

hysteria, n. histerya, kaguluhán ng isip.

—I—

I, pron. akó. **n.** ego, kaakuhán.

iambic, adj. yámbikó.

iambus, n. yambo.

ice, n. yelo.

iceberg, n. yelong lutáng.

icepick, n. punsón ng yelo.

ice-plant, n. gawaan ng yelo.

icecle, n. yelong bitín.

icing, n. aysing, kapang matamís.

ichthyology, n. iktiyolohiya.

icon, n. larawan, imahen.

idea, n. ideá, hakà, akalà, plano, pakanâ, kaisipán, palagáy.

ideal, adj. ideal, tularán, uli-

rán.

idealism, n. idealismo.

idealist, idealista.

idem, pron./adj. idem, iyón din, gayón din.

identical, adj. pareho, di-ibá, magkatulad, pantáy, magkaurì.

identification, n. identipikasyón, pinagkakákilanlán.

identify, v. identipikahín, iturò, turulin, mákilala, kilalanín, makiisá, makisama.

identity, n. identidád, kaisahán, kasarilinán.

ideogram, n. ideograma, sagisag na palarawán.

ideology, n. ideolohiyá, pangingisip, isip.

ides, n. kalágitnaan ng buwán.

idiom, n. idyoma, kawikaan.

idiosyncrasy, n. idyosingkrasya, kasarilináng pag--uugalì.

idiot, adj. idyota, tangá, tulalâ, hangál.

idiocy, n. katangahán, kahangalán.

idle, adj. waláng-empleo. waláng-trabaho, waláng-ginágawâ, di-ginágamit, tamád.

idol, n. ídoló, diyús-diyusan,

idolatrous, adj. idólatrá, (mapagsambá sa diyús-diyusan.)

idolatry, n. idolatríya (pagsambá sa diyús-diyusan.)

idyl, n. idilyo, tuláng pangkabukiran.

if, conj. kung, sakalì, kung sakali.

igneous, adj. malaapóy, mayapóy, igneo.

ignescent, adj. matilamsík, madikláp, nagníningas.

ignite, v. sindihán, paningasin.

ignition, n. ignisyón, pagsisindí, pagpapanìngas.

ignoble, adj. imbî, mababà, hamak.

ignominious, adj. walángdangál, nakahihiyâ.

ignominy, n. kawaláng-dangál, kahihiyán.

ignoramus, n. taong mangmáng, taong waláng-pinagaralan.

ignorance, n. kamangmangán.

ignorant, adj. mangmáng.

ignore, v. di-pansinín, pagwaláng-bahalaan, pabaya an.

iguana, n. bayawak.

ileum, n. ilyón.

ileus, n. tibí.

iliac, adj. ilyako.

iliad, n. ilíada.

ilk, n. pamilya, angkán, hinlóg, urì.

ill, adj. masamâ, di-mabuti, di-magalíng, maysakít.

illegal, adj. ilegál, labág sa batás, di-ayon sa batás.

illegible, adj. di-mabasa.

illegitimate, adj. ilehítimó, labág sa batás, di-ayon sa katuwiran, bastardo.

illiberal, adj. kulang sa kultura, di-máginoó,

illicit, adj. di-ipinahíhintulot.

illimitable, adj. waláng-hangganan, di-masúsukat,

illinium, n. ilinyum, sangkáp ng átomó blg. 61.

illiteracy, n. kamangmangán,

di-kaalamáng bumasa't su-
mulat.

illiterate, adj. mangmáng, di-
makabasa ni sumulat.

illumine, v. magbigáy-liwa-
nag, magliwanag, paliwa-
nagan, tanglawán.

illumination, iluminasyón,
pailaw, kagaanuháng liwa-
nag.

illusion, n. ilusyón, malikma-
tà, tanawing-di-tunay.

illusive, adj. madayà, ma-
panlinláng.

illustrate, v. larawan, lag-
yán ng larawan, bigyán ng
larawang paliwanag.

ilustration, n. larawang pali-
wanag.

illustrative, adj. naglálara-
rawan.

illustrator, n. disenyadór,
dibuhante.

illustrious, adj. ilustrado, da-
kilà, bantóg.

image, n. imahen, larawan.

imagery, larawang diwà, ála-
ala, imahinasyón, harayà,
paghaharayà.

imaginable, adj. maiisip, ma-
hahakà.

imaginery, adj. likhâ ng isip.

imagination, n. imahinasyón,
harayà, pagpapaharayà.

imagine, v. magbuô ng lara-
wang diwà, maglarawang-

diwà, isipin.

imam, n. imám; parì.

imbalance, n. pagka-di-tim-
báng.

imbecile, adj. imbesil, mula-
lâ, ungás, kuláng-kuláng.

imbecility, n. imbesilidád,
kamulalaán, kagunggu-
ngán.

imbibe, v. uminóm, lumang-
háp, sumipsíp, lumagom.

imbroglio, n. pagkakaguló,
hidwaan.

imbue, v. tigmakín, ikintál,
itaním, kintalán, tamnán.

imitate, v. tularan, huwarán.
gagarín.

imitation, imitasyón, kopya,
huwád, panggagagad.

immaculate, n. busilak, puro,
kalinis-linisan.

immanence, n. pamumuspós,
pananatili.

immanent, adj. imanente, na-
múmuspós, likás.

immaterial, adj. di-materya,
waláng halagá.

immaturity, n. kamuraan, ka-
bubután, kabataan.

immature, adj. murà, bubót,
di pa magulang.

immeasurable, adj. di-masú-
sukat, di-maháhangganán.

immediacy, n. kawaláng-
pagitan, kakagyatán.

immediate, adv. kagyát.

immediately, adv. agád, kaagád, agád-agád.

immemorial, adj. dî na maabót ng alaala, walâ na sa gunitâ.

immense, adj. di-masukat, waláng-hanggán, dakilangdakilà, napakalakí.

immerse, v. ilubóg, ibabad, itubóg.

immigrant, n./adj. imigrante, mandarayuhan, nandárayuhan,

immigrate, v. mandayuhan.

immigration, n. imigrasyón, (pandarayuhan.)

imminence, n. pagka-nálalapít, pagka-nápipintô.

imminent, adj. nálalapít.

immobile, adj. di-makagaláw, waláng-galáw, di-mapagaláw, panatilihan.

immobility, n. pagka-di-mapagaláw.

immobilize, v. patigilin, pahintuín, ipirmí.

immoderate, adj. labis, mabilís.

immodest, adj. pangahás, mahalay, magaspáng.

immolate, v. isakripisyo, ipagsakrispisyo.

immolation, n. sákripisyo.

immoral, adj. may marumíng budhî, di-morál, mahalay.

immorality, inmoralidad, ka-

rumiháng budhî, kahalayan.

immortal, adj. inmortál, waláng-kamátayan, walángpagkamatáy.

immortality, n. inmortalidád, pagka-waláng-kamátayan.

imortalize, v. inmortalisahín, buhaying-walánghanggán.

immovable, adj. di-matinág, di-mapatinág, waláng-tigatig.

immune, adj. liwáy, di-tinátablán, ligtás.

immunity, n. inmunidád, kaliwayán.

immunization, n. inmunisasyon, pagliliwáy, pagpapaliwáy.

immunize, v. inmunisahín, liwayín.

immutable, adj. di-mababago, waláng-pagbabago.

impact, n. bungguan, banggâ, bunggô, banggaan.

imp, n. batang pilyo, muntíng diyablo.

impact, n. banggaan, bungguan, banggâ, bunggô.

impair, v. pasamaín, pahinain, huminà.

impale, v. tuhugin.

impalpable, adj. di-mahipò, di-masalát.

impanation, n. transubstansiyasyón, pananapay.

impart, v. magbigáy, ibigáy, idulot, magdulot, magturò, iturò.

impartial, adj. imparsiyál, waláng-kiníkilingan, makatárungan.

impassable, adj. di-madáraanan.

impasse, n. daáng-putól, kagípitan.

impassionate, adj. madamdamin, punô ng damdamin.

impassive, adj. impasibo, waláng-buhay, waláng-pakiramdám.

impatience, n. pagkainíp. pagka-maínipin, pagkukulang ng tiyagâ.

impeach, v. isakdál, ihablá, usigin.

impeachment, n. pagsasakdál, paghahablá, pag-uusig.

impeccable, adj. impekable, di-magkakásala, waláng-kapintasan, waláng-malî.

impecunious, adj. waláng-kuwarta, dahóp.

impedance, n. impedans.

impede, v. hadlangán, pigilin.

impediment, n. hadláng, balaksilà, sagabal.

impel, v. itulak, isulong, ibunsód, pagalawín.

impend, v. magbalà, mag-

bantâ, málapít.

impending, adj. nagbábalà, nagbábantâ, nálalapít.

impenetrable, adj. di-mapasok, di-malagusán, di-malusután, di-tablán.

impenitent, adj. impenitente, di-nagsísisi, ayaw magsisi.

imperative, adj. imperatibo, pautós, sápilitán, di-mailagan.

imperator, n. emperadór.

imperceptible, adj. di-halatâ, di-mapápansín.

imperfect, adj. pagka-di-ganáp, pagka-may sirà.

imperfection, n. pagka-di-ganáp, imperpeksiyón, pagka-may-sirà.

imperial, adj. imperyál, supremo, kátaás-taasan.

imperialism, n. imperyalismo.

imperil, v. isapanganib, ilagáy sa panganib.

imperious, adj. makaharì, mapagmataás, mapanlupig, makapangyarihan.

imperishable, adj. di-mawalâ, waláng-pagkawalâ, di-masisirà, waláng-pagkasirà.

impermanent, adj. di-panatilihan, di-permanente.

impermeable, adj. di-tablán, di-talabán.

impersonal, adj. di-personál, di-kaugnáy ang sarili, waláng-katauhan.

impersonate, v. magpanggáp, gumanáp ng papél, gampanán ang papél.

impersonation, n. personipikasyón, imitasyón.

impertinent, adj. impertinente, di-kaugnáy, di-nárarapát, waláng-galang.

imperturbable, adj. di-magambalà, mahinahon, panatag.

impervious, adj. di-tablán, di-malusután.

impetous, adj. mapusók, palásubô.

impetus, n. impetus, impulso, bulas, bunsód.

impiety, n. kalapastanganan.

impious, adj. lapastangan, suwaíl.

impigne, v. banggaín, bundulín, panghimasukan.

implacable, adj. di-magamótloób, di-mapatahimik.

implant, v. itaním, ibaón, ikintál, iturò, ihasík.

implement, n. kasangkapan, kagamitán, **v.** ganapín, tuparín, isakatúparan, isagawâ.

implementation, n. implementasyón, pagsasakatúparan.

implicate, v. iugnáy, ikabít, idawit.

implication, n. dalawit, daláng kahulugán.

implicit, adj. tahasan, tiyák, waláng-pasubalì, lubós.

implore, v. sumamò, lumuhog, magmakaamò.

imply, v. mangahulugán, ipahiwatig, imungkahì.

impolite, adv. bastós, waláng-galang.

impolitic, adj. di-maalammakipagtúnguhan, di-kailangan.

import, n. angkát.

importance, n. kahalagahán, bigát.

important, adj. mahalagá, mabigát.

importation, n. pang-aangkát.

importer, n. mang-aangkát.

importunate, adj. mapanggambalà, mapang-abala.

importunity, v. panggagambalà.

impose, v. lapatan, maglapat, patawan, magpataw.

imposing, adj. kagulat-gulat, kahanga-hangà.

imposition, n. imposisyón, pataw, buwís.

impost, n. buwís, bayad sa adwana.

impostor, n. impostór, taong nagpapanggáp.

imposture, n. pagpapaganáp, pandarayà.

impossibility, n. imposibilidad, pagka-di-maáarì.

impotence, n. kahinaan, kawaláng-lakás, katuyuán.

impotent, adj. impotente, mahinà, waláng-lakás, tuyô.

impound, v. ikulóng, ilagáy sa taguán, magtipon.

impoverish, v. parukhaín, pulubihin, ubusin ang katabaán.

impoverishment, n. paghihirap, pamumulubi, paghihikahós.

impracticable, adj. di-magágamit, di-máisásagawâ.

impractical, adj. di-praktikál, waláng-kagamitán, waláng-silbí.

imprecate, v. sumpaín.

imprecation, n. sumpâ.

imprecator, n. maybigkás ng sumpâ.

imprecatory adj, may katángiang taglay ng sumpâ.

impregnable, adj. di-masásalakay, di-malulupig, maáaring matigmák.

impresario, n. impresaryo.

impress, v. ilimbág, itaták, ikintál, mapukaw.

impression, n. impresyón, ka-

kintalán, marká.

impressionable adj. madalíng mahubog.

impressionist, n. impresyonista.

impressionism, n. impresyonismo.

impressive, adj. nakákapupukaw loób.

imprimatur, n. imprimatur, pahintulot na málimbág.

imprint, v. maglimbág, limbagín, ikintál nang waláng pagkapawì, n. limbág, taták.

imprison, v. ibilanggô, ikalabós, kulungin, ikulóng.

imprisonment, n. pagkakabilanggô, pagkakapiit.

improbable, adj. mahirap mangyari, mahirap magkátotoó.

improbability, n. pagka-dimatapát, pagkukulang sa katapatán.

impromptu, adv./adj. biglaan, daglian, di-inihandâ, di-pinaghandaán.

improper, adj. di-dapat, dibagay, di-angkóp.

impropriety, pagka-di-dapat, pagka-di-bagay.

improve, v. bumuti, gumalíng, pabutihin, magpakabuti, magpakagalíng.

improvable, adj. maáaring mapabuti.

improvement, n. pagbuti, pagpapabuti.

improvident, adj. pabayà, waláng-tipíd.

improvise, v. improbisahín, mangatháng sa-biglaan.

improvisation, n. improbisasyón, katháng-sa-biglaan.

improvided, adj. improbisado, kinatháng sa-biglaan.

improviser, n. improbisadór, mangangatháng sa-biglaan.

imprudent, adj. imprudente, di-maingat magpasiyá.

imprudence, n. pagka-imprudente.

impudent, adj. pangahás, dinahíhiyâ.

impugn, v. manuligsâ, tuligsain, tumutol, tutulan.

impuisant, adj. waláng-kapangyarihan, mahinà.

impulse, n. impulso, bunsód, tulak, lakás na nagpápagaláw, simbuyó.

impulsion, n. impulsiyón, tulak, budlóng.

impulsive, adj. masimbuyó, biglang gumanáp.

impunity, n. impunidád, kaligtasan sa parusa.

impure, adj. marumí, di-dalisay, waláng-puri, mahalay.

impurity, n. karumihan, pagka-di-dalisay.

impute, v. ibintáng, iparatang, iugnáy.

imputation, n. pagbibintáng.

imputable, adj. maáaring ibintáng.

in, prep. sa, nasa, sa loób ng.

inability, n. kawaláng-kaya, kawaláng-lakás, kawaláng-magawâ.

inaccessible, adj. di-maabót, di-malapitan.

inaccurate, adj. di-wastô, di-eksakto.

inaction, n. kawaláng-ginágawâ, kawaláng-kilos.

inactive, adj. waláng-ginágawâ, waláng-galáw, matamláy.

inadequate, adj. di-sapát, kulang.

inadmisible, adj. di-matatanggáp.

inadvertent, adj. di-nápansín, waláng-asikaso, di-sinásadyâ.

inadvisable, adj. di-dapat-gawín.

inalienable, adj. di-máilalayô, di-máihihiwalay.

inalterable, adj. di-maáaring magbago.

inamorata, n. inamorata, kasintahan, minámahál.

inane, adj. waláng-lamán, waláng-kahulugán.

inanition, n. kawaláng-lamán, kawaláng-kahulugán.

inanimate, adj. waláng-buhay, waláng-siglá.

inapplicable, adj. di-maáarì, di-bagay.

inappreciable, adj. di-halatâ, di-máhalatâ.

inappreciative, adj. di-mapagpahalagá, di-malugód.

inapprehensible, adj. di-sukat-maisip.

inapprehensive, adj. di-makaramdám na may panganib.

inapproachable, adj. di-malapitan.

inappropriate, adj. di-angkóp, di-tumpák.

inapt, adj. bi-bagay, di-handâ.

inaptitude, n. pagka-di-bagay.

inarticulate, adj. umíd, pipi.

inaudible, adj. di-rinig, di-máriníg.

inaugurate, v. pasinayaan, magpasinayà, inagurahán.

inauguration, n. inagurasyón, pasinayà.

inauspicious, adj. sinásamâ, sawíng-palad.

inborn, adj. katutubò.

inbound, adj. papasók, papaloób.

inca, n. inka.

incalculable, adj. di-maulatan, di-mataya, di-tiyák.

incandescent, adj. ingkandesente, putíng nangínginnáng.

incantation, n. bulóng, ingkanto, máhiyá.

incapable, adj. waláng-kaỳa.

incapacity, n. pagka-waláng-kaya, kawaláng-kaya.

incarcerate, v. ikulóng sa karsel, ikarsel.

incarnadine, adj. kulay-lamán, kulay-karné.

incarnate, v. maglamán. magkalamán, magkarné. magkatawáng-tao.

incarnation, n. engkarnasyón, paglalamán. pagkakatawán, pagkakatawang-tao.

incendiary, adj. pampasunog. **n.** mánununog.

incense, n. insenso. **v.** galitin, sulsulán.

incentive, adj. pamukaw. pampasiglá, pangganyák.

inceptive, adj. pansimulá, pang-umpisá.

incertitude, n. pagka-di-nakatítiyák, pag-aalinlangan.

incessant, adj. waláng-humpáy, waláng-likát, patuloy.

incest, n. insesto.
incestuos, adj. insestuwoso.
inch, n. pulgada, dalì.
inchoate, adj. bábagong umpisá, babagong siból.
incidence, n. pagkápangyari.
incident, n. pangyayari.
incinerate, v. sunugin, tupukin.
incineration, n. insinirasyón, pagsunog.
incinerator, insiniradór.
incipient, adj. panimulâ, nagsísimulâ.
incise, v. hiwain.
incisive, adj. nakakahiwà, matalas, matalím.
incisor, n. ngiping pangalis.
incite, v. ibuyó, ibudlóng, paiyahan.
incivility, n. kawalang-galangan, kabastusán.
incline, v. humilig, kumiling, yumukód. n. dahilig.
inclined, adj. mahilig, hilíg.
inclination, n. ingklinasyón, hilig, kiling.
inclose, v. ipaloób, ilakip, palibutan.
inclosure, n. lakip.
include, v. isama, ibilang.
incognito, adj./adv. inkognito.
incoherent, adj. waláng-ka-

ugnayán, di-maunawaan.
incombustible, adj. di-magníningas, dì-masúsunog.
income, n. kita, kinita.
incommensurate, adj. di-sapát, di-kasukát.
incommodious, adj. di-maginhawa.
incommounicado. adj. inkumunikado, nakabartulina.
incommunicative, adj. ayaw magsabi.
incomparable, adj. waláng-kapantáy.
incompatible, adj. inkompatible, di-magkabagáng.
incompatibility, n. inkompatibilidád.
incompetent, adj. inkompetente, waláng-sapát na lakás, waláng sapát na kaya, waláng–sapát na kaalamán.
incomplete, adj. di-kompleto, di-tapós, di-yarì.
incomprehensible, adj. di-máunawaan, di-máintindihán.
incompressible, adj. di na maig-íg, di na mapakitkít.
incomputable, adj. di-matuós, mahirap tuusín.
inconceivable, adj. di-sukat maisip, di-sukat mapaniwalaan .
inconsequent, adj. di bunga

ng katuwiran.

inconsequential, adj. makat-
wiran, di-mahalagá, wa-
láng-kabuluhán.

inconsiderate, adj. di-mabu-
ting makipagkápwâ.

inconsistent, adj. di-nagka-
kátugmaan.

inconsolable, adj. di-maalíw,
waláng-alíw.

inconstant, adj. sálawahan,
pabagu-bago.

inconspicuous, adj. halos di-
mápuná.

incontinent, adj. waláng-pi-
gil.

incontrollable, adj. di-mapi-
gil, di-masupil.

inconvenient, adj. pang-aba-
la, pangguló, di-maginha-
wa.

incorporate, adj. pinagsama,
pinag-isá. v. pagsamahin,
pag-isahín.

incorrect, adj. di-wastô, ma-
lî, di-dapat, di-tunay.

incorrigible, adj. di na mâi-
wáwastô, di-masupil.

incorrupt, adj. puro, dalisay,
waláng-bahid.

incorruptible, adj. puro, da-
lisay, waláng-bahid.

increase, v. lumakí, tumubò,
madagdagán, durrami lak-
hán, patubuin, n. dagdág,
tubò, pakinabang, karagda-

gan.

incredible, adj. di-mapaniwa-
laan, di-kapaní-paniwalà.

incredulous, adj. di-maniwa-
là.

increment, n. dagdág, karag-
dagan.

increscent, adj. palakí.

incriminate, v. idamay, ida-
wit, isangkót, isakdál.

incubate, v. ingkubahín, hu-
malimhím, lumimlím, ma-
misâ, pisaín.

incubation, ingkubasyón.

incubator, ingkubadór, pá-
misaan.

incubus, n. íngkubó, bangu-
ngot, uúm.

inculcate, v. iturò, ikintál,
itaním.

inculpate, v. ibintáng, pag-
bintangán, iparatang,
isangkót.

incumbency, n. panunung-
kulan.

incumbent, adj. nakahigâ. n.
ang nanúnungkukan.

incunabula, n. simulâ, ing-
kunábulá.

incur, v. máhitâ, mátagpuán,
magkaságutin, magíng sá-
gutin.

incurable, adj. di-mapaga-
líng.

incurious, adj. waláng-inte-
rés, waláng-bahalà.

incursion, n. ingkursiyón, paglusob.

incus, n. palihan ng tainga.

indebtedness, n. pagkakautang.

indecent, adj. mahalay.

indecision, n. pag-uulik-ulik.

indecisive, adj. paulik-ulik, alinlangan, di-tiyák.

indeclinable, adj. di-matátanggihán, di-maíilagan.

indecorous, adj. di-mabuti, di-magalíng, di-tumpák.

indeed, adv. sa katunayan, sa katotohanan, ang totoó. **intrj.** siya ngâ?

indefatigable, adj. waláng-pagod, di-mapagud-pagod.

indefensible, adj. di-máipagtatanggól.

indefinable, adj. di-matiyák, di-máilarawan.

indefinite, adj. di-tiyák.

indelible, adj. di-mapapawì.

indemnify, n. magbayad-pinsalà.

indemnification, n. pagbabayad-pinsalà.

indemnity, n. bayad—pinsalà.

indent, v. ipasok, palugitan, ikintál. **n.** palugit.

indenture, n. kásunduang duplikado.

independence, n. independénsiyá, kasarinlán.

indescribable, adj. di-máilarawan, di-maulatan.

indestructible, adj. di-magibâ, waláng-pagkagibâ.

indeterminate, adj. di-matiyák, di-tiyák

index, n. índisé, talátuntunan.

Indian, n./adj. Indiyán, Indiyó, Indiyano.

Indic, adj. Indikó, Indo.

indicate, v. iturò, ipakita, ipamalas, ipahiwatig.

indication, n. indikasyón, marká, tandâ, palátandaan.

indicative, adj. indikatibo, nagpápakilala, nagpápahiwatig.

indicator, n. indikadór.

indicatory, adj. pinagkakákilanlán.

indicia, n. indisya, mga palátandaan.

indict, v. ihablá, isakdál.

indiference, n. pagwawalángbahalà, kalamigán ng loób, pagka-patáy-damdamin.

indicement, n. paghahablá, pagsasakdál.

indifferent, adj. waláng-bahalà, patáy-damdamin.

indigence, n. karukhaán, pagdadahóp.

indigene, adj. katutubò.

indigenous, adj. katutubò.

indigent, adj. dukhâ, dahóp, salát.

indigestion, n. indihestiyón, impatso.

indigestible, adj. di-matutunáw.

indignant, adj. galít, nagágalit.

indignation, n. galit, ngitngít.

indignity, n. kaalipustaán, kaduhagian.

indigo, n. anyíl, índigó, nílad.

indirect, adj, indirekto, dituwiran.

indiscreet, adj. di-matinô, waláng-baít, waláng-ingat.

indiscrete, adjl di-hiwá-hiwaláy, ig-ig, kitkít.

indiscretion, n. indiskresyón, imprudénsiyá, ginawáng di-matinô.

indiscriminate, adj. waláng-pag-iibá-ibá, waláng-pagbubukúd-bukód.

indispensable, adj. di-maáaring walâ, kailangang-kailangan.

indisposed, adj. may-sakít, (may-karamdaman), maydináramdám.

indisputable, adj. di-matútutulan.

indistinct, adj. di-malinaw, malabò.

indissoluble, adj. di-maáaring matunaw.

indistinguishable, adj. dimáhalatâ, di-mákilala.

indite, v. isulat, sulatin.

individual, adj. sarili, panarili, nag-íisa, n. isáng tao.

individualism, n. indibidwalismo, pagka-makasarili.

individuality, n. kasarilinán, kakaniyahán, sariling katángian.

individualize, v. papagsarísarilihin, pag-isá-isahín.

individuate, v. ibahín sa ibá, pagbukúd-bukurín.

individuation, n. pagtatangitangì.

indivisible, adj. di-maháhatì.

indoctrinate, v. indoktrinahán, turuan ng doktrina.

indolence, n. indolénsiyá, katámaran.

indolent, adj. tamád, batugan.

indomitable, adj. di-mapasukò, di-magapì.

indoor, adj. sa loób ng bahay, panloób ng bahay.

indorse, see endorse.

indubitable, adj. di-mapagáalinlanganan.

induce, v. hikayatin, kayagin, maghinuhà, hinuhain,

magbuód, buurín.
induct, v. italagá, bigyáng-
simulâ.
inductee, n. taong itinalagá
induction, n. pagtatalagá, in-
duksiyón.
indulge, v. magpairog, pairu-
gan, magpalayaw, palaya-
win, magpalamáng, pala-
mangin.
indulgence, n. pagpapala-
yaw, indulhénsiyá.
indulgent, adj. mapagpala-
yaw, mapagbigáy.
industry, n. sikap, sipag, in-
dústriyá, kapamuhayán.
industrialize, v. industriyali-
sahín.
industrious, adj. masikap.
indwell, v. manahanan, pa-
nahanan, tumirá, tirhán.
indwelling, adj. nanánahan-
nan, nanínirahan.
inebriate, adj. lasíng, v. la-
singín, languhín, n. mag-
lalasing.
inedible, adj. di-nakákain.
ineffable, adj. di-maipaha-
yag, di-masabi.
ineffective, adj. waláng-bisà,
di-mabisà.
inefficacious, adj. di-sapát
sa bisà.
inefficient, adj. waláng-kaya,
di-maayos gumawâ.
ineligible, adj. di-maáaring

mahirang.
inept. adj. di-angkóp, kulang
sa kaalamán, walâ sa lu-
gár.
inequality, n. pagka-di-pan-
táy-pantáy.
inequity, n. pagka-waláng-
katárungan.
ineradicable, adj. waláng-
pagkapawì.
inert, adj. waláng-galáw,
waláng-kilos.
inertia, n. inérsiyá.
inescapable, adj. di-maíiila-
gan, di-máiiwasan.
inessential, adj. di-kaila-
ngang-kailangan.
inestimable, adj. di-matutuós
di-sukat mahuhulò.
inevitable, adj di-maíiwasan,
di-maíilagan.
inexact, adj. di-eksakto, di-
tunay na tunay,
inexcusable, adj. di-maipag-
pápaumanhín, di-mapatá-
tawad.
inexhaustible, adj. di-maú-
ubos,
inexorable, adj. di-mahikayat,
waláng-tinág, di-máibaling.
inexpensive, adj. mura, di-
mahál.
inexperienced, adj. waláng-
karanasan, bagitò.
inexplicable, adj. di-máipa-
liwanag, mahirap ipali-

wanag.

inexpressible, adj. di-máipahayag.

inextricable, adj. di-mabunot, di-makabunot.

infallible, adj. impalible, dimaáaring magkámalî.

infamous, adj. may nápakasamáng pangalan, nápakaimbî.

infamy, n. karawalan, kahayurán.

infancy, n. kamusmusán, kasanggulán..

infant, n. sanggól, paslít, musmós.

infanticide, n. impantisidyo, pagpatáy ng sanggól.

infantile, adj. paslít, batà.

infantry, n. impanteriya; hukbóng lakád.

infatuated, adj. halíng, naháhalíng.

infect, v. lalinan, hawahan.

infection, impeksiyón, pagkakálalin, pagkakáhawa.

infectious, adj. nakakálalin, nakakáhawa.

infer, v. maghulò, huluin, hinuhain, maghinuha.

inference n, imperensiya, hulò, hinuhà.

inferential, adj. imperensiyál, mápapaghuluan, mápapaghinuhaan.

inferior, adj. mababà.

inferiority, n. kababaan.

inferno, n, impiyerno.

infertile, adj. asteríl, basal.

infest, v. pagdamihan, pagdumugan.

infidel, n. impiyel, erehe.

infidelity, n. kataksilán, paglililo, pagka-di matapát.

infiltrate, v. sumalingít, pagsalingitán, pasukin nang panakáw.

infinite, adj. waláng hanggán, waláng hangganan, waláng wakás.

infinitive, n. pawatás.

infinity, n. pagka-waláng-hanggán.

infirm, adj. mabuay, mahunâ, mahinà.

infirmary, n. págamutan.

infirmity, n. kabuayan, kahinaan.

infix, n. gitlapì, panggitnáng-lapì.

inflame, v. paningasin, sindihán.

inflammable adj. madalíng magsikláb.

inflammation, n. pamamagâ.

inflammatory, adj. nakapagpapasikláb.

inflate, v. pabintugín, papintugín.

inflated, adj. pinabintóg, pinapintóg.

inflation, n. pamimintóg, implasyón.

inflationary, adj. nakapag-
pápaimplasyón.

inflection, n. pagbabagong-
anyô, impleksiyón.

inflexible, adj. di-máiba-
luktót, matigás.

inflict, v. manakít, saktán,
magparusa, parusahan.

inflorescence, n. pamumulak-
lák.

inflow, n. agos na paloób,
agos na papasók.

influence, n. impluénsiyá,
impluho. **v.** magpabago,
makabuti, makasamâ.

influential, adj. maimpluho,
makapangyarihan.

influenza, n. trangkaso.

influx, n. agos na paloób,
tulong paloób.

infold, v. balutin, yakapin.

inform, v. magpabatíd, ipa-
batíd, sabihin, patalasta-
tasán, ipatalastás.

informal, adj. impormál, di-
pormál.

information, n. impormas-
yón, kabatirán.

informer, n. lihim na batyáw.

infraction, n. pagsirà, pagla-
bág.

infrared, n. infraroho, im-
prang-pulá.

infrequency, adj. kadala-
ngan, kabihiraan.

infrequent, adj. madalang,
bihirà.

infringe, v. labagín, luma-
bág, makialám, pakiala-
mán.

infuriate, v. galitin, papag-
ngalitin.

infuse, v. tigmakín, iukit,
ikintál, punuín.

ingenous, adj. magalíng, ma-
panlikhâ.

ingenousness, n. inhenyo,
pagkamapangathâ.

ingenuity, n. inhenyosidád.

ingenous, adj. inhenwo, ta-
pát,, matapát.

ingenousness, n. inhenwidád,
katapatán.

inglorious, adj. nakahíhiyà,
kahiyá-hiyâ.

ingot, n. linggote, bara ng
metál.

ingrate, n. ingrato, taong wa-
láng-utang-na-loób.

ingratiate, v. manuyò.

ingratiation, n. panunuyò.

ingratitude, n. kawaláng-
utang-na-loób.

ingrown, adj. (s.o. toe or
fingermark) pasalingsíng.

inguinal, adj. ingginál.

ingurgitate, v. laklakín, hab-
habín.

inhabit, v. tahanán, tirhán.

inhabitant, n. máninirahan,

nakatirá.
inhalant, adj. panlangháp.
inhalation, n. paglangháp.
inhalator, n. inhaladór, paglangháp.
inharmonious, adj. di-magkaugmâ.
inherent, adj. likás, katutubò
inherit, v. magmana, manahin.
inheritance, n. mana, erénsiyá.
inheritor, n. tagapagmana.
inhibit, v. magbawal, ipagbawal, magpigil, pigilan.
inhibition, n. pagbabawal, pagpipigil.
inhospitable, adj. di-mapagtanggáp; ayaw magpapasok.
inhuman, adj. di-makatao, malupít.
inimical, adj. di-kaayon, salungát.
inimitable, adj. di-matútularan.
iniquitús, adj. balakyót, imbî, di-makatárungan.
initial, adj. panimulâ, una, muna, unang-titik, inisyal, v. inisyalan.
initiate, v. umpisahán, simulán, inisyahán.
initiation, n. inisyasyón.
initiative, n. insyatiba.
inject, v. ipasok, itusok, isuk-

sók, iniksiyunán, tusukan.
injection, n. iniksiyón.
injector, n. pang-iniksiyón.
injudicious, adj. di-mabuting pagkakápasiyá, waláng-ingat.
injunction, n. utos, atas, batás.
injure, v. manakít, saktán. pinsalain, sirain.
injurious, adj. nakapípinsalà.
injury, n. kapinsalaan.
injustice, n. kawaláng-katárungan, pang-aapí.
ink, n. tinta.
inkling, n. hiwatig, akalà, hakà.
inkstand, n. tinteruhán.
inlaid, adj. maylabór.
inlay, v. laburán, n. labór.
inland, n. ilaya, ibabâ, libis.
inlander, n. taong-ilaya, tagahulò.
inlaw, n. pinagbiyanán.
inlet, n. ilug-ilugan.
inmate, n. máninirahan, taong-ampunan.
inmost, adj. kaibuturan, káloób-loóban.
inn, n. posada, bahay-pánuluyan.
innate, adj. katutubò, likás.
inner, adj. sa lalong loób, sa loób-loób pa.
inning, n. (baseball) ining.
innocence, n. inosénsiyá, ka-

245

waláng-kasalanan, kawa-
láng-malay.

innocent, adj. inosente, wa-
láng-kasalanan, waláng-
malay.

innocúous, adj. di-makasása-
mâ, di-makapívinsalà.

innovation, n. pagbabago, ka-
baguhan, inobasyón.

innuendo, n. parunggít, in-
wendo, insinwasyón.

innumerable, adj. di-mabi-
lang.

inoculate, v. inukulahán, li-
wayán, imunisahán, baku-
nahan.

inoperative, adj. di-pinaíiral.

inopportune, adj. walâ sa pa-
nahón.

inordinate, adj. di-ayós, wa-
láng-pigil, labis.

inorganic, adj. inorgániká,
waláng-buhay.

input, n. puwersa, lakás.

inquest, n. siyasig, pagsisi-
yasat.

inquire, v. mag-usisà, usisa-
in, magtanóng, itanóng, ta-
nungín, pagtanungán, im-
bestigahín, siyasatin.

inquiry, n. pag-uusisà, pagsi-
siyasat.

inquisitive, adj. mausisà,

inquisitor, n. ingkisidór.

inroad, n. pasok, pagpasok.

insane, adj. balíw, loko, ulól,

sirâ ang ulo.

insanity, n. kabaliwán, kaulu-
lán.

insatiable, adj. waláng-pag-
kabusóg, waláng-kabusu-
gan.

inscribe, v. isulat, sulatin,
ilimbág, limbagín, ikintál.

inscription, n. inskripsiyón,
sulat, ukit, limbág.

inscrutable, adj. di-matarók.

insect, n. insekto, kulisap.

insecticide, n. pamatay-kuli-
sap, insektisida.

insectivorous, adj. kain-kuli-
sap, insektíboró.

insecure, adj. di-tiwasáy, di-
panatag.

inseminate, v. maghasík,
magtaním, lagyán ng ta-
mód, tamurán, insemina-
hán.

insemination, n. inseminas-
yón.

inseminator, n. inseminadór.

insensate, adj. waláng-bu-
hay waláng-pakiramdám.

insensible, adj. di-makáram-
dám, walang-pandamá.

insentive, adj. di-maramda-
min, di-tinatalabán.

inseparable, adj. di-mapaghí-
hiwaláy.

insert, v. ipasok, isingit,
isuksók, ipaloób. n. lakip,
singit.

inside, n. loób, interyór. adj. sa loób, panloób, adv. sa loób.

insider, n. taga-loób.

insidous. adj. may-patibóng, mapanilò, mapagpahamak, mapag-intriga.

insight, n. katalasan, katalusán, kagyát na unawà.

insignia, n. insígniyá, sagisag.

insignificant, adj. waláng-kahulugán, waláng kawawaan, di-mahalagá, muntî.

insincere, adj. di-tapát, dimatapát.

insinuate, v. magpahiwatig, ipahiwatig.

insinuation, n. pahiwatig, paramdám.

insipid, adj. waláng-lasa, matabáng, waláng-siglá, dinakawiwili.

insist, v. igiít, ipilit, ipanindigan.

insistence, n. pagpipilit.

insistent, adj. mapilit.

insolent, adj. insolente, mapagmataás, waláng-pakundangan, bastós.

insoluble, adj. di-matunaw.

insolvable, adj. di-malutás, walang-kalutasén.

insolvent, adj. insolbente, di-makabayad-utang.

insolvency, n. pagka-di-makabayad-utang, insolbensiyá.

insomnia, n. insómniyá, pagka-di-makatulóg.

insouciance, n. kawaláng-kabalisanhán, kawaláng-bahalà.

inspect, v. tingnán, suriin, siyasatin.

inspector, n. inspektór.

inspector, n. ispeksiyón, inspeksiyón, pagsisiyasat.

inspiration, n. inspirasyón, sigyá, paglangháp.

inspire, v. bigyán ng inspirasyón, pukawan ng siglá.

inspissate, v. lumapot na pagkaigá.

instability, n. pagka-di-pirmihan, kawaláng-kapanatagan.

instability, n. pagka-di-pirmihan, kawálang-kapanatagan.

install, v. iluklók, magkabít, ikabít, italagá.

installation, n. instalasyón.

installment, n. hulog, hurnal.

instance, n. hilíng, pakiusap, mungkahí halimbawà, pagkakataón.

instancy, n. kadalián, kadaglián.

instant, adj. múdalian, kagyát.

instantaneous, adj. biglaan.

instantly, adj. biglâ.

instead, adv. sa halíp ng.

instep, n. balantók ng sa-
kong.

instigate, n. manulsól, sul-
sulán.

instigation, n. instigasyón.

instigator, n. instigadór.

instill, v. ibuhos na paták-
paták, iturong untí-untî.

instinct, n. instinto, hilig, ta-
lino, galíng, likás na sim-
buyó.

institute, v. magtatag, itatag,
magsimulâ, simulán. n. in-
stituto, linangan, surián.

instruct, v. magturò, iturò,
utusan, atasan.

instruction, n. instruksiyón,
turò, pagtuturò.

instructive, adj. may itinútu-
rò.

instructor, n. instruktór, ta-
gapagturò.

instrument, n. instrumento,
aparato, kasangkapan.

insubordinate, adj. masuwa-
yín, suwaíl.

insufferable, adj. di-matiís,
di-maagwantá.

insufficient, adj. di-sapát.

insular, adj. insulár, pam-
pulô, pangkapuluán.

insulate, v. aislahán.

insulation, n. aislasyon, in-

sulasyón.

insulator, n. aisladór, insula-
dór.

insult, v. laitin, tungayawin,
alipustaín, hamakin. n.
paglait, pag-alipustâ, pag-
hamak.

insuperable, adj. di-mapangi-
babawan.

insurance, n. seguro.

insure, v. magpaseguro, ipa-
seguro.

insurgence, n. insureksiyón,
pagbabangon, paghihimag-
sík

intact, adj. di-naáanó, buô
pa.

intaglio, n. intáglió.

intake, n. pasukán, ang ná-
ipapasok.

integrate, v. buuín, pag-isa-
hín, pagsama-samahin.

integer, . bilang na buô.

integrable, adj. maáaring
buô, maáaring ipambuô.

integral n. kabuô, pambuô.

integrant, n. bagay na pam-
buô

integration, n. pagbubuô.

integrator, n. tagabuô.

integrity, n. pagka-buô, kati-
bayang-morál, integridád.

integument, n. balot, balát,
takíp.

intellect, n. dunong, talino.
n. katalinuhan, kaalamán,

karunungan.

intellection, n. pang-unawà.

intellectual, adj. pangkatali-
nuhan, n. ang matalino.

intelligence quotient, n. I.
Q., antás ng talino.

intelligent, adj. matalino, ma-
runong.

intelligentsia, n. pangkát-
matalisik.

intelligibility, n. pagka-ma-
daling-máunawaan.

intelligible, adj. madalíng
máunawaan.

intemperate, adj. labis, nag-
mámalabis, masagwâ, wa-
láng-pigil.

intend, v. magbalak, balakin,
tangkaín.

intention, n. intensiyón, tang-
kâ, nasà.

intentional, adj. sinasadyá,
sinadyâ, tinitikís, tinikís.

intense, adj. masidhî, marub-
dób, matindí.

intensify, v. pasidhiín, pa-
tindihín.

intension, n. kasidhián, ka-
tindihán.

intensity, n. pagka-masidhî,
pagka-matindí.

intensive, adj. masidhî, ma-
tindí.

intercede, v. mamagitan.

intercession, n. pamamagi-
tan.

intercessor, n. tagapamagi-
tan.

intercept, v. harangan, had-
langán.

interception, n. pagharang,
paghadláng.

interceptor, n. tagaharang,
tagahadláng.

interchange, v. magpalít-pa-
lít, maghalí-halilí.

intercom, n. interkom.

intercourse, n. pag-uugna-
yan, pagsasamahán.

intercrop, v. maghulip.

interdict, v. magbawal, ipag-
bawal.

interest, n. kapakanán, inte-
rés, patubò, tubò, kawili-
han, pagkawili, akitin, wi-
lihin.

interior, n. interyór, loób,
sa loób.

interjection, n. pandamdám.

interlock, v. pagkabít-kabi-
tín, pagkawíng-kawingín.

interlocution, n. pag-uusap,
kombersasyón.

interloper, n. taong-paki-
alám.

interlude, n. interludyo.

intermediary, n. tagapama-
gitan.

intermediate, adj. intermed-
ya, panggitnâ.

interment, n. paglilibíng.

intermezzo, n. intermezzo.

interminable, adj. di-mata-pus-tapos.

intermission, n. intermisyón, intermedyo.

intermittent, adj. paulit-ulit, pabalik-balik.

intermix, v. paghalú-haluin.

intern, v. bimbinín, antala-hin.

intern, n. interno, residente.

internal, adj. panloób.

international, adj. internas-yonál, sábansaan.

internecine, adj. mapagpa-táy, madugô.

interpellate, v. sumabát ng tanóng.

interpolate, v. magpasok, pa-sukan, magsingit, singitan.

interpose, v. lumagáy sa pa-gitan, isingit, mamagitan.

interpret, v. ipakahulugán, pakahuluganán, ipaliwa-nag.

interpretation, n. interpre-tasyón.

interpretative, adj. palara-wán.

interpreter, n. interprete.

interregnum, n. interegno.

interrogate, v. tanungin

interrogation, n. tanóng, pag-tatanóng.

interrupt, v. abalahin, gam-balain.

interruption, n. pagkaabala, pagkagambalà.

interruptive, adj. nakaka-abala.

intersect, v. pumutol na pa-hatî, putling pahatî.

intersection, n. krosing, ta-wiran.

intersectional, adj. pangkát-pangkát.

intersperse, v. isabog, ikalat, ibudbód.

interstice, n. ngingì, pagitan.

interval n. pagitan, patláng, tigil.

intervene, v. mamagitan, ma-kialám.

intervention, n. interbensi-yón, pamamagitan, paki-kialám.

interview, v. kapanayamin, interbiyuhín, makipagpa-nayam, makipag-interbiyú n. pakikipagpanayam, pa-kikîpag-interbiyú.

interviewer, n. tagapana-yam, tagainterbiyú.

intestate, adj. intestado, abintestado, waláng na-iwang testamento.

intestine, n. bituka.

intimacy, n. pagpapalaga-yang-loób, pagka-malapit.

intimate, adj. káloób-looban, malapit. v. ipaunawà, ipa-balità.

intimidate, v. manakot, ta-
kutin.

intimidation, n. pananakot,
pagbabalà, pagbabantâ.

intimidator, n. mánanakot.

into, prep. sa, sa loób ng.

intolerable, adj. di-mabába-
tá, di-matítiís.

intolerance, n. intoleránsiyá.
pagka-di-makapagbatá.

intolerant, adj. di-makapag-
batá.

intonation, n. intonasyon,
pagkantá, tono, himig.

intone, v. himigin, awitin.

intoxicant, adj. nakalálasíng,
nakalálangó.

intoxicate, v. lasingín, langu-
hín.

intoxication, n. pagkalasíng,
kalasingán.

intractable, adj. di-maitul-
tól, di-maturuan, di-mapa-
amò, di-masupil.

intramural, adj. sa loób ng
bakuran, intramural.

intramuscular, adj. sa loób
ng lamán, intramuskulár.

intransigent, adj. ayaw ma-
pagkásundô.

intransitive, adj. kátawanín,
di-palipát, waláng layon.

intravenous, adj. intrabena.

intrepid, adj. fearless, wa-
láng-takot, di-natátakot,

pangahás.

intricate, adj. masalimuót,
gusút-gusót.

intrigue, n. intriga, pailalim
na pamiminsalà.

intriguing, adj. nakakapu-
kaw-surì.

intrinsic, adj. kalikás, katu-
tubò.

introduce, v. ipagamit, ipa-
uso, iharáp, ipakilala,
magsimulâ, simulán, ipa-
sok.

introduction, n. introduksi-
yón, prepasyo, pagpapaki-
lala.

introductory, adj. panimulâ,
pansimulâ.

introit, n. introito.

introspect, v. manalamisim.

introspection, n. salamisim,
pananalamisim.

introvert, n. taong-mapana-
rili.

intrude, v. makialám, pakia-
lamán.

intrusion, n. pakikialám.

intuition, n. intuwisyón, an-
dám.

intuitive, n. intuwitibo, may-
andám.

intumescence, n. pamamagâ,
pamumukol.

inundate, v. magsanaw, mag-
bahâ.

inundation, n. sanaw, bahâ.

inundated, adj. lumubóg, sinanaw, binahâ.

inured, adj. bantád, bihasa.

invade, v. lumusob, lusubin, sumalakay, salakayin.

invalid, adj. inbálidó, waláng saysáy, waláng kabuluhán, n. maysakit, salantâ, baldado.

invalidate, v. waláng saysáy, nuluhin.

invalidation, n. pagwawaláng-saysáy.

invalidity, n. kawaláng-saysáy.

invaluable, adj. nápakamahalagá, lubháng-mahalagá.

invariable, adj. di-mabábago, panatilihan, pareho, dinagbábago.

invective, n. upasalà.

inveigle, n. ibuyó, ulukan, udyukán.

invent, v. mag-imbento, imbéntuhín, likhaín.

invention, n. imbensiyón, likhâ.

inventor, imbentór, manlilikhâ.

inventory, n. imbentaryo.

invert, n. itaób, baligtarín, itiwarik.

invest, v. mamuhunan, pamuhunanan, maglagáy ng puhunan.

investigate, v. imbestigahán, magsiyasat, siyasatin.

investigation, n. imbestigasyón, pagsisiyasat.

investigator, n. imbestigadór, tagasiyasat.

investiture, n. imbestidura.

investment, n. pamumuhunan.

investor, n. mámumuhunan.

inveterate, adj. pinagkatandaán, pinag-ugatán, pinagkaugalián.

invigorate, v. magbigáy-lakás, bigyáng-lakás.

invigorant, n. pampalakás.

invigorating, adj. nakapagpápalakás.

invigoration, n. pagpapalakás.

inviolable, adj. di-malálabág.

invincible, adj. di-masupil, di-madaíg, di-mapasukò.

invisible, adj. imbisible, di-kita, di-mákita, di-nakikita.

invitation, n. anyaya, imbĭtasyón, paanyaya.

invite, v. imbitahán, anyayahan.

invocation, n. panawagan, imbokasyón.

involuntary, adj. di-kusà, di-sinasadyâ, di-sinadyâ.

involve, v. isama, ilakip, isangkót, idawit.

invulnerable, adj. di-tala-
bán, may-kabál.

inward, adj. paloób, papasók,
sa loób.

iodate, n. yodado.

iodide, n. yoduro.

iodine, n. yodo.

iodize, v. yodurahán.

iodoform, n. yodopormo.

ion, n. ión.

ionic, adj. ionikó.

ionium, n. ionyo.

ionize, v. ionisahán.

ionization, n. ionisasyon.

ionosphere, n. ionosperá.

ionosperic, adj. ionospériká,
(-ko).

iota, n. katitíng, kapurát,
muntíng tuldók.

ipecac, n. (Chem.) ipekakwa-
ná.

irascible, adj. magagalitín,
madalíng magalit.

irate, adj. galít, nagágalit.

ire, n. galit, pagkagalit.

iridescence, n. pangungulay
balangáw, nagbabalangáw.

iridescent, adj. nangúngu-
lay-balangáw, nagbabala-
ngáw.

iriduim, n. (Chem.) iridyo.

iris, n. iris, arkoiris, bala-
ngáw, bahagharì.

Irish, n. Irlandes (-sa).

irk, v. makayamót, makainíp.

irksome adj. nakayáyamót,
nakaíníp.

iron, n. bakal, yero. v. mama-
lantsa, mamirinsa.

irony, n. ironiya, panunuyâ,
tuyâ.

ironical, adj. balintunà.

irrational, adj. irasyonál, di-
makatwiran, walâ sa kat-
wiran.

irreconcilable, adj. irekonsil-
yable, mahirap mapagká-
sundô.

irrecoverable, adj. di-mabá-
bawì, mahirap mabawì.

irredeemable, adj. di-matu-
bós, mahirap matubós.

irrefutable, adj. di-mapabú-
bulaanan, di-mapasísinu-
ngalingan.

irregular, adj. iregulár, di-
ayon sa batás, di-ayon sa
tuntunin, di-likás, di-tu-
wíd, tiwalî.

irelevant, adj. di-kaugnáy,
waláng kaugnayán.

irreligious, adj. di-makareli-
hiyón, lapastangan.

irremediable, adj. di na ma-
lúlunasan, walâ nang lu-
nas.

irremoveable, adj. di-maalís,
di maáaring maalís.

irreparable, adj. ireparable.
di-mapagtátakpán.

irreplaceable, adj. di-mapa-
  litán, waláng máipápalít.
irepressible, adj. di-mapipi-
  gilan, di-masupíl.
irreproachable, adj. di-mapí-
  pintasán, waláng máipípin-
  tás.
irresistible, adj. di-mapag-
  labanan.
irresolute, adj. urong-sulong,
  bantulót.
irrespective of, di-kaalám
  ng, di-kaugnáy ng.
irresponsible, adj. irespon-
  sable, waláng pananágu-
  tan.
irresponsive, adj. waláng-tu-
  gón, di-tumútugón, di-ka-
  tugón.
irretrievable, adj. di-maba-
  bawì, waláng pagkabawì.
irreverent, adj. waláng-pí-
  tagan, lapastangan.
irreversible, adj. di máiba-
  baligtád.
irrevocable, adj. di-mababa-
  wì, di-matátalikdán.
irrigate, v. magpatubig, pa-
  tubigan, magsumpít, sum-
  pitín.
irrigable, adj. mapatútubi-
  gan.
irrigator, n. tagapagpatubig,
  irigadór, panumpít, pang-
  enema, labatiba.

irritable, adj. maínipin, ma-
  yámutin, magagalitín.
irritate, v. yamutín, inipín,
  galitin.
irritating, adj. nakayáyamót,
  nakagagalit.
irritation, n. iritasyón, pag-
  kayamót. pagkagalit.
irruption, n. pamumutók na
  paloób.
island, n. pulô.
isle, n. pulô.
islet, n. muntíng pulô.
ism, n. ismo.
isogloss, n. guhit hangga-
  nang-wikà, isoglosa.
isolate, v. ibukód, ihiwalay,
  ilayô.
isolation, n. pagbubukód,
  paghihiwalay.
isometric, adj. isométrikó.
isomorphous, adj. isomorpo.
issue, n. labas, paglabás,
  kinálabasán, bunga, tubò,
  isyu. v. tumulò, umagos,
  lumabás, magsuplíng, mag-
  bunga, ilathalà.
isthmus, n. tangwáy.
Italian, n. adj. Ïtalyano.
italic, adj. itáliká, bastardil-
  ya.
italicize, v. itálikahín.
itch, n. katí.
itch mite, n. kagaw.
itchy, adj. makatí.

item, n. aytem, detalye, sang-
káp, isáng balita, isáng
bagay.

itinerant, adj. pagalà, paga-
la-galà, palibut-libot.

itinerary, n. itineraryo, talá-
lakbayan.

its, pron. kaniyá (kanyá), ni-
yán, niyón.

ivory, n. garing.

ivy, n. yedra, lanot.

—J—

jab, v. sundutín, sapukín. n.
sapók, sundót.

jabber, v. sumatsát, dumal-
dál.

jack, n. diyák, gato, sota.

jacknapes, n. matsíng, ba-
rumbado.

jackass, n. buriko, utú-utô.

jacket, n. diyaket, tsaketa.

jackfruit, n. langkâ.

jacknife, n. lansetang tiklu-
pin, kortapluma.

jade, n. 'jade', batóng-ihada.

jaded, adj. patáng-patâ, gas-
tado, pumuról.

jagged, adj. uká-ukâ.

jai-alai, 'jay-alai'.

jail, n. karsel, piitán, bílang-
guan.

jalopy, n. lumang kotse.

jalousie, n. persiyana, diya-
losi.

jam, n. haleá, siksikan, v.
maniksík, siksikín.

jamboree, n. diyamborí.

janitor, n. diyánitór.

January, n. Enero.

Japanese, n./adj. Hapón, Ha-
ponés, (-sa).

jar, n. tapayan, bangâ, gu-
sì.

jar, v. kalugín, igaín.

jargon, n. wikang waláng
kawawaan.

jasmin, n. hasmin.

jaundice, n. ikterisya, pani-
niláw.

jaunt, v. magpalibut-libot,
magpagala-galà.

Javanese, n. adj. Habanés.

javelin, n. habelina, diya-
blin.

jaw, n. (Anat.) pangá.

jay, n. ibong europeo.

jazz, n. 'jazz', diyás.

jealous, adj. pánibughuin,
seloso, (-sa), panahilî.

jeans, n. diyins, dyín, jeans.

jeep, n. diyíp, dyíp, jeep.

jeer, v. mang-aglahì, aglahi-
in. n. aglahì, pang-aaglahì,
pag-aglahì.

Jehovah, n. Heobá.

jejunum, n. (Anat.) yeyuno gitnáng bitukang kaliitan.

jell, v. mamuô, magdiyeli.

jeopardize, v. isapinsalà, ipa-hamak, isapanganib, ipanganyaya.

jerk, n. balták, tangtáng. v. baltakín, tangtangín.

jersey, n. 'jersey'.

jest, n. sisté, birô.

Jesuit, n. Hesuwita.

Jesus, n. Hesús.

jet, n. asabatse, tilandóy, diyét, dyet. v. tumilandóy.

jetsam, n. lutang.

jettison, n. pagaáng-tapon. v. magpagaáng-tapon.

jetty, n. piyés, malekón, pantalán.

jewel, n. hiyás, alahas.

Jew, n. Hudyó.

Jezebel, n. babaing bisyosa.

jibe, v. magpagiwang-giwang, magkasundô, magka-ugmâ.

jiffy, n. sandalî, saglít.

jig, n. indák, sayáw na maindák.

jigger, n. kopita.

jilt, n. mánanakwíl (ng nobyo). v. magtakwíl (ng nobyo).

jimmy, n. maiklíng bareta.

jingle, v. kumalansíng, kumili-líng. n. kalansíng, kili-líng, tugmá-tugmâ.

jingo, n. hinggoista, polítikóng makadigmaan.

jinx, n. buwisit.

jitney, n. dyitne, dyipne.

jitters, n. nérbiyós, labis na pagkatakot.

job, n. trabaho, empleo, gáwain, tungkulin.

jockey, n. hinete.

jocose, adj. mabirô, palábi-rô, mapagbirô.

joggle, v. manikó, sikuhín.

join, v. idugtóng, pagdugtungín, pag-isahín.

joint, n. kasukasuán, pinagdugtungan. adj. pinagsama, pinagtambál.

joist, n. suleras.

joke, n. birò. v. magbirô mambirò, biruin.

joker, n. diyoker, taong mapagbirô.

jolly, adj. masayá, masiglá.

jolt, n. biglang kalóg, bigwás.

jostle, v. sumiksík, maniksík, manikó.

jot, n. punto, tuldók, katitíng. v. italâ, isulat.

journal, n. diyurnal, taláarawán.

journalism, n. peryodismo, pamamahayag, pámahayagan.

journalist, n. peryodista, mámamahayág.

journalize, v. italâ sa talá-
arawán.
journey, n. lakbáy, paglalak-
báy. v. maglakbáy.
joust, n. turneo. v. magtur-
neo, páligsahan.
Jove, n. Hupitér.
jovial, adj. masayá.
joviality, n. kasayahán.
joy, n. lugód.
joyful, joyous, adj. nalulu-
gód, malugód.
jubilant, adj. tuwáng-tuwâ,
galák na galák.
jubilation, n. hubilasyón.
pagkakatuwaan.
jubilee, hubileo.
Judaism, v. Hudaismo.
judge, n. hukóm, huwés. v.
hukumán, hatulan.
judicature, n. húkuman.
judicious, n. mabuting hu-
matol.
judo, n. dyudo, judo.
jug, n. pitsél, galong.
juggle, v. magsalamangká,
manlinlang.
juggler, n. salamangkero.
jugglery, n. pagsasalamang-
ká.
jugular, n. (Anat.) jugular
vein, bena sa leég.
juice, n. katás.
juicy, adj. makatás.
July, n. Hulyo.

jumble, v. paghalú-haluin,
paggulú-guluhín.
jumbo, adj. malakíng-malakí.
jump, v. lumuksó, tumalón,
lumundág, n. luksó, lun-
dág, talón, igpáw.
junction, n. pinagdugtungán,
pinaghugpungán.
June, n. Hunyo.
jungle, n. makapál na gubat.
junior, adj. diyunyor, anák,
batà, preparatorya.
junk, n. sampán, tapon, lu-
mà, basura.
junket, n. diyanket, paseo-
reál.
jurisdiction, n. hurisdiksi-
yón, sakop, násasakupan.
jurisprudence, n. hurispru-
dénsiyá.
jurist, n. hurista, huriskon-
sulto.
juror, n. hurado.
jury, n. sangguniang hura-
do, inampalan.
just, adj. makatárungan
just, adv. lamang, halos
justice, n. hustisya, kataru
ngan, mahistrado.
jut, v. umungós, umuslî.
jute, n. yute, kanyamó, lang
gotse.
juvenile, adj. batà, murà,
pambatà, pangkabataan. n.
batà.

juxtapose, v. pagtabihín, | tabí.
pagtabí-tabihín. | juxtaposition, n. pagkakáta-
juxtaposed, adj. pinagtabí- | bí-tabí.

—K—

kafir, kaffir, n. kapre. | khan, n. lakán.
kaleidoscope, n. kaleydósko- | kibitz, v. magkibits, makia-
pó. | lám.
kamikaze, n. kamikase. | kibitzer, n. kibitser, pakia-
kangaroo, n. kangguró. | lám.
kapok, n. kapók, buboy. | kick, n. sipà, sikad. v. mani-
karma, n. karma, tadhanà. | pà, sipain, manikad, sika-
katharsis, n. katarsis. | ran.
keel, n. kilya. v. kumilya, tu- | kickback, n. saulî, kikbak.
magilid. | kickup, n. guló.
keen, adj. matalas, mahapdî. | kid, n. anák ng kambíng, ba-
keep, v. ingatan, itagò, ili- | tà. v. tuksuhín, biruin.
ngíd. | kidnap, v. dukutin.
keg, n. munting bariles. | kidnapper, n. mandurukot.
ken, n. unawà, pagkatantô. | kidney, n. bató.
kennel, n. bahay-aso. | kill, v. pumatáy, patayín, ki-
kerchief, n. talukbóng, pan- | tilín, magpatáy.
yô, alampáy. | killer n. mámamatay.
kernel, n. butil, ubod, buód. | kill-joy, n. mámamatay-lu-
kettle, n. kaldero. | gód.
kerosene, n. pitrolyo, gas. | kiln, n. hurnô.
key, n. susì, liyabe. | kilo, n. kilo.
keyboard. n. tiklado. | kilocalorie, n. kilokaloriya.
keyhole, n. butas na susián. | kilocycle, n. kilosiklo.
keynote, n. símulaing bata- | kilogram n. kilógramó.
yán. | kiloliter, n. kilolitro.
keystone, n. klabe. | kilometer, n. kilómetró.
keyword, n. salitáng pinaka- | kilometric, adj. kilométrikó.
susì. | kiloton, n. sanlibong tonela-
khaki, n. kaki. | da.

kilowatt, n. kilobatiyo, kilo-
wat.

kilowatt-hour, n. kilobatiyo-
ora, kilowat-ora.

kilt, n. enagwilyas.

kin, n. kamag-anak, hinlóg.

kinship, n. pagka-kamag-
anak.

kindred, n. kaanak.

kinfolks, n. hinlóg.

kind, n. urì, tipo, mapagpa-
là, mabaít.

kindergarten, n. kindergar-
ten.

kindle, n. magpaningas, pa-
pagningasin, sindihán.

king, n. harì.

kingdom, n. kaharian.

kingly, adj. makaharì.

kingship, n. pagkaharì.

kingfisher, n. peskadór, lum-
bás.

kink, n. pilipít, sulupot, ku-
lót, kulubót.

kinky, adj. kulót.

kiosk, n. kiyosko, kuból.

kismet, n. tadhanà.

kiss, n. halík. v. humalík, ha-
likán, hagkán.

kit, n. huwego, lote, kit.

kitchen, n. kusinà.

kitchenware, adj. kagami-
táng pangkusinà.

kitten, n. kutíng.

kleptomania, n. kleptománi-
yá, makatíng-kamáy.

knack, n. kasanayán, kabi-
hasnán, galíng.

knapsack, n. alporhas, kabal-
yás.

knave, n. taong-barumbado,
saramulyó, sota.

knavery, n. kabarumbaduhan.

knavish, adj. barumbado.

knead, v. magmasa, masahin.

knee, n. tuhod.

kneel, v. lumuhód.

knell, n. agunyás.

knickers, n. nikers.

knicknack, n. kalukatì.

knife, n. kutsilyo.

knight, n. kabalyero.

knit, n. maglala, lalahin,
magniting, maggantsilyo.

knob, n. bukong, hawakán.
puluhán.

knock, v. kumatók, tumuk-
tók.

knockabout, v. maglagalág.

knock-knee, adj. pikî.

knockout, n. nak-aut, lugpô.
tumbá.

knoll, n. muntíng gulód.

knot, n. buhól, hirap, bukó,
talì.

know, v. málaman, mákilala,
kilalanin, máunawaan.

knuckle, n. bukó ng dalirì.

knurl, n. nudo, matá ng ka-
hoy, bukó ng kahoy.

kodak, n. kodak, kámerá.

komintern, n. komintern.

Koran, n. Koran, Kurán.
Korean, n. Koreano.
kowtow, v. yumukód.

kudos, n. papuri.
kyrie eleison, n. Poón, kaawaan mo kamí.

—L—

label, n. etiketa. v. etíkitahan, lagyán ng etiketa.
labial, adj. labyál.
labor, n. paggawâ, trabaho, gáwain, panganganák, pagdaramdám bago manganák, v. gumawâ, magtrabaho, magdamdám bago manganák.
laboratory, n. laboratoryo.
laborer, n. manggagawà.
laborious, adj. mahirap gawín
labyrinth, n. labirinto, daang salimuót.
lace, n. puntás, tiras, engkahe, sintás.
lacerate, v. pilasin, punitin, munglayín.
laceration, n. laserasyón.
lachrymal, adj. panluhà, hinggíl, sa luhà, lakrimál.
lachrymal glands, n. glanduláng lakrimál, glándulá ng luhà.
lack, v. magkulang, kulangin, mangailangan, kailanganin, mawalán. n. kulang, kakulangán, pangangailangan.

lackadaisical, adj. matamláy, namámangláw.
lackey, n. alilà, utusán.
lackluster, n. lamlám, labò.
laconic, n. lakónikó, matipíd sa salitâ, maigsî at malamán.
lacquer, n. laka, barnís, laker.
lactary, lacteal, adj. lakteó.
lactate, n. laktato.
lactation, n. laktasyón, pagtulò ng gatas, paggibík.
lacteous, adj. parang gatas, malagatas.
lactescence, n. pagmamalagatas.
lactescent, adj. malagatas.
lactose, n. laktosa.
lactoscope, n. laktoskopyo.
lacuna, n. lakuna, puwáng, huyo.
lad, n. binatilyo, bagong-tao.
laden, adj. maykargá, maylulan, maypasan.
ladle, n. kutsarón, sandók,
lady, n. ginang, sinyora.
ladyfighter, n. bruas.
ladykiller, n. palikero.
lag, v. máhulí, magtagál,

lager beer, n. serbesang lager.

lagard, adj. mabagal, mahinà, mapag-aligandó.

lagoon, n. lanaw, lawà.

lair, n. páhingahan, tulugán, kubíl.

laity, n. mga lego.

lake, n. lawà, dagatan.

lam, v. lumayas, tumakas.

lamb, n. kordero, anák ng tupa.

lambaste, v. tuligsaín, atakihin.

lambent adj. paandáp-andáp, malamlám, mapungay.

lame, adj. piláy, tumítikód. v. mapilay, mapilayan, pilayan, malumpó, lumpuhín.

lament, v. ikalungkót, ipamighatî, ipagdalamhatì.

lamentation, n. taghóy, daíng.

lamina, n. láminá.

laminate, v. láminahín, láminahán.

laminated, adj. laminado, niláminá, niláminahán.

lamination, n. laminasyón, paglalaminá.

lamp, n. ilawán, lámpará.

lampoon, n. tuligsâ. v. manuligsâ, tuligsaín.

lanai, n. lanay, ebranda, asotea.

lanate, adj. buhukán.

lance, n. lansa, sibát.

lanceolate, adj. (Bot.) hugissibát.

lancinate, v. sibatín.

lancet, n. lanseta, laseta.

land n. lupà, lupaín, bansâ. bayan. v. sumadsád, lumunsád, bumabâ, lumapág, dumuóng, (Colloq.) manalo.

lane, n. landás, daanán, ruta.

language, n. wikà, lengguwahe, pahayag, pananalitâ.

languid, adj. mahinà, matamláy.

lanky, adj. mahagwáy.

lanoline, n. lanolina.

lantern, n. paról.

lap, n. kalungan, kandungan. sinápupunan. v. humimod, himurin.

lapidary, n. lapidaryo.

lapse, n. lapso, pagkakámalî

larceny, n. urto, pagnanakaw.

lard, n. mantika.

larder, n. paminggalan.

larce, adj. malakí, malawak.

largo, n. largo.

lariat, n. reata.

larithmics, n. larítmiká.

larithmic, adj. larítmikó.

larithmicist, laritmisista.

lark, n. lángaylangayan.

larva, n. larba.

larvicide, n. pamatáy-larba.

larval, adj. panlarba.

larynx, n. lalamunan.

laryngeal, adj. panlalamunan.

laryngitis, n. laringhitis.

laryngology, n. laringgolohiya.

laryngologist, n. laringgólogó.

laryngoscope, n. laringgoskopyo.

laryngotomy, n. laringgotomiya.

lascivous, adj. mahalay, malibog.

lash, v. hagupít, hagupitín, látiguhín, ihagupít, ilátigo.

lass, n. binibini, dalagita.

lassitude, n. kapagalán, kapaguran.

lasso, n. silò, reata, v. siluin.

last, n. hulmahan, adj. hulí, káhulí-hulihan, wakás. v. magtagál, magpatuloy.

latch, n. trangká, trangkilya, aldaba. v. itrangká, trangkahan, ialdaba, aldabahan.

late, adj. hulí, atrasado, be late, máhulí, the late grandfather, ang nasirang lolo.

latent, adj. latente, di-kita,

nakatigil, nakabitin.

lateral, adj. laterál, patagilíd.

lath, n. listong kahoy.

lathe, n. torno, lilukan, lalikan.

lather, n. bulâ ng sabón.

Latin, n. Latín.

latitude, n. latitúd.

latria, n. latriá.

latrine, n. latrina, pálikuran.

laud, v. purihin, dakilain.

laudable, adj. kapuri-puri.

laudation, n. pagbibigáypuri.

laudatory, adj. nagbíbigaypuri.

laudanum, n. laudanó.

laugh, v. tumawa. n. tawa.

laughingstock, n. tampulan ng tawa.

laughter, n. tawa, pagtatawá.

launch, n. lantsa. v. ibunsód, ibuyó, maglansá, lumansá.

launder, v. maglabá, labhán.

launderer, n. maglalaba.

laundress, n. labandera.

laundry, n. labanderiya.

laundryman, n. labandero.

laureate, adj. laureado.

laurel, n. (Bot.) laurél.

lava, n. laba, kumúkulóng putik.

lavaliere, n. kuwintás labalyér.

lavatory, n. hugasán, lababo.

lave, v. maghugas. hugasan, maligò.

lavander, n. labanda.

lavish, adj. saganà, damákdamák. v. buntunán.

law, n. batás, tuntunin. reglamento.

law abiding, adj. masúnurin sa batás.

lawful, adj. legál.

lawgiver, n. mambabatas.

lawless, adj. waláng kiníkilalang batás.

lawsuit, n. pleyto, litigasyón.

lawyer, n. abogado.

lawn, n. damuhán.

lax, adj. maluwág, di-mahigpít, pabayà.

laxative, n. adj. pampaluwág, laksatiba.

laxity, n. kaluwagán, kapabayaán.

lay, n. awit, himig. adj. lego, sekulár. v. ilagáy.

layer, n. mángingitlóg.

layman, n. lego, layko.

lazar, n. leproso, kétungin.

lazareto, n. lazareto.

lazy, adj. tamád, batugan.

laziness, n. katámaran.

lazybone, n. taong-matámarin.

lea, n. damuhán. pastulan.

lead, n. tinggâ, regleta, punglô, ulong-talatà.

lead, v. akayin, ihatíd, ituntón, turuan, pangunahan, mamunò, pamunuan, n. pagsakáy, pagtuntón, pagtuturò, pangunguna, pamumunò, unang talatà, pángunahíng papél.

leaden, adj. may pabigát, namímigát.

leaden-heart, adj. may pusong namimigát.

leaden-skulled, adj. tangá.

lead in, n. kawad na papasók.

leading, adj. nangúnguna, pángunahín.

leaf, n. dahon.

leaflet, n. uhilya.

league, n. liga, kompederasyón.

leak, n. tulò, kayat, tagas, pagkabunyág, singáw.

lean, adj. payát, butuhán, balingkinitan.

lean, v. sumandál, sumandíg humilig, kumiling.

leap, v. lumundág. lumuksó.

leap downward, tumalón.

leapfrog, n. biyola.

leap, year, n. taóng bisyesto.

learn, v. mátuto, mátutuhan, máunawaan, mabatíd, mátuklasán.

learned, adj. marunong.

learner, n. mag-aarál.

learning, n. dunong, alám.

lease, v. paupahan, ipaarendá, upahan, arendahín.

leash, n. talì. v. talian, it`alì.

least, adj. pinakamaliít, pinakamuntî, pinakamunsík. **at least,** sana man lamang.

leather, n. kuwero, katad.

leave, v. mag-iwan, iwan, íwanan, makaiwan, pabayaan.

leaven n. lebadura, paalsá.

lectern, n. atríl.

lecture, n. panayam, panayám. v. magpanayam, pagunitaán.

lecturer, n. tagapanayam.

ledge, n. tangwá, bingit.

ledger, n. libro-mayór, ledyer.

lee, n. latak.

leech, n. lintâ, manghuhuthót.

leer, v. tuminging pasulimpát. n. tingíng pasulimpát.

leeway, n. luwág.

left, adj. kaliwâ, n. ang kaliwâ.

left-handed, n. kaliwete.

leftist, n. iskiyerdista.

leg, n. bintî, pata.

legacy, n. erénsiyá, pamana.

legal, adj. legál, ayon sa batás.

legality, n. legalidád, pagkalegál.

legalize, n. legalisahín, gawíng legál.

legate, n. legado, sugò, embahadór.

legation, n. pásuguan.

legato, n. legato, ligado.

legend, n. alamát, leyenda.

legible, adj. nababasa.

legion, n. lehiyón, hukbó, maraming tao.

legislate, v. magbatás gumawá ng batás.

legislation, n. lehislasyón, pagbabatás, paggawâ ng batás.

legislative, adj. pampagbabatás, lehislatibo.

legislator, n. lehisladór, mambabatas.

legislature, n. lehislatura, bátasan.

legitimate, adj. lehítimó, tunay, ayon sa batás.

legitimacy, n. pagka-lehítimó.

legume, n. legumbre.

leguminous, adj. (Bot.) leguminoso.

leisure, n. oras na malayà, luwág ng panahón, ginhawa.

lemon, n. (Bot.) limón.

lemonade, n. limunada.

lend, v. magpahirám, ipahirám, pahiramín, magpautang, pautangin, magbigáy.

length, n. habà, kahabaan, tagál.

lengthen, v. pahabain.

lengthiness, n. kahabaan.

lengthwise, adv. sa pahabâ.

lengthy, adj. napakahabà.

lenient, adj. nakapagpápalambót, nakapagpápaginhawa, malambót, maawaín, di-mahigpít.

lens, n. lente.

lent, n. kuwaresma.

lenticel, n. (Bot.) lentehuwela.

lentil, n. (Bot.) lenteha.

leo, n. leo, león.

leopard, n. leopardo.

leper, n. leproso, ketungin.

leprosarium, n. leprosaryo.

leprosy, n. lepra, ketong.

leprous, adj. may lepra, may ketong.

lepidopteron, n. lepidopterón.

lepidoptera, n. lepidopterá.

lepidopterous, adj. lepidoptero.

lesion, n. lesyón.

less, adj. maliít, kakauntî, mababà, di-gaanó.

lessee, n. ang nangungupahan, ingkilino.

lessen, v. pauntiín, bawasan.

lesson, n. liksiyón, aral, aralín.

lessor, n. ang maypaupa.

lest, conj. bakâ, at bakâ.

let, v. tulutan, pahintulutan, bayaan, hayaan, payagan.

lethal, adj. letál, patál, nakamámatáy.

lethargy, n. himbing, kahimbingán, kawaláng-bahalà, kawaláng-galaw.

letter, n. titik, letra, liham, sulat, kalatás.

lettuce, n. (Bot.) letsugas.

leucocyte, n. leukosito, **white corpuscles,** korpúskulong putî.

leucocytis, n. leukositis, pagdami ng leukosito.

lecoderma, n. leukoderma, labis na pamumutî ng balát.

leocoma, n. leukoma, pamumutî ng busilig.

leukemia, n. labis na putíng dugô.

levee, n. pilapil, saplád, tambák.

level, n. taás, patág, kapatagan, kapantayán, nibél. **adj.** patag, pantáy. **v.** patagin, pantayín, ipantáy.

leveler, n. pamatag.

level-headed, adj. matalinong magpasiyá.

lever, n. pansuít, palangka, pinggá.
levitation, n. lebitasyón, paglutang sa hangin.
levitate, v. palutangin sa hangin.
levity, n. kagaanán, pagka-masayahin.
levy, n. pataw, impuwesto. v. patawan, lagyán ng impuwesto.
lewd, adj. malibog, mahalay.
lewdness, n. kalibugan, kahalayan.
lexical, adj. leksikál, panalitâ, pantalásalitaan.
lexicographer, n. leksikógrapó, diksiyunarista.
lexicography, n. leksikograpiya.
lexicon, n. leksikón, diksiyunaryo, taláhuluganan.
liability, n. kapanágutan, obligasyón, utang.
liable, adj. obligado, sápilitan, nanánagót, nangánganib.
liaison, n. liayson, ugnayan, álunyaan.
liar, n. taong sinungaling, sinungaling.
libation, n. buhos, libasyón.
libel, n. libelo, paninirangpuri.
libelous, adj. libeloso.
liberal, adj. liberál.

liberal, adj. liberál, may magandáng kalooban, bukáskamáy, bukás-isip, malayà.
liberal arts, artes liberales, malalayang sining.
liberty, n. libertád, independénsiyá, kasarinlán.
liberate, v. palayain, bigyáng kalayaán.
liberation, n. liberasyón.
liberator, n. libertadór, tagapagpalayà.
libido, n. libido, kalibugan, libog.
libidinal, adj. pangkalibugan.
libidinousness, n. pagka-malibog.
libra, n. libra, timbangan, libra.
library, n. aklatan, biblioteka.
librarian, n. bibliotekaryo (-ya) laybraryan.
librettist, n. libretista.
libretto, n. libreto.
lice, n. mga kuto.
licence, n. lisénsiyá. v. bigyáng, lisénsiyá, lisénsiyahán.
licentiate, adj. lisénsiyado.
licentious, adj. waláng tarós, labis na pagkalayâ.
lichee, n. litsiyas.
lichen, n. liken, lumot.

lick, v. dilaan, himurin. (Colloq.) talunin, daigín.

licorice, n. regalís.

lid, n. takip, panakíp, saklób, panaklób.

lie, n. kasinungalingan. v. magsinungaling.

lie, v. humigâ, mahigâ.

lien, n. grabamen.

lieu, n. halíp.

life, n. buhay, pamumuhay, kabuhayan.

lift, v. itaás, buhatin, iangát, angatin, n. asensór, pagtaás, pagbuhat, pag-angát, tulong.

ligament, n. ligamento, balambán.

ligature, n. ligadura, pangangkóp.

light, adj. magaán, di-mahigpít, di-mariín.

lightweight, n. timbáng na magaán. (127-135 lbs.)

light, n. liwanag, ilaw. v. magsindí, sindihán ilawan buhayin, pasiglahín.

lightning, n. iluminasyón, pag-iilaw.

lightning, n. kidlát.

like, adj. katulad, magkatulad, pareho, magkapareho. prep. parang, animo'y. conj. gaya ng, tulad ng.

like, v. máibigan, mágustuhán.

likehood, n. pagka-maáaring mangyari.

lilac, n. lila.

lilliputian, adj./n. liliputyense, enano.

lilt, n. indayog, indák.

lilty, adj. maindayog, mataldík.

lily, n. (Bot.) liryo, asusena.

lima bean, n. (Bot.) patanì.

limb, n. sangá, bisig, paá.

limber, adj. madalíng mahutok, sunud-sunuran.

limbo, n. limbo.

lime, n. apog.

limelight, n. kalantarán sa bayan.

limerick, n. maigsíng tulángpampatawa.

limestone, n. batóng apog.

limewater, n. agua-de-kal.

limit, n. hangganan, patuto, abot, sakláw, v. magtakdâ, takdaán, itakdâ.

limn, v. ilarawan, iguhit, iukit.

limousine, n. limosina.

limp, adj. malatâ, mahinà, mahunâ. v. tumikód.

limpid, adj. malinaw.

line, n. guhit, línéa, raya, kawad, hanay, v. guhitan, ihanay, humanay.

lineage, n. linahe, angkán.

lineament, n. pagmumukhâ, hugis ng mukhâ.

linen, n. linen, linso.

linger, v. magpatagál-tagál, magtagál, magluwát.

lingerie, n. 'lingerie'.

linguistics, n: lingguwístiká.

linguist, n. dalubwikà, lingguwista.

linguistic, adj. lingguwistikál.

liniment, n. linimento, panghaplás.

link, n. kawíng, kaugnayan, hugpóng. **v.** pagkawíngkawingín, pagdugtúng-dugtungín, iugnáy.

linoleum, n. linolyum.

linotype, n. linotipya.

linseed, n. (Bot.) lingá, linasa.

lint, n. lamuymóy.

lintel, n. (Arch.) lintel, ·katel, katangán.

lion, n. (Zool.) león, liyón.

lip, n. labì, gilid.

liquate, v. lusawin, tunawin.

liquid, n. líkidó, **adj.** lusáw, tunáw, líkidó.

liquefacient, adj. pampalíkidó.

liquefy, v. lusawin, tunawin.

liquescent, adj. nalulusaw, natutunaw.

liquidate, v. likidahín.

liquidation, n. likidasyón.

liquidity, n. kalíkiduhán.

liquor, n. likór, alak.

lisip, v. mautál, mag-utál, magaríl.

lissome, adj. maliksí, may magaáng katawán.

list, n. listahan, talaan, listá. talâ. v. ilistá, italâ.

listen, v. makiníg, dinggín, pakinggán, manainga.

listless, adj. waláng siglá, waláng bahalà.

litany, n. letaniya.

liter, n. litro.

literacy, n. pagkamarunong bumasa at sumulat.

literal, adj. literál, likás, karaniwan, tunay.

literature, n. literatura, pánitikán.

literary, adj. pampanitikan.

litharge, n. (Chem.) literhiryo.

lithe, adj. may malambót na katawán.

lithograph, n. limbág na litograpiya.

lithographer, n. litógrapó.

lithography, n. litograpiya.

lithoid, adj. malabató, parang bató.

litigant, n. litigante.

litigate, v. maglitis.

litigation, n. litigasyón.

litigatious, adj. mapaglitis.

litmus, n. litmus, turnasól.

litter, n. kamilya, kalat, sukal.

little, adj. maliít, muntî, kauntî.

littoral, n. litorál, tabíng-dagat, baybayin.

liturgy, n. líturhiyá, rito, ritwál.

live, v. mabuhay, manatiling buháy, tumirá, manirahan, magdanas.

live, adj. buháy, nag-aapóy, nagbábaga.

lively, adj. masiglá.

livestock, n. hayupan.

liver, n. (Anat.) atáy.

livid, adj. pasâ, putlángabó.

lizard, n. lagarto, garbage lizard, himbubuli, house lizard, butikî, river lizard, bayawak, gecko, tukô.

load, n. dalá, dálahin, lulan, kargá, sunong, pasán. v. maglulan, lulanan, magkargá, kargahán.

loaf, v. mag-aligandó, magansikót, magbulakból, magbagabundo.

loafer, n. haragán, bulakbulero.

loan, n. pagpapahirám, pahiram, pautang, pagpapautang.

loanword, n. salitáng hirám.

loath, adj. di-nagkákagustó, ayaw.

loathe, v. mandiri, pandirihan, kamuhián, mamuhî.

loathful, adj. kaaní-aní.

loathing, n. pagkaaní.

lobe, n. lóbuló.

lobule, n. lobulilyo.

lobby, n. bestíbuló, lobi. v. maglobi.

lobbyism, n. panlolobi.

lobbyist, n. manlolobi.

lobster, n. uláng.

local, adj. lokál.

locale, n. poók.

locate, v. bigyáng-poók, ilagáy sa isáng poók, hanapin kung násaán.

location, n. poók, lugár, lunán.

locative, adj. lokatibo, panlunán.

locator, n. panghanap-poók.

lock, n. susian, kandado, seradura, v. susian, isusì, kandaduhan, ikandado.

locker, n. aparadór, "locker", laker.

locket, n. kuwardapelo, laket.

lockjaw, n. tétanó, tetano sa pangá.

locknut, n. tuwerkang pamigil.

lockout, n. pagsasará ng pabriká.

locksmith, n. pandáy-kabán.

lockstop, n. martsang gipít.

lockstitch, n. buhól sa tahî.

lockup, n. bílangguan.

locomotion, n. lokomosyón, galáw na pasulíng.

locomotive, adj. nakagágalaw, nakakíkilos. n. lokomotora, lokomobil, mákiná ng tren.

locomotor, adj. lokomotór, lokomotrís.

locust, n. balang, luktón.

lode, n. pilón.

lodestar, n. talang patnúbayan.

lodge, n. lohiya, bahay-páhingahan, kabanya. v. tumulóy, manuluyan, tumirá, manirahan, tumigil, tumahán, maglagak, ilagak.

loft, n. itaás ng kísamé.

lofter, n. (Golf) pantayog, pampatayog.

lofty, adj. matayog.

log, n. troso, kalap, koredera, talâ.

logarithm, n. logaritmo.

loge, n. logya.

loggerhead, n. ulong mapuról, baras na may dulong bola.

logic, n. lóhiká.

logical, adj. lohikál, makatwiran, may katwiran.

logician, n. lóhikó.

logistics, (Mil.) pag-aayáwayáw ng mga tropa.

logogram, n. logogram, sagisag ng salitâ, daglát.

logos, n. berbo, símulaing rasyonál ng sinukuban.

loin, n. lomo, balakáng, pigí

loincloth, n. bahág.

loiter, v. mag-aligandó.

loli, v. humilatà, magpahiláhilatà.

lollipop, n. lólipáp.

lone, adj. nag-íisá, kaisá-isá, waláng kasama.

lonely, adj. nag-íisá, nalúlumbáy.

lonesome, adj. nalúlungkót.

long, adj. mahabà, matagál, nakaíiníp. v. pitahin. masabík, kauhawán.

longanimity, n. pagka-matiyagá.

longhand, n. sulat-kamáy.

longitude, n. (length: habà, kahabaan,) (in arc: antás ng longhitúd) (in time: antas at minutong longhitúd.)

look, v. tumingín, tingnán, mákita.

loom, n. habihán.

loom, v. lumitáw, sumipót, bumadhâ.

loon, n. lukú-lukó.

loop, n. likô, bilog, silò, ikot.

loose, adj. maluwág, tanggal, kalág, alpás, malayà, buhaghág. **v.** paluwagán, luwagán, kalagín, kalagan, alpasán, palayain.

loot, v. mandambóng, **n.** botín, pinagdambungán.

looter, n. mandarambóng.

looting, n. pandarambóng.

lop, v. putulin, magtabás, tabasín, lumuylóy.

lop-eared, adj. may taingang luylóy.

lopsided, adj. kilíng, tagilíd.

lope, n. paso, marahang kabíg.

loquacity, adj. katabilán.

loquacious, adj. matabíl.

lord, n. poón, panginoón.

lordly, adj. matayog.

lore, n. karunungan, kaalaman.

lose, v. mawalâ, mawalán, málagwín.

loss, n. pagkawalâ.

lot, n. kapalaran, lote, kalahatan, surtido.

lotion, n. losyón.

lotus, n. loto.

lottery, n. loteriya.

loud, adj. malakás, maingay, matunóg.

lounge, v. magpahigá-higâ. **n.** páhingahan.

louse, n. kuto.

lousy, adj. nakasusuyà, nakayáyamót.

lout, n. taong katawá-tawá.

louver, n. tehadilyos, persiyana.

love, n. pag-ibig. **v.** umibig.

low, n. ungâ.

lowbrow, adj. may mababang panlasa.

lowland, n. lambák.

loyal, adj. tapát.

loyalty, n. katapatán.

lubricant, adj. lubrikante, pampadulás.

lubricate, n. lubrikahán.

lubrication, n. lubrikasyón.

lubricator, n. lubrikadór.

lubricity, n. lubrisidád.

lucent, adj. maningníng, maliwanag, matinô, madalíng máunawaan.

Lucifer, n. Lusiper.

luck, n. suwerte, kapalaran.

lucrative, adj. lukratibo, may malakíng pakikinabangin.

ludicrous, adj. katawá-tawá, nakakátawá.

lug, v. dalhín, kaladkarín, hilahin.

luggage, n. bagahe, dalá-dalahan, kargada.

lugubrious, adj. mapangláw.

lukewarm, adj. malahiningá.

lull, v. ipaghele, aluin.

lullaby, n. awit na pang-alò, oyayi.

lumbago, n. lumbago, reuma sa balakáng.

lumber, n. tablá, kahoy.

lumen, n. lumen.

luminary, n. ilaw.

luminous, adj. nag-iilaw, nag-bibigáy-liwanag.

lump, n. kimpál, masa, bukol.

lunch, luncheon, n. tanghalian.

lung, n. bagà, pulmón.

lunge, v. biglâng-isulót, dumaluhong.

lurch, v. gumiwang, tumagilid.

lure, v. akitin, hibuin, rahuyuin. **n.** pangatî, pain.

lurid, adj. barák, namámarak, nakasísindák.

lurk, v. mang-abát, abatán, magtagò.

luscious, adj. malinamnám, masaráp.

lush, adj. malagô, malabay, saganà, mariwasâ.

lust, n. pananabik, magtamasa, kasabikán.

lustful, adj. malibog, mahalay.

lustfulness, n. kalibugan, kahalayan.

luster, n. kintáb, kináng, kisláp.

lusty, adj. masiglá, buháy na buháy, malakás, matapang.

lute, n. (Mus.) laúd.

luxe, de luxe, uring makisig, uring pamustura.

luxuriant, adj. madahon, malabay, malagô, masaganà.

luxuriate, v. mamuhay nang marangyâ, magpakalayaw.

luxurious, adj. marangyâ, mariwasâ.

luxury, n. karangyaán.

lycanthrope, n. (Folklore) aswáng.

lycanthropy, n. pagigíng aswáng.

lyceum n. liseo.

lycopodium, n. likopodyo.

lye, n. lihiya.

lymph, n. limpa.

lymphadenitis, n. limpadenitis.

lymhatic gland, n. glánduláng limpátiká.

lynch, v. manlintsá, lintsahín.

lynx, n. (zool.) linse.

lyre, n. lira.

lyric, adj. líriká, lirikál.

lysol, n. lisól.

—M—

ma, n. ináy, ináng, mamá, mamí.

ma'am, n. gining.

macabre, adj. makabre, nakapanghíhilakbót.

macadam, n. makadam.

macaroni, n. makaroni.

(McCoy), the real McCoy (U.S. Slang): ang tunay.

mace, n. masa.

macerate, v. maserahin, ibabad.

maceration, n. maserasyón, binabad.

macerator, n. maseradór, tagababad.

machete, n. matsete, gulok, pantabás.

Machiavellian, n. Makyabelista. adj. Makyabélikó.

machine, n. mákiná.

machinery, n. makinarya.

mackerel, n. isdáng kabalya.

mackintosh, n. kapote.

macro, pref. mahabà, matagál.

macrobian, adj. makrobyano.

macrobiosis, n. tagál ng buhay, habà ng buhay.

macrobiotics, n. makrobyótiká.

macrocosm, n. makrokosmo.

macroscopic, adj. makroskópiká.

macron, n. makron.

mad, adj. ulól, loko, halíng, naháhalíng.

madcap, n. adj. pugoso, pugosa.

madden, v. galitin, hibangín.

maddening, adj. nakahíhibáng, nakagágalit.

madding, adj. nagágalit, nahíhibáng.

madhouse, n. manĩkomyo, bahay na maguló.

madness, n. kahibangán, pagkaloko, pagkaloka.

madman, n. loko, loka.

madam, n. sinyora, madam.

madeira, n. alak madeira.

made-up, adj. kinathâ, artipisyál, pinintahán.

madonna, n. madona.

madrigal, n. madrigál, awit pastorál.

magazine, n. mágasín.

magi, n. mago, taong marunong.

magic, n. máhiyá, adj. máhiká.

magician, n. mago, madyisyan.

magistrate, n. mahistrado.

magna charta, n. karta magna.

magnanimous, adj. marangál, matayog, may dakilang isip.

magnate, n. magnate.

magnesium, n. magnesyo.

magnet, n. batubalanì, balanì.

magnetic, adj. magnétikó, kaakit-akit.

magnetism, n. magnetismo.

magnetite, n. magnetita.

magnetize, v. magnetisahán, balanian.
magnificence, n. karingalán, kadakilaan, karilagán.
magnificent, adj. maringál, dakilà, marilág.
magnify, v. palakhín, lakhán.
magnifier, n. pampalakí, ampliadór.
magnolia, n. (Bot.) magnol-ya.
maguey, n. (Bot.) magéy.
maharajah, n. maharabá.
maharani, n. maharahá.
mahatma, n. mahatma.
mah-jong, n. madyóng
mahogany, n. kamagóng.
maid, n. dalaga, birhen, mut-satsa.
maiden, n. see maid.
maidenhead, n. kadalagahan, kabirhinan.
maidenly, adj. mahinay, ma-hinhín.
maiden name, pangalan no-ong dalaga pa.
maiden speech, unang ta-lumpatì.
maiden voyage, unang lak-báy.
maid of honor, dama, abay.
mail, n. baluting kawíng-ka-wíng.
mail, n. koreo, lingkurang postál.
mail box, n. busón.

mail carrier, n. kartero.
mailman, n. kartero. koreo.
mail order house, n. bilihan sa koreo.
main, n. daluyang prinsipál, bahaging prinsipál, lakás, kalawakan, karagatan.
mainland, n. lupalop, lupa-íng prinsipál.
mainstay, n. tukod na prinsi-pál.
maintain, v. magpatuloy, ipagpatuloy, pagpatu-luyan, papanatilihin, ala-gaan, panindigán, mantini-hín, tustusán.
maintenance, n. pagpapatu-loy, taguyod, tangkilik, pagtatanggól, sustento, tustós.
maize, n. (Bot.) maís.
majesty, n. mahestád, kada-kilaán, kamáhalan.
majestic, adj. mahestuwoso.
major, n. komandante, adj. mayór.
majordomo, n. mayordomo, sakristán mayór, mayór.
majority, n. mayoriya, ang nakárárami.
majuscule, n. mayúskula, malaking titik.
make, v. gumawâ, gawín magbuô, buuín, gumanáp, ganapín, gampanán, mag-

yarì, yariin.

make-believe, n. pagkukun-warî.

makeshift, adj. pansamanta-lá, takíp-butas.

maladjustment, n. pagka-di-ahustado.

maladministration, n. masa-máng pangangasiwà.

maladroit, adj. kaláy.

malady, n. sakít.

malaise, n. pagka-di-mápa-kalí.

malaria, n. malarya.

malcontent, adj. di-nasísiya-hán, di-kontento.

male, adj. lalaki.

malediction, n. maldisyón, sumpâ.

malefaction, n. pananampa-lasan.

malevolence, n. masamáng kaloobán.

malfeasance n. katiwalián.

malformation, n. tawisî, ma-samáng pagkakábuô.

malice, n. malisya.

malicious, adj. malisyoso, mapaghangád ng masamâ.

malign, v. manirang-puri, si-raang-puri, alipustaín.

malignant, adj. makasásakít, makapípinsalà, malubhâ, makamámatáy.

malignity, n. kalubhaán, pag-ka-makamámatáy.

malinger, v. magsakít-sakí-tan.

mallard, n. patong labuyò.

malleable, adj. pitpitin, ma-pipitpít, mahuhubog, hú-bugin.

malleability, n. pagka-pitpi-tin.

malleolus, n. bukungbukong.

mallet, n. maso, maseta, mal-yete.

malleus, n. martilyo ng ta-inga.

mallow, n. malbas, kulútku-tan.

mallow rose, n. malborosa.

malnutrition, n. nutrisyóng di-wastô.

malodor, n. masamáng amóy, antót, banᵗót.

malposition n. posisyóng di-wastô, katayuang di-wastô.

malpractice, n. di-wastóng gawî, masamang gawî.

malt, n. malta.

maltreat, v. mang-apí, api-hín.

maltreatment, n. pag-apí, pang-aapí.

malversation, n. malbersas-yón, paninirà ng salapì.

mamma, n. ináy, ináng.

mammal, n. mánunuso, ma-míperó.

mammiferous, adj. mamípe-ró, maysuso.

mammilla, n. utóng.

mammon, n. mamon, diwà ng kasakimán, bisirong gintô.

mammoth, n. mamut, dambuhalà.

man, n. tao, lalaki, sangkatauhán, esposo, tauhan. v. tauhan, patauhan, lagyén ng tao.

manacle, n. posas. v. posasan.

mandamus, n. mandamus.

Mandarin, n. Mandarín.

mandate, n. mandato, utos.

mandatory, adj. sápilitán.

mandible, n. pangá.

mandolin, n. bandolín.

mane, n. (Of horse) kilíng.

maneuver, n. mániobra.

manganese, n. mangganeso.

mange, n. dusdós.

mange mite, n. pulgás.

manger, n. sabsaban.

mangle, n. hiwagín, durugin, munglayín, salantaín.

mango, n. manggá.

mangosteen, n. manggustán.

mangy, adj. dusdusin.

mania, n. kahibangán, maniya.

maniac, adj. lunátiko, loko, lukú-lukó.

manicure, n. mánikyúr.

manifest, adj. halatâ, kita. v. ipakita.

manifestation, n. manipes-

tasyón, pakita.

manifesto, n. manipesto, pahayag sa madlá.

manifold, adj. marami't ibáibá.

manikin, n. manikí.

Manila, n. Maynilà.

manioc, n. kamoteng-kahoy.

manipulate, v. kamayín, manipulahín, pamahalaan.

manito, n. anito.

mankind, n. sangkatauhan.

manna, n. maná.

manner, n. paraán, asal, ugalì.

mannerism, n. gawî, ugaling kilos.

manor, n. asyenda.

mansion, n. mansiyón, malakíng bahay.

mansuetude, n. kamansuhán.

mantis, n. sambá-sambá, sasambá.

mantle, n. manto, kapa.

manual, n. adj. manwál, aklát-manwál.

manufacture, v. gumawâ, yumarì, pabrikahín.

manufacturer, n. pabrikadór, pabrikante.

manumission, n. manumisyón, pagtitimawà, pagbibigáy-layà.

manure, n. manyúr, patabâ sa lupà. v. lagyán ng manyúr, lagyán ng patabâ.

manuscript, n. manuskrito, sulat-kamáy.

many, adj. marami.

map, n. mapa. **v.** gumawâ ng mapa, iguhit ang daraanán, planuhin, magplano, balakin, magbalak.

mar, v. pinsalain, sirain, saktán, dumhán, mantsahán.

maraschino, n. maraskino.

marasmus, n. pangangayayat.

marathon, n. máratón, takbóng máhabaan.

maraud, v. manduwít, mandambóng.

marauder, n. manduduwít, manduduít.

marble, n. marmol, batóng marmol.

March, n. Marso

march, v. magmartsa, umunlád, magpatuloy, **n.** martsa, pag-unlád.

marchioness, n. markesa.

mardigras, n. karnabál.

mare, n. kabayong babae, putrangkâ.

margarine, n. margarina.

margin, n. marhen, tabihán, hangganan, palugit.

marian, adj. maryano, (-na).

marijuana, n. mariwana.

marimba, n. marimba.

marinade, n. eskabetse.

marinate, v. eskabetsihín.

marine, adj. marino, pandagat. **n.** marinero, marino.

marionette, n. maryonét, papet, titirés.

maritime, adj. marítimá, tabing-dagat, pandagat.

mark, n. target, tudlaan, puntiryahan, tunguhin katángian, kahalagahán, marká, taták nota. **v.** markahán, lagyán ng marká.

market, n. palengke, pamilihan. **v.** dalhín sa merkado, ipagbilí.

marl, n. marga, margál.

marline, n. merlín.

marmalade, n. mermelada, marmalada.

marmot, n. dagáng parang.

maroon v. mapadpád.

maroon, n. kastanyong magulang, marún.

marquetry, n. ukit, labór.

marmoset, n. unggó, unggóy.

marquis n. markés.

marriage, n. pag-aasawa, paglagáy sa estado, kasál, pagkakasál, pag-iisáng-dibdíb, pagka-mag-asawa.

marrow, n. utak ng butó.

marry, v. ikasál, pakasál, mag-asawa, pakasalán.

Mars, n. Marte.

marsh, n. latian, labón.

marshal n. mariskál.

marsupium, n. supot sa kandungan (ng mga kanggaró) bulsá (marsupyo).

martial, adj. marsiyál, pandigmâ, panghukbó, militár.

martingale, n. gamara, pamigil giya.

martyr, n. martir.

martyrdom, n. martiryo.

martyrize, v. martirisahín, gawíng martir.

marvel, v. magtaká, mamanghâ, n. kababalaghán, pagtataká.

marvelous, adj. kataká-taká.

marvelousness, n. pagka-kataká-taká.

Mary, n. María, Mariam, Myrna.

mascot, n. maskot, wisit, galíng.

masculine, adj. maskulino, panlalaki, lalaki.

masculinity, n. pagkalalaki.

mash, n. masa, v. masahin.

masher, n. pangmasa.

mashie, n. masi.

mask, n. máskará, takíp sa mukhâ, balatkayô.

masquerade, n. maskarada, pagmamáskará.

masquerader, n. maskarón, ang nagbábalatkayô.

masochism, n. masokismo.

mason, kantero, prankmason.

masonic, adj. masóniká.

masonry, n. masoneriya.

mass, n. misa.

mass n. masa, materya, bulto, taong-bayan. v. masahin.

massacre, n. pamumuksâ. v. puksain.

massage, n. masahe. v. masahihin.

masseur, n. masahistang lalaki.

masseuse, n. masahistang babae.

massotherapy, n. masoterapya.

masseter, n. maskulóng masetero, maskulóng pangnguyâ.

massive, adj. masibo, malakíng-malakí, mabigát na mabígát.

mast, n. labór, palo, mastíl.

master, n. panginoón, amo, maestro, gurò. v. maging panginoón, maging magalíng, masupil, makapangyari, mamatnugot.

masterpiece, n. obramaestra, lakáng-akdâ.

mastery, n. kapangyarihan, kadalubhasaan, kahigpitán.

mastermind, n. punong-utak.

masticate, v. nguyaín, ngataín, ngalutín.

mastication, n. pagnguyâ.

masticator, pangnguyâ.

mastitis, n. mastitis.

mastodon, n. mastodonte.

mastoid, adj. mastoyde.

masturbate, v. magsalsál.

masturbation, n. pagsasalsál.

masurium, n. masuryum, sangkáp átomó blg. 43.

mat, n. nilala, tinirintás.

match, n. puspurò, pareha, kalaban. v. makalaban, ipantáy, pantayán tularan, ibagay.

matchless, adj. waláng kapantáy, di-mapapantayán.

matchmaker, n. tuláy.

mate, n. kapares, asawa, piloto.

material, adj. materyál, mabigát, pangkatawán. n. materya, lahók, panlahók, datos, kagamitán.

materialism, n. materyalismo.

materialist, n. materyalista.

materialistic, n. materyalistikó.

materialization, n. materyalisasyón.

materialize, v. matupád, mangyari, lumitáw.

maternal, adj. maternál, panginá.

mathematic, mathematical, adj. matematikál.

mathematician, n. matematikó.

mathematics, n. matematika.

matin, n. dalanging pangumaga, awit na pang-umaga, maitines.

matinee, n. matiné.

matriarch, n. matriarka.

matriarchy, n. matriarkiya.

matricide, n. matrisidyo, pagpatay ng ina, mámamatay ng iná.

matriculate, v. magmatríkulá, magpatalâ.

matrimony, n. matrimonyo.

matrix, n. (Anat.) matrís, molde.

matron, n. matrona.

matter, n. materya, materyál sangkáp, bilang bagay, kahalagahan.

mattock, n. patik.

mattress, n. kutsón.

maturate, v. mahinóg, magnanà.

mature, adj. hinóg, magulang na, pagadero.

mature, v. gumulang.

maturity, n. kagulangan.

matutinal, adj. pang-umaga, maaga.

maudlin adj. labis na sentimentál.

maul, v. gulpihín, bugbugín.

mauler, n. manggugulpí,

maulstick, n. katangán ng kamáy.

Maundy Thursday, (Eccl.) Huwebes Santo.

mausoleum, n. mausoleo.

mauve, n., adj. kulay malbas, bughawing bugháw-pulá.

maverick, n. bisirong waláng hero.

maw, n. butsé.

mawkish, adj. nakasúsuyà.

maxilla, adj. pangá.

maxim, n. sáwikaín,

maximal, adj. pinakamataás, pinakadakilà.

maximize, v. palakhín hanggáng sa maáarì.

maximum, n. maksimó, pinakamatayog, pinakadakilà.

May, n. Mayo.

may, aux. v. maáarì.

maybe, adj. marahil, siguro.

mayhem, n. mutilasyón, pananalantâ.

mayonnaise, n. mayonesa.

mayor, n. alkalde.

mayoralty, n. alkaldiya.

mayoress, n. alkaldesa.

mayweed, n. mansanilyang ligáw.

maze, n. labirinto.

mazurka, n. masurka.

me, pron. akó, sa (ng) akin.

mead, n. idromél, ágwam-yel.

meager, adj. walang laman,

payát, kakauntî.

meal, n. giniling na magaspáng, pagkain, galapóng.

mealy, adj. duróg, pulbós.

mealymouthed, adj. di-tapát.

mean, v. hangarín, layunin, tangkaín, ipakahulugán.

mean, adj. panggitnâ, promedyo. **n.** kagitnaan.

mean, adj. ordinaryo, pangkaraniwan, mumurahin, mababà, imbî.

meander, v. magpakilú-kilô.

meantime, adj. samantala.

measles, n. tigdás, sarampiyón.

measly, adv. may uód, (Slang) hamak, kahamakhamak.

measure, n. lawak, abót, grado, lakí liít, bulumen, hangganan, sukat, kaya, remedyo, panukat, sukatan, pantakal, takalán. **v.** sukatín, takalin.

measurement, n. sukat.

meat, n. karné, lamán.

meatus, n. daanán, butas.

mechanic adj. manwál, pangkamáy, mekánikó, pangmákiná, mekánikál.

mechanical, adj. mekanicál.

mechanician, n. mekanikó.

mechanics, n. mekánikó.

mechanism, n. mekanismo.

mechanize, v. mekanisahín.

mechanization, n. mekanisasyón.

medal, n. medalya, agnús.
meddle, v. makialám, pakiki-
alám, manghimasok, pang-
himasukan.
meddler, n. taong-pakialám.
meddlesome, adj. pakialám.
meddlesomeness, n. pagkapa-
kialám.
mediacy, n. pamamagitan, gi-
nawáng pamamagitan.
medial, adj. sa gitnâ, pang-
gitnâ.
median, n. mediyana.
mediate, v. mamagitan.
mediation, n. pamamagitan.
mediator, n. tagapamagitan.
mediatrix, n. medyatris, ba-
baeng tagapamagitan.
medic, n. médikó, manggaga-
mot.
medicable, adj. magágamot.
medical, adj. medikál.
medicament, n. gamót, pan-
lunas.
medicate, v. gamutín, lapa-
tan ng lunas.
medication, n. paggamót.
medicinal, adj. medisinál, na-
kalúlunas.
medicine, n. medisina.
medicolegal, adj. medikole-
gál.
medieval, adj. médyoebál.
mediocre, adj. médyokré,
pangkaraniwan.
meditate, v. magnilay-nilay,

magwari-warì, mag-isíp.
meditation, n. pagninilay-ni-
lay.
meditative, adj. mapagnilay-
nilay.
Mediterranean, adj. Medite-
ráneó (-neá).
medium, n. panggitnâ, para-
án, pamamaraán, katam-
taman, kainaman.
medley, n. samut-sarì, samut-
samot, medley.
medulla, n. (Anat.) medulá.
ng gulugód.
medullary, adj. medulár.
Medusa, n. Medusa.
meed, n. gantimpalà, premyo.
meek, adj. mahinahon, mati-
isin, mapagpakumbabâ.
meet, v. mákita, mátagpuán,
mákasalubong, sumalu-
bong, sumalubong, salubu-
ngin.
mega, pref. ibayong-angaw,
mega.
megacycle, n. megasiklo.
megalomania, n. megaloma-
niya.
megalomaniac, n. megalóma-
no.
megaphone, n. megapón.
megapod, adj. malaking paá.
megascope, n. megaskopyo.
melancholic, adj. mapangláw,
malungkót.

melee, n. lábu-labo.
meliorate, v. magmehora, mehorahín, pagbutihin.
melliferous, adj. mapulót.
mellow, adj. lunót, hinóg na hinóg.
melody, n. melodiya, himig.
melodious, adj. melodyoso, mahimig.
melodrama, n. melodrama.
melon, n. (Bot.) muskmelon, milon, **watermelon,** pakwán.
melt, v. mátunaw, tunawin, malusaw, lusawin.
member, n. kasapì, kaanib.
membership, n. pagkakásapì, pagkakáanib.
membrane, n. (Anat.) membrana, lamad.
membraneous, adj. malamad, membranoso.
memento, n. memento.
memory, n. memorya, álaala, gunitâ.
memoir, n. memoryas.
memorabilia, memorabilya
memorable, adj. memorable.
memorandum, n. memorandum.
memorial, adj. memoryál.
memorization, n. pagsasaulo.
memorize, v. sauluhin, isaulo.
menace, n . balà, nagbabalang-panganib. **v.** pagbala-

an, magbalà.
menage, n. pamamahay.
menagerie, n. bahay-hayop, hayupan.
mend, v. magkumpuní, kumpunihín, magwastô, iwastô, pabutihin, pagalingín bumuti, gumalíng, magsulsí.
mendacious, adj. bulaan, magpasinungaling.
mendacity, n. pagbubulaan, pagsisinungalíng.
mendicant, n. magpapálimos, manghihingì ng limós, pulube.
menial, adj. pampanilbihan, mababà, abâ, **n.** menyál, alilà.
meninges, n. meninghes, lamad ng utak.
meningitis, n. meninghitis.
meniscus, n. medyaluna.
menopause, n. menopáwsiyá.
menorrhagia, n. menoráhiyá, labís na menses.
menses, n. menses, panaog ng dugô.
menstrual, adj. búwanan, menstruál.
menstruation, n. mentruasyón.
mentrum, n. panunaw, panlusaw.
mental, adj. mentál, pangkaisipán, pang-utak.
mentality, n. mentalidád, kiling ng isip.

menthol, n. mentól.

mentholated, adj. mentolado.

mention, n. banggít. v. banggitín, mabanggit, tukuyin.

mentor, n. mentór, patnubay, giya, tagapayo.

menu n. menú.

mephitic, adj. mabantót, maantót.

mephitis, n. bantót, antót.

mercantile , adj. merkantíl, komersiyál.

mercantilism, n. merkantilismo.

mercenary, adj. mersanaryo. nagpápaupá.

mercer, n. mersero, magtetela.

mercerize, v. merserahín.

mercery, n. merseriyá, merkaderíya.

merchandise, n. kalakal.

merciful, adj. maawaín, mahabagín.

mercifulness, n. pagka-maawaín.

merciless, adj. pagkawalángawà.

mercy, n. awà, habág.

mercury, n. merkuryo, asoge.

mere, adj. lamang.

meretricious, adj. meretrisyo, nagmámagarâ.

merge, v. pag-isahín, pagsamahin, pagpisanin, pagha-

luin.

merger, n konsolidasyón, kombinasyón.

meridian, n., adj. meridyano, tanghalì, katanghalian.

meringue, n. merengge.

merit, n. méritó, katampatang gantimpalà, galíng, kagalingán.

merited, meritorious, adj. karapat-dapat.

mermaid, n. sirena.

merriment, n. sayá, pagsasayá, kasáyahan.

merry, adj. masayá.

merry-andrew, n. payaso.

merry-go-round, n. tiyubibo.

merrymaking, n. pagsasayá.

mescal, n. (Bot.) kaktus, hagdambato, surusuru, magéy.

mesencephalon, n. gitnáng utak, mesensépaló.

mesenchyma, n. mesénkimá.

masentery, n. mesenteryo, balambán.

mesh, n. matá ng lambát, lambát, engrane.

meshwork, n. lambát-lambát.

mesial, adj. gitnâ, kalagitnaan, hinatì, hatî.

mesmerism, n. mesmerismo, hipnotismo.

mesne, n. panggítnâ, pampagitan.

mesoblast, n. mesoblasto.

mesocarp, n. mesokárpiyó.
mesoderm, n. mesodermo.
mesogastrium, n. mesogástrió, kapusuran.
mesomorph, n. mesomorpo.
mesoplast, n. matá ng sélula.
mesothorax, n. gitnáng-dibdíb.
mesozoic, adj. mesosoyko.
mess, n. rasyóng pagkain, plato, salu-salo, guló.
message, n. mensahe, pasabi, pahatíd, kalatas.
Messiah, n. Mesías, Mesiyas.
metabolism, n. metabolismo.
metacarpus, n. metakarpo.
metacentre, n. metasentro.
metachromatism, n. pagbabagong-kulay.
metagenesis, n. metahénesís.
metal, n. metál.
metalize, v. metalisahín.
metallic, adj. metáliká.
metalliferous, adj. metalíperó.
metallography, n. metalograpiya.
metalware, n. yaring-metál.
metallurgy, n. metalúrhiyá.
metamorphic, adj. metamórpikó.
metamorphose, v. magbagong-anyô.
metamorphosis, n. metamorposis, banyuhay.
metaphor, n. metáporá, pag-

hahambíng.
metaphrase, n. saling-wikà.
v. magsaling-wikà, isalingwikà.
metaphysics, n. metapísiká.
metaphysician, n. metapísikó.
metaplasm, metaplasma.
metatarsal, n., adj. metatársikó.
metathesis, n. metátesís, palit-tayô.
metazoa, n. metasoa.
mete, v. sukatan, takalan.
metempsychosis, n. metempsikosis.
metenchepalon, n. utak na panghulí, metensepalón.
meteor, n. bulalakaw, bituing ligáw.
meteorite, n. meteorito.
meteorology, n. meteorolohiya.
meteorologist, n. meteorólogó.
meter, n. metro, indayog.
methinks, warì ko'y...
method, n. métodó, paraán, pamamaraán, ayos, sistema.
methodical, adj. metodikál, sistemátikó.
methodist, n. metodista.
methodology, n. metodolohiya.

Methuselah, n. Matusalém.
methyl, n. metilo.
meticulous, adj. maingat na maingat, metikuloso, makurirî.
metier, n. propesyón, espesiyalidad, linea.
metonymy, n. metonimiya, palít-tawag.
metralgia, n. metrálhiyá, sakít sa bahay-batà.
metric, adj. métriká.
metronome, n. metrónomó.
metropolis, n. metrópolí.
metropolitan, n., adj. metropolitano.
metrorrhagia, n. metroráhiyá, pagdurugô ng bahay-batà.
mettle, n. tibay, tigás, tapang, init, siglá.
mew, n. ngiyáw, ingáw.
Mexican, n./adj. Mehikano.
Mexico, n. Mehikó, Méksikó.
mezzanine, n. entreswelo.
mezzo-soprano, n. meso-soprano.
mi, n. mi.
miaow, v. ngumiyáw, umingáw.
miasma, n. singáw.
mica, n. mika.
mice, n. dagâ.
micrify, v. palinggitín, pauntiín.
micro,- pref. malinggít na

malinggít, mikro.
microampere, n. mikroamperyo.
microbe, n. mikrobyo.
microbiology, n. mikrobyolohiyá.
micrococcus, n. mikrokoko.
microcosm, n. mikrokosmo.
microscosmic, adj. mikrokósmikó.
microcoulomb, n. mikrokulúmbiyó.
microcyte, n. mikrósitó.
microdetector, n. mikrodetektór.
microflim, n. mikropilm.
micrography, n. mikrograpiya.
micrology, n. mikrolohiya.
micrometer, n. mikrómetró.
micron, n. mikrón.
microorganism, n. mikroorganismo.
microphone, n. mikróponó.
microscope, n. mikroskopyo.
microscopy, n. mikroskopiya.
micturate, v. umihì.
micturation, n. pag-ihì.
mid, pref. mid **adj.** gitnâ.
midbrain, n. utak na panggitnâ.
midday, n. katanghalian.
midden, n. agsaman, buntón ng basura.
middle, n. gitnâ, sentro, kalágitnaan.

middle aged, adj. nasa gitnáng gulang.

middle ear, n. (Anat.) timpano, gitnáng tainga.

middleman, n. ahente.

middleweight, n. gitnáng-bigát.

middling, adj. kainaman, katamtaman

midget, n. enanilyo.

mid-gut, n. gitnáng bituka.

midnight, n. hátinggabí.

midrib, n. tingtíng ng dahon.

midshipman, n. guwardamarina.

midst, n. gitnâ.

midsummer, n. gitnáng-tagaraw.

midway, n. hating-daán.

midweek, n. hátinlinggó, gitnanlinggó.

midwife, n. hilot.

midwifery, n. panghihilot.

midyear, n. hatintaón.

mien, n. itsura, pagmumukhâ, kiyà kiyas.

might, n. kapangyarihan, podér, lakás.

mighty, adj. makapangyarihan.

migrate, v. mandayuhan, mangibáng-bayan.

migrant, n. mandarayuhan.

migration, n. pandarayuhan.

migrator, adj. padayu-dayo, pagala-galà.

mild, adj. maamò, mabinì, mahinay, suwabe.

mildew, n. tagulamín.

mile, n. milya.

mileage ,n. milyahe.

milepost, n. milyarya.

milestone, n. milyarya.

militant, adj. militante, nanlalabán, mapanlabán.

military, n. adj. militár.

militia, n. milisya.

milk, n. gatas, v. gatasan.

mill, n. gilingán, mulino, mákiná, gáwaan, págawaan, pábriká.

miller, n. mulinero.

millenium, n. milenaryo.

milleped, n. ulahipan, alupihan.

millet, n. miho.

milli,- pref. libo, sanlibo, ikasanlibo.

milligram, n. milígramo.

millimeter, n. milímetro.

million, n. milyón.

millionaire, n. milyunaryo.

milliner, n. modista.

milt, n. baso.

mime, n. mimo, pantomina.

mimeo, n. mimyo.

mimeograph, n. mimyograp.

mimesis, n. mimesis, panunulad, panggagaya.

mimic, adj. gaya, gagád.

mimicry, n. mímiká.

mimosa, n. mimosa, maka-
hiyâ.

menaret, n. minarete.

mince, v. tadtárín, durugin,
pikadílyuhín.

mincemeat, pikadilyo.

mind, n. unawà, isip, kaisi-
pán, talino, álaala, pala-
gáy intensiyón, hangád,
nais.

mindful, adj. maasikaso.

mine, n. mina.

mineral, n./adj. minerál.

mineralogist, n. minerálogó.

mineralogy, n. mineralohiya.

mingle, v. makihalubilò, ma-
kisama, makihalò.

miniature, n./adj. minyatu-
tura, munsíng.

minimum, n./adj. mínimó,
pinakamaliít, pinakamaba-
bà.

minimal, adj. minimál.

minimize, v. paliitín,

minimum wage, pinakama-
babang sahod.

minister, n. ministro, kina-
tawáng diplomátikó, sugò.

ministerial, adj. ministeryál.

minister plenipotentiary, n.
ministro plenipotensiyano.

ministrant, adj. ministrante.

ministry, n. ministeryo.

minor, adj. menór, maba-
bang-urì, maynor, maba-
nong mahalagá.

minority, n. minoríya.

minster, n. monestaryo.

minstrel, n. trobadór, kantór,
mángangantá.

mint, n. monedera. v. guma-
wâ, kumathâ.

mintage, n. monederiya.

minter, n. akunyadór, imben-
tór.

mint, n. menta, yerbabwena.

minuend, n. minwendo, ang
babawasan.

minuet, n. minwé.

minus, prep. menos, bawa-
san ng. adj. pabawás, wa-
lâ.

minuscule, n. minúskulá,
muntíng titik.

minute, n. minuto, sandalî.

minute, adj. menudo, mun-
síng, munsík, napakaliít.

minutia, n. mumuntíng de-
talyè.

minutiae, n. minudénsiyá,
kaliliitan.

minutely, adv. hanggáng sa
káliít-liitang bagay.

minuteman, n. mánunungku-
lang sá-biglaan.

minutes, n. minutas, katiti-
kan.

miracle, n. himalâ, milagro.

miraculous, adj. mapaghima-
lâ, milagroso.

mirage, n. kinikinitá.

mire, n. lusak, putik.

miry, adj. malusak, maputik.

mirror, n. salamín.

mirth, n. tuwâ, sayá, pagkatuwâ, pagsasayá.

mis-, pref. malî, masamâ, sala.

misadventure, n. desbentura, sakunâ, disgrasya.

misanthrope, n. misántropó, kontratao.

misappropriate, v. magkamalî sa paggamit.

misappropriation, n. misapropriasyón.

misbegotten, adj. bastardo, ilehítimó.

misbehaved, adj. may masa máng asal.

misbelief, n. malíng paniniwalà.

miscalculation, n. malíng pagkakátaya.

miscarriage, n. malíng pagkakadalá, pagkalaglág, pagkaagas.

miscegenation, n. paghahaluáng-lipì.

miscellanea, n. miseláneá.

miscellaneous, adj. sárisarì, samutsarì.

mischief, n. kalikután, kapilyuhán.

mischievous, adj. malikót, pilyo.

misconception, n. malíng akalà.

misconduct, n. dî-mabuting asal, masamáng pag-aasal.

miscreant, adj. buhóng, walang konsiyénsiyá.

misdeed, n. masamáng gawâ, malíng gawâ.

miser, n. abaro.

miserable, adj. miserable, kaabá-abâ.

misery, n. pagdurusa, paghihirap.

misfire, v. pumaltós.

misfit, v. di-magkahustó. n. taong di-akmâ.

misfortune, n. kasáwian, kasáwiang-palad.

misgiving, n. sagimsím, salagimsím.

misgovernment n. malíng pamamahalà.

misguidance, n. malíng akay.

mishap, n. kapahamakán, masamáng kapalaran.

misinformation, n. malíng kabatirán.

misinterpretation, n. malíng pakahulugán.

misjudgment, n. malíng hatol.

misleading, adj. nakalíligaw.

mismanagement, n. malíng pangangasiwà.

mismarriage, n. di-tumpák na pagkápag-asawa.

mismatched, adj. di-magkabagay.

misnomer, n. malíng pagbi-
bigáy-ngalan.

misogamist, n. misógamó,
taong ayaw mag-asawa.

misogamy, n. misogamya.

misogynic, adj. galít sa ba-
bae.

misologist, n. misólogó, ta-
ong ayaw ng pagtatalo.

misplaced, adj. walâ sa lu-
gár.

misprint, n. malíng pagka-
kálimbág.

misquotation, n. malíng pag-
kakásipì.

misrepresentation, n. malíng
representasyón.

Miss, n. binibini. (Abbr.)
Bb.

miss, v. di-tamaan, di-mag-
kita, di-mátagpuán, di-
mákuha, di-matamó, di-ma-
tanggáp, di-mákita, di-ma-
rinig.

missal, n. misál.

missil, n. proyektíl, pansalí-
pad, misil.

mission, n. misyón, pakay,
sadyâ.

missionary, n. misyunero.

missive, n. sulat, liham, kala-
tas.

misspelling n. malíng bay-
báy.

misstep, n. malíng paghak-
báng.

mistake, n. malî, kamálian,
pagkamalî.

mister, n. ginoó, (Abbr.) G.

mist, n. ulap.

mistiness, n. pagkamaulap.

mistletoe, n. míseltó.

mistreat, v. mang-apí, api-
hín.

mistress, v. ama, sinyora, ká-
lunyâ, kátiwalà.

mistrust, n. kawaláng-tiwalà.

misty, adj. maulap.

misunderstanding, n. malíng
pakahulugán, di-pagkaká-
sundô.

misuse, n. malíng pagkaká-
gamit.

mite, n. hanip, pulgas, dapu-
lak, amag, tungáw, lima-
tik.

miter, n. mitra.

mitigative, adj. nakagígin-
hawa.

mitigate, v. paginhawahin,
hawahan.

mitosis, n. mitosis, karyoki-
nesis.

mitt, mitten, n. guwantes,
glab.

mix, v. isama, pagsamahin,
ihalò, paghaluin, maghalò,
haluan, maglahók, lahu-
kán, lumahók, makilahók.

mixture, n. mistura, halò.

mnemonics, n. mnemóniká,
palágunitaan.

moan, n. taghóy, daíng, panambitan, haluyhóy. v. tumaghóy, managhóy, dumaíng, manambitan, humaluyhóy.

moat, n. palibot-bambáng.

mob, n. taong-bayan, ang masa, libumbón, hurúng-ḥuróng. v. pagkalibumbunán, pagdumugan.

mobile, adj. móbil, náikíkilos, náigágaláw.

mobility, n. mobilidád.

mobilize, v. mobilisahín, tipuni't ihandâ.

mobilization, n. mobilisasyón.

moccasin, n. mokasín.

mock, v. tuyaín, kutyaín.

mocker, n. mánunuyâ.

mockery, n. tuyâ.

mockingly, adv. patuyâ.

mode, n. paraán, moda, panagano, uso.

model, n. modelo, húwaran.

moderate, adj. kainaman, katamtaman, mahinahon. v. pahinaan.

moderation, n. moderasyón, hinahon.

moderator, n. tagapamagitan.

modern, adj. moderno, makabago, bagong panahón.

modernize v. modernisahín.

modest, adj. mahinhín, ma-

binì, basal.

modestly, kahinhinán, kabinian.

modicum, n. kauntî, muntíng piraso.

modify, v. baguhin, bigyángturing.

modification, n. modipikasyón, pagbabago.

modifier, n. panuring.

modillion, n. modilyón.

modiste, n. modista.

modular, adj. modulár.

modulate, v. modulahín.

module, n. modulo.

modulation, n. modulasyón.

mogul, n. mogul, dakilang tao.

mohair, n. buhók-kamelyo.

Mohammedan n. adj. Mahometano.

Mohammedanism, n. Mohamedanismo, Islamismo.

moiety, n. kalahatì.

moist, adj. halumigmíg, basá-basâ.

moisten, v. basá-basaín.

moisture, n. úmidó, halumigmíg.

molar, n. bagáng.

molasses, n. pulót, melasa.

mold, mould, n. molde, hulmá, hulmahan.

molds, n. amag, dapulak, pekas.

mole n. nunál, taling.

molecular, adj. molekulár.
molecular weight, bigát molekulár.
molecule, n. molékulá.
molest, v. gambalain, guluhín.
mollify, v. patahimikin, patiwasayin.
mollusk, n. mulusko.
molt, moult, v. maglunó.
molting, moulting, n. pinaglunuhan.
moment, n. saglít sandalî.
momus, n. momo, mámumuna.
monachal, adj. monakál, monastiko.
monad, n. mónadá.
monadic, adj. monádiká, monadikál.
monadology, n. monadolohiya.
monandrous, adj. monandro.
monandry, n. monandría.
monanthous, adj. monanto, ísahang bulaklák.
monarch, n. monarka.
monarchical, adj. monárkikó.
monarchist, n. monarkista.
monarchy, n. monarkiya.
monastery, n. monasteryo.
Monday, n. Lunes.
monetary, adj. monetaryo, pamimilak.
monetize, v. monetisahín, monedahin.

monetization, n. monetisasyón, pagmomoneda.
money, n. salapî, kuwarta, kuwalta, pilak.
monger, n. trapikante.
mongering, adj. nagtatrapikante.
mongrel, adj. mistisong haluán.
moniker, n. moniker, palayaw.
monitor, n. monitór.
monk, n. monghe.
monkey, n. matsíng unggóy, unggô, tsonggo.
monocle, n. monókuló.
monody, n. monodya.
monogamist, n. monógamó.
monogamous, adj. monógamó.
monogamy, n. monogamya.
monogenesis, n. íisáng pinagmulán.
monogram, n. monograma.
monograph, n. monograpiya.
monographer, n. monógrapó.
monolith, n. monolito.
monologue, n. monólogó.
monomania, n. monomaniya.
monomaniac, adj. monomaníako, n. monómanó.
monomial, n./adj. monomyo.
monopetalous, adj. ísahang talulot.
monophobia, n. takot sa pagiisá, mónopobya.

monophthong, n. monoptong-
go.

monoplane, n. monoplano.

monoplegia, n. monopléhiyá,
paralisís sa isáng panig.

monopolism, n. monopolismo.

monopolistic, adj. monopolis-
ta.

monopolize, v. monopolisa-
hin.

monopolizer, n. monopolista.

monopoly, n. monopolyo.

monosyllabic, adj. monosíla-
bó.

monotheism, n. monoteismo.

monotheist, n. monoteista.

monotone, n. íisáng tunóg,
pantáy-tunóg.

monotonous, adj. monótonó.

monotony, n. pagka-monóto-
nó.

monseigneur, monsignor, n.
monsenyór.

monsoon, n. monsón.

monster, n. monstruó, hali-
maw, dambuhalà.

monstruosity, n. monstruosi-
dád.

monstruous, adj. monstruo-
so, napakalakí.

monstrance, n. kustodya.

month, n. buwán.

monthly, adj. buwán-buwán,
bawa't buwán, buwanan.

monument, n. munumento,
bantayog.

monumental, adj. munumen-
tál, bantayugín.

monumentalize, v. munumén-
tuhán, bantayugan, isa-
bantayog.

mood, n. disposisyón, lagáy
ng kaloobán, panagano.

moody, adj. malungkutin.

moon, n. buwán.

moonbeam, n. sinag ng bu-
wán.

moonlit, adj. naliliwanagan
ng buwán.

moonrise, n. sikat ng buwán

moonset, n. lubóg ng buwán.

moonstruck, adj. lunatiko.

moor, n. latian, labón, Moro,
Muslím, v. dumuóng, idu-
óng, magduóng.

moose, n. anta.

moot, n. pagtatálakayán, pag-
tatalo.

mop, n. panlampaso. v. mag-
lampaso, lampasuhin.

mope, v. mamangláw.

moral, adj. morál, marapat,
nararapat, marangál, ma-
budhî.

morale, n. siglâ, diwà.

moralism, n. moralismo.

moralist, n. moralista.

morality, n. moralidád, ka-
sanlingán.

moralize, v. mangaral.

morals, n. kabudhián.

morass, n. latian, labon.

moratorium, n. 'moratorium ;
moratoryo.

morbid, adj. malagím, naka-
pangingilabot.

morbidity, pagkamalagím.

mordent, adj. mordente.

more, adj. higít, lalò pa.

mores, n. mga ugalì, kustum-
bre, ugaling-bayan.

morganatic, adj. morganáti-
kó.

morgue, n. morge.

moribund, adj. naghíhingalô.

morion, n. moryón, balutì sa
ulo.

mormon, n. mormón.

morn, morning, n. umaga.

moron, n. adj. moron, tangá.

morose, adj. mainit ang ulo,
malagím, mapangláw.

morpheme, n. morpema.

Morpheus. n. Morpeo.

morphia, morphine, n. mor-
pina.

morphology, n. morpolohi-
ya.

mortal, adj. mortál, may ka-
matayan, nakamámatáy,
patál.

mortality, n. mortalidád,
pagkakamatáy.

mortar, n. lusóng, almirés,
mortero, mortar.

mortgage, n. sanglâ, pagsa-
sanglà, ipoteka. v. mag-
sanglâ, isanglà.

mortician, n. mortisyan, ta-
ong-punerarya.

mortification, n. mortipikas-
yón, pagpipigil, kahihiyán,
gangrena.

mortify, v. magpigil, hiyaín,
magkagangrena, gangre-
nahin.

mortise, n. aáb, ukit. v.
aabán, ukitan.

mortuary, n. morge, punerar-
ya.

mosaic, n. mosayko.

Moslem, n. Muslím.

mosque, n. meskita.

mosquito, n. lamók.

moss, n. lumot, musgo.

mossy, adj. malumot.

most, adj. pinaka-, pinakama-
rami, pinakamalakí, kala-
kí-lakihan, kataás-taasan,
kadakí-dakilaan, halos la-
hát ng. n. pinakamarami
pinakamalakí, karamihan,
halos kabuuán.

mote, n. butil ng alabók,
muntíng butil, puwíng.

motel, n. motél.

moth, n. polilya.

mother, n. iná, pinagmulán.
v. alagaan.

motile, adj. motil, gumága-
láw, kumíkilos, kumíkibô,
umíibô.

motility, n. mobilidád.

motion, n. galáw, kilos, kibô,

ibô, takbó, lakad, mungka-
hì, mosyón.

motionless, adj. waláng-ga-
láw, waláng-kibô.

motivate, v. ibuyó, ganyakín,
kayagin.

motivation, n. motibasyón,
ganyák, pagganyák, pang-
ganyák.

motive, motibo, hangarin.

motley, adj. may sarisaring
kulay, makulay, sarisarì.

motorboat, n. autobote.

motor, n. motór, mákiná.

motorcycle. n. motorsiklo.

mottled, adj. bakát-bakát.

motto, n. moto, banság.

mound, n. buntón ng lupà,
puntód, tambák.

mount, n. bundók, umbók.

mount, v. tumaás, umakyát,
umahon, sumakáy, sakyán,
dumami, ipatong, imunta-
da puwesto, ikamâ.

mourn, v. magdalamhatì,
ipagdalamhatì.

mouse, n. dagâ.

mouth, n. bibíg.

move, v. ilipat, pagalawín,
pakilusin, iabóy, itabóy,
mamukaw, pukawin, mag-
mungkahì, imungkahì,
umunlád, kumilos, umaksi-
yón, lumipat ng táhanan.
n. galáw, kilos, sulong,
hakbáng.

mow, v. gumapas, gapasin.

mower, n. panggapas, mang-
gagapas.

Mr. mister, n. G. (ginoó).

Mrs. mistress, n. Gng. (gi-
nang.)

much, adj. marami, malakí.
adv. napakalakí, halos, la-
lò, higít.

mucilage, n. musílagó, pan-
dikít, kola.

mucilaginous, adj. musilahi-
noso.

muck, n. dumíng basâ, pu-
salì, burak.

mucosa, n. lahod.

mucous, adj. malauhog.

mucus, n. uhog.

mud, n. putik.

muddy, adj. maputik.

mudfish, n. dalág.

mudguard, n. tapalodo.

mudslinging, n. paninirang-
puri.

mudstone, n. tapya.

muezzin, n. múesín.

muffle, v. takpán ang muk-
hâ, huwág paingayin.

muffler, n. bupanda, mapler,
pamatáy-ingay.

mug, n. pitsél.

mulatto, n. dayaming latag.

mule, n. mula.

muleteer, n. muletero.

mull, v. magmuni, magkurò

muller, n. pandikdík.

mullet, n. banak.

multifarious, adj. sárisarì, ibá-ibá.

multilateral, adj. -(may) maraming panig, mapanig.

multimillionaire, n. multimilyunaryo.

multiple, adj. múltipló, marami.

multiplicand, n. multiplikando.

multiplication, n. multiplikasyón, pagpaparami.

multiplier, n. multiplikadór.

multiply, v. multiplikahín, paramihin.

multitude, n. multitúd.

multitudinous, n. napakarami.

mum, adj. tahimik, di-kumíkibô.

mumble, v. bumulúng-bulóng.

mummy, n. momya, mumò.

mummification, n. momipikasyón.

mummify, v. momipikahín.

mumps, n. baikì, bikì.

munch, v. ngalutín.

mundane, adj. mundano, makalupà.

municipal, adj. munisipál.

municipality, n. munisipyo.

munificent, adj. mapagbigáy, liberál.

munition, n. munisyón, kagamitáng panghukbó.

mural, adj. mural, pandingdíng.

murder, n. sadyáng pagpatáy.

murderer, n. mamamatay-tao.

murk, n. dilím, lagím.

murky, adj. malagím, madilím.

murmur, n. bulong, (of conversation) alingayngáy, (of running water) saluysóy, abnormal heart sound) hibok. v. bumulóng, bumulung-bulóng.

muscatel, n. muskatél.

muscle, n. muskulo, kalamnán, lamán.

muscular, adj. muskulár.

muse, n. musa, v. magnilaynilay.

museum, n. museó.

mushroom, n. kabuté.

music, n. musiká, tugtugin.

musical, adj. musikál.

musician, n. musikero, músikó, mánunugtóg.

musk, n. almiskle.

musket, n. moskete, pusíl.

musketeer, n. mosketero.

musketry, n. pusileríya.

muskmelon, n. milón.

muslin, n. muselina, perkál.

mussel, n. kabibi, tikhán.

must, v. dapat, marapat, nárarapat, kailangan, n. lubháng kailangan.

mustache, n. bigote, misáy.

mustang, n. kabayong mustang.

mustard, n. (Bot.) mustasa.

muster, v. tipunin, tawagin.

mutation, n. mutasyón, pagbabagu-bago, pag-iibá-ibá.

mute, n./adj. pipi.

mutilate, n. gutayín, gibaín.

mutilation, n. mutilasyón, paggutáy, paggibâ.

mutiny, n. pag-aalsá, pagbabangon, himagsík.

mutineer, n. manghihimagsík.

mutter, v. umungol.

mutton, n. karníng-tupa.

mutual, adj. mutwo, resíprokó, gantihan, pálitan.

muzzle, n. ngusò, busál.

my, pron. akin, ko.

myopia, n. myopya.

myriad, n. sanlaksâ, sampúng libo.

myrrh, n. mira.

myrtle, n. mitro.

mystery, n. misteryo, hiwagà.

mysterious, n. misteryoso, mahiwagà.

mystic, adj. místikó.

mysticism, n. mistisismo

mystify, v. pahangain sa hiwagà.

mystification, n. mistipikasyón.

myth, n. mito, alamát.

mythologist, n. mitólogó.

mythology, n. mitolohíya.

—N—

nab, v. hulihin, sunggabán, dakpín.

nacre, n. nakar, madreperla.

nacreous, adj. nakarino.

nadir, n. nadir.

nag, n. haka, hako. v. mangnág, magnanág.

nagger, n. nager.

nagging, n. pangnanág, pagnanág.

naiad, n nayade, diwatà.

nail, n. pakò. v. magpakò, ipakò, pakuan.

naive, adj. simple, walàng pakunwarì, naturál, naíb.

naivete, n. pagka-naíb, kasimplihán.

naked, adj. hubú't hubád.

name, n. ngalan, tawag, kabantugán, tagurî. v. ngalanan, pangalanan, turingan, banggitín, sabihin ang pangá-pangalan.

namesake, n. tukayo, kapangalan.

nap, v. umidlíp, maidlíp,

matulog. n. idlíp.

nape, n. batok.

napthalene, n. naptalina.

napkin, n. serbilyeta.

narcosis, n. narkosis.

narcotic, n. narkótikó

narrate, v. magsalaysáy, isalaysáy, salaysayín.

narration, n. salaysáy, pagsasalaysáy.

narrative, n./adj. pasalaysáy, sálaysayin.

narrow, adj. makipot.

nasal, adj. nasál, pang-ilóng, sa ilóng, ng ilóng.

nasty, adj. marumí, masagwá, nakapandídiri, mapanganib.

natal, adj. katutubó, natibo, pangkapangánakan.

natant, adj. lutáng, nakalutang, lumálangoy.

natation, n. paglangóy.

natatorium, n. languyan.

nation, n. bansâ, bansá, nasyón.

national adj. pambansá n. mamamayan.

nationalism, n. nasyonalismo, pagka-makabansâ.

nationalist, n. nasyonalista, makabansá.

nationality, n. nasyonalidád kabansaán, kabansahán.

nationhood, n. pagkabansâ, pagkabansá.

nationalize, v. nasyonalisa hín.

native, adj. natibo, katutubò.

nativity, n. natibidád, kapangánakan.

natural, adj. likás, naturál.

naturalism, n. naturalismo.

naturalist, n. naturalista.

naturalize, v. naturalisahín.

nature, n. kalikasán, naturalesa.

naturopathy, n. naturopatíya.

naught, n. walâ, sero.

naughty, adj. pilyo, masamâ.

naughtiness, n. kapílyuhan.

nausea, n. lulà, duwál, pagkaaní.

nauseate, v. makalulà, makapagpaaní.

nauseous, adj. nakalúlulà, nakaání.

nautical, adj. marina, (-no), naútikó.

navy, n. hukbóng-dagat.

naval, adj. nabál, pandagat.

navicular, adj. hugis-bangkâ.

navigable, adj. nalálayagán.

navigate, v. maglayág.

navigation, n. paglalayág.

navigator, n. tagapaglayág, manlalayág.

nay, n. pagtanggí, pag-ayaw, pagpapahindî.

Nazarene, n./adj. Nazareno, Nasareno.

Nazi, n. Nazi, Nasi.

neanderthal, n./adj. neander-
tál.

neapolitan, n./adj. nepolita-
no.

near, adj./adv. malapit. prep.
malapit sa.

nearby, adv. sa tabí-tabí.

nearly, adv. muntík na, halos

neat, adj. waláng bantô, ma-
ayos, malinis.

nebula, n. nébulá, alapaap.

nebulous, adj. maalapaap,
nebuloso, malabò.

necessary, adj. kailangan, di-
maiiwasan, di-matátang-
gihán.

necessity, n. pangangaila-
ngan, karukhaán.

neck. n. liig, leeg. v. magyá-
pusan.

neckerchief, n. panyoletang
panliíg.

necklace, n. kuwintás.

necktie n. kurbata.

necrolog, n. nekrolohíya.

necrological, adj. nekrolóhi-
kó.

necromancer, n. nigromante.

necromancy, n. nigrománsi-
yá.

necropolis, n. nekrópolís.

necrosis, n. nekrosis, gangre-
na.

nectar, n. néktar.

nee, adj, anák, née.

need, n. pangangailangan,
kasalatán, karukhaán. v.
mangailangan.

needful, adj. lubháng kaila-
ngan.

needless, adj. di-kailangan.

needy, adj. dahóp, nangánga-
ilangan.

needle, n. karayom, aguha.

needlework, n. tahî, táhiin,
burdá.

nefarious, adj. buktót, imbî
balakyót.

negate, v. tanggihán, pawa-
láng-bisà.

negation, n. pagtanggí, pag-
papahindî.

negative, n. negatibo.

negativism, n. negatibismo.

neglect, v. magpabayà, paba-
yaan.

neglectful, adj. pabayà.

negligence, n. kapabayaán.

negligible. adj. di-sukat má-
papansín.

negligee, n. damít pambahay.

negotiate, v. makipagkásun-
dô, makipag-úsapan.

negotiation n. negosasyón.

negotiator, n. negosyante.

Negro, adj./n. Negro.

Negrito, n. Ita, Agtá, Aytá,
Negrito.

neigh, n. halinghíng. v. hu-
malinghíng.

neighbor, n. kapitbahay.

neighborhood, n. paligid.

neighborliness, n. pagka-mabuting kapitbahay.

neither, pron. sínumá'y hindî, alinmá'y hindî. conj. at ... ni.

nematode, n. bulati, nematoda.

nemesis, n. nemesis, katárungan.

neolithic, adj. neolítikó.

neologism, n. neolohismo.

neon, n. neon.

neophyte, n. neópitó, nobisyo, baguhan.

nephew, n. pamangkíng lalaki.

nephritis, n. nepritis, pamamagâ ng bató.

nepotism, n. nepotismo.

Neptune, n. Neptuno, diyos ng dagat.

nerve, n. nérbiyó, ugát, tigás ng loób, nérbiyós.

nerve-racking, adj. kagulatgulat.

nervous, adj. ninenérbiyos.

nervy, adj. matipunô.

nescience, n. kawaláng-malay.

nest, n. pugad. v. magpugad, mamugad.

nestle, v. pakalong, pakalungkóng.

net, n. lambat, net. neto. v. numeto, magneto.

network, n. lambát-lambát.

nether, adj. ibabâ, ilalim.

nethermost, adj. pinakamababà, pinakailalim.

nettle, n. buluhan.

neuralgia, n. neurálhiyá.

neurasthenia, n. neurastenya.

neuritis, n. neuritis.

neurology, n. neurolohiya.

neurologist, n. neurólogó.

neuron, n. neuron.

neurosis, n. neurosis.

neurotic, n. adj. neurótikó, neurótiká.

neuter, adj. neutro.

neutral, adj. neutrál, waláng kinikilingan.

neutrality, n. neutralidád, pagka-waláng-kinikilingan

neutralize, n. neutralisahín.

neutron, n. neutron.

never, adv. hindî kailanmán, kahit kaila'y hindî, hindî sa paanó mang paraán.

nevertheless, adv. gayon man.

new, adj. bago, kailán lang. makabago, sariwà.

news, n. balità.

newsboy, n. magtitinda ng diyaryo, niyusboy.

newscast, n. pailanláng ng balità.

newsletter, n. pahayagáng palihán.

newsman, n. peryodista, mámamahayág.

newspaper, n. diyaryo, per-
yódikó.

newsstand, n. tindahan ng di-
yaryo.

newsy, adj. mabalità

next, adj./adv. kasunód, sú-
sunód, sumúsunod.

nexus, n. koneksiyon, bigkís,
kawíng.

nib, n. asero ng pluma, du-
long matulis, tukáng ma-
tulis.

nibble, v. ngumatngát, ngat-
ngatín. n. muntíng kagát.

nice, adj. mainam, marikít,
magiliw, nakalulugód, ang-
kóp.

nick, n. gatlá, hiwà, bungì.

nickle. n. nikel.

nickle-plated, adj. nikelado.

nickle-plating, n. nikelasyón.

niece, n. pamangkíng babae.

niggard, adj. niggardly, adv.
kuripot.

nigh, adv. malapit.

night, n. gabí

nightfall, n. takipsilim.

nightletter, n. telegramang
panggabí.

nightlong, adv. magdamág.

nightly adv. magdamág.

nightmare, n. bangungot.

nightwear, n. pansuót kung
gabí.

nightingale n. ruwínsensór.

nihil, nil, n. walâ, bagay na

waláng-saysáy.

nihilism, n. nihilismo.

nihilist, n. nihilista,

nimble, adj. maliksí, mata-
las, mabilís gumanáp.

nimbus, n. ulap, dagím.

nine, n. adj. siyám.

nineteen, n. adj. labinsiyám.

nineteenth, adj. ikalabinsi-
yám.

ninety, n. adj. siyamnapú.

ninth, adj. ikasiyám.

nip, v. kurutín, ipitin, pigi-
lan, sugpuín.

nipple, n. utóng.

Nipponese, n. Hapón, Hapo-
nés.

Nirvana, n. Nirbana.

nit, n. lisâ.

niter, n. salitre.

nitrogen, n. nitróhenó.

nitroglycerine, n. nitrogli-
serina.

nitwit, n. (Slang) tangá,
hangál.

no, adv. hindî, walâ.

Noah, n. Noé.

noble, adj. noble, mahál.

nobility, n. noblesa.

nobleman, n. taong noble,
idalgo.

nocturnal, adj. panggabí.

nocturne, n. nokturno.

nod, v. tumangô.

node, n. bukó.

noise, n. ingay.

noiseless, adj. walâng ingay, tahimik.

noisy, adj. maingay.

nomad, n. nómadá, lagalág.

nomenclature, n. nomenklatura, talatawagan.

nominal, adj. sa pangalan lamang, nominál.

nominate. v. nominahán, ipasok ang pangalan.

nomination, n. nominasyón.

nominative, adj. nominatibo.

nonagenarian, n./adj. nonahenaryo.

nondescript, adj. mahirap ilarawan, pambihirà.

none, pron. walâ.

nonpareil, adv. waláng kapantáy.

nonsense, n. kahunghangán, kaululán.

nonskid, adj. waláng-dulás, di-mádudulás.

nonstop, adj./adv. walánghintô.

noodle, n. miki.

nook, n. sulok.

noon, n. katanghalian.

noose, n. silò, likaw.

Nordic, adj./n. Nórdikó.

norm, n. norma, tuntunin, pamantayan.

normal, adj. normal, karaniwan, katamtaman.

normalcy, normality, n. kanormalán.

normalize, v. normalisahín.

normative, adj. normatibo.

Norman, adj./n. Normando.

north n./adj, hilagà, norte.

northeast, n. hilagang-silangan.

northwest, n. hilagang-kanluran.

northerly, adv. pahilagâ.

northward, adv. pahilagâ.

nose, n. ilóng, pangamóy.

nosebleed, n. balinguyngóy.

nosedive, n. sisid ng eroplano.

nosegay, n. pumpón ng bulaklák.

nostril, n. butas ng ilóng.

nostalgia, n. nostálhiyá, galimgím, hidláw.

nostrum, n. panlunas.

not, adv. hindî. do not, huwág.

notable, adj. kapansín-pansín, katangi-tangí.

notary, n. notaryo.

notarize, v. notaryuhin, notaryuhán.

notary public, notaryo publikó.

notch, n. ukit, gitgít.

note, n. marká, palátandaan, nota, paalaala, talâ.

notation, n. notasyón.

notebook, n. kuwaderno.

noteworthy, adj. katangitangì.

nothing, n. pron. walâ.

notice, n. pabatíd, paunawà, puná, asíkaso. v. banggi- tín, punahín, pagmasdán, asikasuhin, abisuhan.

noticeable, adj. hayág, lan- tád, litáw.

notification, n. abiso.

notify, v. abisuhan, pasabi- han.

notion, n. idea, hakà, pani- walà.

notorious, adv. bantóg sa ka- samaán.

notoriety, kabantugán sa ka- samaán.

notwithstanding, prep./adv. kahit na, gayón man.

nought, n. walâ. adj. waláng saysáy.

noun, n. pangngalan.

nourish, v. magpakain, paka- nin.

nourishment, n. pagkain.

novel, adj. bago, di-karani- wan, náiibá. n. nobela, kat- hambuhay.

novelette, n. maiklíng nobe- la.

novelist, n. nobelista.

novelty, n. kabaguhan.

November, n. Nobyembre.

novena, n. nobena, pagsisi- yám.

novice, n. nobisyo, baguhan.

novitiate, adj., n. nobisyado.

now, adv. ngayón, sa kasa- lukuyan.

nowadays, adj. sa ngayón.

noxious, adj. nakapípinsalà.

nozzle, n. bokilya.

nuances, n. pananárinarì.

nuclear, adj. nukleár.

nucleus, n. nukléo.

nudge, v. sikuhín. n. panini- kó.

nude, adj./n. hubú't-hubád.

nugget, n. tigkál.

nuisance, n. pangguló, pan- ligalig.

null, adj. waláng-bisà.

nullify, v. nuluhin, pawa- láng-bisà.

numb, adj. manhíd, nama- manhíd.

number, n. númeró, bilang. v. númeruhán, bilangin, isá-isahín.

numeral, adj. numerál.

numeration, n. numerasyon.

numerator. n. numeradór, ta- gabilang, pambilang.

numerical, adj. numérikó.

numerous, adj. maraming- marami.

numismatics, n. numismáti- ká.

numismatist, n. numismáti- kó.

nun, n. mongha.

nunnery, n. kumbento ng mga mongha.

nuncio, n. núnsiyó.

nunciature, n. nunsiyatura.

nuptial, adj. nupsiyál, pang-kasál.

nuptials, n. kasál, pagkaka-sál.

nurse, n. nars. v. magpasuso, magyaya, mag-alagà ng batà.

nursemaid, n. ama, yaya.

nursery, n. álagaan ng mga batà, narsery.

nurture, v. pakanin, alagaan.

nut, n. tuwerka; nuwés.

nutrient, adj. nakapagpápa-lusóg. n. pagkaing naka-pagpápalusóg, pagkaing masustánsiyá.

nutriment, n. pagkain.

nutrition, n. pagpapakain, nutrisyón.

nutritionist, n. nutrisyunista.

nutritious, adj. nakabúbusóg, nakapagpápalusóg.

nylon, n. naylon.

nymph, n. nimpa.

—O—

oaf, n. ungás.

oak n. (Bot.) roble.

oar, n. gaod, sagwán. v. gu-maod, sumagwán.

oarlock, n. orkilya.

oarsman. n. maggagaod, ta-gagaod.

oarsmanship, n. panggagaod, pananagwán.

oasis, n. oasis.

oath, n. sumpâ, panunumpâ.

oats, n. abena.

obbligato, n./adj. obligato.

obdurate, adj. may matigás na pusò, di-matinág.

obedience, n. pagka-masúnu-rin.

obedient, adj. masúnurin, madalíng akayin.

obey, v. sumunód, sundín.

obeisance, n. pagbibigáy-ga-lang.

obelisk, n. obelisko, krus, da-ga.

obese, adj. matabâ.

obesity, n. katabaán.

obfuscate, v. padilimín, pa-dimlán, guluhín, lituhín.

obfuscation, n. pagpapadi-lím, panlilitó.

obi, n. obi.

obituary, n. obitwaryo.

object, n. bagay, layon, pun-tahin, sadyâ.

objective, n. ang tinutungo, layunin. adj. palayón.

object, v. tumutol, tutulan.

objection, n. tutol, protesta.

objectionable, adj. may ka-pintasan, di-mabuti.

objector, n. ang tumútutol,
ang sumasalungát.

oblate, adj. nakaalay, naka-
handóg, deboto.

oblation, n. pag-aalay, pag-
hahandóg.

obligate, v. obligahín, ipa-
tungkól.

obligation, n. obligasyon.

obligatory, adv. sapilitán.

obliging, adj. matulungín,
magiliw.

oblige, v. pilitin.

oblique, adj. hirís, pahilís.

obliterate, v. katkatín, pawi-
in, kayurin.

oblivion, n. limot, pagkali-
mot, paglimot.

obloquy, n. alipustâ.

obnoxious, adj. nakasusuk-
lam.

oboe, n. oboe.

obscene, adj. mahalay, ma-
gaspáng.

obscenity, n. kahalayan.

obscurantism, n. obskuran-
tismo.

obscure, adj. madilím, ma-
lagím, baliwag.

obscurity, n. dilím, karim-
lán.

obsequious, adj. serbil, ma-
panuyò, mapangayupapà.

obsequiousness, n. pagkaser-
bíl, pangangayupapà.

obsequy, n. seremonyang

panlibíng.

observe, v. tumalima, uma-
yon, ipagdiwang, masdán,
pagmasdán.

observance, n. pagtalima.
pagdiriwang.

observant, adj. mapagmasíd.

observation, n. pagmamasíd.

observatory, n. obserbatoryo.

observer, n. tagamasíd, ang
nagmámasíd.

obsess, v. mahumaling.

obsession, n. obsesyón, pi-
nagkákahumalingan.

obsidian, n. (Min.) obsidya-
na.

obsolete, adj. di na gamít,
lipás, laós.

obsolescent, adj. palipás na,
nalálaós na.

obstacle, n. hadláng, sagwíl,
sagabal.

obstetrics, n. obstetrisya. ka-
runungan sa pagpapaanák.

obstetrician, n. obstetrisyan.

obstinate, adj. matigás ang
ulo, di-masupil.

obstinacy, n. katigasan ng
ulo.

obstreperous, adj. malinggál,
maingay, mabungangà.

obstruct, v. hadlangán, sar-
hán, harangan.

obstruction, n. sagabal, ba-
lakíd.

obstructionist, n. manghahadláng.

obtain, v. makuha, kunin, mákamít, kamitín, matamó, tamuhín, magtamó.

obtainable, adj. maáaring makuha.

obtrude, v. magpilit mapansín, makialam.

obtrusion, n. pakikialám.

obtrusive, adj. pakialám.

obtuse, adj. pulpól, pudpód, salsál.

obverse, n. harapan, kabilâ, pinaka-mukhâ, kara.

obviate, v. umiwas, iwasan.

obvious, adj. madalíng makita, madalíng maunawaan, hayág, lantád.

occasion, n. pagkakátaón, pangyayari, okasyón, pagdiriwang.

occasional, adj. manaká-nakâ.

Occident, n. Oksidente, Kanluran.

Occidental, adj. Oksidentál, Kanluranin.

occiput, n. likód ng bao ng ulo.

occult, adj. tagô, lingíd, mahiwagà. v. itagò, ilingíd, mapatagò, mapalingíd.

occultism, n. okultismo, alimuwáng.

occupy, v. okupahán, tirhán, tahanán, pagkaabala-

han ng panahon.

occupant, n. nakatirá.

occupation, n. pag-okupá, hanapbuhay, pagtirá.

occur, v. mangyari, mátagpuán, mákita, lumitáw.

occurence, n. pangyayari.

ocean, n. oseano, malakíng dagat.

oceanic, adj. oseánikô.

oceanographer, n. oseanográpo.

oceanographic, adj. oseanográpikó.

oceanography, n. oseanograpiya.

ocher, ochre, n. okre.

octagon, n. oktágonó, pigurang may walóng panig.

octave, n. oktaba.

octavo, n. tiklóp oktabo.

octet, n. okteto, wáluhan.

October, n. Oktubre.

octogenarian, n. adj. oktohenaryo, wawalumpuing taón.

octopus, n. pugità, oktcpús.

octosyllable, n. walóng pantíg.

octosyllabic, adj. wawaluhing-pantíg.

ocular, adj. okulár, pangmatá. n. silipán.

oculist, n. okulista.

odd, adj. gansál, di-karaniwan, samut-samot, nagkakasalungatan.

oddity, n. pagka-di-karani-
wan.

ode, n. oda.

odious, adj. nakamúmuhî,
nakapópoót.

odium, n. poót, kamuhián.
pagkamuhî.

odontology, n. odontolohiya,
aghám ng ngipin.

odor, n. amóy.

odorous, adj. mahalimuyak.

oestrus, n. kandí, panga-
ngandí.

of, prep. ng.

off, adv. inalís, di-itinulóy,
palayô, pahiwaláy.

offend, v. magkásala, mang-
galit, galitin, insultuhin,
upasalain, manugat ng
damdamin.

offence, offense, n. kasala-
nan, atake, tuligsâ.

offer, v. mag-alay, ialay, isa-
kripisyo, magsakripisyo.
n. alay sakripisyo, mung-
kahì, handóg.

offertory, n. opertoryo.

offhand, adj. biglaan, di-han-
dâ.

office, n. opisina, tangga-
pan.

officer, n. pinunò.

official, n./adj. opisyál.

officiate, v. manungkulan,
manuparan.

officious, adj. entremetido,
pakialám.

offing, n. laot, dáratíng.

offish, adj. malayô.

offprint, n. dagdág na lim-
bág.

offset, n. sangá, katumbás,
katimbáng, opsét, v. tapa-
tán, timbangán, tumbasán,
iopsét, ipaopséc.

offshoot, n. sangá, angkán,
bunga.

offspring, n. supling, anák,
bunga.

often, adv. malimit, mada-
lás.

ogle, v. sumulyáp-sulyáp.

ogre, n. ogro, higanteng kain-
tao.

oh, intrj. o.

ohm, n. omyo.

ohmmeter, n. omimetró.

oil, n. langís, aseyte.

oily, adj. malangís.

ointment, n. ungguwento.

okra, n. okra.

old, adj. laón, matandâ, gu-
lang, lumà, antigo, antig-
wa, dati.

oleander, n. (Bot.) adelpa.

oleaster, n. (Bot.) asebutse.

oleomargarine, n. margarina,
oleomargarina.

oleoresin, n. oleoresina.

olfaction, n. pangamóy, pag-
amóy.

oligarch, n. oligarka.
oligarchy, n. oligarkíya.
olive, n. olibo, oliba, aseytunas.
olypiad, n. olimpiada.
olympian, olympic, n./adj. olímpikó.
Olympus, n. Olimpo.
omega, n. omega, hulí, wakás.
omelet, n. tortilla.
omen, n. pangitain, palatandaan, babalâ.
ominous, adj. nagbabalà.
omentum, n. omento.
omission, n. omisyón, di-pagkakásama.
omit, v. di-isama, di-banggitín, pabayaan, ligtaán, iwan.
omnibus, n. bus, omnibus.
omnipotence, n. omnipoténsiyá, lubós na kapangyarihan.
omnipotent, adj. omnipotente, makapangyarihang lubós.
omnipresence, n. omnipresénsiyá, pagka-nasa lahát-nglugár.
omnipresent, adj. omnipresente, nasa-lahat-ng-lugár.
omniscience, n. lubós na karunungan.
omniscient, adj. lubos na marunong, alám ang lahát.

omnivorous, adj. omníboró, kaing lahát.
on, prep. sa.
onanism, n. onanismo.
once, adv. minsan, conj. pag, kapág, sa minsang.
oncoming, adj. nálalapít, palapít.
one, n./adj. isa, nag-íisá. pron. sínumáng tao.
oneness, n. pagka-íisá, pagka-nag-íisá, kaisahán.
oneself, n. sarili.
one-sided, adj. may pinápanigan.
onerous, adj. mabigát, malupít, mahigpít.
onion, n. sibuyas, lasuná.
onlooker, n mánonoód.
only, adj. adv. lamang, tangì, bugtóng. conj. nguni't.
onomastic, adj. onomástikó, pampangalan.
onomatopoeia, n. onomatopeya.
onomatopoeic, adj. onomatopéyikó.
onrush, n. pagsunód.
onset, n. salakay, atake, umpisá, simulâ.
ontology, n. ontolohiya.
onus, n. kargá, dalá, tungkulin, kapanágutan.
onward, adj. adv. pasulóng.
onyx, n. ónisé.
oology, n. oolohíya, karunu-

ngan sa itlóg ng ibon.

ooze, n. tagas, kayat. **v.** tumagas, kumayat.

opacity, n. opasidád, kalabuan.

opague, adj. malabò, kulabô.

opal, n. ópaló.

open, adj. bukás, waláng takíp, libré, prangko, tapát, mapagbigáy, lantád, hayág. **v.** buksán, ilatag, iladlád, ihayág, ibunyág, ibuká.

open air, adj. ayre-libre.

open door, pintóng bukás.

opener, n. pambukás.

open-handed, adj. bukás-kamáy.

open-hearted, adj. bukáspusò.

opening, n. butas, siwang, puwáng, bakante.

open-minded, adj. bukás-isip.

open mouthed, adj. nakangangá.

open shop, n. talyér na bukás sa lahat ng manggagawà.

opera, n. opera.

opus, n. opus.

operate, v. gumawâ, magtrabaho, gumanáp, tumupád, magbisà, mag-óperá, magpalakad, magmaneho, manehohin, palakarin.

operating table, n. mesang pánistisan.

operation, n. pagmamaneho,

pagpapalakad, pamamahalà, pagtistís, operasyón, pag-óperá.

operative, adj. maybisa.

operator, n. makinista, operetor, ang namamahalà, ang nagpápalakad.

ophthalmia, n. optálmiyá.

ophthalmologist, n. optalmologó.

ophthalmology, n. optalmolohiya.

opiate, n., adj. may-apyan, narkótikó, nakagíginhawa.

opine, v. magpalagáy, akalain, isipin.

opinion, n. palagáy, pananáw, paniwalà.

opium, n. apyan, opyo.

oponent, n. kalaban, kaaway, katalo.

opportune, adj. nápapanahón.

opportunist, n. oportunista, mapagsamantalá.

opportunity, n. oportunidád, pagkakátaón.

oppose, v. sumalungát, salúngatín, sumalangsáng, salangsangín.

opposite, n. kasalungát, kabaligtarán.

opposition, n. pagtutol, oposisyón.

oppress, v. pahirapan, mangapí, apihín.

oppression, opresyón, pang-
aapí.

oppressive, adj. mapang-apí.

oppressor, n. opresór, mang-
aapí.

opprobrious, adj. oprobyoso,
kaku'tyá-kutyâ, kahalay-ha-
lay.

optic, adj. óptikó.

optician, n. optiká.

optics, n. óptiká.

optometer, n. optómetró.

optometrist, n. optómetrá.

optometry, n. optometriya.

optimism, n. optimismo, pag-
ka-maasahín.

optimist, n. optimista, taong
maasahín.

optimistic, n. optimista, ma-
asahin.

option, n. opsiyón, karapa-
táng makapilì.

optional, adj. opsiyonál, di-
sápilitán.

opulence, n. yaman, kayama-
nan, kasaganaan.

opulent, adj. mayaman, ma-
riwasâ.

or, conj. o.

oracle, n. orákuló.

oral, adj. pasalitâ, orál,
pambibíg.

oral-aural, adj. pasalita't-
pakiníg.

orange, n. dalandán, sintu-
nis, dalanghita, kahél.

orangutan, n. orangutáng.

orate, v. manalumpatì.

oration, n. talumpatì.

orator, n. orador, manana-
lumpatî.

oratory, n. pananalumpatì,
dalanginán.

orb, n. orbe.

orbit, órbitá, lígiran.

orchard, n. looban, halama-
nan, gulayan, lagwerta.

orchestra, n. orkesta.

orchid, n. orkídeá.

ordain, v. italagá, ipag-utos,
itadhanà.

ordinance, n. ordinansa, ka-
utusán.

ordination, n. ordenasyón.

ordeal, n. mahigpít na pag-
subok.

order, n. orden, ayos pag-
aayos, kaayusan, pánunu-
rán, pamamaraán, kautu-
san, tuntunin, pabilin, ka-
urian. v. mag-ayos, iayos,
isaayos, pag-ugnáy-ugna-
yín, sistematisahín.

orderly, adj. maayos.

ordinal, n., adj. bilang pá-
nunuran, númeró ordinál.

ordinary, adj. ordinaryo, ka-
raniwan, pangkaraniwan.

ore, n. kiho, ináng-mina.

organ, n. órganó, sangkáp,
kasangkapan, páhayagán.

organist, n. organista.

organic, adj. orgánikó.

organism, n. organismo.

organization, n. organisasyón, asosyasyón, sámahan, kapisanan, pagbubuô, pagtatatag.

organize, v. mag-organisá, magbuô, magtatag.

organized, adj. organisado.

organizer, n. organisadór.

orgy, n. orhiya, lásingan.

orient, n. oryente, silangan, silanganan. v. humaráp sa silangan, iwastóng-dakò, isilangan, manilangan.

Oriental, adj. Oryentál, Silanganín.

Orientalism, n. Oryentalismo.

orientate, v. ipanilangan.

orientation, n. oryentasyón, paninilangan, pag-aangkóp.

orifice, n. butas, siwang.

origin, n. orihen, pinagmulán.

original, n./adj. orihinál.

originality, n. orihinalidád, kasarilinan.

originally, adv. noóng una.

originate, v. magsimulâ, magbigáy-simulâ.

origination, n. pagbibigáy-simulâ.

originator, n. ang nagbigáy-simulâ.

oriole, n. oryól.

orion, n. oryón, kasadór.

orison, n. orasyón, plegarya, dalangin, panalangin, dasál.

ornament, n. palamutî.

ornamental, adj. ornamentál, pampalamuti.

ornate, adj. maadorno, mapalamuti.

ornithology, n. ornitolohiya palaíbunan, karunungan hinggíl sa mga ibon.

ornithologist, n. ornitólogó, dalub-ibon.

orology, n. orolohiya, karunungan hinggíl sa mga bundók.

orologist, n. orólogó, dalubbundók.

orotund, adj. matagintíng.

orphan, n. ulila. v. maulila, ulilahin.

ophanage, n. ampunan ng mga ulila.

orphaned, adj. naulila.

orphanhood, n. pagkaulila, kaulilahan.

orpheus, n. orpeo.

orrisroot, n. liryo, iris.

orthodox, adj. ortodokso.

orthodoxy, n. ortodóksiyá.

orthography, n. ortograpiya, palabaybayan, palatitikan.

orthopedics, n. ortopedya.

oscillate, v. magpatayúntayón, magpaurung-sulong.

oscillation, n. osilasyón.

oscillator, n. osiladór.

osculate, v. halikán, humalík, hagkán.

osculation, n. paghalík.

osmosis, n. ósmosís.

osmotic, adj. osmótikó.

ossarium, n. osaryo, tanghalan ng mga butó.

ossein, n. oseína, sustánsiyá ng butó.

osseous, adj. mabutó, malaparang butó.

ossicle, n. muntíng butó.

ossification, n. pamumutó, pagigíng butó, osipikasyón.

ossify, v. mamutó, magíng butó.

ossuary, n. osaryo, buntunan ng butó ng patáy.

ostensible, adj. hayág, pakita.

ostensibly, adv. díumanó, díkunó.

ostentation, n. karangyaán, pagmamarangyâ.

ostentatious, adj. marangyâ, mapagparangyâ.

osteology, n. osteolohiya, karunungan sa mga butó, aghám ng mga butó.

osteologist, n. osteólogó, dalubbutó.

ostracism, n. ostrasismo.

ostracize, v. ostrasyahín, itakwíl.

ostracized, n. ostrasyado.

ostrich, n. abestrús, ostrik.

other, adj. ibá, pron. isa, ikalawá.

otiose, adj. namámahingá, nagpápahingaláy, nagtátamád.

ouch, intrj. aray!

ought, aux, v. dapat, nararapat.

ounce, n. onsa.

our, ours, pron./adj. atin, amin.

oust, v. paalisín, palayasin.

ouster, n. pagpapaalís.

out, adv. n. sa labás, patungo sa labás, palayô.

outbalance, v. malampasán sa bigát.

outbid, v. higtán ang tawad.

outbreak, n. silakbó, sikláb.

outburst, n. putók, sabog.

outcast, n. taong itinapon, taong desterado, taong itinakwíl.

outcome, n. kinalabasán, bunga, resultado.

outcrop, n. ang pumápaibabaw.

outcry, n. kaingay, sígawan.

outdistance, v. lampasán.

outdo, v. mahigtán, madaíg.

outfit, n. ekipo, kasangkapan.

outflank, v. pikutin sa tabihán.

outflow, n. agos na palabás, tulò sa labás.

311

outgoing, adj. palabás, paa-
lís, salyente.

outgrow, n. pagkalakhán.

outgrowth, n. labás na tubò.

outhouse, n. kasilyas.

outing, n. eskursiyón, hira.

outlandish, adj. kakatwâ,
kakaibá.

outlast, v. magtagál kaysa
ibá, mátiráng buháy.

outlaw, n. tulisán. v. ilabás
sa batás.

outlawry, n. panunulisán.

outlay, n. gastos, gugol, v.
gumastá, gumastos, gu-
mugol.

outlet, n. salida, lábasan, pá-
labasan, eksit.

outline, n. hugis, tabas, gu-
hit, balangkás.

outlive, v. mabuhay na mata-
gál kaysa ibá, mátiráng
buháy.

outlook, n. bista, tánawin,
pag-asa sa hinaharap, ang
máasahan.

outlying adj. sa hangganan,
kabalantáy.

outpatient, n. pasyenteng
dayo.

outplay, v. talunin.

outpost, n. abansada, banta-
yang malayò.

output, n. kabuuáng produk-
to, kabuuáng nayayarì.

outrage, n. kahalayan, pag-

halay. v. manghalay, hala-
yin.

outrageous, adj. kahalay-ha-
lay.

outrigger, n. katig, bata-
ngán.

outright, adj./adv. lahatan,
todos-todos.

outrun, v. unahan sa pagtak-
bó, lampasán sa takbó.

outset, n. simula, umpisá.

outshine, v. mahigtán sa
ningníng, daigín.

outside, n. labás, adj. panla-
bás, mulâ sa labás.

outsider, n. tagalabás.

outspoken, adj. prangko, wa-
láng pigil magsalitâ.

outspread, v. kumaiat, lu-
maganap.

outstanding, adj. umungós,
tanyág, katangi-tangì.

outstrech, v. mag-unat, iu-
nat, unatin.

outward, adj. palabás, pa-
tungo sa labás.

outwit, v. mapaglalangán,
manaíg (daigín) sa talas
ng isip.

outworm, adj. gastado, gas-
gás.

oval, n./adj. obaló, obalado,
taluhabâ, bilóg-habâ, habi-
lóg.

ovate, adj. hugis-itlóg.

ovary, n. obaryo.

ovation, n. pagbubunyî, pag-bibigáy-puri.

oven, n. hurnó.

over, adv. sa itaas, sa ibabaw, sa kabilâ, lampás, higít, ulî, mulî, minsan pa.

over-acting, n. labis na pagakto.

overage, adj. lampas sa gulang na kailangan.

over-all, adj. saklaw-lahát.

overalls, n. óberól, óberóls.

overawe, v. takutin.

overbear, v. manupil, manaíg, mangibabaw.

overboard, adv. sa dagat, mula sa bapór.

overcast, adj. maulap na maulap.

overcharge, v. singilán ng labis.

overcoat, n. gabán, sobretodo, abrigo.

overcome, v. manaíg, pangibabawan, pagtagumpayán.

overdo, v. magmalabís, lumabis, pagmalabisán.

overdose, n. labis na dosis.

overdraft, n. lampás na lagak, lampás na kréditó.

overdue, n. atrasado, bansido.

overexposed, adj. lampás na pagkakatapát sa ilaw.

overflow, v. umapaw, bumahâ.

overgrow, v. lumambâ. lumabay, lumagô, pagkalakhán. lampás na paglakí.

overhand, adj. pabulada, papalô, pababâ.

overhang, v. ibitin, bitinan, magbitin.

overhaul, v. mag-óberhól, óberholín.

overhead, adv., sa itaás, sa ibabaw, oberhéd, gastospihos.

overhear, v. máulinigan, disinásadyáng mapakinggán.

overlap, v. magkasanib-sanib, magkasudlúng-sudlóng.

overlook, v. di-mápuná, makaligtaán, bantayán.

overnight, n. nang gabíng nakaraán, adj. magdamág.

overpass, n. daán sa ibabaw. óberpás.

overpower, v. mapipilan, madaíg, magahís.

overproduction, n. labis na produksiyón.

overrule, v. baguhin ang dating pasiyá, pangibabawan.

overrun, v. mangalat, pangalatan, maglipanà, paglipanaan.

overseas, adv./adj. sa kabiláng dagat, sa kabiláng ibayo ng dagat.

oversee, v. pamanihalaan,

bantayán.

overseer, n. katiwalà, taga-pamanihalá.

overshadow, v. liliman, maliliman.

oversight, n. ligtâ, pagkaligtâ.

oversleep, v. lumabis sa tulog.

overstay, v. magtagál sa pagtigil.

overstrung, adj. maramdamin, nerbiyoso.

overt, adj. kita, lantád, hayág.

overtake, v. abutin, abutan, maabutan.

overthrow, v. talunin.

overtime, n. panahóng lampás sa oras ng trabaho, lamay.

overture, n. obertura.

overturn, v. tumaób, itaób, mapataób.

overweening, adj. palalò.

overweight, n. labis na bigát.

overwhelm, v. madaíg, daigín, magapì, gapiin.

overwork, n. pagawin nang labis.

oviduct, n. lábasan ng itlóg.

ovine, adj. malatupa, parang tupa.

ovulate, v. mangitlóg.

ovulation, n. pangingitlóg.

ovule, n. muntíng itlóg.

ovum, n. itlóg.

owe, v. magkautang.

owl, n. kuwago, baháw.

own, v. mag-arì, ariin, umamin, aminin mananggáp, tanggapín. **adj.** sarili.

owner, n. may-arì, propietaryo.

ownership, n. pangangarì, pagka-may-arì.

ox, n. toro, baka.

oxtail, n. buntót ng toro.

oxygen, n. oksíhenó.

oxygenate, v. oksihenihán.

oxytone, adj. may diín sa hulíng pantíg, mabilís.

oyster, n. talabá.

ozonation, n. osonisasyón.

ozone, n. osono.

ozonic, adj. osonisado.

ozonic ether, n. eter osonisado.

ozonize, v. osonisahín.

ozonizer, n. osonisadór.

ozonometer, n. panukat ng osono.

pabulum, n. pagkain.

pace, n. hakbáng, lakad, bilís. **v.** magmartsa.

pachyderm, n. pakidermo.

pacific, adj. tahimik, pasípikó.

Pacific Ocean, n. Dagat Pasípikó.

pacificate, v. patahimikin, pasipikahin.

pacification, n. pagpapatahimik.

pacifier, n. pampatahimik, tagapagpatahimik.

pacifism, n. pasipista.

pacify, v. patahimikin, pasipikahín.

pack, n. pakete, balutan, pulutong, kawan. v. paketehin, empakihín, balutin, siksikín, pikpikín.

packer, n. empakadór.

packet, n. muntíng pakete.

package, n. pakete, balutan.

pack, n. kásunduan, pakto.

pad, n. sapín.

padding, n. pading.

paddle, n. gaod, sagwán. v. gumaod, sumagwán.

paddler, n. manggagaod, mananagwán.

paddock, n. sánayan ng kabayo, dehesa.

paddy, n. palayan.

padlock, n. kandado. v. kandaduhan, ikandado.

paean, n. imnong papuri, awit na papuri.

pagan, n./adj. pagano.

paganism, n. paganismo.

paganize, v. gawing pagano.

page, n. pahina, pahe. v. ipatawag nang malakás.

pageant, n. pedyant, tanghál na maringal.

pageantry, n. dingal, karingalan.

paginate, v. pahinahín.

pagination, n. pahinasyón.

pagoda, n. pagoda.

pail, n. timbâ.

pain, n. parusa, multá, sakít.

painful, adj. masakít, makirót, mahapdî.

painless, adj. waláng-sakít.

painstaking, adj. mapagsumakit. n. pagsusumakit.

paint, n. pintá, pintura. v. magpinta, pintahán, magpintura, pinturahan.

painter, n. pintór.

painting, n. pagpipintá, pintura, kuwadro.

pair, n. pares.

pajama, n. padyama.

pal, n. pal, katoto.

palace, n. palasyo, mansiyón.

paladin, n. paladín.

palanquin, n. palangkín.

palate, n. (Anat.) ngalángalá.

palatable, adj. masaráp.

palatal, adj. pangngalángalá, palatál.

palatalize, v. patunugin sa ngalángalá.

pale, adj. maputlâ, namúmutlâ.

paleness, n. kaputlaán.

pallidity, n. pagka-namúmutlâ.

pallor, n. pamumutlâ.

pale, n. bakuran, looban.

paleography, n. paleograpiya, aghám ng matandáng

pánulatan.
paleolith, n. paleolítiko.
paleontology, n. paleontolohíya.
paleontologist, n. paleontólogó.
palette, n. paleta.
palindrome, n. palindromya.
palisade, n. kutang-bakod.
pall, n. lambóng, v. kulubungán, lambungán.
pall, v. magsawà, masuyà.
pall, n. (Eccl.) palyo.
pallbearer, n. tagahawak ng palyo, (tagabuhat ng kabaong).
pallet, n. kamilya, baníg.
palliate, v. paginhawahin.
palliation, n. pagpapaginhawa.
palliative, adj. nakagíginhawa.
palluim, n. palyo.
palm, n. palad, palma, palaspás.
palmist, n. manghuhulà sa palad.
palmistry, n. panghuhulà sa palad.
palomino, n. kabayong palomino.
palpable, adj. náhihipò, nádaramá.
palpate, v. pakiramdamán.
palpation, n. pakikiramdám.
palpebral, adj. hinggíl sa ta-

lukap-matá.
palpitate, v. tumibók.
palpitation, n. tibók, pagtibók.
palsy, n. parálisís.
paltry, adj. waláng-saysáy. waláng-kabuluhán, muntî.
paludism, n. paludismo, malarya.
pamper, v. magpalayaw, palayawin.
pamphlet, n. polyeto, librito, munting aklát, pamplet.
pan, n. bandeha.
panacea, n. panáseá.
pancake, n. pankek.
pancreas, n. lapáy, pankreas.
panda, n. (Zool.) panda.
pandanus, n. (Bot.) pandán.
pandemic, adj. pandémikó, salot na laganap.
pandemonium, n. pandemonyum.
pander, n. bugaw. v. magsilbíng bugaw.
pane, n. oha, dahon, pohas.
panegyric, n. panegíriko, papuri.
panel, n. panig, panel, lupon.
panic, n. biglán sindák, biglán takot, panik. v. masindák matakot, magpanik.
panoply, n. panópliá.
panorama, n. panorama.

pant, v. humingal, magiliw, masabík, tumibók, **n.** hingal, tibók.

pantheism, n. panteismo.

pantheon, n. panteón, pantiyón.

panther, n. pantera.

pantograph, n. pantógrapó.

pantomine, n. pantomina.

panty, n. panti, panty.

papâ, n. papá, tatay, tatang.

papacy, n. papado.

papal, adj. papal, pontipikál.

papist, n. papista.

paper, n. papél, papeles, kasulatan, páhayagán.

papilla, n. (Anat., Zool.) papila.

papoose, n. papús, sanggól ng Indiyán.

paprika, n. pamintón.

papule, n. tagihawat.

par, n. par, paridád, nimél, par.

parable, n. parábula.

parabola, n. parábolá.

parachute, n. parakayda, párasyút.

paraclete, n. paráklito, espíritú santo.

parade, n. parada. **v.** magparada.

paradigm, n. paradigma, huwaran, tularan halimbawang banghày.

paradise, n. paraiso.

paradox, n. paradoha, balintunay.

paraffin, n. parapina.

paragoge, n. paragoge, dagdág sa dulo ng salitâ.

paragon n. ulirán, modelo, húwaran.

paragraph, n. tálataán, párapó.

parakeet, n. párakít, lorong muntî.

parallax, n. paralahe.

parallel, adj. paralelo, kaagapay.

paralelogram, n. paralelogramo.

paralogism, n. paralohismo, palsóng pangangatwiran.

paralysis, n. parálisís.

paralitic, adj. paralítikó.

paralize, v. paralisahín, alisán ng bisà.

paramecium, n. paramisyum.

parameter, n. parámetró.

paramnesia, n. paramnesya.

paramount, adj. pinakamataás, punò.

paramour, n. kaapíd.

paranoia, n. paranoya.

parapet, n. kutà.

paraphernalia, n. parapernalya, kagamitán.

paraphrase, n. bigáy-kahulugán, paraprasis, **v.** magbibigáy-kahulugán, paraprasihín.

parasite, n. parásitó.
parasitic, adj. parásitó.
parasiticide, n. pamatáy-parásitó.
parasitologist, n. parasitólogó.
parasitology, n. parasitolohiya.
parasol, n. parasol, payong.
parasynthesis, n. paghugutbuô ng salitâ, parasíntesís.
paratroop, v. magpáratrúp.
paratrooper, n. páratruper.
parcel, n. pakete, kalipunan, bahagi, v. baha-bahaginin, ipamahagi.
parch, v. isalab, salabin, tuyuíng tuyúng-tuyó.
parchment, n. pergamino.
pardon, v. magpatawad, patawarin, magpaumanhín, pagpaumanhinán. n. patawad, pagpapatawad, paumanhín, pagpapaumanhín.
pardonable, adj. mapatátawad.
pare, v. magtalop, talupan, magbawas, bawasan.
paregoric, n. paregóriko.
parent, n. magulang, ama't iná.
parentage, n. parentela, angkán.
parenthood, n. pagkamagulang.

parenthesis, n. paréntesís, panaklóng.
parish, n. parokya.
parity, n. paridád, pagkamagkapantáy.
park, n. parke, liwasan. v. pumarada, iparada.
parkway, n. lansangang-parke.
parlance, n. pananalitâ, paguusap, sálitaan.
parley, n. komperénsiyá.
parliament, n. parlamento, bátasan.
parliamentarian, n.,/adj. parlamentaryo.
parliamentarism, n. parlamentarismo.
parliamentary, adj. parlataryo.
parlor, n. salón, salas.
parnassus, n. parnaso, kalipunan ng mga tulâ.
parochial, adj. parokyál.
parody, n. parodya, karikatura, panggagayang nagpápatawá.
parole, n. pangakó, pagpapalayang kondisyonál.
parolee, n. taong pinalayà sa bisà ng paról.
parotid, n. parótidá.
parotitis, n. baikí.
paroxysm, n. paroksismo, atake, pagsasál.

parricide, n. parisidyo, pagpatáy sa sariling magulang.

parrot, n. loro.

parry, v. umilag, ilagan, manalág, salagín.

parse, v. magparsing, parsingín.

parsing, n. pagpaparsing.

parsimonious, adj. mapagárimuhunán, nápakatipíd, kuripot.

parsimony, n. pagka-mapagárimuhunán, pagka-nápakatipíd.

parsley, n. parsley, perehíl.

parson, n. kura párokó, parì.

part, n. bahagi, sangkáp, praksiyón, hatì, papél, piyesa. v. bahaginin, paghiwalayín, hatiin, pagpirapirasuhin, umalís, lumisan, maghiwaláy.

partake, v. lumahók, makilahók, makibahagi, bumahagi.

partaker, n. kalahók.

parthenogenesis, n. partenohénesís.

partial, adj. may kinikilingan, mahilig, bahagi, parsiyál.

partiality, n. parsiyalidád, pagka-may-kiníkilingan.

participate, v. makibahagi, lumahók, sumali.

participation, n. pakikibahagi, paglahók, pakikilahók.

participator, n. kalahók.

participant, n. kalahók, kasali.

particle, n. katitíng, butil, katagá, tapík.

particular, adj. bukád, hiwaláy, tangì, sadyâ, namúmukód, magatod. n. detalye, kabatirán.

partner, n. kasama, kasosyo, kapareha, kakopon, kapanig.

partnership, n. bakasan, samahan.

partridge, n. pugò.

parturient, adj. buntís.

parturifacient, n. gamót pampaanák.

parturition, n. panganganák.

party, n. partido, lápian, pulutóng, party, pagtitipon, handaan, panig.

parvenu, n. bigláng-yaman.

pasch, n. paskó.

pascha, n. bahá.

pasquinade, n. paskíl.

pass, n. landás, daanán, pases, paglipat, pagpapalipat-lipat, pagpasá, hagod, himas, hagpos. v. dumaán, magdaán, makaraán, makalipas, makalampás, makalusót, mangyari, magpa-

lipat-lipat, tumawíd, tawi-
rín.

passable, adj. maáaring ma-
raanan.

passage, n. daán, daanan,
pasahe.

passbook, n. libreta.

passerby, n. mga dumaraan.

passport, n. pasaporte, tulot-
lakbáy.

password, n. kontra-senyas.

passtime, n. libangan.

passenger, n. pasahero, sa-
káy, lulan.

passion, n. pagdurusa, pagti-
tiís, damdamin, masimbu-
yóng damdamin, hilig ng
katawan.

passionate, adj. masimbuyó
sa damdamin.

passive, adj. pasiba, tahimik,
waláng-bikô, mapagtíís,
matiyagâ, balintiyák, ka-
balikán.

past, adj. karáraán, nagda-
án, dati, kalílipas.

paste, n. pasta, pandigkít, ko-
la. v. magdigkít, idigkít,
digkitan.

pasteboard, n. kartón.

pastel, n. pastél.

pasteurism, n. pasteurismo.

pasteurize, v. pasteurisahín.

pasteurization, n. pasteuri-
sasyón.

pastile, n. pastilyas, table-
tas.

pastime, n. paglilibáng, lí-
bangan.

pastoral, adj. pastorál, hing-
gíl sa mga pastól. n. pas-
torál.

pastor, n. pastór, pastól.

pastorale, n. kantata, líri-
káng pangkabukiran.

pastry, n. pastél.

pasture, n. pastulan. v. ma-
nginain, magpastól, pastu-
lán.

pat, n. tapík, tampî, tapikín.

patch, n. tagpî, tutóp. v. mag-
tagpî, tagpián.

patchwork, n. tagpiang-iba-
ibá.

patchy, adj. tagpí-tagpî.

patchouli, n. patsuli.

pate, n. tuktók ng ulo, bum-
bunan, ulo.

patella, n. bayugo ng tuhod.

patelliform, adj. hugis-disko.

paten, n. patena.

patent, adj. malinaw, hayág,
patentado. n. patente, títu-
ló, karapatán.

pater, n. amá.

paternal, adj. ng amá.

paternity, n. pagka-amá.

path, n. landás, daán.

pathfinder, n. manggagalu-
gad.

pathetic, adj. nakákaawà, nakalúlungkót, nakapúpukaw.

pathos, n. pamukaw-awà, pamukaw-habág.

pathology, n. patolohiya.

pathologist, n. patólogó.

patience, n. tiyagâ, pagtitiyagâ, katiyagaán.

patient, n. pasyente, maysakít. adj. pasyente, matiyagâ, mapagtiís.

patio, n. patyò.

patois, n. diyalekto, wikang lalawiganín.

patriarch, n. patriarka.

patriarchal, adj. patriarkal.

patriarchy, n. patriarkado.

patrician, n. patrisyo, mahál, aristókratá.

patricide, n. parisida, parisidyo.

patrimony, n. patrimonyo, mana.

patrimonial, adj. patrimonyál, minana.

patriot, n. patriota, makabayan.

patriotic, adj. patriótikó, makabayan.

patriotism, n. patriotismo, pagka-makabayan.

patristic, adj. patrístikó.

patrol, n. patrulya, ronda, taliba, guwárdiyá. v. pumatrulya, rumonda, tumalibà, gumuwárdiyá.

patroller, n. tagapatrulya, tagaronda.

patrolling, n. pagpapatrulya, pagroronda.

patrolman, n. pulisyang patrulya, pulisyang rondadór, patrolman.

patron, n. patrón, tagataguyod, tapagpagtanggól, sukì.

patronage, n. patrosinyo, pagtangkilik, patronato.

patroness, n. patrona.

patronize, v. tangkilikin.

patten, n. bakyâ, suwekos.

patter, n. taguktók, tunóg ng paták.

pattern, n. patern, tularán, húwaran, disenyo. v. itulad, tularan, bigyán ng húwaran.

paucity, n. pagka-kákauntî, kakulangán.

paunch, n. buyon.

pauper, n. abukanin, pulubi, adj. dahóp, hikahós, salát.

pause, n. tigil, sandalíng hintô, pahingá, ulik-ulik. v. sandaling tumigil, sandalíng humintô, magpahingá.

pave, v. latagan ng bató, latagan ng semento, ihandâ ang daán o pagdaraanan.

pavement, n. pabimento, bangketa.

pavilion, n. pabelyón.

paw, n. paáng may pangalmót, paá ng hayop.

pawn, n. piyon, sanglâ, prenda.

pawnage, n. pagsasanglâ.

pawnbroker, n. ang may-pá-sanglaan.

pawner, n. ang nagsasanglâ.

pawnshop. n. bahay-sang-laan.

pay, v. magbayad, bayaran, umupa, upahan, gumantí gantihán, n. suweldo, ba-yad, upa.

payable, adj. pagadero, ma-bábayaran.

payee, n. ang pagbábayaran, ang pinagbábayaran.

paymaster, n. pagadór, taga-bayad.

payment, n. bayad, kabaya-rán.

pay off, ang sukdulan.

pea, n. gisantes.

peace, n. kapayapaan.

peaceable, adj. mapanahimik, mapagpayapà.

peaceful, adj. payapà, tahi-mik.

peacemaker, n. pasipikadór, tagapamayapà.

peach, n. melokotón,

peacock, n. paboreál.

peak, n. tugatog, taluktók, ituktók, karurukan.

peal, n. repike ng kampanà halakhák, daguldól ng ku-lóg.

peanut, n. manî

pear, n. peras.

pear-shaped adj. hugis-peras.

pearl, n. perlas, mutyâ.

peasant, n. taong-bukid, mag-bubukid, magsasaká.

pebble, n. muntíng bató, graba.

peck, v. tumukâ, tukaín, ma-nukâ.

pectoral, adj. pektorál, pan-dibdíb.

peculiar, adj. pekulyár, pam-bihirà, kakatwâ, kakaibá.

peculiarity, n. pekulyaridád.

pecuniary, adj. pekunyaryo, hinggíl sa kuwarta.

pedagogics n. pedagohiya.

pedagogue, n. pedágogó, gurò.

pedal, adj./n. pedál.

pedant, adj. pedante.

pedantic, adj. pedantesko.

pedantism, n. pedantismo.

pedantry, n. pedanteriya.

peddle, v. maglakô, ilakò, paglakuan.

peddler, n. maglalakô, taga-paglakò.

pedestal; n. pedestál.

pedestrian, n. taong naglá-lakád.

pediatrics n. pedyatriya.

pedigree, n. linahe, angkán.

peek, n. sumilip, silipin. n. silip, sulyáp, sigláw.

peel, v. magtalóp, talupan,

mabakbák.

peelings, n. pinagtalupan.

peeler, n. pantalop.

peep, v. sumiyáp, humuni, sumilip. n. siyáp, huni, silip.

peeper, n. máninilip.

peephole, n. butas na silipán.

peer, v. masdán, tingnáng mabuti.

peer, n. kapantáy, kaurì, taong mahál.

peerage, n. noblesa.

peeress, n. sinyora.

peerless, adj. waláng kapantáy.

peeve, v. galitin, yamutín.

peevish, adj. magagalitín, mayámutin.

peewee, n. bagay na munsíng.

peg, n. kalabiha, pasak, sabitán, pangkuhit. v. lagyán ng kalabiha.

pejoration, n. paninirà, panghahamak.

pelf, n. yamang ninakaw.

pelican, n. pelíkanó.

pellagra, n. pelagra.

pellet, n. píldorás, perdigones, bolitas.

pellicle, n. balok.

pellmell, adv. gulung-guló, di-magkámayaw.

pellucid, adj. malinaw, nási-

sinág, madalíng máunawaan.

pelt, n. balát, kuwero.

pelt, v. pagsusuntukín pagbabayuhín, bayuhín.

pelvis, n. balakáng, butó ng baywáng.

pen, n. pluma, panulat, panitik.

penalty, n. parusa, kastigo, multá.

penal, adj. penál.

penalize, v. multahán, papagmultahín parusahan.

penance, n. peniténsiyá, pagsisisi.

penchant, n. hilig, pagkagustó.

pencil, n. lapis.

pendant, n. hikaw, palamuti.

pending, adj. nakabitin, nakalawít, di pa naháhatulan, prep. samantala, habang, hanggáng.

pendulous, adj. patayún-tayón.

pendulum, n. pénduló.

penetrable, adj. maáaring matagusán, masusuót.

penetralia, n. káloób-looban.

penetrant, adj. tumátagós, matalas.

penetrate, v. pumasok, mapasok, maglagós, lagusán,

lumusót. tumusok, tumu-hog, tumimò.

penetrating, adj. matalas, matalím, matulis.

penetration, n. katalasan, pagtagós, pagpasok.

penguin, n. pengguwín.

penicillin, n. penisilín.

peninsula, n. penínsulá, tang-wáy.

penitence, n. pagsisisi, peni-ténsiyá.

penitent, adj. nagsísisi.

penitente, n. ang nagsísisi.

penitentiary, n. bílangguan, párusahán.

penmanship, n. panunulat, istilo ng pagsulat.

pennant, n. penant, bandero-la.

penniless, adj. waláng-ku-warta, dahóp.

pennon, n. bandera, bandilà, watawat, pendón.

penny, n. pera, séntimós.

penny-wise ,adj. magalíng sa kauntián.

penology, n. penolohiya.

pension, n. pensiyón.

pensioner, n. pensionado.

pensive, adj. nag-íisíp, pen-satibo.

pent (up), adj. nakakulóng.

pentad, n. limahan, limá-li-má.

pentagon, n. limáng panig, pentagón.

pentagon, n. limáng panig.

pentagonal, adj. may limáng-panig.

pentecost, n. péntekostés.

penthouse, n. sibì, aneks.

penult, n. una sa hulí, penúl-timá.

penumbra, n. penumbra.

penurious, adj. maramot, yá-yát, tigáng.

penury, n. karukhaán, kasa-latán.

peon, n. piyón, manggagawà.

people, n. mga tao, taong ba-yan, mámamayán.

pep, n. brio, siglá.

peppy, adj. mabrío, masiglá.

peplum, n. peplum.

pepper, n. sili.

peppery, n. maangháng.

peppermint, n. menta, yer-babwena.

pepsin, n. pepsina.

peptone, n. peptona.

per, prep. sa pamamagitan, bawa't.

peradventure, adv. marahil, kaypalà.

perambulate, v. maglakád-lakád.

perambulation, n. paglala-kád-lakád.

perambulator, n. karwahe ng batà.

percale, n. perkál.

perceive, v. mádamá, mapansín, matantô, mahulò.

perceptible, adj. nádaramá, nápapansín.

perception, n. pagkadamá, pagdamá.

perceptive, adj. matalas dumamá.

perceptual, adj. ukol sa pandamá.

percentage, n. pursiyento, persentahe, bahagdán, kumisyón.

percent, n. bahagdán, pursiyento.

percentile, n./adj. persentil, pamahagdán.

perch, n. hapunán, dapuán, katangán. v. humapon, dumapò, ipatong.

perchance, adv. marahil, kaypalà, bakâ maáarì, bakâ sakalì.

percolate, v. salain, patagasin, patigmakín.

percolation, n. pagsasalà, pagtatagas.

percolator, n. perkoladór.

percuss, n. tapikín.

percussion, n. perkusyón, tapík.

per diem, diyeta, 'per diem'.

perdition, n. perdisyón, kapahamakán.

perdurable, adj. matibay na

matibay, magtátagál, waláng-wakás.

peregrinate, v. magperegrino, maglakbáy, maglagalág.

peregrination, n. peregrinasyón, paglalakbáy.

peregrinator, n. peregrino, manlalakbáy.

peremptory, adj. parentoryo, panapós, lubós, positibo, tiyakan.

perennial, adj. pansantaón, waláng tigil, pangmátagalan, pabalik-balik.

perfect, n. ganáp, buô, kumpleto, waláng depekto, eksakto, lantáy. v. gawíng ganáp, dalisayin.

perfection, n. perpeksiyón, kahigpitan.

perfectionism, n. perpeksiyunismo.

perfectionist, n. perpeksiyunista, mapanghigpít.

perfidious, adj. lilo.

perfidy, n. paglililo, kaliluhan.

perforate, v. lagyán ng susúd-sunód na butas, pagbutás-butasin.

perforation, n. perporasyón.

perforator, n. perporadór, pambutas.

perforce, adv. sápilitán, sálakasan.

perform, v. gumawâ, gawín,

gumanáp, ganapín, gampanán, matapos, tapusin.

performance, n. pagganáp.

performer, n. tagaganáp.

perfume, n. pabangó, perpume. v. pabanguhán, lagyán ng pabangó.

perfumery, n. perpumeriya,

perfunctory, adj. mekánikál, waláng siglá, waláng bahalà.

pergola, n. pergola, balag.

perhaps, adj. marahil, kaypalà.

periapt, n. amuleto, antíng-antíng.

pericardium, n. perikárdiyó.

pericarditis, n. perikarditis.

pericarp, n. perikárpiyó.

pericranium, n. perikráneó.

perigee, n. periheo, kálapitang-buwán.

peril, n. panganib, kapanganiban.

perilous, adj. mapanganib.

perimeter, n. perímetró, paligid.

perineum, n. perineo.

period, n. punto, tuldók, panahón, hangganan, oras ng klase.

periodic, adj. paulit-ulit, pabalik-balik.

periodical, n. peryodikó, páhayagán.

periosteum, n. peryóstiyó.

periostitis, n. peryostitis.

peripatetic, adj perepatétikó, pagala-galà.

periphery, n. ibabaw, superpisye, guhit ng bilog, sirkumperensiyá, duluhan ng nérbiyós.

periphrasis, n. pagpapaliguyligoy.

periscope, n. periskopyo.

perish, v. mapuksâ, mágibâ, pumanaw, maparam, mamatáy.

perishable, adj. madalíng masirà.

peristalsis, n. peristalsis, galáw-uód.

peritonium, n. peritoneo.

peritonitis, n. peritonitis.

perjury, n. perhuryo, palsóng panunumpâ.

perjure, v. magsinungaling.

perjurer, n. perhuro, taong sinungaling.

perk, v. magtuwíd ng katawán, tumayô, lumindíg, maglumindíg.

permanence, n. kapanatilihán, permanénsiyá, pagkapálagian.

permanent, adj. pántilihan, permanente, pálagian.

permanganate, n. (Chem.) permangganato.

permeate, v. sumulop, tumaláb, talabán, tumagas, ·pumawis, tumulas, mangalat.

permit, n. pahintulot, permiso. **v.** pahintulutan, bigyán ng permiso.

permissible, adj. máipahíhintulot.

permission, n. pahintulot. permiso.

permutable, adj. permutable, maáaring mabago, maáaring ipakipagpálitan.

permutation, n. permutasyón.

permute, v. baguhin.

pernicious, adj. labis na nakapipinsalà, nakasísirà.

peroxide, n. peróksidó.

perpendicular, adj. patayô, perpendikulár.

perpetrate, v. gumawâ ng kasalanan, gumawâ ng masamâ.

perpetration n. paggawâ ng kasalanan, pagkakasala.

perpetrator, n. ang gumawâ (may gawâ) ng kasalanan.

perpetual, adj. perpetwo, habang panahón.

perpetuate, v. papamalagiin, papanatilihin.

perpetuation, n. pagpapamalagì, pagpapanatili.

perpetuity, n. habang panahóng pamamalagì.

perplex, v. guluh′n ang isip, lituhín.

perplexed, adj. guló ang isip, litó.

perplexing, adj. nakagúguló ng isip, nakalílitó.

perplexity, n. kaguluhán ng isip, kalituhán.

perquisite, n. dagdág na kita.

persecute, v. usigin, pag-usigin, ipahamak, saktán, lapastanganin.

persecution, n. pag-uusig.

persecutor, n. mang-uusig.

perseverance, n. tiyagâ, pagtitiyagâ, kasigasigan.

persevere, v. magtiyagâ, magpumilit, magsigasig.

persevering, adj. matiyagâ, mapagpumilit, masigasig.

Persian, n./adj. Persa.

persiflage, n. kantiyáw.

persist, v. magpumilit, pagpumilitan, magtiyagâ, pagtiyagaán.

persistence, n. pagpupumilit, pagmamatigás.

persistent, adj. mapagpumilit, paulit-ulit.

person, n. tao, sinuman, sino man, katauhan, pagkatao.

personality n. katauhan, personalidád, pagkatao.

personification, v. pagtatao.

personnel, n. personél, tauhan, mga empleado.

perspective, n. perspektiba, tunay na larawan, padamáng layò.

perspicacious, adj. malinaw, maglarawang-diwà, malalim umunawà.

perspicacity, n. talas ng paningín, lalim ng pang-unawà.

perspicity, n. linaw ng pagpapahayag.

perspicious, adj. malinaw magpahayag.

perspiration, n. pawis.

perspire, v. pawisan, pagpawisan.

persuade, v. papaniwalain, hikayatin, himukin.

persuasion, n. hikayat, himok.

persuasive, adj. mapanghikayat, mapanghimok.

pert, adj. pangahás, malakás ang loób, masalitâ, malikót.

pertain, v. maukol, mahinggíl.

pertinacious, adj. di-sukat maibadlíng, matigás ang ulo, mahigpít ang kapit.

pertinent, n. náuukol, náhihinggíl, kaugnáy.

perturb, v. gambalaın, magambala, magulumihanan, mabalisa.

perturbation, n. pagkagambala, kabalisahán.

pertussis, n. ubóng dalahit, pertusis.

peruke, n. peluka, buhók na postiso.

perusal, n. maingat na pagbabasá.

peruse, v. magbasa, basahin.

peruser, n. mambabasá.

pervade, v. laganapan, malaganapan, mangalat, mangalatkát.

perverse, adj. sinsay, lisyâ, malî, balakyót.

perversion, n. kasinsayán kalisyaán.

pervert, v. isinsáy, ilisyâ, iligáw.

perverted, adj. sinsáy, lisyâ, pilipít.

pesky, adj. buwisit, nakabúbuwisit.

peso, n. piso.

pessary, n. pesaryo.

pessimism, n. pesimismo, hilig sa pagmamasamâ.

pessimist, n. pesimista, taong mahilig sa pagmamasamâ

pessimistic, adj. pesimista, mahilig-magmasamâ.

pest, n. peste, epidemya, salot.

pester, v. mangyamót, yamutín, buwisitin.

pestle, n. halo, pambayó.

pet, n. alagang hayop, mahál, irog. **adj.** paborito, (-ta). **v.** hagpusín, himasin.

petal, n. talulot, pétaló.

peter out, v. maubos, masaíd.

petiole, n. palapà, balabà.

petition, n. petisyón, hilíng, kahílingan. **v.** magpetisyón, humilíng, hilingín.

petrifaction, n. petripaksiyón, pagigíng bató, paninigás na parang bató.

petrifactive, adj. nagbibigáytigás na parang bató.

petrify, v. manigás na parang bató.

petroleum, n. pitrolyo, gas.

petticoat, n. nagwas, pétikót.

petty, adj. muntî, waláng kabuluhán, hamak.

petulance, n. sumpóng ng galit.

petulant, adj. sumpungin, madaingin.

petunia, n. petunya.

pew, n. bangkô sa simbahan.

phagocyte, n. pagosito.

phalanx, n. palanghe.

phantasm, n. pantasma.

phantasmagoria, n. pantasmagoriya.

phantasy, n. pantasiya.

phantom, n. manlalabas.

pharaoh, n. paraón.

pharisee, n. pariseo.

pharmacy, n. parmasya, butika.

pharmaceutical, adj. parmaseútikó.

pharmacist, n. parmaseútikó.

pharmocologist, n. parmakólogó.

pharmacology, parmakolohiya.

pharynx, n. paringhe, lalaugan.

pharyngeal, adj. panlalaugan.

pharyngitis, n. paringhitis.

pharyngology, n. paringgolohiya.

pharingoscope, n. paringgoskopyo.

phase, n. pase, aspekto, anyô. panig, pagbabago.

phenomenon, n. penómená.

phenomenal, adj. penomenál.

philander, v. manlimbang. limbangín. magbirô sa pag-ibig.

philanderer, n. manlilimbang.

philandering, adj. mapanlimbáng, nanlilimbáng.

philantrophy, n. pilantropiya.

philantropist, n. pilántropó.

philately, n. pilateliya.

philatelic, adj. pilatéliká.

philharmonic, adj. pilarmónikó, maibigín sa músiká.

philippics, n. tuligsá, pilípi-
kó.
philology, n. pilolohíya.
philological, adj. pilolóhikó.
philologist, n. pilólogó.
philosopher, n. pilósopó.
philosophical, adj. pilosópi-
kó.
philosopy, n. pilosopiyá.
philosophize, v. mamilosopi-
yá.
philter, n. gayuma.
phlebotomist, n. plebótomó,
tagapagpadaloy-dugô.
phlebotomy, n. plebotomiyá,
padaloy-dugô, pagpapadu-
gô.
phlebotomize, v. magpadugô,
paduguín.
phlegm, n. plema, kalaghalâ.
phlegmatic, adj. maplema,
waláng siglá.
phobia, n. pobya, takot, sin-
dák.
phonate, v. magtinig.
phonation, n. pagtitinig.
phone, n. teléponó.
phoneme, n. ponema.
phonemics, n. ponémiká.
phonetic, adj. ponétikó.
phonetician, n. ponetista.
phonetics, n. ponétiká, palá-
tinigan.
phonogram, n. ponograma,
plaka ng ponógrapó.
phonologist, n. ponólogó.

phonology, n. ponolohiya.
phonometer, n. ponómetró.
phonoscope, n. ponoskopyo.
phony, adj. palsó, di-tunay.
phosphorous, n. pósporó.
phosphorescence, n. pospore-
sénsiyá, pangingináng.
phosphorescent, adj. pospo-
resente, nangíngin. ng.
phosphoric, adj. pospórikó.
photics, n. aghám ng liwa-
nag.
photochemistry, n. potokími-
ká.
photoengraving, n. photogra-
bado.
photogenic, adj. potohénikó,
magandá sa retrato.
photograph, n. retrato.
photographer, n. potógrapó.
photography, n. potograpiya.
photooffset, n. potoopset.
photophobia, n. potopobya,
takot sa liwanag.
photoplay, n. dulà sa pelíku-
lá.
photoprint, n. potoprint, lim-
bág pototipográpiká.
photostat, n. pótostát.
photosynthesis, n. potosínte-
sís.
phototelescope, n. pototeles-
kopyo.
phototherapy, n. pototerapya.
phrase, n. prase, pariralà.
phraseology, n. praseolohíya,

pamamariralà.

phrenology, n. prenolohiya.

phthisic, adj. tísikó.

phylogeny, n. pilohenya.

phylon, n. tribu, lipì, lahì.

phylum, n. pilum, kalapian, kalahian.

physic, n. lunas, gamót.

physical, adj. pisikál, materyál, pangkatawán.

physical combination, kombinasyóng pisikál.

physical change, pagbabagong pisikál.

physical education, edukasyóng pangkatawán.

physical geography, heograpiyá pisikál.

physical science, agham pisikál.

physician, n. manggagamot.

physicist, n. písiká.

physics, n. písiká.

physiognomy, n. pisonomiya, mukhá, pagmumukhâ.

physiography, n. pisyograpiya.

physiology, n. pisyolohiya.

physique, n. pangangatawán. tikas, bikas.

piano, n. piyano. adj. suwabe.

pianist, n. pianista.

piazza, n. piasa.

picaresque, adj. pikaresko.

piccolo, n. plawtín.

pick, n. piko, patík.

pick, v. pikuhin, magpiko, magpatík, patikín, pumitás, mamitás, pitasín, pumilì mamilì, piliin.

pickaback, adj. pasán sa balikat.

picklock, n. panulót, kandado.

pick-up, n. pagbuti, paggaling, pagtulin.

phono-pick-up, manggo ng ponógrapó.

picket, n. istaká, piket, urang, tulos.

pickle, n. salmuwera, atsara, kagípitan.

picnic, n. picnic, kurà.

pictograph, n. piktograpiya.

pictography, n. sining piktográpikó.

pictorial, adj. maylarawan, malarawan.

picture, n. larawan, retrato. v. ilarawan.

picturesque, adj. pintoresko, parang larawan.

pie, n. pastél, pay, guló, sabog.

piebald, adj. hubero.

piece, n. piraso, kaputol, bahagi, rolyo, piyesa.

piecemeal, adv. untí-untî.

piecework, n. trabahong por piyesa.

piedmont, n. paáng-bundók.

pier, n. piyér, patungán, pantalán, lunsaran.

pierce, v. duruin, tuhugin, saksakín, lumusót, palusutín.

piety, n. piyedád, awà, habág, kabánalan, debosyón.

pig, n. baboy.

pigboat, n. submarino.

piggery, n. babuyan.

piggish, adj. parang baboy, matakaw.

pigheaded, n. matigás ang ulo.

pigpen, n. ulbô, kulungán ng baboy.

pigskin, n. balát ng baboy, putbol.

pigstick, n. manibát ng babuy-ramó.

pigtail, n. tirintás.

pigeon, n. palomár, kálapatihan.

pigment, n. pigmento, kulay, kolór.

pigmy, n. pigmeo, enano.

pike, n. tulos, sibat.

pikeman, n. kawal na may tulos.

pile, n. buntón, pila. v. magbuntón, ibuntón, buntunán.

piles, n. almuranas.

pilfer, v. mang-umít, umítin, magnakaw, nakawin.

pilgrim, n. peregrino, taonggalâ, taong-lagalág.

pilgrimage, perigrinasyón, paglalakbáy.

pill, n. píldurás.

pillbox, n. kahitilya ng píldurás, taguán ng masinggán.

pillage, n. pandarambóng, sakeo. v. mandambóng, dambungín.

pillager, n. mandarambóng, sakeadór.

pillar, n. pilár, kolumna, haligi.

pillory, n. pángawan.

pillow, n. unan, sapín, almuwadón.

pillowcase n. pundá.

pillowshan, n. sobrepundá.

pilot, n. piloto, tagaugit, giya, patnubay, abyadór. v. magpiloto, pilotohan, magugitan, patnubayan.

pilotage, n. pilotahe.

pilothouse, n. timonera.

pilot plant, plantang pamulâ.

pilot school, paaralang patnubay.

pimiento, n. pimyento.

pimp, n. bugaw.

pimple, n. tagihawat.

pin, n. klabiha, tarugo, trangka, aspilé. v. aspilihán

pincushion, n. tusukán ng aspilé.

pinfeather, n. balahibong pusà.

pinhead, n. ulo ng aspilé, ta-
ong may muntíng utak.

pinhole, n. butas na munsíng.

pinpoint, n. tilos ng aspilé.
v. tiyakín.

pinafore, n. delantál ng ba-
tà.

pinch, v. pumisíl, kumurót,
kurutín. n. kurót, biglâng
pangangailangan, kagípi-
tan, katitíng.

pine, v. tumamláy, mangaya-
yat, hanáp-hanapin, kasa-
bikán. n. pino.

pineal gland, n. glándulá
pineál.

pineapple, n. pinyá.

ping-pong, n. ping-pong.

pinion, n. bagwís, pakpák. v.
putulan ng bagwís, baliti-
in, posasan.

pink, n. klabél, rosas, kalá-
gayang pinakamabuti.

pinnacle, n. taluktók, ituktók,
kátayúg-tayugan.

pint, n. pinta.

pioneer, n. ang una, ang
nangunguna. v. manguna.

pious, adj. leál, matapát, ba-
nál, relihiyoso.

pipe, n. pito, plawta, tubo,
pipa, kuwako.

pipeline, n. tuberiyás.

piper, n. plawtista.

pipette, n. pipeta, pampaták.

pipit, n. pipít.

pipkin, n. angiít.

piquancy, n. angháng, kaang-
hangán.

piquant, adj. maangháng, ka-
halí-halina.

pique, n. galit, yamót, v.
manggalit, galitin.

pique, n. piké.

piracy, n. panunulisán sa
dagat, pirateriya.

pirate, n. tulisáng-dagat, pi-
rata.

pirouette, n. pirweta.

piscary, n. pángisdaan, palá-
isdaan.

pisces, n. pisces, mga isdâ.

pisciculture, n. pisikultura.
pangangalagà ng isdâ.

pistil, n. pistilo, ubod.

pistol, n. pistola, rebolber.
automátikó.

piston, n. pistón.

pit, n. butó.

pit, n. hukay, balón, bangín,
patibóng.

pitapat, adj. mabilís na pag-
tibók, n. pagtagú-taguktók.

pitch, n. alkitrán, aspalto.

pitch, n. itsá, hagis, taluktók,
ituktók, kailaliman, dahi-
lig, v. iitsá, ihagis, ilagáy
sa tono.

pitchy, adj. malaalkitrán,
malaaspalto.

pitcher, n. pitser.

pitchfork, n. orkilya

pith, n. ubod.
pithy, adj. maubod, malamán, maigsî.
pithecanthropus, n. pitekantropo.
pituitary, adj. pitwitaryo.
pituitary gland, glándulá pitwitarya.
pity, n. awà, habág. v. maawà, mahabág, kaawaan, kahabagán.
pitiable, adj. nakákaawà, nakaáawà, hamak.
pitiful, adj. kaawa-awà.
pitiless, adj. waláng-awà.
pityriasis, n. pitiryasis, anan.
pivot, n. pibote, ikután.
pixilated, adj. midyú-midyó, katawá-tawá.
pizzicato, adj. pizzicato.
placard, n. kartelón, paskíl.
placate, v. payapain, patahimikin, palamigín ang loób.
placable, adj. mapapápayapà, mapatátahimik.
placatory, adj. pampapayapà, pampatahimik.
place, n. poók, lugár, puwáng, tayô, lalagyán, puwesto. v. iayos, ilagáy, ilapág.
placement, n. bigáy-empleo, pagbibigáy-empleo.
placenta, n. plasenta, inunan.
placenta previa, placenta

previa, una ang inunan.
placid, adj. waláng tigatig, payapà, tahimik, mahinahon.
placidity, n. kahinahunan, kawaláng ligamgám.
placket, n. plaket.
plagiarism, pláhiyó.
plagiarist, v. plahiyaryo, mámamláhiyó.
plagiarize, v. mamplahiyo, mang-angkín, angkinín.
plague, n. plaga, peste, salot. v. magkapeste, magkasalot, salutin.
plaid, n./adj. eskosesa.
plain, adj. simple, liso, pantáy, patag, yano, malinaw, maliwanag, pangkaraniwan. n. lupang patag, kapatagan.
plaint, n. daíng, hibík.
plaintive, adj. madaíng, mahibík.
plaintiff, n. ang maysakdál.
plait, n. pleges, pileges, tupî, lupî, pliting, tirintás.
plaiting, n. pliting.
plan, n. plano, balak. v. magplano, planuhin, magbalak, balakin, magguhit ng plano.
plane, adj. patag, pantáy. n. eruplano, katám.
planet, n. planeta.
planetarium, n. planetaryum.

plangent, adj. maalingaw-ngáw, madagundóng, malagunlóng.

plank, n. tabláng makapál.

planking, n. pagtatablá.

plankton, n. plankton, pálutáng.

plant, n. halaman, taním, pananím. v. magtaním, itaním, ikintál, iukit, magtatag, itatag.

plantation, n. tániman, pátaniman, asyenda.

plant breeder, n. tagapunlâ.

planter, n. magtatanim.

plantain n. saging.

planter, adj. pansakong, hinggíl sa sakong, pantalampakan.

plantigrade, n. plantigrado, talampák.

plaque, n. plak.

plash, n. lamáw, sanaw, tubóg.

plasma, n. plasma.

plaster, n. emplastó, pantapal, plaster.

plastic, adj. plastik, plástikó.

plasticity, n. plasticidád.

plastic surgery, paninistís plastika.

plastid, n. plastidyo, sangkáp protoplásmikó.

plastron, n. plastrón, baluting pandibdíb.

plate, n. plato, plantsa, ohas,
anodo, elektrodo.

platen, n. platina, rodilyo.

platform, n. plataporma, andamyo, entablado, tuntungan.

platinum, n. platino.

platitude, n. kawaláng-saysáy, kawaláng-kuwenta.

platonic, adj. platónikó.

platoon, n. pulutóng.

platter, n. bandeha, bandehado, plaka ng ponógrapó.

plaudit, n. palakpák, aklamasyón.

plausible, adj. plawsible, maaaring magkátotoó, kapaní-paniwalà.

play, v. maglarô, paglaruán, kalantariin, gumanáp ng papél, tumugtóg, manugtóg, magsugál, maghuwego. n. galáw, likót, huwego, drama, dulà, larô, birò.

player, n. manlalarò.

playful, adj. malarô, malikót.

playhouse, n. dúlaan, baháybahayan.

playmate, n. kalarô.

plaything, n. laruán.

playwright, n. mandudulà.

plaza, n. plasa, líwasan.

plea, n. dahilán, panawagan, luhog, pakiusap.

pleasant, adj. nakalúlugod, kaigá-igaya.

pleat, n. tupî, lupî, tiklóp.

plebe, n. plebeyo.

plebian, n. plebeyo.

plebiscite, n. plebisito.

plectrum, n. plektro, púa.

pledge, n. prenda, sanglâ, pangakò. v. iprenda, isanglâ, mangakò, ipangakò, ipangakò, pangakuan.

Pleiades, n. Pléyadés.

plenary, adj. buô, plenaryo.

plenipotentiary, n. plenipotensiyaryo. adj. may lubós na kapangyarihan.

plenty, n. kasaganaan. adj. masagana.

pleonasm, n. ligoy, kaliguyan.

plethora, n. pagkakatusak, pletora, labis na dugô.

pleura, n. pleura.

pleurisy, n. pleuritis.

plexus, n. plekso.

pliable, adj. sunúd-sunuran.

pliers, n. plais.

plight, n. katáyuan, kalágayan, kagípitan, pakikipagkasundô.

plod, v. gumayod, magpagayud-gayod.

plot, n. pirasong lupà, lote, intriga, lihim na pakanâ, sábwatan, balangkás. v. mag-intriga, magsábwatan, magplano, magpakanâ.

plough, plow, n. araro. v. mag-araro.

plowman, n. mag-araro, tagapag-araro.

plowshare, sudsód.

pluck, n. tapang, tigás ng loób, bunot, labnót. v. bunutin, labnutín, maghimulmól, himulmulán, kalbitín.

plucky, adj. matapang.

plug, n. pasak, siksík, tapón plag.

plum, n. sirwelas.

plumage, n. plumahe.

plumate, n. antena, sungót.

plume, n. plumahe.

plumose, adj. mabalahibo.

plumb, n. plumada.

plumber, n. plomero.

plumbing, n. plomeriya.

plump, adj. bilugán, matabâ.

plunder, v. mandambóng. n. pandarambóng.

plunderer, n. mandarambóng.

plunge, v. sumugbá, lumubóg, sumisid.

plink, v. kumalantóg.

plural, n. máramihan, plurál. adj. pangmarami, plurál.

plurality, n. pluralidád.

pluralize, v. pluralisahin.

plus, prep. dagdagán ng, at sakâ.

plush, n. pelpa.

plutocracy, n. plutokrasya.

pluvial, adj. hinggíl sa ulán. pang-ulán, mauláng-maulán.

pluvious, adj. maulán.

ply, n. pleges, play, kapál.

pneumatic, adj. neumátikó,
hinggíl sa hangin, pang-
hangin.

pneumatics, n. neumátiká.

pneumonia, n. neumonya,
pulmonyá.

pocket, n. bulsá. v. ibulsá,
ipanulsá.

pockmark, n. bulutong.

pod, n. supot ng butó.

podgy, adj. matabáng pan-
dák.

poem, n. tulâ.

poet, n. poeta, makatà.

poignancy, n. hapdî, kirót.

poignant, adj. mahapdî, (ma-
kirót).

poinsettia, n. poinsetya, pás-
kuwá.

point, n. tulis, dulo, puntós,
tuldók.

pointer, n. puntero, patnu-
bay.

poise, n. ekilíbrió, timbáng,
tikas, tindíg.

poison, n. lason, kamandág.
v. manlason, lasunin.

poisonous, adj. nakákalason,

poke, v. manundót, sundutín.

poker, n. poker.

pokey, poky, adj. muntí't
masikíp.

Poland, n. Polonya.

polar, adj. polár. (Chem.)
polár.

polarimeter, n. polarímetró.

polotrity, n. polaridád.

polarization, n. polarisasyón.

polarize, v. polarisahín.

pole, n. polo, tikín.

Pole, n. Polako.

polemic, n. polémikó, pagta-
talo.

polemics, n. polémiká.

police, n. pulisyá. v. banta-
yán.

policeman, n. pulís.

policy, n. palakad, pamama-
raán, pátakarán, pólisá.

polish, n. pagbuli, kintáb, ki-
náng, kapinuhan. kultura,
hulíng retoke, pakintáb. v.
magbuli, bulihin, pakinta-
bín.

Polish, adj./n. Polako, Plo-
nés.

politburo, n. pulitburo.

polite, adj. pino, pulido, ma-
galang.

politic, adj. pampámahalaán.
pampolítiká, matalisik. ma-
pamaraán.

political, adj. pampolítiká.

politician, n. polítikó.

politics, n. polítiká.

politicize, v. mamulítiká, pa-
mulítikahán.

polka, n. polka.

poll, n. pagboto, pagtatalâ
ng mga boto, presintong
panghálalan, talaan ng
botante, paghahalál.

pollard, n. hayop na waláng
sungay, punong waláng
sangá.

pollen, n. polen, bulo ng bu-
laklak.

pollex, n. hinlalakí.

pollination, n. pagpopolen,
pagbubulo, pamumulo.

pollinate, v. magpolen, mag-
bulo, mamulo.

polliniferous, adj. may da-
láng polen, nagpopolen.

pollinium, n. polinea, kumpól
ng polen.

pollinize, v. magpapolen, pa-
pagpolenihin.

pollinosis, n. polinosis, si-
póng may lagnát.

pollute, v. parumihín, dum-
hán, hawahan, lalinan, la-
pastanganin.

polluted, adj. marumí, naha-
wahan, nalalinan.

pollution, n. karumhán, ka-
salaulaán.

pollux, n. poluk.

pollywog, n. ulúuló.

polo, n. polo.

polonaise, n. polonesa, sa-
yáw Polaka.

poltergeist, n. multóng ma-
ingay.

poltroon, n. taong duwág.

poltroonery, n. karuwagán.

polyandrous, adj. poliandró.
poliandriko.

polyandry, n. poliandria.

polychromatic, adj. makulay.

polyclinic, n. poliklíniká.

poligamist, n. polígamó.

poligamous, adj. polígamó.

polyglot, adj. n. políglotá,
(taong) maalam ng mara-
ming wikà.

polygon, n. polígonó.

polynomial, n. polinomyo,
adj. polinomyál.

polysyllabic, adj. mapantíg.

polytechnic, adj. politéknikó.
n. politékniká.

polytheism, n. politeismo.

polytheist, n. politeista.

polytheistic, adj. politeista.

polyvalent, adj. polibalente,
multibalente.

pomace, n. katás ng mansa-
nas.

pomade, n. pomada.

pomegranate, n. granada.

pommel, n. pomó, kulata.

pomp, n. dingal, karingalan,
rangyâ, karangyaán.

pompous, adj. maringal, ma-
rangyâ.

poncho, n. pontso, kapote.

pond, n. lanaw.

ponder, v. magnuynóy, nuy-
nuyín.

ponderable, adj. maybigát.

poniard, n. punyál.

pontiff, n. pontipisé.

pontifical, adj. pontipikál.

pontificate, n. pontipikado.

pontificate, v. magpontipiká.

pontoon, n., adj. pontón.

pony, n. kabayong muntî.

pooch, n. aso.

poodle, n. asong delanas.

pool, n. dagat-dagatan, lawà, sanaw, bilyár, bákasan, samahan, monopolyo.

poor, adj./n. mahirap, dukhâ.

pop, n. pusngát, putók. v. pumusngát, pumutók, bigláng lumitáw.

popcorn, n. binusáng maís.

poprice, n. ampáw.

pope, n. papa.

popgun, n. pamusngát, baríl-barilan.

popinjay, n. papagayo.

poplin, n. paplín.

popliteal, adj. popliteal, pang-alák-alakán.

popliteal space, alák-alakán.

poppy, n. amapola.

poppycock, n. kahunghangán, kalokohan.

popular, adj. populár, balità, bantóg.

popularity, n. pagka-populár.

popularize, v. popularisahin, gawing populár.

populate, v. tauhan.

population, n. kabuuan ng mga mánanahanan.

populous, adj. matao.

porcelain, n. porselana, losa.

porch, n. portiko, beranda.

pocupine, n. porkoespín.

pork, n. karníng baboy.

porker, n. alagang baboy.

pork barrel, (Slang) pork-barel, ('pork barrel').

pornography, n. pornograpi-ya.

porosity, n. porosidád.

porous, adj. poroso.

porphyry, n. pórpidó.

porpoise, n. babuy-dagat,

porridge, n. lugaw, nilugaw.

port, n. puwerto, daungán, portál, bintanilya.

portable, adj. bitbitin, dálahin.

portage, n. portahe, pagkakargá.

portend, v. magbabalâ, magbadhâ, magbalà.

portent, n. babalâ.

portentous, adj. nagbábadhâ.

porterhouse, n. tindahan ng alak, bar.

portfolio, n. portpolyo.

portion, n. porsiyón, bahagi, bulos, kapalaran.

portly, adj. magilas, matipunò.

portliness, n. kagilasan.

portmanteau, n. maletang panlakbáy.

portrait, n. retrato, larawan.

portray, n. maglarawan, ilarawan.

portrayal, n. paglalarawan,

Portuguese, n./adj. Portugés.

pose, v. pumusisyón, pumuwesto, mag-anyô. n. pusisyón, anyô, tayô.

position, n. lugár, katáyuan, tungkulin, katungkulan, púwesto, paglalagáy. v. ilagáy sa lugár.

positive, n., adj. positibo, tiyák, paayón, tunay, umíiral, pasulóng.

posse, n. pulutóng sibíl.

possess, v. magtagláy, magari, magtamó, magkaroón, mangibabaw.

possession, n. pag-aarì, pagmamay-arì, ari-arian.

possessive adj. mapang-angkín, mapangabig, (paarî.)

possessor, n. may-arì.

possible, adj. maáarì, maáaring mangyari.

possibility, n. posibilidád.

possibly, adv. marahil, kaypalà.

post, n. poste, haligi, tukod, distino, puwesto, koreo.

postman, n. kartero.

postmark n. tatàk ng koreo.

postmaster, n. postmaster.

postdate, n. atrasuhan ng petsa.

poster, n. poster, kartelón, paskíl.

posterior, adj. posteryór, hulí, hulihán, likód, likurán, sa puwitan, sa bubuntutan.

posterity, n. posteridád, mga pag-aapuhán, angkanang dáratíng.

postern, adj. sa likód, sa likurán.

postgraduate, adj. postgradwet, lampastapos.

posthaste, adv. matuling matulin.

posthumous, adj. postumo (-ma).

post-mortem, adj. posmortem.

postpone, v. ipagpaliban.

postponement, n. pagpapaliban.

postposition, n. paghuhulí.

postprandial, adj. pagkapiging.

postscript, n. habol, dagdágsulat.

postulant, n. postulante, nobisyo.

posture, n. tayô, tindíg, tikas.

pot, n. palayók, anglit, agio, kabuuáng pustá.

potable, adj. maiinóm.

potage, n. sopas na malapot.
pot-bellied, adj. búyunin.
pot-belly, n. buyon.
potluck, n. kung anó ang lutò.
potter, n. manggagawà ng palayók.
pottery, n. pagpapalayók.
potash, n. líhiyá sa abó.
potassium, n. potasa.
potato, n. patatas.
potency, n. bisà, lakás.
potent, adj. mabisà.
potentate, n. potentado, harì, monarka.
potential, adj. potensiyál, posible, maáaring magkátotoo.
potentiality, n. potensiyalidád.
pother, n. alboroto, kuskusbalungos, kaguló.
potion, n. sanlagók, posiyón.
potpourri, n. potpourri, halu-halò, samutsari.
pouch, n. supot.
poultice, n. emplasto, panapal.
poultry, n. manukan.
pounce, v. sumagpáng, managpáng, sagpangín, sumilà, manilà, silain, sunggabán, daklutín.
pound, n. kulungán, piitán. v. ikulóng, ipiít.

pound, n. libra. v. bugbugín, magbayó, bayuhín.
pour, v. bumuhos, magbuhos, ibuhos, buhusan, n. buhos, pagbuhos, pagbubuhos. magsalin, isalin, salinan.
pout, v. lumabì, magmungot.
poverty, n. karukhaán, karálitaán.
powder, n. pulbós. v. pulbusín, pulbusán.
power, n. podér, kapangyarihan, lakás. kakayahán, kontról, kasaklawán.
powerful, adj. makapangyarihan.
powerless, adj. waláng kapangyarihan.
powwow, n. komperénsiyá. kapulungan.
practicable, adj. magáganáp, maáaring magawâ, magágamit.
practical, adj. praktikó, maykagamitán.
practice, v. mag-ehersisyo, magpraktis, magsanay. magpráktiká, sanayin, maginsayo, isagawâ, n. práktiká, ugalì, gawì, pagsasanay, ehersisyo.
pragmatic, adj. pragmátikó.
prairie, n. parang.
praise, n. puri, papuri, v. pumuri, purihin.

praiseworthy, adj. kapuri-
puri.

prance, v. maglulundág.

prank, n. biró, laláng, lin-
láng.

prangkish, adj. malikót, ma-
larô.

prate, v. sumatsát, dumal-
dál.

prawn, n. uláng.

pray, v. sumamò, magsuma-
mò, pagsamuan, lumuhog,
luhugan, magdasál, duma-
langin, manalangin.

prayer, n. dasál, dalangin,
panalangin.

preach, v. mangaral, magser-
món.

preacher, n. mangangaral.

preamble, n. preámbuló, pam-
bungad, panimulâ.

precarious, adj. di-nakatíti-
yák, di-panatag, mapanga-
nib.

precaution, n. ingat, pag-
iingat, alagà.

precede, v. umuna, mangu-
na, unahan, máuná.

precedence, n. pagkauna.

precedent, n. una, náuná.

precentor, n. tagapanguna sa
pag-awit.

precept, v. utos, turò, tuntu-
nin.

preceptive, adj. nagtuturò,
may-itinúturò.

preceptor, n. gurò.

precinct, n. presinto, poók,
distrito.

precious, adj. mamáhalin,-
mahal, mahalagá.

precipice, n. talampás, ba-
tong matarík.

precipitance, n. pagdadalás-
dalás.

precipitant, adj. biglâ, sumú-
sugbá, humáhagibís.

precipitate, n. dalás-dalás,
pabiglá-biglâ.

precipitation, n. pagpapabi-
lís, pagpapatulin, pagpapa-
tining, pagpaták ng ulán,
paglabás.

precipitous, adj. matarík.

precis, n. buód.

precise, adj. presisyo, tiyák,
eksakto.

precision, n. presisyón, ma-
talino kahit batà pa.

preconception, n. agap-isip.

preconceive, v. umagap-isip.

precursor, n. prekursór, pá-
ngunahín, ang nangungu-
na.

predaceous, adj. mapanilà,
mapandambóng, mapanirà.

predaceousness, n. pagka-ma-
panilà.

predation, n. paninilà.

predator, n. maninilà.

predecessor, n. predesesór,

ang sinundán, ang hinalin-hán, ninunò.

predestination, n. predesti-nasyón, páunáng pagdidis-tino, sadyáng pagkakáukol, katalagahán.

predestine, v. italagá.

predetermine, v. ayusin na muna, magtiyák na muna.

predicable, adj. maisáysáy, mapanágurián, n. pánagu-riín, kaurián, kaibhán.

predicability, adj. pagka-ma-isásaysáy.

predicament, n. suliranín, di-lema.

predicate, v. ipanagurî.

predicate, adj./n. panagurî.

predication, n. pananagurî.

predict, v. manghulà, hulaan.

predictable, adj. mahúhula-an.

prediction, n. hulà, panghu-hulà.

predictor, n. manghuhulà.

predilection, n. pagkagustó.

predispose, v. ihandâ, ihílig, ipagpáunáng pamana.

predominance, n. pananaíg,

predominant, adj. mapanaíg.

predominate, v. manaíg.

pre-eminence, n. higít na ka-galingan, kahigtán, kadaki-laan.

pre-eminent, adj. dakilà.

pre-empt, v. mag-agap ng ka-rapatán.

preen, v. magpigíng, mag-ayos.

preface, n. prepasyo, páu-náng salitâ, páunáng sabi.

prefect, n. prepekto.

prefer, v. gustuhíng lalò, hi-git na gustuhín, piliin, hi-rangin.

preferable, adj. karapat-da-pat piliin, higít na kanais-nais.

preference, n. preperénsiyá, pili, hirang, higit na pag-mamabuti.

preferential, adj. preperensi-yál, namímilì, mapilì.

preferment, n. pagpilì, pag-hirang, pag-uunlád.

prefix, n. unlapì, prepiho, v. unlapian, iunlapì.

pregnancy, n. pagbubuntís, pagdadaláng-tao, kabunti-sán.

pregnant, buntís, punô ng kabuntisán.

prehensile, adj. namúmulup-pot, pampulupot.

prehistoric, adj. preistórikó.

prehistory, n. preistorya.

prejudge, v. magmunang-ha-tol, pagmunang-hatulan, hatulan, hatulan kahit wa-láng sapát na saligán.

prejudgment, n. pagmumu-
nang-hatol.
prejudice, n. prehuwisyo, ka-
pinsalaáng galing sa ma-
líng akalà, akalang hagap.
prejudicial, adj. nakapípin-
salà.
prelate, n. prelado.
preliminary, adj. n. páuná,
preparatoryo, panghandâ.
prelude, n. preludyo, páuná,
pambungad, pambukás.
premature, adj. maaga, maa-
gap, walâ sa panahón, di-
pa sa panahón.
premedic, n. premedik.
premeditated, adj. binalak
muna, sinadyâ.
premier, adj. una, punò, prin-
sipál, pángunahín. n. prem-
yér, unang ministro, pina-
kamataás na pinunò.
premise, n. premisa. v. ipre-
misa, gawíng premisa, pre-
misahin.
premises, n. palibot.
premium, n. gantimpalà, gan-
timpagál, tubò prima, in-
terés.
premolar, ad./n. ngiping
unahán, ngiping kolmilyo.
premonition, n. salagimsím,
kutób ng loób.
prenatal, adj. antenatál, ba-
go manganák, bago ipanga-
nák.

preoccupation, n. kaabala-
hán, kalubugán ng isip,
ng isip.
preparation, n. paghahandâ,
preparasyón.
preparatory, adj. preparator-
ya.
prepare, v. maghandâ, pag-
handaán.
preponderance, n. pamimi-
gát, kalabisán ng bigát,
pangingibabaw.
preponderant, adj. namími-
gát, labis sa bigát, nangí-
ngibabaw.
preposition, n. pang-ukol,
preposisyón.
prepositive, n./adj. pang-
una.
preposterus, adj. balintunà,
di-likás, tiwalî, kakatwâ.
prerequisite, adj. kailangan,
kinákailangan.
prerogative, n. karapatán,
pribiléhiyó, tampók na ka-
tángian.
presage, n. babalâ, pángitain,
badhâ, hulà, kutób. v. iba-
balâ, ibadhâ, kutubán, hu-
laan.
presbyter, n. presbíteró, pa-
rè.
presbyterian, n./adj. pres-
biteryano.
prescience, n. presiyénsiyá
prebisyón, panginginitá.

prescined, v. basahin sa isip.

prescribe, v. ipanuto, gawíng panuto, idiktá, iutos, itakdâ, rumeseta, resetahan.

prescription, n. reseta, preskripsiyón.

presence, n. presénsiyá, tikas, bikas, pagdaló, pagharáp.

present, v. iharáp, regaluhan, itanghál, ipakita.

present, adj. kaharáp, dumaló, kasalukuyan.

present, n. regalo, álaala.

presentable, adj. presentable.

presentation, n. paggagawad, donasyón, regalo.

presently, adj. di na maglalaon, ngayón.

presentiment, n. kutób ng loób, sagimsím.

preserve, v. pangalagaan, ipagsanggaláng, papanatilihin, imbakín, konserbahín.

preservation, n. preserbasyón, konserbasyón.

preservative, n. preserbatibo.

preside, v. mangulo, mamatnugot, patnugutan.

presidency, n. panguluhan.

president, n. pangulo.

presidio, n. presidyo.

presidium, n. presidyum.

press, v. diinán, pisilín, pindutín, pigaín, pikpikín,

plantsahín, prinsahín, pilitin, igiit, daganán. n. diín, presyón, mákináng limbagan, imprenta, prensa, páhayagán.

pressman, n. manlilimbág.

pressure, n. presyón, diín.

pressurize, v. presyonisahín.

presswork, n. paglilimbág.

prestidigitation, n. salamangká.

prestidigator, n. salamangkero.

prestige, n. prestíhiyó, kagitingan, kabantugán.

presto, adv. madalî, mádalian, agád-agád, kagyát.

presume, n. mangahás, pangahasán, manghimasok, panghimasukan, asahan ipalagáy.

presumptuous, adj. pangahás, mapanghimasok.

presuppose, v. hakain, sapantahain, akalain.

presupposition, n. hakà, sapantahà, akalà.

pretend, v. magkunwâ, magkunwarî, magbalábalà, magpanggáp.

pretender, n. pretendiyente.

pretense, pretension, n. pagkukunwâ, pakitang-tao.

pretentious, adj. mapagpasikat, ambisyoso.

preterite, adj. pretéritó.

preternatural, adj. nakagí-
gilalas, nakapanggigilalas.

pretext, n. dahilán, pretesto,
pagkukunwâ.

pretty, adj. nakalúlugód, na-
kaíigaya, makisig, magan-
dá.

pretsel, n. pretsel.

prevail, v. manaíg, makapa-
naíg, makapangyari, ma-
ngibabaw, magkabisà, lu-
maganap, umiral.

prevalence, n. pangingiba-
baw, kalaganapan, pag-
iral,

prevaricate, v. magbulaan,
magsinungaling.

prevent, v. hadlangán, pigi-
lan, agapan, sawataín, san-
salain, ilagan, ilayô.

preview, n. pribyu.

previous, adj. una, náuná,
náuuná, nangúnguna.

prevision, n. prebisyón, pa-
nginginitá.

prewar, adv./adj. bago mag-
kadigmâ, bago magkagera.

prey, n. bíktimá, v. manloób,
manulisan, biktimahín.

price, n. presyo, halagá.

priceless, adj. mahalagáng-
mahalagá, mamáhalin.

prick, n. butas, tudlók, san-
datang tulís, v. sundutín,
duruin, manayô, papanayu-
ín.

prickle, n. tiník, tibò.

prickly, adj. matiník.

pride, n. orgulyo, banidád,
ego, kaakuhán, pagmama-
tayóg, karangyaán, pagma-
malakí.

priest, n. parè, padre, saser-
dote.

priesthood, n. pagka-parì.

prig, n. taong masiging, ta-
ong palalò.

prim, adj. mabikas, makisig.

primacy, n. pangunguna,
pagka-pángunahín.

primal, adj. una, orihinál,
punò, pinakamahalagá.

primary, adj. nangúnguna,
pángunahín, primarya.

prime, adj., n. una, maaga,
simulâ.

primer, n. kartilya, katón.

primeval, adj. primitibo, ká-
uná--unahan, pristino.

primitive, adj. primitibo, ká-
uná-unahan, sauna.

primogeniture, n. pagka-pa-
nganay, karapatán ng pa-
nganay.

primordial, adj. unang-likhâ,
primordiyál, panimulâ.

primrose, adj. mabulaklák,
masayá.

prince, n. prínsipé.

princess, n. prinsesa.

principal, adj. prinsipál, pu-
nò, pinakamataás. n. namu-

munò, punò, ulo, puhunan, prinsipál.

principle, n. símulain, prinsipyo.

print, n. limbág, taták, v. ilimbág, itaták.

printer, n. manlilimbág.

prior, n. prior, punung-parè.

prior, adj. una, náuná, náuuná.

prioress, n. priora.

priority, n. kaunahan.

prism, n. prisma.

prison, n. piitán, karsel, kulungán, bílangguan, bilibid.

pristine adj. prístihó, sa káuná-unahan, busilak.

privacy, n. pagka-malayò sa tingin ng tao, kalingirán, kalihiman.

private, adj. pribado (-da) lingíd, bukód, sarili, pansarili, panarili.

privation, n. kadahupán, kasalatán.

privilege, n. pribilehiyó, karapatán.

privy, adj. lihim na kaalám, kainalám, katuon.

prize, n. gantimpalà, premyo, v. mahalagahín, kalugdan, mahalín.

pro, adv. pro, paayón, pasang-ayón.

pro, n. pro, propesyonál.

proa, n. paráw.

probability, n. probabilidád, pagka-maáaring-mangyari.

probable, adj. maáaring mangyari.

probably, adv. marahil ngâ.

probate, n. patunay na opisyál.

probe, n. sundól, panundól, imbestigasyón, pagsisiyasat, siyasig. v. imbestigahin, siyasatin, sundulín.

probity, n. kabaitán, katapatán, karangalán.

problem, n. problema, súliranín.

proboscis, n. probosis, súngót, ngusò, trompa, balungos.

procedure, n. prosedimyento, pamamaraán, palakad.

proceed, v. magpatuloy, umabante, sumulong, manggaling, magbanat.

proceeding, see procedure.

proceeds, n. pinagbilhan, benta.

process, n. proseso, pagsusunúd-sunód, pamamaraán.

procession, n. prusisyón.

proclaim, v. iproklamá, ibandó, ipahayag.

proclivity, n. hilig, kiling, inklinasyón.

procrastinate, v. magpabukas-bukas, ipagpaliban.

procreate, v. magsuplíng, umanák, ipagpaliban.

procreate, v. magsuplíng, umanák, manganák.

procreation, n. pagsusuplíng, pag-anák, panganganák.

procreator, n. manunuplíng.

proctor, n. proktór, prokuradór.

procumbent, adj. nakadapâ, pagapáng.

procure, v. makuha, makakuha, matamó, tamuhín, makamít, kamtín, kunin.

procurement, n. pagkuha, pagtamó, pagkamít.

procurer, n. tagakuha.

prod, n. panundót, pandurò, duruán, v. sundutín, duruin, pakilusin, ibunsód, udyukán, sulsulán.

prodigal, adj. alibughâ, labusák, labusáw, mapagtapón.

prodigous, adj. kagilá-gilalas, kahanga-hangà, saksâ.

prodigy, n. kababalaghán.

produce, v. ilantád. ipakita, itanghál, ilabás, isilang, ianák, pasibulin, patubuin, magbunga, ibunga, gumawâ, gawin, yumarì, yariin, papangyarihin, magpalabás, magtanghál ng palabás, lumikhâ, likhaín.

product, produkto, bunga, ani, suplíng, anák.

producer, n. produktór.

production, n. produksiyón.

productive, adj. produktibo, mabisà, mabunga.

productivity, n. produktibidád.

proem, n. proemyo.

profanation, n. kalapastanganan.

profane, adj. lapastangan. waláng-pakundangan.

profane, v. lapastanganin, di-pakundanganan.

profanity, n. kalapastanganan.

profess, v. ipahayag, sabihing tápatan, aminin, manalig, magkunwâ.

profession, n. propesyón.

professional, adj. propesyonál.

professor n. propesór, gurò.

proffer, n. alók, alay, handóg, bigáy, v. ialók, ialay, ihandóg.

proficiency, n. pagbuti, paggalíng, pagkasanáy, kabutihan, kadalubhasaan.

proficient, adj. mabuti, magalíng, sanáy, dalubhasà.

profile, n. perpíl, hugis ng mukhâ.

profit, n. tubò, pakinabang, gana, v. makinabang, paki-

nabangan, gumana, magtu-
bò, pagtubuan.
profitable, adj. mapakíkina-
bangan.
profiteer, n. manghuhuthót.
profiteering, n. panghuhut-
hót.
profligate, adj. mabisyo, ma-
rawal.
profound, adj. baliwag, ma-
lalim.
profuse, adj. masaganà, sak-
sâ, magkákatusak, malagô.
profusion, n. kasaganaan,
kasaksaán, pagkakatusak.
progenitor, n. ninunò, nunò.
progeny n. suplíng, anák.
prognosis, n. prognostikó,
prediksiyón, hula.
prognosticate, v. prognosti-
kahán.
program, n. programa, pala-
tuntunan.
progress, n. progreso, kaun-
larán, pagsulong, **v.** umun-
lad, sumulong, umadelan-
to.
progressive, adj. pagbawa-
lan, ipagbawal.
prohibition, n. pagbabawal.
prohibitive, adj. mapagba-
wal.
project, v. umungós, paungu-
sín, buláy-bulayin, bala-
kin, gumawâ ng paraán,
paaninuhin, ilagáy sa la-

bás, umuslî, pausliín.
project, n. proyekto, balak,
plano.
projection, n. uslî, proyeksi-
yón, ungós.
projector, n. proyektór.
prolapse, n. hulog, laglág,
luslós.
prolate, adj. banát, tang-
táng.
prolepsis, n. prolepsis, agap.
proletarian, n./adj. proletar-
yo, obrero manggagawà.
proletariat, n. proletaryat.
(mga manggagawà).
prolific, adj. mabunga, ma-
bungahín, paláanák, ma-
likhaín.
profix, adj. paikut-ikot, ma-
ligoy, masalitâ.
prologue, n. prólogó. pau-
nang salitâ.
prolong, n. pahabain, pataga-
lín, itulóy, ipagpatuloy,
palawakin.
promenade, n. pasyál, pag-
papasyál, pasyalan.
prominent, adj. tanyág, kita,
lantád, katangi-tangì, kila-
la, bantóg.
promiscuity, n. promiskuwi-
dád pagkalahuk-lahok.
promiscous, adj. promisku-
wó, lahuk-lahok.
promise, n. pangakò, pag-
asa, **v.** mangakò, panga-

kuan.

promote, v. iasenso, itaás, iuna, itaguyod, ipasá.

promoter, n. promoter.

promotion, n. promosyón, pagtaás, pagpasá.

prompt, adj. maliksí, daglian, mádalian, n. takdáng panahón. v. magdiktá, diktahán, udyukán, pukawan ng siglá.

prompter, n. tagadiktá.

promptness, n. kadalián, kaliksihán.

promptly, adv. madalíng-madalî.

promulgate, v. ipaalam, ibunyág, ihayág, isaysáy.

promulgation, n. pagbibigáy-alam, pagbubunyág, paghahayág.

prone, adj. mahilig, nakataób, nakadapá.

prong, n. prong, ngipin ng tenedór.

pronominal, adj. pronominál, malapanghalíp.

pronoun, n. panghalíp.

pronounce, v. sabihin, isaysáy, patunayan, panindigán, bumigkás, bigkasín.

pronunciation, n. bigkás, pagbigkás.

proof, n. patunay, katunayan, patibay, katibayan, pruweba.

prop, n. tukod, suhay, v. tukuran, suhayan.

propaganda, n. propaganda.

propagandize, v. magpropaganda.

propagandist, n. propagandista.

propagate, v. magparami, paramihin, magpalaganap, palaganapin,

propagation, n. pagpapalaganap.

propagator, n. tagapagpalaganap.

propel, v. isulong, itulak.

propeller, n. élisé.

propensity, n. hilig, kagustuhan.

proper, adj. natural, katutubo, tumpák, nauukol, wastô, pantangì.

property, n. katángian, ariarian, kayamanan, pingkas.

prophecy, v. manghulà, hulaan.

prophet, n. propeta, manghuhulà.

prophylactic, adj. propiláktikó.

prophylaxis, n. propilaksis.

propinquity, n. kalapitán, pagka-kamag-anak.

propitiate, v. payapain, papagkasunduín.

propitiation, n. pagtatakíp-
sala.

propitious, adj. paborable,
nakatútulong.

proponent, n. proponente,
ang maymungkahì.

proportion, n. proporsiyón,
kaugnayán, simétriyá, ug-
maan, iyakis.

proportional, adj. proporsi-
yón, mungkahì, alók, ba-
lak, tampá.

propose, v. imungkahì, tang-
kaín.

proposition, see proposal.

profound, v. ipasaalang-
alang.

proprietor, n. may-arì, pro-
petaryo.

propriety, n. katumpakán,
kabagayan.

propulsion, n. propulsiyón,
pagsusulong, pagtulak.

pro rata, baha-bahagi, pro-
porsiyonál.

prorogation, n. prórogá, pa-
taan, palugit.

prosaic, adj. prosaiko, mala-
túluyan, nakaíiníp.

proscenium, n. prosenyo, bu-
kana ng intablado.

proscribe, v. proskribihín,
ipagbawal, ilabás sa batás.

proscription, n. proskripsi-
yón, pagbabawal.

prose, n. prosa, túluyan.

prosecute, v. mang-usig, usi-
gin, maghablá, ihablá, isak-
dál, magsakdál.

prosecution, n. pag-uusig.

prosecutor, n. tagausig.

proselyte, n. prosélitó, taong
kombertido.

prosencephalon, n. bukanang
utak.

prosenchyma, n. prosénkímá,
kalamanáng habaín.

prosody, n. sining ng pagtulâ.

prospect, n. tánawin, pag-
asa, ang ináasahan.

prospective, adj. ináasahan.

prospectus, n. prospektus,
prospekto.

prosper, v. magtagumpáy,
umunlád, sumaganà.

prosperity, n. tagumpáy, ka-
unlarán.

prosperous, adj. maunlád,
prósperó.

prostate, n. próstatá.

prosthesis, n. prostesis, pag-
daragdád.

prostitute, n. puta, patutot,
v. gamitin sa masamâ.

prostrate, adj. subsób ang
ulo, nakadapâ, lupaypáy
v. magpatirapâ.

prostration, n. pagpapátira-
pâ.

protagonist, n. protagonista,
bida, unang panauhan.

protasis, n. protasis, pag-
susugnáy na panubalì.

protean, adj. paibá-ibá, pa-
bagu-bago.

protect, v. ipagtanggól, ipag-
sanggaláng, pangalagaan,
kupkupín.

protection, n. proteksiyón.

protective, adj. mapagtang-
gól.

protector, n. protektór, taga-
pagtanggól.

protectorate, n. protektorado.

protege, n. protehido.

protein, n. proteína.

protest, v. tumutol, tutulan,
sumalungát, salungatín.

protest, n. protesta, tutol.

protestant, n. protestante.

protestantism, n. protestan-
tismo.

protestation, n. pagtatapát.

prothalamion, n. awit na
pangkasál.

protocol, n. prótokolo, pró-
tokól.

proton, n. protón.

protoplasm, n. protoplasma.

prototype, n. prototipo, tu-
larán, ulirán.

protozoa, n. protosoa, proto-
soo.

protract, n. pagtatagál, pa-
tagalín, lumawig, palawi-
gin.

protraction, n. pagtatagál.
pagpapatagál.

protractor, n. protraktor.

protrude, v. umuslî, umu-
ngós.

protrusion, n. pag-uslî.

protruberance, n uslî, um-
bók, bukol

proud, adj. palalò, mapag-
malakí, lugód na lugód,
kahanga-hangà.

prove, v. subukin, tikmán, pa-
tunayan, ipamalas, magbu-
nga, lumabás (na).

provender, n. kumpáy, pag-
kain ng hayop.

proverb n. saláwikaín.

provide, v. maglaán, pagla-
anán, bigyán, tustusán,
magtakdâ, itakdâ, magtad-
hanà, itadhanà.

providence, n. katalágahan.

provident, adj. mapaglaán.
matipíd.

providential, adj. probiden-
siyál, mapalad.

provider, n. ang sumúsusten-
to.

province, n. probínsiyá, lala-
wigan.

provincial, adj. probinsiyál,
(panlalawigan) (lalawi-
ganín).

provincialism, n. pagka-lala-
wiganín.

provision, n. probisyón, tustós, panustós, handâ, takdâ, tadhanà.

provisional, adj. probisyonál, pansamantalá.

provocation, n. hamon, hamít, pagpukaw.

provocative, adj. nanghahamít.

provoke, v. pukawin, galitin.

provost, n. preboste.

prow, n. dulo ng bangkâ.

prowess, n. tapang, katapangan, kagalingán.

prowl, v. umalí-aligíd, magpaalí-aligíd.

proximal, adj. kalapít, kapanig, punò.

proximate, adj. kasunód.

proximity, n. kalapitán.

proxy, n. kinatawán, kahalili, proxy.

prude, n. santurón.

prudery, n. kasanturunán.

prudence, n. baít, kabaitan, kasanayán.

prudent, adj. mabaít.

prudential, adj. may pagkamabaít.

prune, n. pruns.

prune, v. talbusán, tagpasín.

prurience, n. katí, kandí, (pangangatí, pangangandí).

prurient, adj. nangangatí, nangángandí.

pry, n. pansuít, pansikwát, v. suitín, sikwatín.

pry, v. manubok, manilip, n. panunubok, paninilip, máninilip.

psalm, n. salmo.

pseudo, adj. seudo, palsó.

pseudonym, n. seudónimó, ngalang-sagisag.

psoas, n. pigî, lomo.

psoriasis, n. soryasis, buning pulá.

psychiatry, n. psikyatriya.

psychiatrist, n. psikyatrista.

psychic, adj. psíkikó.

psychoanalysis, psikoanálisís.

psychoanalyst, n. psikoanalista.

psychobiology, n. psikobiyolohiya.

psychodynamics, n. psikodinámiká.

psychogenesis, n. psikohénesís.

psychology, n. psikolohiya.

psychologic (al), adj. psikolóhikó.

psychologist, n. psikólogó.

psychologize, v. psikolohisahín.

psychometry, n. psikometriya.

psychopathy, n. psikopatiya.

psychopath, n. psikópató.

psychopathic, adj. psikopáti-
kó.
psychopathology, n. psikopa-
tolohiya.
psychosis, n. psikosis.
psychotherapy, n. psikoterap-
ya.
ptomaine, n. ptomaína.
ptyalism, n. paglalawáy.
puberty, n. pubesénsiyá, pag-
babaguntao, pagdadalagá.
public, n. adj. públikó, tao,
taong-bayan, madlâ
publication, n. lathalà, pagla-
lathalà.
publicity, n. publisidád.
publicize, v. bigyáng publisi-
dád, ipangalat ang balità.
publish, v. maglathalà, ilat-
halà.
publisher, n. publikadór,
(tagalathalà).
pucker, v. sumangoy, ngumi-
bit, ngumiwî.
pudding, n. puding.
puddle, n. sanaw, lamáw, tu-
bóg, v. pagputikin, labusa-
win.
pudgy, adj. himandák.
puericulture, n. pag-aalagà
ng batà.
puerile, adj. batà.
puerility, n. kabataan.
puerperal, adj. pagkapanga-
nák.
puff, n. bugá, hihip ng ha-

ngin, alsá, espongha, pu-
ding, v. bumugá, ibugá, bu-
gahán, sumingasing, bu-
mintóg, mamintóg pabin-
tugín, humingal, purihin
nang labis.
pugilist, n. boksingero.
pugnacious, adj. paláawáy.
pugnacity, n. pagka-paláa-
wáy.
pug-nosed, adj. pangód, pa-
ngó.
puissant, adj. makapangyari-
han, mabisà, malakás.
pulchritude, n. gandá, kagan-
dahan, kariktán.
pull, v. hilahin, hatakin, bu-
nutin, hugutin, n. hila, ha-
tak, bunot, hugot, implu-
wénsiyá, lakás.
pullet, n. dumalaga, dumala-
gang manók.
pulley, n. pulea, motón, ka-
lo.
pulp, n. sapal, pulpa.
pulpit, n. púlpitó.
pulsate, v. tumibók, pumitók,
pumintíg.
pulsation, n. tibók, pitók,
pintíg.
pulse, n. pulsó, tibok.
pulverize, v. pulbusin.
pumice stone, batóng pomes.
pump, n. bomba, pamp, v.
bómbahán, bómbahín.
pumpkin, n. kalabasa.

pumpkinseed, n. isdáng ruweda.

pun, n. pun.

punch, n. pontse.

punch, n. suntók, pambutas, punsón, bisà, pagka-mabisà. **v.** manundót, sundutin, magbutas, butasin, manuntók, suntukín.

punctual, adj. maagap, nasa wastóng oras, puntuwál.

punctuality, n. kapuntuwalán.

punctuation, n. bantás.

puncture n. butas, **v.** butasin.

pundit, n. pantás.

pungency, n. angháng.

pungent, n. adj. maangháng.

punish, v. parusahan, kastiguhin, supilin.

punishment, n. parusa.

punk, n. kahoy na gatô, waláng-kuwenta.

punt, n. gabara.

puny, adj. muntî, munsíng, mahinà, waláng-kabuluhán.

pup, puppy, n. tutà, kuwâ.

pupa, n. higad, uód.

pupil, n. eskuwela, disípulá (-lo), estudyante, mag-aarál.

pupil of the eye, balintataó.

puppet, n. manikà, papet, maryonét, titerés.

purblind, adj. malabò ang matá, malabò ang isip.

purchase, v. bumilí, bilhín, **n.** pagbilí, binilí, pinamilí.

pure, adj. dalisay, puro, wagás, lubós, ganáp, basal.

pureness n. kadalisayan.

purification, n. puripikasyon, (pagdadalisay).

purifier, n. puripikadór, (pandalisay)

purify, v. dalisayin.

purism, n. purismo.

purist, n. purista.

purity, n. kadalisayan.

puree, n. puré.

purfle, n. pangitî, orla.

purgation, n. pagpupurgá.

purgative, adj. pamurgá, purgá.

purge, v. purgahín, linisin.

purgatory, n. purgatoryo.

Puritan, n./adj. Puritano.

Puritanism, n. Puritanismo.

purl, v. mamuyó, mamusód, sumaluysóy, umalún-alón, **n.** saluysóy, sapà.

purlieu, n. paligid, palibot.

purloin, v. nakawin, umitín, kupitin.

purple, n./adj. murado, purpurá.

purport, v. magpanggáp.

purport, n. kahulugán, kabuluhán.

purpose, n. layon, láyunin, tangkâ.

purr, n. ungol, v. umungol.

purse, n. pitakà, portamoneda, lukbutan.

purser, n. sobrekargo.

pursuance, n. pagsasagawâ, pagsasakatúparan.

pursuant, adv. ayon sa, alinsunód sa.

pursue, v. tugisin, hagarin, magpatuloy.

pursuit, n. pagtugis, paghabol, paghagad, pagpapatuloy, gáwain.

purulence, n. pagnananà.

purulent, adj. maynanà.

purvey, v. manustós, tustusán.

purview, n. sakláw, nasasakláw.

pus, n. nanà.

push, n. tulak, v. itulak.

pusillanimity, n. kaduwagán, karuwagán.

pusillanimous, adj. duwág, takót.

puss, n. pusà.

pustule, n. butlíg.

put, v. ilagáy.

putative, adj. sa akalà, sa sapantahà, nábalità.

putrefaction, n. pagkabulók.

putrefied, putrid, adj. bulók.

putrefy, v. mabulók.

putrescible, adj. mabúlukin.

putt, n. putt, v. magputt.

putty, n. masilya.

puzzle, n. súliranín, hiwagà, paláisipán, v. guîuhín ang isip, lituhín, hirahín.

pyjama, n. padyama.

pyorrhea, n. piyorea.

pyramid, n. piramide, tagiló.

pyre, n. sigâ.

pyrite, n. pirita.

pyromania, n. sakít na panununog.

pyrophobia, n. takot sa apóy.

pyrotechnics, n. pagkukuwitis.

python, n. sawá.

pythoness, n. babaylán.

—Q—

q fever, n. lagnát malatipus.

quack, n. kuwák, pagkuwák.

quack, n. médikóng tainga, erbularyo.

quadrangle, n. patyò.

quadrant, n. kuwadrante, ka-

pat.

quadrate, n. kuwadrado, parisukát.

quadrilateral, adj. kuwadrilaterál, kuwadranggulár, ápatáng-tabí.

quadrile, n. rigodón.

quadruped, adj. ápatáng-paá, kuwadrúpedó.

quadruple, adj. apat na ibayo.

quadruplet, n. apatáng kambál.

quadruplicate, adj. kuwadruplikado.

quagmire, n. kumínóy.

quail, n. pugò.

quail, v. umuklód, mangatóg sa takot.

quaint, adj. kakaibá, katangitangì, kakatwâ.

quake, v. manginíg, mangatál, lumindól, yumanig. n. lindól.

qualification, n. katángiang kailangan.

qualified, adj. may katángiang kailangan.

qualify, v. matanggáp dahil sa katángiang kailangan.

qualitative, adj. kalitatibo.

quality, n. kalidád, urì.

qualm, n. pagkahilo, panimdím, pagkabahalà.

quandary, n. linggatong, súliranín, kagípitan.

quantity, n. kantidád, dami, kabuuán.

quarantine, n. kuwarentenas, ibukód, ihiwaláy.

quarrel, n. away, babág, alitan. v. mag-away, awayin,

makipag-away.

quarry, n. ang tinútugis.

quarry, n. tíbangan.

quart, n. kuwarto, galón.

quarter, n. kapat, ikaapat, kuwarto, tirahan, sampaá, sangkuwarto, v. hiwagín, kuwártuhín, bigyán ng matitirahán.

quarterback, n. kuwarterbak.

quarter-deck, n. alkasar.

quarterly, adj. tatluhang-buwán, trimestrál.

quartermaster, n. komisaryo.

quartette, n. kuwarteto.

quartile, n. kuwartíl, kuwadrado.

quartiz, n. kuwarso.

quarto, n. aklat-kuwarto.

quash, v. pawalang-saysáy, nuluhin, pigilan, supilin, sugpuín.

quasi, pref. animo, malá.

quatrain, n. quwarteto, ápatáng taludtód.

quaver, v. manginíg, mangatál, magpakatal ng tinig.

quay, n. muwelyo, desembarkadero.

queasy, adj. maselang, dilikado (-da).

queen, n. reyna.

queer, adj. kaibá, kakaibá, kakatwâ.

quell, v. mapasukò, pasukuin.

masupil, supilin, masugpô, sugpuín, payapain.

quench, v. patayín, tapusin, supilin, sugpuín, patdín, itubóg.

quern n. muntíng gilingán.

querulous, adj. mapamintás, mapintasin, mayámutin, angíl paangíl, palaangíl.

query, n. tanóng, usisà, alinlangan, v. magtanóng, magusisà.

quest, n. paghahanáp, abentura, v. maghanáp, magabentura.

question, n. tanóng, pagtatanóng, usisà, pag-uusisà, pagtatalo, tutol, súliranín, v. magtanóng, mag-usisà.

questionable, adj. mapag-áalinlanganan.

question mark, bantás na pananóng.

questionnaire, n. talatanungan, kuwestiyonaryo.

queue, n. tirintás, pila, hanay, v. pumila, humanay.

quible, n. isúisó, pagpapaisúisó.

quick, adj. maagap, maliksí, matalas, handâ, matulin, mabilís.

quicken, v. daliín, pakilusin, bigyáng-buhay.

quickly, adj. madalian.

quicklime, n. apog.

quicksand, n. kumunóy.

quicksilver, n. asoge, merkuryo.

quid, n. ngátain.

quiddity, n. kaanuhán.

quidnunc, n. usisero, (-ra), utitero (-ra).

quiescent, adj. waláng-kibô, waláng-galáw, timik.

quiescence, n. katimikan.

quiet, adj. tahimik, waláng-ingay, payapà, mahinahon, panatag, waláng-imík.

quietus, n. wakás ng katahimikan, kamátayan.

quill, n. pluma, pakpák na panulat.

quilt, n. kubrekama, sobrekama.

quinine, n. kinina.

quinone, n. kinona.

quinquennial, adj. minsan sa limáng taón, límahang taón.

quinsy, n. anghina.

quintal, n. kintál, sandaáng kilo.

quintessence, n. káanú-anuhan.

quintet, n./adj. kinteto, límahan.

quintuple, adj. limáng ibayo, pinaglimá.

quintuplet, n. kíntupló, limá sa kambál.

quip, n. siste, birò, tuksó.

quire, n. kuwair, mano ng
papél.

quirk, n. bigláng baluktót,
bigláng linsád, sariling ká-
tangian.

quirt, n. kumpás, látigó, lá-
tikó.

quisling, n. traydór, taksíl.

quit, v. tumigil, humintô,
umalis, lumisan, iwaksí,
pabayaan.

quite, adv. buúng-buó, ganáp,
lubós.

quiver, n. sisidlán ng panà,
pangangatál, pangangatóg.
v. mangatál, manginíg,
mangatóg.

quixotic, adj. kihotesko, ma-
lakihote.

quiz, n. kuwís, pagsubok, ek-
samen, pagsusulit.

quizzical, adj. burlón, mabi-
rô, nagpápatawá.

quoin, n. kunyás.

quoit, n. bibinga, pámanti-
ngin.

quondam, adj. dati, noóng
una, noóng araw.

quorum, n. quorum, kuwo-
rum.

quota, n. quwota, toka.

quotation, n. pagbanggít,
pagtukoy, ang binanggít,
ang sinipì, alók na halagá.

quotation mark, bantás na
panipì.

quote, v. banggitín, tukuyin,
ulitin, sipiin.

quotidian, adj. araw-araw
pàng-araw-araw.

quotient, n. kosyente, kaba-
haginan.

quo warranto, pagbibigáy
kabatirán, paghaharáp ng
kabatirán.

—R—

rabbet, n. aáb, kutab, rebaho.

rabbi, n. rabí, gurò, maestra
(-tro).

ra n. kuneho.

rabble, n. kulumpón.

rabid, adj. masugíd, mapu-
sok, masidhî.

rabies, n. idropobya, rabis.

race, n. pátulinan, pábilisan,
unahán. v. tumakbo nang

matulin.

race, n. lahì, lipì, angkán.

receme, n. rasimo.

rachitis, n. rakitis.

rack, n. parilya, bastidór, pá-
ngawan.

racket, n. raketa.

racket, n. linggál, kaingáy.
v. magkalinggál, magkai-
ngáy.

racket, n. pangungulim-
bát, pananan_sô.

racketeer, n. mángungulim-
bát, mánanansô.

reconteur, n. mananalaysáy,
tagapagsalaysáy.

racy, adj. sariwà, malasa,
masiglá, masagwá-sagwâ.

radar, n. radár.

radarman, n. manraradár,
tagaradár.

radial, adj. radyál, radyado,
rayús-rayós.

radiance, n. kináng, kisláp,
kintáb.

radiate, v. manginán, mag-
sinag, rumayos, magrayos.
magrayos.

radiation, n. radyasyón, pa-
nginginán, pagrayos, pag-
sinag.

radiator, n. radyetor.

radical, adj. radikál, mulâ sa
ugát, sukdulan, batayán. n.
ugát.

radicalism, n. radikalismo.

radicel, n. munting-ugát.

radicle, n. ugát-ugatan, ma-
laugát.

radio, n. radyo.

radioactive, adj. radyoakti-
bo.

radioactivity, n. radyoaktibi-
dád.

radish, n. labanós.

horseradish, n. labanós na
maangháng.

radium, n. radyum.

radius, n. radyus, rayos.

radix, n. ugát, raís.

raffle, n. ripa, loteriya. v.
paripahan.

raft, n. balsá, lamò, bangki-
las.

rafter, n. tahilan, kilo, tukod-
bubong.

rag, n. basahan, trapo.

ragamuffin, n. taong lima-
híd.

rage, n. nagalit, pagnganga-
lit, pag-iitíng, siglá, moda.

ragtime, n. tugtóg, sinkopa-
do.

raid, n. salakay, pagsalakay.
v. sumalakay, salakayin.

rail, n. barandá, barandilya,
bakod, riles. v. rilisan, ba-
kuran, barandílyahán.

railroad n. pérokaríl.

railway, n. trambiyá.

raiment, n. damít.

rain, n. ulán. v. umulán,
mag-uulán.

rainbow, n. balangáw, ba-
hagharì.

raincoat, n. kapote.

rainfall, n. ulán, pag-ulán.

rainy, adj. maulán.

raise, v. pabangunin, iba-
ngon, pukawin, patubuin,
magtayô, itayô, itaás, pa-

taasín, dagdagán. v. dag-
dág, taás.

raisin, n. pasas, ubas na tu-
yô.

raja, rajah, n. raha, harì.

rake, n. kalaykáy, v. kalay-
kayín.

rake-off, n. kabig, pagkaka-
mál.

rakish, adj. masagwâ.

rally, v. magtipon, pakilu-
sin, magmulíng-buhay, n.
rali, panibagong-lakás, pa-
nibagong-buhay.

ram, n. murweko, lalaking
tupa, martinete. v. pagik-
pikín, pikpikín sa bayó.

ramble, v. magpagala-ga-
là, mamasyál, magpaliguy-
ligoy. v. pasyál, paglilibót.

rambutan, n. rambután.

ramie, n. ramí.

ramification, n. pagsasangá,
ramipikasyón.

ramify, v. magsangá-sangá.

ramp, n. daáng hilíg. v. sum-
yintá, sumintá.

rampage, n. alboroto.

rampant, adj. nakasintá, nag-
babalà, laganap.

rampart, n. kutà.

ramrod, n. baketa.

ramshakle, adj. pagiray-gi-
ray.

ranch, n. rantso, asyenda.

rancher, n. rantsero, asen-
dero.

rancid, adj. maantá.

rancidity, n. pagka-maantá.

rancor, n. samâ ng loób.

random, adj. layâ, ligáw, pa-
tukmú-tukmô, di-sinásadyâ,
paluksú-luksó, paliban-li-
ban.

range, n. hanay, línea, ayos,
urì, saklấw, dakò, layò,
abót, tagál, malapad na
pastulan. v. ihanay, ihele-
ra, isaayos, galain, gay-
gayín, libutin.

rank, adj. malagô, mayaman
at matabâ, magaspáng, ma-
halay, pusakál, mabahò,
masangsáng.

rank, n. hilera, patong, rang-
go, taás, klase, katayuan,
pila. v. ihanay, ihelera, pa-
hanayin, pahelerahin, uri-
in, klasihìn.

rankle, v. magpakirót, mag-
pahapdî.

ransack, v. halughugín, sa-
liksikín, dambungín, pan-
dambungán.

ransom, n. tuḥós v. tubusín.
sagipín.

rant, v. maghumiyáw, mag-
mura, manuligsâ.

rap, n. katók, tuktók.

rapacious, adj. mangangam-
kám, masibà.

rape, v. gahasain, n. pang-
gagahasà.

rapid, adj. matulin, maliksí,
mabilís. n. lágaslasan.

rapier, n. espadín.

rapine, n. dambóng, panda-
rambóng.

raport, n. armoniya, ugma-
an, pagkakásundô.

rapscallion, n. tarantado.

rapt, adj. lubóg, lutáng, nag-
tatalík.

rapture, n. pagtatalík, kata-
likán.

rapturous, adj. nagtatamasa
ng luwalhatì.

rare, adj. malasado.

rare, adj. di-pangkaraniwan,
bihirà.

rarefy, v. palabnawín, pani-
pisín, papinuhin.

rarity, n. kadalangan, pag-
ka-bihirà.

rascal, n. taong tampalasan,
taong imî.

rash, n. abáng-abáng, butlíg-
butlíg, pantál-pantál.

rash, adj. padalus-dalos, wa-
lang-tarós.

rasp, n. kikil na magaspáng.
v. kikirin, kayurin, kaska-
sin.

raspy, adj. maagas-as.

raspberry, n. prambuwesas.

rat, n. dagâ.

ratchet, n. tringkete.

rate, n. halagá, presyo, pro-
porsiyón, singíl, tasa. v.
halagahán, pahalagahán,
tasahan.

rather, adv. manapa'y . . .
sa kabilang dako, lalong
mabuti, medyo.

ratification, n. ratipikasyón,
pagpapatunay.

ratify, v. ratipikahán.

rating, n. grado, ranggo, urì,
tasa.

ratio, n. rasyón, proporsiyón,
kaugnayán.

ratiocinate, v. mangatwiran.

ratiocination, n. rasyosinyo,
pangangatwiran.

ration, n. rasyón, kapartí. v.
magrasyón, irasyón.

rational, adj. maykatwiran.
rasyonál.

rationale, n. paliwanag, kat-
wirang pang-ilalim.

rationalize, n. pangatwira-
nan.

ratoon, n. taad, pasuplíng.

rattan, n. ratán, yantók.

rattle, n. kalantóg, kalam-
pág,

raucous, adj. pagáw, nama-
magaw.

ravage, n. pamumuksâ, panli-
lipol, pagkasirà, v. gibaín,
wasakín, lipulin.

rave, v. magdiliryo, mag-
mangmáng.

raven, n. uwák. adj. itim na nangingintáb.

ravenous, adj. masibà, mapanagpáng.

ravine, n. bangín, labíng, talabís.

ravish, v. gabutin, manggabot, dukutin, mandukot, magtalík.

ravishing, adj. kalugúd-lugód.

ravishment, n. pagtatalík.

raw, adj. hiláw, di-lutò, katutubò, taál, magaspáng, magináw, mahapdî, makirót.

rawboned, adj. yayát.

rawhide, n. kuwero krudo.

ray, n. sinag, sikat. v. magbigáy-sinag.

ray, n. page.

rayon, v. gibaín, wasakin, iwalat.

razor, n. labaha.

re, n. re.

re, n. tungkól, hinggíl (sa).

reach, v. umabót, iabót, abutín, dumatíng.

react v. magtaulî, magtamulî, manugón, mamalík.

reaction, reaksiyón, pagtataulî, pagtatamulî.

reactor, n. reaktór

read, v. bumasa, magbasá, basahin.

reader, n. mambabasa, aklát, na babasahín.

reading n. pagbabasá.

readjust, v. iayos ulî.

readmit, v. tanggapín ulî, papasukin ulî.

ready, adj. handâ, nálalaán, maliksí, madalî.

reaffirm, v. patibayan, patunáyan.

reagent, n. reaktibo.

real, adj. tunay, aktuwál, totoó.

realism, n. realismo.

realist, n. realista.

realistic, adj. realístikó.

reality, n. katunayan

realization, n. realisasyón.

realize, v. máisakatuparan, pangilakan.

realm, n. kaharian, lupang sakop, rehiyón, daigdíg.

realtor, n. koredor ng pingkas.

realty, n. pingkas.

ream, n. resma.

reanimate, v. mulíng pasiglahín, buhaying mulî.

reap, v. gumapas, gapasin, umani, magani, anihin, pumuti, mamuti, putihin.

reaper, n. mag-aani.

reappear, v. mulîng lumitáw.

rear, n. likód, likurán, hulihán.

rear, v. itayô, itaás, mag-ala-
gà, magpalakí, mag-almá.
rearm, v. mulíng sandatahan.
rearmament, n. mulíng pag-
sasandata.
reason, n. katwiran, matu-
wíd, v. mangatwiran, mag-
matuwíd.
reasonable, adj. makatuwi-
ran.
reassure, v. tiyakíng mulî,
magmulíng-tiwalà.
reassurance, n. pagmumu-
líng-tiwalà.
rebate, n. saulì, rebaha, des-
kuwento.
rebel, v. maghimagsík, mang-
himagsík, n. maghihimag-
sík, manghihimagsík.
rebellion, n. panghihimag-
sík, pagbabangon.
rebellious, adj. mapanghi-
magsík.
rebirth, n. mulíng pagsilang,
pagmumulíng-silang.
rebound, n. talbóg, sikad,
umalingawngáw.
rebuff, n. pagtanggí, pag-
ayaw. v. tumanggí, uma-
yaw.
rebuild, v. magtayô ulî, mag-
mulíng tatág.
rebuke, v. murahin, pagsa-
bihan, pagwikaan.
rebut, v. pabulaanan, pasi-
nungalingan, sumalungát,

salungatín.
rebuttal, n. pagpapabulaan.
rebutter, n. ang nagpapabu-
laan.
recalcitrant, n./adj. suwaíl.
recall, v. pabalikín, pauwíin,
alalahanin, maalaala, bawi-
in, iurong.
recant, v. iurong, bawiin,
itakwíl.
recap, v. magrikáp, rikapín.
recapitalize, v. mulíng pamu-
hunanan.
recapitulate, v. lumagom, la-
gumin.
recapitulation, n. rekapitu-
lasyón, paglalagom.
recapture, v. mulíng bihagin,
mulíng dakpín, alalahanin.
recast, v. mulíng muldihín,
mulíng ayusin.
recede, v. umurong, manliít,
manghinà, kumati.
receipt, n. résipé. resibo,
pagtanggáp.
receive, v. tumanggáp, tang-
gapín, magpapasok, papa-
sukin, maglamán, lamanín,
magtamó, tamuhín, dana-
sin, pagdanasan.
receiver, n. tagatanggáp.
recent, adj. kapangyayari,
kailán lamang, di pa natá-
tagalán.
receptacle, n. lalagyán, sisid-
lán.

reception, n. resepsiyón, pag-
tanggáp.

receptionist n. resepsiyonis-
ta, tagatanggáp, tagasalu-
bong.

receptive, adj. mapagtang-
gáp.

receptor, n. reseptór, taga-
tanggáp.

recess, n. alkoba, lugóng,
urungan, sandalíng tigil,
risés v. ilagáy sa lugong,
magrisés.

recession, n. urong, pag-
urong.

recessive, adj. pauróng.

recidivism, n. pagbabalík sa
dating pagkakásala.

recipe, n. résipé, pórmulá.

recipience, n. pagtanggáp.

recipient, n. ang tumatang-
gáp.

reciprocal, adj. gantihan, pá-
litan.

reciprocate, v. gumantí, gan-
tihán.

reciprocation, n. pakikipag-
gantihan.

reciprocity, n. resiprosidád.
paggagantihan.

recital, n. pagsasalaysáy,
pagbigkás, resital.

recitation, n. resitasyón, pag-
liksiyón.

recitative, adj. pasalaysáy.

recite, v. ulitin ang isinaulo,
isalaysáy.

reckless, adj. pabayà. wa-
láng-bahalà, waláng-ingat.

reckon, v. bilangin, tuusín,
tayahin, ipalagáy, isipin,
umasa, asahan.

reckoning, n. pagbilang, pag-
taya, pag-iisíp, pag-asa.

reclaim, v. paamuin, iligtás.
sagipín, bawiin.

reclamation n. reklamasyón.

recline, v. sumandál, humilig.

recluse, adj. bukód, ligpít,
layô, nag-íisá, solo. n. er-
mitanyo.

reclusion, n. pagbukód, pag-
bibilanggô.

recognition, n. pagkilala,
pagkákilala

recognizable, adj. kilala, ná-
kikilala.

recognize, v. makilala, kilala-
nin.

recoil, n. udlót talbóg.
urong, pangungurong. v.
umurong, mápaurong,
umudlót, umilag, sumikad.

recollect, v. mágunitâ, guni-
taín, isipin, maisip.

recollection, n. alaala, gunitâ.

recommend, v. itagubilin, ire-
komendá, magtagubilin,
magrekomendá, magbigay-
puri, purihin, ipayo.

recommendation, n. tagubilin, rekomendasyón.

recommit, v. ibalík, itukoy ulî.

recompense, v. gantihín, upahan, ibayad. n. gantimpalà, upa, bayad.

reconcile, v. makipagkásundô, papagkásunduín, iayos, ayusin.

reconciliation, n. pagkakásundô, rekonsilyasyón.

recondite, adj. tagô, lingíd, mahirap unawain, baliwag.

recondition, v. magkumpuní, kumpunihín, magpanibagong-buti.

reconnaissance, n. pagmamatyág, paggalugad.

reconnoiter, v. magmatyág, manggalugad, galugarin.

reconquer, v. lupiging mulî, kongkistahing mulî.

reconsider, v. mulíng isaalang-alang.

reconsign, v. mulíng ibigáy.

reconstitute, v. mulíng buuín ulî.

reconstitution, n. mulíng pagbubuô.

reconstruct, v. mulíng itayô, ulî, muling buuín, buuín ulî.

reconstruction, n. pagbabagong-tatag.

reconvene, v. muling tipunin.

reconvert, v. ibalík sa dati.

reconvey, v. isaulì.

record, v. magtalâ, italâ, magrekord, irekord.

record, n. talâ, rekord.

recorder, n. rekorder.

recount, v. isalaysáy, ikuwento.

re-count, v. mulíng bilangin, bilangin ulî.

recoup, v. makabawì, máuyanan.

recoupment, n. pagkabawì, uyan

recourse, n. dúlugan, takbuhan, kukunáng-tulong, rekurso.

recover, v. mabawì, gumalíng, bumuti, masagíp, maligtás.

recovery, n. pagkabawì.

recreant, adj. di-tapát, sukáb, duwág.

recreate, v. pasiglahíng mulî, mulíng buhayin, magpaalwán, mag-alíw, maglibáng.

recreation, n. pag-aalíw, paglilibáng.

recrement, n. lawang, taingmetál.

recriminate, v. manggantíngparatang.

recrimination, n. gantíng-paratang.

recross, v. mulíng tumawíd.

recruit, v. mangalap ng tauhan. n. rekluta.

recruitment, n. pagrereklu-
ta.
rectal, adj. rektál, pampuwít.
rectangle, n. rektángguló, pa-
rihabà.
rectification, n. rektipikas-
yón, pagtutuwíd, pagwa-
wastô.
rectify, v. rektipikahín, itu-
wíd, iwastô.
rectilinear, adj. tuwíd (na
guhit).
rectitude, n. kawastuán, ka-
tarungán.
rector, n. rektór.
rectory, n. rektoriya.
rectum, n. tumbóng.
recumbent, adj. nakasan-
dal, nakahilig, nakahigâ.
recuperate, v. gumalíng,
bumuti, makabawì, magpa-
lakás.
recur, v. umulit, lumitáw ulî,
magbalík.
red, n./adj. pulá, namúmulá
sa hiyâ, kumunista.
red cross, krus na pulá.
redden, v. mamúlá.
reddish, adj. namúmulá-mu-
lá.
redeem, v. tubusín.
redeemer, n. mánunubos.
redemption, n. katúbusan,
kaligtasan.
red-handed, adj. may kamáy
na madugô.

red-hot, adj. nagbábaga.
red-letter, adj. maligayang
araw.
redirect, v. mulintanungín, n.
pagmumulintanóng.
rediscover, v. mátuklasán ulî,
magmulintuklás.
redolence, n. halimuyak, ma-
bangó, maypahiwatig.
redouble, v. pag-ìbayuhin,
ulitin, magbalik, pagbali-
kán.
redoubt, n. kutà, muralya.
redoubtable, adj. nápakala-
kás, kagulat-gulat, kapitá-
pitagan.
redound, n. magbunga, hu-
mantóng, paghantungan,
magbisà, magkabisà.
redress, v. iwastô, ituwíd, ba-
yaran, lunasan. n. pagwa-
wastô, pagtutuwíd, pagba-
bago.
reduce, v. magbawa, magba-
was, magpaliít, paliitin,
ibabâ, pababain, babaan,
bawasan.
reduction, n. reduksiyón, ba-
was.
redundance, n. kaliguyan, ka-
labisán, pagka-masalitâ.
reduplicate, adj. dinoble, inu-
lit. v. dóblihín, ulitin, pag-
ulitin.
reduplication, n. reduplikas-
yón, pag-uulit.

re-echo, v. umalingawgáw, umalatwát, n. alatwát.

reed, n. lingguweta, dila-dilaan, (Bot.) tambô, bukawe.

reef, n. batuháng-babaw, buhanginang-babaw.

reek, v. mangamóy.

reel, n. ikiran, karete, rolyo. v. mag-iikót, mag-inikót, gumiray, sumuray.

reelect, v. mulíng ihalál, ihalál ulî.

reelection, n. mulíng pagkakáhalál, reeleksiyón.

reemerge, v. mulíng lumitáw, mulíng sumipót.

reemergence, n. mulíng paglitáw, mulíng pagsipót.

reenact, n. mulíng ganapín ulî.

reenforce, v. reporsahán, patibayan, palakasán.

reinforcement, n. palakás, patibay.

reeve, v. isulót.

reexamine, n. mulíng iksaminin, mulíng suriin, mulíng tanungín.

reexamination, n. mulíng iksamin, mulíng surì, mulíng sulit.

refectory, n. bulwagang kainan, komedór.

refer, v. iugáy, ipalagáy na kaugnáy, itukoy, bumang-

gít, banggitín, sumanggunì, sangguniin, ipahiwatig.

reference, n. reperénsiyá, sanggunián, pagtukoy.

referent, adj. reperente.

referendum, n. reperendum.

refill, n. mulíng punuín. n. pangmumulimpunô.

refillable, adj. maáaring muling punuín.

refine, v. pinuhin, gilingin, dalisayin.

refined, adj. pino, kulto, malináng, repinado.

refinement, n. kapinuhan, kadalisayan, kalinisan.

refinery, n. repineriya.

refit, v. mulíng ihandâ, kumpunihín, baguhin.

reflect, v. umisip, mag-isíp, magnilay-nilay, italbóg, ibalík, ikapuri, ikasirangpuri.

reflectance, n. kahunabán.

reflection, n. pag-iisíp, pagbubulay-bulay.

reflector, n. replektór.

reflex, n. repléks.

reflorescene, n. mulíng pamumulaklák.

reflow, v. umurong ang agos. kumati.

refluent, adj. kumákati.

reflux, n. kati, pagkati.

reforest, v. mulíng pagubatin, mulíng magpagubat.

reforestation, n. pagmumulínggubat, pagmumulíngpagubat.

reform, v. repormahín, baguhíng-anyó, papagbaguhinganyô. n. reporma, pagwawastô, pagpapabuti.

reformation, n. reporma, pagbabagong-anyô, pagpapabuti.

reformatory, n. repormatoryo.

reformer, n. repormadór.

refract, v. repraktahín, magsukat-lihís.

refraction, n. repraksyón, kalihisán.

refractometer, n, repraktómetró, panukat-lihís.

refractory, adj. di-matugnáw, matigás ang ulo.

refrain, v. magpigil sa sarili, pigilin ang sarili.

refrain, n. ulit, koro.

refresh, v. sariwain, palamigín, palakasín ulî, buhayin, magrepresko, magpalamíg.

refresher, n. ínumin, paalaala.

refreshment, n. pagpapapresko, pagpapanariwà.

refreshments, n. pamatíduhaw, pamawing-gutom.

refrigerant, n., adj. repriherante, nagbibigáy-lamig.

refrigerate, v. repriherahín, palamigán.

refrigeration, n. repriherasyon.

refrigerator, n. repridyeretor.

refuge, n. kanlungan, silungán, ampunan.

refugee, n. repuhiyado, manlilikas.

refulgence, n. sarang ning níng.

refund, v. isaulì, bayaran, n. pagsasaulì ng kuwarta.

refundable, adj. mápapasaulî.

refuse, v. tumanggí, tanggihán, umayaw, ayawan, n. tirá-tirahan, labis, agsaman, basura.

refute, v. pasinungalingan, pabulaanan.

refutation, n. pabulaan, pagpapabulaan.

regain, v. mabawì, makabalík.

regal, adj. makaharì, reál.

regalia, n. sagisag, makaharì.

regency, n. rehénsiyá.

regent, n. rehente.

regale, v. pigingín, bangketihin.

regard, v. pagmasdán, bigyáng-pansín, itangì, gumalang, igalang, kaalang-alangan. n. tingín, alangalang, paggalang, pagtingín.

regardful, adj. maasikaso, magalang.

regarding, adj. hinggíl sa..

regardless, adj. walang-asikaso, waláng-pansín.

regenerate, v. mulíng isiláng, mulíng likhaín, mulíng gawín, mulíng buhayin.

regeneration, n. rehenerasyón.

regenerator, n. reheneradór.

regicide, n. mámamatay-harì.

regime, n. réhimén, pamamahalà, pámahalaán.

regiment, n. rebimyento.

regimentation, n. rehimentasyón.

regina, n. reyna.

region, n. rehiyón, purók.

regional, adj. rehiyonál.

regionalism, n. rehiyonalismo.

regionalist, n. rehiyonalista.

register, n. aklát-talaán, rekord. **v.** italâ, irehistro, irekord, magpatalâ, magparehistro.

registrar, n. tagatalâ.

registration, n. pátalaan.

registry, n. rehistro.

reglet, n. (Print.) regleta.

regolith, n. (Geol.) lupang pang-ibabaw.

regress, v. magpáuróng, magbalík sa dating babà.

regression, n. pagbabalík-kababaan.

regressive, adj. pauróng, pabalík.

regret, n. pagdaramdám, pagsisisi. **v.** ipagdalamhatì, ikalungkót, magsisi.

regretful, adj. nagdaramdam.

regrettable, adj. kalungkútlungkót.

regular, adj. regulár, karaniwan, kainaman, likás.

regulate, v. areglahín, isaayos.

regulation, n. álituntunin.

regulator, n. reguladór.

regurgitate, v. bumulbók, bumulubók, bumulukabok.

regurgitation, n. pagbulbók.

rehabilitate, v. ibalík sa dati, reabilitahán.

rehabilitation, n. reabilitasyón.

rehash, v. ibahíng-anyô, ulitin.

rehearsal, n. ensayo, pag-iinsayo.

rehearse, v. ulitin, insayuhin, kadémyahín, mag-insayo.

reify, v. isatunay.

reign, n. kaharian, paghaharì. **v.** magharì, mamayani, umiral, mangibabaw.

reimburse, v. pagbayaran, magbayad, bayaran.

rein, n. renda. v. hilahin ang renda.

reincarnate, v. magreenkarnasyon, maglamán ulî, magsatao ulî.

reincarnation, n. reenkarnasyón.

reindeer, n. usáng reno.

reins n. bató.

reinstate v. ibalík sa dati, isaulì sa dati.

reinstatement, n. pagkakábalík sa dati.

reintegrate, v. mulíng pagisahín, pagsamahin ulî.

reinter, n. ilibíng ulî.

reintroduce, v. ipakilala ulî, ipasok ulî.

reinvigorate, v. mulíng palakasín.

reissue, n. mulíng limbág, mulíng lathalà. v. mulíng limbagín, mulíng ilathalà.

reiterate, v. mulíng sabihin, ulitin.

reiteration, n. mulíng-sabi.

reject, v. tanggihán, di-paniwalaan, iwaksí.

rejection, n. pagtanggí.

rejoice, v. magalák, malugód.

rejoin, v. sumama ulî, magsama ulî.

rejoinder, n. tugón, sagót.

rejuvenate, v. pabatain, mulíng palakasín, papagbaguhin.

rejuvenation, n. pagpapabatà, rehubenasyón.

rekindle, v. mulíng papagalabin.

relapse, n. binat. v. mabinat.

relate, v. magsalaysáy, isalaysáy, mag-ugnáy, iugnáy.

relation, n. kaugnayán, pagsasalaysáy.

relative, adj. may kaugnayán, relatibo (-ba).

relative, n. kamag-anak.

relativity, n. relatibidád, ugná-ugnayan.

relator, n. mananalaysáy, tagapagsalaysáy.

relax, v. magpahingaláy, maglibáng-libáng, paluwangín, luwagán.

relaxation, n. pagpapahingalay.

relay, n. relebo, relebadór, v. relebuhan, magrelebadór.

release, v. pakawalán, palayain, ibsán, kalagán. n. ginhawa, kalág, paglayà, pagkaalpás.

relegate, v. itulak sa sulok, kalimutan, itapon, paalisín.

relent, v. maghunus-dilì.

relentless, adj. nápakahigpít, waláng-awà.

relevant, adj. kaugnáy, nau-
ukol.

relevance, adj. pagkakaug-
náy, pagkakaukol.

reliable, adj. mápapagkáti-
walaan.

reliability, n. pagká-mapag-
kákatiwalaan.

reliance, n. tiwalà, kumpi-
yansa.

reliant, adj. may tiwalà.

relic, n. relikya, bakás, ála-
ala.

relict, n. biyuda, balo.

relief, n. ginhawa, adyá, al-
wán, relebo.

relieve, v. ibsán, paginhawa-
hin, pagaanín, halinhán.

religion, n. relihiyón, pana-
nampalataya.

religious, adj. relihiyoso.

relinguish, v. iwan.

relish, n. lasa, linamnám,
kagustuhan, panlasa. **v.** ma-
sarapán, ganahan, kalug-
dán, katuwaán.

reluctance, n. kawaláng-gus-
tó, pagka-di-gustó.

reluctant, adj. waláng-gustó,
di-gustó.

rely, v. umasa, asahan, mag-
tiwalà, pagkátiwalaan.

remain, v. maiwan, paiwan,
mátirá, magpatirá, mana-
tili, mamalagì.

remainder, n. tirá, nátirá.

remains, n. labí, bangkáy.

remand, v. pabalikín, ipada-
láng muli.

remark, n. pansín, pagmama-
síd, banggít, pananalitâ,
puná, **v.** mápansin, pansi-
nín, punahín, isaysáy.

remarkable, adj. katangi-
tangì.

remarry, v. pakasal ulî, mag-
asawa ulî.

remediable, adj. malúluna-
san, magágamót.

remedial, adj. panlunas,
panggamót.

remedy, n. gamót, lunas, re-
medyo.

remember, v. máalaala, má-
gunitâ, máisip, matanda-
án, alalahanin, gunitaín,
isipin, tandaán.

remembrance, n. álaala, gu-
nitâ.

remind, v. paalalahanan, ipa-
álaala.

reminder, n. paálaala, pa-
gunitâ.

remindful, adj. mapag-ála-
ala.

reminisce, v. maggunamgu-
nam, alaala.

reminiscence, n. gunamgu-
nam, alaala.

reminiscent, adj. nagpapa-
alaala.

remiss, adj. pabayà, bulag-
sák.

remissible, adj. mapatáta-
wad.

remission, n. patawad, bawa,
pagpapadalá.

remit, v. patawarin, patawa-
rin, bawahan, ibalík, ipa-
dalá.

remittance, n. padaláng ku-
warta.

remitter, remittor, n. ang
maypadalá.

remnant, n. tirá, retaso, ba-
kás.

remodel, v. magbagung-yarì,
baguhing-yarì, kumpuni-
hín.

remold, v. magbagung-mol-
de, magbagung-hubog.

remonstrance, n. tutol, pag-
tutol.

remonstrant, adj. tumútutol,
n. ang tumútutol, ang may-
tutol.

remonstrate, v. tumutol, su-
malungát.

remorse, n. pagsisisi, peni-
ténsiyá, balisa.

remorseful, adj. nagsísisi,
nagtitika.

remorseless, adj. di-nagsísisi.

remote, adj. malayò, banya-
gà, di-kaugnáy.

removable, adj. maáalís, ma-
tatanggál.

removal, n. pag-aalís, pag-
tatanggál.

remove, v. alisín, tanggalín,
ilipat.

remover, n. tagapag-alís,
pang-alís.

remunerate, v. upahan, baya-
ran, gantimpagalán.

remuneration, n. upa, bayad,
gantimpagál.

remunerative, adj. pinagká-
kakitaan.

renaissance, n. muling-si-
lang, renasimyento.

rename, v. ngalanan ulî.

renascent, adj. muling isiní-
silang.

rend, v. bigtalín, pigtasin,
punitin, sirain, biyakin.

rent, adj. sirâ, punít, gisi.

render, v. ibigáy, iabót, ipa-
dalá, isalin.

rendition, n. rendisyon.

rendezvous, n. tagpuan, ti-
panan.

renegade, n. apóstatá, taksíl,
sukáb.

renew, v. magpanibago, pa-
panariwain, ulitin.

renewal, n. pagpapanibago.

rennet, n. kuwaho.

renominate, v. muling nomi-
nahán, muling hirangin.

renounce, v. magrenúnsiyá,
pabayaan, magbitíw, itak-
wíl, iwaksí.

renunciation, n. renunsiyen-
siyá, pagrerenúnsiyá.
reorganization, n. pagmumu-
líng-ayos, reorganisasyón.
reorganize, v. magmulíng-
ayos, reorganisahín.
reorganized, adj. magmulíng-
ayos, reorganisado
repaint, v. pintahan ulî.
repair, v. magkumpuní, kum-
punihín, lunasan, reméd-
yuhán.
reparation, n. reparasyón.
repartee, n. repartee, tugóng
malamán.
repast, n. pagkain, komida.
repatriate, v. ibalík sa sari-
ling bayan.
repatriation, n. repatriasyón.
repay, v. magbayad, baya-
ran. isaulì, gumantí.
repeal, v. iurong, bawiin, pa-
waláng-bisà. **n.** pagpapa-
walang-bisà.
repeat, v. mag-ulit, ulitìn. **n.**
repitisyón.
repel, v. mapaurong, pauru-
ngin, malabanan, tumang-
gí. tanggihán.
repellent, adj. mawaksí, nag-
wawáksí.
repent, v. magsisi, pagsisi-
han.
repentance, n. pagsisisi.
repentant, adj. nagsisisi.

repercussion, n. alingaw-
ngáw, balík-bisà.
repercussive, adj. maali-
ngáw, umaalingawngáw.
repertoire, n. repertoire, ta-
látanghalan.
repertory, n. repertoryo, ka-
tipunan, imbakan, kabáng-
yaman.
repetition, n. repitisyón, ulit,
pag-uulit.
repetitious, adj. paulit-ulit.
repine, v. dumaíng, maghi-
naíng.
replace, n. isaulî, iulî, pali-
tán.
replacement, n. palít, halili.
replant, v. itaním ulî.
replay, v. tugtugín ulî.
replenish, v. magpunô ulî,
mulíng mag-isták.
replete, adj. punúng-punô,
busóg na busóg.
repletion, n. kapunuán, kabu-
sugán.
replica, n. répliká, sipì, kop-
ya.
reply, n. tugón, sagót. **v.** tu-
mugón, sumagót.
report, v. mag-ulat, iulat,
magsumbóng, isumbóng,
magbigáy-alam, ipagbigáy-
alam. **n.** salí-salitâ, sabí-
sabí, ulat, report, salaysáy,
sumbóng.
repose, v. magpahingaláy, na-
kalibíng, mahigâ. **n.** pahi-

ngaláy, pahingá, kapaya-paan. hinahon.

reposeful, adj. tahimik, maalwán.

repository, n. lágakan, ingatán.

reprehend, v. pagsabihan, bigyáng-sala, punahín.

reprehensible, adj. dapat pagsabihan.

reprehension, n. pagsasabi, mura, wikà.

represent, v. katawanín, kumatawan, sagisagin, magsagisag, maglarawan, ilarawan, ipakilala, magpakilala.

representation n. representasyón.

representative, kinatawán.

repress, v. magpigil, pigilin, supilin.

repression, n. pagpipigil, pagsansalà.

repressive, adj. nagpipigil, mapagpigil.

reprieve, v. ipagpaliban, palugitan, magtayong ng parusa, itayong ang parusa. n. palugit, tayong.

reprimand, n. suat. v. suatan, másuatan.

reprint, v. mulíng ilimbág. n. mulíng limbág

reprisal, n. gantíng-salakay, higantí.

reproach, n. sisi, mura. v. sisihin, murahin.

reproachable, adj. masísisi.

reproachless, adj. waláng-másisisi.

reprobate, adj. imbî, balakyót. n. masamáng tao, balawís, salanggapang. v. tanggihán, ayawán, kondenahín.

reproduce, v. gumawâ ulî. papagsuplingín, isalarawan, retratuhan, kopyahín.

reproduction, n. reproduksiyón, pagpaparami, kopya, duplikado.

reproductive, adj. reproduktibo.

reproof, n. sisi, suat, mura.

reprove, v. sumbatán, sisihin suatan, murahin.

reptile, n. reptil, ahas.

republic, n. repúblikà.

republish, v. mulíng ilathalà.

republication, n. mulíng paglalathalà.

repudiate, v. itakwíl, iwaksí, itatwâ.

repudiation, n. pagtatakwíl, pagtatatwâ, pagwawaksí.

repugnance, n. kaayawan, kainisán, pangánganí.

repugnant, adj. nakaíinis, kaaní-ani.

repulse, v. mapaurong, paurungin, tanggihán.

repulsion, n. pagpapaurong, pagkainís.

repulsive, adj. nakaíinís, kasuklóm-suklám.

reputable, adj. itinátangì, kapuri-puri, palasak.

request, n. pakiusap, hilíng. v. makiusap, humilíng, hilingín.

requiem, n. requiem, rekyém, tugtóg sa patáy.

require, v. hingín, hilingín, hingán, kunan, mangailangan, pangailanganan.

requirement, n. kailangan, kinákailangan, ríkisito, kailangan.

requisition, v. magrikisisyón. n. rikisisyón.

requite, v. bayaran, pagbayaran, gumantí, gantihín, tigantihán.

reread, v. basahing mulî.

rescind, v. pawaláng-saysáy, pawalang-bisà.

rescript, n. kautusán, kabatasán.

rescue, v. tubusín, iligtás, sagipín. n. pagtubós, pagliligtás, pagsagíp.

research, n. pananaliksík, pagsisiyasig, paniniyasig. v. magsaliksík, manaliksík, magsiyasig, maniyasig.

researcher, n. mananaliksík, tagasaliksík.

resemble, v. mákatulad, mákamukhâ.

resemblance, n. pagka-magkatulad, pagka-magkamukhâ.

resent, v. isamâ ng loob, masamaín, ikagalit.

resentment, n. samâ ng loób, galit.

reservation, n. pataan, reserba, pareserba.

reserve, n. reserba, pagpipigil sa sarili, timpî.

reserve, v. ilaán, ireserba, itagò, impukín.

reservoir, n. tangké ng tubig, depósitó.

reshape, v. mulíng hugisan.

reside, v. tumahán, manahanan.

residence, n. residénsiyá, tírahan, táhanan, tinítirahán.

resident, n. residente, ang nakatirá, ang nanínirahan.

residential, adj. residensiyál.

residual, adj. labí, latak.

residue, n. labí.

resign, v. magbitíw.

resignation, n. pagbibitíw.

resilience, n. kaelastikuhán.

resilient, n. elástikó.

resin, n. resina, sasahingin.

resinous, adj. resinoso, sasahingín.

resist, v. lumaban, labanan, di-tablán, sumalungát, salungatín.

resistance, n. resisténsiyá, puwersang salungát.

resistant, adj. resistente, sumasalungát, lumalaban.

resole, v. mulíng suwelasan.

resoluble, adj. maáring mulíng tunawin.

resolute, adj. yarì ang loób.

resolution, n. resolusyón, kapasiyahán, katatagán.

resolve, v. magpasiyá, ipasiyá, ipasiyá, lutasín ang súliranín, ipaliwanag.

resonance, n. alalad.

resonant, adj. maalalad, matunóg.

resort, v. pumuntáng malimit, dumulóg, dulugán. **n.** bákasyunan, poók-áliwan.

resound, v. tumunóg.

resource, n. pagka-maparaán, rekurso, pagkúkunan, mapagkúkunan.

resourceful, adj. mapamaraán.

respect, v. gumalang, igalang, magbigáy-galang, mamitagan, pagpitaganan. **n.** galang, paggalang, pitagan, pamimitagan.

respectability, n. pamumuhay na kagalang-galang.

respectable, adj. kagalang-ga-

lang.

respectful, adj. magalang, mapamitagan.

respective, adj. kani-kaniyá, kaní-kanilá.

respiration, n. paghingá, hiningá.

respirator, n. respirador, híngahan, pampahingá.

respiratory, n. respiratoryo.

respire, v. humingá, makahingá, makaasa ulì.

respite, n. paliban, pagpapaliban, sandalíng tigil. **v.** antalahin, ipagpaliban.

resplendence, n. kaluningningán.

resplendent, adj. makináng.

respond, v. sumagót, sagutín, umayon, makiayon.

respondence, response, n. sagót, tugón, pagsagót, pagtugón.

respondent, n. respondiyente.

responsive, adj. katugón, nakíkiayon.

responsibility, n. kapanágutan, ságutin.

responsible, adj. responsable, maykapanágutan.

rest, n. pahingá, pahingaláy, patungán, tigil. **v.** magpahingá, magpahingaláy.

restful, adj. tahimik.

rest, n. tirá, labí, labis.

restaurant, n. restaurán.

restitution, n. pagsasaulì, pagpapanumbalik, bayad-pinsalà.

restoration, n. restorasyón, pananaulì, panunumbalik sa dating puwesto.

restore, v. ibalík, iulî, isaulì, mulîng itatag, mulíng ilagáy.

restrain, v. paurungin, pigilin, supilin, higpitán.

restraint, n. pagpipigil, pagtitimpî.

restrict, v. hanggahán, higpitán.

restriction, n. restriksiyón, paghihigpít.

restricted, adj. limitado.

restrictive, adj. nagbibigáy-hanggahan.

result, v. magbunga, ibunga, magbisà, magtapós, ang kinalabasán, ang náhitâ, ang kinahinatnán, bunga, bisà.

resume, n. simulán ulî, magpatuloy.

resumption, n. pagsisimulâ ulî, pagpapatuloy.

résumé, n. buod, lagom.

resurge, v. lumitáw ulî.

resurgence, n. mulíng paglitáw.

resurgent, adj. mulíng lumílitáw.

resurrect, v. mábalík sa bu-

hay, muling ilabás.

resurrection, n. resureksiyón, mulíng-pagkabuhay.

resuscitate, v. ibalík sa buhay, pahimasmasán.

resuscitation, n. himasmás, pagbabalík sa buhay.

ret, v. ibabad.

retail, n. tingî. **adj.** tíngian.

retain, v. pumigil, mamigil, magpanatili, itagò, ingatan, tandaán.

retention, n. pamimigil, kakayaháng magsaulo.

retentive, adj. matandain.

retake, v. mambawì, bawiin, kunan ulî.

retaliate, v. gumantí, magganting-salakay, maghigantí, paghigantihán.

retaliation, n. (retalyasyón), gantí, higantí.

retard, v. pabagalin, papagbagalin, antalahin, hadlangán.

retardation, n. kabagalan.

retch, v. dumuwák, dumuwál, sumuka, magsuká.

reticence, n. katimpián, pagka-matimpî.

reticent, adj. matimpî.

reticulate, adj. parang lambát.

reticule, n. súput-suputan.

reticulum, n. pangalawáng sikmura.

retina, n. retina, bilot ng matá.

retinitis, n. retinitis.

retinue, n. mga abay, mga tauhang abay.

retire, v. umurong, mamahingá, magretiro, matulog.

retired, adj. bukód, nag-íisá, retirado.

retirement, n. retiro, pagurong.

retiring, adj. mahiyain, mahinhín, matimpî.

retort, n. paklí, balík-sabi. v. ipaklí, pagbalík-sabihan.

retouch, v. ayusin, ritokihin.

retouching, n. ritoke.

retrace, v. magkulì, pagkulian, iurong, itakwíl, tumalikwás.

retractile, adj. náiúurong.

retraction, n. retraksiyón, pag-uurong, pagbawì, pagtalikwás.

retral, adj. sa likurán, sa hulihán.

retread, v. magritréd, retredan.

retreat, n. pag-urong, taguán. v. umurong, magretirada.

retrench, v. magbawas, bumawas, bawasan, magtipíd.

retrenchment, n. pagbabawas, pagtitipíd.

retribution, n. retribusyón, makatárungang parusa, gantí.

retrieve, v. mulíng mákuha, mabawì.

retroactive, adj. retroaktibo, may balík-bisà.

retrocede, v. bumalík, magbalík sa dati, umurong.

retrograde, adj. pauróng, pasamâ, pababâ. v. umurong, sumamâ, bumabâ.

retrogress, v. umurong, mapabalík sa dati.

retrogression, n. pag-urong, pagbabalík sa dati, pagsamâ.

retrospect, v. gunamgunamin. n. gunamgunam.

retroversion, n. pagkiling sa likurán.

return, v. bumalík, magbalík, isaulì, gumantí. n. pagbabalik, pagsasauli.

reunion, n. reunyón, mulíng pagsasama-sama.

reunite, v. magsama ulî, magkáisá ulî.

revamp, v. baguhin, magbagong-anyô.

reveal, v. isiwalat, ipagtapát, ihayág, ibunyág.

reveille, n. rebelí, hudyát panggising.

revel, v. magpistahan, mag-
kásayahan. n. pagsasayá,
pagpipistá.

revelation, n. pagbubunyág,
paghahayág.

revenge, n. higantí, paghihi-
gantí. v. maghigantí, pag-
higantihán.

revengeful, adj. mapaghigan-
tí.

revenue, n. kita, pinagka-
kákitaan.

reverberate, v. umalingaw-
ngáw.

reverberation, n. alingaw-
ngáw, pag-alingawngáw.

revere, v. pagpitaganan,
sambahín.

reverence, n. reberénsiyá,
pamimitagan.

reverend, adj. reberendo, ka-
pitá-pitagan.

reverent, adj. mapitagan,
magalang.

reverie, n. salamisim, panga-
ngarap.

reversal, n. pagbabalík sa
datí, pagbabaligtád.

reversible, adj. baligtaran.

revert, v. magbalík sa dati.

review, v. magsurì ulî, mag-
balík-aral, pagbalík-ara-
lan. n. mulíng pagsusurì,
balík-aral.

revile, v. alimurahin, alipus-
taín.

revilement, n. pang-aalimu-

ra.

revise, v. rebisahín, baguhin,
iwastô.

revision, n. rebisyón, pagwa-
wastô.

revisit, v. mulíng dalawin.

revitalize, v. papagbagung-
buhayin, papagmulíng-sig-
lahín.

revitalization, n. pagbaba-
gung-buhay, pagmumulíng-
siglá.

revival, n. mulíng-buhay,
pagmumulíng-buhay.

revive, v. mulíng buhayin.

revocable, adj. mabawì, mai-
úurong.

revocation, n. pagbawì, pag-
uurong.

revoke, v. bawiin, iurong, pa-
waláng-saysáy.

revolt, n. paghihimagsík, pag-
babangon, pag-aalsá. v.
maghimagsík, magbangon,
mag-alsá.

revolting, adj. nakaáani, na-
karírimarim.

revolution, n. pag-inog, pag-
hihimagsík.

revolutionize, v. magbagung-
lubós.

revolve, v. uminog, pagbulay-
bulayin.

revolver, n. rebolber.

revulsion, n. rebulsiyón, big-
láng pagbabago.

reward, n. gantimpalà, prem-

yo, pabuyà. v. gantimpala-
an, premyuhán, pabuyaan.

rewind, v. mulíng iikid.

reword, v. baguhin ang pag-
kakásabi.

rewrite, v. sulatin, uli.

rex, n. harì.

rhapsody, n. rapsodya, ma-
damdaming pagbigkás.

rheostat, n. reóstató.

rhetoric, n. retóriká, sayusay.

rheumatism, n. reumatismo,
reuma, rayuma.

rhinencephalon, n. (Anat.)
utak pangamóy, bahaging
pangamóy ng ùtak.

rhinestone, n. hiyás, puwít
ng baso.

rhinitis, n. rinisis, korisa, si-
pon.

rhinoceros, n. rinóserós, ri-
noseronte.

rhinoscope, n. rinoskopyo.

rhizocarpous, adj. (Bot.) ri-
sokárpiyó.

rhizome, adj. (Bot.) risoma.

rhizopod, (Zool.) risópodó.

rhodic, adj. (Chem.) rodikó.

rhodium, n. (Chem.) rodyo.

rhododendron, n. (Bot.) rodo-
dendro.

rhodonite, n. (Min.) espato

rhodonite, n. (Bot.) rodora.

rhombus, n. (Geom.) rombo,

rhubarb, n. ruwibarbo.

rhyme, n. rima, tugmâ. v. tu-

mulâ.

rhythm, n. ritmo, indayog,
ugmaan.

rhythmic, rythmical, adj. ma-
indayog, maugmâ.

rhythmics, n. aghám pang-in-
dayog.

rhythmist, n. mánginginda-
yog.

riata, n. reata, likaw ng lu-
bid.

rib, n. tadyáng, kustilyas. v.
tadyangán, lokohin, biru-
in.

ribald, adj. magaspang, ma-
laswâ.

ribaldry, n. kalaswaán, kaha-
layan.

ribbon, n. sintás, laso.

rice, n. palay, bigás.

rich, adj. mayaman, saganà,
malasa, matabâ.

rick n. mandalâ.

rickets, n. rakitis.

rickety, adj. girínggiríng, pa-
giwang-giwang.

ricochet, v. magpatalbúg-tal-
bóg.

rictus, n. bungangà ng tukâ,
buká ng bibíg.

rid. v. makaibís, maibsán
makalibré, makalayà.

riddle, n. bitháy. v. magbit-
háy, magtahíp, pagbutás-
butasin.

riddle, n. bugtóng, hiwagà,

kababalaghán.

ride, v. sumakáy, sakyán. n. sakáy, pagsakáy.

ridge, n. balakáng, tagaytáy, tuktók, palupo.

ridicule, n. kutyâ, pagkutyâ, tuyâ, pagtuyâ.

ridiculous, n. katawá-tawá, kakutyà-kutyâ.

rife, adj. laganap, palasak, sagana.

riffle, v. magsuksók ng baraha, magbalasa.

rifle, n. riple. v. halungkatín, halughugín.

rift, n. biták, lahang, hatî.

rig, n. ayos, kalayagan, karwahe.

rigadoon, n. rigodón.

right, adj. tumpák, wastô, dapat, kanan.

right, adv. túwiran, agád, ayon sa kung anó ang wastô, pakanán.

right, n. ang tamà, ang wastô, katárungan, karapatán.

right, v. ituwíd, itayô, ayusin. iayos, iwastô, bigyángkatárungan, ipaghigantí.

righteous, adj. makátárungan, may puring dalisay.

rightful, adj. makatárungan.

rigid, adj. matibay, maigtíng, matigás, naninigás, mahigpít.

rigidity, n. katibayan, kati-

gasán, kahigpitán.

rigmarole, n. pahayag na padaskúl-daskól.

rigor, n. kalupitán, kasungitan, paninigás.

rigorous, adj. mahigpít, malupít, masungit.

rill, n. sapa-sapaan.

rim, n. gilid, labì, tabihán.

rind, n. balát, pinagtalupan, upák, talupak.

ring, n. singsíng. anilyo, buklód, ring.

ringleader, n. pasimunò.

ringlet, n. muntíng singsíng.

ringside, n. tabi ng ring.

ringworm, n. (Med.) kulebrilya, kulebrang-tubig.

ring, v. tumunóg, tumugtóg, patunugín, patugtugin, mapunô ng balità.

rink, n. rink, patinadero.

rinse, n. magbanláw, banlawán, mag-anláw, anlawán.

riot, n. kaguló, pagkakaguló. v. magkaguló, mangguló, manligalig.

riotous, adj. maguló, maligalig.

rip, v. punitin, pilasin.

ripcord, n. ripkord, kurdóng hilahán.

ripe, adj. magulang, hinóg, pinagulang.

ripen, v. mahinóg, pahinugín.

ripeness, n. kahinugán.

ripple, n. saluysóy, lagasáw, pag-aalun-alón.

riprap, n. buntón ng bató.

rip-roaring, adj. malinggál, maguló.

ripsaw, n. lagaring pamilas.

rise, v. umahon, umakyát, tumaás, sumilang, umabot, lumakí, mamagâ, bumusá.

risible, adj. palátawá, nakakátawá.

risk, n. riyesgo, panganib, sapalaran.

risky, adj. mapanganib.

rite, n. rito, seremonya.

ritual, n. ritwál, seremonya.

rival, adj. karibál, kaagáw, kaligsá.

rivalry, n. pagriríbalan, pagpapángagawán.

rive, v. bakbakín, lansagín, biyakín.

river, n. ilog.

riverside, n. tabing-ilog.

rivet, n. rematse, silsíl.

rivulet, n. ilug-ilugan.

roach, n. ipis.

road, n. daán, lansagan.

roadblock, n. harang, halang.

roam, v. gumalà, magpagalagalà.

roan, adj. bayo, kastanyo.

roar, n. atungal, angal, ungol, sigáw, hiyáw. v. umatungal.

roast, v. mag-ihaw, iihaw, ibangí, isangág.

roaster, n. ihawán.

rob, v. magnakaw, pagnakawan, nakawin.

robber, n. magnanakaw.

robbery, n. pagnanakaw.

robe, n. bata, toga, balabal, manta, damít.

roborant, adj. pampalakás.

robot, n. robot.

robust, adj. malusóg, malakás, matipunò.

rock, n. roka, bató. v. iugóy, yanigín, giwangin.

rocky, n. mabató, batuhán.

rocket, n. kuwitis, raket.

rocketry, n. palárakitan.

rocking, adj. umúugóy.

rod, n. baras, pamalò.

rodent, adj., n. hayop na mangangatngát, dagâ.

rodeo, n. rodeo.

rodomontade, adj. palalò, hambóg.

roe, n. itlóg ng isdâ, usáng lalaki.

roebuck, n. barakong usá.

rogation n. litanya, samò, luhog.

rogatory, adj. sumásamò, lumúluhog.

rogue, n. bagamundo, hampaslupà, mandarayà.

roguery, n. kawaláng-hiyaán.

roguish, adj. waláng-hiyâ.

role, n. papél.

roll, n. gulong, rodilyo, balumbón, lulón, rolyo, bilot, talaán, listahan, alon. v. gumulong, pagulungin, balumbunin, ilulón, umalon, biluhín.

roly-poly, adj. maiklî at punggók.

Roman, adj. Romano.

Romanesque, n., adj. Romanesko.

Romanize, v. romanisahín.

Romance language, romanse.

romance, n. romansa.

romantic, adj. romántikó, romántiká.

romanticism, n. romantisismo.

romp, n. maingay na paglalarô, takbóng di-puwersado.

romper, n. damít na panlarô ng batà.

rompish, adj. malarô, maharót.

rondel, n. tuláng rondel.

roof, n. bubóng.

roofing, n. atíp.

rookie, n. baguhan, singkî, rekluta.

room, n. kuwarto, silíd.

roost, v. hapunán, dapuán, pahingahan. v. humapon.

rooster, n. tandáng.

root, n. ugát, sanhî, pinagmulán. v. lipulin.

root-crop, n. pananím na la-

mang-lupà.

root-word, n. salitáng-ugát.

rope, n. lubid.

rosaceous, adj. (Bot.) rosáseó.

rosary, n. rosaryo.

rose, n. (Bot.) rosas.

roseate, adj. rosado.

rosebay, n. adelpa.

rosebud, n. buko ng rosas.

rosebush, n. rosál.

rosemary, n. romero.

rosette, n. roseta.

rosewater, n. agwarosas.

rosewood, n. palorosas.

rosy, adj. rosado, kulay-rosas.

rosin, n. resina, kamanyáng.

rostellate, adj. may muntíng tukâ.

roster, n. talaán, listahan.

rostrum, n. rostrum.

rot, v. mabulók, masirà.

rotary, adj. umíinog, painóg, rotatoryo, paikít, paikót.

rotate, v. uminog, umikit, umikot.

rotation, n. ikot, ikit, inog.

rotator, n. pampainog.

rotogravure, n. rotograbado.

rotor, n. rotór.

rote, n. ulit, rutina.

rotund, adj. bilóg, bilugán.

rotunda, n. rotunda.

rouge, n. kolorete.

rough, adj. magaspáng, bakúbakô, alún-alón, bastós,

maguló.
roulette, n. ruleta, roleta.
Roumanian, n., adj. Romano.
round, adj. bilóg, mabilog. **n.**
bilog, kabilugan, ligid,
raun. **v.** bilugin, lumigid,
uminog, umikit, umikot,
paligiran.
roundabout, adj. paligid-li-
gid, paikut-ikot.
rounded, adj. bilugán.
roundworm, n. bulati.
ruop, n. sipón ng manók.
rouse, v. manggising, gisi-
ngin, pukawin, pakilusin.
roustabout, n. piyón.
rout, v. manumbáng, sum-
bangín, daigín, madaíg.
route, n. daán, ruta, **v.** iruta.
rove, v. gumalà, maggalâ,
maglibót, magpalibut-libot.
row, n. babág, away, basag-
ulo, hanay.
row, v. gumaod, maggaod, su-
magwán, magsagwán.
rowboat, n. bangkáng-gáu-
ran, galauran.
rowlock, n. sanggá sa gaod.
rowel, n. págilóng ng espu-
wela.
royal, adj. makaharì, reál.
royalty, n. regalya.
rub, v. kuskusín, punasan,
ipahid, ihaplós.
rubber, n. goma.
rubberize, v. gomahan.

rubber-stamp, n. timbreng
goma, panaták na goma.
rubbish, n. basura, yagít, la-
yák.
rubble, n. eskombro, tigkál-
tigkál.
rube, n. gunggóng.
rubefacient, adj. nakapagpá-
pamulá.
rubefaction, n. pagpapamu-
lá.
rubescent, adj. namúmulá.
rubicund, adj. namúmulá-
mulá.
rubiginous, adj. kulay kala-
wang, makalawang, kina-
kalawang.
ruble, n. rublo.
rubric, adj. rubro, mapulá.
ruby, n. rubí.
rudder, n. timón, ugit.
rudderman, n. timonero, taga-
ugit.
rudderpost, ehe ng timón.
rudderstock, paypáy ng ti-
món.
rude, adj. bastós, magaspáng.
rudiment, n. unang hakbáng,
paltók, sibol.
rue, v. magsisi, pagsisihan.
rueful, adj. nanghíhinayang,
nakaháhambál.
ruffian, n. taong malupit,
sángganó.
rug, n. alpombra, latag.
rugged, adj. magaspáng, di-

pantáy, bakú-bakô, kulubót, matirà.

ruin, n. pagkagibâ, pagkasirà, pagkaguhò, gibâ.

rule, n. tuntunin, regla, kaugalián, pamamahalà, pamumunò. v. mamahalà, pamahalaan, ipasiyá, manupil, supilin.

ruler, n. punò, gobernadór, ruler.

rum, n. ron, ram.

rumba, n. rumba.

rumble, n. ugong, hugong, dagundóng, v. umugong, humugong, dumagundóng.

rumen, n. (Anat.) unang sikmurà.

ruminant, n. mángangatà.

ruminate, v. ngumatâ, ngataín, magbulay-bulay.

rummage, n. halungkatín, halikwatin, halukayin. n. paghalungkát paghalikwát, paghalukay.

rummage sale, adj. tindáng halikwatin.

rummy, n. rummy, rami.

rumor, n. sabí-sabí, balí-balità.

rump, n. (Anat.) puwít, puwitan.

rumple, v. kubutín, gusutín.

rumpus, n. ligalig, gambalà.

run, v. tumakbó, lumaban, umagos, tumalaytáy, ma-

mahalà, mangasiwà. n. kabíg, agos, daán, nisnís.

runaway, n. takas, puga, tanan.

rune, n. runa, hiwagà.

rung, n. baitáng, rayos ng gulóng.

run-in n. singit, basag-ulo.

runner, n. mananakbó, utusán, tagatakbó; suwíng-gapang.

runner-up, adj. sunód sa una, pangalawá.

run-off, n. patulò, laróng pambasag-patas.

run-on, n. dagdág.

runt, n. bulilít.

rupee, n. rupya.

rupture, n. pagkasirà, pagkatanggál, lantád na hidwaan, digmaan, luslós. v. masirà, magkasirà, pumutók, luslusín, magkaluslós.

rural, adj. rurál, pambukid.

ruse, n. lansí, laláng.

rush, v. magmadali, magdalás-dalás, sumalakay, salakayín. n. pagmamadalî, pagdadalás-dalás, pagsalakay, intrj. dalî.

russet, adj. puláng kayumanggí.

Russia, n. Rusya.

rust, n. kalawang. v. kalawangin.

rusty, adj. makalawang.
rustic, adj. magaspáng, simple, rurál, pambukid.
rusticate, v. mamukid.
rustle, n. agaás, kaluskós. v.
umagaás, kumaluskós.
rustle, v. magnakaw.
ruthless, adj. malupít, waláng-awà.
rye, n. (Bot.) senteno, ray.

—S—

Sabbath, n. Sábadó.
saber, n. sable.
sabotage, n. sabotahe, pagpapahamak.
saboteur, n. sábotyúr.
sac, n. suputan.
saccate, adj. hugis-supot.
saccharate, n. sakarato.
saccharine, n./adj. sakarina.
sacerdotal, adj. saserdotál.
sachet, n. satset, lalagyán ng pabangó.
sack, n. sako, kustál, sakeo, pagtitiwalág, pagtatanggál.
sacrament, n. sakramento.
sacrarium, n. sagrayo.
sacred, adj. sagrado, banál, panrelihiyón.
sacrifice, n. sakripisyo, pagpapakasakít. v. magsákripisyo, magpakasakit.
sacrilege, n. sakriléhiyó, kalapastanganan.
sacrilegious, adj. sakrílegó, mapaglapastangan.
sacristan, n. sakristán.
sacristy, n. sákristiya.

sacroliac, adj. sakroliyako.
sacrum, n. sakro.
sacrosanct, adj. sakrosanto.
sad, adj. nalúlungkót, malungkót.
sadden, adj. malungkót.
saddle, n. siya. v. siyahan.
saddlebag, n. alporahas, kabalyás.
saddlebow, n. ulo ng siya.
saddler, n. manggagawà ng siya.
sadism, n. sadismo.
sadist, n. sadista.
sadistic, adj. sadístiká.
safari, n. sapari.
safe, adj. waláng-panganib.
safe, n. kahang bakal, kaha de yero.
safeblower, n. manlalanság-kaha.
safeblowing, n. panlalanság-kaha.
safebreaker, n. magnanakaw sa kaha.
safeguard, n. pangangalagà.
saferon, n. asaprán.

safety, n. kawalang-panga-
nib, kaligtasan sa panga-
nib.

safety belt, timbulan, salba-
bida.

sag, v. lumayláy, lumuylóy,
lumawít, lumundô, humab-
yóg, yumutyót.

saga, n. saga.

sagacious, adj. matalas, ma-
talino, maalam.

sagacity, n. katalasan.

sage, n. pahám.

sagitarius, n. sahitaryus, má-
mamanà.

sail, n. layag, bela. v. luma-
yag.

sailboat, n. batél, paráw.

sailor, n. marino.

saint, n. santo, (-ta), taong
banál.

saintly, adj. banál.

sake, n. layunin, kapakanán.

salable, adj. máipagbíbilí.

salacious, adj. mahalay.

salad, n. ensalada.

salamander, n. salamandra.

salami, n. salami.

salary, n. suweldo, sahod, ki-
ta, upa.

sale, n. pagbibilí, benta.

salesman, n. despatsadór.

salesmanship, n. ğalíng mag-
bilí.

salient, adj. nakaungós, na-
katungkî, lantád, madalíng

mápansín, kita agád.

saliva, n. laway.

salivary gland, batis ng la-
way.

salivate, v. maglawáy.

salivation, n. paglalawáy.

sallow, adj. maniláw-niláw,
barák.

sally, n. pagluwál, pagbiták,
lipád ng diwà.

salmon, n. salmón.

salon, n. bulwagan, salón.

salt, n. asín. v. asnán, lag-
yán ng asín.

saliferous, adj. maasín.

saline, adj. may-asín.

salinity, n. pagkamay-asin.

salter, n. salero, ásinan.

saltish, adj. maalát-alát.

saltpeter, n. salitre.

salty, n. maalat, maasín.

salubrious, adj. nakapagpá-
pabuti ng katawán naka-
pagpápalusóg.

salutary, adj. nakapagpapa-
galíng.

salutation, n. bigáy-galang,
batì, bating pambungad.

salutatorian, n. salutatoryan,
pangalawáng karángalan.

salutatory, n. talumpating
saludadór.

salute, v. sumaludo, saludu-
han, magpugay, pagpuga-
yan. n. saludo, pagsaludo,
pagpupugay.

salvable, adj. máisasalbá,
máililigtás.

salvage, n. salbá, sagíp.

salvager, n. mananagíp, ma-
nanalbá.

salvation, n. kaligtasan, ka-
tubusan, pagkatubós.

salvation army, hukbó ng
kaligtasan.

salve, n. ungguwento, pama-
hid, panlunas, pampagin-
hawa. v. pahiran ng ung-
guwento, paginhawahan,
lunasan.

salver, n. bandeha.

salvo, n. pasalbá.

samaritan, n. adj. samarita-
no, taong maawaín.

samba, n. samba.

same, adj. .waláng-dagdág,
waláng-bago, parehong pa-
reho, katumbás, kapantáy.

sample, n. muwestra, pakita,
patikím, halimbawà.

sanative, adj. nakagágamít,
nakalúlunas.

sanatorium, n. sanatoryo.

sanctity, n santidád, kasan-
tuhán.

sanctification, n. santipikas-
yón.

sanctuary, n. santuwaryo.

sanctum, n. kaloób-looban.

sanctus, n. santós.

sand, n. buhangin. v. budbu-

rán ng buhangin, lihahin.

sandbag, n. sako ng buha-
ngin.

sandculture, n. paghahala-
man sa buhangin.

sandman, n. diwà ng tulog.

sandpaper, n. liha.

sandstone, n. batubuhangin.

sandy, adj. mabuhangin.

sandal, n. sandalyás.

sandalwood, n. sándaló.

sandwich, n. sandwich, em-
paredado.

sane, adj. matinô, maalam.

sanity, n. katinuán.

sanguinary, adj. madugô,
uháw sa dugô.

sanguine, adj. kulay-dugô,
palaasá, maasahín.

sanitarium, n. sanatoryo.

sanitary, n., adj. sanitaryo,
malinis.

sanitation, n. kalinisan.

Sanskrit, n./adj. Sánskritó.

sap, n. katás. v. katasán, ali-
sán ng katás.

sap, n. gunggóng, uslák.

sapling, n. (Bot.) batang pu-
nò; binatilyo.

saponin, n. saponin.

saponaceous, adj. malasabón,
madulás.

saponification, n. pagiginsa-
bón.

saponify, v. gawíng sabón.

sapphire, n. sápiró.

sapwood, n. malambót na kahoy ng punò.

sarcasm, n. tuyâ, uyám.

sarcastic, n. nanúnuya, nang-úuyám.

sarcophagus n. sarkópagó, kabaong na bató.

sardine, n. sardinas.

sardonic, adj. mapanlibák, mapang-aglahì, mapanuyâ.

sardonyx, n. sardónisé.

sargasso, n. sargaso.

sarsaparilla, n. (Bot.) sarsaparilya.

sartorial, adj. sartoryo.

sartorious, n. muskulo sa hità.

sash, n. baskagan, kuwadro, bigkís.

sassafras, n. sasaprás.

Satan, n. Satanás, Lusipér.

satchel, n. maletín.

sate, v. busugín.

sateen, n. satén, satín.

satellite, n. satélité, kasamang buntalâ.

satiate, v. busugin, suyain, bundatin.

satiety, n. kabusugán.

satire, n. tuyâ, uyám.

satiric, adj. nanúnuyâ, nang-úuyam, satírikó.

satirist, n. mánunulát na satírikó.

satirize, v. ipanuyâ, ipanguyám.

satisfaction, n. kasiyahán, kasiyaháng-loób.

satisfactory, adj. kasiyá-siyá.

satisfied, adj. nasisiyahán, satispetso.

satisfy, v. bigyáng-kasiyahán.

satrap, n. sátrapá.

satrapy, n. satrapiya.

saturate, v. mamarín, pigtaín, tigmakín, saturahín.

saturated, adj. mamád, pigtâ, tigmák, saturado.

saturation, n. pagkamamád, kapigtaán, katigmakán, saturasyón.

Saturday, n. Sábadó.

Saturn, n. Saturno.

sauce, n. sarsa, sawsawan.

saucepan, n. kasirolang muntî.

saucer, n. platito, platilyo.

sauciness, n. kapangahasán.

saucy, adj. pangahás.

sauerkraut, n. "sauerkraut", sawerkraut.

saunter, v. lumakad-lakad, gumala-galà.

saurian, n., adj. sauryo.

sausage, n. longganisa, salsitsas, embutido.

saute, adj. pritos.

savage, n. ligáw, labuyò, disibilisado, mabagsík, mabangís.

savagery, n. kabarbaruhán, barbarismo, kabagsikán.

savanna, n. sabana, kapatagan.

savant, n. pantás, pahám.

save, v. iligtás, sagipín, tubusín, tubsín, tipirín, magtípíd, ilaán, itaán, ingatan, pangalagaan, **prep.** máliban sa, matangì.

savings, n. natitipíd, naíimpok.

savior, saviour, n. manliligtás, tagapagligtás, mánunubos.

savor, n. lasa, linamnám, saráp, **v.** bigyáng-lasa, sarapán, masarapan.

savory, adj. malasa, malinamnám, masaráp.

saw, n. kasabihán, sáwikaín, saláwikaín.

saw, n. lagarì.

sawdust, n. aserín.

sawfish, n. isdáng lagarì.

sawhorse, n. kabalyete.

sawmill, n. lágarian.

sawyer, n. tagalagarì.

saxhorn, n. bombardino.

Saxon, n./adj. Sahón. **Anglo-Saxon, n.** Anglo-Sahón.

saxophone, n. saksopón.

say, v. magsabi, sabihin, magpahayag, ipahayag, magsalitâ, salitaín, bumigkás, bigkasín. **n.** sabi.

scab, n. langíb, eskiról. **v.** maglangíb, mag-iskirol.

scabby, adj. malangíb.

scabbies, n. galís.

scabbard, n. kaluban, bayna.

scabrous, adj. maligagás, makaliskís, hiráp.

scads, n. salapî, tusak.

scaffold, n. tuntungang tablado, intabladong bibitayán, patíbuló, intablado.

scald, v. banlián, mábanlián. **n.** banlî, pasò, paltós.

scale, n. plato, platilyo, balansa, timbangan, kaliskís, gatlâ, gatláng, iskala, hagdán, baitáng. **v.** kaliskisán, talupan, magtutóng, magkulilì, graduhan, antasán, sukatin, takalin.

scalebeam, n. astíl, bara ng timbangan.

scaleboard, n. regladór.

scallop, n. kabibi.

scalp, n. anit. **v.** anitan, alisán ng anit.

scalpel, n. bisturí, iskalpel.

scamp, n. taong pahamak.

scaper, n. magtatakbó. **n.** takbóng mabilís.

scan, v. suriing mabuti, siglawán, bigkasín ayon sa sukat.

scandal, n. iskándaló, alingasngás.

scandalmonger, n. manlilikha ng iskándaló.

scandalous, adj. iskandaloso.

Scandinavian n./aj. Eskandinabo.

scant, adj. kákauntî, di-sapát.

scantiness, n. kauntián, kakulangán.

scapula, n. paypáy.

scapular, n. eskapularyo.

scar, n. pilat, peklat. v. magpilat, magpeklát.

scarab, n. (Entom.) ískarabaho, (uang, salagubang, salaginto, atb.)

scarce, adj. kákauntî, bihirà, madalang, mahirap mákita.

scarceness, scarcity, n. kabihiraan, kadalangan.

scare, v. takutin, sindakín. n. takot, sindák.

scarf, n. bupanda, bandana.

scarfication, n. kadlít.

scarficator, n. (Med.) pangadlít.

scarcifier, n. mangangadlít.

scarcify, v. kadlitán.

scarlatina, n. iskarlatina.

scarlet, n., adj. iskarlata.

scarp, n. panig na matarík.

scathe, v. pinsalain, saktán, pasuin, sunugin, tuligsâin.

scatology, n. eskatolohiya, pag-aaral ng mga tae; paláhalayan, pag-aaral ng kahalayan.

scatter, v. mangalat, manabog, lumaganap, ikalat,

isabog, palaganapin, ipamudmód.

scatterbrain, adj. banggák.

scattergood, adj. gastadór.

scavenge, v. manghakot ng basura.

scavenger, n. basurero, manghahalikwát-basura.

scenario, n. isinaryo, dulang pansine.

scene, n. esena, tagpô, tanawin, bista, paysahe.

scenery, n. tanawin, bista, paysahe, mga telón.

scenography, n. esenograpiya, sining ng pag-eesena.

scenographer, n. esénograpó.

scent, n. amóy, bangó.

scepter, n. setro.

schedule, n. oraryo, listahan, talaan, talatakdaan. v. itakdâ.

scheme, n. plano, balak, palátuntunan, pamamaraán, intriga. v. magbalak, magplano, mag-intriga.

schism, n. sisma, pagkahatì, paghihiwaláy.

schizophrenia, n. "schizophrenia", pagkabiyák ng katauhan.

scholar, n. estudyante, magaarál, iskolar.

school, n. kawan ng isdâ. v. magkawan-kawan.

school, n. páaralán, eskuwé-

lahán. iskúl. v. magturò,
turuan, turò.

science, n. siyénsiyá, aghám.

scientific, adj. pang-aghám,
makaaghám, maaghám, si-
yentípikó.

scientist, n. taong-aghám, si-
yentípikó.

scimitar, n. simitár.

scintilla, n. kisláp. bakás.

scintillate, v. kumisláp, mag-
kikisláp.

scintillating, adj. kumikisláp.

scintillation, n. pagkisláp,
pagkisláp-kisláp.

sciolism, n. karunungang
mababaw.

sciomacy, n. pagsanggunì sa
patáy.

scion, n. suplíng, supang.

scirrhus, n. siro.

scissel, n. putól na metál.

scissile, adj. magaáng gupi-
tín.

scission, n. paggupít.

scissor, v. gupitín, guntingín.

scissors, n. guntíng, pang-
gupít.

scissure, n. pagkaputol.

sclera, n. isklera, balot-ti-
gás ng matá.

scleriasis, n. iskleryasis, pa-
ninigás.

scleroma, n. iskleroma, pani-
nigás ng lamuymóy.

sclerosis, n. isklerosis.

sclerotic, adj. matigás, iskle-
rótikó.

sclerotitis, n. isklerotitis,
pamamagâ ng balot-tigás
ng matá.

sclerotomy, n. pagtistís sa
isklera.

sclerous, adj. iskleroso, na-
ninigás.

scoff, n. libák, aglahì, kut-
yâ, manlibák, libakín,
mang-aglahì, aglahiin,
mangutyâ, kutyaín.

scold, v. magmurá, murahin,
manisi, sisihin, alimura-
hin n. taong mapagmurá.

sconce n. kandelabro, kutà,
bubóng, multa.

scoop, n. sandók, panandók,
panghukay, pampala, pag-
sandók, labak, iskup, pan-
sirok, v. sandukín, siru-
kin, maiskupán.

scoot, v. sumibad. scoot, alis,
layas.

scooter, n. iskuter, panibád.

scope, n. abot, lawak, sak-
láw.

scorbutic, adj. iskurbútikó.

scorch, v. dangdangín, da-
gandangín, puksaín, lipu-
lin.

score, n. tandâ, paya. dahi-
lán, dalawampuan, iskor,
puntos, katotóhanan. v.
guhitan, kudlitán, puma-

ya, payahan, italâ, umis-
kór, mákamít.

scorn. n. panghahamak, pan-
lilibák, upasalà. **v.** mang-
hamak, manlibák, mandus-
tâ, mang-upasalà.

scorpio, n. eskorpiyón, alak-
dán.

scorpion, n. alakdán, pitum-
bukó.

scot, n. tasa, tasasyón, bu-
wís, multâ, eskosés.

scot free, adj. libré, ligtás.

scotch, n., adj. eskosés, mati-
píd, kuripot.

scoundrel, n. taong-imbî, ta-
ong-tampalasan.

scour, v. galugarin, gayga-
yín, kuskusín, kudkurín.

scourage, v. látikuhín, paru-
sahan, paluin. **n.** látikó,
palò, parusa.

scout, v. maghanáp, magsa-
liksík. **n.** iskaut, pag-iis-
kaut, pagmamatyág.

scoutmaster, n. iskautmaster.

scow, n. gabara.

scowl, n. simangot. **v.** sumi-
mangot.

scrabble, v. kalmutín, gal-
musín.

scragy, adj. payagod, ya-
yáng.

scram. v. alis diyán.

scramble, v. mangunyapit,
makipagpángagawan, halu-

in, paghalú-haluin, ikalat-
kát.

scrap, n. piraso, kapyangót,
iskrap. **v.** itapon, pagpirá-
pirasuhin, gawíng iskráp.
adj. patapón, pirá-pirasó,
putúl-putól.

scraper, n. pangkayod, kayu-
rán.

scratch, v. kamutin, himasin,
kalmutín, galmusín. **n.** ka-
mot, kalmót, galmós.

scrawl, v. gumurí, maggurí,
gurihán, **n.** sulat na pagu-
rígurí.

scrawny adj. payagód, pa-
yangód, butuhán.

scream. n. tilî, sigáw. **v.** tu-
milî, magtitilî.

screech, v. sumigáw nang
matinís, humiyáw.

screen, n. tabing, kurtina. **v.**
tabingan, kurtinahan, mag-
kintál ng larawan sa te-
lón, maghirang, mamilì.

screenplay, n. dulang pan-
sine.

screen test, n. pagtikím kung
bagay sa pelíkulá.

screw, n. turnilyo. **v.** turníl-
yuhán, pihitin ang turnil-
yo.

screwball, adj. sira ang ulo

screwdriver, n. disturnilya-
dór.

screwy, adj. kakatwâ, hibáng.

scribble, v. sumulat nang dalás-dalás, maggugurí.

scribe, n. eskribyente, mánunulát, mamamahayág.

scrimmage, n. labulabo.

scrimp, v. magtipíd nang labis.

scrip, n. sertipiko, ıskrip.

script, n. porma ng sulat, manuskrito, iskríp.

Scripture, n. Bíbliyá, Bíbliá.

scroll, n. rolyo ng pergamino, sulat.

scrotum, n. supot ng bayág.

scrub, v. kuskusín, kusutín.

scruple, n. atubilì, pag-aatubilì.

scrupulous, adj. maatubilì, maulik-ulik.

scrutinize, v. suriing mabuti, siyasating masusì.

scrutiny, n. masusing pagsisiyasat.

scud, v. magtatakbó nang mabilís.

scuffle, n. babagán, pánunggaban.

scullery, n. hugasán sa kusinà.

scullion, n. tagahugas sa kusinà.

sculptor, n. eskultor, manlililok.

sculture, n. eskultura, panlililok.

sculpturesque, adj. parang nililok.

scum, n. lináb, espuma, halagap, halipawpáw.

scummy, adj. malináb, mahalagap.

scurf, n. balayubay.

scurrilous, adj. magaspáng magbirô.

scurry, v. magkumamot, magmadalî.

scurvy, n. iskurbuto.

scutch, v. humagot, maghagót, hagutin.

scuttle, n. takbóng mabilís, butas, eskutilyón. **v.** tumakbo nang mabilís, butasan upang mapalubóg.

scythe, n. karit, lilik.

sea, n. dagat.

seaboard, n. tabíng-dagat.

sea horse, n. kabayong-dagat.

sea lion, n. leóng-dagat.

seal, n. (Icht.) poka (sil).

seal, n. selyadór, panaták, taták, selyo. **v.** tatakán, sélyuhán.

seam, n. tutóp, hugpóng, tahî.

seaman, n. mandaragát, marinero.

seamless, adj. di-kita ang pinagdugtungan, waláng pinaghugpungán.

seamstress, n. mánanahì.

seance, n. pakikipag-usap sa

ispíritú.

sear, v. pasuin, heruhan, mangalirang, manguluntóy, malantá, n. hero, pasò, **adj.** tuyô, lantá, kuluntóy.

search, v. maghanáp, hanapin, siyasatin, halungkatín. n. paghahanáp, pagsisiyasat, paghalungkát, saliksík.

searchlight, n. prodyektór.

search warrant, papodér na makapaghalughóg.

season, n. panahón, kapanahunan.

season, v. sarapán, rekaduhan, palabukan.

seasonal, adj. pana-panahón.

seasoning, n. rekado, palabok, kahinugán.

seat, n. úpuan. v. iupô, iluklók.

seaweed, n. gulaman, damóng-dagat.

sebum, n. sebo.

sebaceous, adj. masebo.

secant, n./adj. sekante, guhit-pasalapsáp.

secco, n. alseko.

secede, v. tumiwalág, humiwaláy.

seceder, n. separatista.

secession, n. sesesyón, pagtiwalág, paghiwaláy.

seclude, v. ibukód, ihiwaláy.

seclusion, n. seklusyón, pag-

kabukód, paka-iisá.

second, n. sigundo, **sandalî,** saglít.

second, n., **adj.** pangalawá, ikalawá, tagataguyod. v. pumangalawá, pangalawahán, itaguyod.

secondary, adj. pampangalawá, sekundaryo.

secondhand, adj. segundamano.

second nature, ugalì, kináugalián, pinagkáugalián.

second rate, mababang urì.

secrecy, n. pagigíng lihim.

secret, n./adj. lihim, sekreto, tagô.

secretary, n. kalihim, sekretaryo, sekretarya.

secretive, adj. malihím, mapaglihím.

secrete, v. magsekresyón.

secretion, n. sekresyón.

sect, n. sekta.

sectarian, adj. sektaryo.

sectile, adj. sektíl, magaáng hiwain.

section, n. seksiyón, pangkát, bahagi.

sectionalism, n. seksiyunalismo.

sector, n. sektór.

secular, adj. sekulár, seglár, sibíl.

secularism, n. sekularismo.

secularist, n. sekularista.

secularize, v. sékularisahín.
secure, adj. panatag, tiwasáy,
lamikmík, di-mapanganib,
matatág. v. pangalagaan,
garantiyahan, tibayan, má-
tamó, tamuhín, iseguro.
security, n. katiwasayán, ka-
panatagan, proteksiyón.
sedan, n. sedán.
sedate, adj. waláng-balino,
tahimik, mahinahon.
sedative, adj. sedatibo, pam-
pakalmá, pampaginhawa.
sedantry, adj. paupô, naka-
upô, nakatigil, nakahimpíl.
sediment, n. latak, tining.
sedition, n. sedisyón, pagla-
ban sa pámahalaán, pagta-
taksíl.
seditious, adj. sedisyoso.
seduce, v. rahuyuin, hibuin.
seduction, n. panrarahuyò,
panghihibò.
seductiveness, n. pagkanaka-
rárahuyò.
Seductress, n. babaing ma-
panrahuyo.
sedulous, adj. masigsá, masi-
gasig.
see, n. sede.
see, v. mákita, tingnán, ta-
nawín, masdán, makipag-
kita, manoód, máunawaan.
seed, n. butil, butó, binhî.
seedling, n. punlâ.
seedy, adj. mabutó.

seek, v. maghanáp, hanapin,
mag-usisà, magtanóng, du-
mulóg.
seem, v. tila, animo, warì,
para.
seep, v. tumagas, kumayat.
seepage, n. tagas, saimsim,
talaytáy.
seer, n. manghuhulà, prope-
ta.
see-saw, n. sálabawan, siso,
'see-saw'.
seethe, v. kumulô, sumulák,
sumilakbó.
segment, n. bahagi, seksiyón,
segmento.
segmented, adj. putúl-putól.
segmentation, n. segmentas-
yón.
segregate, v. ibukód, ihiwa-
láy, piliin, hirangin.
segregated, adj. nakabukód.
segregation, n. pagbubukód.
seguidilla, n. segidilya.
seism, n. lindól.
seismograph, n. sismógrapó.
seismologist, n. sismólogó.
seismology, n. sismolohiya.
seize, v. sunggabán, daklutín
samsamín, dakpín, binagin,
agawin, samantalahin.
seldom, adj. bihirà, manaká-
nakâ.
select, adj. pilì, hirang, ta-
ngì. v. pumilì, humirang,
piliin, hirangin.

selection, n. pagpilì.
selective, adj. namímilì, ma-
    pamilì.
selenite, n. selenita.
selenium, n. selenyo.
self, adj. sarili, pansarili.
self-acting, adj. automátikó.
self-assertive, adj. pangahás.
self-centered, adj. lubóg sa
    sarili.
self-command, n. pagpipigil.
self-conceited, adj. palalò.
self-conscious, adj. nahíhiyâ.
self-control, n. pagsupil sa
    sarili.
self-defense, n. pagtatanggól
    sa sarili.
self-denial, n. pagtitiís, pag-
    papakasakit.
self-determination, n. pagpa-
    pakalayà.
self-discipline, n. pagpapa-
    katatág.
self-educated, adj. sariling-
    aral.
self-explanatory, adj. mali-
    naw.
self-expression, n. pahayag
    ng kaloobán.
self-government, n. autono-
    miya, sariling pamahala-
    án.
self-help, n. pagtulong sa sa-
    rili.
selfhood, n. kasarilihan.
self-importance, n. pahalagá

sa sarili.
self-improvement, n. pagpa-
    pakabuti, pagpapakagalíng.
self-interest, n. interés sa sa-
    rili.
self-reproach, n. pagsisisi.
self-respect, n. amór-propyo,
    paggalang sa sarili.
self-righteousness, n. pagpa-
    pakawastô.
self-sacrifice, n. pagpapaka-
    sakit.
selfsame, adj. iyon din.
self-sufficient, adj. sapát sa
    sarili.
self-surrender, n. pagpapa-
    sukò.
self-willed, adj. matigás ang
    ulo.
sell, v. magbilí, ipagbilí.
semantic, adj., n. semántiká.
semantician, n. semántikó.
semaphore, n. semáporó.
semblance, n. wangis.
semen, n. tamúd.
semester, n. semestre, hating-
    taón.
semestral, adj. semestrál.
semi, pref. medyo, hatì, ma-
    la
semicircle, n. hating-bilog.
semicolon, n. puntukoma, tul-
    dukuwít.
semifinal, adj. bago magta-
    pós.
semi-official, adj. may kaun-

tíng pagkaopisyál, semi-
opisyál.
seminar, n. seminár.
seminarian, n. seminarista.
seminary, n. seminaryo.
Semite, n. Semita.
Semitic, adj. Semítikó.
semivowel, n. malapatinig.
semiweekly, adj. dalawáng
beses sa isáng linggó.
senate, n. senado.
senator, adj. senadór.
send, v. magpadalá, ipada-
lá.
senile, adj. ulianin, seníl.
senility, n. senektúd, pagka-
ulianin.
senior, adj., n. nakatátandâ,
tandáng-gulang, amá, sin-
yor.
seniority, n. kaunahan, kara-
pat-mauna, katandaán.
sensation, n. pakiramdám.
sensational, adj. sensasyonál.
sensationalism, n. sensasyo-
nalismo.
sense, n. sintido, pandamá,
damdám, talino, pakiram-
dám, malay. v. makáram-
dám, maramdamán, mapa-
kiramdamán, maunawaan,
mámalayan.
sensibility, n. talas ng paki-
ramdám, sensibilidád.
sensible, adj. matalas na pa-
kiramdám, masintido-ku-

mún, maramdamin, matali-
no.
sensitive, adj. sensitibo, na-
pakamaramdamin.
sensitize, v. sensitisahín.
sensory, adj. sensoryo.
sensual, adj. makalamán,
malibog.
sentence, n. palagáy, kuru-
kurò, pasiyá, hatol, pangu-
ngusap. v. sentensiyahán.
sententious, adj. malamán,
mapangaral.
sentience, n. malay, kamala-
yan.
sentient, adj. nakadáramá.
sentiment, n. damdamin, sin-
timyento, palagáy.
sentimental, adj. sentimentál.
sentimentalism, n. sentimen-
talismo.
sentimentalist, n. sentimen-
talista.
sentimentalize, v. sentimen-
talisahín.
sentinel, n. talibà.
sepal, n. salundahon, sépaló.
separable, adj. máihíhiwa-
láy.
separate, adj. hiwaláy, bu-
kód, v. ihiwaláy, ibukód.
separation, n. paghihiwaláy,
paglalayô.
separatist, n. separatista.
separator, n. panghiwaláy.
sepia, n. kulay sepya, mala-

sepya.

sepoy, n. sepoy, kawal Hindu.

sepsis, n. sepsis.

September, n. Septiyembre, Setyembre.

septet, n. septeto, pítuhan.

septic, adj. séptikó.

septicemia, n. septisemya, pagkalason ng dugô.

septuagenarian, n./adj. pipitumpuing taón, septuwahenaryo.

septum, n. septum.

sepulcher, n. sepulkro, nitso.

sequacious, adj. mapanunód, lohikál.

sequel, n. sekwela, karugtóng.

sequence, n. pagkakásunudsunód, kapanunurán, dugtúng-dugtóng.

sequent, adj. kasunód, karugtóng, bunga.

sequester, v. ibukód, ihiwaláy, paglayuín.

sequin, n. sekín.

seraglio, n. harem.

seraph, n. serapín.

serb, serbian, n./adj. serbiyo.

serenade, n. serenata. v. mangharana, haranahin.

serenata, n. serenata.

serene, adj. maaliwalas, maliwanag, waláng-tigatig, tiwasáy, mahinahon.

serenity, n. katiwasayán, kahinahunan.

serf, n. alipin, busabos.

serfdom, n. kaalipnán.

sergeant, n. sarhento.

serial, adj. dugtúng-dugtóng.

serialize, v. ilathalang dugtungan.

sericeous, adj. sutlaín. malásutlà, mabulo.

sericulture, n. pagsusutlà, panunutlâ, paggawâ ng sutlâ.

series, n. serye, kabít-kabít.

serious, adj. seryo, pormál, taimtím, di-nagbibirô, mabigát, malubhâ, mapanganib.

sermon, n. sermón, aral, pangaral.

sermonize, v. magsermón, pagsermunán, mangaral, pangaralan.

serosity, n. kalabnawán.

serous, adj. malabnaw.

serpent, n. serpiyente, ahas.

serpentine, adj. malaahas, parang ahas, palikaw-likaw.

serrate, adj. ngipín-ngipín.

serum, n. suwero.

servant, n. alilà, katulong, utusán, katulong sa bahay.

server, n. serbidor, tagasilbí, bandeha.

service, n. serbisyo, paglilingkód.

serviceable, adj. makapaglílingkód, magágamit, mapakíkinabangan, matibay.

serviette, n. serbilyeta.

servile, adj. serbíl, ugaling alilà, kilos alipin.

servitor, n. serbidór, tagapagsilbí, katulong.

servitude, n. kaalipnan, kabusabusan.

sesame, n. sésamé, lingá.

session, n. sesyón, pulong.

set, v. iupô, paupuin, pahalimhimín, ilagáy, ilipat, itakdâ.

set adj. tiyák, nakatakdâ, sadyâ, nakakabit.

set, n. paninigás, tigás, tikas, porma, direksiyón, lote, terno, pangkát.

settee, n. mababang bangkóng may sandalan.

setting, n. paglubóg, esena, tagpô, panahón at poók, paghalimhím.

settle, v. ilagáy, ipuwesto, patauhan, patirahán, magkasundô, pagkásunduán, patiningin, mamahay, magtuós.

settlement, n. kumunidád, pamayanan, pánirahan, pagaayos, kásunduan.

settler, n. bagong máninirahan.

seven, n./adj. pitó.

sevenfold, adj. adv. makápitóng ibayo.

seventeen, n., adj. labimpitó.

seventh, n., adj. ikapitó.

seventy, n., adj. pitumpû.

sever, v. tagpasín, biyakín, putulin, tanggalín.

several, adj. ibá-ibá, ilán, ilán-ilán, ibá't-ibá, sarisarì.

severe, adj. mahigpít, malubhâ, malupít, waláng-awà, simple.

severity, n. kahigpitán, kalubhaán, kasímplihán.

sew, v. manahî, tahiín.

sewage, n. dumí ng tuberiyas.

sewer, n. mánanahî.

sewerage, n. sistema ng tuberiyás.

sewing, n. pananahî, pagtahî, tinahî, táhiin.

sex, n. sekso, tauhín.

sexagenarian, n./adj. seksahenaryo, aanimnapuing taón.

sexless, adj. waláng-sekso.

sexology, n. seksolohiya.

sexologist, n. seksólogó.

sextant, n. sektante.

sexton, n. sakristán mayór.

sextuple, adj. anim-anim, anim na ibayo.

sextuplet, n. sekstuplet.

sexual, adj. seksuwál, pansekso.

shabby, adj. nasnás, nisnís, nutnót, gasgás.

shack, n. barungbarong.

shackle, n. posas. **v.** posasan, tanikalaán, hadlangán.

shade, v. ilagáy sa lilim, liliman. dilimán, sómbrahán. **n.** lilim, silungán, kahulugán o kulay.

shading, n. sombra.

shadow, n. anino, **v.** liliman, dimlán, sómbrahán.

shadow-boxing, n. pakikipagboksing sa anino.

shadowy, adj. parang anino.

shady, adj. malilim, madilím.

shaft, n. sibát, tandós, tikín, tagdán, poste, ehe, tangkáy.

shafting, n. transmisyón sa ehe.

shag, n. buhók na magaspáng.

shaggy, adj. buhukán, bálahibuhín.

shah, n. tsah ng Pérsiyá.

shake, v. ugaín, iugâ, yugyugín, ig-igín, ligligín, ugugín, manginíg, mangatál, papangatalín, papanginigín, ipagpág.

shaker, n. álugan, kálugan, ig-igan, pikpikan.

shaking n. pangangatál, pangangatóg.

shaky, adj. nangángatál, nangángatóg, mabuay, kalóg.

shale, n. iskisto.

shallot, n. sibuyas tagalog.

shallow, adj. mababaw.

shallowness, n. kababawan, pagkamababaw.

sham, n. kunwâ, kunwarì, imitasyón, huwád. **adj.** palsó, di-tunay, paimbabáw.

shamble, n. puwesto ng magkakarné, matadero.

shambles, n. pinagkagibaáṇ.

shame, n. hiyâ, kahihiyán, pagkahiyá, kasiraáng-puri. **v.** hiyaín, siraang-puri.

shamefaced, adj. mahiyain, mahinhín, kimî.

shameful, adj. nakákahiyâ, mahalay, kahalay-halay.

shameless, adj. waláng-hiyâ.

shamelessness, n. kawalánghiyâ, pagka-di-mahiyâ.

shamols, n. gamusa.

shampoo, n. panggugò, siyampu. **v.** magsiyampu, maggugò.

shamrock, n. tripolyo, tatluhang-dahon.

shank, n. bintî, lulód, pata, manggo, asta, puluhan, hawakan.

shanty, n. dampâ, kubo.

shape, n. hugis, anyó, hubog,

tabas, katayuan. **v.** hugisan, hubugin, kortehan, tabasan.

shapeless, adj. walang-hugis, wálang-porma.

shapely, adj. mabuting pagkakahugis, timbáng-hubog.

shard, n. pamantingin.

share, n. bahagi, kabahagi, partí, kapartí, sama, aksiyón. **v.** bahaginin, makisalo, makisama, makibahagi, makipartí.

sharecropper, n. kasama.

shareholder, n. aksiyunista, kasosyo.

shark, n. patíng.

sharp, adj. matalím, matalas, matilos, mahayap, nakahíhiwà.

sharpen, v. patalimín, talimán, patalasin, talasan, ihasà, itagís, ilagís.

sharpener n. pátaliman, patalasan, hasaán, tágisan, lágisan.

sharp-shooter, n. puntiryadór.

shatter, v. durugin, basagin, gibaín, sirain, manabog.

shave, v. mag-ahit, ahitin, ahitan. **n.** ahit, pag-ahit.

shaver, n. binatilyo, batà.

shaving, n., adj. pang-ahit, pag-aahit.

shawl, n. mantón, panyulón.

she, pron. siyá.

sheaf, n. tungkós.

shear, v. manggupít, gupitín, gupitán ng buhók, tabsán.

shears, n. panggupít.

sheath, n. kaluban, bayna, pundá, balok, sapot, saklô.

sheathe, v. isalong, isuksók, isuót.

shed, n. habong, silungán.

shed, v. maglunó, maghunos, magbuhos, ibuhos. **n.** pinaglunuhán.

shedder, n. ang naglulunó, ang naghuhunos.

sheen, n. ningníng, kintáb.

sheep, n. tupa, karnero, obeha, kordero.

sheepcote, n. kulungán ng tupa.

sheepish, adj. malatupa, maamò.

sheepskin, n. balát ng tupa.

sheepwalk, n. pastulan ng tupa.

sheer, adj. dalisay, puro, waláng-bantô, matarík, manipís na manipís.

sheer, v. suminsáy, lumihís. **n.** pagsinsáy, paglihís, (Naut.) tangwá, gilid.

sheet, n. kumot, kubrekama, pohas, dahon, oha, pliego.

sheeting, n. balot, pagpipliego, pagpopohas.

sheik, n. heke.

shelf, n. istante, pitak, apa-
rador.

shell, n. kabibi, kontsa. v.
maghimáy, himayín, mag-
talop, talupan, itsahan, (ta-
punan) ng bomba.

shellac, n. laka, barnís-laka.
v. barnisán ng laka.

shelter, n. tanggulan, tagu-
án, ampunan, silungan,
kublihan. v. ampunín, kup-
kupín, sumilong, magkublí.

shelve, v. lagyán ng mga pi-
tak, ilagáy sa istante, bim-
binín, ítiwalág.

shenanigan, n. panlilinláng.

shepherd, n. pastór, (pastól),
tagapag-alagà ng hayop.

sheriff, n. serip.

sherry, n. alak Jerez, (alak
Herés).

shibboleth n. banság, lema,
sabihín, wikaín.

shield, n. eskudo, kalasag,
pananggá. v. sanggahán.

shift, v. magbago, magbago
ng tayô, lumipat ng tíra-
han, magbagong-anyô, mag-
bihis, magpalipat-lipat. n.
pagpupumilit, punyagî, pa-
raán, pagbibíhis, pagbaba-
go ng direksiyón, turno, li-
pat.

shiftless, adj. kulang sa pa-
maraán, tamád.

shifty, adj. pabagu-bago, ma-

dayà.

shilling, n. selín.

shilly-shally, v. mag-ulik-
ulik, magbantulót.

shimmer, v. umandáp-andáp,
kumuráp-kuráp, kumisáp-
kisáp, magbiglang-kisláp.
n. andáp, dikláp, kuráp, ki-
sáp, kisláp.

shimmy, v. gumiray-giray.

shin, n. lulód.

shindig, n. sáyawan.

shine, v. sumikat, magliwa-
nag, magbigáy-liwanag,
magningníng, kumináng.
magíng bantóg. n. ilumi-
nasyón, kináng, kintáb,
ningníng, kisláp.

shinner, n. ang maningníng.

shinny, adj. makintáb, maki-
náng.

shingle, n. karátulá, tahama-
níl. v. atipán ng tahama-
níl.

ship, n. sasakyáng-dagat,
buke, barkó, bapór. v. ilu-
lan sa barkó, ipadalá sa
barkó.

shipwreck, n. pagkabagbág
sa barkó.

shirk, v. umilag, umiwas.

shirken, n. taong paláiwás.

shirt, n. kamisadentro.

shiver, v. manginíg, manga-
tál, mangatóg, mangalig-
kíg.

shoal, n. babaw.

shoat, n. kulíg, buláw, biík.

shock, n. dagok, tagupák, banggâ, yaníg, pagkabiglâ, gulat, pagkagulat. **v.** mabiglâ, gitlahín, magitlâ, sindakín, takutin, matakot.

shock, adj. buhukán, bálahibuhín.

shocking, adj. nakasisindák, nakagagalit, kasindák-sindák.

shoddy, n. balindáng, kanyamaso, kabulastugán. **adj.** yaring pabalindáng, kinanyamaso, bulastóg.

shoe, n. sapatos.

shoemaker, n. sapatero.

shoemaking, n. sapateriya.

shogun, (Jap.) n. sugún.

shogunate, (Jap.) n. kasugunán.

shoot, v. bumaríl, mamaríl, barilín, tudlaín, panain, mamanà.

shoot, n. tubò, suloy, suplíng, supang, usbóng, talbós, buko.

shooting n. pamamaríl, pamamanà, panunudlâ, putók, pagpapaputók, siyuting.

shop, n. gáwaan, págawaan, talyér, tindahan. **v.** manindahan, mamilí.

shore, n. baybayin, baybáy-

dagat, tabíng-dagat.

short, adj. maiklî, maigsî, mababà, di-abót, kulang.

shortage, n. kakulangán.

shortchange, v. magdayà sa pagsusuklî.

shortcoming, n. pagkukulang, kapintasan.

shorten, v. paikliín, paigsiín.

shorthand, n. takigrapiya, iklilat.

shorthanded, adj. kulang sa tauhan, kulang sa katulong.

shortish, adj. may kaigsián.

short-lived, adj. sandaling nabuhay.

shortness, n. kaigsián, kaiklián.

short-sighted, adj. may malabong paningín, miyope.

short-winded, adj. mahíngalin.

shot, n. punglô, perdigones.

shotgun, n. eskopeta, riple, baríl.

should, v. dapat, nárarapat.

shoulder, n. balikat, tabihán. **v.** balikatin, isabalikat.

shout, v. sumigáw, humiyáw. **n.** sigáw, hiyáw.

shove, v. itulak, isulong. **n.** tulak, sulong.

shovel, n. pala. **v.** magpala, palahin.

show, n. ipakita, itanghál,

magpakita, magpamalas,
ipaalam, ipatalós, iturò. n.
pakita, pamalas, palabás,
pagtatanghál.

showcase, n. mustradór, es-
kaparate.

showdown, n. hárapan, há-
rapang pag-uusap.

shower, n. ambón, pagbibi-
gáy-regalo, régaluhan.

showman, n. impresaryo.

showroom, n. silid-mústradór.

showy, adj. mapagpakitang-
gilas, mapagpasikat.

sharpnel, n. granada-metral-
ya.

shred, n. pilas, gutáy, kapira-
so, katitíng. **v.** gutayín,
pilasin.

shredder, n. pampilas, pami-
las.

shrew, n. babaing matangas.

shrewd, adj. maalam, mata-
las, matalino, tuso.

shrewish, adj. matangas.

shriek, v. tumilî, umirit, hu-
miyáw, **n.** tilî, irit, hiyáw.

shrift, n. kumpisál, kompes-
yón, pagbubunyág.

shrill, adj. matinis.

shrimp, n. hipon, taong ma-
rawal, kulantá.

shrine, n. dambanà, altár. **v.**
idambanà.

shrink, v. mangayupapà, yu-
mukód, mangurong, umud-

lót, mangiklî.

shrinkable, adj. mapangúngu-
rong.

shrinkage, n. pangungurong,
pagbabâ ng halagá.

shrive, v. mangumpisál, kum-
pisalin.

shrivel, v. mangulubot, ma-
nguluntóy.

shroud, n. sapot, damít ng
patáy. **v.** saputan, balutan.

shrub, n. palumpóng.

shrubbery, n. palumpungan.

shrubby, adj. mapalumpóng.

shrug, v. magkibít (ng bali-
kat), ikibít (ang balikat).

shrunken, adj. mangurong.

shuck, n. balát, bunót.

shudder, v. manginíg, ma-
ngatóg, mangatál.

shuffle, v. paghalu-haluin.

shuffleboard, n. sálisuran,
pasálisuran.

shuffler, n. tagabalasa, pag-
suksók, pagsasalisod.

shun, v. ilagan, iwasan, layu-
án.

shunt, v. ilipat, ibaling, iha-
bì, patayín.

shut, v. isará, sarhán, mag-
sará, ipinid, magpinid, iku-
lóng, itiklóp. **adj.** sarado,
piníd.

shutter, n. persiyana, panta-
kíp sa bintanà.

shuttle, n. lansadera.

shuttlecock, n. bolang may-
pakpák.
shy, adj. mahiyain, kimî.
shyness, n. pagkamahiyain,
kakimián, pagkakimî.
shyster, n. abogadong suwi-
tik.
Siamese, n., adj. Siyamés.
sibilant, adj. pahingasíng,
pasutsót, pasingasíng.
sibilate, v. humingasing, su-
mingasing, sumutsót.
sibyl, n. propetisa, manghu-
hulà.
siccative, adj. n. sekante,
pantuyô.
sick, adj. maysakít, mayka-
ramdaman.
sickening, adj. nakapagbíbi-
gáy-sakít.
sickle, n. lilik, karit.
sickly, adj. masasaktín.
sickness, n. sakít, karamda-
man.
side, n. tabí, gilid, tagiliran,
panig, ayon. v. pumanig,
kumampí.
sidelong, adv./adj. patagilíd,
patagô.
sidereal, adj. siderál, mabi-
tuin.
sidesaddle, n. sayang pamba-
bae.
sideswipe, v. padaplisán.
sidetrack, n. sinsayan.
sidewalk, n. bangketa.

sideways, adv. patagilíd.
siding, n. dingdíng panlabás,
sinsayan.
sidle, v. lumakad na patagi-
líd.
siege v. kubkúbín. n. pag-
kubkób.
sieve, n. bitháy, bistáy, sa-
laán, panalà. v. magbitháy,
magbistáy.
sigh, n. buntunghingá, hi-
nagpís. v. magbuntunghi-
ningá, maghinagpís.
sight, n. tánawin, pánoorín,
paningín, pakita, pagka-
kátingín, tanáw. v. mákita,
matingnán, mátanáw, masa-
dán.
sightless, adj. waláng pani-
ngín, bulág.
sight-seeing, n. paglilibót-pa-
noód, pagtingín sa mga pá-
noorín.
sightseer, n. mánonoód ng
mga pánoorín.
sign, n. tandâ, marká, hud-
yát, senyas, palátandaan,
karátulá, síntomás, lagdâ.
v. markahán, lumagdâ,
lagdaán, humudyát, hudya-
tán.
signal, n. senyas, hudyát,
senyál. adj. kapansín-pan-
sín, namúmukód. v. sumen-
yas, humudyát, sumenyál.
signalman, n. tagahudyát.

tagaingat ng mga panghud-
yát.

signatory, n. signatoryo, ka-
sama sa paglagdâ.

signature, n. lagdâ, pirmá.

signboard, n. karatulá.

signer, n. ang lumagdâ.

signet, n. selyo, taták.

significance, n. kahulugán,
kahalagahán, kabuluhán.

significant, adj. makahulu-
gán, mahalagá.

significative, adj. nagbibi-
gáy-kahulugán.

significs, n. húluganan.

signify, v. isenyas, ihudyát,
ipaalam, ipahayag, ipaka-
hulugán.

signpost, n. posteng palatan-
daan.

silage, n. kumpáy na pamik-
pík.

silence, n. katahimikan. v.
patahimikin, papamahinga-
hín.

silencer, n. silensiyadór,
pang-alís-ingay.

silent, adj. tahimik, waláng-
kibô.

silhoutte, n. silweta.

silk, n. seda, sutlâ.

silken, adj. malasutlâ.

silk-screen printing, serigra-
piya.

silky, adj. malasutlâ.

sill, n. palababahan, pasama-
no.

silly, adj. gunggóng, hangál,
tangá.

silt, n. burak, labwáb.

silver, n. pílak, plata. adj. pi-
nilakan, plateado. v. asu-
gihan.

silvering, n. pag-aasuge.

silversmith, n. platero.

silverware, n. mga kagami-
táng pilak.

simian, adj. simyo, mala-
matsíng.

similar, adj. katulad, magka-
tulad, kaurì, magkaurì, ka-
halintulad, kawangis, ka-
wangkî.

simile, n. simíl, pagtutulad.

simmer, v. bumulák, sumu-
lák.

simoniac, n./adj. simoníakó.

simony, n. simoniya.

simper, v. ngumisi, ngumis-
ngís.

simple, adj. simple, payák,
tapát, madalî.

simpleton, n. hangál, maáng.

simplicity, n. kasimplihán,
kapayakán.

simplify, v. simplipikahín,
gawíng simple, gaanán, pa-
gaanín.

simulacrum, n. simulakro, la-
rawan, wangis.

simulate, v. magkunwâ, mag-
panggáp.

408

simulation, n. pagkukunwâ, pagpapanggáp.

simulcast, v. magsimulkas(t), isimulkas(t). **n.** simulkas (t).

simultaneous, adj. sabáy, magkasabáy, panabáy, magkapanabáy, magkapanahón, magkasabáy sa panahón.

sin, n. sala, kasalanan. v. magkásala.

sinapism, n. sinapismo, panapal na minustasahan.

since, adv. mulâ (noón). **prep.** mulâ sa. **conj.** sapagká't (sapagkát), yayamang, sa gayón, dahil sa.

sincere, adj. sinsero, tapát, matapát, tunay, taós-pusò.

sinciput, n. noó, tuktók ng bungô.

sine, n. sine.

sinecure, n. sinekura.

sinew, n. lakás, puwersa, kaigkalán, (Anat.) tendon; igkál.

sinewy, n. maigkál, malitid, malakás, mapuwersa, matatág, maganít.

sinful, adj. makasalanan.

sing, v. umawit, kumantá, humuni, awitin, kantahin.

singe, n. isalab, idangdáng, idaráng.

Singhalese, n./adj. Singgalés.

single, adj. isá, íisá, nag-

íisá, isá lamang, waláng-asawa, binatà, dalaga, hiwaláy, bukód.

singleness, n. pagkaíisá, pagka-nag-íisá, pagkabinatà, kadalagahan, pagkadalaga.

singlet, n. kamiseta.

singly, adv. isá-isá, nag-íisá.

singsong n. ang-ang, monótono.

singular, adj. katangi-tangì, námúmukód, di-karaniwan, kakaibá, (Gram.) pang-isá, isahán.

singularity, n. pagka-katangi-tangì, pagka-namúmukód, pagka-kakaibá.

sinister, adj. kaliwâ, lisyâ, masamâ, nakapagpápahamak.

sink, v. lumubóg, ilubóg, palubugín, bumahâ, manghinà.

sinker, n. pabigát, palubóg

sinless, adj. waláng-kasalanan.

sinner, n. taong makasalanan.

sinuons, adj. likú-likô, palikú-likô.

sinus, n. (Anat.) seno, lugóng.

sinusitis, n. senositis.

sip, v. humigop, higupin. **n.** higop.

siphon, n. panghigop, pampa-

higop.
sir, n. ginóo.
sire, n. poón, panginoón, amá.
siren, n. sirena.
sirloin, n. solomilyo.
sirup, n. harabe.
sissy, n./adj. bínibóy.
sister, n. kapatíd na babae, sor, ermana, mongha.
sister-in-law, n. hipag.
sisterly, adj. parang kapatíd.
sit, v. maupô, lumimlím, humalimhím.
site, n. lugár, poók, sityo, kinalálagyán, pagdárausan, pinagdausan.
sito, n. food.
sitomania, n. kaibigán sa pagkain, maníya sa pagkain.
sitophobia, n. takot sa pagkain, pobya sa pagkain.
sitter, n. ang nakaupô, ang tagaupô.
sitting, n. pag-upô, paglimlím, bista, pulong.
situate, v. bigyáng-lugár.
situated, adj. may kinatátayuán.
situation, n. katáyuan, kalágayan.
six, n./adj. anim (seis).
sixfold, adj. adv. anim na ibayo, makáanim.
sixscore, adj. dalawampúng pinag-anim.

six-shooter, n. rebolber na de seís.
sixteen, n./adj. labíng-anim (desiseís).
sixteenth, n./adj. ikalabíng-anim.
sixth, n./adj. ikaanim, (sesto, sesta).
sixtieth, n./adj. ikaanimnapú.
sixty, n./adj. animnapú, sesenta.
sizable, adj. malakí.
size, n. lakí, lawak, sukat.
sizzle, v. sumirit.
sizzling, adj. sumisirit, nápakainit.
skate, n. patín, iskét. v. mag-isketing.
skater, n. patinadór, isketer, mag-iisketing.
skating, n. isketing, pag-iisketing.
skedaddle, v. sumepa, pumuslít, tumipas, tumalilís.
skein, n. labay.
skeletal, adj. pangkalansáy.
skeleton, n. kalansáy, balangkás.
skeptic, n./adj. eséptikó, mapangila, mapagkila.
skeptical, adj. eséptikó, nangingila, nagkikila.
skepticism, n. eseptisismo, pangingila, pagkila.

sketch, n. disenyo, buradór, krokis, maigsíng dulà, maigsíng salaysáy.

ski, n. iskí.

skid, v. dumulás, mádulás.

skiff, n. lundáy.

skill, n. kakayahán, kasanayán, kaalamán, sining.

skilled, adj. sanáy, dalubhasà maalam, marunong.

skim, v. hapawin, halagapan, basahing pahapyáw, paraanáng mabilís.

skimpy, adj. amang-amà, kákauntî.

skin, n. balát, kuwero, katad. v. balutin ng balát, balatán, alisán ng balát, talupan. balatán.

skinflint, n. taong kuripot, taong sindíng.

skinner, n. magbabalat, mambabalat.

skinny, adj. mabalát, payát, patpatin, butu't-balát.

skip, v. maglulundág, magpalundág-lundág, laktawán, lakdawán, ligtaán, ligwinán. n. lundág, luksó, laktáw, ligtâ, ligwín.

skipper, n. kapitán ng bapór.

skirmish, n. iskaramusa, sandalíng ságupaan, maiklíng labanán.

skirt, n. saya, palda, gilid, tabihán. v. manggilid, ma-

nabí.

skit, n. dulang katatawanán.

skittish, adj. malikót, kapritsoso, magitlahin.

skulduggery, n. panlilinláng.

skulk, v. magtagò, magsikutsikot, magpatalí-talilís.

skull, n. bungô, bao ng ulo.

skullcap, n. gora.

sky, n. langit.

skylark, n. layanglayang.

skylight, n. bintanilya, awang sa itaás.

skyscraper, n. gusaling tukudlangit.

skyward, adv. patungo sa langit.

slab, n. bakbák, kalap, lahà.

slack, adj. pabayà, makupad, mahinay, kulang.

slacken, v. tagalán, luwagán, hinaan.

slacks, n. isláks.

slake, v. bawahan, bawasan, hinaan, lunasan.

slam, v. pakalampagín, ibagsák. n. kalampág, dagubáng, lagapák, tagupák.

slander, n. paninirang-puri, paghahatíd-humapit, v. manirang-puri, siraangpuri, maghatíd-humapit.

slanderer, n. máninirang-puri.

slanderous, adj. nakasísirang-puri.

slang, n. balbál, isláng.
slangily, adv. pabalbál, pa-isláng.
slant, n. gilid, hilig, pana-náw, palagáy, sulyáp.
slanting, adj. hilíg, nakahi-lig.
slantingly, adv. pahilíg.
slap, n. tampál, sampál, ta-pík. v. tampalín, sampalín, tapikín.
slapdash, adv. pabiglá-biglâ.
slapstick, n. kilos biglángmabilís, islápistík.
slash, n. laslás. v. laslasín.
slashed, adj. laslás, nalaslás.
slat, n. patpat, bara, tablilya, dahon.
slate, n. muntíng pisara.
slattern, n. babaing burarâ.
slaughter, n. pagkatay, pangangatay, pagpapatáy.
slaughterhouse, n. matadero.
slave, n. alipin, busabos. v. mag-alipin, alipinin, mag-paalipin.
slavery, n. kaalipnán, kabusabusan, pagkaalipin, pagkabusabos.
slavish, adj. may ugaling alipin, asal-busabos.
slay, v. patayín, puksaín.
slayer, n. mámamatay.
sled, n. paragos.
sleek, adj. makinis, makintáb.

sleep, n. tulog, idlíp, himláy, himbíng. v. matulog, umidlíp, humimláy, humimbíng.
sleeper, n. ang natútulog, kotseng tulugán.
sleepiness, n. kaantukán, pagka-ináantók.
sleeping, n./adj. natútulog.
sleepwalker, n. sunambulista.
sleepy, adj. nag-aantók, nagtutuka, nagtutukatok.
sleet, n. siliska.
sleeve, n. manggás, manggito, kulyár.
sleeveless, adj. waláng-manggás.
sleight of hand, salamangká.
slender, adj. balingkinitan, muntî.
slenderizer, n. pampapayat.
sleuth, n. detektib, tiktík, sekreta, espiya.
slice, n. hiwà, hilis, tahada, piraso, lapáng.
slick, adj. makinis, makintáb, maalam, mapanlinláng.
slicker, n. kapote.
slide, v. magpadulás, magpakadulás, dumausdós, magpadausdós, mápadulás. n. pagkadulas, dausdós, guhò, portaplaka.
slider, n. pandausdós.
sliding, adj. dumádausdós, padausdós, dáusdusin.
slight, adj. balingkinitan,

muntî't mahinà, kákauntî.
v. walaíng-halagá, mali-
itín, pagwaláng-bahalaan.

slim, adj. manipís, payát.

slime, n. labwáb, burak, pu-
salì, gitatà, lahod.

slimy, adj. maburak, mapusa-
lì, malahod.

sling, n. bitinán, panakbibi,
sakbibi, tiradór, sakbát. v.
maniradór, manaltík, iha-
gis, isakbát.

slink, v. sumukot, magpasu-
kut-sukot.

slip, v. magtanan, makata-
nan, tumipas, mádulás, má-
padulás, isulót.

slip, n. pagkádulás, pagka-
hulog, pagkakámalî, talì,
kamisón.

slipper, n. tsiṇelas, sinelas.

slippery, adj. madulás.

slit, n. litas, sipák, hiwà, si-
wang, laslás, gahak. v. hi-
wain, laslasín, gahakin.

slither, v. magpadaú-daus-
dós.

sliver, n. salugsóg, salubsób,
tiník, subyáng, bikíg.

slob, n. kulantá.

slobber, v. maglawáy, kaya-
tan ng laway.

slogan, n. banság, islogan.

sloop, n. salupa, paráw, bin-
ta.

slop, n. damít na benta.

slope, n. gulód, dahilig.

sloppy, adj. maputik.

slot, n. sihà, siwang, butas,
susián.

sloth, n. kaalisagaán, katá-
maran, pagka-tamád, pag-
ka-batugan.

slouch, n. kaalisagsagán,
paglayláy, pagluylóy.

slough, n. lusak, pusalì, la-
tian.

slovenliness, n. kaburaraán,
kaalisagaán, panlilimahid.

slow, adj. makupad, maku-
yad, mabagal, untí-untî,
mahinà, marahan.

slug, n. islág, suntók.

sluggard, n./adj. batugan.

sluggish, adj. tamád, batu-
gan, mapag-aligandó, ma-
pagpaliban.

slum, n. islám, poók ng mahi-
hirap.

slumber, n. tulog, idlíp, hi-
píg.

slump, v. másadlák, mápa-
sadlák, mábulíd, mápabu-
lid, bigláng bumabâ, yu-
mukayok, n. bigláng babâ.

slur, v. siraang-puri, man-
tsahán.

slush, n. labwáb, putik, lu-
sak.

slut, n. babaing burarâ, ba-
baing masamâ, puta.

sly, adj. maalam, tuso, mapamaraán.

smack, n. lasa, palaták, tunóg ng halík, lagitík, lagutók.

small, adj. muntî, maliít, munsík, munsíng.

smallpox, n. bulutong.

smalt, n. esmaltín.

smart, adj. bibo, listo, gisíng matalino, makisig, mahapdî.

smash, v. durugin, basagin, wasakín, paguhuin. **n.** pagkadurog, pagkabasag, pagkawasak, pagkagibâ, pagkaguhò, pagkabagsák.

smattering, n. kakauntî.

smear, n. kulapol, kapol, bahid, mantsá, dungis, dumí. **v.** kulapulin, kapulin, bahiran, mantsahán, dungisan,

smell, n. amóy, bangó, bahò. dumhán.

smelly, adj. nangángamóy. **v.** amuyín, máamóy, mangamóy.

smelt, v. magtugnás, tugnasín, magpundí, pundihín.

smelter, n. mánunugnás, pundidór, pundisyón.

smile, n. ngitî. **v.** ngumitî.

smiling, n./adj. nakangitî.

smilingly, adv. pangitî, nakangitî.

smirch, v. kapulin, mántsahán, dumhán.

smirk, n. ngisi, tawang-aso.

smite, n. bugbugín, bambuhín, paluin, hambalusin.

smith, n. pandáy.

smithy, n. pandayan.

smitten, adj. may malubháng sakít, tinamaan ng pagsintá.

smock, n. blusa.

smog, n. ulap-usok.

smoke, n. asó, usok, asbók, singáw, paghitít, paninigarilyo, pananabako. **v.** umasó, umusok, umasbók, mag-asbók, sumigáw, humitit, manigarilyo, manabako, suubín, pausukan. paasuhán, tapahín, itapá.

smokehouse, n. tapahán.

smokeless, adj. waláng-asó, waláng-usok.

smokestock, n. tsiminea, páusukán.

smoky, adj. maasó, mausok.

smolder, v. magbaga, magdupong.

smooth, adj. makinis, patag, pantáy, mahinahon.

smother, v. inisín, sugpuín, pigilin, ipagsawalâ.

smudge, n. pausok, mantsá, kulapol.

smug, adj. magarà, makisig, malinis, makinis, nasísiyahán.

smuggle, v. magpuslít, magkontrabando.

smuggler, n. mámumuslít, kontrabandista.

smut, n. kulilì, kahalayan, dapulak-itím.

snack, n. sansubò, meryenda, mirindál.

snaffle, n. sagkâ ng bukado.

snafu, n. guló, gusót.

snag, n. tuod, buko. balaksilang nakatagò.

snail, n. susô.

snake, n. ahas.

snap, v. tumukláw, sumunggáb, manunggáb, mabaklî, lumagitík, mangisláp, sakmalín, **n.** tukláw, sakmál, sikmát, baklî, lagitík, larawan.

snappy, adj. maliksí, masiglá, matalino.

snare, n. patibóng, bitag, silò, panaling litid.

snarl, n. buhól, salimuot, angil, **v.** magkabuhúl-buhól, magkasalí-salimuot.

snatch, v. saklutín, daklutín, sunggabán, agawin, dukutin.

sneak, v. sumingit na panakáw, pumuslít.

sneer, n. tuyâ, atsóy, uyám, **v.** manuyâ, tuyaín, mangatsóy, atsuyín.

sneerer, n. mánunuyâ, mangaatsóy.

sneeze, n. bahín, **v.** bumahín, magbabahín.

snicker, n. alik-ik, halikhík, tawa, **v.** umalik-ik, humalikhík, tumawa.

sniff, v. suminghót, makaramdám, makáamóy.

sniffle, v. humalak, humikbî.

snip, v. gupitín, guntingín.

snipe, n. labuyò, mamaríl mulâ sa malayò.

sniper, n. mámamaril na nakatagò.

snitch, v. (Slang) mangupit, mang-umít, ipagkanulò.

snivel, v. uhugin, suminghót, humikbî, **n.** uhog, singhót, hikbî.

snob, n. taong mapagmalakí, tang mapagmataás.

snobbery, n. pagmamalakí, pagmamataás.

snobbish, adj. mapagmalakí,

snood, n. saló ng buhók.

snoop, v. manubok, mamatyaw. **n.** mánunubok.

snopy, adj. mapanubok.

snoot, n. ilóng (sungót) ngusò.

snooty, adj. mapang-iríng.

snooze, n. idlíp, hipíg, **v.** mapaidlíp, mapahipíg.

snore, v. maghilík, **n.** hilík, paghihilík.

snort, n. ngusò, ilóng, bokil-
ya.

snow, n. niyebe.

snowball, n. niyebeng biniló.

snowfall, n. ulán ng niyebe,
nebada.

snowflake, n. bulak-niyebe.

snowy, adj. maniyebe.

snub, v. pagmalakhán, pag-
mataasán.

snub-nose, adj. pangô.

snuff, n. tulò, tabakong du-
róg. v. patayín.

snuffle, v. suminghút-sing-
hót.

snug, adj. maginhawa, pana-
tag, hustúng-hustó.

snuggle, v. kumalungkóng,
kumayungkóng, kalung-
kungín, kayungkungín.

so, adv. pagayón, sa gayón,
kayâ, upang, at nang.

soak, v. ibabad, tigmakín.

soap, n. sabón.

soapbark, n. gugò.

soapbox, n. habonera.

soapsuds, n. bulâ ng sabón.

soapy, adj. masabón.

soar, v. lumipád, pamailan-
láng, sumibád, sumalim-
báy, manalimbáy, tuma-
yog, humilayog. n. lipád,
ilaniláng, sibád, salimbay.
hilayog.

sob, n. hikbî, iyák, v. humik-
bi, umiyák.

sober, adj. seryo, matinô, di-
lasíng.

sobriquet, n. palayaw, tagu-
rî.

sociable, adj. palasama, pa-
lákaibigán, magiliw, ma-
pagpakilipon.

social, adj. sosyál, panlípu-
nan.

socialism, n. sosyalismo.

socialist, n./adj. sosyalista.

socialite, n. taong tanyág sa
lípunan.

socialize, v. sosyalisahin.

society, n. pagsasama, pag-
sasamahán, kapisanan, li-
punan, sosyedád.

sociology, n. sosyolohiya.

sock, n. kalsitín, medyas.

socket, n. suksukan, (saket).

sod, n. lupang madamó.

soda, n. soda (sosa).

sodality, n. kopradíya, kápa-
tiran.

sodden, adj. mamád, babád.

sodium, n. sosa.

sodomy, n. sodomiya.

sofa, n. supa.

soft, adj. malambót, mayu-
mì, suwabe, mahinay.

soften, v. palambutín, pahi-
nain, papanghinain.

soggy, adj. basáng-basâ, tig-
mák, mamád.

soil, n. lupà, abók, gabók, v.
dumhán, dungisan.

soiree, n. saraw.

sojourn, n. panunuluyan. v. manuluyan.

sol, n. sol.

solace, n. alíw, kaaliwán, v. aliwín, mag-alíw.

solar, adj. ng araw, solár.

solarium, n. solaryum.

solder, n. panghinang, soldadura.

solderer, n. manghihinang, tagahinang, soldadór.

soldier, n. kawal, sundalo, mandirigmâ.

sole, n. talampakan, suwelas.

sole, adj. tangì, mutyâ, nag-íisá.

solecism, n. solesismo, pahayag na di-wastô.

solemn, adj. solemne, maringal, taimtím, tapát.

solemnity, n. solemnidád, dingal, karingalan.

solemnize, v. magdiwang, ipagdiwang.

solenoid, n. solenoyde.

solfeggio, n. solpeo.

solicit, v. manghingî, hingán, humilíng, hilingán.

solicitation, n. panghihingî, pangangalap, mángingilak, abugado.

solicitous, adj. maasikaso, maatindí, sabík.

solid, adj. sólidó, buô.

solidarity, n. solidaridad,

pagkakáisá, kaisahan.

solidify, v. gawíng buô, papamuuín, mamuô, mapikpík.

solidity, n. solidés, pagkabuô.

soliloquy, n. solilokyo, monólogó.

solipsism, n. solipsismo, kasarilinán.

solitaire, n. solitaryo.

solitary, adj. nag-iisá, nagsósolo, mapangláw, tangì.

solitude, n. pag-iisá, pamamangláw, pagkabukód.

solo, n. solo.

soloist, n. soloista, solista.

solon, n. mambabatas, lehisladór.

solstice, n. solstisyo, kalayuan ng araw.

solubility, n. pagkamatunawín, katunawín, pagkamakatunaw.

soluble, adj. matunawin, natutunaw.

solution, n. sulusyón, pagkatunaw, tugon, sagót.

solve, v. lutasín. ipaliwanag.

solvency, n. solbénsiyá. pagka-maykayang makabayad.

solvent, n. solbente, maykayang magbayad

somatology, n. somatolohiya.

somber, adj. malagím, madilím.

some, adj./pron. ilán.
somebody, n./pron. isáng tao.
somehow, adv. sa papaánuman.
somersault, n. balintukís, sirko, v. magbalintukís, magsirko.
sometime, adv. sa dakong, adj. dati.
sometimes, adv. kung minsan, maminsan-minsan, manakánakâ.
somewhat, adf. malá, tila, warì.
somewhere, adj. sa kung saán, kung saan sa.
somnabulism, n. sonambulismo, pagkatulúg-gisíng.
somnifacient, n., adj. pampatulog, nakapagpápatulog.
somnolence, n. antók, kaantukán, pagtutungkâ.
somnolent, adj. nag-áantók, nagtutungkâ.
son, n. anák na lalaki, iho.
sonance, n. tunóg, tono, himig.
sonant, adj. pantunóg, isinatinig.
sonar, n. sonar. paniktík-submarino.
sonata, n. sunata.
sonatina, n. sunatina.
song, n. awit, kantá.
songster, n. mang-aawit, mángangantá.

sonic, adj. sonik.
sonnet, n. soneto.
sonneteer, n. sonetero.
sonority, n. aialad, pagkamaalalad.
sonorous, adj. maalalad, matunóg.
soon, adj. agád, daglí, sa madalíng panahón, pagdaka, maaga.
sooner, adv. lalong madalî, lalong maaga.
soot, n. agiw, uling.
soothe, v. payapain, patahimikin, aliwín, pahinahunin.
soothing, adj. nakagíginhawa, nakaáaliw.
soothsayer, n. manghuhulà.
soothsaying, n. panghuhulà.
sooty, adj. maagiw, mauling.
sop, n. alpahól.
sophism, n. sopismo, pangangatwirang matunóg.
sophisticated, adj. masalimuot, makamundó.
sophomore, n. sópomór.
sophomoric, adj. sopomórikó
soporific, adj. pampatulog.
soprano, n. soprano.
sorcerer, n. mangkukulam. manggagaway.
sorceress, n. bruha, mangkukulam, manggagaway.
sorcery n. pangungulam, panggagaway.

sordid, adj. marumí, karumírumí, imbî, magaspáng, nakaririmarim.

sore, adj. masakít, mahapdî, nakalúlungkót, nagágalit, nayáyamot.

sorites, n. sorites.

sororicide, n. sororisidyo, pagpatáy sa kapatíd na babae.

sorority, n. sororiti, kápatiran ng mga babae.

sorrel, n. alasán.

sorrow, n. pighatî, dalamhatî.

sorrowful, adj. namimighatî, nagdádalamhatì.

sorry, adj. nagdáramdám, nagsisisi.

sort, n. urì, klase, kalidád, katángian. **v.** uriin, paguri-uriin.

sortie, n. salida, labás.

sot, n. lasenggo.

sough, n. ungol (ng hangin).

soul, n. káluluwá, espíritú, hilagyô.

soulful, adj. madamdamin.

sound, adj. malusóg, matipunò, malakás, buô, matatág, mahimbíng.

sound, n. tunog. **v.** tumunóg. patunugín.

sound, n. liíg ng dagat, pantarók, pang-arók, **v.** arukín, tarukin.

soundproof. adj. may kontra ingay, **v.** lagyán ng kontraingay.

soundproofing, n. kontraingay.

soup, n. sopas, sabáw.

sour, adj. maasim, **v.** umasim, asiman.

sourness, n. kaasiman.

source, n. mulâ, simulâ, pinagmulán, pinanggalingan.

soutane, n. sutana.

south, n., adj. timog, sur.

southeast, n./adj. timog-silangan.

southern, n./adj. dakong timog.

southwest, n./adj. timog-kantagatimog.

southwest, n./adj. timog-kanluran.

souvenir, n. souvenir, álaala.

sovereign, n., adj. soberano, maykapangyarihan.

Soviet, n./adj. Sobyet.

sow, n. inahíng baboy.

sow, v. maghasík, ihasík, hasikán.

sower, n. maghahasík, tagahasík.

soy, n. toyò, munggó, balatong.

spa, n. bukál minerál, balong minerál.

space, n. espasyo, pagitan, alangaang, tagál, poók.

spacer, n. pang-espasyo, pam-
pagitan.
spaceship, n. sasakyáng pang-
alangaang.
spacious, adj. malawák, ma-
luwág.
spade, n. pala. v. palahin.
spaghetti, n. spagheti.
span, n. dangkál, agwát, pa-
gitan, layò. v. dangkalín,
sukatin.
spangles, n. lentehuwelas.
Spaniard, n. Kastila, Espan-
yól
spank, n. palò sa puwít. v.
paluin sa puwít.
spar, n. mastíl, palo, albór.
spare, n. labis, ekstra, ispér.
adj. reserba, labis, kuripot,
kákauntî. v. tipirín, iligtás
maawà.
sparib, n. kostilyas, tad-
yáng.
sparing, adj. matipíd, mapag-
simpán.
spark, n. kisláp, dikláp, v.
kumisláp, dumikláp, puka-
win, mapukaw.
sparkle, n. ningníng, kináng,
kislap, dikláp, v. magning-
níng, kumináng, kumisláp,
dumikláp.
sparrow, n. pipít, ibong pipít.
sparse, adj. madalang, káka-
untî, kalát-kalát, layú-layô.
spasm, n. pulikat, hilab, sin-

ták, silakbó, sigalbó.
spasmodic, adj. pasinták-sin-
ták, pahilab-hilab, pasum-
púng-sumpóng.
spat, n. away, kagálitan.
spatter, n. pilansík, tilamsík.
tabsák, tabsík, tabsák, v.
mápilansikán, mátilamsi-
kán, mátabsakán.
spatula, n. espátulá.
spatulate, adj. hugis-espátu-
lá.
spawn, n. itlóg ng isdâ, pun-
lang kabutí. v. mangitlóg.
spawner, n. inahíng isdà.
spawning, n. pangingitlóg.
speak, v. magsalitá, magta-
lumpatì, banggitín, magpa-
hayag, ipahayag, mag-usap,
makipag-usap.
speaker n. espiker, tagapag-
salitâ, mánanalumpati.
spear, n. sibát, suligì, sala-
páng.
spearhead, n. tilos ng sibát,
talím ng sibát, ulo ng sa-
lakay, pangunahín.
spearman, n. máninibát.
special, adj. espeyál, tangì,
di-karaniwan, itinátangì,
sadyâ, sinadyâ.
specialist, n. espesyalista, da-
lubhasà.
specialty, n. espesyaldád,
ang ikinapamúmukód, ang
ikinatátangì.

specialize, v. mag-espesyalis-
ta, magpakadalubhasà.
species, n. urì, sarì, espesye.
specific, adj. tiyák, tahás.
specification, n. espesipikas-
yón, (pagtitiyák, pagtata-
hás).
specify, n. tiyakin, sabihing
táhasan.
specimen, n. espésimén, mu-
westra, halimbawà, tipo.
specious, adj. animo, warì,
tunóg-totoó, tunóg-tunay.
speck, n. batík, pekas, man-
tsá.
spectacle, n. pánoorín, tang-
hál, eksibisyón.
spectacles, n. gapas, antipa-
ras, salamín sa matá.
spectator, n. ang mánonoód,
ang nanónoód, mirón.
specter, n. manlalabas, im-
pakto, multó.
spectrum, n. espektro.
speculate, v. magnilay-nilay,
nilay-nilayin, maghulu-hu-
lò, hulú-huluin, magsápa-
larán.
speculation, n. espekulasyón,
pagsasápalarán.
speculative, adj. espekulati-
bo, mayriyesgo.
speculator, n. espekuladór,
(mánanápalarán).
speculum, n. espekulum, sa-
laming metál.

speech, n. pagsasalitâ, pana-
nalitâ, pahayag, salitâ, wi-
kà, talumpati.
speechless, adj. waláng-kibò
waláng-imík, tahimik.
speed, n. tulin, bilís, dalî
pagmamadalî, v. magpatu-
lin, magmadalî, magpabilis.
speedometer, n. kilometrahe.
speedy, adj. matulin, mabilis.
speleology, n. paláyungiban.
spell, v. magbaybáy, bayba-
yín, mangahulugan.
spell, n. engkanto, gayuma,
pagkagaway, pagkakulam.
spellbind, v. engkántuhín,
gawayin, kulamin.
spelling, n. ispeling, pagba-
baybáy, baybáy.
spelunker, n. mangyuyungíb.
spend, v. gumastá, gastahín,
gumugol, gugulin.
spender, n. ang gumágastá,
gastadór.
sperm, n. tamúd, esperma,
balyena.
spew, v. bumugá, ibugá, su-
muka, isuka. n. suka.
sphere, n. bilog, espera, glo-
bo.
sphinx, n. espinghe.
spice, n. rekado, palasa.
spick-and-span, adj. malinis
at makinis.
spider, n. (big) gagambá,

(small) álalawá.

spiel, n. (Slang) diga, salitâ, sabi.

spigot, n. pasak, sampál.

spike, n. espiga, tulos, istakô, pakò.

spill, n. ligwák, tapon, **v.** maligwák.

spillway, n. paagusán.

spin, v. magsulid, sulirin, lubirin, painugin, uminog.

spinach, n. espinaka.

spinal, adj. panggulugód, sa gulugód.

spindle, n. ikirán, kidkiran.

spine, n. gulugód.

spineless, adj. waláng-gulugód, waláng lakás ng loób.

spinet, n. espineta.

spinner, n. mánunulid, habihán.

spinning, n. pagsusulid, paghahabi, inog.

spinster, n. matandáng dalaga.

spiny, adj. matiník.

spiracle, n. hingahan.

spiral, adj. paikid-ikid, espirál, (ispayral).

spirant, n. pahingasíng.

spire, n. taluktók ng espirál, bubóng na tulís.

spirit, n. espíritú, buhay, káluluwá, diwa, kaloobán.

spiritism, n. espiritismo, espiritwalismo.

spiritist, n. espiritista.

spit, n. duruán, tuhugán.

spit, n. lurâ, laway, **v.** lumurâ, (dumurâ), maglawáy.

spite, n. pang-iinís, pangyayamót.

spiteful, adj. mapanikís, mapang-inís, mapangyamót.

spittle, n. lurâ, laway.

spittoon, n. lúraan.

splash, v. tumilamsík, pumilansík, **n.** tilamsík, pilansík.

spleen, n. palî.

splendent, adj. makináng, makintáb, maningning.

splendid, adj. maluningníng, marilág, maringal, napakagalíng.

splendor, n. dingal, ningníng, kariktán.

splice, n. dugsóng, **v.** idugsóng.

splint, n. lapát; (Surg.) bangkót, balangkát.

splinter, n. sipák, tapyà, pilas.

split, adj. baák, biyák, hatî, pira-pirasó, balî, **v.** baakín, biyakin, hatiin, punitin.

spoil, v. masirà, mabulók, palayawin, aksayahín, sayangin.

spoke, n. rayos ng gulóng.

spokesman, n. tagapagsalitâ.

sponge, n. espongha.

spongy, adj. esponghado.

sponsor, n. padrino, ninong, (Fem.) madrina, ninang. tagatangkilik.

spontaneous, adj. kusà, naturál, sarili.

spook, n. impakto, multó, mumo.

spool, n. karete, ikiran.

spoon, n. kutsara. v. kutsarahin.

spoonful, n. sangkutsarang balawbáw.

spoor, n. bakás, dastô ng pinagdaanan.

sporadic, adj. manakánakâ, mangisá-ngisá, layú-layô, pabugsú-bugsô.

spore, n. (Bot.) binasík, espora.

sport, n. isport, líbangan, larô, birò, laruán, kátuwaan. v. maglibáng, ipagparangalan, magbirô, maglarô. magbirô, maglarô.

sportsman, n. isportsman, máginoó.

sportsmanship, n. pagkamáginoó.

sportswear, n. damít-pang-ispórt.

sporulate, v. (Bot.) maminasík.

sporulation, n. (Bot.) pamiminasík.

spot, n. mantsá, marka. v. mantsahán, markahán.

spot, n. poók, lugár.

spotless, adj. waláng-mantsá.

spotlight, n. saboy na ilaw; (ispatlait).

spotted, adj. batík-batík.

spouse, n. asawa, esposo, bana, esposa, maybahay.

spout, n. labì, bibíg, pálabasan, tukâ, v. tumilandóy, tumilaroy, tumaliris.

sprain, v. mápilók. n. pagkapilók.

sprawl, v. magpagulung-gulong.

spray, n. tibalsík, tilamsík, wisík, wilíg. v. wisikán, wiligán.

sprayer, n. pambomba, atomisador.

spread, v. ikalat, ihasík, isabog, ibudbód, ipamudmód, palaganapin, ilatag.

spree, n. pagsasayá, lásingan.

sprig, n. supang, bulaklák sa tangkáy.

sprightly, adj. masiglá, buháy.

spring, v. lumundág, lumuksó, sumiból, umagos. n. bukál, balong, luksó, lundág, tagsibol.

sprinkle, v. magwilíg, iwilíg, magdilíg, diligín.

sprinkler, n. pandilíg, regadera.

sprint, n. takbóng matulin.

sprite, n. manlalabas, multó, tianak, ada.

sprocket, n. enggranahe, ngipín-ngipín.

sprout, n. supang, usbóng, suplíng.

spruce, adj. makinis, makisig, mabikas.

spry, adj. maliksí, aktibo.

spud, n. palang tulís.

spume, n. espuma, bulâ.

spunk, n. kahoy na madalíng magdingas, tibay (tigás) ng loób.

spunky, adj. may matibay (matigás) na loób.

spur, n. panundót, espuwelas, tarì, pasiglá.

spurious, adj. huwád, palsó, di-tunay.

spurn, v. tanggihán, sikaran.

spurt, v. bumulwák, bumugalwák, tumilandóy, tumilaroy, tumaliris. **n.** bulwák, bugalwák, tilandóy, tilaroy, taliris, silakbó, sidhî.

sputter, v. panalsikán ng laway, umang-ang, mag-atat, magbubugá.

sputum, n. lurâ (durâ).

spy, n. espiya, batyáw, tiktík. **v.** espiyahan, batyawán, tiktikán.

spyglass, n. muntíng teles-

kopyo.

squab, n. pitsón.

squabble, n. babág, away, basag-ulo.

squad, n. ekuwadra, iskuwád, pulutóng.

squadron, n. armada, plota, eskuwadrón.

squalid, adj. marumí, salaulà.

squall, n. unós, sigwá, bagyó. **v.** umunós, sumigwá. bumagyó.

squama, n. kaliskís, eskama.

squander, n. mag-aksayá ng salapî, gumastá nang labis.

squanderer, n. taong nápakagastadór.

square, n. kuwadrado, parisukát. **adj.** (fig.) marangál, makatárungan, impás, tahás. **v.** gawing kuwadrado, eskuwalahin, pagbayaran. bayaran.

squaring, n. kuwadratura, pagpaparisukát.

squash, n. kalabasa.

squat, v. tumingkayád, maningkayád, manimpuhò, lumupagì, umiskwát. **adj.** nakatimpuhò, nakalupagì, pandák.

squatter, n. iskuwater, ("squatter").

squawk, n. piyák, siyák, reklamo, daíng.

squeak, n. tilî, irit. **v.** tumilî, umirit.

squeal, n. palakat, palahaw. **v.** pumalakat, pumalahaw, magkanuló, ipagkanuló.

squeamish, adj. malulaín, makiluhín, maselang.

squeeze, v. pigaín, pindutín.

squeezer, n. pigaan.

squelch, v. sugpuín.

squid, n. pusít.

squint, adj. pasulyáp, pairáp, dulíng.

squire, n. eskudero, abay.

squirm, v. mamilipit.

squirrel, n. ardilya.

squirt, n. tilandóy. **v.** patilanduyín.

stab, v. saksakín, tarakan, sundutín, duruin, tusukin, turukín.

stability, n. tatág, tibay, kapirmihán.

stabilize, v. patatagín, ipirmí, tibayan.

stabilizer, n. pampatatág, estabilisadór.

stable, adj. matatág, matibay, pánatilihan.

stable, n. estableio, sota.

staccato, n. estakato.

stack, n. buntón, salansán.

stadium, n. istadyum.

staff, n. tungkód, tukod, tagdán ng watawat, pámunuán.

stag, n. lalaking usá.

stage, n. plataporma, intablado, tanghalan, baitáng, panahón.

stagecraft, n. kadalubdúlaan, dramatúrhiyá.

stagehand, n. katulong sa dúlaan.

stage-struck, adj. mahilig sa dúlaan, mahilig mag-artista.

stagger, v. gumiray, kumibang, gumibang, gumiwang, sumuray.

staging, n. (of a play) pagtatanghál ng dulà.

stagnant, adj. waláng-agos, di-umaagos, tigíl, bungkók

stagnate, n. mabungkók.

stagy, adj. maarte.

staid, adj. matatág, pánatilihan, tahimik, seryo.

stain, n. mantsá.

stainless, adj. waláng-bahid, waláng-mantsá.

stair, n. baitáng, eskalón, hagdán.

stairway, n. akyatan-pánaugan.

stake, n. istakà, tulos, pustá, tayâ.

stalactite, n. estalaktita, tulò.

stalagmite, n. estalagmita, tulos.

stale, adj. lipás, lumà, gastado, laós.

stalemate, n. hake, istopel patas, tablá.

stalk, n. tangkáy, uhay.

stalk, v. manubok.

stall, n. kuwadra, tindahan, puwesto sa palengke. v. patigilin, pigilan, patagalán.

stallion, n. kabayong bulugan.

stalwart, adj. matipunò, malakás. matapang.

stamen, n. estambre.

stamina, n. tirà, pagka-matirà, lakás, tibay ng katawán.

stammer, n. mautál. mag-atát.

stamp. n. taták. selyo, padyák. v. tatakán, selyuhán, pumadyák.

stamped, adj. maytatak, mayselyo. (selyado).

stampede, n. panakbuhan. v. magpánakbuhan.

stand, v. tumindíg, manindigan, itindíg, itayô, ibangon, tiisín. n. puwesto, poók, istasyón, posisyón, lagáy, plataporma, istañte, paglaban, pagsalungát.

stanch, v. ampatín, maampát. **adj.** tapát, matapát.

standard, n. sagisag, watawat. pámantayan, istan-

dard, pánukatan, panukat. **adj.** normál, pánatilihan, tularan, ulirán.

standardize, v. istandardisahín.

standing, adj. nakatindíg, nakatayô, nakatigil, panatilihan, patuloy. **n.** tindíg, tayô, ayos ng pagkatayô, katayuan, kalágayan.

standpoint, n. pananáw.

standstill, n. tigil.

stanza, n. estropa, saknóng, táludturan.

staphylococcus, n. estapilokoko.

staple, n. pakong baluktót, istepol.

staple, n. produktong pángunahin, materya prima (kagamitáng hiláw).

stapler, n. istapler.

star, n. bituin, estrelya.

starboard, n. dakong kanan.

starch, n. arina.

starched, adj. inalmirulán.

stare, v. tumitig, titigan. **n.** titig.

starfish, n. isdáng-bituin.

stargazer, n. astrólogó, mámimituin.

stark, adj. lubós, puspós.

starless, adj. waláng-bituin

starlet, n. muntíng bituin.

starlight, n. liwanag ng bituin.

starry, adj. mabituin.

start, v. magsimulâ, mag-umpisá, simulán, umpisahán. **n.** simulâ, umpisá.

starter, n. istarter, tagasimulâ, tagaumpisá.

startle, v. gitlahín, gulatin, sindakín.

startling, adj. nakagígitlá, nakagúgulat, nakasísindák.

starvation, n. pagkamatáy sa gutom, paghihirap sa gutom.

starve, v. mahayák sa gutom, mamatáy sa gutom, patayín sa gutom.

starveling, n:, adj. dayupay, dayukdók.

stash, v. (Slang) itago.

state, n. estado, kondisyón, kalágayan, katáyuan.

state, v. isalaysáy, ipahayag, sabihin.

statecraft, n. kadalubhasaan sa pámahalaán: (kadalub-pámahalaán).

stately, adj. kagulat-gulat, kahanga-hangà, may matayog na karangalán, makaharì, darakilà.

statement, n. pahayag, saysáy, kabatirán, mungkahì.

stateroom, n. kamarote.

statesman, n. estadista.

stesmanship, n. estadismo.

static, n. estátiká.

station, n. kinatátayuán, istasyón, himpilan, distino.

stationary, n. estasyonaryo, piho, pirmihan, di-gumágaláw, waláng galáw, di-nagíibá, di-nagbábago.

stationer, n. papelero, magtitindá ng mga gamit panulat.

stationery, n. papeleriya, gamit-panulat.

statistician, n. estatístikó.

statistics, n. estatístiká.

statuary, n. estatwaryo.

statue, n. estatwa (istatwa), bantayog.

statuesque, adj. malaistatwa, mukháng bantayog.

statuette, n. pigurilya, pigurín, muntíng istatwa.

stature, adj. taás, tayog.

status, n. kalágayan, katáyuan.

statute, n. estatuto, batás, kautusán.

statutory, adj. ayon sa batás.

stave, n. pamugbóg, pambambú, panapal, baras. **v.** butasan, busbusín, umiwas, iwasan.

stay, n. suhay. **v.** suhayan, magsuhay.

stay, v. tumigil, tigilan, bimbinín, mátirá, tumirá, tumahán, manahanan.

stays, n. kursé.

staybolt. n. turnilyong panuhay.

stead, n. poók, lugár, bentaha, pakinabang.

steadfast, adj. matatág, matibay, matimtiman, matapát.

steady, adj. patuloy, walángulik-ulik.

steak, n. hiniwang karné.

steal, v. magnakaw, nakawin.

stealer, n. magnanakaw.

stealing, n. pagnanakaw.

stealth, n. gawáng lihim.

stealthily, adv. palihím.

stealthy, adj. lihim, sekreto.

steam, n. singáw. v. sumingáw, pasingawán.

steamboat, n. bapór.

steamroller, n. pisón.

steamy, adj. masingáw.

steed, n. kabayo.

steel, n. asero, patalím.

steelworks, n. pundisyón ng asero.

steelyard, n. timbangang romana.

steep, adj. matarík.

steep, v. ibabad.

steeped, adj. babád, tigmák.

steeple, n. espira, tore, kampanaryo.

steeplechase, n. káreraháng mayhadláng.

steepness, n. tarik, katarikan.

steer, n. torong kapón.

steer, v. manehohin, magmaneho, mag-ugit, patnubayan, patnugutan.

steerage, n. pag-ugit, pilotahe, pamamahalà, pamamatnugot.

steersman, n. tagaugit, timonero.

stein, n. basong panserbesa.

stellar, adj. pambituin, ng butuin, estelár.

stellate, adj. hugis-bituin, parang estrelya.

stem, n. punò, tangkáy. v. magmulâ, manggaling.

stench, n. bahò, alingasaw.

stencil, n. istensil, estarsidór.

stenographer, n. takígrapó, (-pá).

stenography, n. takigrapiya.

stenosis, n. estenosis.

stentorian, adj. may malakás na tinig.

step, n. hakbang, baitáng, yabág, yapak, paraán, indák. v. humakbáng.

step, pref. panguman.

stepladder, n. hagdán.

stepping-stone, n. batónghakbangan.

stereography, n. estereograpiya.

stereophonic, adj. estereopónikó.

stereopticon, n. estereóptikó.

stereoscope, n. estereoskopyo.

stereotype, n. estereotipo, klitsé.

sterile, adj. baóg, di-mamunga, tuyô, esteríl.

sterility, n. kabaugan, esterilidád.

sterilization, n. esterilisasyón.

sterilize, v. esterilisahín.

sterling, adj. esterlina, puro, dalisay.

stern, adj. mahigpít, masungit.

stertor, n. pagharok, paghagok.

stethoscope, n. istetóskopyó. (istetoskop).

stevedore, n. estibadór.

stew. v. ilagà, **n.** nilagà.

steward, n. tagapamahalà, tagamasíd, katiwalà, kamarero.

stewardess, n. istéwardés.

stewpan, n. kasirola.

stick, n. sangá, tangkáy, baras, tukod, tungkód.

stick, v. tuhugin, sundutín, saksakín, isuksók, idikít.

sticker, n. etiketa.

stick-to-it-iveness. n. katiyagaán.

sticky, adj. malagkít, nanlálagkít.

stiff, adj. matigás, banát, maganít, pikpík.

stiffen. v. patigasín, manigás.

stifle, v. inisín, patayín, pigilan, mainís.

stigma, n. estigma, marká, dungis; estigma, (Bot.)

stile, n. lakdawan.

stiletto, n. panusok, punsón.

still, adj. waláng-galáw, tahimik. **v.** patahimikin, pahinahunin, **adv.** pa, hanggáng ngayón, hanggáng sa kasalukuyan. **conj.** gayunmán, kahit na. **n.** alambike, distiladór.

stillborn, adj. inianák na patáy.

stilt, n tayakád, mataás na haligi.

stilted, adj. nakatayakád, alsado.

stimulant, adj. estimulante, pampabuyó, nakapagpapasiglá, nakapagpápalakás.

stimulate, v. pasiglahín, pukawin.

stimulus, n. estímuló, pasiglá, pamukaw, buyó.

sting, n. tibò. **v.** sundutín, saktán.

stingy, adj. kuripot, maigot.

stink, v. mamahò, mangamóy, umalingasaw. **n.** bahò.

stint, n. gáwain, tungkulin, limitasyón, kuwota.

stinkbug, n. kutong mabahò.

stipend, n. gantimpagaĺ, upa, sahod.

stipple, n. tuldúk-tuldók, butíl-butíl.

stippling, n. pagtutuldúktuldók.

stipulate, v. makipagkásunduan, makipagkayarî, itakdâ, itaning.

stipulation, n. kasunduan, káyarián, takdâ, taning.

stipulate, n. (Bot.) estipula, balahibong-pusà.

stir, v. umibô, bahagyáng gumaláw, magpaibô, magpagaláw, pukawin, gisingin, haluin. n. ibô, galáw, guló, kurirì.

stirring, adj. nakapukaw, mapamukaw, makapukawsiglá.

stirrup, n. estribo.

stitch, n. tahî, hilbana, sulsí. v. tahiín, hilbanahan, sulsihán.

stitcher, n. tagatahî, tagahilbana, tagasulsí, mákináng panahî.

stock, n. kalakal, tindá, isták, puhunan, sosyo, pinagmulán, unang angkán, hawakan, poste, pángawan. v. mag-isták, mag-imbák, ipangaw.

stockade, n. estakada (istakada), kuta.

stockbroker, n. bolsista, kambista.

stockdove, n. batúbató.

stockfish, n. isdáng tuyô.

stockholder, n. aksiyunista.

stocking, n. medyas (ng babae).

stockpile, n. tipon, ipon. v. magtipon, mag-ipon.

stocky, adj. balisaksák, matipunò.

stockyard, n. kurál, kulungán.

stodge, v. magbusóg, magpakabusóg.

stodgy, adj. sandát, bundát.

stogie, stogy, n. mumurahing tabako.

stoic, adj. istoyko, waláng pakiramdám.

stoke, v. magparubdób (ng apóy).

stoker, n. pugunero.

stole, n. estola (salampáy).

stolid, adj. dungô, duķô.

stomach, n. sikmurà, tiyán, gana.

stone, n. bató.

Stone Age, Panahón ng Bató.

stony, adj. mabató.

stooge, n. sangkalan, katulong sa palabás.

stool, n. bangkitô, dumí, tuód, pangatî.

stoop, n. yumukô, yumukód,

nagpakababà, sumukò, magpakumbabâ.

stop, v. takpán, pasakan. patigilin, itigil, pahintuín, ihintô, patahanín, pigilin, harangan. n. tigil, pagtigil, hintô, paghintô, pagpapatigil, wakás, panunuluyan, pasak.

stopcock, n. liyabe, pansará ng gripo.

stopgap, n. pansamantaláng, takíp, pansamantaláng lunas.

stopper, n. pasak, tapón.

storage, n. almasenahe, pagtitinggál.

storax, n. estorake.

store, v. mag-imbák, magtagò, magtipon. n. tipon, reserba, tindahan, bodega.

storekeeper, n. maytindá, tagatao sa tindahan.

storied, adj. makasaysayan.

storiette, n. maigsíng kuwento.

stork, n. sigwenya, tagák.

storm, n. bagyó, v. bumagyó.

stormy, adj. mabagyó.

story, n. palapág, piso.

story, n. kuwento, salaysáy.

stout, adj. matipunò, matabâ, malakás, matapang, matatág.

stout-hearted, adj. may pusong matibay.

stove, n. kalán, hurnó.

stovepipe, n. páusukán, tsiminea.

stow, v. iligít, pagpatás-patasin, isalansán.

stowaway, n. puslít.

strabismus, n. pagkaduling, pagkabanlág.

straddle, v. bumukakà, kumaaang, sumakláng.

strafe, v. paulanán ng bala.

straggle, v. máligáw, mawalâ, magpagala-galà.

straggler, n. ligáw.

straight, adj. tuwíd, matuwíd, makatarungan, lantáy.

straightedge, n. regladór, (panuto).

straighten, v. ituwíd, tumuwíd.

straightforward, adj./adv. tapát, matapát.

straightway, adv. kagyát.

strain, v. hapitin, higpitán, pagpumilitan, pagpunyagian, salain, mabanat, mahiklát. n. panghapit, pagpapahigpít, pagpupumilit, pagpupunyagî, pagsasalà, pagbabanat, paghiklát.

strain, n. lipì, lahì, angkán katangiang mana, himig.

strainer, n. salaan.

strait, n. kipot.

straiten, n. kiputan.

strand, n. baybayin, tabíng-dagat. v. sumadsád, mag-pasadsád.

strand, n. hiblá.

strange, adj. ibá, ĸakatwâ, kakaibá, katangi-tangì.

stranger, n. taong-di-kilala, banyagà, dayuhan.

strangle, v. pipisín, mapipís, sakalín, masakál.

strangulation, n. pagkapipís, pagkasakál.

strangury, n. balisawsáw.

strap, n. sintás, korea, banda, tirante.

straphanger, n. bitinán, hawakán.

strapping, adj. bilugá't malakí.

strategem, n. estratéhiyá, estratahema, linláng.

strategic, adj. istratéhikó.

stratification, n. pagsasapín-sapín, pagsususún-susón.

stratify, v. magsapín-sapín, magsusún-susón.

stratosphere, n. estratospera alangaang.

stratum, n. sapín, susón, estrato.

stratus, n. malapad na ulap.

straw, n. dayami, paha.

strawberry, n. presas. "strawberry" (istroberi).

strawworm, n. uod ng dayami.

stray, v. máligáw, lumihis, maglibót, gumalà, n./adj. ligáw, palaboy.

streak, n. guhit, bahid, katángian, badhâ.

stream, n. agos, ilog, sapà. v. umagos, tumulò.

streamer, n. banderola, pamandera.

streamlet, n. muntíng ilog. ilug-ilugan.

streamline, n. agusán, talaytayan, adj. tálagusan, pámatulinan.

streamlined, adj. tinalagusan, pinatalagusan, pinamatulinan.

street, n. kalye, daán.

strenght, n. lakás, puwersa, kapangyarihan, sidhí, tindí, impluwénsiyá, resisténsiyá.

strenghten, v. palakasín, lumakás.

strenous, adj. maalab, masiglá, masigasig, malakás.

streptococcus. n. estreptokoko.

stress, n. diín, tuón, tuldík, higpít, kagipitan, tensiyón, pagpupumilit, v. diinán, tuunán, tuldikán.

stretch, v. banatin, unatin, n. pagbanat, pag-unat.

432

stretcher, n. mákináng pampahabà, mákináng pambanat, kamilya.

strew, n. isabog, ikalat.

stria, n. gitgít.

striated, adj. maygitgít, ginitgít.

stricken, adj. tinamaan, dinapuan, gasgás.

strict, adj. istrikto, mahigpít, eksakto.

stricture, n. tuligsâ, krítiká.

stride, v. humakbáng nang mahabà, humakdáw, lumakdáw,

strident, adj. palirit, maingay.

strife, n. álitan, away, tunggálian.

strike, v. hampasín, hambalusin, bugbugín, umaklás, magwelga, n. hampás, hambalos, bugbóg, aklasan, welga.

striker, n. welgista, mangaaklás.

striking adj. kapansín-pansín, kapuná-puná, nakapagtátaká.

string, n. talì, pisì, kuwerdas.

stringent, adj. istrikto, mahigpít, kahiká-hikayat.

stringy, adj. mahiblá, malamuymóy.

strip, v. alisán, kunan, hubarán, hubdán, maghubád, maghubú't-hubád. n. mahabang piraso, hanay, hilera.

stripe, n. guhit, raya, latay, prangha.

striped, adj. guhitán, rayado.

strippling, n. binatilyo.

strive, v. magpunyagî, pagpunyagián, magsumikap, pagsumikapan.

stroke, n. golpe, hampás, tamà, pagtamà, atake, sasál, kalabóg, lagutók tiktak, lagitík. v. himasin, hagurin, haplusín.

stroll, v. magpasyál-pasyál, maglibút-libót, maggalágalâ.

stroller, n. andadór, karwahe ng sanggól.

strong, adj. malakás, malusóg, mabisà, matindí, maalab.

strop, n. lagisan ng labaha.

structure, n. pagyayarì, pagtatayô, kayarián.

struggle, v. magpunyagî, magpakahirap, makilaban, pagpunyagián, pagpumilitan, ipakipaglaban. n. pagpupunyagî, pagpupumilit, pakikipaglaban, labanán.

strum, v. kumalá-kalabít.

433

strut, v. gumirì, gumiri-girì.
n. girì, paggirì.

strychnine, n. estriknina.

stub, n. tuód, upód, talón.

stubble, n. mga nátiráng
tuód, tuúd-tuód.

stubborn, adj. may matigás
na ulo (matigás ang ulo)
mapagmatigás.

stubborness, n. katigasán ng
ulo, pagka-mapagmatigás.

stucco, n. estuko.

stuck, adj. nakadikít, di-ma-
kaalís.

stud, n. palahian ng kabayo,
pakong uluhán, botón, pá-
makuan.

studio, n. istudyo, talyér.

student, n. estudyante, mag-
aarál.

studious, adj. paláarál.

study, n. pag-aaral, asigna-
tura, nilay-nilay. v. mag-
aral, pag-aralan, niláy-ni
layin, buláy-bulayin, isa-
álang-alang.

stuff, n. materyál, kagami-
tán, bagay-bagay, arí-ari-
an. v. punuín, siksikán.

stuffing, n. panlamán, pan-
relyeno.

stuffy, adj. maalinsangan,
maalis-ís.

stultify, v. papagmukhaíng
tangá, biguín.

stumble, v. mátisod, mátapi-
lók, mádupilas, mátagpu-
án, mátuklasán, magkása-
la.

stump, n. tuód, upós, bíha,
kulata, kalabóg. n. mag-
rikurida, magkampanya.

stun, v. tuliruhín, tuligín, li-
tuhín.

stunning, adj. nakatútuliró,
nakalílitó, marikít.

stunt, n. palabás.

stunt, v. bansutín.

stupefaction, n. pagkaling-
míng, pagkatuliró, pagka-
litó.

stupefy, v. lingmingín, litu-
hín, tuliruhín.

stupendous, adj. estupendo,
kahanga-hangà.

stupid, n. tangá, hangál.

stupor, n. kawaláng-pakiram-
dám.

sturdy, adj. malusóg, mala-
kás, matipunò, matibay,
matatág.

stutter, v. mag-utál, magpa-
utál-utál.

sty, n. ulbô, banlát, kulu-
ngán ng baboy, kulitî, ku-
litiw.

style, n. istilo, pananalitâ,
pagpapahayag, katángian,
moda.

stylish, adj. sunód sa moda.

stylus, n. punsón.

styptic, adj. pang-ampát ng
dugô.

suasion, n. panghihikayat.

suave, adj. suwabe, makinis,
pulido, mapitagan.

subconscious, adj. kublíng-
malay.

subconsciousness, n. kub-
líng-malay, kublíng-kama-
layan.

subcutaneous, adj. pangila-
lim ng balát, (pangilalim-
balát).

subdeacon, n. sübdiyákonó.

subdivide, v. pamulíng ba-
haginin, subdibidihín.

subdivision, n. subdibisyón.

subdue, v. supilin, pasukuin,
lupigin, pahinain.

subject, adj. sakóp, mahilig,
nábabatay sa. n. sakop,
saklá́w, paksâ, asignatura.
v. sakupin. pasukuin, ipa-
ilalim.

subjective, adj. pansimunò,
personál, pansarili, maka-
akó.

subjugate, v. pasukuin, supi-
lin, lupigin.

subjunctive, adj. pasakalì.

sublime, adj. darakilà, dali-
say.

submarine, n. submarino.

submerge, v. lumubóg, ilu-
bóg, palubugín, papagsa-
nawin, magsanaw.

submissive, adj. may maba-
bang loób, masunurin,
mapahihinuhod, sumúsukò.

submit, v. sumukò, ipaubayà,
iharáp, ibigáy.

subnormal, adj. subnormál.

subordinate, ad. pantulong
n./adj. mababà.

subpoena, n. subpena.

subscribe, v. lumagdâ, lagda-
án, pumirmá, pirmahán pu-
mayag, payagan, sumuskri-
bé.

subscriber, n. suskritor.

subscription, suskrisyón.

subsequent, adj. kasunód, su-
músunod.

subservient, adj. mapagsil-
bí, álipinín, may ugaling
alipin.

subside, v. bumabâ, tumi-
ning, humupâ, tumilà.

subsidiary, adj. subsidyaryo,
tumútulong, nag-áabuloy.
n. tagaabuloy, sangáy.

subsidy, n. abuloy.

subsist, n. manatili, mabu-
hay.

subsistence, n. pananatili,
pamamalagì, paghahanap-
buhay, buhay, pagkabuhay.

substance, n. sustánsiyá, ka-
kanyahán, diwà, sadyáng
kalamnán, arí-arian.

substantial, adj. sustansiyál,
tunay, may lamán, marami.

substantiate, v. patunayan,
  bigyáng-patunay.

substantive, n. sustantibo,
  pangngalan.

substitute, n. kahalili, kapa-
  lít. v. humalili, ihalili, ha-
  linhán, pumalít, ipalít, pa-
  litán.

subterfuge, n. lihim na pa-
  raán, dayà.

subterranean, adj. sa ilalim
  ng lupà, tagô, lihim.

subtitle, n. pangalawáng
  pamagát.

subtle, adj. matalas, mata-
  lisik, masurì, matalino.

subtract, v. bawasin, bawa-
  san.

subtraction, n. pagbabawas,
  subtraksiyón.

subtrahend, n. ang babawa-
  sin.

suburb, n. arabál, paligid-
  lungsód.

suburban, adj. sa arabál, sa
  tabíng-lungsód, sa paligid-
  lungsód.

suburbanite, n. tagaarabál,
  tagatabíng-lungsód.

suburbia, n. subúrbiyá, ara-
  bál.

subvention, n. abuloy, ku-
  wartang abuloy.

subversion, n. subersiyón, li-
  him na panggigibâ.

subvert, v. magbuyó sa ma-
  samâ, sirain ang panana-
  lig.

subway, n. daán sa ilalim.
  "subway"

succeed, v. sumunód, huma-
  lili, pumalít, magtagum-
  páy.

success, n. tagumpáy, pag-
  wawagí.

successful, adj. pagsusunúd-
  sunód, pagkakásunúd-su-
  nód, paghahalí-halili.

successive, adj. sunúd-su-
  nód, halí-halili.

successor, n. kahalili, kapa-
  lít.

succinct, adj. maiklî, maigsî.

succor, n. saklolo, sokoro,
  tulong. v. saklolohan, tu-
  lungan.

succulent, adj. makatás.

succumb, v. sumukò, magpa-
  palamáng, magpatalo, pa-
  lamáng, magpatalo, patalo,
  mamatáy.

such, adj./pron. gayón, ganyán.

suck, v. sumuso, susuhin,
  umut-ót, ut-utín, sumup-
  sóp, supsupin, sumipsíp,
  sipsipín, himithít, hithitín.

sucker, n. pásusuhín, loko-
  hín, pistón, panupsóp, pa-
  nipsíp.

suckle, v. magpasuso, pasu-
suhin.
sucrose, n. sukrosa.
suction, n. supsóp, pagsup-
sóp, sipsíp, pagsipsíp.
sudden, adj. biglâ, kagyát.
suddenly, adv. pabiglâ, ka-
ginságinsâ.
sudoriferous, adj. pumapa-
wis, pinapawisan.
sudorific, adj. pampapawis,
nakapagpápapawis.
suds, n. bulâ ng sabón, es-
puma.
sue, v. magdemanda, idemanda,
da, maghablá, ihablá.
suet, n. sebo.
suety, adj. masebo.
suffer, v. magtiís, pagtiisán,
maghirap, magdusa.
suffice, v. sumapát, magká-
siyá, magbigáy-kasiyahán.
sufficient, adj. kainaman, sa-
pát.
suffix, n. panghulíng lapì,
hulapì. v. ihulapì hulapi-
an.
suffocate, v. patayín sa inís,
manakál, sakalín.
suffrage, n. suprahiyo,
prangkisya, karapatang
bumoto.
suffragette, n. babaing su-
prahista.
suffuse, v. matigmák, maku-
layan, malipós.

sugar, n. asukal, matamís.
suggest, v. magmungkahì,
imungkahì, magpahiwatig,
ipahiwatig.
suggestion, n. suhestiyón,
mungkahì.
suicide, n. pagpapakamatáy,
pagpapatiwakál.
suit, n. terno, demanda, pag-
dedemanda, hablá, pagha-
hablá, sakdál, pagsasakdál,
pamanhík, panliligaw, pa-
ngingibig. v. bumagay,
makibagay, bagayan, paki-
bagayan.
suitable, adj. bagay, angkóp,
tumpák, akmâ.
suitcase, n. maleta.
suite, n. tauhang abay, mga
kahuwego, mga katerno,
mga kasangkáp, tabí-ta-
bíng silíd.
suiting, n. teternuhin.
suitor, n. manliligáw, mángi-
ngibíg.
sukiyaki, n. sukiyaki.
sulfur, n. asupre.
sulk, v. magtampó. n. pagta-
tampó.
sulking, adj. nagtátampó.
sulky, adj. matampuhin.
sullen, adj. mainit ang ulo,
galít, yamót, mapangláw,
namámangláw.
sully, v. dungisan, mantsa-
hán, magkadungis, mádu-

ngisan, magkamantsá, má-
mantsahán.
sultan, n. sultán.
sultana, n. sultana.
sultanate, n. kasultanán, sul-
tanato.
sultry, adj. mabanás, maalin-
sangan, mainit, nagngá-
ngalit.
sum, n. kabuuán, suma, kala-
hatán, totál. **v.** sumahin,
magsuma, tuusín ang ka-
buuán.
summarize, v. buurín, lagu-
min.
summary, n. buód, lagom.
summer, n. tag-araw, **adj.**
pantag-araw.
summit, n. tuktók, taluktók,
karurukan, kasukdulán.
summon, v. tawagin, ipata-
wag, tipunin, paharapín
(sa hukuman).
summons, n. sitasyón, tawag,
patawag.
sumptuous, adj. marangyâ,
saganà.
sun, n. araw.
sunbeam, n. sinag ng araw.
sunburn, n. pasò ng araw.
sunburst, n. silahis.
sundae, n. "sundae'.
Sunday, n. Linggó, Domingo.
sundial, n. kuwadranteng
pang-araw.
sundown, n. lubóg ng araw.

sundries, n. miselanea, sari-
sarì.
sundry, adj. sarisarì, ibá-
ibá, iba't ibá.
sunflower, n. hirasól, mira-
sól.
sunglass, n. pang-araw na
salamín sa matá.
sunglow, n. ningníng ng
araw.
sunlight, n. liwanag ng araw.
sunlit, adj. nalíliwanagan ng
araw.
sunny, adj. maaraw.
sunrise, n. liwaywáy, silang
ng araw.
sunset, n. lubóg ng araw, ta-
kipsilim, dapit-hapon.
sunshade, n. tabing sa araw,
payong.
sup, v. maghapunan, kumain
ng hapunan.
superb, adj. superyór, napa-
kagalíng, dakilà.
supercilious, adj. mapagma-
taás, mapagmalakí, palalò.
superficial, adj. superpisyál,
paimbabáw.
superfluous, adj. surplus, la-
bis, sobra.
superhighway, n. daáng
pangmádalian.
superhuman, adj. lampás sa
kaya ng tao.
superimpose, v. ipatong, ila-
gáy sa ibabaw.

superintend, v. pamanihala-
an.

superintendent, n. superin-
tendente, tagapamanihalà.

superior, adj. nakatátaás, hi-
gít na mataás. n. punò.

superiority, n. superyoridád,
kahigtán, higít na kagáli-
ngan.

superlative, adj. superlatibo,
panukdól, pasukdól.

superman, n. superman.

supermarket, n. supermarket.

supernal, adj. panlangit,
pangkalangitán.

supernatant, adj. lutáng, na-
kalutang.

supernatural, adj. sobrenatu-
rál, kahimá-himalâ.

supernormal, adj. sobrenor-
mál, higít kaysa karani-
wan.

supersede, v. palitán, halin-
hán.

superstition, n. pamahiin.

supervise, v. superbisahín,
pangasiwaan, pamanihala-
an.

supervision, n. superbisyón,
tagapangasiwà, tagapama-
nihalà.

supine, adj. tihayâ, nakati-
hayà.

supper, n. hapunan.

supplant, v. palitán, halin-
hán.

supple. adj. malambót, mayu-
mì, masúnurin.

supplement, n. suplemento,
dagdág, karagdagan.

suppliant, n. suplikante ang
mayhilíng. adj. namaman-
hík, nakíkiusap, sumásamò,
nagsúsumamò, lumúluhog.

supplication, n. pamanhík,
pakiusap, hilíng, kahíli-
ngan, samò, luhog.

supply, n. tustós, panustós,
kagamitán, mga kailangan.
v. tustusán, bigyáng-tus-
tós.

support, v. alaláyan, mada-
lá, itaguyod, patunayan,
mantinihán, tangkilikin,
ipagtanggól. n. alalay, ta-
guyod, tangkilik.

supporter, n. suporter, taga-
taguyod, tagatangkilik.

suppose, v. ipagpalagáy,
magsapantahà, akalain.

supposition, n. palagáy, sa-
pantahà, akalà.

suppository, n. supositoryo.

suppress, v. supilin, sugpuín,
ipaglihim, ipagbawal, sa-
wataín, ampatín.

suppurate, v. magnanà.

suppuration, n. pagnananà.

supremacy, n. pananaig, sup-
remasya, kátaás-taasang
kapangyarihan.

supreme, adj. pinakamataás, kátaás-taasan.

sure, adj. sigurado, tiyák, nakatítiyák.

sure, intrj. Oo! Sige!

surety, n. katiyakán, kasiguruhan, garantiya, piyansa, piyadór.

surf, n. alimbukáy.

surface, n. ibabaw, pangibabaw. v. katamín, pakinisin, bulihin, pakintabín, tambakán, palutangin, lumutang, pumaibabaw.

surfboard, n. tabláng-pangalimbukáy.

surfeit, n. pagbubulták, pagbubundát, sawà, suyà. v. papagsawain, bultakín.

surge, n. daluyong, alimbukáy, alon. v. dumaluyong, umalimbukáy, umalon.

surgeon, n. siruhano, máninistís.

surgery, n. siruhiya, paninistís.

surgical, adj. kirúrhikó.

surly, adj. masungit, galít, bastós, magaspáng.

surmise, v. sapantahain, hinalain, hulaan. n. sapantahà, hinalà, hulà.

surmount, v. pangibabawan, pagtagumpayán, maakyát ang taluktók.

surname, n. apelyido.

surpass, v. malampasán, madaíg, mahigtán.

surplice, n. sobrepelyís, ábitóng putî.

surplus, n./adj. surplus, labis.

surprise, v. biglaín, gulatin, manghaín. n. pagkabiglâ, pagkagulat, pagkagitlá, pagkamanghâ.

surprising, adj. kagulat-gulat, kamanghá-mangâ.

surrender, n. pagsukò. v. sumukò.

surreptitious, adj. patagô, lihim, panakáw.

surround, v. paligiran, palibutan, kulungín.

surroundings, n. paligid, palibot, kaligiran.

surveillance, n. waláng higkát na pagbabantáy, mahigpít na alagà.

survey, v. suriin, siyasatin, sukatin. n. pagsusurì, pagsisiyasat, inspeksiyón, panunukat, pagsukat.

surveyor, n. agrimensór. mánunukat-lupà.

survival, n. pananatiling buháy, pananatili.

survive, v. manatili, manatiling buhay.

survivor, n. ang nátiráng buháy.

susceptible, adj. suseptible,
maramdamin, dalá-dala-
han, madalíng talabán.

suspect, v. maghinalà, paghi-
nalaan, magsospetsa, pag-
sospétsahan.

suspend, v. suspendíhín pi-
gilin, ibitin.

suspenders, n. tirante.

suspense, n. pag-aalinlangan,
kapanabikán.

suspension, n. suspensiyón,
pagkabitin. pagka-nakabi-
tin, pagtigil.

suspicion, n. hinalà, sapan-
tahà bintáng, hiwatig.

suspicious, adj. kahiná-hina-
là, mapaghinalà, mahinala-
ín, naghíhinalà.

suspire, v. magbuntúnghini-
ngá.

sustain, v. sustinihín, susti-
nihán papanatilihin, pata-
galín, magtiís pagtiisán,
patunayan.

sustenance n. sustento, paka-
in, manutensiyón.

suturen, n. sutura, tahî, v. su-
turahan, tahiín.

suzerain, n. soberano, pangi-
noón.

suzeranity, n. soberaniya.

swab, n. suwab, panlampaso,
lampaso.

swaddle, v. balutan ng lam-
pin, pahahan.

swag, n. botin, dinambóng,
ninakaw.

swage, n. hugisan, molde,
estampadór.

swagger v. lumakad na pa-
giri-girì.

swain, n. binatang-bukid,
manliligaw.

swallow, n. langay-langayan,
(golondrina).

swallow, v. lumunók, lunu-
kín, lumulón, lulunín, lu-
manggâ, langgaín, tumung-
gâ, tunggaín.

swamp, n. latian.

swampy, adj. lupang malatì.

swan, n. sisne.

swank, n. rangyâ.

swanky, adj. marangyâ.

swap, v. magpalitan, maki-
pagpalitan, magbaligyaan.
n. pálitan, báligyaan.

sward, n. damuhán.

swarm, v. mamuninì, mamu-
tiktík, pagkulupunán, pag-
kalibumbunán. n. pamu-
mutiktík, pagkukulupón,
pagkakalibumbón.

swarthy, adj. maitím-itím,
kayumanggí, moreno.

swash, n. sagwák, ligwák,
bulwák, sagalwák.

swastika, n. suwástiká.

sawt, v. hampasín.

sway, v. lumikô, bumaling,
ibaling, humilig, pamaha-

laan, pagharian. **n.** giwang, tayon, pamamahalà, kapangyarihan.

swear, v. sumumpâ, mangakò, magtungayaw.

sweat, n. pawis, sikap, pagpapakapagod. **v.** pawisan, pumawis, magpapawis, magsikap, magpakahirap.

sweater, n. suweter.

Swede, n. Suweko.

Swedish, adj. Suweko, **n.** wikang Suweko.

sweep, v. magwalís, walisín, walisán.

sweeper, n. tagapagwalís.

sweepstake, n. suwípistík.

sweet, adj. matamís. **n.** dulse.

sweeten, n. patamisín, lagyán ng matamís.

sweetening, n. pampatamís.

sweetheart, n. kasintahan, katipán, (nobyo, nobya).

sweetish, adj. manamís-namís.

sweetmeat, n. kendi.

sweetness, n. katamisán, pagkamatamís.

swell, v. lumakí, bumintóg, mamagâ, magpalalò, bumukol, lumakás, tumindí. **n.** pamamagâ, bukol, umbók, alon, daluyong.

swelter, v. maalis-isán, pawisan.

swerve, v. lumihís, suminsáy.

swift, adj. matulin, mabilís, maliksí, maagap.

swig, n. higop, lunók.

swim, v. lumangóy, languyín.

swimmer, n. manlalangoy.

swimming, n. paglangóy.

swindle, v. manubà, manansô, manggantso, mandayà.

swindler, n. mánunubà, mánenekas, balasubas.

swine, n. baboy.

swineherd, n. magbababoy.

swing, v. iwasiwas, itayon, iugóy. **n.** tayon, pagtayon, indayog, duyan, suwíng, ugóy.

swipe, n. sapók. **v.** magnakaw, nakawin.

swirl, v. uminog, mag-ininog, painugin, papag-ipuipuhin.

swish, n. laginít, haginít, lagitlít, lumaginít, humaginít, lumagitlít.

Swiss, n./adj. Suwiso, Suwisa.

switch, n. látikó, kumpás, pagbabago, paglilipat, liyabe, suwits. **v.** ilipat.

swivel, n. paikutan.

swoon, v. maghimatáy, himatayín. **n.** paghihimatáy.

swoop, v. mandagit, dagitin. **n.** pagdagit. pagdaragit.

sword. n. ispada, sable.

swordfish, n. isdáng ispada.

swordplay, n. esgrima, (eskrima) estokada.

swordman, n. eskrimadór, estokadór.

sycophant, n. manghihibò, mámumuri.

syllabary, n. silabaryo, pantigan.

syllabic, adj. silábiká, papantíg, pampantíg.

syllabicate, v. magpantíg, pantigín.

syncope, n. sínkopá, (pangkaltás-tunóg).

syndicate, n. sindikato, kompaniya, sámahan, korporasyón.

synecdoche, n. sinékdoké, pagpapalít-sakláw.

synesthesia, n. sinestesya.

synod, n. sínodó, kapulungang pansimbahan.

synonym, n. sinónimó, kasingkahulugán.

synonymous, adj. sinónimó, magkasingkahulugán.

synopsis, n. sinopsis, buód, lagom.

syntax, n. sintaksis, paláugnayan, (ng pangungusap).

synthesis, n. sintesís, pagbubuô, pagyayarì.

synthetic, adj. sintétikó, binuô, niyarì, ginawâ.

syphilis, n. sípilís.

syringe, n. heringga, heringgilya.

syrup, n. harabe, arnibal pulót.

system, n. sistema, paraán, pamamaraán, kaparaanán, katipunan, kabuuán, kayarián, metodo, kaayusan.

systematic, adj. sistemátikó, metódikó, mapamamaraán.

systematize, v. sistematisahin, gawing sistemátikó, ayusin, husayin.

— T —

tab, n. ungós, pardilya, tag, etiketa.

tabernacle n. tabernákuló. sambahan.

table, n. mesa, tabulasyón, tabla, manghád.

tableau, (Fr.), n. "tableau" kuwadrong buháy.

tablespoon, n. kutsara.

tablespoonful, n. sangkutsarang punô.

tablet, n. tablet, pad, tabletas, lápidá.

tableware, n. kubyertos.

tabloid, n./adj. tabloid.

taboo, adj. tabú, bawal.

tabor, n. tamburíl.

taboret, n. taborete, bangki-
tò.

taborin, n. pandereta.

tabular, adj. tabulár, tabu-
lado.

tabulator, n. tabuladór.

tacit, adj. di-sinabi, tahimik,
pahiwatíg.

taciturn, adj. di-masalitâ, dî-
maímikin.

tack, n. pakong uluhán, tam-
tak. v. ipakò, itamtak.

tackle, n. ekipo, aparato, ka-
sangkapan. v. sunggabán,
isagawâ, tuparín, tupdín.

tacky, adj. malagkít.

tact, n. takto, pakikitungo,
pakikiharáp.

tactic, n. táktiká, pamamara-
án.

tactical, adj. matáktiká, ma-
pamaraán.

tactician, n. táktikó, tagapa-
maraán.

tactile, adj. náhihipò, mahí-
hipò, mádaramá, nádaramá.

tadpole, n. ulúuló, kikinsót.

taffeta, n. təpetán, tapeta.

taffy, n. bagkát.

tag, n. tag. v. lagyán ng tag.

Tahitian, n. Tahityano.

tail, n. buntót, hulihán.

tailless, adj. waláng buntót,
punggî.

tailor, n. sastré, mánanahì.

tailoring, n. pananahî.

tailpiece, n. apéndisé, pang-
hulihán, pambuntót.

taint, n. lalin, hawa, dungis.
v. lalinan, hawahan, du-
ngisan.

take, v. hulihin, dalhín, tang-
gapín. n. kita gana, hulí.

talc, n. talko.

tale n. kuwento, salaysáy.

talent, n. talino, kakayahán.

taleteller n. kuwentista, má-
nanalaysáy.

talisman, n. agimat.

talk, v. magsalitâ, mag-usap,
magdaldalan, magpulong,
talakayin. n. pagsasalitâ,
pag-uusap, daldalan, pu-
long, ulat.

talkative, n. masalitâ.

talkie, n. pelíkulang may ti-
nig.

talking, n. pagsasalitâ. adj.
nagsásalitâ, nakapagsása-
litâ, masalitâ.

tall, adj. matangkád, mahag-
wáy, matayog, mataás.

tallness, n. katangkarán, ka-
taasán, kahagwayán, kata-
yugan.

tallow, n. sebo.

tally, n. paya, tara, taha. v.
tayahin, payahan, tarahan,
magpaya.

talon, n. kukóng pangalmót.

talus, n. bukung-bukong.

tamale, n. tamales.

tamarau, n. tamaráw.

tamarind, n. tamarindó, sampalok

tambour, n. tamból.

tambourine, n. pandereta, tamburín.

tame, adj. amák, maamò, mabaít. v. amakín, paamuin, supilin.

tamer, n. domadór, tagapagpaamò.

tamp, v. bayuhín, pukpukín, tabunan, tambakán.

tamper, n. pambayó, pamikpík.

tamper, v. pakialamán, makialám.

tamperer, n. taong pakialám, pakialamero.

tan, v. magkultí, kultihín, abelyanahin, pamorenuhin. **n./adj.** abelyana, kayumanggí.

tandem, adj. magkasunód, tándem.

tang, n. tulos, takà, ngipin.

tang, n. sangsáng, sigid, lasa.

tang, n. kalatóng, kulatíng, tugtóg.

tangent, adj. sapyáw, pasapyáw, daplís, padaplís. **n.** tanhente, guhit na daplís.

tangerine, adj. tangherina.

tangible, adj. nahihipò, nádaramá.

tangle, v. pagbuhúl-buhulín, pagsalá-salabirín, guluhín. n. buhúl-buhól, salá-salabíd, guló.

tango, n. tanggo.

tank, n. tangké.

tanker, n. bárko-tangké.

tanner, n. mángungultí, magkukultí, kurtidór.

tannery, n. kultihan.

tannin, n. tanino.

tanning, n. pagkukultí, pangungultí.

tantalize, v. takawin, takawin, takamín, papanabikín.

tantalizing, adj. nakapagpapatakám, nakapanánabík.

tamtamount, adj. katumbás, para na rin.

tantrum, n. alboroto, pagliligalíg.

Taoism, n. Taoismo.

Taoist, n. Taoista.

tap, n. tapík, katók. v. tumapík, tapikín, kumatók, tumuktók.

tap, n. pinakaugát, pasak, tapón, gripo, balbulá. v. buksán, butasan, magkabít, ikabít.

tape, n. sintás, plaster.

taper, n. kandilà. **adj.** hugiskono, hugis-kandilà.

tapestry, n. tapiseriya.

tapeworm, n. tenya, solitarya, bulating hugis-sintás.

tapioca, n. balinghóy, kasabá, tapyoka

tapir, n. tapir.

taps, n. taps.

tar, n. alkitrán.

tarantella, n. tarantela.

tarantula, n. gagambáng tarantula.

tardy, adj. mabagal, hulí, patagál-tagál.

tare, n. tara.

target, n. target, tudlaan.

tariff, n. taripa, buwís.

tarnish, v. kumupas, kupasan, madumhán, madungisan.

taro, n. gabi.

tarpaulin, n. trapál.

tarry, v. magtagál, tumigil, tumahán, maghintáy.

tarsus, n. buól.

tart, adj. maaskád, makahat. **n.** hopyang prutas.

tartan, n. tartán.

task, n. gáwain, tungkulin, trabaho.

taskmaster, n. katiwalà.

tassel, n. bórlas, palawít.

taste, v. tumikím, tikmán, maglasa, magkalasa. **n.** pagtikím, panlasa, hilig, saráp.

tasteful, adj. may mabuting panlasa.

tasteless, adj. waláng-lasa.

taster, n. tagatikím.

tasty, adj. malasa, masaráp.

tatter, n. pilas, punit.

tatting, n. tating.

tattletale, n. daldál, satsát.

tattoo, n. tatú. **v.** magtatú, tatuhán.

taunt, v. laitin, aglahiin.

taurus, n. taurus, toro.

taut, adj. banát, mahigpít, haták.

tautology n. ligoy, kaliguyan.

tavern, n. taberna.

tawdry, adj. maringal, marangyâ.

tawny, n./adj. moreno, kayumanggí.

tax, n. buwís, pataw. **v.** magpabuwís, pabuwisín, patawan, pagurin.

taxable, adj. malálapatan ng buwís.

taxation, n. pagpapapabuwís.

taxeme, n. taksema.

taxi, n. taksi.

taxidermy, n. taksidérmiyá.

taximeter, n. taksímetró.

taxonomy, n. taksonomiya.

tea, n. tsa, tsaá, saá.

teach, v. magturò, iturò, turuan, edukahín.

teachable, adj. madalíng iturò, magaáng turuan.

teacher, n. gurò, titser, maestro (-tra).

teaching, n. pagtuturò, turò, panuto, doktrina.

teacup, n. tasa ng tsa.

teak, n. (Bot.) teka.

team, n. tim, koponan.

teammate, n. kakopon, katím.

teapot, n. tsarera.

tear, n. luhà.

tear, v. lansagín sirain, pilasin, punitin. n. sirà, pilas, punit

tearful, adj. mayluhà, lumúluhà.

tease, v. suklayín, tuksuhin, tisín.

teaser, n. tagatís, mánunuksó.

teaspoon, n. kutsarita.

teat, n. utóng.

technical, adj. tékniko, teknolóhikó.

technicality, n. teknikalidád.

technician, n. téknikó, dalubhasà.

technicolor, n./adj. téknikolór.

technics, n. tékniká, téknisismo.

technique, n. pamamaraán, sining, paggawâ, tekník.

technologist, n. teknólogó.

technology n. teknolohiya.

tectonic, adj. tektónikó, pangkayariáng-lupà.

tedious, adj. nakaíiníp, nakapápagod.

tedium, n. iníp, pagkainíp.

tee, n. (Golf) katangán.

teem, v. magdumami, managanà, mamutiktík, mamuninì.

teeming, adj. masaganà, namumutiktík, namumuninì, libu-libumbón.

teen-ager, n. tin-edyer, "teenager".

tee shirt, n. T-shirt.

teeth, n. mga ngipin.

teething, n. pagngingipín.

tegument, n. balambán, balok.

telecast, n. telekast. v. matelekast.

telecommunication, n. telekumunikasyón.

telegenic, adj. bagay sa telebisyón.

telegram, n. telegrama, pahatíd-kawad.

telegraph, n. telégrapó, páhatirang-kawad. v. tumelegrama, telegramahan.

telegraphy, n. telegrapiya.

telekinesis, n. telekinesis.

teleology, n. teleolohiya.

telepathy, n. telepatiya.

telephone, n. teléponó. v. tumeléponó, teléponohán.

telephotography, n. telepotograpiya.

teleprinter, n. telemakinilya.

telescope, n. teleskopyo.

teleview, v. manoód ng telebisyón.

televiewer, n. mánonoód ng telebisyón.

telebise, v. isatelebisyón.

televisor, n. telebisór.

television, n. telebisyón.

tell, v. sabihin, magkuwento, ikuwento, ipahayag.

teller, n. kuwentista, batyáw, pagadór, teler.

telltale, n. pinagkákahalataán.

tellurian, n. taong-daigdíg.

temerity, n. kawaláng-takot, kapangahasán, lakás ng loób.

temper, n. timplá, lagáy ng kaloobán. **v.** timplahín.

temperament, n. temperamento, katutubong katángian, lagáy ng kaloobán.

temperamental, adj. temperamentál, tangkilin, maramdamin.

temperate, adj. timplado, katamtaman, pigíl.

temperature, n. temperatura, init.

tempest, n. unós.

tempestuous, adj. maunós.

template, n. suleras.

temple, n. templo, pílipisán, sintido.

tempo, n. tempo, bilís, ritmc, lakad, takbó.

temporal adj. pampílipisán, panlupà, sekulár, pánandálian, pansamantalá, pambayan.

temporize, v. makibagay, sumama sa agos.

tempt, v. hibuin, hibukin, ibuyó, tuksuhín.

temptation, n. tentasyón, hibò, tuksó.

temper, n. manghihibò, mánunuksó.

tempting, adj. nakatútuksó.

ten, n./adj. sampû.

tenacious, adj. makapit, mahigpít kumapit, maganít, makunat.

tenable, adj. maipagtátanggól.

tenacity, n. tenasidád, pagkamahigpít kumapit, ganít, kunat.

tenaculum, n. pansuít, tenákuló.

tenancy, n. pamumusesyón.

tenant, n. ingkilino.

tend, v. mag-alagà, alagaan, magbantáy, bantayán, mamahalà, pamahalaan, patnubayan, humilig, kumiling.

tendency, n. hilig, kiling.

tendentious, adj. may-kiniki-
   lingan, may-kinahíhiligan.
tender, n. pambayad, pang-
   upa.
tender, adj. malambót, ma-
   hinay, magiliw, mapagma-
   hál, murà.
tenderfoot, n. baguhan, bagi-
   tò.
tenderloin, n. solomilyo.
tendon, n. litid.
tendril, n. galamáy-baging.
tenebrae, n. tiniblás.
tenebrous, adj. malamlám,
   madilím.
tenement, n. ténemént, ba-
   hay-tírahan, bahay-páupa-
   hán.
tenesmus, n. tibí, balisawsáw.
tenet, n. símulain, paniwalà.
tenfold, adj. sampúng ibayo.
tennis, n. tenis.
tenon, n. mitsá, dilà.
tenor, n. hilig, katangian,
   tenór.
tenpins, n. bawling.
tense, n. panahón, panahu-
   nan.
tense, adj. hapít, mahigpít,
   banát, maigtíng, malubhâ.
tensile, adj. makunat, maga-
   nít.
tension, n. hapit, higpít, ig-
   tíng, mahigpít na pag-
   iisíp, kabalisanhán, pang-
   hapit, pang-igtíng.

tent, n. tent, toloa.
tentative, adj. pansamantalá.
tenth, adj. ikasampu.
tenuous, n. manipis, balingki-
   nitan, malabnáw.
tenure, n. pagmamay-arì, ta-
   gál ng panunungkulan.
tepee, n. tipí, wigwam.
tepid, adj. malahiningá.
tequila, n. tekila.
teratology, n. teratolohiya.
tergiversation, n. pagbaba-
   ligtád.
term, n. taning, tagál, takdâ,
   tadhanà, katawagán, ká-
   sunduan.
termagant, n. birago.
terminal, adj. terminál, pang-
   wakás. n. dulo, wakás, ka-
   tapusán.
terminate, v. hangganán, ta-
   pusin, wakasán, matapos,
   magwakás.
termination, n. pagtatapós,
   hangganan, katapusán,
   pagkamatáy.
terminology, n. terminolohi-
   ya, katawagán.
termite, n. anay.
terrace, n. terasa, pilapil,
   asotea.
terra cotta, terakota.
terrain, n. lupaín, kampo.
terrazzo, n. teraso, pabimen-
   to.

terreplain, n. plataporma ng kanyon.

terrible, adj. terible, nakatátakot, kakilá-kilabot, labìs.

terrier, n. asong teryer.

terrify, v. takutin, sindakín.

territoryo, n. teritoryo, lupang sakop.

terror n. sindák, hilakbót, kilabot.

terrorism, n. terorismo, paninindák.

terrorist, n. terorista, máninindák.

terrorize, v. manindák, sumindák, sindakín.

terse, adj. maigsî at malamán, matipíd sa salitâ.

tertiary, n./adj. tersyaryo.

test, n. test, pagsubok, iksamen, tikím pagtikím, pagtitikím. **v.** magtest, subukin, iksaminin, paiksamin.

testament, n. testamento, hulíng habilin.

testate, adj. may iniwang testamento.

testator, n. ang nagtestamento, testadór (-dora).

tested, adj. probado, subők na.

testicle, n. bayág.

testify, v. sumaksí, magpatunay, patunayan.

testimonial, n. katibayan, pahayag ng pagmamahál, pa-

hayag ng paghangà.

testimony, n. testimonyo, salaysáy, patunay, patibay.

testy, adj. magagalitín, madalíng magalit.

tetanus, n. tétanó.

tete-a-tete, adj. magkaupong.

tether, n. suga, panuga. **v.** isuga, italì.

tetrach, n. tetrarka.

Teuton, n. Teutón.

Teutonic, adj. Teutónikó.

Texan, n./adj. Tehano, (-na).

text, n. teksto, testo, nilálamán, paksâ, aklát-pampáaralán.

textile, n. tela.

textual, adj. tekstuwál, testuwál, literál.

texture, n. habi, pagkakáhabi, kayarián.

than, conj. kaysá, sa.

thanatopsis, n. tanatopsis.

thank, v. magpasalamat, pasalamatan.

thankful, adj. nagpápasalamat, grato.

thankless, adj. waláng utangna-loób, ingrato.

thanksgiving, n. pagpapasalamat.

that, pron. iyán, yaón, iyón.

thatch, n. atíp.

(pl.) ang mga.

theater, n. teatro, dulaan.

thaumatology, n. paláhimalaan, taumatolohiya.

thaumaturgy, n. paghihimalâ.

thaw, v. malusaw, lusawin, matunaw, tunawin.

the, art. si, (pl.) siná, ang

theater n. teatro, dulaan.

theatrical, adj. teatrikál, madulà, mapalabás, pakunwarî.

theatricals, n. pagtatanghál ng dulà.

theft, n. pagnanakaw.

their, pron. kanilá, nilá.

theism, n. teismo, paniniwalà sa Diyós.

them, pron. kanilá, nilá.

theme, n. tema, paksâ.

themselves, pron. kaniláng sarili, silá na rin.

then, adj. noón, adv. pagkatapos. conj. samakatuwíd.

thence, adv. mulâ noón, samakatuwíd.

theodicy, n. teodisea.

theologian, n. teólogó.

theology, n. teolohiya.

theorem, n. teorema, símulain, batás.

theorist, n. teórikó.

theory, n. teoriya.

theosophy, n. teosopiya.

therapeutics, n. terapeútiká.

therapeutist, n. terapeuta.

there, adv. diyán, doón.

thereabouts, adv, malapit doón.

thereafter, adv. pagkatapos noón, pagkaraán noón.

thereat, adv. noón din.

therefore, adv. dahil doón, kayâ. samakatuwíd.

therefrom, adv. mulâ roón, riyán.

therein, adv. doón, roón.

thereinafter, adv. sa súsunód.

thermal, adj. mainit.

thermodynamics, n. termodinámiká.

thermometer, n. termómetró.

thermonuclear, adj. termonukleár.

thermos bottle, termos.

thermostat, n. termostat.

thesaurus, n. tesauro.

these, pron. adj. ang mga itó.

thesis, n. tesis.

they, pron. silá.

thick, adj. makapál, malapot, masinsin.

thicken, v. kumapál, kapalán, laputan, sinsinán.

thickening, n. pangangapál.

thicket, n. makapál na palumpungan.

thief, n. magnanakaw.

thievery, n. pagnanakaw.

thievish, adj. mapagnakáw.

thigh, n. hità.

thimble, n. dedál, didál.

thin, adj. manipís, payát, malabnáw. **v.** pumayát, numipís, panipisín.

thine, **pron.** iyó, inyó.

thing, **n.** bagay, bagay-bagay.

think, **v.** umisip, mag-isíp, isipin.

thinkable **adj.** maíisip, makákayang maisip.

thinker, **n.** taong paláisíp.

third, **n./adj.** ikatló, pangatló.

thirst, **n.** uhaw, pagkauhaw. **v.** mauhaw, makáramdám ng uhaw.

thirsty, **adj.** uháw, naúuhaw.

thirteen, **n./adj.** labintatló.

thirteenth, **adj.** 'kalabintatló.

thirty, **n./adj.** tatlumpû.

thirtyfold, **adj./adv.** tatlumpúng ibayo.

this, **pron.** itó, irí.

thither, **adv.** doón, paroón.

thong, **n.** kurdóng katad.

thorax, **n.** toraks, karibdibán, tinadyangán.

thorn, **n.** tiník, subyáng, dawag.

thorny, **adj.** matiník.

thorough, **adj.** ganáp, lubós, puspós.

thoroughbred, **adj.** nilipingdalisay.

thoroughfare, **n.** daanán, liwasan.

those, **pron./adj.** ang mga iyón.

thou, **pron.** kayó, ikáw, silá.

though, **conj.** kahit na bagamán.

thought, **n.** isip, isipan, kaisipan, pag-iisip, pagmumuni, ideá, pansín.

thoughtful **adj.** puspós na kaisipán, maasikaso.

thoughtless, **adj.** walángingat, sagasâ.

thousand, **n./adj.** libo.

thralldom, **n.** kabusabusan, pagkaalipin.

thrash, **v.** gumiík, manggiík, hampasín, magpagulunggulong.

thrashing, **n.** palò, bugbóg.

thread, **n.** sinulid. **v.** magsulót (ng sinulid sa karayom), magpalusút-lusót.

threadbare, **adj.** nutnót, nisnís, gasgás.

threat, **n.** bantâ, pagbabantâ.

threaten, **v.** magbantâ, pagbantaán.

three, **n./adj.** tatló.

threefold, **adj.** tatlóng ibayo.

threnody, **n.** treno, awit na púnebré.

thresh, **v.** see **thrash**.

thresher, **n.** tagagiík, panggiík.

threshold, **n.** pasukín, simulâ.

thrice, **adv.** tatlóng beses, tatlóng ulit, maikátló.

thrift, n. pagtitipíd, katipi-
rán, pag-iimpók.

thrifty, adj. matipíd, mapag-
impók.

thrill, v. mapukawan ng dam-
damin, mangilíg, pangili-
gán. n. kilíg, pangingilíg.

thrive, v. mabuhay, umunlád,
tumubò, lumakás.

throat, n. lalamunan.

throb, n. tibók, hibók, pin-
tíg, v. tumibók, pumintíg,
humibók.

throe, n. kirót, hirap, paghi-
hingaló.

throne, n. trono. v. iluklók sa
trono.

throng, n. libumbón, buntón
ng tao. v. magkalibumbón,
pagkalibumbunán.

throttle, n. gasulinadór, ase-
leradór.

through, prep. sa pamamagi-
tan ng (ni), sa gitnâ ng,
sa laot ng, lusut-lusutan
sa magkábilâ ng. adv. lam-
pasan mulâ sa punò
hanggáng dulo, hanggáng
sa wakás, lúbusan.

throughout, prep. adv. saan-
mán, kahit saán, sa lahát
ng dakó.

throw, v. iitsá, ihagis, ipu-
kól, ihalibas.

thrum, n. hilatsá, lamuymóy,
borlas.

thrust, v. isaksák, iulós, itu-
lak.

thud, n. hampás, kalabóg.

thug, n. butangero, mambu-
butáng.

thumb, n. hinlalakí.

thump, n. bugbóg, kalabóg.

thunder, n. kulóg.

thunderbird, n. ibong kulóg.

thunderbolt, n. lintík, kidlát.

thunderclap, n. dagundóng
ng kulóg.

thundercloud, n. dagím.

thundering, adj. dumadagun-
dóng.

thunderous, adj. madagun-
dóng, maragunlóng.

thunderstruck, adj. tinamaan
ng kulóg.

thurible, n. insensaryo.

Thursday, n. Huwebes.

thus, adv. sa ganitóng para-
án, ganitó, sa gayóng pa-
raán, gayóng, dahil dito,
dahil diyán (doón), kayâ.

thwart, v. hadlangán, biguín.

thy, pron./adj. iyó, mo. sa
iyó, ng iyó.

thyroid, adj. tiroydeó.

thyroiditis, n. tiroyditis, pa-
mamagâ ng tiroydes.

thyself, pron. ikáw rin.

tira, n. tiyara.

Tibetan, n. Tibetano (na).

tibia, n. tibya, sapì-lulód.

tick, n. garapata, pulgás.

tick, n. tiktík tiktak. v. tu-
miktík, tumíktak.

ticket, n. tiket, bilyete.

tickle, v. mangilitî, kilitiín,
makalamkamán, kalamka-
mín.

ticklish, adj. makilítiin, ma-
ramdamin, maselan.

tidal wave, agwahe.

tide, n. lakí at kati ng dagat.

tidings, n. balità.

tidy, adj. makinis, malinis,
maayos.

tie, v. talian, italì, magbuhól,
ibuhól, magpatas, magtab-
lâ. n. talì, gapos, suga, sin-
tás ng sapatos, bigkís, pa-
tas.

tier n. hanay, pila, saray, su-
són.

tiff, n. kágalitan, away.

tiffany v. sutláng pino, mus-
lin.

tiger, n. tigre.

tigerish, adj. malatigre, ma-
bangís.

tight, adj. mahigpít, hapít,
makipot, masikíp, pitís.

tighten, v. higpitán.

tightrope, n. lubid na banat
ng sirkero.

tights, n. damít na kapit-ba-
lat, (taits).

tilbury, n. tiburín.

tile, n. tisà, baldosa.

tilde, n. tilde, kilay.

till, prep. hanggáng, hang-
gáng sa.

till, v. magbungkál ng lupà,
maglináng, linangín.

till, n. kaha.

tilt, n. torneo, labanán, pá-
ligsahan. v. itikwás, maki-
pagtorneo, makilaban, ma-
kipagpáligsahan.

timbal, n. timbál.

timber, n. kahoy-pambahay,
tablá.

timbre, n. tono, tagintíng.

time, n. panahón, pagkaka-
taón, oras, ulit, beses, tem-
po, tiyempo, kumpás. v.
pagtakdaán ng panahón,
iayos sa panahón, itama sa
oras, orasin.

timely, adj./adv. nápapana-
hón.

timepiece, n. orasán, relós,
reló, (rilós, riló).

timesaving, adj. pampadalî.

timetable, n. itiniraryo.

timeworn, adj. antikwado,
matandâ, dati, lumà.

timid, adj. matakutín, mahi-
nang-loób.

timing, n. kumpás, pagkum-
pás, tayming.

timorous, adj. matakutín,
mahinang-loób.

tin, n. lata. v. latahin, isa-
lata.

tincture, n. tintura.

tingle, v. manguliting, pangulitingán, mamiltík, pamiltíkán.

tinker, n. latonero. **v.** galáwgalawín, magbutbót, butbutín.

tinkle, kumuliling, kumililíng, **n.** kuliling, kililíng.

tinman, n. latero.

tinsel, n. urupél, tinsél.

tint, n. bahid, kulay. **v.** bahiran, kulayan.

tintinnabulation, n. kuliling, kililíng.

tinware, n. lateriya.

tinwork, n. ohalateriya.

tiny adj. munsíng, munsík.

tip, v. itaób, itagilid, tikwasín.

tip, n. dulo, tulis, tuktók, pabatíd, tip, pabuyà, tapík.

tipsy adj. medyo-lasíng na.

tiptop, n. karurukan, taluktók, ang pinakamagalíng. **adj.** nasa karurukan, pinakamatayog, napakalusóg.

tirade, n. tuligsâ, atake.

tire, v. pagurin, pagalín.

tire, n. goma. **v.** lagyán ng goma.

tired, adj. pagód, napápagod.

tireless, adj. waláng-pagod.

tiresome, adj. nakapapagod, nakaíiníp.

tissue, n. tisú, tısyú, habi, lala, nilala.

tit n. ganting suntók.

titbit, n. kakanín.

tithe, n. diyesmo.

titillate, v. bigyáng-lugod, kilitiín.

title, n. títuló, pamagát, kampeonato, karapatán.

titrate v. titiín, sukatin sa titî.

titration, n. pagtitî, pagsukat sa titî.

titter, v. umalik-ík, humalikhík, **n.** alik-ík, halikhík.

titular, adj. titulár.

tnt, n. tiénti, trinitrotolweno.

to, prep. sa, kay.

toad, n. palakâ.

toadstool, n. pandóng-ahas, kabuting-lason.

toast, v. iihaw, tustahín.

toast, n. brindis, tagay. **v.** magbrindis, tumagay.

toaster, n. ihawan, tustahan, tustador, tagabrindis, tagatagay.

toastmaster n. toastmaster, tagapagpakilala.

tobacco, n. tabako, sigaro, upaop.

tobacconist, n. tabakero.

tobogan, n. tobogán.

today, adv. ngayón, sa araw na itó, sa kasalukuyan.

toddle, v. mangulabát.

toe, n. dalirì ng paá.

toenail, n. kukó ng paá.

tog, (togs) .n kasuután, pananamít.

toga, n. toga.

together, adv. magkasama, sama-sama.

toggle, n. tarugo, kasunete, kodilyo.

toil, v. gumawâ, magtrabaho, magpakasakit, pagpumilitan. n. gawâ, trabaho, pagpapakasakit, pagpupumilit.

toilet, n. tokadór, pagbibihis, pag-aayos ng katawán, banyo, pálikuran.

token, n. tandâ, sagisag, alaala, tiket.

tolerable, adj. matítiís, maparáraán, kainaman, nakasísiyá.

tolerance, n. toleránsiyá, pagpapáraanan.

tolerant, adj. mapagparayâ, mapagbigáy-daán.

tolerate, v. tiisín, ipaubayà paraanín, tulutan.

toll, n. buwís, bayad, upa, singíl.

tell, v. tugtugín. n. tugtóg.

tomahawk, n. tómahók, put-háw.

tomato, n. kamatis.

tomb, n. nitso, líbingan, puntód.

tomboy, n. tomboy, binalaki.

tombstone, n. lápidá.

tomcat, n. pusang laóg.

tome, n. tomo.

tomfoolery, n. kalokohan, kahunghangán.

tomorrow, adv. bukas.

tomtom, n. tomtom, kalatóng.

ton, n. tonelada.

tone, n. tono, tunóg, himig, hagkís ng pagpapahayag, lagáy ng kaloobán.

tongs, n. sipit.

tongue, n. dilà.

tonic, adj. tónikó, pampalakás.

tonight, adv. ngayóng gabí, mámayáng gabí.

tonnage, n. tonelahe.

tonsil, n. tonsil.

tonsillectomy, n. tonsilotomiya.

tonsillitis, n. tonsilitis.

tensorial, adj. barberíl.

tonsure, n. tonsura, anit sa tuktók ng ulo.

too, adv. din, rin, labis, masyado, lubhâ.

tool, n. kasangkapan.

toolmaker, n. manggagawà ng kasangkapan.

toot, v. magbusina, bumusina. n. tunóg ng busina.

tooth, n. ngipin.

toothache, n. sakít ng ngipin.

toothed, adj. mayngipin, ngipín-ngipín.

toothbrush, n. sepilyo sa ngipin, panghisò.

toothless, adj. waláng-ngipín, bungál, bungî.

toothpick, n. palito sa ngipin.

toothsome, adj. malinamnám, masaráp.

top, n. ibabaw, dulo, tuktók, karurukan, ulo. **v.** talbusán, taklubán, manaíg, tumaás.

top, n. trumpó.

topaz, n. topasyo.

topflight, adj. pángunahín.

topfull, adj. bumábalawbáw.

topic, n. paksâ, tema.

topnot, n. pusód, buhól na laso.

topmast, n. mastelero.

topmost, adj. pinakamatayog, kátaás-taasan.

topographer, n. topógrapó.

topography, n. topograpiya.

toponym, n. ngalang-poók.

topple, v. matumbá, gumuhò.

topsail, n. gabya.

topsoil, n. abók, alabók.

topsy-turvy adv. balintuwád, guló.

torch, n. sulô, sigsíg.

torment, n. hirap, pighatî.

tormentor, n. ang nagpápahirap.

tornado n. buhawì.

torpedo, n. torpedo. **v.** torpeduhin.

torpid, adj. matamláy, tulóg, manhíd, waláng-siglá.

torpor, n. tamláy, katamlayán.

torrent, n. bahâ, sagalwák.

torrential, adj. bumábahâ, nagbábahâ.

torrid, adj. tuyót, tigáng, nakapapasò.

torsion, n. pamamaluktót, tursiyón.

torso, n. katawán (ng tao)

torticollis, n. tortíkolí, pagbabangkilíng.

tortoise, n. pagóng, pawikan.

tortuous, adj. palikú-likô, pabalu-baluktót, pasikut-sikot.

torture, n. pagpapahirap. **v.** pahirapan.

toss, v. ipagpahagis-hagis.

tosspot, n. maglalasing, lasenggo.

tot, n. batang muntî.

total, n. totál, kabuuán. **v.** kunin ang totál, kunin ang kabuuán. **adj.** ganáp, lubós.

totalitarian, n./adj. totalitaryo.

totalitarianism, n. totalitaryanismo.

totalize, v. totalisahín, buuín.

totalizer, n. totalisadór.

totem, n. totem.

totter, v. gumiray, magpagi-ray-giray, sumuray, mag-pasuray-suray.

tottering, adj. pagiray-giray, pasuray-suray.

touch, v. humipò, hipuin, du-mait, dumaiti, kalabitín, mabagbág ang loób. n. hi-pò, taták, sirà, bahid, kala-bít.

touchy, adj. maramdamin, magagalitín, tangkilin.

tough, adj. makunat, maga-nít, matatag, matigás ang ulo, mahirap.

toughen, v. paganitín, pati-gasín.

toupee, n. tupe, buhók na pustiso.

tour, n. biyahe, paglilibót, paglalakbáy. v. magbiyahe, maglibót, maglakbáy.

tourism, n. turismo.

tourist, n. turista.

tournament, n. torneo, palig-sahan.

tourniquet, n. tornikete.

tousled, adj. lugáy, gusót.

tow, n. rimolke, hila, arastre. v. rimólkihín hilahin, arás-trihín.

towage, n. pagririmolke, ba-yad sa rimolke.

toward, prep. sa patungo sa, sa dakong, palapit sa.

towel, n. tuwalya.

tower, n. tore. v. maghilayog.

towering, adj. nanghíhila-yog, matayog.

town, n. bayan, munisipyo.

townsfolk, n. taong-bayan.

towrope, n. lubid na panri-molke, lubid na panghila.

toxic, adj. nakalálason, tóksi-kó.

toxicology, n. toksikolohiya.

toxin, n. toksín, lason.

toxiphobia, n. toksipobya, ta-kot na málason.

toy, n. laruán. v. maglarô, paglaruán.

trace, n. dastô, marká, bakás, landás. v. dibuhuhin igu-hit, iporma, bakasín, tukla-sín, siyasatin.

tracer, n. trasadór, sínagan.

trachea, n. lalaugan.

trachoma, n. trakoma.

tracing, n. guhit sa sinag, traso.

track, n. bakás, daanán, lan-dás, pátakbuhan, kárera-hán, riles. v. sundán, sun-sunín, daanan.

tract, n. lawak, lagáy, lote.

traction, n. traksiyón.

tractor, n. traktora, (trák-tor).

trade, n. negosyo, hanapbu-hay, pangangalakal. v. magnegosyo, magkalakal.

trader, n. negosyante, mángangalakál.

tradition, n. tradisyón, salin-sabì, salindunong.

traditional, adj. tradisyunál.

traduce, v. siraang-puri, ali-pustain.

traffic, n. trápikó.

trafficker, n. trapikante.

tragedy, n. trahedya, kapaha-makán.

tragic, adj. tráhikó.

tragicomedy, n. trahikomed-ya.

trail, v. kaladkarín, manun-tón sa landás, bakasín, su-baybayán. **n.** landás, bakás. buntót.

trailer, n. treyler.

train, n. tren.

train, v. ituntón, turuan, sa-nayin, papagsanayin, mag-sanay.

trainer n. tagasanay, taga-pagsanay.

training, n. pagsasanay, pag-kapagsanay, pi̇́nagsana-yan, pansanay.

trainman, n. taong-pérokaríl.

trait, n. namúmukód na ka-tángian, sariling katángi-an.

traitor, n. traidór.

traitorous, adj. taksíl, trai-dór.

traject, v. sumibad, magpa-hagibís.

trajection, n. pagsibad, pag-gibís.

trajectory, n. trayektorya, ang sumísibad, gibís, pag-gibís.

tramcar, n. trambiyá.

trammel, n. lambát na tat-lóng sapín.

tramp, n. taong naglálakád, lagalág, hampaslupà, ya-bág. **v.** maglakád, magla-lagalág, maghampaslupà, yapakan.

trample, v. yapakan.

trampoline, n. trampolín.

trance, n. kalingmingán, ka-waláng-pakiramdám.

tranquil, adj. tiwasáy, tahi-mik.

tranquilize, v. patiwasayín, patahimikin.

tranquilizer, n. trangkilisa-dór, pampatiwasáy.

tranquility, n. katiwasayán, katahimikan.

transact, v. magnegosyo, ma-kipagnegosyo, makipag-transaksiyón.

transceiver, n. transibo.

transcend, v. lumampás, ma-kalampás, humigít, manaíg.

transcendent, adj. transen-dente, nanánaíg, higít sa karaniwan.

transcendentalism, n. transendentalismo.

transcribe, v. kopyahin, sipiin.

transcript, n. tránskrip, kópya.

transcription, n. transkripsiyón, kópya.

transept, n. krusero.

transfer, v. lumipat, maglipat, ilipat. n. lipat, paglilipat.

transferable, adj. máililipat, maáaring ilipat.

transfiguration. n. pagbabagong-anyô.

transfix, v. tuhugin, tindagín.

transform, v. baguhin (ibahin) ang anyô, ibahíng-hugis, ibahíng-kayarián, magbanyuhay.

transformation, n. transpormasyón, pagbabagong-anyó, pag-iibáng-hugis, pag-iibáng-kayarián, pagbabanyuhay.

transformer, n. transpormadór, transpormer, pambagong-anyô.

transfuse, v. magsalin, isalin, palusutín, palampasín, patalaytayín.

transfusion, n. transpusyón, pagsasalin.

transgress, v. lumabág sa batás, magkásala, lumabis.

transgression, n. paglabág, pagkakásala, paglabis, pagmamalabís.

transient, adj. madalíng mawalâ, pansamantalá.

transistor, n. transistor.

transit, n. pagdaraán, pagdadalá, transit, pagbabagong-kalágayan.

transitive, adj. nagdaraán, palipát, transitibo.

transitory, adj. di-nagtatagál, pansamantalá.

translate, v. magsaling-wikà, magsalin, isalin, maglipat, ilipat, isaling-wikà.

transliterate, v. isatitik.

transliteration, n. pagsasatitik, transliterasyón.

translucent, adj. nanganganinag.

transmigration, n. transmigrasyón.

transmission, n. transmisyón, pagtatrasmití, pagbobrodkas, pagpapailanláng.

transmit, v. ipadalá, ilipat, ibrodkas, ipailanláng, itrasmití.

transmitter, n. transmiter, tagatrasmití, pantrasmití.

transmutation, n. transmutasyón, pagpapabagu-bago, pagbabâ-taás.

transmute, v. magbago, magibá, baguhin, ibahín.

transom, n. trabinsanyo.

transparent, adj. aninag, nanganganinag.

transpire, v. ihingá, ipapawis, papagpawisin, pawisan, mangyari, maganáp.

transplant, v. maglipat ng taním, ilipat ang taním.

transport, v. isakáy at ihatíd, dalhín.

transport, n. transportasyón, sasakyán.

transpose, v. baligtarín, ibahíng-lagáy.

transubstantiate, v. magbagong-sustánsiyá.

transubstantiation, n. pagbabagong-sustánsiyá.

transude, v. pumawis, mamawis.

transverse, adj. haláng, nakahalang.

trap, n. patibóng, umang, bitag, silò, panghuli. v. patibungán, umangan, bitagan, siluin.

trapeze, n. trapesyo.

trapezoid, n./adj. trapesoyde.

trappings, n. pinagtalupan, pinagkayasan, pinagtabasán, pinaglagarian, yagít, basura, taong waláng-kuwenta.

trauma, n. lesyón, sugat, pagkalingáw.

travail, n. sákit, pagsasakit paghilab, pagdaramdám. v. magsákit, hilaban, magdamdám.

travel, v. maglakbáy, maglibót, magbiyahe. n. paglalakbáy, paglilibót, biyahe.

traveller, n. manlalakbáy, biyahero.

traverse, v. magdaáṅ, daanan, tumawíd, tawirán, salungahin, sumalunga.

travesty, n. imitasyón, panggagagád, parodya.

trawl, n. pantí. v. mamantí. trawler, n. mamamantí, bangkáng pamantí.

tray, n. trey, bandeha.

treacherous, adj. mapagkanuló, taksíl.

treachery, n. pagkakanuló, pagsusukáb.

treacle, n. pulót.

tread, v. tapakan, yapakan, lakaran, tuntungán, lumakad, humakbáng. n. tapak, yapak, tuntóng, bakás.

treadle, n. pedál.

treadmill, n. gilingang pinépedalán.

treason, n. traisyón, pagtataksíl sa bayan.

treasure, n. tesoro, yaman. v. pagyamanin, mahalagahín, mahalín.

treasurer, n. tesorero, ingat-yaman.

treasury, n. tesoreriya, inga-táng-yaman.

treat, v. makipagtrato, maki-pagnegosyo, tumalakay, talakayin, magpalagáy, ipalagáy, mag-anyaya, an-yayahan, magpakain, pa-kanin, gamutín.

treat, n. mirindál, bagay na nakalúlugód.

treatise, n. akdâ, tratado.

treatment, n. trato, pakiki-tungo.

treaty, n. kásunduan, trata-do, káyarian.

treble, adj. tatlóng ibayo, makáitló.

tree, n. punungkahoy.

trek, v. maglakbáy.

trellis, n. balag, enrehado.

trematode, n./adj. tremátodó.

tremble, v. manginíg. manga-tál, mangatóg, mangalig-kíg.

trembling, adj. nangínginíg, nangángatál, nangángatóg, nangángaligkíg.

tremendous, adj. nakapang-híhilakbót, kamanghá-manghâ, napakalakí.

tremor, n. pangingínig, pa-ngangatál, pag-ugâ, lindól.

tremulous, adj. nangángatál,

nanginginíg.

trench, n. trintsera, kanál. **v.** maghukáy ng kanál, mag-bambáng.

trenchant, adj. matilos, ma-talas.

trend, n. hilig, takbó, lakad, agos.

trepan, n. lagaring pambu-ngô

trepidation n. pangambá, pagkátakot.

trespass, v. makialám, paki-alamán, mangamkám, mag-kasala. **n.** pakikialam, pa-ngangamkám, pagkakasala.

trespasser, n. makasalanan.

tresses, n. buhók ná lugáy.

trestle, n. kabalyete, tukod.

trial, n. pagsubok, hirap, paglilitis.

triangle, n. triángguló, tat-sulok.

triangular, adj. triánggulár, (tatluhang-sulok).

triangulation, n. trianggulas-yón, (pananatlóng-sulók).

triatomic, adj. triatómiká, may tatlóng átomó.

tribal, adj. pantribu, panli-pì, pang-angkan.

tribe, n. tribu, lipì.

tribesman, n. katribu, kali-pì, kaangkán.

tribulation, n. pagtitiís, pag-kaapí.

tribunal, n. tribuna, húkuman.

tribune, n. tribuno, mahistrado, manananggól.

tributary, adj. namumuwís sakop, umambág, umaagos, nagtutustós.

tribute, n. tributo, alay, handóg, paglilingkód, pakitang-galang, papuri.

trick, n. laláng, linláng, kasanayan, galíng. **v.** manlinláng, manlansí, paglalangán, magdayà, mandayà, dayain. **adj.** imitasyón, huwád.

trickery, n. panlilinláng, panlalansí.

trickle, v. tumagas, pumaták, umagos. **n.** tagas, patak, tulò.

tricky, adj. mapanlinláng, mapanlansí.

tricolor, n. trikolór, tatlóngkulay, **adj.** trikolór, may tatlóng kulay.

tricornered, adj. may tatlóng sulok.

tricycle, n. trisiklo.

tridactyl, adj. may tatlóng dalirì.

trident, n. salapóng na may tatlóng ngipin.

tridimensional, adj. tridimensiyunál, may tatlóng sukat.

tried, adj. natikmán na, subók na, mapagkakátiwalaan.

trifle, n. muntíng bagay, muntíng halagá. **v.** paglaruán, magbirô.

trifoliate, adj. tatluhang-dahon.

triforium, n. balkóng may tatlóng búkasan.

trifurcate, adj. may tatlóng sangá.

trigger, n. gatilyo, kálabitan.

trigon, n. trígonó, triánggul16

trigonemetry, n. trigonometriya.

trill, n. pakatál ng tinig. **v.** magpakatál ng tinig, pakatalín ang tinig.

trillion, n./adj. t r i l y ón, sang-angaw na angaw.

trilogy, n. trilohiya, tatlóng akdâ.

trim, n. ayusin, isaayos pakinisin, gupitán, palamutihan, katamín, katamán. **n.** ayos, kinis. **adj.** maayos; makinis, pantáy.

trimester, n. trimestre, tatlong-buwán.

trimestral, adj. trimestral, tatluhang-buwan.

trinitarian, adj. trinitaryo.

trinitarianism, n. trinitaryanismo.

trinitrotoluene, n. trinitrotolwen.

trinity, n. trinidád, tatlóngisá.

trinket, n. tringket, alahas, palamuti.

trinomial, adj. trinomyál may tatlóng ngalan, trinomyál, n. trinomyo.

trio, n. trió, tatluhan.

triode, n. triodo.

trip, v. mátisod, patirin, magkandirít, umindák, biguín, hadlangán n. biyahe, paglalakbáy, pagkatisod, kamálian, patid.

tripartite, adj. nabábahagi sa tatló, pinagtatló.

tripe, n. tripa.

trio, n. trío, tatluhan.

triphtong, n. triptonggo.

triplet, n. tatlong magkákambál.

triplicate, adj. triplikado, pinagtatlóng-sipì.

tripod, n./adj. tripode, tatlóng-paá.

triptych, n. tríptikó.

trisect, v. pagtatluhín.

trisyllable, n. tatlóng pantíg, trisílabá.

trite, adj. bulgár, karaniwan, lumà, dati.

triturate, v. dikdikín, ligisín, pulbusín.

triumph, n. pagwawagí, tagumpáy.

triumphant, adj. mapagwagí, mapanagumpáy.

trivia, n. mga bagay na waláng kabuluhán.

trivial, adj. di-mahalagá.

trochaic, adj. trokayko.

troche, n. tablilya, pastilyas.

trochee, n. trokeo.

trochlea n. trókleá.

Trojan, n./adj. Troyano.

trolley, n. trole.

trombone, n. trumbón.

troop, n. tropa. v. magkalibumbón.

trophy, n. tropeo.

tropic, n. trópikó.

tropical, adj. tropikál.

trot, n. trote, yagyág. v. tumrote, yumagyág.

troth, n. pananalig, katapatán. v. mangakò, manumpà, mangakong pakakasál.

troubadour, n. trubadór.

trouble, n. ligalig, guló, pagkabahalà. v. guluhín, gambalain, mabahalà.

troublesome, adj. mapanligalig, mapangguló, pampabigát, nakayáyamot.

troublous, adj. maligalig, maguló.

trough n. sabsaban, labangán, alulód.

troupe, n. kompaniya ng mga artista, tropa.

trousers, n. pantalón.

trousseau, n. trusú, mga damít at kagamitán ng nobya.

trowel, n. dulús, (dulós).

troy weight, bigát troy.

truant, adj. bulakból, lakwatsero. v. magbulakból, maglakwatsa.

truce, n. tregwa, armistisyo.

truck, n. trak.

truculent, adj. mabilasik, malupít.

trudge, v. maglakád.

true, adj. tapát, tunay, wastô, tamà, totoó auténtikó, tumpák, eksakto.

trump, n. mánanaíg. v. manaíg.

trumpet, n. trompeta.

trumpeter, n. trompetero.

truncate, v. pungusan, padparán.

truncheon, n. batutà.

trundle, n. muntíng gulóng.

trunk, n. punò, katawán, trompa, baúl, kalsón.

truss v. balutin, paketehin, talian, tukuran. n. balutan, pakete, talì, bragero.

trust, n. kompiyansa, tiwalà, pagtitiwalà, pag-asa. v. magtiwalà, pagtiwalaan, umasa, asahan, ipagkati-

walà, paniwalaan.

trustee, n. katiwalà, kabahalà.

trusteeship, n. pagkákatiwalà, pagkákabahalà.

trustful, adj. mapagtiwalà.

trustworthy, adj. mapagtitiwalaan, mapagkákatiwalaan.

truth, n. katotóhanan.

truthful, adj. makatotoó, mapagsabí ng totoó.

try, v. umato, atuhin, magsubok, subukin, magsikap, pagsikapan, magtikím, tikmán, maglitis, litisin.

tryout, n. pagsubok.

tryst, n. típanan.

tsar, n. sar.

tsarina, n. sarina.

t square, iskwalang t.

tub, n. taóng.

tube, n. tubo, tunél.

tuber, n. pananím na naglálamán sa lupà, lamánlupà.

tubercle, n. bukol, umbók, bukó, tuberkuló.

tubercular, adj. tuberkulár.

tuberculosis, n. tuberkulosis, tisis.

tuck, v. isukbít, isalukbít, isuksók.

Tuesday, n. Martés.

tuft, n. borlas, lamuymóy.

tug, v. batakin, bumatak, humila, hilahin, mag-arastre.

arastrehín. n. hila, batak, hatak, arastre.

tuition, n. tutela, pagtuturò.

tulip, n. tulipán.

tulle, n. tul.

tumble, v. magsirko, mabulíd, mápabulíd, bumalintóng, magpabalí-balintóng, mabuwál.

tumbler, n. sirkero, baso.

tumbrel. n. kareta.

tumefaction, n. pamumukol, pamamagâ.

tumid, adj. namámagâ, pagà. magâ. mabintóg, matambok.

tumor, n. tumór, bukol.

tumult, n. kaguló, pagkakaguló, linggál, linggáw, pag-aalsá.

tumultuous adj. maguló, malinggál, mapag-alsá.

tuna, n. atún.

tune, n. tono, himig. v. magapiná, apinahín.

tuneful, adj. mahimig.

tuneless, adj. disintunado.

tuner, n. apinador, pang-apiná.

tungsten, n. tungsten.

tunic, n. túniká, blusa.

tuning, n. apinasyón, sinkronisasyón.

tunnel, n. tunél, Jaáng-yungíb.

turban. n. turbante.

turbid, adj. labusáw, malabò.

turbine, n. turbina.

turbojet, n./adj. túrbodyét.

turbulence, n. guló, ligalig.

turbulent, adj. maguló, maligalig.

tureau, n. sopera.

turf, n. lupang-damuhán, lupang-pikpík.

turgescent, adj. namímintóg, namámagâ.

turgid, adj. mabintóg, pagâ, magâ.

Turk, n. Turko

turkey, n. pabo.

Turkey, n. Turkiya.

Turkish. n./adj. Turko.

turmeric, n. diláw.

turmoil, n. pagkakaguló, kaligaligan.

turn, v. paikutin, paikitin, pihitin, ibaling, baligtarín, ilihís, ilikô, ibalík, palingunín, ilingón, bumalík. n. ikit, ikot, inog, pihit.

turnabout, n. pagbabagongloób, pagbabagong-panig.

turncoat, n. traidór, taksil.

turner, n. tornero, manlililok.

turnip, n. turnip, singkamás.

turnkey, n. liyabero, ingatsusì.

turnout, n. paglabás, aklasan, produkto.

turnstile, n. tornikete.

turntable, n. páikután.

turpentine, n. turpentina, agwarás.

turpitude, n. katutubong kasayurán, kabalakyután.

turquoise, n. turkesa.

turret, n. toresilya.

turtledove, n. kalapati, batúbató.

turtle, n. pagóng.

tusk, n. pangil.

tusker, n. pangilán.

tussis, n. ubó.

tussle, n. panunggaban, pagpapambunô. v. magkápanunggaban, magkápambuno.

tutelage, n. tutela, pagtuturò.

tutor, n. tutór, gùrò.

tutorial, adj. tutoryál.

tutorship, n. pagtututór, pagkatutór.

tuxedo, n. tuksedo.

twaddle, v. magsalitáng palamyâ.

twain, n./adj. dalawá.

twang, n. tagintíng, tunóghumál.

tweak, n. pisíl at halták.

tweed, n. lana.

tweet, n. tirirít, huni.

tweezers, n. tiyanì.

twelfth, n./adj. labindalawá.

twelve, adj. labindalawá.

twenty, adj. dalawampú.

twentieth, adj. ikadalawam-

pû.

twentyfold, adj./adv. dalawampúng ibayo.

twice, adv. dalawáng beses, makálawá, doblado.

twiddle, v. paglaruán, kalantariin.

twig, n. pilpíl, yagít.

twilight, n. agaw-liwanag, pamimiták, takipsilim.

twill, n. habing hirís.

twin, n./adj. kambál.

twine n. pisì, pulupot. v. pilutín, pagpuluputin.

twinge, v. kumirót. n. kirót.

twinkle, v. kumuráp, kumisláp, umandáp-andáp.

twirl, v. mag-inikót, paikutin, paikitin, painugin. n. ikit, ikot, inog.

twist, v. pilipitin, pilutín, tursihín.

two, n./adj. dalawá.

twofold, adj./adv. doble, doblado, dalawáng ibayo.

twitch, n. halták, balták. v. haltakín, baltakin.

tycoon, n. kasike, taong makapangyarihan.

tyke, n. batang masiglá.

tympan, n. tímpanó.

type, n. tipo, urì, huwaran.

typescript, n. orihinál makinilyado.

typewrite, magmakinilya, makinílyahín.

typewriter, n. makĩnilya.
typewriting n. pagmamakinil-
    ya.
typhoid, adj. tipus.
typhoon, n. unós, sigwa, bag-
    yó.
typical, adj. tĩpikó, tapát sa
    urì.
typify, v. mangatawán, mag-
    larawan, mag-anyô.
typographic, adj. tipográpi-
ká.
typography, n. tipograpiya.
tyrannical, adj. malupít, ma-
    paniíl.
tyrannize, v. magmalupít,
    maniíl, mang-apí.
tyranny, n. tiraniya, kalupi-
    tán, paniníl.
tyrant, n. tirano, panginoóng
    malupít, mang-aapí.
tyro, n. nobato, baguhan.

—U—

ubiquitous, adj. ubikwo, na-
    sa-lahát-ng-poók.
ubiquity, n. ubikwidád, pag-
    ká-nasa-lahát-ng-poók.
u-boat, n. submarinong Ale-
    mán.
udder, n. lawít ng suso.
ugly, adj. pangit.
ukase, n. ukase, kautusáng
    opisyál.
Ukranian, n./adj. Ukranyo.
ulcer, n. ulser.
ulcerate, v. mag-ulser.
ulterior, adj. tagô, nakatagò,
    nakatagò, lingíd, nalili-
    ngíd, lihim.
ultima, n. hulíng pantíg, úl-
    timá.
ultimate, adj. pinakamalayò,
    pinakadulo, káhuli-hulihan.
ultimatum, n. ultimatum, hu-
    líng-sabi.
ultraviolet, adj. ultrabyolado.
    ultrabyoleta.
ululate, v. umangal, tumam-
    báw, dumaíng.
umbilicus, n. pusod.
umbra, n. sombra, lilim.
umbrella, n. payong.
unlaut, n. umlaut.
umpire, n. réperí, tagahatol.
UN—United Nations, Mga
    Bansáng Pinagbuklód, Mga
    Bansáng Nagkakáisá.
unanimity, n. unanimidád,
    buong pagkakáisá.
unarmed, adj. waláng armás,
    waláng sandata.
unavailing, adj. waláng-bisà,
    di-magkabisà.
unavoidable, adj di-maiwa-

san, di-mailagan.

unaware, adj. waláng-kamalayan.

unbecoming, adj. di-bagay.

unborn, adj. di pa isinisilang.

uncalled-for, adj. di-kailangan, walâ sa matuwíd.

uncanny, adj. mahiwagà.

unceremonious, adj. pabiglábiglâ.

uncertain, adj. di-tiyák, dinakatítiyák.

uncircumcised, adj. supót.

uncle, n. tiyó, amaín.

uncomfortable, adj. di-maalwán.

uncommon, adj. di-karaniwan, bihirà, pambihirà.

unconcern, n. kawaláng-bahalà.

unconcerned, adj. waláng-bahalà.

unconditional, adj. lubós, ganáp, puspusan.

unconscious, adj. di-námamalayan, waláng-malay.

unconstitutional, adj. labág sa Konstitusyón, labág sa Saligáng-Batás.

uncounted, adj. di-binilang, di-mabilang.

uncouth, adj. kakaibá, kakatwâ.

uncover, v. ihantád, ihayág, alsán ng takíp, buksán,

magpugay.

uncovered, adj. waláng-takíp, waláng piyansa.

unction, n. unsiyón, pahid na langís.

uncultivated, adj. di-lináng.

uncultured, adj. waláng-kultura, waláng-kalinangán.

undaunted, adj. waláng-gulat, waláng-takot.

undemonstrative, adj. masinop, matimpî.

undeniable, adj. di-máitatanggí, di-matátanggihán.

under, prep. sa ilalim ng (ni), ayon sa, alinsunod sa. adv. sa ilalím. adj. pangilalim, kulang, kontrolado, supíl.

underage, adj. kulang sa edád.

underbid, v. tumawad, tawaran.

underclothes, n. damít pangilalim.

undercover, adj. lihim.

undercurrent, n. agos na pangilalim, agos na tagô.

underdog, n. taong-hamak, taong-apí.

underdone, adj. malasado.

underestimate, v. menospresyuhín.

underestimation, n. menospresyo.

underfeed, v. gutumin, kulangan ng pagkain.

underfoot, v. sa paanán.

undergo, v. mag-agwantá, magbatá, magdanas.

undergraduate, n. kasalukuyang mag-aarál.

underground, adv. sa ilalim ng lupà, palihím.

underhanded, adj. pakublí, panakáw.

underline, v. mangilalim.

underline, v. salungguhitan.

underlining, n. salungguhit.

underling. n. taong-sakóp.

underlying. adj. pundamental, batayán.

undermine, v. magpaguhò, paguhuin, papanghinain.

underneath, prep./adv. sa ilalim ng.

underpass, n. daáng pangilalim.

underprivileged, adj./n. kulang-karapatán.

undersell, v. magmura, ipagmura.

undershirt, n. kamiseta.

undersign, v. lumagdâ, lagdaán.

undersized, adj. maliít kaysa karaniwan.

understand, v. máunawaan, máintindihán.

understanding, n. kaunawaan, pang-unawà. únawaan, kasunduan.

understudy, n. sinanay na panghalili.

undertake, v. magsagawâ, isagawâ.

undertaker, n. taong-punerarya.

undertaking, n. empresa, pagsasagawâ.

undertone, n. kabiláng sintido.

undertow, n. agos na pangilalim.

undervalue, v. uriing mababà, maliitín.

underwear, n. kasuutáng pangilalim.

underweight, n./adj. bigát na kulang, kulang na bigát.

underworld, n. lípunang mababà.

underwrite, v. iseguro.

underwriter, n. ahente ng seguro.

undesirable, adj. di-kanaisnais.

undo, v. kalagín, kalasín, buksán, tanggalín.

undoing, n. isáng kabaligtarán, pagpapawaláng-saysáy.

undress, v. maghubád, hubarín, hubarán, maghubô, hubuán, maghubú't-hubád.

undressed, adj. hubád, hubô, hubú't-hubád.

undulate, v. umalimbukáy, mag-alimbukáy, umalon.

unduly, adv. labág sa batás, di-wastô.

undying, adj. di-mamatáy, di-magtátapós.

unearth, v. mátuklasán, mahukay.

unearthy, adj. di-panlupà, nakapangíngilabot, kamanghá-manghâ, kahindík-hindík

uneasy, adj. balisá, di-mápakalí.

unemployed, adj. disempleado, waláng pinápasukang trabaho.

unemployment, n. pagkadesempleado, kawaláng pinápasukang trabaho.

unequal, adj. di-pareho, dipantáy.

unequaled, adj. di-mapantayán, daláng-kapantáy.

unequivocal, adj. tiyák sa kahulugán, malinaw.

unerring, adj. di-nagkakámalî, waláng malî.

uneven, adj. bakú-bakô, dipantáy, di-makinis, di-pares.

uneventful, adj. tahimik.

unexpected, adj. di-inaasahan, di-akalain.

unfair, adj. di-makatarungan, di-tapát, di pantáy-pantáy.

unfaithful, adj. di-matapát, di-marangál, di-wastô.

unfamiliar, adj. kinámihasnán, di-alám.

unfavorable, adj. di-paborable, di-makatútulong, pasalungát.

unfathomable, adj. di-maarók, di-matarók.

unfinished, adj. di-tapós, diganáp.

unfit, adj. di-hustó, di-bagay.

unfold, v. iladlád, ikadkád, ibuká, ipagtapát, ihayág.

unforgettable adj. di-malilimutan.

unfortunate, adj. sawî, kapós-palad, kulang-palà.

unfriendly, adj. galít, di-palákaibigán.

unfruitful, adj, di-mabunga, di-nagbúbunga, baóg, esteríl.

unfurl, v. iladlád, iwagaywáy, pawagaywayín.

ungainly, adj. lampá.

ungrateful, adj. ingrato, waláng-utang-na loób.

unhand, v. bitiwan.

unhappy, adj. malungkót, sawî, kulang-palà.

unhealthy, adj. salaulà, maysakít.

unheard (of), adj. di-pa narí-
rinig-diníg.

unhitch, v. disingantsahín.

unhurried, adj. di-padalus-
dalos.

unicameral, adj. unikamerál,
may-iisáng-kámará.

unicellular, adj. uniselulár.

unicorn, n. kabayong may su-
ngay.

unification, n. unipikasyón,
pagsasang-ísahan.

uniform, n. uniporme.

unify, v. pag-isahín, papag-
káisahín.

union, n. unyón, hugpóng,
pagkakáisá.

unique, adj. tangì, bukód-ta-
ngì, waláng-katulad.

unison, n. katunóg, ugmâ.

unit, n. yunit, bahagì, pang-
kát, isá.

unite, v. pag-isahín, papag-
káisahín, magkáisá, pagsa-
mahin.

united, adj. pinagsama, pi-
nag-isá.

unity, n. kaisahán, pagkaká-
isá.

universal, adj. unibersál,
panlahát, pansansinuku-
ban, pandaigdíg.

universe, n. uniberso, sansi-
nukuban.

university, n. unibersidád,
pámantasan.

unjust, adj. di-makatarungan.

unkempt, adj. di-sukláy, ma-
gaspáng.

unkind, adj. malupít, waláng-
habág.

unknown, adj. di-kilala, di-
alám.

unlawful, adj. labág sa ba-
tás, ilegál.

unleash, v. alpasán.

unless, conj. maliban kung.

unlike, adj. di-katulad, mag-
kaibá.

unlikely, adj. waláng-kasigu-
ruhán, waláng-katiyakán.

unlimited, adj. waláng hang-
gán, waláng hangganan.

unload, v. magdiskargá, dis-
kargahín, mag-ibís, ibsán.

unlucky, adj. waláng-suwer-
te, sawî.

unman, v. papanghinain.

unmask, v. alisán ng máska-
rá, alisán ng balatkayô.

unmindful, adj. malimutín.

unmistakable, adj. di-mapa-
pagkámalán.

unnatural, adj. di-likás, di-
katutubò, artipisyál.

unnecessary, adj. di-kaila-
ngan.

unnerve, v. mawalán ng lo-
ób, masiraan ng loób.

unoccupied, adj. di-okupado,
waláng-ginágawâ.

unpack, v. magdisimpake, di-simpakihin.

unpacked, adj. disimpakado.

unpaid, adj. di-bayád, walá pang bayad.

unpalatable, adj. masamâ ang lasa.

unpardonable, adj. di-mapatátawad.

unpleasant, adj. di-magiliw, nakayáyamot.

unprecedented, adj. di-kapangyá-pangyari.

unprincipled, adj. di-ayon sa wastóng kabudhián.

unprofessional, adj. labág sa budhí ng propesyón.

unqualified, adj. waláng katangiang kinákailangan.

unquestionable, adj. di-mapúpuwíng sa pagtatalo, waláng-duda.

unreasonable, adj. walâ sa katwiran, di-makatuwiran.

unrelenting, adj. patuloy, waláng-tigil.

unroll, v. ikadkád, iladlád, ilatag.

unruly, adj. di-masupil, maguló.

unsafe, adj. mapanganib, piligroso.

unsanitary, adj. salaulà.

unscientific, adj. waláng-siyénsiyá, waláng-aghám.

unseat, v. alisín ṣa pagkakáupô.

unseen, adj. di-kita, lingíd tagô.

unselfish, adj. di-maimbót, di-mapag-imbót.

unsettle, v. alisín sa lugár, mangguló, guluhín.

unsheath, v. bunutin sa bayna, buṇutin sa kaluban.

unsightly, adj. pangit.

unskilled, adj. di-sanáy, di-bihasa.

unsophisticated, adj. simple, di-mapagkunwarî.

unspeakable, adj. di-masabi, di-maipahayág.

unstable, adj. di-matatág, di-matibay.

unsuitable, adj. di-bagay.

unsung, adj. di-nápapurihan, di-náparangalán.

unthinking, adj. di-nag-íisíp.

untidy, adj. limahíd, marumí, di-maingat.

untie, v. kalagín, kalasín.

until, prep./conj. hanggáng sa.

untimely, adj. walâ sa panahón, maaga.

untold, adj. di-masayod, di-maulatan.

untouchable, adj. di-mahipò, di-masalát.

untoward, adj. pampahirap, di-mabuti, masamâ.

untrue, adj. di-totoó, di-tu-
nay.

untruth, n. kasinungalingan,
kabulaanan.

untruthful, adj. sinungaling,
bulaan.

untutored, adj. di-naturuan,
mangmáng.

unused, adj. di-gamit, di-gi-
nágamit, di-bihasa.

unusual, adj. di-karaniwan.

unutterable, adj. di-mabig-
kás, di-maipahayág.

unveil, v. alisán ng kulubóng,
alisán ng talukbóng.

unwary, adj. di-maingat.

unwilling, adj. di-gustó,
ayaw.

unwind, adj. alisín sa pagka-
kaikid, ituwíd.

unwitting, adj. di-alám, wa-
láng-malay.

unworthy, adj. di-karapat-
dapat, di-bagay.

unwrap, v. alisán ng balot.

unwritten, adj. di-nakasulat,
di-násusulat.

up, adv. pataás, paitaás.
prep. sa itaás ng.

upbraid, v. murahin, kagali-
tan.

upbringing, n. pag-aalagà,
pagpapalakí.

upgrade, n. paakyát, pataás.

upgrade, v. itaás, iasenso, pa-
taasan ng urì, itaás ang
urì.

upheaval, n. trastorno, lin-
dól.

uphill, adj./adv. paakyát,
pabarangká.

uphold, v. tabanan, itaás, tu-
kuran, itaguyod, panindi-
gán, ayunan.

upholstery, n. tapisero.

upholstery, n. tapiseriya.

upkeep, n. pangangalagà.

upland, n. ilaya.

uplift, v. buhatin, iangát, pa-
taasín, patayugin, pabuti-
hin.

uplift, n. pag-aangát, pagta-
taás, pagpapabuti.

upon, prep. sa, sa ibabaw ng.

upper, adj. higít na mataás,
higít na pataás, nakatáta-
ás.

uppercut, n. aperkat, sapók.

uppermost, adj. pinakamata-
ás, pinakamatayog, ituk-
tók.

uppish, adj. hambóg, palalò.

upright, adj. tuwíd, nakatayô,
makatarungan, marangál.

uprising, n. ribulusyón, pag-
babangon, paghihimagsík.

uproar, n. kaguló, kaingáy,
linggál.

uproot, v. bunutin, ganutin,
labnutín.

upset, v. itaób, guluhín, itumbá.

upside, n. ibabaw.

upstairs, adv. sa itaás.

upstart, n. taong bigl
áng-taás.

upswing, n. pagtaás, pagtayog.

upward, adv. pataás, paitaás.

uranium, n. uranyo.

Uranus, n. Urano.

urban, adj. panlungsód, urbano.

urbane, adj. may urbanidád, magalang.

urbanity, n. urbanidád, mabuting kaugalián, pagkamagalang.

urchin, n. batang malikót, batang pilyo.

urea, n. urea.

uremia, n. uremya.

ureter, n. daáng-ihì, uréter.

urge, v. manghikayat, hikayatin, lumuhog, iluhog, itagubilin. n. panghihikayat. pagluhog, pagsamò, pagtatagubilin, simbuyó, silakbó.

urgent, adj. urhente, kailangan agád.

urinal, n. ihián, urinál.

urinary, adj. ukol (hinggíl) sa ihì (pag-ihì).

urinate, v. umihì.

urination, n. pag-ihì.

urine, n. ihì.

urn, n. urna.

ursa, n. osa.

urticaria, n. urtikarya, tagulabáy.

us, pron. (Incl.) tayo, atin, natin, (Excl.) kamî, amîn, namin.

usable adj. magagamit, gamitín.

usage, n. gamit, paggamit, ugali, kaugalián, pagkakágamit.

use, v. gumamit, gamitin. n. paggamit, pagpapagamit, kagamitán.

useful, adj. gamitin, may kagamitán, mapakikinabangan.

useless, adj. waláng kagamitán, waláng-kuwenta, inutil.

user, n. ang gumágamit.

usher, v. ihatíd, samahan. n. tagahatíd.

usherette, n. tagahatíd.

usual, adj. karaniwan, kináugalián.

usufruct, n. usuprukto.

usurer, n. usurero.

usurious, adj. usuraryo, labis magpatubò.

usurp, v. magamkám, kamkamín.

usurpation, n. pangangamkám.

usurper, n. mángangamkám.
usury, n. usurya.
utensil, n. kasangkapan.
uterus, n. matrís, bahay-batâ, bahay-guyà.
utilitarian, n./adj. utilitaryo.
utility, n. kagamitán, utilidád.
utilize, v. gamitin, utilisahín.
utmost, adj. kalayú-layuan, kádulu-duluhan, pinaká-.
Utopia, n. Utopya.

utter, adj. ganáp, lubós.
utter, v. bumigkás, bigkasín, magsalitâ, salitaín, papamutawiin, magpahayag, ipahayag.
uterrance, n. pagbigkás, pagsasalitâ, pamumutawì, pagpapapahayag.
utterly, adv. ganáp na ganáp, lubús-lúbusan, puspusan.
uxorious, adj. talusaya.

—V—

vacancy, n. bakante.
vacant, adj. bakante.
vacante, v. bakántihín, iwan, umalís.
vacation, n. bakasyón, pahingá, tigil.
vacationist, n. bakasyunista.
vaccinate, v. magbakuna, bakunahan.
vaccination, n. pagbabakuna.
vaccine, n. bakuna.
vacillate, v. mag-atubili, magálanganin.
vacillating, adj. atubili, nagpapatumpík-tumpík.
vacillation, n. pag-aatubili, pagpapatumpík-tumpík.
vacuity, n. tahaw, hawan, kawaláng-lamán, kabasiyu-

hán.
vacuole, n. ligatà.
vacuous, adj. waláng-lamán, di-punô.
vacuum, n./adj. bákuúm, weko.
vagabond, n. bagamundo, hampaslupà.
vagary, n. ikót, kalibután, sumpáng, kapritso.
vagina, n. (Anat.) bayna. (Bot.) talusok, kaluban.
vagrancy, n. bagánsiyá, paghahampaslupà.
vagrant, n. hampaslupà, taong-lagalág, adj. palaboy, lagalág.
vague, adj. malabò, di-tiyák.
vagus nerve, n. ugát na pa-

galà mulâ sa bungô, nérbi-
yó bagus, nérbiyó ng bu-
ngô.
vain, adj. waláng-halagá,
hambóg, waláng pangya-
yarihan, marangyâ.
vainglorous, adj. balunlugu-
rín, hambóg.
vainglory, n. balunlugód, ka-
kahambugán.
valance, n. senepa, palawít.
valediction, n. balediksiyón,
pamamaalam.
valedictorian, n. balediktor-
yan.
valedictory, adj. namáma-
alam. n. talumpating na-
mámaalam.
valence, n. balénsiyá, bagsík-
sama.
valentine, n. kasuyò, kasin-
tahan.
valet, n. bálet, kamarero.
valhalia, n. balhalá, bulwa-
gan ng mga bayani.
valiant, adj. matapang, magi-
ting.
valid, adj. bálidó, batay sa
katotóhanan, kapani-pani-
walà.
validate, v. báliduhín, big-
yáng-bisà, patotóhanan.
validity, n. balidés, kabisaan,
kairalan.
valise, n. maleta, maletín.
valkyrie, n. balkirya.

valley, n. lambák.
valor, n. giting, kagitingan.
valorous, adj. magiting, ma-
tapang, bayani.
valuable, adj. mahalagá, ma-
máhalin.
valuables, n. mga bagay na
mahalagá.
valuation, n. tasa, tasasyón,
pagbibigáy-halagá.
valuator, n. tasadór, taga-
pagbigáy-halagá.
valuation, n. tasa, tasasyón,
pagbibigáy-halagá.
value, n. balór, halagá, kaha-
lagahán, kagamitán.
valve, n. bálbulá.
vampire, n. bampiro, impak-
tong máninipsíp-dugô.
van, n. pángunahín, talibà.
van, n. ban, wegon.
vandal, n./adj. bándaló, ma-
ninirà.
vandalism, n. bandalismo,
paninirà.
vane, n. pabiling, girimpulà,
dahon, talím.
vanguard, n. talibà, pángu-
nahín.
vanilla, n. banilya, banila.
vanish, v. mawalâ, maparam,
pumanaw, mamatáy.
vanity, n. banidád, pagkawa-
láng-kabuluhán, pagkawa-
láng-katotóhanan.

vanquish, v. malupig, manlu-
lupig, lupigin.

vantage, n. bentaha, kahig-
tán, magandáng pagkaká-
taón.

vapid, adj. nakasingáw, na-
gíng panís, napanis, wa-
láng-lasa.

vapor, n. singáw.

vaporize, v. pasingawín.

vaporizei, v. pampasingáw,
baporisadór.

vaporous, adj. masingáw.

variable, adj. pabagu-bago,
paibá-ibá, sálawahan.

variance, n. pagkapabagu-ba-
go, pagkalaban-laban.

variant, adj. ibá. n. ibáng
anyô, kaanyô.

variation, n. baryasyón, pag-
iibáng-anyô.

varicose, adj. magá-magâ,
bukúl-bukól.

varied, adj. pabagu-bago,
ibá-ibá, sárisarì.

variegate, v. pagbagú-bagu-
hín, pag-ibá-ibahín.

variety, n. pagkaibá-ibá, sá-
risarì, urì.

various, adj. ibá, ibá't ibá,
ibá-ibá, sárisarì.

varlet, n. lakayo, pahe.

varnish, n. barnís. v. barni-
sán.

varnisher, n. barnisadór, ta-
gabarnís.

varsity, n. bársití, ("var-
sity").

vary, v. mag-ibá-ibá, magba-
gu-bago, magpaibá-ibá,
magpabagu-bago.

vascular, adj. baskulár.

vase, n. plorera, pasô.

vaseline, n. baselina.

vassal, n. basalyo.

vast, adj. malawak, mala-
kíng-malakí.

vastness, n. kalawakan, ka-
lakhán.

vat, n. tangké, bariles, kawa.

vatican, n. batikano.

vaudeville, n. bódabíl.

vault, n. balantók, arkó, lun-
dág, luksó.

vaulted, adj. binalantukán,
inarkuhán.

vaunt, v. maghambóg, mag-
palalò.

veal, n. karne ng guyà.

vection, n. pagkahawa, pag-
kalalin.

vector, n. hakot-mikrobyo,
bektór.

veep, n. pangalawáng pangu-
lo.

veer, v. magbago ng direk-
siyón, bumaling, lumihís.

vegetable, n. gulay.

vegetal, adj. behetál, pang-
gulay.

vegetarian, n./adj. kaing-gu-
gulay.

vegetate, v. kumain-tumubò.

vegetation, n. pananím, halaman.

vehemence, n. pagngangalit, silakbó, kapusukan.

vehement, adj. nagngángalit, masilakbó, mapusok.

vehicle, n. sasakyán, bihíkuló.

vehicular, adj. pansasakyán, bihikulár.

veil, n. belo, tabing, takíp. **v.** beluhan.

vein, n. gihà, lahang, lamat, lahid, bena, ugát.

velar, adj. ng (sa) ngalángalá.

vellum, n. papél belum.

velocity, n. liksí, dalî, bilís, tulin.

velum, n. ngalángalá.

velvet, n. tersiyupelo.

venalty, n. karawalan, kabalakyután.

vend, v. magbilí, magtindá.

vendee, n. ang pinagbilihán, ang mámimili.

vendor, n. magbibili, ang magtitindá.

vendetta, n. bendeta, higantí.

veneer, n. kapa, pangibabaw.

venerable, adj. kapintú-pintuhò, kapitá-pitagan.

venerate, v. pintuhuin, pagpitaganan.

veneration, n. pamimintuhò, pamimitagan .

venereal, adj. benéreó.

Venetian, n./adj. Benesyano.

vengeance, n. higantí, benggatibo.

venial, adj. benyál, mapatátawad.

venison, n. karníng-usá.

venom, n. kamandág, lason.

venomous, adj. makamandág, nakalálason.

vent, n. butas, lábasan, butas ng puwít.

ventilate, v. bentilahán, pahanginan.

ventilator, n. bentiladór.

ventral, adj. bentrál, abdominál, pantiyán.

ventricle, n. bentríkuló.

ventriloquism, n. bentrilokiya.

ventriloquist, n. bentríiokwó.

venture, n. bentura, pakasam, pakikipagsápalarán. **v.** magbentura, magpakasam, makipagsápalarán.

venturesome, adj. mapagpakipagsápalarán, mapagbakasakalî.

venturous, adj. pangahás.

venue, n. poók na nakakasásakláw.

venule, n. mga mumuntíng ugát.

Venus, n. Benus.

veracious, adj. makatotoó.

veracity, n. pagkamakatotoó, pagkatotoó.

verb, n. pandiwà, berbo.

verbal, adj. pandiwarì.

verbatim, adv. salitâ sa salitâ.

verbena, n. berbena.

verbiage, n. kaliguyan.

verbose, adj. masalitâ, maligoy.

verdant, adj. lungtián, berde, sariwà.

verdict, n. beredikto, palyo, pasiyá.

verdure, n. kalungtián, kaberdehán.

verge, n. gilid, tabihán, hanggán, bingit.

veridical, adj. beridikó, totoó, tunay.

verify, v. hanapin ang patotoó, beripikahán.

verisimiltude, n. pagkaanimo'y totoó.

vermicelli, n. pideos.

vermicular, adj. parang bulati.

vermiform, adj. anyóng bulati.

vermifuge, adj./n. gamót sa binubulati.

vermillion, n./adj. bermelyón.

vermin, n. mga mumunsík na

hayop.

vermouth, v. bermút, "vermouth".

vernacular, adj. bernakulár, katutubò, lokál, n. inangwikà.

vernal, adj. primabernál, bernál.

versatile, adj. bersátil.

versatility, n. bersatilidád.

verse, n. berso, tulâ.

versicle, n. bersíkulò.

versification, n. bersipikasyón, pagtulâ.

versify, v. magberso, bumerso, tumulâ.

version, n. bersiyón, salin, saling-wikà.

versus, prep. laban sa, kontra.

vertebra, n. bertebra, butóng gulugód.

vertebrate, n./adj. maygulugód.

vertex, n. taluktók, ituktók.

vertical, adj. bertikál, patayô.

vertigo, n. hilo, liyó.

verve, n. talino, siglá, buhay.

very, adj. adv. nápaká-.

vesical, adj. (Anat.) besikal, ukol sa pantóg.

vesicle, n. orasyón.

vessel, n. sisidlán, lalagyán, sasakyáng-dagat, sasakyáng-pinalílipád, tálaytayan, ugá.

vest, n. tsaleko.

vested, adj. ganáp, lubós.

vestibule, n. bestíbuló, pasilyo.

vestige, n. bakás, dastô, palátandaan.

vestment, n. kasuután, karamtan.

vestry, n. sákristiya, bestuwaryo.

veteran, n. beterano.

veterinarian, n. beterinaryo.

veto, n. beto, **v.** betuhan.

vex, v. mangyamót, yamutín, mang-inís, inisín.

vexation, n. yamót, pagkayamót, pagkainís.

viadict, n. tuláy.

vial, n. muntíng bote, ampolyas.

viand, n. biyanda, ulam.

viaticum, n. biyátikó.

vibrant, adj. tumítibók, masidhâ, matagintíng.

vibrate, v. mangatál, mangi-níg, magpatayun-tayon, tumibók.

vicar, n. bikaryo.

vice, n. bisyo.

vice, prep. sa halíp ng (ni), sa lugár ng (ni).

vice, pref. bise.

viceroy, n. biréy.

vicinity, n. kapitbahayán, kanugnóg, poók na malapit.

vicious, adj. bisyoso, mabisyo.

vicissitude, n. pagsusunúdsunód, paghahalí-halili, pagbabagu-bagong kapalaran.

victim, n. bíktimá.

victimize, v. biktimahín.

victor, n. ang nagwagí, ang nagtagumpáy.

victorious, adj. mapagwagí, mapanagumpáy.

victory, n. biktorya, pagwawagí, tagumpáy.

victuals, n. pagkain.

video, adj. bídeó. **n.** telebisyón.

vie, v. makipagpáligsahan, makipaglaban.

Vietnamese, n., adj. Biyetnamés. (Vietnamese).

view, n. tingín, pagtingín, pagmamasíd, tanáw, pagtanáw, kuru-kurò, paningín, pananáw, tanawin, larawan, palagáy, **v.** tanawín, tingnán, malasin, masdán.

viewpoint, n. paningín, pananáw, palagáy.

vigesimal, adj. bihesimál, ikadalawampú.

vigil, n. bantáy, pagbabantáy, lamay, paglalamay.

vigilance, n. bihilánsiyá, maingat na pagbabantáy.

vigilant, adj. mapagbantáy, mapangalagà.

vignette, n. muntíng larawang pampalamuti, binyeta.

vignettist, n. binyetista.

vigor, n. lakás, kalakasán, kakayahán, kasiyahán, kalusugán.

vigorous, adj. malakás, masigyá, malusóg.

vile, adj. mababà, hamak, imbí, makasalanan marumí.

villify, v. hamakin, siraangpuri.

villa, n. bilya.

village, n. nayon, baryo.

villager, n. taganayon, tagabaryo.

villain, n. buhóng, kontrabida.

vindicate, v. patibayan ang katwiran, ipagtanggól.

vindictive, adj. mapaghigantí, benggatibo.

vine, n. baging, ubas.

vinegar, n. sukà.

vineyard, n. binya.

vintage, n. gulang ng alak.

violate, v. lumabág, labagín, lumapastangan, lapastanganin.

violation, n. paglabág, pag-

lapastangan, paghalay.

violence, n. dahás, pagdarahás.

violent, adj. marahás, mapusók.

violet, n./adj. biyuleta.

violin, n. biyulín.

violinist, n. biyulinista.

violoncello, n. biyulonselo.

viper, n. bíborá.

virago, n. birago, amasón.

virgin, n./adj. birhen, dalaga.

virile, adj. maypagkalalaki, biríl, lalaki.

virility, n. pagkalalaki, birilidád.

virtue, n. birtúd, kalinisangbudhî, bisà, kalinisangpuri.

virtuoso, n. birtuwoso.

virtous, adj. mabirtúd, dalilisay, mabisà, morál.

virulent, adj. makamandág.

virus, n. birus, lason, kamandág.

visa, n. bisa, tulot-pasok.

visage, n. pagmumukhâ, itsura.

viscera, n. binubong.

viscid, adj. malagkít.

viscosity, n. lagkít, kalagkitán.

viscount, n. biskonde.

vise, n. ipitán.

visibility, n. linaw ng tanáw.

visible, adj. kita, halatâ, ha-

yág, nákikita.
vision, n. bisyón, malikmatà, imahinasyón, malas, pangarap, larawan, tingín.
visit, n. dumalaw, bumisita. **n.** pagdalaw, pagbisita.
visitor, n. bisita, dalaw, panauhin.
vital, adj. mahalagá sa buhay.
vista, n. bista, mahabang tanáw, malayong tanáw.
visual, adj. biswál, paningin, pampaningín, sa tingin, sa tanáw.
visualize, v. larawanin, ilarawan sa isip, biswalisahín.
vitality, n. bítaliád, buhay, tatág, siglá, lakás,
vitalize, v. bigyáng-buhay, bigyáng-lakás.
vitamin, n. bitamina.
vitiate, v. lalinan, hawahan, sirain, hamakin, iligáw, alisán ng bisà.
virtreous, adj. sa bubog, ng bubog, parang bubog, malabubog.
vitrescent, adj. mabúbubog, magágawáng-bubog.
vitrify, v. gawíng bubog.
vituperate, v. mang-alimura, alimurahin, laitin, tungayawin.
vituperation, n. alimura, la-

it, tungayaw.
vivacious, adj. bibo, masiglá, masayá.
vivacity, n. kabibuhan, kasiglahán, pagkamasayá.
vivid, adj. buháy, parang buháy, matingkád, malinaw na malinaw.
vivify, v. papagmukhaíng-buháy.
viviparous, adj. bibíparo, mánganganakbuháy.
vivisection, n. bibiseksiyón. pagtistís sa hayop na buháy.
vixen, n. sora, babaing matangas.
vocabulary, n. bokabularyo, talasálitaan.
vocal, adj. pantinig, maytinig, matinig, pasalitâ, masalitâ.
vocalist, n. mángangantá, mang-aawit.
vocalization, n. bokalisasyón.
vocation, n. bokasyón.
vocative, adj. bokatibo, patawág.
vocational, adj. bokasyonál, panghanapbuhay.
vociferous, adj. mabungangà, maingay.
vodka, n. bodka.
vogue, n. moda, uso, istilo.
voice, n. tinig, boses, boto, karapatáng magsalitâ.

void, adj. waláng-lamán, nulo, waláng bisang-legál. **v.** nuluhin, pawaláng-bisà.

volatile, adj. bolatíl, madalíng sumingáw, madalíng maigá, pabagu-bago.

volcano, n. bulkán.

volcanologist, n. bulkanólogó.

volcanology, n. bulkanolohiya.

volition, n. kaloobán, pagloloób, pasiyá, sariling pasiwák.

volley, n. sibad, putók, bulyá.

volleyball, n. bóliból.

volt, n. bóltiyó, bolt.

voltage, n. boltahe.

voluble, adj. masalitâ, madaldál.

volume, n. aklát, tomo, bulumen, bulto.

voluminous, adj. makapál, mahabang mahabà.

voluntary, adj. kusà, kusangloób.

volunteer, n. boluntaryo, taong prisintado. **v.** magbuluntaryo, magprisintá.

vomit, v. sumuka, magsuká, isuka.

voodoo, n. budu, mangkukulam.

voodooism, n. pangkukulam.

voracious, adj. masibà, matakaw.

vortex, n. ípuipo, úliulì.

votary, n. deboto.

vote, n. boto, halál. **v.** bumoto, iboto, ihalál.

votive, adj. pamanata, hinggil sa panata.

vouch, v. sumaksí, saksihán, magpatunay, patunayan.

voucher, n. báutsér, komprobante.

vouchsafe, v. itulot, loobín.

vow, n. panata, pangakò, debosyón.

vowel, n. patinig, bokál.

voyage, n. paglalayág, paglalakbáy.

vulcanization, n. bulkanisasyón.

vulcanize, v. bulkanisahín.

vulgar, adj. bulgár, magaspáng, mahalay, mababà.

vulnerable, adj. madalíng masugatan, bulnerable.

vulnerary, adj. pampabahaw (ng sugat).

—W—

wabble, v. gumiray-giray, sumuray-suray.

wacky, adj. nahíhibáng.

wad, n. piraso, bilot, bugál. v. bilutin.

wadding, n. wading, pading.

waddle, v. kumampáng-kampáng.

wade, v. tumawíd, magpansáw, maglunoy.

wafer, n. apa, biskuwít-apa.

waff, n. samyô, kawáy, wasiwas.

waffle, n. "waffle".

waft, v. palutangin, paliparín, iwasiwas, n. dapyó, iwasiwas, n. dapyó, simoy, hihip.

wag, n. ikawág, paypáy.

wage, n. sahod, bayad, upa.

wage, v. mandigmâ, digmaín.

wager, n. pustá, tayâ, pagbabakasakalì.

waggle, v. sumuray, gumiray, gumiwang, magpatagí-tagilid, kumawág, pumayupoy.

wagon, n. karo, bagón.

wagoner, n. karetero.

wagonette, n. baguneta.

waif, n. nápulot, naligaw.

wail, v. managhóy, manambitan, mamighatî, duma-

íng. n. taghóy, panambitan, himutók, daíng.

waist, n. baywáng.

wait, v. maghintáy, hintayín, ipaghintáy, papaghintayín. n. paghihintáy.

waiter, n. serbidór, serbiyente, serbidora.

waive, v. ipalamáng, ipaubayà, talíkdán, itakwíl, iwaksí.

waiver, n. renúnsiyá.

wake, n. agwahe, alimbukáy, daanán, landás.

wake, v. mágisíng, gisingin, magpuyát, maglamay, n. pagpupuyát, paglalamay.

wakeful, adj. di-mákatulóg.

waken, v. mágisíng, pukawin, gisingin.

wale, n. latay.

walk, v. lumakad, maglakád, lakarin. n. lakad, hakbáng, urì.

walkaway, n. magaáng pananalo.

walker, n. tagalakad.

walkie-talkie, wókitoki, "walkie-talkie".

walkout, n. aklasan, welga.

wall, n. padér, kutà, dingdíng, tabike, harang. v. bakuran, tabikihan, ding-

dingán, paderán.

wallboard, n. pohas, pandingdíng.

wallet, n. kartera, pitakà.

wallflower, n. pamutas-silya.

wallop, n. malakás na suntók.

wallow, v. maglublób, maglunoy.

walnut, n. nugales.

walrus, n. seacow, bakangdagat, walrus.

waltz. n. balse. **v.** magbalse.

wampum. n. wampum, abaloryo.

wan, adj. malabò. malamlám.

wand, n. baras, barita.

wander, v. maglagalág, gumalà, magpagala-galà.

wanderer, n. taong-libót. taong-galâ.

wanderlust, n. katí ng paá.

wane, v. lumiít, umuntî, manghinà, magtapós, lumamlám.

wangle, v. makalusót, makaligtás.

want, v. magkulang, mangailangan, naisin. **n.** kakulangán, pangangailangan, paghahangád.

wanton, adj. walang-tarós, mahalay.

war, n. digmâ, labanán, pagbabaka. **v.** digmaín, magdigmaan, mandigmâ.

warble, v. magpatrémuló. yumodel.

ward, n. poók na may bantáy, sangáy, purók. alagà. tagapag-alagà. **v.** magbantáy, bantayán. magtanggól, ipagtanggól. magsanggaláng, ipagsanggaláng.

warden, n. warden. karselero. alkayde.

wardrobe, n. guwardaropa. aparadór.

ware, n. kalakal, tindá, kagamitán.

warehouse, n. bodega, pintungan.

warfare, n. pagdirigmaan, paglalabanán.

warlike, adj. mahilig sa digmaan, mapandigmâ.

warlock, n. mangkukulam.

warm, adj. mainit, magiliw, taós-pusò. **v.** uminit, painitin, mainitan.

warmonger, n. mánunulsóldigmâ.

warmth, n. init, kainitan.

warn, v. papag-ingatin, paalalahanan, babalaán.

warning, n. babalâ.

warp, n. kibal, kiwal, kibang, sulid, hiblà. **v.** kumibal, kumiwal, kumibang, mamilipit, mamaluktót. ilisyâ, iligáw, pilipitin. ibahíng-hugis.

warpath, n. daán ng mandirigmâ, diwang mapandigmâ.

warplane, n. eruplanong pandigmâ.

warant, n. autorisasyón, pahintulot, utos, patunay. **v.** garantiyahan, autorisahán, patunayan.

warren, n. kulungán ng kuneho.

warrener, n. kunehero.

warrior, n. mandirigmâ.

warship, n. sasakyáng-dagat na pandigmâ.

wart, n. kulugó, butíg.

wary, adj. maingat, maalagà.

wash, v. maghugas, hugasan.

washable, adj. malálabhán.

washboard, n. kuskusang panlabá.

washbowl, n. palanggana.

washcloth, n. bimpo, panyúdimano, basahan.

washed-out, adj. kupás.

washed-up, adj. patapón na.

w a s h e r, n. tagahugas. (Mech.) anilyo, kitsé.

washerman, n. labandero.

washing, n. paghuhugas, wawash-out, n.** agnás, pagkaagnás.

washroom, n. labatoryo.

washstand, n. patungán ng palanggana.

wasp, n. putaktí.

waste, adj. tapon, itinapon, di-ginágamit, **n.** tapon, pag-aaksayá, pagtatapón, basura, dumí, **v.** magtapon, mag-aksaya, aksayahín.

wastebasket, n. básuraháng basket.

wasteful, adj. aksayá, mapag-aksayá.

wastrel, n. taong mapag-aksayá, gastadór.

watch, n. kronómetró. relós, orasán.

watch, v. magbantáy, bantayán, umabáng, abangán, mag-ingat, pag-ingatan, magmasíd, tambangán, **n.** pagbabantáy, pagmamasíd, bantáy.

watchful, adj. mapagbantáy, maalagà, maingat.

watchmaker, n. riluhero.

watchman, n. bantáy, tanod.

watchtower, n. bánayaban, bantayan.

watchword, n. kontrasenyas.

watchwork, n. mekanismo ng rilós.

water, n. tubig. **v.** basaín, magdilíg, diligín.

watercourse, n. daán ng tubig, agusán.

watercraft, n. sasakyáng pantubig.

waterfall, n. talón.

wateriness, n. pagkamatubig, pagka-maybantô.

watermark, n. guhit ng lubóg sa tubíg, taták-tubíg.

watermelon, n. pakwán.

watery, adj. malabnáw.

watt, n. batyo.

wattage, n. batiahe, batyaho.

wave, n. alon, daluyong, kulót, v. wumagaywáy, pumagaspás, kumawáy, ikawáy, iwasiwas.

waver, v. mag-ulik-ulik, mag-atubilì, sumuray, manginíg, umandáp-andáp.

wavy, adj. maalon, alún-alón, kulót, ·kulút-kulót.

wax, v. lumakí, dumami, lumakás, sumiból.

wax, n. waks, sera.

waxen, adj. desera, plastik.

waxwork, adj. pigurang desera.

way, n. direksiyón, dako, ruta, daán.

waybill, n. papél na ruta.

wayfarer, n. manlalakbáy, taong dumaraán.

waylay, n. mang-abát abatán, mangharang, harangan.

waylayer, n. mang-áabát, manghaharang.

wayside, n. tabíng-daán.

wayward, adj. layáw, suwa-

íl, pabagu-bago, di-ináasahan.

wayworn, adj. pagód na sa kálalakbáy.

we, pron. tayo, kamí, (the two of us) katá.

weak, adj. mahinà, mahunâ, waláng-kapangyarihan, waláng-bisà.

weaken, v. pahinain, manghinà, huminà.

weakling, n. taong may mahinang katawán, taong may mahinang utak.

weal, n. kabutihan, kagálingan.

wealth, n. yaman, kayamanan.

wealthy, adj. mayaman.

wean, v. awatin, iwalay.

weaning, n. pag-awat, pagwawalay.

weapon, n. sandata, armás.

wear, v. magsuót, isuót, magastado, n. pagsusuót, pagkakápagsuót.

wearisome, adj. nakapápagod, nakákainíp.

weary, adj. pagál, napápagál, iníp, naiiníp, suyâ, nasúsuyà.

weather, n. panahón, klima, v. pahanginan, malusután, maligtasán.

weatherboard, n. tablá-sulapa.

weathercock, n. pabiling, girimpulá.

weathercock, adj. kupás sa panahón.

weathering, n. agnás, pagkaagnás.

weatherman, n. meteorólogó.

weatherproof, adj. maykontra-panahón.

weave, v. humabi, habihin, lumala, maglala, lalahin, n. habi, lala, wanlâ.

weaver, n. manghahabi, tagahabi, manlalala, tagalala.

web, n. tela, kayo, bahay-alalawà, bahay-gagambá.

wed, v. mag-asawa, pakasál, makipag-isáng-dibdíb.

wedding, n. kasál, pagkakasál, kasalan.

wedge, n. kalang, kalso.

wedlock, n. matrimonyo, pag-aasawa, pagkakasal.

Wednesday, n. Miyérkulés.

wee, adj. muntî, munsík.

weed, n. damó, damóng gamasín, v. maggamas, gamasan.

weedy, adj. madamó.

week, n. linggó.

weekly, adj. lingguhan.

weep, v. umiyák, lumuhà, tumangis, manangis.

weevil, n. bukbók.

weigh, v. magtimbáng, tim-

bangín.

weight, n. bigát, timbáng, halagá, kahalagahán, v. pabigatín.

weighty, adj. mabigát, mahalagá.

weird, adj. nakasisindák, mahiwagà.

welcome, intrj. maligayang pagdatíng.

welcome, adj. nakalúlugód, maluwág na tinatanggáp, n. magiliw na pagtanggáp, tanggapíng magiliw.

weld, v. manghinang, ihinang, magwelding, weldingín, iwelding.

weldor, n. manghihinang, tagahinang, magwewelding, tagawéldìng.

welfare, n. kagálingan, kabutihan.

well, n. balón, balong, bukál.

well, adj. mabuti, magalíng, bagay, dapat, malusóg.

well, adv. mahusay, magalíng.

welt, n. tupî, lupî tutóp.

welter, v. maglublób, gumumon, magpakagumon, magkagulú-guló, n. guló, ligalig.

wen, n. butlíg.

wench, n. dalagita, dalaga.

wend, v. tumungo.

west, n. kanluran, oeste.

westerly, adj./adv. pakanlurán, kanluranín.

westward, adj./adv. pakanlurán, dakong kanluran.

wet, adj. basâ.

wetness, n. pagkabasâ.

whack, n. bugbóg, tagupák.

whale, n. balyena.

wharf, n. pantalán, piyér.

what, pron./adj. anó.

whatever, pron. anumán, (anó man).

whatsoever, pron. anumán. kahit anó.

wheat, n. trigo.

wheel, n. gulóng, ruweda.

wheelbarrow, n. karetilya.

wheeze, v. humingasing, sumingasing.

whelp, n. tutâ. kuwâ.

when, adv. kailán, kung kailán, **adj. pron.** kailán.

whence, adv. kung saán nagmulâ.

whenever, adv. conj. kailanmán, kailán man.

where, adv./conj. saán, kung saán, **pron.** saán.

whereabouts, n. kinalálagyán, kinatátayuán.

whereas, conj. yayamang, sapagkát, sa gayón, gayóng ang totoo'y.

wherat, adj, tungo sa, sa dahiláng.

whereby, adv. sa pamamagi-

tan ng.

wherefore, adj. sa anóng dahilán.

wherein, adv. poók na kakikitaan noón.

wherever, adv. saanmán, (saán man).

whet, v. maghasà, patalasin, patalimín.

whether, conj. kung, **pron.** alinmán (alin man).

whethertone, n. batóng hasaán.

whey, n. suwero.

which, pron. alín, **conj.** na.

whichever, adv. alinmán, (alín man) kahit alín.

whiff, n. bugá, simoy, singáw.

while, n. sandalî, sandalíng panahón, **conj.** samantalà, habang. **v.** magparaán ng oras.

whim, n. kapritso, sumpóng.

whimper, v. umingít, humikbî.

whimsical, adj. makapritso, sumpungin.

whine, v. humaluyhóy, haluyhóy.

whinny, v. humalinghíng.

whip, n. látikó, pamalò, látikuhín, paluin.

whir, v. humaging. **n.** haging.

whirl, v. uminog, mahilo, maliyó. **n.** ikit, ikot, inog.

hilo, liyó.

whirlpool, n. puyó sa dagat.

whirlwind, n. ípu-ipo, buhawì.

whisk, n. pagwawalís, palís, v. walisín, palisín.

whisker, n. balbás, patilya, bigote.

whiskey, n. wisky.

whisper, n. bulóng, v. bumulóng.

whisperer, n. ang bumúbulóng.

whispering, adj. bumúbulóng.

whistle, n. sipol, silbato, pitada, v. sumipol, sumilbato, pumitada.

white, n. putî, blangko, adj. maputî, blangko.

whiten, v. magpaputî, paputiín, pumutî, mamutî.

whitener, n. pampaputî.

whiteness, n. kaputián.

whitewash, n. pintáng putî, v. pintahán ng putî.

whither, adv. pasaán.

whiting, n. tisa, yeso.

Whitsunday, n. Linggó ng Pentekostés.

whittle, n. magkayas, kayasin, kayasan.

who, pron. sino.

whoever, pron. sínumán, sinumán, sino man.

whole, adj. buô, ganáp, kom-

pleto, lahát.

wholehearted, adj. buóng-pusò.

wholesale, n. pakyáw, pakyawan, aáp.

wholesome, adj. nakabúbuti, nakapagpápabanál, matinô, masanlíng.

wholly, adv. buúng-buô, lubós, láhatan.

whoop, v. sumigáw, humiyáw, n. sigáw, hiyáw.

whore, n. puta.

whorl, n. likaw.

whose, pron. kanino.

whosoever, pron. kanínumán, kanino man.

why, adv, bakit, sa anong dahilán, intrj. abá!

wick, n. mitsá.

wicked, adj. masamâ, buhóng, buktót, nakaáaní, makasalanan.

wickedness, n. kasamaán, kabalakyután.

wicker n. uwáy, yantók.

wickerwork, n. yaring-uwáy, yaring-yantók.

wicket, n. muntíng pintô, muntíng tárangkahan.

wide, adj. malawák, malapad maluwáng.

widen, v. paluwangin, palaparin, lumuwáng, lumapad.

widow, n. biyuda, balong babae.

widower, n. biyudo, balo.

width, n. luwáng, lapad.

wield, v. humawak, hawakan, gumamit.

wife, n. esposa, asawa.

wig, n. peluka, buhók na pustiso.

wiggle, v. mamaluktot, mamilipit, pumayupoy, ipayupoy.

wiggler, n. kitíkití.

wigwag, v. iwagaywáy, iwasiwas.

wigwam, n. wigwam.

wild, adj. ligáw, iláng, labuyò, mailáp, di-sibilisado, waláng-pigil.

wildcat, n. musang.

wilderness, n. desyerto, iláng

wildfire, n. malakíng sunog.

wile, n. linláng, laláng, dayà.

will, n. kaloobán, nais, hangád, utos, testamento, habilin, v. iutos, ipamana, nasain, naisin, ıoobán.

willful, adj. sinadyâ, kusà, matigás ang ulo.

willing, adj. payag, pumayag, kusà.

wilt, v. malantá, maluóy.

wilted, adj. lantá, luóy, laíng, unsiyamî.

wily, adj. malinláng, malaláng, madayà.

wimble, n. pambutas.

wimple, n. pandóng, taluk-

bóng.

win, v. magwagí, manalo, magtagumpáy, makakuha, magtamó.

wince, v. umudlót, umigtád, umurong, umilag.

winch, n. malakatè.

wind, n. hangin.

wind, v. pilipitin, ipulupot, ilikaw, ikirin, iikid, ibilibíd, ibidbíd.

windbag, n. búlulusan, taong mahangin ang tiyan.

windbreak, n. pananggá sa hangin.

winded, adj. naháhanginan, hingal, humíhingal.

windfall, n. laglág ng hangin.

windlass, n. mutón.

windmill, n. mulino, gilingáng pihit ng hangin.

window, n. bintanà, dúrungawán.

windpipe, n. trákeá, lalaugan.

windshield, n. parahangin, sanggá sa hangin.

windstorm, n. bagyóng hangin.

windward, adv. dakong mahangin.

windy, adj. mahangin.

wine, n. alak.

wineglass, n. kopa ng alak.

winery, n. álakan.

wing, n. pakpák, bagwís, ala.
v. lumipád.

winged, adj. maypakpák, matayog, matulin.

wingless, adj. waláng-pakpák.

winglet, n. muntíng-pakpák.

wingspread, n. dipá ng pakpák.

wink, v. kumisáp, kumuráp, kumindát, umandáp-andáp, kumutí-kutitap. n. kisápmatá, saglít, kisáp, kindát, pikít, idlíp.

winnow, v. magtahíp, maghungkóy.

winsome, adj. kalugúd-lugód, masayá, kaakit-akit.

winter, n. taglamíg, winter.

wipe, n. magpunas, punasan, pahirin, punasin, kuskusín.

wiper, n. panlinis, wayper, pamunas, pamawì.

wire, n. kawad, alambre, kable, kuwerdas, telegrama.

wiring, n. instalasyón ng mga kawad.

wiry, adj. maigkál, malitid, matibay, matatág.

wisdom, n. alam, dunong, katalasan, baít.

wise, adj. maalam, marunong.

wiseacre, n. taong mapagdunúng-dunungan.

wisecrack, n. birong may patamà.

wish, n. nais, nasà. v. magnais, naisin, magnasà nasain.

wishbone, n. butó ng pitsó.

wisp, n. tingtíng, piraso, pilas, dayami, uhay ng damó.

wistful, adj. maasahín.

wistfulness, n. pagkamaasahín.

wit, n. talino, katalinuhan, katalasan, pagkamapagpatawá.

witch, n. bruha, mangkukulam.

witchery, n. pangkukulam, panggagaway.

with, prep. kasama ng (ni) kapantáy ng (ni).

withdraw, v. bawiin, pabalikín, iurong.

wither, v. malantá, matuyô, maluóy.

withhold, v. pigilin, bimbinín.

within, prep. sa loób, sa loób ng.

withstand, v. malabanan, mapaglabanan, matagalán, matiís.

witness, n. saksí, testigo, v. sumaksí, tumestigo, saksihán, masaksihán, maging saksí.

witticism, n. kasistihán, paninisté.

witty, adj. matalinong mag-
salitâ, matalas, masisté.

wizard, n. mangkukulam, ma-
go, pantás.

wizardry, n. pangkukulam,
pangungulam, galíng sa
máhiyá.

wizened, adj. hukluban, tu-
yót.

wobble, v. sumuray, gumi-
ray, umugâ.

wobbly, adj. sumúsuray, pa-
suray-suray.

woe, n. hirap, dusa, pighatî.

woeful, adj. lipós-dusa, mahi-
rap.

wolf, n. lobo, palikero.

wolfish, adj. asal-lobo.

woman, n. babae.

womanish, adj. malababae,
binabae.

womanly, adj. mayumì, ma-
amò.

womb, n. uterus, bahay-batà.

wonder, n. pagtataká, pagka-
manghâ, kababalaghan, v.
v. mámanghâ, mabaghán.

wonderful, adj. kahanga-ha-
ngà.

wonderland, n. lupaíng kagi-
lá-gilalas.

wont, n. ugali, kaugalián, ga-
wí, kinagawián.

woo, v. manligaw, ligawan,
manuyò, suyuin.

wooing, v. pagligaw. n. pan-
liligaw, suyò, panunuyò.

wood, n. kahoy, tablá, pang-
gatong.

wood craft, n. karpinteriya.

wood craftsman, n. karpinte-
ro, alwagi.

wood cut n. grado ng kahoy.

woodland, n. kakahuyan.

woodman, n. mángangahoy,
manggugubat.

woodpecker, n. ibong mánu-
nuktók.

woodpile, n. talaksán.

woodwork, n. karpinteriya.

wool, n. lana.

woolen, adj. delana.

word, n. salitâ, sabi, paha-
yag, sermón.

wordy, adj. masalitâ, mali-
goy.

work, n. gawain, trabaho,
tungkulin, hanapbuhay. v.
gumawâ, magtrabaho, mag-
paandár, paandarín.

workbench, n. kabalyete.

workbook, n. aklat, talaan ng
paggawâ, aklát-gawain.

worker, n. manggagawà.

workmanship, n. kabutihang
gumawâ.

workshop, n. gáwaan.

world, n. daigdig, mundó.

worldly, adj. makamundó,
makalupà.

worm, n. bulati.

wormwood, n. (Bot.) ahenho.

worn-out, adj. gasgás, gastado.

worry, n. balisa, kabalisanhán, balino, tigatig. v. mabalisa, mabagabag, mabalino, matigatig.

worse, adj. lalong masamâ.

worship, n. pagsambá, pintuhò, pamimintuhò, v. sumambá, sambahín, mamintuhò, pintuhuin.

worst, adj. pinakamasamâ.

worsted, n. estambre.

worth, n. halagá, presyo, katumbás, adj. karapat-dapat, nagkákahalagáng...

worthless, adj. inutil, waláng kagamitán.

worthwhile, adj. kapakí-pakinabang.

worthy, adj. marapat, karapat-dapat.

wound, n. sugat, v. manugat, sugatan.

wow, intrj. wów!

wrangle, v. magtaltalan, magbangayán.

wrap, v. magbalot, balutin.

wrap, n. balabal, abrigo.

wrapper, n. pambalabal.

wrath, n. galit, pagkagalit, poot, kapootán.

wrathful, adj. galít na galít, nagngángalit.

wreath, n. likaw, bilog; gir-

nalda.

wreathe, v. maglikaw-likaw, mangulubót,.mamulupot.

wreck, n. pagkabagbág, paglubog, v. gibain, ıgibâ, wasakín, lansagín.

wrecker, n. tagagibâ, tagalanság.

wrench, v. bunuting pawaíl. pilipitin, wailin, n. pagpilipit, pagwail, liyabe, tuwerka, liyabe-de-paso, balingangà.

wrest, v. mangagaw, agawin.

wrestle, v. magbunô, makipagbunô, bunuín.

wrestler, n. mambubuno.

wrestling, n. bunô, pagbubunô.

wretch, n. taơng imbî, taong marumal.

wringer, n. tagapigâ, pampisuklám.

wriggle, v. magpapilí-pilipit, magpabalú-baluktót.

wriggler, n. kitíkiti.

wring, v. pigaín, pilipitin.

wringer, n. tagapigâ, pampigâ, pigaan.

wrinkle, n. kulubót, kunót. v. mangulubót, mangunót.

wríst, n. pupulsuhan, galánggalangán.

write, v. sumulat, magsulát, sulatin, manulat.

writer, n. mánunulát.

---

writhe, v. magkálikaw-likaw, magkábalú-baluktót, pilipitin, mamilipit.

writing, n. sulaṭ, titik, sinulaṭ, akdâ.

written, adj. nakasulat, nakalimbág.

wrong, adj. malî, sala, nagkakásala, di-tumpák, di-totoó. n. gawáng-malî, gawáng masamâ, gawán ng masamâ, apihín, usigin.

wrongdoer, n. taong masamâ ang gawâ.

wrongdoing, n. masamáng gawâ.

wrought, adj. nilabrá, pinalamutihan, hinugisan, pinandáy.

wry, adj. ngiwî, nakangibit; baluktót.

wryneck, n. palíng.

—Y—

yacht, n yate, v. magyate.

yachting, n. pagyayate.

yachtsman, n. mañyayate.

yachtsmanship, n. panyayate.

yam, n. tugî, lamî.

yank, v. labnutín, halbutín.

yankee, n. yangki.

yap, n. tahól, kahól, yapyáp. v. tumahól, kumahól, yumapyáp.

yard, n. yarda.

yarn, n. sulid, kuwento.

yawn, n. hikáb, paghikáb siwang, puwáng, v. humikáb, maghihikáb.

yaws, n. prambesya, mga butlíg-butlíg na nagnánaknák.

year, n. taón.

yearbook, n. táunang-aklát, ánwal.

yearling, n., adj. sasantaunín.

yearlong, adj. santáunan.

yearly, adj. taún-taón, adv. minsan sa santaón, minsan isáng taón.

yearn, v. pitahin, manabík, naisin.

yearning, n. pita, pananabík.

yeast, n. lebadura, pampaalsá.

yegg, n. magnanakaw, mañgaakyát.

yell, n. palahaw, sigáw, hiyáw, v. pumalahaw, sumigáw, humiyáw.

yellow, adj. diláw, madiláw, sensasyonál, duwág, matakutín, sukáb.

yellowish, adj. naninilaw, maniláw-niláw.

yelp, n. kahól, tahól, takín,

v. kumahól, tumahól, tu-
makín.

yen n. yen.

yen, n. (Slang). hangád, pa-
nanabík.   v.   maghangád,
hangarín.

yeoman, n. taong malayà, ka-
tulong.

yes, adv. oo, opò; ohò.

yesterday, n./adj./adv. ka-
hapon, ang nakaraán.

yet, adv. pa, muna. conj. ga-
yunmán (gayón man) ga-
yunpamán(gayón pa man).

yield, v. magbunga, mamu-
nga, magbigáy-pakinabang,
pagtubuan, sumukò, isukò,
magbigáy-daán. n. produk-
to, tubò, ani, yarì, pakina-
bang.

yodel, n. yodel. v. yumodel,
magyodel.

yoga, n. yoga.

yogi, n. yogi.

yoke, n. pamatok, paód pani-
nilbihan, kabusabusan.

yolk, n. pulá (ng itlóg).

yonder, adv. iyón, yaón.

yore, n. dating panahón.

you, pron. ikáw, (postposi-
tive) ka, (honorific) kayó.

young, adj. batà, murà, wa-
láng-karanasan, n. kabata-
an.

your, yours, pron. iyó, (post-
positive;   mo)   pl.   inyó
(postpositive; ninyó).

yourself, pron. iyóng sarili,
sarili mo.

youth, n. kabataan.

youthful, adj. batà, maykaba-
taan, murà, sariwà.

yowl, n. tambáw.

yo-yo, n. yoyò.

yuan, n. yuán.

Yugoslav, n., adj. Hugoslab.

yule, n. paskó, kapaskuhán.

—Z—

zeal, n. sigasig, punyagí, sig-
sá.

zealot, n. panátikó, partidar-
yo.,

zealotry, n. panatismo.

zealous, adj. masigasig, ma-
pagpunyagî, masigsá.

zebra, n. sebra.

zenith, n. kaitaasan, taluk-

tók, kataluktukán.

zero, n. sero, walâ.

zest, n. pagtatamasa, pagka-
lugód, linamnám, lasáp.

zigzag, n. sigsag, adj. paese-
ese.

zinc, n. sink.

zingiberaceous, adj. malalu-
ya.

zinnia, n. sinya.
zip, n. haging, hagibís, haginít, v. humaging, humagibís, humaginít.
zipper, n. siper.
zither, n. sítará.
zodiac, n. sodyako, sirkuwito, libot, ligid.
zone, n. sona, poók, rehiyón.

zoo, n. soo, "zoo".
zoologist n. soologo.
zoology, n. soolohiya.
zoom, v. sumibád na pataás.
zygoma, n. hubog ng pisngí butó ng pisngí.
zymology, n. simolohiya.
zymosis, n. simosis.

IKALAWANG BAHAGI
PILIPINO – INGLES

—A—

A, a. n. first letter of the Pilipino alphabet.

a! interj. expression of surprise, victory or derision.

aáb, n. mortise.

áandáp-andáp, adj. flickering.

áanim, adj. only six.

aáp, n. wholesale.

abá! interj. expression of wonder or surprise.

abâ, adj. abject, lowly, despicable.

abaká, n. abaca, hemp.

abakada, n. romanized Philippine alphabet.

abahín, v. to despise, to discorn.

abala, n. delay.

abal-abal, n. baggage, many small packages carried around.

abalahin, v. to retard, to delay.

abaloryo, n. bead, beadwork.

abandonado, adj. abandoned, deserted, neglected.

abaniko, n. folding fan.

abáng-abáng, n. rash.

abangán, v. to watch and wait for.

abante, v. move ahead, forward.

abatan, v. to wait for and waylay.

abay, n. consort, best man. bridesmaid, escort.

abáy, v. sleep beside a person or thing.

abayan, v. to accompany, to escort.

abenida, n. avenue.

abentura, n. adventure.

abenturero, n. adventurer.

abikultura, n. aviculture, rearing and care of birds.

abiso, n. announcement, notice, warning.

ábito, n. habit, dress of the religious.

abitsuwelas, n. snap bean, kidney bean.

abiyolohiya, n. abiology, the study of inanimate things.

abó, n. ash.

abók, n. dust.

abóg, n. warning, admonition, caution.

abong, n. cloud of dust.

abono, n. added payment, disbursement, fertilizer.

abót-gawain, n. (Anat.) center groove along the vertebral column.

abót-tanáw, n. horizon.

abót-tubò, n. the very first menstruation of a girl.

abra, n. ravine, gorge, fissure, **(cap.)** a province in the North.

abrasadór, n. leg pillow.

abrigo, n. shawl for ladies.

Abríl, n. April; fourth month of our calendar year.

abrilata, n. can opener.

abritapa, n. bottle cap opener.

abstinénsiyá, n. abstinence.

abuáb, n. arrow-poison.

abubot, n. knickknacks.

abugado, n. lawyer, attorney.

abuhán, v. to scatter ashes.

ábuhan, n. ash tray.

abuhín, adj. gray, grayish.

abuloy, n. contribution.

aburidó, adj. worried, preoccupied, restless.

abusada, abusado, adj. abusive person.

abuso, n. abuse. v. abuse.

abutan, v. to catch up with, to overtake.

abután, v. to give something to somebody; to hand an object to a person.

abutin, v. to catch up with, to overtake.

abutín, v. to get by reaching with the hand.

abyador, n. aviator.

abyerta, adj. open (referring to coat, shirt, and the like).

akadémiká, n. academician female) **adj.** academic.

akadémikó, n. academician (male).

akademya, n. academy.

akalà, n. idea, thought.

akalain, v. to think; to conceive, to imagine.

akarolohiya, n. acarology, the branch of zoology that treats of mites and ticks.

akasya, n. acacia.

akay, n. a person who is guided by the hand.

akayin, v. to guide a person by taking his hand.

akba, n. chip (in paring fruits).

akbayán, v. to walk with the hand around the shoulder or arm of another.

akdâ, n. literary works.

akdáng-buhay, n. masterpiece.

akin, pron. my; mine.

akíp, n. duel.

akitin, v. to charm; to magnetize; to attract, to lure, to persuade.

aklás, v. to go on a strike.

aklasan, n. strike.

aklát, n. book.

aklatan, n. library.

aklát-arawán, n. journal.

aklát-salapî, n. cashbook.

aklát-salin, n. copybook.

akmâ, adj. fitted, suited, dovetailed. **n.** action of threat.

akó, pron. I

akò, n. promise, guarantee.

aksayá, adj. wasteful. **adv.** wastefully.

aksayahín, v. to squander; to waste.

aksesorya, n. accessory, spare parts, apartment for rent.

aksidente, n. accident.

áksidó, n. acid.

aksíp na pulá, n. stem borer.

aksíp na putî, n. rice stem borer.

aksis, n. axis.

aksiyoma, axiom.

aktuwaryo, n. clerk of court.

akuin, v. to promise, to be responsible for other's obligation.

akurdiyón, n. accordion.

akusahín, v. to accuse.

akusasyón, n. accusation..

akwaryum, n. aquarium.

akyát, v. to go up; to climb.

ada, n. fairy.

adarga, n. shield worn on one arm.

adelantado, adj. advanced, ahead, proficient.

adelpa, n. a species of plant and flowers.

adhikâ, n. aim, desire, wish, goal, objective.

adhíkain, n. desire, goal, objective in life.

adhikaín, v. to desire, to wish, to have as goal.

adláy, n. job's tears.

adobo, n. Filipino dish consisting of fried meat seasoned with vinegar and garlic.

adobe, n. adobe stone.

adorno, n. adornment, ornament.

adwana, n. customs, customhouse.

adyenda, n. agenda; memoranda, a list of things to be done.

adyó, v. go up and stay awhile; ascend.

adyós n./interj. goodbye, farewell.

aeronaútiká, n. aeronautics.

aga, n. earliness.

agaás, n. swish, rustle.

agád, adv. soon, right away, at once.

agahan, n. breakfast.

agahan, v. to be early.

agalyás, n. gallnut.

agam-agam, n. doubt, uncertainty.

agang, n. buzz or sharp jubilant sound.

agap, n. punctuality.

agapan, v. to be punctual, to be early.

agapáy, adj. parallel.

agapay, adv. side by side.

agapayan, v. to be side by side with someone or something.

agas, n. continuous flow of blood, hemorrhage.

agasan, v. to have a hemorrhage.

agawan, v. to grab from; to seize from.

agaw-buhay, n. death throe, hovering between life and death.

agawin, v. to grab, to seize.

agay-ay, n. air space close to the earth's surface, light breeze.

agihap, n. skin eruption; most often around the mouth; blister.

ágilá, n. eagle.

agimat, n. amulet.

aginaldo, n. Christmas gift.

agió, n. small pot.

agipó, n. firewood with glowing ends.

agitít, n. creak.

agiw, n. soot, spider web.

aglahì, n. taunt, mockery.

aglahiin, v. to mock, to taunt, to belittle.

agnás, adj. decomposed, rotten.

agnós, n. locket.

agong, n. small Chinese bell.

agos, v. to flow, to issue. n. current of water.

Agosto, n. August; eight month of our calendar year.

agpáng, adj. adapted, suited, fitted.

agrabyado, adj. at a disadvantage.

agrasyada, n. female winner or receiver of a fervor, prize and the like.

agrikultór, n. agriculturist.

agrikultura, n. agriculture.

agridulse, n. bittersweet.

agrimensór, n. surveyor.

agsaman, n. compost of peat, leaf, mold, manure, etc., rubbish.

aguha, n. needle, crochet hook.

aguhò, n. a species of shrub.

aguhón, n. compass needle.

agulo, n. concubinage.

agunyas, n. death toll of a church bell.

agwadór. n. water carrier.

agwahe, n. tidal wave.

agwamarina, n. aquamarine.

agwarás, n. oil of turpentine.

agwát, n. the distance between two points; interval, space.

ahas, n. snake.

ahedres, n. game called chess.

ahenda, n. agenda.

ahénsiyá, n. agency.

ahente, n. agent, middleman.

ahit, n. shave.

ahitan, v. to shave someone, to be shaved by someone.

ahitin, v. to shave.

ahon, v. to land, to remove to shore from board a vessel, ascend.

ala, n. wing of a building.

alaala, n. recollection, remembrance.

alab, n. blaze, burning fire, fervor.

alabastro, n. alabaster.

alabók, n. dust.

alak, n. wine, liquor.

alakaak, n. a kind of fish.

alák-alakán, n. bock.

alakdán, n. scorpion.

alakin, v. to make into wine.

alahas, n. jewelry, jewels.

alalad, n. resonance.

alalahanín, v. recollect, to remember.

alalay, n. support, prop.

alalayan, v. to support; to prop.

alám, adj. known.

alamáng, n. very small shrimps.

alamát, n. legend.

alambike, n. distillery.

alambre, n. wire.

alamíd n. wild cat.

alamín, v. to know, to find out.

álamó n. (ot.) poplar.

alampáy, n. shawl, kerchief.

alampayán, v. to cover with a shawl or kerchief.

alangaang, n. gaseous envelope of earth.

alang-alang, n. consideration, regard, respect.

alangán, adj. uncertain, doubtful, insufficient, not fitted.

alapaap, n. cloud.

alat, n. saltiness, (slang) policeman.

alatan, v. to make food salty.

alatiít, n. squeaking sound.

alatwát, n. echo of an echo, reflected sound waves.

alay, n. dedication, offering.

alayan, v. dedicate, to make an offering.

albayalde, n. white lead.

albino, n. albino, person having white skin and hair and pinkish eyes.

alboroto, n. violent outburst.

albura, n. sapwood.

alkalde, n. mayor.

alkampór, n. camphor.

alkansiyá, n. piggy bank.

alkilá, n. rent, hire.

alkilahín, n. to rent.

alkitrán, n. tar.

alkoba, n. alcove.

alkohól, n. alcohol.

aldaba, n. door latch.

aldabahan, v. to bolt, to lock a door latch.

aldabís, n. blow, thump.

alembong, adj. flirtatious.

aleta, n. small wing fin.

algodón, n. cotton plant.

alhebra, n. algebra.

ali, n. aunt who is a sister of either parent; an honorific word meaning Miss or Mrs.

alias, n. alias, assumed name (see **alyás**).

alibadbád, n. a feeling of nausea.

alibangbáng, n. a kind of tree.

alibata, n. Arabic alphabet.

alibughâ, adj. irresponsible; having no responsibility, prodigal.

alikabók, n. specks of dust.

alik-ik, n. titter, snicker.

alikmatá, n. pupil of the eye.

aligasín, n. a species of fish.

alig , n. eggs of crustaceans.

alilà, n. household helper, domestic, maid.

alilain, v. treat as a servant, to enslave.

álilisan, n. sugar mill.

áliman, n. melting pot of refractory substances, crucible.

alimango, n. species of crab, dark-colored and hard-shelled.

alimasag, n. species of crab, light-colored and with a shell that is not so hard as the **alimangos**; river crab.

alim-im, adj. ambiguous, equivocal.

alimpungát, n. rude awakening.

alimpuyó, n. eddy, whirl.

alimuom, n. heat vapors that come from the surface of the earth.

alimura, adj. despised, scorned.

alimurahin, v. to despise, to scorn.

alín, pron. which.

alinangnáng, n. reflected waves.

alindóg, n. quality of beauty, charm.

alingasáw, n. strong, offensive odor; effusion.

alingasngás, n. kind of scandal.

alingawgáw, n. echo.

alingayngáy, n. murmur of conversation, reverberation.

álinlangan, n. uncertainty, doubt.

alinsangan, n. oppresive heat.

alinsunod, prep. (followed by sa) acording to, in accordance with, in conformity with.

alintanahin, v. to notice; to endure; to bear.

aliparó, n. small roadside, yellow winged butterfly.

alipato, n. flying embers.

alipin n. slave.

alipungá n. athlete's foot.

alipuris, n. subordinate; follower, colloquial human parasite.

alipustâ, n. insult, indignity offered to another.

alipustaín, v. to insult, to deride, to sneer at.

alisagâ, adj. showing neglect or inattention, remiss.

alís! interj. go away!

alisán, v. to remove.

álisan, n. departure.

alisangsáng n. offensive smell.

alisín, v. to remove, to take away; to subtract; to deduct.

alis-is, n. discomfort.

alitaptáp, n. firefly.

aliterasyón, n. alliteration.

alituntunin, n. regulation.

alíw, n. comfort, consolation joy.

aliwalas, adj. clear.

aliw-iw, n. rippling sound of water, rhythm.

aliyun, n. current of smoke.

almanake, n. almanac, calen-

dar.

almasén, n. warehouse, department store.

almendras, n. almonds.

almirante, n. admiral.

almirés, n. small stone mortar.

almiról, n. a kind of substance called starch used for stiffening cloth materials.

almohadón, n. cushion.

almoneda, n. auction.

almusál, n. first meal of the day called breakfast.

almuwasa, n. currycomb.

alók, n. offer.

alóg, v. shake.

alon, n. wave of the sea.

aloy, n. cradle.

alpá, n, a harp, a large triangular stringed instrument.

alpabeto, n. alphabet.

alpás, adj. free, loose as animal.

alpil, n. bishop (in chess).

alpilér, n. alfiler, brooch.

alpombra, n. alfombra, carpet.

alporhas, n. saddlebag.

alsá, v. lift, raise; rise, n. revolt.

alsado, adj. elevated, expanded.

alsahín, v. to lift.

altár, n. altar.

alukin, v. to offer.

alulód, n. rain pipe, spout.

alulóng, n. barking from the distance.

álulusán, n. a kind of sound.

alumahan, n. a species of fish.

aluminyo, n. element called aluminum.

alumna, n. alumna.

alumnus, n. alumnus.

alunigníg, n. echo, reverberation.

álunyaan, n. illicit relation between man and woman.

alupág, n. a species of fish.

alupihan, n. centipede.

alupihang-dagat, n. mantis shrimp.

alusithâ, n. affidavit.

áluyan, n. cradle.

alwagi, n. carpenter (of wood).

alyás, n. variety of alias.

am, n. broth of boiling rice.

amá, n. father.

ama, n. nursemaid, woman of authority, female head.

amák, n. hut in the forest. adj. domesticated.

amag, n. mold.

amain, n. uncle who is the brother of either parents.

amarilyo, n./adj. yellow.

amasona, n. manish or man-like woman.

ambág, n. contribution, offer share.

ambár, n. amber, mineralized resin.

ambarina, n. amber seed.

ambî, n. window awning.

ambíl, n. repetition of a ward or a story many times.

ambisyón, n. ambition, aim, object.

ambón, n. drizzle.

ambulánsiyá, n. ambulance.

ambulong, n. caucus.

amerikana, n. coat.

Amerikano, n. American.

Amerikanismo, n. Americanism.

amihan, n. breeze from highland to lowland, northwind or northeast wind.

amilyarimiyento, n. land tax.

amin, pron. our, ours.

aminin, v. to admit, as one's fault.

amís, adj. oppressed, unfortunate, unhappy.

amnesya, n. amnesia.

amnestiya, n. amnesty.

amo, n. master, boss.

amonya, n. amonia.

among, n. priest.

amór, n. affection, love, esteem.

amór propyo, n. self-pride.

amorsiko, n. a species of plant (Chrysopogon aciculatus).

amortisasyón, n. amortization.

amos, n. dirt on face.

amot, n. share, portion.

amóy, n. odor, smell.

ampalayá, n. bitter gourd, balsam apple.

ampáw, n. sweetened puffed or popped rice.

ampér, n. ampere.

ampibyan, adj. amphibian.

ampiteatro, n. amphitheater.

ampiyas, n. spatter of rain entering the house, drizzle.

amplipayer, n. amplifier.

ampolyas, n. vial for injection.

ampón, n. adopted child.

ampunan, n. asylum.

ampunín, v. to adopt a child or an adult.

amukî, n. coaxing, persuasion.

amukiín, v. to coax, to persuade.

amuin, v. to caress, to tame.

amumong, n. valor.

amutan, v. to give a share.

amuyín, v. to smell.

anák, n. offspring, child.—
  anák na babae, daughter.
  — anák na lalaki, son.—
  mga anák, children, sons and daughters.

anák-anakan, n. adopted child.

anagrama, n. anagram, the change of one word or phrase into another by the transposition of its letters.

anahaw, n. a species of palm (Livistona rotunditolia).

análisis, n. analysis.

anán, n. ringworm.

anarkista, n. anarchist.

anás, n. whisper.

añasan, n. whispering, undertone conversation.

anatomiya, n. anatomy.

anay, n. ground-based termite, white ant.

andadór, n. gadget for training a baby to walk.

andamyo, n. gangplank, gangway.

andáp, n. flicker.

andár, n. operation, manner of activity.

andás, n. bier with shafts.

andirà, n. jeer.

andukhâ, n. adoption.

andukhaín, v. to care for, to adopt.

anékdotá, n. anecdote, short story, frequently biographical.

anémiká, anémikó, adj. anemic.

anemya, n. anemia.

anestesya, n. anaesthesia.

ani, n. harvest, product.

aniban, v. to affiliate, to join, to unite with.

anibersaryo, n. anniversary.

anilino, n. aniline.

anim, adj. six.

animál, n. animal.

animáng-gilid, n. hexagon.

animnapu, adj. sixty.

animo, (usually followed by ay) adj. like, resembling.

ánimo, n. animation, spirit, mind.

anino, n. shadow.

anís, n. a species of aromatic herbs.

anisado, n. a kind of wine.

anit, n. scalp.

anito, n. soul, ghost, duty of superstition.

anluwagi, n. carpenter.

anó, pron. what.

anod, v. to drift downstream.

antá, n. moose.

antá, n. vile taste, rancidness.

anták, n. smarting pain.

antala, n. delay, rice boiled in coconut milk.

antalahín, v. to delay.

antandâ, n. the sign of the cross.

Antártiko, n. Antartic, the far south.

antás, n. grade, degree.

antáy, v. to wait.

antena, n. antenna.

antíg, n. reminiscence, a recalling to mind.

antigín, v. to remind, to call the attention.

antigo, adj. ancient, of the old kind.

antemano, adv. beforehand.

antíng-antíng, n. talisman, charm.

antipalo, n. centipede.

antiparas, n. spectacles, goggles, eyeglasses.

antipátikó, adj. antipathetic, uncongenial, disagreeable.

antipolo, n. a species of tree, (cap.) name of a place in Rizal.

antiséptikó, n. antiseptic.

antisipo, n. advance pay or payment.

antitesis, n. antithesis.

antók, n. drowsiness.

antolohiya, n. anthology.

antót, n. offensive odor, as of stagnant water.

antropólogó, n. anthropologist.

antropolohiya, n. antropology.

antukín, v. to become drowsy.

antukin, adj. prone to be sleepy.

anubíng, n. a species of tree.

anunas, n. custard apple, a kind of tree.

anúnsiyó, n. advertisement.

anyaya, n. invitation.

anyayà, n. disgrace, misfortune.

anyayahan, v. to invite.

anyél n. indigo, blue.

anyô, n. appearance, form.

apahap, n. sea bass.

ang, art. the.

angá, n. fry of goby, cf. ankal saguyon.

ang-ang, n. singsong.

angat′n, v. to lift, to raise.

angaw, n. million.

angkák, n. a specially treated cereal used for seasoning fish.

angkán, n. family, lineage, descendants of a common ancestry.

angkás, v. ride with somebody on horseback or any vehicle.

angkát, n. import.

angkín, adj. inborn, native.

angkla, n. anchor.

angkóp, adj. fit, proper, becoming.

anggarilyas, n. handbarrow.

anggí, n. spatter of rain entering house, drizzle.

anggó, n. offensive odor, as of spoiled milk.

ánggulò, n. angle.

anghél, n. angel.

anghelús, n. angelus.

anghít, n. disgusting odor of the armpit or of a goat.

angil, n. growling of a dog.

angís, n. repulsive odor of excretion.

Anglikano, n./adj. Anglican.

anglít, n. small earthen cooking jar.

Anglo-Amerikano, n./adj. Anglo-American.

Anglo-Sahon, n./adj. Anglo-Saxon.

angót, n. repulsive odor.

aorta, n. aorta.

apanas, n. small red ants.

aparadór, n. wardrobe, sideboard, shopcase.

aparato, n. apparatus.

apat, n.adj. four.

apatang-gilid n./adj. quadrilateral.

apatnapû adj. forty.

apaw, adj. inundated, overflowing.

apayang pulâ, n. stem borer.

apdó, n. gall, bile.

apelante, n. appelant.

apelyido, n. family name.

apendiks, n. appendix, addition, outgrowth at the opening of the large intestine.

apéndisé, n. appendices, appendix.

apendisitis, n. appendicitis.

apí, adj. oppressed, persecuted, maltreated, abused, harassed.

apiapì, n. species of tree (Avicennia officianalis).

apikultura, n. apiculture, beekeeping.

apíd, n. adultery, fornication.

apihín, v. to maltreat, to abuse, to harass.

apinadór, n. tuner.

apinahín, v. to tune up.

apisyón, n. talent, inclination.

apisyunado, n. amateur.

apitong, n. a kind of tree that produces timber.

aplaya, n. beach.

apó, n. grandchild.—apóng babae, grand daughter,— apóng lalaki, grandson.

apò, n. elder person of authority or higher dignity, grandfather.

apóg, n. lime.

aporo, n. apostle.

apostól, n. apostle.

apóstropé, n. apostrophe.

apóy, n. fire.

apoyo, n. support, aid, backing.

aprobado, adj. approved.

apurado, adv. in a hurry.

apuyán, v. to set fire, to put fire.

ápuyan, n. fireplace, hearth.

apúy-apuyan, n. slug caterpillar.

apyan, n. opium.

apyo, n. celery.

ara, n. altar slab.

arabál, n. suburb.

Arabé, n. Arab.

aral, n. moral lesson.

aralán, n. apprentice.

aralín, n. lesson.

arap, n. abstraction, reverie, daydream.

araro, n. plow.

araruhin, v. to plow.

aras, n. coin given by bridegroom to bride.

araw, n. sun, day.

araw-araw, adv. everyday, daily.

aray!, interj. ouch!

arbitrasyón, n. arbitration.

arborikultura, n. arboriculture, cultivation of trees and shrubs, chiefly for timber or for ornamental purposes.

arka, n. ark.

arkeólogó, n. archeologist.

arkeolohiya, n. archeology.

arkitekto, n. architect.

arkitektura, n. architecture.

arkó, n. arc, a section of the circumference of a circle.

aregladó, adj. arranged, settled, approved, okayed.

areglo, n. arrangement, adjustment.

aregluhin, v. to arrange, settle, put in order.

arendadór, n. hirer, lesson

arestado, adj. arrested.

aretes, n. earrings.

argamasa, n. mortar for cement.

arganás, n. pieces of baggage.

argolya, n. metal hoop.

arì, n. property.

arí-arian, n. property, possession, wealth, asset.

arí-ariang-bayan, n. public domain.

arí-ariang-personál, n. chattel, personal property.

ariin, v. to own.

arina, n. flour.

aringkín, n. somersault by tripping over something.

aristokrátiko, adj. aristocratic.

aritmétika, n. arithmetic.

arlekin, n. harlequin.

armada, n. armada, fleet.

armamento, n. armament.

armás, n. weapon.

arminyo, n. ermine.

armoniya, n. harmony.

armonyum, n. harmonium.

arnibal, n. simple syrup.

árniká, n. arnica.

aro, n. circlet.

aroma, n. a species of tree.

arsilya, n. clay.

arsobispo, n. archbishop.

arte, n. art.

ártikó, n. arctic, the far north.

artíkuló, n. article.

artileriya, n. artillery.

artipisyál, adj. artificial.

artista, n. artist, actor, actress.

artritis, n. arthritis, inflammation of the joints.

artsibo, n. archives.

aruró, n. arrowroot, a kind of plant.

arúy! interj. ouch!

arya, n. area.

asa, n. hope.

asabatse, n. black amber.

asada, n. small hoe.

asahan, v. to hope for, to expect.

asahár, n. orange or lemon blossom.

asal, n. behavior, manner.

asal-Hudas, adj. treacherous.

asalto, n. surprise party.

asemblea, n. assembly.

asanâ, n. narra.

asanya, n. exploit, feat, deed.

asaról, n. hoe, spade, mattock.

asawa, n. spouse, husband, wife.

asbestos, n. asbestos.
askád, n. acridness.
asendero, n. owner of a plantation.
asensiyón n. ascension (of Our Lord).
asenso, n. promotion, increase (in salary).
asero, n. steel.
asesór, n. assessor.
aseyte, n. oil.
aseytunas, n. olives.
asidó, n. acid.
asignatura, n. subject (study)
asim, n. sourness.
asín, n. salt.
ásinan, n. salt bed, place where salt is made.
asinán, asnan, v. to put salt.
asintós, n. string for drawers.
asistihán, v. to assist, help.
asitera, n. oil can, oil cruet.
asiwâ, adj. ungraceful, awkward.
asno, n. donkey.
aso, n. dog.
asó, n. smoke.
asoge, n. quicksilver, mercury.
asotea, n. back porch.
aspíksiyá, n. asphyxia.
aspilé, n. pin.
aspilihán, v. to pin, to fasten, with a pin.

aspirante, n. aspirant.
astíl, n. scalebeam.
astrólogó, n. astrologer.
astrolohiya, n. astrology.
astronomiya, n. astronomv.
astrónomó, n. astronomer.
asukal, n. sugar
asúl, adj. blue.
asunsiyón, n. assumption.
asunto, n. court, litigation.
asupre, n. sulphur.
asusena, n. white lily.
asuwáng, n. native vampire that victimizes pregnant women.
asyenda, n. hacienda, landed estate.
at, conj. and.
atabál, n. kettle drum.
atake, n. attack.
atado, n. tied up, bundle, parcel.
atangyâ, n. rice bug.
atas, n. command, order.
atasan, v. to command, to order.
ataúl, n. coffin.
atáy, n. liver.
atay-atay, adv. gently, mildly, slowly.
ataybiya, n. cobra.
ate, até, n. oldest or eldest sister.
ateismo, n. atheism.
atík-atík, adv. by droplets, gradually.

514

atin, pron. ours.

atíp, n. patch made on the nipa roof.

atipán, v. to patch the nipa roofing.

atis, n. sugar apple.

Atlántiko, n. Atlantic, the body of water dividing Europe and Africa from two Americas.

atmósperá. n. atmosphere.

atole, n. flour gruel.

atómíká, adj. atomic.

átomó, n. atom.

atrás, v. move backward. n. backward movement.

atrasado, adj. late, behind the time, backward.

atraso, n. delay, backwardness, arrears, tardiness.

atsara. n. pickles.

atsuwelas n. a kind of shrub sometimes used for coloring food, floor, etc.

atubili, adv. hesitant.

auditibo, n. earpiece of the telephone.

auditór, n. auditor.

auto awto, n. auto, car.

autobús, n. autobus.

autokrasya, n. autocracy.

autokrata, n. autocrat.

autokrátikó. adj. autocratic.

automobil, n. automobile.

autópsiyá, n. autopsy.

awtor, n. author.

awa, n. pity.

awang, n. gap, crack, fissure.

awás, n. deduction.

awasín, v. deduct, subtract.

awatin, v. to restrain, to dissuade.

away, n. quarrel, fight.

awayin v. to pick a quarrel.

awditór, n. auditor.

awit, n. song, ballad.

awitan, v. to sing for others.

awitin, v. to sing a song.

ay, v. linking verb equivalent to the English to be.

ay! interj. Oh!

ayaw, v. does not want, do not want,—ayaw niya, he does not want.—ayaw nila they do not want.—ayaw ko, I do not want.

ayawán, v. to reject.

ayoko, (variant of ayaw ko), I do not want.

ayon, prep. (followed by sa, kay) according to. adj. in favor of, parallel.

ayos, n. position, order, form.

ayuda, n. aid, help. support.

ayudante, n. adjutant.

ayusin, v. to put in position, to put in order.

aywan, (variant of ewan) v. do not know.

—B—

B, b, n. second letter of the Pilipino alphabet.

ba, particle used in questions.

baák, n. split, crack.

babà, n. chin, lowness.

babà, v. to go down, lower, dismount.

babad, v. to soak. **babád, adj.** soaked.

babae, n. woman, girl, female.

babág, n. fight, quarrel.

babahán, n. arm as of a chair.

babalà, n. warning, sign, notice.

babalaán, v. to warn, to notify.

babarin, v. to soak.

babasahín, n. reading material.

babaw, n. shallowness, easiness.

babél, n. babel, confusion.

baboy, n. pig, hog.

baboy-ramo, n. wild pig.

babero, n. bib.

baka, n. cow, struggle.

baká, adv. maybe, perhaps.

bakahán, n. cattle ranch.

bakal, n. iron.

bakaláw, n. codfish.

bakal-kabayo, n. horseshoe.

bakam, n. dry-cupping.

bakantè, adj. vacant.

bakáw, n. a species of bird.

bakayan, v. to watch for someone coming.

bakbák, v. to full off.

bakbakan, n. free-for-all fight.

bakbakín, v. to remove dislodge, take out.

bakid, bakiran, n. native basket for hanging from saddle.

bakíl-bakíl, adj. rough.

bakit, adv. why.

baklà, n. sissy, homosexual.

baklá, n. alarm.

baklád, n. fish corral, fish trap.

baklé, n. fingerling.

baklì adj. broken, cut, detached.

bakô, n. roughness.

bakod, n. fence, enclosure.

bakol, n. four-cornered bottom, round-mouthed native basket.

bakood, n. highland.

baksâ, n. shawl or neckerchief worn by women.

bakterya, n. bacteria.

bakteriolohiya, n. bacteriology.

bakú-bakô, adj. rough, not smooth, uneven.

bakulaw, n. man-size monkey.

bakuna, n. vaccination.

bákuló, n. crosier.

bakuran, n. yard. v. to fence.

bakyâ, n. wooden shoe.

bakyaín, v. to strike with wooden shoes.

badaho, n. clapper (of bell).

badhâ, n. presage.

badyet, n. budget.

baga, n. ember.

bagà, n. lungs.

bagá, n. particle used in questions.

bagâ, n. inflammation of mammary glands.

bagabag, n. trouble, worry.

bagal, n. slowness.

bagamán, conj. although, however, in spite of.

bagáng, n. molars.

bagaso, n. bagasse.

bagay, n. thing, matter. adj. fit, becoming.

bagay-bagay, n. things, articles.

bagkát, n. sugar made into syrup.

bagkús, conj. on the contrary.

baging, n. vine.

bagnós, n. pass, beaten path.

bago, adj. new, modern. prep. before.

bagól, n. freight car.

bagón, n. railway, freight car.

Bagong-Taon, n. New Year.

bagoóng, n. preserved salted fish or shrimp.

bagót, adj. annoyed, irritated, disturbed.

bagsák, n. drop, fall.

bagsík, n. harshness.

baguhan, adj. beginner, amateur, inexperienced.

baguhin, v. to remodel, to change.

bagumbóng, n. stem borer.

baguntao, n. young man.

bagwís, n. wing, strength.

bagyó, n. storm, typhoon, tempest.

bahâ, n. flood, inundation.

bahág, n. G-string, covering.

bahagdán, n. per cent, percentage, percentum.

bahagharì, n. rainbow.

bahagi, n. part, share, fractional part.

bahagyâ, adv. hardly, barely, scarcely.

bahaín, v. to flood, to overflow.

bahaw, n. cooked rice that has not been consumed the previous meal.

baháw adj. harsh, low voluminous pitch of the voice.

bahay, n. house, abode.

baháy-bahayan, n. toy house.

bahay-bátà, n. uterus.

bahay-kalakal, n. business firm.

bahay-guyà, n. uterus (animal).

bahay-langgám, n. anthill.

bahay-páaralán, n. schoolhouse.

bahay-palaruan, n. gymnasium.

bahay-pámahalaán, n. municipal building.

bahay-parì, n. convent or monastery for priest.

bahay-sanglaan, n. pawnshop.

bahay-sugalan, n. gambling house.

bahid, n. stain, smear, taint, trace, mark.

bahilya, n. set of dishes.

bahín, v./n. sneeze.

baho, n. bass.

bahò, n. foulness of smell, bad odor, stink.

baikì, n. mumps.

bainó, n. a species of herb.

baíť, n. goodness, kindness, sense, virtue, judgment.

baitáng, n. step grade, degree.

bala, n. bullet, **pron.** whatever.

balà, v. threat, warning.

balaan, v. threaten, warn, to give notice.

balabà, n. petiole.

balabal, n. clock, wrap.

balabalan, v. to cover.

balak, v. to plan, intend. n. scheme, project, desire.

balakáng, n. hip, pelvis.

balakíd, n. obstacle.

balakin, v. to plan, to scheme.

balaklaot, n. northwest wind, monsoon wind.

balaksilà, n. obstacle, bar.

balakubak, n. dandruff.

balakyót, adj. wicked.

balae, n. parents of one's son-in-law or daughter-in-law.

balag, n. bower, trellis, arbor:

balagat, n. collar bone, withers (in horse).

balagtasan, n. poetical joust in verse.

balahibo, n. fine hair.

balandra, n. bounce.

balanì, n. magnetism.

balanse, n. balance.

balantáy, n. boundary.

balantók, n. arch.

balang, n. locust.

balangâ, n. wide-mouthed

earthen jar.

balangáw, n. rainbow.

balangáy, n. branch, committee party, native boat.

balangkás, n. structure, framework, outline.

balangkát, n. splint, protection of an injured part.

balanggót, n. a species of rattan.

balangot, n. cat-tail.

balaong, n. bin.

balarilà, n. grammar.

balasaw, n. agitation of mind.

balasik, n. fierceness, ferocity, aggressiveness.

balasubas, adj. bad debtor, stingy, tightwad.

balat, n. birthmark.

balát, n. skin, bark, peeling, covering.

balatay, n. mark, imprint.

balatkayô, n./v. to disguise, pretend, costume pretension.

balato, n. money given free by a winner.

balatong, n. soy bean.

balasubas, n. deadbeat.

balatók, n. gold ore.

balawís, n. a fierce and ferocious animal.

balaybáy, n. fascicle, small bundle.

balayubay, n. scurf, dand-

ruff.

balbál, n. slang.

balbás, n. beard.

balbasin, adj. with heavy beard growth.

balbakwá, n. salted fish.

bálbulá, n. valve.

balkón, n. balcony.

baldá, v. to cripple, disable.

baldado, adj. crippled, disabled.

baldé, n. bucket.

baldosa, n. floor, tile, paving stone.

bale, n. promissory note.

balì, adj. fracture, v. to cut, break.

bali, adj. fractured, broken.

balibág, v. to throw, hurl.

balibat, v. to throw.

balibol, n. hand drill.

balík, v. to return.

balikán, v. to go back for something.

bálikan, adj. back and forth.

balík-aral, n. review.

balikaskás, n. scale, lamina from skin.

balikat, n. shoulder.

balikatin, v. to carry on one's shoulder.

balikô, adj. crooked.

balikukô, adj. deformed.

balikutsá, n. molasses candy, taffy.

balikwás, v. to get up, jump

up.

balighô, adj. absurd.

baligtád, adj. inverted, contrary, opposite, inside out.

báligtaran, adj. reversible.

baligtarín, v. to invert, reverse.

báligyaan, n. barter.

baliin, v. to break.

balindáng, adj. of inferior quality, mean, coarse.

balino, n. worry, premonition anxiety.

balintatáw, n. pupil of the eye.

balintawák, n. native dress of women.

balintiyák, adj. passive (Gram.).

balintukís, n. somersault.

balintuna, n. paradox, irony. adj. paradoxical, ironical.

balintuwád, adj. upside down, false.

baling, v. to turn.

balingan, v. turn, to rely upon.

balingangà, n. sprain of foot from having been twisted.

balingkinitan, adj. slender, slim.

balingusan, n. bridge of nose.

balinguyngóy, n. hemorrhage of the nose.

balisa, n. anxiety, restless-

ness.

balisá, adj. agitated, worried, restless.

balisahin, v. to worry, to agitate.

balisawsáw, n. strangury.

bálisbisan, n. eaves.

balisungsóng, n. cone or funnel shaped thing.

balità n. news, information. adj. famed.

balitaan, v. to inform someone.

bálitaán, n. exchange of news.

balitaw, n. kind of folk dance.

balitì, n. a species of tree (Ficus indica).

baliti, n. tie for hands or arms.

balíw, adj. crazy, insane, demented.

baliwag, adj. abstract, abstruse, recondite, difficult to understand.

balo, n. widow, widower.

balok, n. pellicle, membrane.

balón, n. well, source.

balong, n. spring of water.

balór, n. worth, value, significance.

balot, v. to cover, wrap.

balót, n. not fully incubated egg, cooked and sold.

balota, n. ballot.

balsá, n. raft, ferry.

bálsamó, n. a healing drug or something that soothes.

balták, n., v. pull.

baltakin, v. to pull.

balubad, n. cashew (tree).

balubatà, adj. middle-aged.

baluktót, adj. crooked, bent, v. to bend, curved.

balugbóg, n. loin.

balumbalunan, n. gizzard.

balumbón, n. roll.

bálunlugód, n. vanity.

balungos, n. muzzle or snout as of fish, etc.

balusbós, n. droppings from a grain sack.

balustre, n. baluster, banister.

balutan, n. package, bundle.

balutì, n. armor.

balwarte, n. rampart, bailiwick.

balyena, n. whale, short white candle.

bambán, n. inside pellicle like that of banana fruit, of bamboo and the like, a species of plant. adj. hollow.

bambáng, n. roadside gutter, ditch, canal.

bambó, v./n. club.

bana, n. husband, (Vis.)

banaag, n. glimmer, faint light flimmer, glimpse.

banakal, n. sapwood, the rind of trees.

banál, adj. holy.

banás, n. oppresively hot weather, sultriness.

banat, v. to push, stretch, hit.

banayabanan, v. to watch for something or someone from a vantage point.

banayad, adj. slow, moderate.

banda, n. band of musicians, strap.

bandá, adj. towards a time or place.

bandeha, n. tray, platter.

bandehado, n. China tray.

bandera, n. flag, banner.

bandido, n. bandit.

bandilà, n. flag.

baníg, n. mat.

banlág, adj. periodically squint-eyed.

banlát, n. pigpen, sty.

banlík, n. alluvium, silt.

banoy, n. Philippine eagle.

bansá, bansâ, n. nation, country.

banság, n. nickname, adj. eminent.

bansót, adj. stunt.

bantâ, n. threat.

bantáy, n. guard.

bantód, n. diameter.

bantót, n. foul odor of liquid.

bantulót, adj. reluctant.

banyagà, n. alien, foreigner.

adj. foreign.
banyera, n. bathtub.
banyo, n. bathroom.
banyós, n. sponge bath.
bangâ, n. earthen jar.
bangán, v., n. granary.
bangkâ, n. boat, bank in card game.
bangaw, n. a species of fly.
bang-áw, n., adj. foolish, crazy, senseless person.
bangay, n. flight, quarrel.
bangkál, n. a species of tree.
bangkalang, n. garbage lizard.
bangkas, n. rooster with multicolored feathers.
bangkáy, n. corpse.
bangkero, n. boatman.
bangketa, n. sidewalk.
bangkete, n. banquet.
bangkilas, n. raft.
bangkito, n. small stool.
bangko, n. bank.
bangkô, n. stool, bench.
bangkót, n. split, protection of an injured part.
banggâ, n. strong bump.
banggák, adj. scatterbrain.
banggít, n. mention, citation. **v.** cite.
banghây, n. plot, outline.
bangín, n. precipice, ravine.
bangís, n. fierceness.
bangó, n. fragrance.
bangon, v. to rise, get up.

bangungot, n. nightmare.
bangyáw, n. housefly.
bao, n. coconut shell.
baóg, adj. sterile.
baon, n. provision.
bapór, n. ship, boat.
bara, n. measurement (80 cm. long).
bará, v./n. clog, block.
barák, adj. pale, sickly color.
barakà, n. market place.
barakilan, n. housebeam.
barako, n. boar, male of animal used for breeding purposes.
baradero, n. shipyard.
barado, adj. clogged.
baraha, n. playing cards.
barahán, v. to bar, barricade.
barál, n. door, bar.
barandilya, n. railing.
barangka, n. gully.
baras, n. beam, bar.
barát, n. haggler.
baratilyo, n. bargain sale.
barbada, n. strap attached to horse bit, curb.
barberiyá, n. barbershop.
barbero, n. barber.
barkada, n. gang.
barkó, n. ship, vessel.
barena, n. auger, drill.
bareta, n. crowbar, bar of soap.
baríl, n. gun, firearm.
bárilan, n. gunfire.

baritono, n. baritone.

barnís, n. varnish.

barò, n. clothes, dress.

barumbado, adj. troublesome.

barung-barong, n. hut, shanty.

baryá, n. loose change.

baryo, n. barrio.

basa, v. to read.

basâ, adj. wet.

basag, v. to crack, break.

basag-ulero, n. quarrelsome.

basag-ulo, n. scuffle.

basahan, n. rag.

basahin, bumasa, v. to read.

basal, adj. virgin, abstract.

basangal, n. brawl, dispute.

basbás, v., n. blessing, benediction.

basket, n. basket.

base, n. base.

Basíliká, n. Basilica.

basiyó, adj. empty.

baslás, n. rice seed grain at the beginning of bursting.

basníg, n. motorized banca.

baso, n. drinking glass.

baso, n. spleen.

bastidór, n. supporting frame.

bastón, n. cane.

bastonero, n. male warden.

bastós, adj. vulgar, indecent, uncouth.

basura, n. garbage, refuse.

bata, n. housedress, gown.

batá, v. to bear, endure, suffer.

batà, n. child, kid. adj. young.

bataan n. domestic servant, helper.

batak, v. to pull, draw.

batalán, n. nipa house washing section.

batalyón n. battalion.

batangán, n. outrigger.

batás, n. law, statue, act.

bátasan, n. congress, lawmaking body.

bataw, n. hyacinth pea.

batayán, n. basis.

batbát, adj. filled, covered.

batél, n. lifeboat, sailboat.

bateryá, n. battery.

Bathalà, n. God.

batibot, adj. sturdy, robust.

batí, v. to beat, stir.

batik, n. blemish, stain.

batikán. adj. veteran, expert, skillful.

Batikano, n., adj. Vatican.

batíd, v. to know.

batidór, n. chocolate beater.

batingáw, n. bell.

batingtíng. n. musical triangle.

batis, n. brook.

batò, n. stone, kidney.

batok, n. nape.

batsilyér, n. bachelor.

batugan, adj. lazy.

batuláng, n. chicken coop.

batutà, n. policeman's club.

batyâ, n. laundry tub.

batyág, n. person sent out to gain tidings.

batyáw, n. person sent out to spy.

batyawán, v. to spy on.

bawal, adj. prohibited. **v.** to forbid, ban.

bawang, n. garlic.

bawas, v. to reduce, decrease, discount.

bawa't, prep. each, per.

bayaan, v. to allow, let.

bayad, n. payment.

bayad-pinsalà, n. damages.

bayakan, n. bat.

bayan, n. country, town.

bayani, n. hero.

báyanihán, n. cooperative work without pay.

bayaran, v. to pay.

bayáw, n. brother-in-law.

baybáy, v. to spell, walk along the edge of.

baybáy-dagat, n. seashore.

baybayin, n. coast.

baybayin, n. ancient Philippine alphabet.

baylerina, n. dancer.

bayna, n. sheath.

bayó, v. to pound, beat.

bayoneta, n. bayoneta

bayóng, n. a big bag made of buri or pandan.

bayugin, n. slip, a haphazardly caponized cockerel.

bayugo, n. cap, patella. **bayugo ng tuhod,** knee cap, patella.

baywáng, n. waist.

beho, adj. old.

belo, n. veil.

benda, n. bandage.

bendisyón, n. blessing benediction.

bendita, n. holy water.

benepisyo, n. benefit.

benditahan, v. to sprinkle with holy water.

benepisyo, n. benefit.

benta, v. to sell.

bentahe, n. advantage.

bentanilya, n. small window.

bentiladór, n. electric fan.

berdugo, n. executioner.

berina, n. glass covering of saints and images.

berso, n. verse.

beseś, n. times.

bestíbuló, n. entrance, hall.

bestido, n. dress.

beterinarya, n. veterinary science.

beto, n. veto.

biayan, n. a vessel where fish are kept for a time before selling or cooking.

biberón, n. nursing bottle.

bibíg, n. mouth.

bibinga, n. quoit.

bibingka, n. native rice cake.
Bíbliyá, n. Bible.
bikas, n. posture.
bíktimá, n. victim.
bida, n. hero, heroine.
biga, n. crossbeam.
bigamya, n. bigamy.
bigás, n. husked rice.
bigasan, n. rice mill.
bigát, n. weight.
bigáy, v. to give.
bígayan, n. give and take.
bigáy-kaya, n. full range, unstinted support, dowry.
bigkás, n. pronounciation.
bigkasín, v. to pronounce.
bigkís, n. bundle; girdle.
bigláw, adj. unripe.
biguín, v. to disappoint, frustrate.
bigote, n. mustache.
Bigtalín, v. to tear off violently.
bigwás, n. slap; strike.
bigyán, v. to give.
bihag, n. captive, prisoner.
bihagin, v. to capture.
bihasa, adj. expert.
bihilya, n. abstinence.
bihirà, adv. rarely.
bihis, v. to dress up.
bihisan, n. reserved dress.
bilád, v. to dry; sun.
bilang, n. number.
bilangin, v. to count.
bilanggô, n. prisoner.

bílangguan, n. jail.
bilao, n. shallow, round bottomed native basket used for winnowing.
bilás, n. relation between sisters' husbands or brothers' wives.
bilasâ, adj. stale.
bilí, v. to buy, purchase.
bilig, n. embryo, cataract or the eye.
bilin, n. instruction, request, advice.
bilíng, adj. bent.
bilís, n. speed, haste. v. to hurry.
bilog, n. roundness, circle.
bilot, n. small bundle.
biloy, n. dimple.
bilyansiko, n. song of joy, carol.
bilyár, n. billiards.
bilyete, n. bill, ticket.
bimbinín, v. to withhold.
bimpó, n. face towel.
binabaé, n. sissy, biniboy.
binasík, n. (Bot.) spore.
binat, n. relapse.
binatà, n. bachelor.
binbín, v. to delay.
binhî, n. seed for something.
binibini, n. Miss, unmarried woman, young lady.
binilád, n. rice grains being dried in the sun.
binlíd, n. small particles of

milled or pounded rice.
bintanà, n. window.
bintáng, n. charge, accusation.
bintáy, n. rule of thumb.
bintayín, v. to appraise weight by estimating.
bintì, n. calf of leg.
binubong, n. diaphragm, partition separating chest from abdomen, omentum.
binundók, n. embankment.
binyág, n. baptism.
binyagan, n. Christian.
bingí, adj. deaf.
bingit, n. edge; boarder.
bingwít, n. line and sinker.
birhen, n. virgin.
birò, n. poke; crack.
bisà, n. effect.
bisagra, n. hinge.
bisalà, n. error, fault.
biskuwít, n. biscuit.
bise, n. vice.
bisikleta, n. bicycle.
bisig, n. arm.
bisiro, n. yearling.
bisita, n. visitor; barrio chapel.
bisperás, n. eve of a special day.
bista, n. court trial, view.
bistáy, n. sieve.
bisyo, n. vice.
biták, n. crack in the ground.
bitag, n. trap.

bitay, v./n. hanging, electrocution.
bitbít, v. to carry with the hands.
bitin, v. to hang.
bitiwan, v. to let go.
bituka, n. intestine, bowel.
bituin, n. star.
biyák, v. split, crack.
biyahe, n. trip, voyage.
biyás, n. internode.
biyayà, n. favor, grace, blessing
biyenan, n. mother-in-law, father-in-law
Biyernes, n. Friday.
biyolohiya, n. biology.
biyuda, n. widow.
biyudo, n. widower.
biyulín, n. violin, fiddle.
biyulinista, n. violinist.
blangko, n. blank.
bloke, n. block.
blusa, n. blouse.
bobo, adj. fool, dumbhead.
bokál, n. provincial board member.
boksing, n. boxing.
boksingero, n. boxer.
bodega, n. storeroom.
bohemyo, n. playboy.
bola, n. ball; bluff; lottery draw.
bomba, n. bomb; pump.
bombilya, n. electric bulb.
bombo, n. large drum.

bono, n. bond.
borlas, n. tassel.
boses, n. voice.
bota, n. boot.
botánika, n. botany.
botániko, n. botanist.
botante, n. voter.
bote, n. bottle, lifeboat.
botelya, n. small bottle.
botika, n. drugstore.
boto, v./n. vote.
boya, n. buoy.
boykoteo, v./n. boycott.
braso, n. arm.
brigada, n. brigade.
brilyante, n. diamond.
brindis, n. toast (with wine).
briyolohiya, n. bryology, the science of mosses.
bronse, n. bronze.
brotsa, n. painter's brush.
bruha, n. witch, hag.
bruselosis, n. brucellosis, infectious abortion.
buáw, adj. empty; hollow, having a cavity within a solid.
bubo, n. clown, bamboo fish trap.
bubô, v. to spill liquid.
bubog, n. small pieces of broken glass crystals.
bubóng, n. roof.
bubót, adj. unripe.
buboy, n. kapok, cotton fir.
bubungán, n. roofing.

bubuwít, n. shrew.
buká, v. to open; spread.
bukakà, v. to spread legs apart.
bukadkád, v. to open as flowers.
bukál, n. spring, fountain. adj. inborn; natural.
bukana, n. the front.
bukáng-bibíg, n. common saying.
bukáng-liwaywáy, n. dawn.
bukas, adv. tomorrow.
bukás, v. to open.
bukaskás, adj. open.
bukas-makalawá, adv. someday.
bukayò, n. sweatened, grated coconut.
bukid, n. field, farm.
bukilya, n. mouthpiece of a wind instrument.
buko, n. bud of a flower, young coconut fruit.
bukó, n. node. v. (Slang) to fail.
bukód, adj. apart, v. to separate, exclude.
bukol, v. to swell.
buksán, v. to open, unlock.
bukungbukong, n. ankle.
budbód, v. to scatter evenly.
budhî, n. conscience.
budlóng, n. shove, impulse.
bugá, v. to split out.
bugalwák, n. sudden surge of

stream.

bugaw, v. to drive away. n. pimp.

bugbóg, v. to beat, maul.

bugnót, adj. hot-tempered.

bugók, adj. spoiled as an egg.

bugsô, n. downpour.

bugtóng, adj. lone; only. n. riddle.

buhaghág, adj. porous, expanded, careless.

buhangin, n. sand.

buhat, prep. from, since.

buhat, v. to lift, raise.

buhawì, n. hurricane wind, tornado.

buhay, n. life.

buháy, adj. alive, living.

buhiya, n. spark plug.

buhò, n. hand bamboo.

buhók, n. hair.

buhól, n. knot, tie.

buhong, adj. deceitful.

buhos, v. pour.

bulâ, n. bubbles, foam.

bulaan, n. liar, lie, falsehood.

bulak, n. cotton.

bulakból, n. truant.

bulaklák, n. flower.

buladól, n. kite.

bulág, adj. blind.

bulagâ, interj. expression used to surprise somebody.

bulagáw, adj. bluish.

bulagsák, adj. careless.

bulagtâ, adj. down and out, prostrate.

bulalakaw, n. shooting star.

bulalô, n. femur, knuckle bone.

bulalás, n. uncontrollable expression.

bulanláng, n. a native dish of different vegetables, seasoned with bagoong.

bulastóg, adj. rude, vulgar, ill-mannered.

bulati, n. earthworm.

bulatlatín, n. to rend open, to examine in detail.

bulaw, n. young hog, shoat.

bulkán, n. volcano.

buli, v. smoothe out.

bulo, n. floss covering of the stems, flowers and fruits.

bulô, n. cow or carabao.

bulól, adj. stammering.

bulóng, n. whisper, magic incantation.

bulos, n. portion, a helping of food.

bulós, n. roll, bolt of cloth.

bulsa, n. pocket.

bulubod, n. rice in the stalk.

bulúbundukin, adj. mountainous, hilly.

bulugan, n. male of the species.

bululós, n. diarrhea.

búlulusan, n. bellows.

búlungan, n. whispering of

two or more persons.

bulungán, v. to whisper to somebody.

bulutong, n. smallpox.

bulwagan, n. hall.

bulyáw, n. shouting.

bulyawán; v. to shout or rebuke.

bumabâ, v. to go down, to descend.

bumahâ, v. to flood.

bumalawbáw, v. to heap.

bumalintuwád, v. to fall upside down.

bumalong, v. to spring as water in a spring well.

bumarangká. v. to climb a slope.

bumbilya, n. electric-light bulb.

bumbóng, n. hollow or elongated bamboo container.

bumbunan, n. fontanel.

bumilang, v. to count.

bumulagtâ, v. to drop unconscious or dead.

bumulbók, v. to surge back.

bumusina, v. to blow the horn.

bundalag, n. little fish.

bundát, adj. satiated, filled to satisfy.

bundók, n. mountain.

bundól, n. sudden bump, from the head of something long.

bunete, n. bonnet.

buni, n. ringworm.

bunót, n. husk. **adj.** pulled drawn out.

bunutin, v. to pull out.

bunsô, n. youngest child.

buntál, v. strike with the fist.

buntúng-hiningá, n. sigh.

buntón, n. heap.

buntót, n. tail.

bunyî, v. acclaim.

bunga, n. fruit, result.

bungad, n. opening.

búngalngalan, v. to talk vociferously or loudly.

bungangà, n. big mouth.

bungangà ng bulkán, n. crater.

bungang-araw, n. skin eruption caused by the prickly heat.

bungangbahoy, n. fruit.

bungang-isip, n. figment of the mind.

bungang-tulog, n. dream.

bungkalín, v. to cultivate.

bungkók, adj. rotted for having been neglected or left alone.

bunggô, n. strong bump.

bungì n. notch in the edge of tools or teeth.

bungî, adj. toothless.

bungisngís, adj. easy to laugh or giggle at any

thing.

bungulan, n. a species of banana.

buô, adj. whole.

buód, n. synopsis, summary.

buól, n. ankle.

bupete, n. law office; desk, writing table.

burá, n. erasure.

buradór, n. draft.

burdá, n. embroidery.

burdado, adj. embroidered.

burikî ng binhi, n. seed sampler.

buriko, n. donkey, ass.

burlas, n. tassel, tuft.

burlesk, n. burlesque.

buro, n. pickled fruit.

burok, n. yoke.

burokrasya, n. bureaucracy, centralized government by bureaus or departments.

burol, n. lying in state.

buról, n. hill.

bus, n. autobus.

busá, n. roasted cereal.

busabos, n. slave.

busal, n. corn cob, gag.

busalsál, adj. careless, disorderly.

busilak, adj. pure white.

busilig, n. cornea.

busina, n. automobile horn.

busisì, adj. scrupulous, fastidious.

buslô, n. deep native basket made of split-bamboo.

buso, n. diver (with diving paraphernalia).

busóg, adj. satisfied.

busog, n. dart, arrow.

busól, n. door-knob.

busón, n. mailbox.

busto, n. bust (upper part of body); statue.

busulán, n. latch.

butaka, n. orchestral seat in theater, armchair.

butas, n. hole, perforation.

butás, adj. pierced, perforated.

butaw, n. fee.

butete, n. a species of fish.

buti, n. goodness.

butika, n. drugstore.

butikás, n. rice seed-grain near-bursting.

butikî, n. house lizard.

butikín, n. medicine cabinet or kit.

butíg, n. wart.

butihin, adj. modest, gently, ladylike.

butil, n. grain.

butó, n. bone.

butones, n. button.

butsé, n. crop, stomach of fowls.

butuan, n. a species of banana.

buwagín, v. to tear down, demolish.

buwál, n. fall; voile, a kind of fabric.

buwán, n. moon, month.

buwanbuwán, n. a species of fish.

buwáy, n. unsteadiness.

buwaya, n. crocodile.

buwenas, n. good luck.

buwíg, n. bunch of bananas.

buwís, n. tax.

buwís-panloób, excise tax.

buwís sa kalakal, custom duty.

buwís sa kiníkitang salapî, income tax.

buwís sa panindá, sales tax.

buwís sa paninirahan, residence tax.

buwisit, adj. jinx, n. one who brings bad luck.

buwisitin, v. to annoy, disturb.

buwitre, n. vulture.

buyak, n. distillation from rose petals.

buyó, v. induce, encourage.

buyon, n. paunch.

buyubuntó, n. strong variable wind.

búyunin, adj. paunchy.

—K—

k, n. third letter of the Pilipino alphabet, equivalent to hard c and q in the English alphabet.

ka, pron. you (singular postpositive)

kaabalahan, n. trouble, presumption.

kaabáy, n. person lying or sitting beside someone.

kaakíbat, n. borne as a burden.

kaakit-akit, adj. attractive.

kaagáw, n. rival, competitor.

kaagulo, n. concubine.

kaalamán, n. wisdom, practical knowledge.

kaalít, n. enemy (in a heated disagreement).

kaanib, adj. affiliated. n. member.

kaantasán, n. degree of comparison (Gram.)

kaapihán, n. oppression.

kaawaan, v. to have mercy, have pity.

kaaway, n. enemy, opponent in a quarrel.

kaayusan, n. order, orderliness.

kabá, n. pre-conceived fear, palpitation, beating, referring to the heart.

kababaan, n. lowland.

kababaang-loób, n. humility.
kababalaghán, n. miracle.
kababawan, n. shallowness.
kababayan. n. townsman.
kabaka, n. opponent.
kabag, n. gas pain in the stomach, colic.
kabág-kabág, n. bat.
kabahay, n. one living with another in the same house.
kabahayan, n. main portion of a house or building.
kabalalay, adj. parallel.
kabalintunaan, n. paradox.
kabalitaan, adj. famous, known, popular.
kabálitaan, n. newspaper correspondent.
kabalyás, n. saddlebag.
kabalyerisa, n. horse stable.
kabalyeriya, n. cavalry, horsemanship, knighthood chivalry.
kabán, n. trunk. chest. cavan.
kabanatà, n. chapter.
kabang, n. a species of fish.
kabaong, n. coffin.
kábaret n. cabaret.
kabátiran, n. knowledge, information.
kabayanan, n. town proper.
kabayo, n. horse.
kabayuhan, n. cavalry.
kabesera, n. capital town or city, head of the table.

kabibi, n. clam.
kabig n. follower, soldier.
kabihasnán, n. civilization.
kabil, n. double-chin.
kabilâ, n. other side. **adv.** sa kabila, on the other side.
kabilán, adj. not in symmetry, unequal.
kábilanin, adj. fickle, hard to deal with, partial, changeable.
kabilangan, n. numerator.
kabilugan, n. circle.
Kabilugang Antártikó, n. Antartic Circle.
Kabilugang Artikó, n. Artic Circle.
kabisa, n. head, chief
kabisahin, v. to memorize.
kabisilya, n. ringleader, small head.
kabít, adj. fastened, tied together, attached, united.
kable, n. cable; large, strong rope or chain.
káblegrama, n. cablegram.
kablíng, n. patchoreli
kabo, n. corporal.
kabóg, n. hollow sound.
kabonegro, n. species of palm.
kabuhayan, n. livelihood.
kabulaanan, n. falsehood, lie.
kabuluhán, n. worthiness.
kabunô, n. opponent in wrestling.

kabutí, n. mushroom.

kabutihan, n. goodness.

kabuuán n. sum, total.

kabuyaw, n. orange, citrus fruit with bumps.

kabyáw, n. milling season of cane.

kabyawan, n. sugar mill.

kaka, n. uncle or aunt.

kakâ, n. older brother or sister.

kakák, n. cackling of fowls.

kakaibá, adj. strange, different.

kakalasán, n. denouncement.

kakanyahán, n. individuality, property (Gram.)

kakanggatâ, n. substance, cream of the coconut milk.

kakáw, n. species of plant.

kakawág, n. fry of milkfish. cf. awawa, tikustikos.

kakawate, n. a species of tree and its flowers.

kakilá-kilabot, adj. terrible, horrible.

kakilala, n. acquaintance.

kakinisan, n. smoothness, fineness.

kakintalán, n. impression.

kakiputan, n. narrowness.

kakisigan, n. sprightliness, briskness; gallantry.

kaktus, n. cactus.

kadakilaan, n. greatness, eminence, majesty.

kadkarín, v. to unfold, spread.

kadena, n. chain.

kadena-de-amor, n. a species of plant and its flower.

kadete, n cadet.

kadikít, kadaiti, adj. contangent (Geom.)

kadigmâ n. opponent in war.

kadiós, n. pigeon pea.

KADIPAN, n. abbreviation for the Kapisanang Aklat, Diwa at Panitik, a national collegiate Pilipino literary society.

kadlít, n. small incision or cut.

kadunguán, n. timidity, shyness.

kaéng, kaíng, n. native basket used for shipping vegetables and fruits.

kagabí, adv. last night.

kagalang-galang, adj. honorable, respected.

kagálingan, n. welfare.

kagamitán, n. material, usage.

kagampán, n. full pregnancy.

kaganapan, n. complement (Gram.)

kagandahan, n. beauty.

kagát, n. bite.

kagawad n. member.

kágawarán, n. department.

kagaykáy, n. cricket.

kaginsá-ginsá, adv. abruptly, unexpectedly, without warning.

kagipitan, n. difficulty.

kagitingan, n. heroism.

kagubatan, n. jungle, forest, wilderness.

kagúluhan, n. confusion, discord trouble.

kagúsutan n. complexity complication.

kagutuman, n. hunger, starvation.

kagyát, adv. immediately.

kaha, n. box, case, safe, savings bank.

kahálagahan, n. importance, value.

kahalayan, n. lewdness, lust, lasciviousness.

kahalilí, n. substitute, successor, representative.

kahalò n. part of a mixture.

kahamok, n. opponent in a fight or battle.

kaháhantungán, n. destiny.

kahapisan, n. sadness, sorrow.

kahapon, adv. yesterday.

kahatì, n. shareholder.

kahíl o kahél, n. a kind of orange.

kahero, n. cashier, box maker.

kaheta, n. a small box or case, package of cigarettes.

kahig, n. scratch, scratching

(referring especially to chicken).

kahiman, conj. although, though. even, even if.

káhimanawarì!, interj. may it be so!

kahinhinán, n. modesty.

kahirapan, n. poverty, difficulty.

kahit, conj. although; even if; no matter what.

kahól, n. barking of the dog.

kahón, n. box.

kahoy, n. fuel, lumber wood.

kahulilip, adj. without peer.

kahulugán, n. meaning of, result of.

kahusayan, n. efficiency.

kaibahán, n. difference; strangeness.

kaibigan, n. friend.

kaibigán, n. desire, wish, inclination.

káibigan, n. boy-friend, girl-friend, sweetheart.

káibigán, n. mutual consent.

kaibuturan, n. innermost, core.

kailán, pron. when.

kailanán, n. number (Gram.)

kailanmán, adv. evermore.

kailangan, n. need.

kailanganin, v. to need.

kaimito, n. star-apple.

kain, v. eat.

kainaman, adj. average, sufficient.

kaíngayan, n. commotion.

kaingín, n. hilly land cleared for planting.

kaisahán, n. unity, union.

kait, v. to take away, refuse.

kala, n. turtle, tortoise.

kalabasa, n. squash.

kalabáw, n. water buffalo;

kalabít, n. touch with the finger to call attention.

kalabóg, n. thud.

kalabós, n. prisoner.

kalabusab, salabusab, n. sound of fish breaking through surface of water.

kalabusan, n. prison.

kalakal, n. merchandise.

kalakian, n. full grown male carabao.

kaladkarín, v. to haul along.

kalaghalâ, n. phlegm.

kalágitnaan, n. very center, middle.

kalahatì, adj. one-half.

kalálabasán, n. result, effect.

kalalakihan, n. group of men.

kalaliman, n. deepness, depth.

kalamansanay, n. a species of tree.

kalamansî, n. calamansi, lemon.

kalamas, n. opponent in combat.

kalamay, n. a kind of native sweet made of coconut

milk and sugar.

kalambâ, n. earthen wide-mouthed jar.

kalambibít, n. a species of vine.

kalambre, n. cramp (of muscles).

kalamkám, n. ticklishness.

kalamkámin, v. to tickle; to have one's surface nerves excited by touch.

kalamismís n. wing bean.

kalamnáng tuyót, n. pulp.

kalán, n. cooking stove.

kalandas, n. bier.

kalansáy, n. skeleton.

kalansíng, n. tinkle.

kalantariin, n. to talk scandalously of another.

kalantóg, n. a kind of sound.

kalang, n. wedge.

kalangan, v. to put on a wedge.

kalangitan, n. heaven; ecstasy.

kalapati, n. dove.

kalápinay, n. a species of shrub.

kalarô, n. playmate.

kalás, adj. loose.

kalasag, n. shield.

kalasutsí, n. a species of tree.

kalaswaán, n. lewdness, lasciviousness.

kalát, adj. spread out, scat-

tered, known.
kalatas, n. letter, missive.
kalatís, n. extremely soft noise.
kalatóg, n. a kind of sound.
kalatóng, n. a clang (of metallic objects striking together).
kalaw, n. a species of bird.
kalawang n. rust.
kalawangin, v. to become rusty.
kálawangín, adj. rusty.
kalawit, n. scythe, hook.
kaláy, n. awkward.
kalayaan, n. liberty; freedom.
kalaykáy, n. rake.
kalbaryo, n. calvary.
kalbó adj. bald.
kálkuló, n. calculation, estimate.
kálkulus, n. calculus.
kaldereta, n. goat stew.
kaldero, n. boiler, caldron.
kaldo, n. broth, gravy.
kalendaryo, n. calendar.
kalesa, n. rig, calash.
kalibkíb, n. copra.
kalibre, n. caliber.
kalibugan, n. lasciviousness, lewdness.
kalíkasan, n. nature.
kalidád, n. quality.
kaligay, n. a species of shell.
kaligiran, n. background.

kaligsá, adj. rival, contestant.
kalihim, n. secretary.
kálihimán, n. secretariat.
kaliluhan, n. treachery.
kalimutan, v. to forget.
kalinawan, n. clearness; lucidity, transparency.
kalinisan, n. cleanliness, neatness.
kalingà, n. care; act of looking after someone.
kálingkingan, n. the smallest finger.
kalipunán, n. group; association, federation.
kaliráng, adj. emaciated.
kalis, n. sword.
kaliskís, n. scales of fish.
kaliwâ, n. left hand, left.
kaliwete, n. left-handed person.
kalmá, adj. calm, quiet.
kalmante, adj. soothing, n. sedative.
kalmót, n. scratch of nails.
kalò, n. hat.
kalô, n. pulley.
kalong, n. something or one held on the lap.
kaloób, n. gift, blessing.
kalooban, n. desire, wish, pleasure.
kaloriya n. calorie.
kalsada, n. street.
kalsadór, n. shoehorn.

kalsó, n. wedge, frisket sheet, overlay.

kalsón, n. swimming breeches, trunk.

kalsunsilyo, n. drawer, underwear.

kaltás, n. deduction, reduction.

kaltís, n. clicks of pistol cock.

kaluban, n. sheath, case for a sword.

kalubkób, n. coating, covering.

kalukatì, n. knicknack.

kalugkóg, n. a kind of sound.

kalugihán, n. loss.

káluluwá, n. soul, spirit.

kalumísmís n. a species of clam.

kalumpáng, n. a species of tree.

kálunyâ, n. partner in adultery.

kalupkóp, n. metal ring or cap on cane, etc.

kalupî n. wallet, pocketbook, portfolio.

kaluskús, n. rustling noise.

kalúsugan, n. health.

kalutasán, n. solution.

kaluskós, n. sound produced when stepping on leaves, papers and the like.

kamakalawá, n. the day before yesterday.

kamaksí, n, cricket.

kamada, n. pile, formation, accumulation, plot.

kamag-anak, n. relative, relation.

kamagóng, n. species of tree.

kamalayán, n. consciousness, knowledge, awareness.

kamalian, n. fault, error, mistake.

kamalig, n. granary.

kamandág, n. poison.

kamansí, n. species of tree.

kamantigì, n. species of herb.

kamanyáng, n. incense.

kamangmangán, n. ignorance.

kamarero, n. steward.

kamarón, n. big shrimps.

kamarote, n. cabin, stateroom, berth.

kamatis, n. tomato.

kamáy, n. hand.

kambál, n. twins.

kambíng, n. goat.

kamkamín, v. to apropriate for one's self.

kamelyo, n. camel.

kamí, pron. we.

kaminero, n. street cleaner.

kamisatsina, n. collarless shirt.

kamisola, n. camisole.

kamisón, n. chemise.

kamot, n. scratch.

kamote, n. sweet potato.

kampanà, n. bell.

kampanaryo, n. church tower.
kampanero, n. bellman.
kampanya, n. campaign.
kampáy, n. the swinging of the arms.
kampeón, n. champion.
kampilan, n. cutlass.
kampít, n. a big kitchen knife.
kampo, n. camp.
kampón, n. follower.
kampupot n. a species of shrub.
kamtán, v. to possess.
kamunduhán, n. worldliness, earthliness.
kamuníng, n. a species of tree, (Cap.) a name of a place in Quezon City.
kamusmusán, n. childhood, innocence.
kamuwangán, n. understanding or knowledge.
kamya, n. a species of tree and its flower.
kamyás, n. a species of tree and its fruit.
kanál, n. canal, ditch.
kanan, n. right.
kanaryo, n. canary bird.
kanastro, n. large basket.
kanaway, n. species of bird.
kandado, n. lock, padlock.
kandanggaok, n. a species of bird.
kandarapà, n. a species of

bird.
kandelero, n. candle holder.
kandidato, n. candidate.
kandilà, n. candle.
kandili, n. care, protection.
kandirít, n. hop.
kandóng, n. person or thing held on the lap.
kandulì, n. a species of fish.
kandungan, n. lap.
kandurô, n. a species of bird.
kanela, n. cinnamon.
kanilá, pron. their, theirs.
kanin, v. eat.
kanina, n. little while ago.
kanino, pron. to whom, for whom, whose.
kaniyá, kanyá, pron. his, her, him.
kanlóng adj. out of the way, hidden.
kanluran, n. west.
kanluranin, adj. western.
kansél, n. wooden screen.
kanser, n. cancer.
kansóg, n. a kind of sound, especially of water.
kantá, n. song. **v.** sing.
kantero, n. mason.
kantiyáw, n. banter.
kanturê, n. a species of calm.
kantutay n. a species of vine.
kanyamaso n. fabric from reclaimed weave.
kanyón, n. cannon.
kangkóng, n. a species of edi-

ble plant.

kaón, v. fetch somebody. n. one who fetches.

kapabayaán, n. neglect.

kapakinabangán, n. utility, benefit.

kapakí-pakinabang, adj. beneficial, profitable, useful.

kapág, conj. if, when.

kapagdaka, adv. at once, all of a sudden.

kapagkuwán, adv. within a very short time.

kapahamakan, n. misfortune.

kapahintulután n. permission.

kapaín, v. to grope with the hands and take hold of without seeing.

kapaitán, n. bitterness.

kapál, n. thickness.

kapalaran, n. luck, fate, fortune.

kapaligiran, n. environment.

kapanabikán, n. suspense.

kapanalig, n. fellow with the same belief or faith.

kapansanan, n. external or internal obstacle, obstruction.

kapantayang-dagat, n. sea level.

kapangagaw, n. rival, opponent.

kapangitan, n. ugliness.

kapangyarihan, n. power.

kapararakan, n. utility, benefit, value.

kapás, adj. capable.

kapasidád, n. capacity.

kapasidád-hurídiko, n. judicial capacity.

kapasidad-sibil, n. civil capacity.

kapatagan, n. plain, valley.

kapatawaráng-madlâ, n. amnesty.

kapatíd, n. brother or sister.

kapayakán, n. simplicity.

kapayapaan, n. peace.

kapé, n. coffee.

kapighatián, n. sorrow.

kapilas, n. part of piece torn away or ripped from a thing.

kapilya, n. chapel.

kapisanan, n. society; party.

kapitál, n. capital.

kapitalismo, n. capitalism.

kapitalista, n. capitalist.

kapitán, n. captain.

kapitá-pitagan, adj. deserving respect.

kapitbahay, n. neighbor.

kapitolyo, n. capitol.

kapón, adj. castrated.

kapós, adj. short, insufficient.

kapote, n. raincoat.

kapre, n. apparition of a giant at night.

kapritso, n. caprice, whim,

notion.

kapritsosa(o), adj. whimsical, fickle.

kápsulá, n. capsule.

kapuluán, n. archipelago.

kapulungán, n. assembly, house (Congress).

kapuná-puná, adj. noticeable.

kapupunán, n. complement.

kapurát, n. very small piece.

kapuri-puri, adj. praiseworthy.

kapusukán, n. state of emotional upheaval.

kapuwâ, kapwà, n. both, the two.

kapwa-tao, n. fellowmen, acquaintance.

karabana, n. caravan.

karaka, adv. immediately, at once.

karagatan, n. ocean.

Karagatang Atlántiko, n. Atlantic Ocean.

karahasán, n. violence, impetuosity, vehemence.

karaikrus, n. coin game of heads or tails.

karáingan, n. supplication.

karálitaán, n. poverty.

karambola, n. carom, billiards.

karamelo, n. caramel.

karampatan, adj. exact, proper, adequate.

karampót, n. very small quan-

tity.

karamutan, n. stinginess, selfishness.

karaniwan, adj. ordinary, common, usual.

karapatán, n. right, privilege.

karayagán, n. the right side of the cloth.

karayama, adj. intimate.

karayom, n. needle.

karbón. n. carbon, coal, charcoal.

karburo, n. carbide.

kardenál, n. cardinal.

karera, n. race, career.

kareta, n. sledge, long narrow cart, wagon.

karetera, n. highway.

karetilya, n. small cart, pushcart.

karga, n. load, freight, cargo, burden.

kargadór, n. carrier, loader, stevedore.

kargahín, v. to load, to carry.

kargamento, n. kargo, shipment.

kargo, n. charge, duty, responsibility, load.

karibál, n. rival (Sp.)

karikarí, n. a kind of native stew meat and vegetable stew.

kariktán, n. beauty, brilliance, splendor.

karidád, n. charity.

karimlán, n. darkness

karinyo, n. fondness, affection, love.

karisya, n. caress; act of endearment.

karit, n. sickle.

karita, n. sledge.

karitela, karetela n. two wheeled vehicle drawn by a horse, calash.

karós, adj. restless, flippant.

karosa, n. floats (in parade).

karpintero, n. carpenter.

karsél, n. jail, prison.

kartilya, n. primer.

kartón, n. carboard, pasteboard.

kartulina, n. bristol board, fine cardboard.

kartutso, n. cartridge, roll coins.

karugtóng, n. continuation, additional.

karunungan, n. knowledge.

karunungang pantahanan, n. home economics.

karupukán, n. weakness, fragility.

karurukán, n. summit, climax of a story.

karuwagán, n. cowardice, ignoble timidity.

karwahe, n. carriage, vehicle.

kas, n. cash.

kasa, n. house, commercial house, business firm.

kasáb, n. movement of the jaws when eating, referring especially to a pig.

kasabihán, n. saying, proverb.

kasabuwát, n. accomplice.

kasagwaán, n. obscenity, lewdness.

kasál, n wedding, marriage. adj. married.

kasalanan, n. fault, sin.

kasalukuyan, adv. at the present time, at present.

kasalungát, n. adversary.

kasama, n. campaign.

kasamá, n. tenant, farmer.

kasamyento, n. marriage matrimony.

kasanlingán, n. morality.

kasangkapan, n. tool.

kasangkót, n. accomplice.

kasangguni, n. consultant, adviser.

kasapi, n. member of an organization or an association.

kasarian, n. gender.

kasarinlán, n. independence, freedom.

kasáyahan, n. festival, entertainment.

kasaysayan, n. history.

kaskasín, v. to rub off with

emery paper.

kasera, n. landlady, boarding house.

kasi, n. beloved, loved one.

kasí, conj. because, by reason of.

kasibulan, n. prime of life.

kasike, n. cacique.

kasilyas, n. toilet room, toilet house, toilet.

kasimbigát, adj. same weight as, as heavy as.

kasiningan, n. artistry.

kasinsaráp, adj. as delicious as.

kasintaás, adj. same height as, as tall as.

kasinggináw, adj. as cold as.

kasinghirap, adj. as difficult as.

kasikatan, n. at the height of power.

kásiyá, adj. sufficient enough, adequate.

kaso, n. case.

kasosyo, n. stockholder, partners.

kastanyas, n. chestnuts.

kastanyetes, n. castanets.

kastanyo, adj. hazel brown, chestnuts-colored.

kastigo, n. punishment, correction, chastisement.

Kastilà, adj. Spanish. **n.** Spaniard, Spanish language.

kastilyo, n. castle.

kastuli, n. a species of plant.

kasubhâ, n. safflower.

kasúkasuan, n. joints of bones.

kasukdulán, n. climax of a story.

kasulatan, n. correspondent.

kasulatán, n. documents, record, writings.

kasúy, n. a species of tree and its fruit.

kaswela, n. earthen cooking pan.

katá, pron. you and I.

kataasán, n. height, highness, pride.

katabí. prep. beside. **n.** person or thing beside another person or thing.

katabilán, n. talkativeness.

kataksilán, n. treachery, disloyalty.

katád, n. leather.

katagâ, n. particle.

katagalugan, n. the Tagalog region.

katahimikan, n. silence, peace.

katál, n. shiver, tremble.

katalágahan, n. a natural law.

katalépsiyá, n. catalepsis

kataléptikó, adj. cataleptic.

katalinuhan, n. intelligence, intellectuality.

katalo, n. opponent in an argument or debate.

katálogó, n. catalogue.

katalunan, n. loss.

katám, n. carpenter's plane.

katambál, n. part of a compound.

katamisán, n. sweetness.

katamtaman, adj. just sufficient.

katánungan, n. interrogation, question.

katang o katangán, n. fulcrum.

katángian, n. quality.

katápatan, n. sincerity, faithfulness.

katapusán, n. end, conclusion.

katarata, n. cataract.

katárungan, n. justice.

katás, n. juice, sap.

katastro, n. cadastral survey.

katawán, n. body.

kátawanín, n./adj. intransitive (Gram).

katatagán, n. stability, solvency,

katauhan, n. perception of knowledge gained.

katawá-tawá, adj. funny.

katay, n. bundle of fish.

katayin, v. to slaughter for food.

katedrál, n. cathedral.

kathâ, n. fiction, composition.

kathambuhay, n. novel.

kati, n. low tide.

katí, adj. itchy.

katibayan, n. proof, evidence.

katig, n. outriggers.

katiin, v. to test the durability of the eggshell by striking gently against the teeth; to entice, to gauge the feeling.

katimpián, n. restraint.

katinig, n. consonant (Gram.)

katingán, n. big earthen cooking pot.

katipunan, n. association, society, collection.

katisismo, n. catechism.

kátitikan, n. minutes of a meeting.

kátiwalà, n. definiteness.

katmón, n. a species of shrub.

katóg, n. knock, a kind of sound.

Katólikó, adj. Catholic.

katón, n. a child's first reader.

katoto, n. friend, companion.

katotóhanan, n. truth.

katre, n. bed.

katsót, n. a species of fish.

katukayo, n. person possessing the same name.

katulong, n. helper, assistant.

katumbás, n. equivalent.

katungkulan, n. duty, designation, position, function.

katunggalî, n. opponent in a controversy.

katúparan, n. fulfillment.

katutubò, n. native, innate, natural.

katuturán, n. definition, value, importance, meaning.

katuusán, n. computation.

katuwâ, adj. queer, absurd, peculiar.

katúwaan, n. merriment.

katuwáng, n. coeffecient (mathematics), co-sponsor (baptism).

katwiran, n. reason.

katyaw, n. rooster.

kaugalián, n. custom.

kaugnayan, n. relationship.

kaunín, v. to fetch.

kauntî, adj. few.

kausap, n. the person you are talking with.

kawa, n. a big kettle.

kawakasán, n. final outcome, end.

kawad, n. wire.

kawad-kawad, n. bermuda grass.

kawal, n. soldier.

kawaláng-kaya, n. incapacity, inefficiency.

kawalì, n. frying fan.

kawan, n. flock.

kawaní, n. employee, assistant.

káwanihan, n. bureau.

kawang, n. crevice, crack, fissure.

kawangkî, adj. similar to something.

káwanggawâ, n. charity.

kawawà, adj. to be pitied, pitiful.

kawáy, n. waving of hands especially when one is leaving.

kawayan, n. bamboo.

kawayán, v. to call.

kawikaán, n. saying, maxim, expression, idiom.

kawíl, n. fish line.

kawíng-kawíng, adj. connected (as in chains).

kaya, n. ability.

kayâ, conj. for this or that reason.

kayakas, n. baggasse.

kayamanan, n. wealth, riches,

kayamután, v. annoyed with.

kayangkáng, n. barking with gain.

kayarián, n. construction, structure.

kayasin, v. scrape off with a sharp instrument.

kayat, n. fluid escaping through a crack or hole.

kaykáy, n. the scratching of fowl.

kayo, n. fabric, cloth.
kayó, pron. you (plural).
kaysa, conj. than.
kayumad, n. young hair louse.
kayumanggî, n./adj. brown.
kayurin, v. to scrape off, to grate.
keso, n. cheese.
kesyu-kesyo, n. fuss, ado.
kibal, n. warp (in wood).
kibang, n. warp (in the mind).
kibô, n. movement, action, utterance.
kibót, n. movement of the closed lips.
kikil, n. file.
kidkíd, n. roll, spool.
kidlát, n. lightning.
kilabot, n. terror, goose pimples.
kilala, n. acquaintance.
kilalá, adj. known, famous, popular.
kilawín, n. raw or half-cooked fish or meat seasoned with vinegar or lemon juice.
kilay, n. eyebrows.
kilik, n. something supported by the side of the body.
kilikili, n. armpit.
kililíng, n. small bell.
kilíng, adj. inclined, bent.

kilít, n. fine tremor of excitement.
kilitî, n. ticklishness, tickle.
kilo, n. kilo, kilogram, rafter, lacteal lymph.
kilô, adj. crooked, bent.
kilométrikó, adj. kilometric.
kilometro, n. kilometer.
kilos, n. act, movement.
kilusán, n. concerted movement.
kilyawan, n. oriole.
kimáw, n. crooked arm.
kimbót, n. movement of the lips, hips, and the like.
kimî, adj. shy, timid.
kimika, n. chemistry.
kimiko, n. chemist.
kimpál, n. lump, mass.
kinákapatíd, n. godbrother, godsister.
kinálalagakan, n. depository.
kinalkál, n. scratch.
kináng, n. brilliance, brightness.
kinapál, n. creation, being.
kináumagahan, adv. the next morning.
kindát, n. winking of the eyes.
kinikitá, n. mirage.
kinis, n. smoothness.
kintáb, n. lustre, brilliance.
kingke, n. kerosine lamp.
kipkíp, n. something carried under the arm.

kipilín, v. to press between the fist.

kipot, n. narrowness.

kirát, adj. with palsied eyelids.

kirót, n. stinging pain.

kisapmatá, n. instant, wink of an eye.

kisáy, n. convulsion, wriggling.

kisíg, n. mascular twitch.

kisláp, n. sparkle, scintillation.

kita, n. income, salary, adj. visible.

kitá, pron. you and I.

kitikití, n. tadpole.

kitid, n. narrowness.

kiwal, n. warp (in woven material).

kiyâ, n. gait, carriage.

kiyapò, n. a species of plant.

kiyosko, n. kiosk.

klabe, n. clavichord, key of a code.

klabong-pakô, n. clove.

klaro, n. white of an egg.

klase, n. class, kind, school.

klásiká, adj. classic.

klaustro, n. cloister.

klerk, n. clerk.

klérigó, n. clergyman.

klima, n. climate.

klíniká, n. clinic.

kliyente, n. client.

klub, n. club.

ko, pron. my (postpositive).

kobra, n. cobra.

kokak, n. frog's call.

kokus, n. caucus.

kodak, n. kodak, camera.

kódigó, n. code.

kódigó-penál, n. penal code.

kódigó, sibíl, n. civil code.

kola, n. tail of long shirt, paste, glue.

kolaterál, n. collateral.

koleksiyón, n. collection, accumulation.

kolehiyala, n. lady student, border in a college.

koléhiyó, n. college.

kólerá, n. cholera.

kolgadura, n. tapestry, drapery.

kolór, n. color.

kolostrum, n. colostrum, foremilk.

komadre, n. female sponsor of one's child in baptism, confirmation or wedding.

komandante, n. commandant.

komang, adj. faulty handed.

kombalatse, n. trade-in.

kombensiyón, n. convention.

kombokasyón, n. convocation.

kombóy, n. convoy.

kompesyunaryo, n. confessional, confessional box.

komedya, n. comedy.

komedyante, n. comedian.

komentarista, n. commentator.

komentaryo, n. commentary.

komersiyante, n. merchant, trader, businessman.

komérsiyó, n. commerce, trade, business.

kómikó, adj. comic

komida, n. regular meal.

komisyón, n. commission.

komisyunado, n. commissioner.

komité, n. committee.

komonwelt, n. commonwealth.

kompadre, n. male sponsor of one's child in baptism, confirmation or wedding.

komparsa, n. orchestra of amateurs playing mostly stringed instrument.

kompederasyón, n. confederetion, alliance, league.

komperénsiyá, n. conference, meeting, lecture.

kompesór, n. confessor.

kompeténsiyá, n. competition, rivalry.

kompiteor, n. confiteor. (Eccl.)

kompleto, adj. complete, finished.

komplikasyón, n. complication.

komposisyón, n. composition.

kompromiso, n. compromise,

engagement, appointment.

konde, n. count.

kondenado, n./adj. condemned.

kondesa, n. countess.

kondisyón, n. condition.

kongkreto, adj. concrete, made of cement.

kongregasyón, n. congregation, community, assembly.

kongresista, n. congressman.

kongreso, n. congress.

kónikó, adj. conical, conic.

kono, n. cone.

konsagrado, adj. sacred, devoted to.

konsagrahín, v. to consecrate.

konsagrasyón, n. consecration.

konsehál, n. councilor, councilman.

konseho, n. council, council hall.

konserbatoryo, n. conservatory.

konsertista, n. one who performs in a concert.

konsiderasyón, n. consideration.

konsiyénsiyá, n. conscience.

konsiyerto, n. concert, harmony.

konsorte, n. consort.

konstitusyón, n. constitution.

konsúl, n. consul.

konsulado, n. consulate.

konsuwelo, n. consolation.

kontadór, n. accountant, meter for electricity, gas or water.

kontento, adj. contented.

kontra, prep. against. **n.** opposition.

kontrabando, n. contraband, smuggling, smuggled goods.

kontraktór. n. contractor.

kontrato, n. contract.

kontraryo, n. opponent, rival.

kontrasenyas, n. countersign.

kontrata, kontrato, n. contract.

kontribusyón, n. contribution.

kontrol, n. control

kontsa, n. shell.

kooperasyón, n. cooperation.

kooperatiba, n. cooperative society or association.

kopa, n. wine cup, cup.

kopo, adj. monopolized.

koponán, n. team.

kopra, n. copra.

kopradiya, n. confraternity.

kopya, n. copy, duplicate.

kopyahín, v. to copy.

kordero, n. lamb.

korea, n. leather, strap belting (mechanics).

koreksiyón, n. correction.

koredora, n. slide bar, slide rod.

koréo, n. mail, mail service.

korneta, n. cornet, bugle.

koro, n. choir, chorus.

korona, n. crown, wreath.

koronahan, v. to put a crown. to put a wreath.

koronasyón, n. coronation.

koronél, n. colonel.

korporasyón, n. corporation.

kortapluma, n. pocketknife, penknife.

kortesiya, n. courtesy.

korum, n. quorum.

kotse, n. car, coach.

kotso, n. cork-soled slippers for women.

kréditó, n. credit.

kredo, n. creed.

krema, n./adj. cream.

krimen, n. crime.

kriminál, n. criminal.

kriminolohiya, n. criminology.

krisantemo, n. chrysanthemum, composite plant.

krisis, n. crisis.

kristál, n. crystal.

Kristiyanismo, n. Christianity.

Kristo, n. Christ.

kritiká, n. criticism.

krítikó, n. critic.

kromo, n. chromium (Met.)

krosing, n. crossing.

krudo, n. crude oil.

548

krus, n. cross.
krusipíhiyó, n. crucifix.
kubà, n. hunchback.
kubkób, v. encircle, surround.
kúbiko, adj. cubic.
kubíl, n. den of a wild beast, lair.
kublí, adj. hidden.
kubo, n. hut, cube.
kuból, n. temporary shed.
kubrekama, n. bedcover, bedspread.
kubyertos, n. table silver.
kukó, n. nail, fingernail.
kukô, n. deformed.
kukób, adj. convex, bent.
kudkuran, n. implement for grating coconut meat.
kudlít, n. slight scratch of pointed instrument, apostrophe.
kudyapî, n. guitar.
kugon, n. a species of grass.
kuha, v. take, get.
kuhilâ, n. betrayer.
kuhól, n. a species of snail.
kulabô, adj. blur, something indistinct to sight.
kulabín, v. to beach.
kulam, n. sorcery, witchcraft.
kulambô, n. mosquito net.
kulandóng, n. thick cloth roofing.
kulanì, n. lymph node.
kulantá, n. little contemptible

person
kulantró, n. coriander.
kulang, adj. incomplete, lacking. n. shortage.
kulangot, n. dried mucus.
kulapé, n. carabao grass.
kulapo, n. a species of fish.
kulasisì, n. a species of bird.
kulasyón, n. fasting and abstinence.
kulay, n. color, hue.
kulay-abó, adj. ashy, gray.
kulíg, n. young pig.
kuliglíg, n. cricket, cicada.
kulilíng, n. small bell.
kulimlím, adj. dim.
kulisap, n. insect.
kulô, n. boiling.
kulóg, n. thunder.
kulót, adj. curly, wavy.
kultura, n. culture.
kulubóng, n. covering of the head.
kulubót, n. wrinkle. adj. wrinkled.
kulumot, n. crowd, jam.
kulungkután, n. pupa.
kulunggutóng, n. mosaic (in plants).
kuluóng, adj. covered airtight and lightproof.
kulurete, n. rouge.
kulút-kulutan, n. a species of wild plant.
kulyár, n. collar.
komadrona, n. midwife.

kumbensiyón, n. convention.
kumbento, n. convent.
kumbiksiyón, n. conviction.
kumbidá. n. invitation.
kumbidado, adj. invited.
kumbidahín, v. to invite.
kumbidahin, v. convince, persuade.
kumedór, n. dining room.
kumedya, n. comedy.
kuminóy, n. quicksand.
kumón, n. latrine, water closet.
kumot, n. blanket.
kumpás, n. compass, gesture by the hands and arms, beat rhythm (music).
kumpáy, n. folder, forage.
kumpíl, n. confirmation.
kumpisál, n. confession.
kumpisalan, n. confessional, confessional box.
kumpites, n. bonbons, candies, sweets.
kumpiyansa, n. confidence, trust, faith.
kumpleanyo, n. birthday.
kumpól, n. bunch, cluster.
kumporme, adj. agreeable, conforming, resigned, satisfied.
kumpuní, n. repair, fixing, remodeling, mending.
kumunismo, n. communism.
kumunista, n. communist.
kumunyón, n. communion.

kuna, n. cradle.
kunat, n. pliability, flexibility.
kundáy, n. movement of the hand from the wrist.
kundî, conj. but.
kundiman, n. love song.
kundól, n. wax gourd.
kunduktór, n. conductor, checker in passenger vehicle.
kuneho, n. rabbit.
kunót, n. fold of the skin, especially of the forehead.
kunsintidór, n. conniver, one who pampers or spoils.
kunsintihín, v. to tolerate, permit, pamper, spoil.
konsulta, n. consultation.
kunsumido, adj. annoyed. vexed, exasperated.
kunsumisyón, n. annoyance, vexation, nuisance.
kunsumo, n. consumption of supply or provisions.
kunyás, n. quoins.
kung, conj. if, when.
kupad, n. sluggishness, slowness.
kupas, n. fading disappearance of color.
kupás, adj. faded, out of date, out of use.
Kúpido, n. Cupid, god of love.
kupis, adj. deflated.
kupón, n. coupon.

kupyâ, n. hat, helmet.
kura, n. curate, priest.
kurà, n. picnic in the river or by a waterway.
kurál, n. corral.
kuráp, n. winkling, blinking.
kura pároko, n. parish priest.
kurba, n. curve.
kurbado, adj. curved.
kurbata, n. necktie, cravat.
kurkubado, adj. hunchbacked.
kurdiyón, n. accordion.
kurdón, n. cord, stout thread.
kurikulum, n. curriculum.
kuripot, n. stingy, miserly.
kurirì, n. fuss.
kurismá, n. lent.
kurò, n. opinion, idea.
kurót, n. pinch.
kurso, n. course of study. course, career.
kursó, n. diarrhea.
kursunada, n, liking, impulse.
kurtado, kultado, adj. curdled, referring to milk.
kurtina, n. curtain.
kutsetes, n. hooks and eyes.
kuru-kurò, n. opinion, idea.
kuryente, n. current.
kuryer, n. courier.
kusà, adj. voluntary, volitional.
kuskós, n. scrubbing, rubbing.

kuskós-balungos, n. fuss and talk, ado.
kusinà, n. kitchen.
kusinero, n. cook, chef.
kusinilya, n. small alcohol or gas stove.
kusíng, n. coin equivalent to one half centavo.
kustura, n. sewing, stitching, seam.
kusturera, n. seamstress.
kustumbre, n. custom, habit.
kut, n. fort.
kusót, adj. crumpled, rumpled.
kutab, n. channel, groove.
kutad, adj. immature, inexperienced.
kutamaya, n. flexible armor.
kutíng, n. kitten.
kutis, n. complexion.
kuto, n. louse.
kutób, n. premonition.
kutón, n. fold, pleat.
kutsara, n. spoon.
kutsarita, n. small spoon.
kutsarón, n. large spoon, ladle.
kutsero, n. coachman. driver of animal drawn vehicles.
kutsilyo, n. small knife.
kutsón, n. cushion, mattress.
kutúkutó, n. fry of mullet.
kutyâ, n. mockery, ridicule.
kutyog, adj. bald, close-cropped (of hair).

kuwâ, n. puppy, whelp, barking of puppies.

kuwako, n. smoking pipe.

kuwaderno, n. notebook.

kuwadra, n. stable.

kuwadrado, n./adj. square.

kuwadro, n. frame, painting.

kuwago, n. owl.

kuwarentenas, n. quarantine.

kuwaresma, n. lent.

kuwarta, kuwalta, n. money.

kuwartél, n. headquarter, quarter.

kuwarteto, n. cuatrain, quartet.

kuwarto, n. room.

kuwarto, n./adj. four.

kuweba, n. cave.

kuwelyo, kuhelyo, n. collar or neckpiece of shirt or dress.

kuwenta, n. counting, computation, bill, account, debt, worth, value, use.

kuwentista, n. short story writer or teller.

kuwento, n. story, tale.

kuwengka, n. delta.

kuwerdas, n. string of musical instruments.

kuwero, n. hide, skin, leather.

kuwintás, n. necklace, chain.

kuwitib, n. big black ants.

kuwitis, n. sky rocket.

kuya, n. oldest or elder brother.

kuyakoy, n. swinging of the legs when seating or lying.

kuyad, n. sluggishness, slowness.

kuyóg, n. fry of siganid.

kuyukót, n. coccyx, pin bone.

kuyumpís, adj. deflated.

—D—

D, d, n. fourth letter of the Pilipino alphabet.

daán, n. road, street.

daanan, v. to pass by, to fetch.

daáng-bakal, n. railway.

daanin, v. to obtain by means of.

daán ng araro, n. furrow.

dabog, n. rudeness, discourteous action.

dakdák, n. blow, thump.

dakilà, adj. great.

dakmâ, n. an act of pouncing.

dakmaín, v. to pounce.

dako, n. part, place, location.

dakót, n. handful.

dakpín, v. to arrest.

dádalawá, adj. only two.

dadalawampú, adj. only twenty.

daga, n. obelisk (printing), dagger.

dagâ, n. mouse, rat.

dagá-dagaan, n. biceps.

dagandáng, adj. exposed to heat.

dagat, n. sea.

dagát-dagatan, n. lagoon.

dagat-lágusan n. channel.

Dagat-Pasípikó, n. Pacific Ocean.

dagdág, n. addition, appendix. adj. additional.

dagdagán, v. to add, to increase, to augment, to supplement.

dagil, n. slight touch, bump.

dagím, n. gray or dark cloud, as threatening rain.

dagit, n. something preyed upon.

dagitab, n. electricity.

dagitín, v. to prey upon.

daglát, n. abbreviation.

daglî, adv. promptly, briefly.

daglít, n. abbreviation.

dagok, n. blow on the nape.

dagtâ, n. juice, sap.

dagubang, n. resounding noise of impact.

dagubdób, n. blaze, brightly burning fire accompanied

by noise.

dagukan, v. to give a blow on the nape.

dagundóng, n. loud noise.

dagusdós, n. glide, slide, slip down.

dahák, n. expectoration.

dahan-dahan, adv. slowly.

dahás, n. force.

dáhikan, n. shipyard.

dahil, conj. because of.

dahilán, n. reason, excuse, pretense, pretext, occasion.

dahilíg, adj. inclined, slanting, pendent.

dahon, n. leaf.

dahóp, adj. needy.

dáhumpaláy, n. poisonous snake.

dahunán, adj. leafy.

daíg, adj. beaten, overpowered, defeated, overshadowed.

daigdíg, n. world, universe. earth.

daigín, v. to defeat, to overpower, to overshadow, to surpass.

daing, n. dried fish.

daíng, n. moan, lamentation, distressed sound, complaint.

dala, n. fishing net.

dalá, n. anything carried or brought, load.

dalâ, adj. disenchanted, disappointed and discontented.

dalág, n. mudfish.

dalaga, n. maiden, single woman. bachelor girl.

dalagang-bukid, n. farm maiden. species of salt water fish.

dalagita, n. teen-age girl.

dalahik, n. intermittent coughing.

dalahikan, n. dock. wharf, isthmus.

dalahin, n. burden.

dalahirà, n, tattler gossip, chatterbox.

dalaín, v. to disappoint, to scare. to frighten, to cause one to be conscious.

dalamhatì, n. sorrow, affliction, grief, sadness.

dalampasigan, n. beach coast, strand.

dalandán, n. species of Philippine orange.

dalangan, v. to make scarce, to make less dense.

dalangát, n. a species of fish.

dalangin, n. prayer, supplication, entreaty.

dalás, n. frequency.

dalasán, v. to do something more frequently.

dalasín, v. to hurry up.

dalatan, n. highland for cultivation.

dalaw, n. visitor, visit.

dalawá, adj. two.

dálawahan, adj. dual.

dalawahín, v. to make two, to duplicate, to double.

dálawahin, adj. double.

dalawampú, adj. twenty.

dalawin, v. to visit.

dalawit, n. implication, lever, handspike.

dalayrayan, n. base. supporting part of an object, line forming the bottom part of a figure.

daldál, n. talkativeness.

dalhín, v. to carry.

dalì, n. inch.

dali, n. speed, ease, facility.

dalián, v. to make easier, to move faster.

dalí-dalî, adv. at once, hastily, to quicken.

dalirì, n. finger.

dalirot, n. act of poking.

dalirutin, v. to poke.

dalisay, adj. clean, pure, clear, chaste.

dalisayin, v. cleanse, purify.

dalisdís, n. slope, inclined slant.

dalisdisín, v. cut in a slanting way, cut in a sloping way.

dalit, n. lamenting song, ditty, dirge.

dalit, v. to recite a lamenting song, ditty or dirge.

dálitâ, n. poor.

daló, n. help, attendance.

dalok, n. pickle, pickled fruit.

dalos, n. haste.

daloy, n. flow.

dalub-arál, n. scholar.

dalubhasà, adj. expert, specialist in any field of learning.

dalubhasaan, n. college, place where one specializes in any field of learning.

dalubwikà, n. philologist.

daluhán, v. to attend.

daluhong, n. attack with violence, assault.

daluhungin, v. to attack, to assail, to assault.

dalumat, n. comprehension, understanding.

dalumatin, v. to understand, to comprehend.

dalumog, n. attack with intent to annihilate.

dalús-dalos, adj. hasty, impulsive.

dalusdós, n. inclination, slope.

dalusong, n. attack with intent to destroy.

dáluyang-luhà, n. lachrymal.

daluyong, n. tidal wave.

dama, n. checkers.

damá, n. feelings.

dámahuwana, n. a large bottle, demijohn.

damahán, n. checkerboard.

damahín, v. to feel, to grope. to touch.

damál, n. manacle.

damay, n. help, sympathy, aid.

dambá, n. leap.

dambahín, v. to leap against.

dambanà, n. altar.

dambóng, n. plunderage, pillage.

dambuhalà, n. sea monster, monster.

damdám, n. suffering, affliction, feeling, grievance.

damdamin, n. feeling.

damdamín, v. to feel, to grieve, to suffer.

dami, n. amount, number, multitude.

damihan, v. to increase, to augment, to add.

damít, n. dress, clothes, fabric.

damitán, v. to put on clothes.

damó, n. grass.

damot, n. stinginess, niggardliness.

dampâ, n. hut.

dampî, n. light, gentle touch.

damuhán, n. meadow, grassy place.

damulag, n. carabao.

danak, n. overflow, oozing.

danaw, n. lagoon, small lake, pond.

dantáy, n. resting of the leg on a person, pillow and the like.

danyós, n. damages.

dangál, n. reputation, honor, glory, fame.

dangát, n. a species of fish.

dangkál n. hand breadth, palm breadth.

dangdangín, v. to parch.

daóng, n. barge, large boat.

dapâ, n. prone position.

dapat, auxil. v. ought, must,

dapat, adj. worthy, deserving, fit, apt, adequate.

dapdáp, n. a species of tree.

dapit, n. act of taking from one place to another.

dapitin, v. to take from one place to another.

dapò, n. orchid, kind of air plant, act of alighting (among birds and insects).

dapóg, n. fireside.

dapulak, n. molds, mildews on plants.

darák, n. rice bran, chaff.

daragis, n. dysentery, diarrhea.

darang, v. to expose fire or live embers to dry.

darangán, n. epic

darangín, v. to expose to the heat of the sun, fire or live embers, to dry, to heat.

darás, n. adze.

dáratíng, v. will come, coming.

dasa, n. race.

dasál, n. oration, prayer.

dásalan, n. prayer book, rosary beads.

dasalín, v. to pray, to recite a prayer, to chant an oration.

dastô, n. surviving trace.

datál, n. arrival.

dátapwâ, prep. but.

dati, adj. original, preceding.

datig, n. joint, link, connection.

datihan, adj. quandam, former.

dating, n. arrival, menstruation.

datu, n. chieftain in a barangay.

dáungan, n. port, wharf.

dawag, n. entangled shrub, thorny path, jungle.

dayà, n. fraud, deceit, delusion.

dayain, v. to cheat, to deceive, to delude, to defraud.

dayamà, n. mental touch.

dayami, n. straw.

dayap, n. lemon, lime.

dayo, n. foreigner, stranger.

dayray, n. stormy northwest wind.

dayukdók, n. an extremely hungry person. adj. extremely hungry.

dayuhan, n. alien, stranger, foreigner.

dayuhin, v. to visit.

dayupay, n. spent locust.

debanagri, n. Sanskrit alphabet.

debate, n. debate.

debosyón, n. devotion, attachment.

debú, n. debut.

debutante, n. debutant.

dekálogó, n. decalogue.

dekano, n. dean.

deklarasyón, n. declaration, testimony.

dekorasyón, n. decoration.

dekreto, n. decree.

delegado, n. delegate.

delegasyón, n. delegation.

delta, n. delta.

demanda, n. complaint or case in court, lawsuit.

demandado, n. defendant.

demandante, n. plaintiff, complaint, claimant.

demokrasya, n. democracy

demokrátikó, adj. democratic.

dentista, n. dentist.

departamento, n. department.

compartment.

depekto, n. defect.

dépisit, n. deficit, shortage.

depósitó, n. bailment, deposit.

depósitóng hudisyál, sequestration.

deretso, n. law course, straight, right.

deskanso, n. rest.

deskontento, adj. discontent, displeased.

désimal, n. decimal.

desimetro, n. decimeter.

desmaya, n. discouragement, swoon, faint.

despidida, n. farewell, departure.

destileriya, n. distillery.

destino, n. destïny, destination, employment.

detektór, n. detector.

di, adv, no, not.

dibdíb, n. chest, breast, thorax.

dibidendo, n. dividend.

dibinidád, n. divinity.

dibórsiyó, n. divorce.

dibuho, n. design, drawing.

dikdík, adj. pounded, pulverized.

dikít, n. beauty, flame, stickiness. adj. attached, fastened, pasted.

diko, n. second oldest brother.

diksiyunaryo, n. dictionary.

diktadór, n. dictator.

diktatura, n. dictatorship.

diktahán, v. to dictate to.

diktatoryál, n. dictatorial.

didál, n. thimble.

digháy, n. eructation.

digmaan, n. war, battle.

digmaang pandaigdíg, n. world war.

diín, n. stress, emphasis.

dilà, n. tongue.

dilág, n. beauty, splendor, unmarried woman.

dilambaka, n. a species of cactus.

dilát, adj. wide open.

dilat, v. to open the eyes.

diláw, n./adj. yellow, a species of herb.

dilikadesa, n. fineness, sensitiveness.

dili-dili, n. musing, meditation, day dreaming.

dilíg, n. sprinkling of water.

diligín, v. to water, to sprinkle with water.

dilím, n. darkness, vagueness.

dilimán, n. a species of vine, (Cap.) a place in Quezon City.

diliryo, n. delirium.

dilis, n. anchovy.

dilubyo, n. deluge.

dimonyo, n. demon, devil.

din, adv. also, too.

dinamita, n. dynamite.

dínamo, n. dynamo.

dinayà, adj. deceived, deluded, v. was cheated, was swindled.

dini, adv. here.

diníg, adj. heard, capable of being heard.

dinilíg, v. was watered, was sprinkled with water.

dininíg, v. was heard, was headed.

dingdíng, n. wall, partition.

dipá, n. sideward extension of the arms. v. extend the arms sideward.

di-pagkatunaw, n. indigestion

dipanglâ, n. gorge dug by flowing rainwater.

diperénsiyá, n. difference, illness, accident.

diploma, n. diploma.

diplomasya, n. diplomacy.

diplomátikó, n. diplomat.

dipterya, n. diptheria.

diputado, n. deputy.

dirà, n. mote.

dirain, adj. ebony-eyed.

direksiyón, n. direction.

direktór, n. director.

direktoryo, n. directory.

diretso, adj. straight.

dire, n. loathing.

diskargahín, v. to unload.

diskargo, n. apology.

disko, n. disk, a flat circular object.

diskurso, n. speech.

diskuwento, n. discount.

diseksiyón, n. dissection.

disgrasya, n. disgrace, mishap.

disgrasyada, adj. disgraced, unfortunate.

disgusto, n. displeasure.

disidido, adj. decideḍ, determined, resolved.

disinteryá, n. dysentery.

disiplina, n. discipline.

disípuló, n. disciple, follower, pupil.

disisyón, n. decision.

dispatsadór, n. salesman.

dispatsadora, n. salesgirl.

dispatsahín, v. to dismiss or discharge, (from duty).

dispensaryo, n. dispensary.

dispensasyón, n. dispensation.

disposisyón, n. disposition.

distilasyón, n. distillation.

Disyembre, n. December, twelft month of our calendar year.

disyerto, n. desert.

ditâ, n. species of medicinal plant, bitterness.

dito, adv. here (near the person speaking).

ditse, n. second oldest sister.

diwà, n. spirit, idea, sense.

diwatà, n. goddess.

diyabetes, n. diabetes.

diyablo, n. devil, demon.

diyákonó, n. deacon.

diyagnosis, n. diagnosis.

diyágunál, n. diagonal.

diyálogó, n. dialogue.

diyamante, n. diamond.

diyametro, n. diameter.

diyán, adv. there (near the person spoken to).

diyánitor, n. janitor.

diyaryo, n. diary, daily newspaper.

diyés, n. ten, ten centavos.

diyeta, n. diet (foot), daily allowance (money).

diyorama, n. diorama.

Diyós, n. God, our Lord.

diyosa, n. goddess.

doble, adj. double.

doktór, n. doctor.

doktrina, n. doctrine.

Doktrina, Kristiyana, n. Christian Doctrine.

dogma, n. dogma.

dominante, adj. dominant, domineering.

Domínikó, n. Dominican.

dómino, n. domino.

Dominggo, n. Sunday.

donasyón, n. donation.

doón, (yonder) adv. there (far from the speaker and the person addressed).

dormitoryo, n. dormitory.

dose, n./adj. twelve.

doses, n· dose (of medicine).

dote, n. dowry·

drakma, n. dram.

dragón, n. dragon.

drama, n. drama, play.

dramátikó, n. dramatic.

drowing, n. drawing.

dubdób, n. burning, warmth.

duke, n. duke.

dukhâ, n./adj. indigent.

dukot, v. draw or pull out, kidnap. n. kidnapped person or stolen thing.

duda, n. doubt, distrust.

duelo, n. duel.

dugô, n. blood.

dugtóng, v. to join, to unite.

duhat, n. blackberries.

duháy, n. a species of fish.

duhól, n. fresh water snake.

dulà, n. play, drama.

dúlaan, n. theater, drama.

dulá-dulaan n. playlet, dramatization.

dulang, n. low dining table.

dulás, n. slipperiness.

dulayanin, n. boat song.

duldól, n. trusting with force, shove, push.

dulíng, adj. cross-eyed.

dulingás, adj. bewildered, perplexed, surprised.

dulo, n. end, point, extreme, terminal.

dulóng n. a species of worm-like fish.

dulse, n. sweets.

dulsera, n. tray for sweets.

dumaan, v. to pass by, to go by.

dumahák, v. to expectorate.

dumalaga, n. pullet.

dumalaw, v. to visit.

dumaló, v. to attend.

dumaluhong, v. to rush upon, to move forward suddenly.

dumaluydóy, v. to flow along inclined surface as roof, skin or cheek, side of hill, etc.

dumamay, v. to help, to share another's misfortune or sorrow.

dumami, v. to increase, to grow, to thrive.

dumapò, v. to alight, to roost.

dumáraíng, v. moaning, complaining.

dumatíng, v. to arrive, to approach, to come.

dumí, n. dirt.

dumikít, v. to stick, to cling, to cohere.

dumugô, v. to bleed.

dumihán, v. to make dirty, to render unclean.

dumpilás, n. a species of anchovy.

dumulás, v. to slip.

dumulóg, v. to present, to reach, to arrive.

dumustâ, v. to belittle, to scorn.

dunong, n. knowledge, learning, talent.

dungaw, v. look out through an opening as a window and the like.

dunggól, n. abrupt thrust, jabbing.

dungis, n. stain, dirt.

dungisan, v. to make dirty, to stain, to darken, to corrupt.

dunggót, n. extremity, very tip.

dungô, adj. timid, shy.

dungon, n. a species of tree.

duóng, n. weighing anchor, berthing.

dupikál n. chime, ringing.

duplikado, n./adj. duplicate.

duplikadór, n. duplicator.

dupók, adj. weekness, frailty, fragility, brittleness.

dupong, n. ember covered with ashes to keep glowing, firebrand, cinder.

durâ, n. saliva, sputum, spittle.

durò, n. prick, sting, puncture.

duróg, adj. powdered, broken.

durúg-duróg, adj. broken into fragment.

durugin, v. to pulverize.

duruin, v. to trust with a pointed object.

dúrungawan, n. window.

dusa, n. suffering, punishment.

dusaryo, n. rosary.

dusdós, n. sarna on the head.

dusena, n. dozen.

dustâ, n. insult, abuse, public disgrace. **adj.** insulted, infamous, miserable.

duwág, adj. cowardly.

duwende, n. goblin.

duwet, n. duet.

duyan, n. hammock.

duyo, n. brink, edge, extremity.

duyong, n. a species of seacow.

—E—

E, e, n. The fifth letter of the Pilipino alphabet.

Ebanghelyo, n. Gospel.

ebidénsiyá, n. evidence, proof.

Ebreo, n. Hebrew.

ebulusyón, n. evolution.

ekinóksiyó, n. equinox, time

at which the sun is over the equator.

eklesiyástikó, adá. ecclesiastical.

eklipse, n. eclipse.

ekolohiya, n. ecology, the branch of biology which deals with the mutual relations among oraganisms and between them and their environments.

eksakto, n. exact.

eksaltasyón, n. exaltation.

eksema, n. eczema.

ekstra, n./adj. extra.

ektarya, n. hectare.

ekwadór, n. equator.

ekwidád, n. equity.

edád, n. age, period, epoch.

Edén, n. Eden, Paradise.

edisyón, n. edition, publication.

editór, n. editor, publisher.

editoryál, n. editor, publisher.

edukado, adj. educated, training, well-bred.

edukasyón, n. education, training, manners.

ehe, n. axle.

ehersisyo, n. exercise.

Ehipto, n. Egypt.

eleksiyón, n. election.

elektór, n. elector, voter.

elektrisidád, n. electricity.

elektrisista, n. electrician.

elegante, adj. elegant, stylish.

elepante, n. elephant.

eletso, n. fern.

élisé, n. screw propeller.

embahadór, n. embassy.

embahadór, n. ambassador.

embalsamadór, n. embalmer.

embalsamahín, v. to embalm.

embargo, n. embargo, government stoppage of slips.

embriolohiya, n. embryology.

emisaryo, n. emissary.

emperadór, n. emperor.

emperatrís, n. empress.

empleado, n. omployee.

empleo, n. employment, job.

enano, unano, n. dwarf.

Enero, n. January.

enhambrera, n. queen bee.

ensalada, n. salad.

ensiklikó, n. encyclical.

ensiklopedya, n. encyclopedia.

entablado, n. platform.

entomólogó, n. entomologist.

entrada, n. entrance.

entre siete, n. a game of cards.

engkahe, n. open work fabric, lace.

épikó, n. epic.

epílogó, n. epilogue.

episkopeido, n. episcopate.

episkopál, n. episcopal.

epitalamyo, n. nuptial song.

erbolaryo, n. herbalist.
erehe, n. heretic.
erehiya, n. heresy.
ermita, n. chapel.
eruplano, n. airplane.
eskándaló, n. scandal.
eskapularyo, n. scapulary.
eskina, n. corners of streets.
eskiról, n. laborers taking the place of strikers.
eskribano, n. notary, court clerk.
eskribyente, n. writing desk
eskrípuló, n. scruple.
eskudero, n. shield bearer.
eskudo, n. coat of arms, shield.
eskultór, n. sculptor, engraver.
eskursiyón, n. excursion, outing.
eskuwela, n. school, school child.
eskuwelahán, n. school.
esgrima, n. fencing.
esmeralda, n. emerald.
espada, n. sword.
Espanyól, n./adj. Spanish.
espesyál, adj. special.
espíritú, n. spirit, soul.
estadista, n. statesman.
estadístiká, n. statistics.

estado, n. state, married state, civil status.
estambre, n. woolen yarn.
estampa, n. a framed picture of the saint.
estante, n. cabinet for books or things for sale.
estapa, n. swindle.
estero, n. estuary.
esteryór, n. casing of automobile tires.
estilo, n. style (art).
estima, n. good entertainment.
estrakto, n. extract.
estranghero, n. stranger.
estratéhikó, adj. stranger.
estrelya, n. star.
estrelyado, n. fried egg.
estribo, n. stirrup.
estróhenó, n. estrogen.
estropa, n. stanza.
estudyante, n. student.
eter, n. ether.
etiketa, n. etiquette, label.
etimólogó, n. etymologist.
etimolohiya, n. etymology.
eto, (variant of heto), adv. here.
etnólogo, n. ethnologist.
euhenesya, n. eugenics.
ewan, o aywan, don't know.

G

G, g, n. the sixth letter of the Pilipino alphabet.

gaán, n. lightness, ease.
gaano, pron. how much.

gabán, n. shawl, overcoat.

gabáy, n. guide, handrail.

gabi, n. a species of tuber.

gabí, n. night, evening.

gabí-gabí, adv. every night.

gabinete, n. cabinet.

gabók, n. dust, powder.

gabót, adj. pulled, uprooted.

gabutin, v. to kidnap (a girl), to uproot.

gabya, n. topsail.

gabyá, n. elephant.

gaga, adj. stupid, foolish.

gagád, n. imitation, mimicry, copy, parody.

gagambá, n. spider.

gagarín, v. to immitate, copy.

gahak, n. rent, chink.

gahaman, adj. greedy.

gahasà, v. to rape.

gahì, n. tear, laceration.

gahís, n. to overpower.

gahól, adj. wanting, lacking in time.

gahulín, v. to fall short.

gala, n. full normal attire.

galà, n. strolling, wandering, roving.

galâ, n. stroller, wanderer, rover.

galabók, n. dust, powder.

galák, n. happiness, joy, pleasure.

galamáy, n. tentacles.

galante, n. respect, courtesy.

galánggalangán, n. wrist.

galapóng, n. rice flour.

galauran, n. rowboat.

galáw, n. movement, act, touch.

galawgáw, n. restless, moveable person.

galbanisado, n. galvanized iron.

galgál, adj. stupid, dull, foolish.

galing, n. source, origin.

galíng, n. excellence, intelligence, amulet.

galís, n. itch.

galit, n. anger.

galón, n. gallon.

galong, n. large vessel of earthen with narrow mouth, earthen jar.

galos, n. light scratch on a surface.

galyetas, n. a kind of cookies or biscuits.

gamara, n. strap to a horse girth.

gambalà, n. disturbance, obstacle.

gamit, n. use, utility, function.

gamít, adj. used, worn-out.

gamót, n. medicine, remedy, cure.

gampanán, v. to fulfill a duty, to perform.

gamúgamó, n. lanternfly.

gamusa, n. suede.

gamutín, v. to remedy, to cure.

gana, n. appetite, earnings, income.

ganado, adj. animated, enthusiastic.

genánsiyá, n. gain, profit.

ganáp, adj. complete, finished.

gandá, n. beauty, excellence.

ganid, adj. bestial, beastly, greedy.

ganirí, pron. like this.

ganít, n. toughness, referring to meat, leather and the like.

ganirí, pron. like this.

ganiyán, pron. like that.

ganoón, pron. like that.

gansá, n. goose, gander.

gansal, adj. uneven, odd.

gantí, n. retaliation, revenge.

gantimpagál, n. recompense, amend.

gantimpalà, n. prize, reward, award.

ganutin, v. to pull out, uproot (plant).

ganyák, v. to induce.

ganyakín, v. to motivate, stimulate, induce.

ganyán, pron. like that.

gaod, v. to row, paddle.

gapák, adj. ripped, torn, broken.

gapakín, v. to break, rip, tear.

gapang v. to crawl.

gapang, n. crawl, creeping.

gapas, n. harvest produce,

gapasin, v. to harvest, cut with a cutting implement.

gapì, v. to conquer.

gapiin, v. to overpower, subdue, conquer.

gapî, adj. overpowered, subdued, conquered.

gapô, adj. weak, rotten.

gapos, n. manacle, handcuff, tie.

gapós, adj. manacled, handcuffed, tied.

gapusin, v. to manacle, handcuff, tie.

garà, n. splendor.

garahe, n. garage.

garantiya n. guarantee.

garapa, n. small bottle.

garapál, n. eggregious, remarkable for badness.

garapata, n. sheep and cattle tick.

garapinyera, n. ice cream freezers.

garapón, n. large bottle.

garbansos, n. chick-pea.

garing, n. ivory.

garníl, n. gage, gauge.

garote, n. bludgeon.

gas, n. gas, kerosene, gasoline.

gasa, n. gauge.

gasgás, n. scratch, adj. scratched, worn-out.

gasgasín, v. to scratch.

gasláw, n. unmodesty.

gasó. n. prankishness.

gasolina, n. gasoline.

gaspáng, n. roughness, coarseness.

gastá, n. expense, expenditure.

gastado, adj. worn-out.

gastadór, n. spend thrift.

gastahín, v: to spend.

gastos, n. expenses.

gat, n. title of nobility.

gatâ, n. coconut milk.

gatang, n. chupa.

gatas, n. milk.

gatlâ, n. sign made by a sharp blade.

gatô, adj. weak, old, worn-out.

gatong, n. firewood, fuel.

gatungan, v. to put fuel.

gawâ, n. work, job, works, accomplishments, deeds

gawad v. to give, offer.

gawaín, n. work, job.

gawáng-kamáy, n. hand labor.

gaway, n. sorcery, witchcraft.

gawî n. habit, custom.

gawgáw, n. starch.

gawín, v. to work, do.

gaya, adj. like, similar to.

gayák, n. preparation, decoration. adj. prepared, ready.

gayakán, v. to decorate, to dress up a person or thing.

gayahin, v. to imitate, copy.

gayat, n. slice, cut.

gaygáy v. to go to several places in search for something.

gayót, n. toughness.

gayuma, n. love potion, enchantment.

gayundín, adv. moreover.

gayunmán, adv. however.

gangga, n. cheap, purchase.

gerilya, n. guerilla.

gibâ, adj. demolished, destroyed, wrecked.

gibaín, v. to demolish, destroy.

gibik, n. alarm, call.

gigil, n. gritting of teeth as when angry.

gihà, n. fissure.

gihò, n. a species of tree.

giík n. threshing or thrashing cereals.

giikín v. to thresh.

giít, n. insistence; inserting and finding a way through a crowd.

gilagid, n. gum.

gilalás, n. awe.

gilas, n. gallantry.

gilgíl, n. the cutting of an object without raising the knife or instrument used.

gilgilín, v. to cut without raising cutting tools.

gilik, n. palay dust.

gilid, n. rim, edge.

giling, n. grinding, milling.

gilingán, n. grinder.

gilingin, v. to grind.

giliran, n. hard water.

gilít, n. slice of meat or fish.

gilitín, v. to slice.

giliw, n. term of affection, dear.

gimbalín, v. to disturb peace and silence with a sound. to create noise, to disturb.

ginang, n. married woman or widow, **(Cap.)** title annexed to the name of a married woman or widow.

gináw, n. coldness.

giniík, n. rice grains threshed from stalks.

giniikán, n. rice stalks after threshing away the grains, rice straw.

gining, n. lady, elderly woman of dignity.

ginintuán, adj. golden.

ginoó, n. (G.) mister, sir, (Mr.).

gintô, n. gold.

gipít, adj. lacking in financial means, time or space.

gipô, adj. rotten, decayed, weak, broken.

giray, n. the staggering, swaying movement of the body in trying to walk or stand.

girì, n. the treading of cocks. artificial manner of walking.

girimpulá, n. weathercock.

giríngiríng, adj. rickety.

gisá, adj. saute.

gisado, n. sauted meat or vegetables. **adj.** having been stewed.

gisaw, n. fry of mullet.

gisî, adj. torn to pieces (s.o. cloth).

gisi, n. small rip on a dress or cloth.

gising, adj. awake, vigilant, alert.

gisingin, v. to awaken.

gitara, n. guitar.

gitarahan, v. to serenade.

gitarista, n. guitar player, guitarist.

gitatâ, n. wet, sticky dirt.

gitgít, n. crowd, shove.

giting, n. heroism, excellence.

gitlá, n. fear, excited by sudden danger, scare, fright, shock.

gitlaín, v. shock, to frighten.

gitlíng, n. hyphen.

gitnâ, n. middle, midst.

giwang, n. rocking, swaying, wabling.

giya, n. guide.

glab, n. glove.

glándulá, n. gland.

globo, n. globe, sphere.

glorya, n. glory.

gobernadór, n. governor.

gobyerno, n. government.

golondrina, n. swallow (bird).

golp, n. golf.

goma, n. rubber.

gora, n. cap.

graba, n. gravel, broken stone.

grado, n. grade, rank, degree, quality.

gramátiká, n. grammar.

gramo, n. gram.

granada, n. grenade.

granate, n. garnet color.

grasya, n. divine grace.

gratis, n. free of charge.

gripo, n. faucet.

Griyego, n. Greek.

groto, n. grotto.

grupo, n. group.

guayabano, n. soursop.

gubat, n. forest, woods.

gukgók, n. grunt of a pig.

gugò n. gogo bark used for cleansing the hair.

gugol, n. expense, expendi-

ture, consumption

guguan, v. to cleanse the hair with a gogo bark with bath soap.

gugulan, v. to finance or to invest money, to devote attention.

gugulin, v. to spend, consume, exhaust.

guhit, n. line, sketch.

guhitan, v. to make a line, to make a sketch.

guhitán, adj. stripped.

guhò, n. crumbling, collapse, demolition.

guhô, adj. broken down to pieces, especially the fallen sides, demolished, crumbled.

guhuin, v. to demolish.

guhóng-lupà, n. landslide.

gulaman, n. agar-agar.

gulanít, adj. tattered, worn out.

gulantáng, n. shock.

gulang, n. maturity, age.

gulapay, n. a weak bodily movement. adj. overworked, weak.

gulat, n. fright, shock.

gulatin, v. to surprise, to frighten.

gulay, n. vegetable.

gulilát, adj. panicky.

guló, n. riot, confusion disorderliness.

gulok, n. a bolo used for heavy cuttings.

gulód, n. hill top.

gulóng, n. wheel, turn.

gulpé, n. blow, stroke.

gulugód, n. backbone.

guluhín, v. to confuse, to bring on disorder.

gulungan, v. to run over.

gulúnggulungan, n. esophagus.

gulusina, n. delicacies (at table).

gumamela, n. a species of shrub and its flower.

gumapang, v. to crawl, creep.

gumastá, v. to spend (money).

gumayod, v. to plod.

gumimbal, v. to shock, to frighten.

gumindá v. to veer, to deviate.

gumon, adj. addicted, rolling.

gumurí, v. to scribble, to scrawl.

gunamgunam, n. meditation, recollection.

gunawin, v. to devastate, to dissolve.

guníguní, n. imagination, presentiment.

gunità, n. reminiscence, memory.

gunitaín, v. to remember.

gunting, n. scissors.

guntingín, v. to cut or stab with scissor.

gunggóng, n./adj. foolish, stupid, feeble.

gupít, n. cutting with scissors, hair-cut.

gupitán, v. to cut the hair, to trim.

gupitín, v. to cut, as hair, paper, cloth and the like.

gupô, adj. weak, shattered, demolished.

gupuin, n. to demolish, destroy, vanquish, overpower.

guramil, n. Jorner's marking gauge.

gurí, n. scratch.

gurlis n. slight scratch.

guryón, n. a kind of kite.

gurò, n. teacher.

gusalì, n. edifice, building

gusgós, n. untidiness, raggedness.

gusgusin, adj. dirty and in rags.

gusì, n. big China jar.

gusilaw, n. eyeshade.

gusót, adj. crumpled, pressed into wrinkles or folds.

gusutín, v. to crumple, to confuse.

gustó, n. liking, wanting.

gutáy, adj. torn, shattered.

gutáy-gutáy, adj. torn, shredded.

gutayín, v. to tear, to shred.

gutli, n. light mark by a fingernail.

gutom, n. hunger.

guwantes, n. hand gloves.

guwáng, n. crevice, hollow.

guwapa, adj. good looking, beautiful, pretty.

guwarapo, n. sugar cane juice.

guwaratsa, n. a South American dance.

guwárdiyá, n. guard

guyà, n. calf, the young of a cow or other big mammals, yearling.

guyabano, n. custard apple.

guyod, n. artificial sattelite.

guyuran, n. draw rope.

—H—

H. h, n. seventh letter of the Pilipino alphabet.

ha, part. particle used in interrogation.

habà, n. length either in space or time.

habâ, adj. elongated.

habaan, v. to lengthen, to distend, to extend, to prolong.

habág, n. mercy, pity compassion, clemency.

habagat-lubang, n. southwest monsoon.

habagat, n. wind from the west.

habagín, v. to excite pity.

habang, conj. while, as long as, at the same time.

habang-buhay, adj. eternally, for a lifetime.

habas, adj. discreet.

habháb, n. eating or devouring of food by a pig, dog, etc.

habi, n. weave, texture of fabric.

habì, v. step aside when one is passing.

habihán, n. loom; weaving machine.

habihin, v. to weave.

habilin, n. will, instructions, directions.

habilóg, n. oval.

hablá, n. a suit.

habol, n. hurry in overtaking somebody, postcript.

habong, n. lean-to, shelter, temporary roofing.

habsô, adj. not tight, slack.

habulán, n. race, running after another.

habulin, v. to chase, to pursue, to overtake.

habunera, n. soap dish.

habyóg, n. upward curve.

haka, hako, n. pony.

hakà, n. idea, suspicion, opinion.

hakáb, adj. tight fitting.

haka-hakà, n. opinion, belief, view.

hakbáng, n. step; pace in walking.

hakbangán, v. to step over.

hakdáw, n. pause in pronunciation.

hakot, v. gather.

hakutin, v. to carry from one place to another.

hadhád. n. vigorous rubbing, flaying.

hadláng, n. barrier, impediment, obstacle, obstruction, bar.

hadlangán v. to obstruct.

hagak, n. gasping utterance, panting gasp.

hagad, n. speedcap policeman riding on a motorcycle, a person who runs after another for the purpose of arresting him.

hagalhál, n. outburst of laughter, gasping for breath.

hagap, n. idea, thought.

hagarin, v. to run after.

hagayháy, n. murmuring of the breeze.

hagkán, v. to kiss.

hagkís, n. sharp report, whip.

hagdán, n. ladder, stairs.

hagdanan, n. staircase.

hagibis, n. velocity, swiftness, fastness.

hagilap, n. something obtained or acquired in time of need or emergency.

hagilapin, v. to look for, to search, to gather.

haginit, n. turbulent sound of a gale; sharp sudden sound of a whip.

haging, n. buzz, hiss.

hagip, adj. caught or hit by something moving.

hagis, n. throw, act of throwing.

hagisan, v. to throw something to someone.

hagisin, v. to throw an object to someone or something.

hagok, n. gasp.

hagod, n. rub caressing stroke, massage, rubbing.

hagot, n. pulling or stripping fiber, hair and the like.

hagót, adj. careworn, showing effects of anxiety.

hagpós, adj. loose.

hagulhól, n. weeping aloud.

hagunót, n. turbulency.

hagunghóng, n. sound of the undercurrent.

hagurin, v. to stroke caressingly, to massage, to rub.

haguták, n. a kind of sound produced when walking in the mud.

hagutin, v. to pull, tear off, strip.

hagwáy, n. tallness.

háiskúl, n. high school.

halaán, n. edible clam.

halabas, n. long and thin bolo.

halabíd, n. coil, as rope, string, vine, etc.

halabós, adj. boiled and dried.

halák, n. hoarseness of voice due to catarrh.

halakhák, n. hearty laughter, boisterous laughter.

halagá, n. price, cost, amount, value, rate.

halagahán, v. to put a price, to appraise, to assess, to value.

halagáng batayán ng buwis, assessment.

halagap, n. scum of surface of water when boiling meat.

halaghág, adj. neglectful, indifferent, easy going.

halál, adj. elected.

hálalan, n. election

halaman, n. plant, vegetation.

hálamanán, n. garden.

halang, n. obstacle, obstruction, crosspiece.

haláng, adj. traverse, lying across.

halangaang, n. stratosphere.

halas, n. scratch, esp. that made by blades of plants.

halatâ, adj. noticeable, conspicious.

halatsáw, n. hatchet.

halãw, n. adaptation.

halay, n. indecency, indecorousness.

halea, n. jelly.

halibas, n. cast, throw, as a piece of wood, cane and the like.

halík, n. kiss.

halika, v. come here.

halikán, v. to kiss.

halikan, n. act of kissing each other.

halikhík, n. titter, snicker.

haligi, n. post, pillar, support, column.

halihaw, n. ransacking in search for something.

halili, n. substitute.

halimaw, n. beast.

halimbawà, n. example, model.

halimhím, n. hatching eggs.

halimhimán, v. to hatch, to sit on eggs.

halimunmón, n. fragrance, redolence.

halimuyak, n. fragrance, sweet scent.

halimuymóy, n. fragrance, redolence.

halina, v. come on, let us go.

haling, adj. mad, foolish.

halinghíng, n. moan of a sick person, neigh of a horse.

haliparót, adj. uninhibited, vulgar, coarse.

halipawpáw, n. scum on surface of water when boiling meat.

halo, n. pestle.

haló, n. hello.

halô, adj. mixed.

halò, n. mixture.

halos, adj. almost, nearly.

halubaybáy, n. a species of herring.

halubilo, n. mingling in a conversation, crowd, work, etc.

halukay, n. digging up, the putting out of the contents of a box, trunk, hole and the like.

halukayin, v. to search through feverishly.

halukipkíp, n. indifference shown by arms akimbo.

halughóg, n. careful search for something in a room, building, etc.

halumigmig, n. moist.

halungkát n. topsy-turvy turning of the contents of a box, trunk, etc.

halungkatín, n. to search.

haluylóy, n. groan.

hamak, adj. lowly.

hamakin, v. to depreciate, to lower the standard, to underrate, to belittle.

hambahe, n. doorcase.

hambalang, n. obstruction, obstacle, crossbar.

hambalos, n. blow, beating.

hambíng, n. comparison, confrontation.

hambóg, adj. proud, boastful.

hamít, n. challenge.

hamitín, v. to dare.

hamok, n. fight, quarrel struggle.

hamóg, n. dew.

hamon, n. challenge, threat.

hamón, n. ham.

hampás, n. blow, strike, scourge.

hampasín, n. vagabond, tramp, vagrant.

hamunin v. challenge, to threaten.

hanap n. object of search

hanapbuhay, n. occupation, means of earning a living.

hanapin, v. to look for, to seek, to find.

hanay, n. row, line, file,

hanay-ulat, n. statement, report

handà, adj. ready, prepared. n. preparation. provision.

handaan, n. feast.

handóg, n. gift, present, offering.

handugán, v. to give a gift or present, to give an offering, to dedicate.

handulong, n. attack, assault, assail.

handusay, n. prostration, complete exhaustion; helplessness.

hanip, n. flea.

hantád, adj. exposed.

hantík, n. big red forest ants.

hantóng, n. end, stop, outcome, result.

hantungan, n. destination, end, shelter.

hangà, n. admiration, wonder.

hangád, n. desire, interest, intent.

hangál adj. stupid, fool.

hángarin, n. purpose, objective, desire, goal.

hangarin, v. to wish, have for a purpose.

hanggá, n. limit, border.

hanggahan, n. boundary, limit, landmark.

hangganan, n. border, end.

hanggáng, conj. till, until, as far as.

hangháng, adj. peppery, pungent. n. pepperiness.

hangin, n. air, breeze, wind.

hanging agaás, n. soft murmuring wind.

hanging balagiít, n. strong, high speed wind.

hanging balíbalí, n. inconstant wind.

hanging paláy-paláy, n. gentle breeze, soft wind.

hanging payagpág, n. severe wind.

hangláy, n. taste of uncooked vegetables.

hangò, adj. adapted, derived from.

hangós, adj. out of breath.

hanguin v. to take out of, to extract, to free, to release.

hangyód, n. stink, stench, a disgusting odor.

hapág, n. table, floor.

hapáw, n. light removing of the outside layer of a pile or heap.

hapay, n. act of leaning or reclining.

hapáy, adj leaning, down and out.

hapdì, n. smarting pain, prickling.

hapilà, n. breakwater.

hapín, n. string.

hapís, n. sorrow, gloom, grief, sadness.

hapís, adj. sorrowful, sad, gloomy, grievous.

hapít, adj. fittingly closed.

hapit, n. press, pressure, tightness.

hapitin v. to press, tighten.

haplít, v. quicken, **n.** whip, lash.

haplós, n. caress, stroke

haplusin, v. to caress, to stroke.

hapô, adj. tired, weary, fatigued, exhausted.

hapô , n. fatigue, tiredness, exhaustion.

hapon, n. afternoon, **v.** take supper, roost.

Hapon, n. Japan.

Haponés, n. Japanese.

hapunan, n. supper.

hapunán, n. roost.

harana, n. serenade.

harang, n. obstruction, impediment.

harangin, v. to hold up.

haráp, n. front, facade. **adj.** facing. **adv.** front.

hárapan, adv. face to face.

harapán, n. front side, facade; ground in front of a house.

harapín, v. force a person or a thing.

haraya, n. illusion, imagination, vision.

hardin, n. garden.

hardinero, n. gardener.

harì, n. king.

harina, n. flour.

harinawâ, interj. would to God, God grant.

haróng, adj. flap-eared.

haros, adj. prankish, frolicsome (Var. **harót**).

harót, adj. prankish, vulgar, coquettish coarse.

hasà, adj. sharpened, experienced, well versed.

hasaán, n. whetstone.

hasa-hasà, n. mackerel.

hasang, n. gill.

hasík, n. seedling, sowing. **v.** sow seeds.

hásikan, n. place where seeds are sown.

hasmín, n. species of flowering plants.

hatì, n. half, division.

hatî, adj. divided, halved.

hatíd, v. conduct, accompany.

hatiin, v. to divide, to cut.

hatimbilang, n. fraction.

hatintaón, n. semester.

hating-daigdíg, n. hemisphere.

hatinggabí, n. midnight.

hatirán, (hatdán), v. to convey, to bring, to take.

hatol, n. decision, judgment,

sentence, advice.

hatulan, v. to sentence, advice.

haula, n. cage.

hawa, n. transmission of a disease, infection, contagious.

hawak, n. something held in the hand.

hawakan, v. to hold, to clutch, to grasp, to clasp.

hawán, adj. clear, neat.

hawanan, v. to clear a place.

hawahin, v. to remove rubbish, grass, etc. from a place.

hawás, adj. thin and long-drawn, haggard, gaunt.

hawig, adj. similar to.

hayaan, v. to abandon, leave behind, neglect (Var. bayaan).

hayag, n. statement of opinion, public declaration.

hayág, adj. known, public, plain, perceptible.

hayán, adv. there it is.

hayap, n. fineness, sharpness with reference to cutting implements or figure.

hayin, n. offering, anything offered, setting of the table.

hayók, adj. greedy, hungry, starved.

hayód, adj. infamous, notoriously based.

hayop, n. animal, beast.

hayuhay, n. swaying and drooping of leaves or branches.

hayún, adv. there yonder.

hebilya, n. buckle.

heksagon, n. hexagon.

helatina, n. gelatin.

hele, n. cradle song, lullaby.

hele-hele, n. pretension of dislike.

henerál, n. general.

henyo, n. genius.

heograpiya, n. geography.

heolohiya, n. geology.

heometriya, n. geometry.

hepe, n. chief.

heringgilya, n. syringe.

Heswita, n. Jesuit.

heto, adj. here, here it is.

hibáng, adj. delirious, deranged, insane.

hibas, n. diminishing of intensity with reference to fever. adj. slanting, oblique, inclined.

hibi, n. dried shrimps.

hibík, n. lamentation; groan, sob.

hiblá, n. thread, fiber, yarn.

hibo, n. seduction, corruption, enticement.

hibok n. abnormal heart sound.

hibuin, v. entice, to allure.

hibya, n. cuttlefish.

hikà, n. asthma.

hikáb, n. yawn.

híkabin, adj. always yawning.

hikahós, adj. needy, hardpressed.

hikain, adj. asthmatic.

híkirá, n. chocolate cup.

hikaw, n. earrings.

hikayat, n. persuasion.

hikayatin, v. to coax, to persuade.

hikbî, n. sob, sigh, weep.

hiklát, adj. open, separated with force, stretched.

hidhíd, adj. stingy, miserly, frugal. n. scrub, rub.

hidwâ, adj. inconsistent.

hidwaan, n. conflict.

higâ, n. act of lying in a supine position.

hígaan, n. bed, place or space for reclining.

higad, n. caterpillar (larva).

higahid, n. mental touch.

higante n. giant.

higantí, n. revenge, vengeance.

higing, n. cue, rumor.

higít, adj. more.

higitín, v. to stretch.

higop, n. act of sipping.

higpitán, v. to tighten.

higupin, v. to sip.

hihigán, n. bedcouch.

hihip, n. blow-pipe.

hila, n. something pulled or drawn.

hilab, n. swelling of the stomach caused by the movement of fetus; swelling of the water of a river.

hilakbót, n. terror, fear, horror, dread.

hilagà, n. north.

hilagang-kanluran, n. northwest.

hilagang-paralelo, n. north parallel.

hilagang-silangan, n. northeast.

hilahil, n. hardship, sorrow, sadness.

hilahin, v. to pull, to haul, to drag.

hilahod, n. drag on the floor or ground.

hilahód, adj. dragging, limping, lame.

hilam, n. eye pains due to acids.

hilám, adj. blurr, bleary.

hilamos, n. act of washing the face.

hilamusan, v. to wash one's face.

hílamusan, n. washbasin.

hilát, adj. stretched, pulled.

hilatà, v. lie down.

hilatsá, n. thread of piece of cloth.

hiláw, adj. uncooked, not ripe, green, raw, under-cooked, unriped.

hilayog, n. soar.

hilbana, n. basting.

hilera, n. row, file, line.

hilî adj. envious, feeling envy.

hilì, n. envy, enviousness.

hilík, n. snore.

hilig, n. tendency, liking, inclination, aptitude.

hilíg, adj. inclined, bent, tilted.

hilíng, n. request

hilis, n. cut, slice, incision.

hilís, adj. slanting.

hilo, n. dizziness.

hiló, adj. dizzy.

hilod, n. scrubbing.

hilom, n. closing of the wound, cicatrization.

hilot, n. midwife.

hilurin, v. to scrub.

hilutin, v. to rub, to stroke.

himakás, n. farewell, good-bye, parting words.

himagas n. dessert.

himagsík, n. rising against authority.

himagsikan, n. revolution, uprising.

himalâ, n. miracle.

himas, n. caress.

himasin, v. to caress.

himasok, n. meddling.

himatáy, n. fainting, swoon.

himatayín, v. to faint, to swoon,

hímatayin, adj. subject to fainting.

himatlugin, adj. sluggish.

himayín, v. shred.

himaymáy, n. fiber.

himbalangáy, n. backstroke in swimming.

himbalík, n. atabism, reversion to ancestral gene.

himbíng, n. deep slumber.

himig, n. melody, tune.

himláy, v. lie down and rest.

himno, n. hymn, anthem.

himok, n. persuasion.

himod, v. lick with tongue.

himpapawíd, n. space above the earth.

himpíl, v. stop, station.

himpilan, n. resting place, station.

himpilang siyasatan, n. check point.

himukin, v. to persuade, to convince.

himulmól, n. small thread on the frayed end of a piece of cloth.

himulmulán, v. to pluck.

himutók, n. resentments, complaints.

hinà, n. weakness, lack of strength.

hinakdál, n. presumption.

hinagap, n. idea, suspicion, thought.

hinagpís, n. sorrow, anguish, lamentation.

hinagupít, v. struck continously.

hinahon, n. calmness, moderation.

hinaing, n. supplication.

hinalà, n. suspicion, presumption.

hinalain, v. to suspect.

hinamon, v. was challenged.

hinampó, n. resentment, displeasure, disgust.

hinanakít, n. grudge, grievance.

hinangin, v. solder, weld.

hinarang, v. was ambushed.

hináw, v. dipping or washing of hands or feet in water.

hinay, n. slowness of motion.

hindî, adv. no, not.

hinebra, n. gin.

hinekólogó, n. gynecologist.

hinhín, n. modesty.

hiniksík, n. picking nits.

hiningá, n. breath.

hinlalakí, n. thumb.

hinlalatò, n. middle finger.

hinlóg, n. clan, all relatives.

hinlulumbó, n. hornet.

hinóg, adj. ripe, mature.

hintáy, v. wait.

hintayín, v. to wait for; expect.

hintô, v. stop.

hintuan, n. stopping place.

hintuán, v. to stop for.

hintuturò, n. forefinger, index finger.

hinubád, v. took off any article of clothing.

hinukâ, n. picking particles in between teeth.

hinukó, n. cutting of fingernails. (Var. **hingukó**).

hinuhà, n. inference, conclusion.

hinunulí, n. removing earwax.

hingá, n. respiration.

hingal, n. panting.

hingaláy, n. rest.

hinggíl, prep. regarding, about.

hingín, v. ask for.

hinguto, n. picking lies and nits.

hipag, n. sister-in-law.

hipan, v. to blow out.

hipíg, n. snooze.

hipnotismo, n. hypnotism.

hipò, n. touch.

hipon, n. shrimps, prawn.

hirá, adj. confounded.

hirahin, v. to confound, to puzzle.

hirám, adj. borrowed.

hiramín. v. to borrow.

hirang, n. loved one, chosen one.

hirangin, v. to select, to choose.

hirap n. difficulty, poverty.

hiráp, adj. poor, overworked, fatigued.

hirapan, v. to make difficult.

hiratí, adj. accustomed, used to.

hirin, n. lump or obstacle in the throat.

hiro-postál, n. postal money order.

hità, n. thigh.

hitâ, n. gain, profit, advantage.

hitád, adj. coquette.

hitana n. gypsy woman or girl.

hitano, n. gypsy man or boy.

hithít, n. drawing in liquid by absorption.

hitík, adj. bent due to weight.

hitít, v. sucking, smoking

hititín, v. to suck, to smoke.

hitò, n. catfish.

hitsó, n. betel chew.

hitsura, n. form, looks, figure.

hiwà, n. slice, cut.

hiwagà, n. mystery.

hiwain, v. to cut; to slice.

hiwaláy, adj. separated.

hiwás, adj. slant, oblique, diagonal.

hiwatig, n. perception.

hiwíd, adj. aslant.

hiyâ, n. shame, embarrassment.

hiyaín, v. to put to shame, to embarass.

hiyáng, adj. suitable or comfortable to one's health.

hiyás, n. jewelry.

hiyasán v. to adorn with jewels.

hiyáw, n. shout, scream.

híyawan, n. a shouting spree.

hiyawán, v. to shout at someone.

hô, adv. a variant of po.

hómistéd, n. homestead.

hortikultura, n. horticulture, the cultivation of a garden or orchard.

hubád, adj. naked, undressed from the waist up.

hubô, adj. naked, undressed from the waist down.

hubog, n. shape.

hubóg, adj. curved, arched.

hubóg-kandilà, adj. candleshaped.

hubó't-hubád, adj. completely nude or naked.

hubugin, v. to shape, to put

into shape.

hukáy, adj. dug, excavated.

hukay, n. grave, hole in the ground.

hukayin, v. to dug.

hukbó, n. army.

hukbóng-dagat, n. navy.

hukbóng-panghimpapawíd, n. air force.

hukbóng-sandatahán, n. armed forces.

hukóm, n. judge.

hukóm-pamayapà n. justice of the peace.

hukót, n. hunch.

hukót, adj bent, stoop-shouldered.

húkuman, n. court.

hudyát, n. signal, sign, warning.

Hudyó, n. Jew.

hugas. n. washing.

hugasan, n. to wash.

hughóg, v. shake clothes or anything in water to remove the dirt. adj. financially poor, declined.

hugis, n. form, shape, appearance.

hugis-ulo, adj. shaped like a head.

hugong, n. prolonged sound. as of airplane, train and the like.

hugos, n. rush.

hugot, n. act of pulling out.

hugutin, v. to pull out.

huhô, n. pouring out, landslide.

hulà, n. guess, prediction.

hulaan, v. guess, to predict.

hulaw, n. decrease or dimunition of intensity, rain, storm, etc.

huli, n. act of catching something that is caught.

hulí, adj. late.

hulihin, v. to catch, to arrest.

hulmá, n. cast, mold.

hulò, n. source.

hulog, v. fall.

hulugán, n. installment basis.

Hulyo, n. July, the seventh month of our calendar year.

humabà, v. elongate.

humabyóg, v. to sag, to yield downward under weight or pressure.

humagot, v. to separate woody fiber (as from hemp).

humáhangos, adj. panting:

humál, adj. stuttering, stammering, nasal.

humalák, n. to snuffle (as one with catarrh)

humanap, v. to look for.

humaráp, v. to present oneself.

humati v. to share half (of something).

humawak, v. to hold, to handle.

humigít-kumulang, adv. approximately, about, more or less.

humila, v. incline.

humilatà, v. to sprawl to spread limbs in recumbent position.

humimpíl, v. to rest, to repose, to stop.

humintô, v. to stop, to cease.

humingal, v. to pant.

humingî, v. ask; beg.

humirám, v. borrow.

humpák, adj. hollow, sunken, depressed.

humpáy, n. ceasing, stop, cessation.

humuli, v. catch, to arrest.

humupâ, v. subside. abate.

hunáb, n. heat radiation from dry surface.

huni, n. sound (as of birds and whistle), chirp.

hunihin, v. to whistle (a melody).

hunos, n. molting of animals.

hunta, n. meeting, council.

hunusdilì, n. control.

hunyangò, n. chamelion.

Hunyo, n. June, sixth month of our calendar year.

hungkág, adj. empty, hollow, concave.

hungkuyan, n. winnowing machine.

hungháng, adj. foolish, idiotic, stupid.

Hupiter, n. Jupiter, chief of the Roman God.

hupyák, adj. sunken, hollow.

hurado, n. board of judges.

hurisdiksiyón n. jurisdiction.

hurisprudénsiyá n. jurisprudence.

hurnó, n. oven.

hurúnghuróng, n. crowd, rabble, mob, throng.

husáy, adj. orderly, well arranged.

husay, n· orderliness.

husayin, v. to put in order, to arrange.

husgado, n. court of justice.

husi, n. fabric with silk abaca and pineapple fibers webbed together.

hustisya, n. justice.

hustó, adj. sufficient, enough, fit.

hustuhín, v. to complete.

huthót, n. sucking, sipping.

huthutín, v. to suck, sip.

hutukin, v. to bend.

huwád, adj. fake, counterfeit, forged.

huwág v. prohibitive, do not, don't.

huwaran, n. model, example.
Huwebes, n. Thursday.

huwego, n. gambling.
huwés, n. judge.

—I—

I, i, n. eight letter of the Pilipino alphabet.

iabót, v. to hand, to give.

iabóy, v. to drive away.

ialay, v. to dedicate; to offer

ial's, v. to take away.

iayos, v. to put in order, to set, to arrange.

ibá, adj. different, another, unlike. v. to exchange. pron. other.

ibabâ, prep. below, under. v. to put down to lower.

ibabad, v. to soak.

ibabaw, n. surface. adv. on top, prep. over, on.

ibagay, v. to suit, to conform.

ibahín, v. to change, to renovate.

ibahóg, v. to mix with.

ibá-ibá, adj. various, different.

ibalabág, v. to throw, to cast.

ibalík, v. to return, to restore.

ibalità, v. to report, to tell.

ibangí, v. to broil.

ibangon, v. to raise.

ibaróg, v. to throw down with violence, cast down.

ibatay, v. to base on.

ibaón, v. to bury.

ibá't ibá, adj. different.

ibayo, adj. double, excessive, too much.

ibig, v. to love; like.

ibig, n. love, desire, want.

ibigáy, v. to give.

ibigin, v. to love, to desire, to want.

ibilád, v. to put under the sun, to dry.

ibilanggô, v. imprison, to put in jail.

ibintáng, v. to lay the blame on something.

ibitin, v. to hang.

ibon, n. bird

iboto, v. to vote for.

ibubô, v. to spill (the blood).

ibuká, v. to unfold.

ibukás, v. to separate, to exclude, to segregate.

ibudbód v. to scatter, to sow, to sprinkle.

ibuhól, v. to tie, to make a knot.

ibulid, v. to push into an abyss, to expose, to ruin.

ibulóng, v. to whisper.

ibunggô, v. to cause collision.

ibunsód, v. to sit into motion, to launch.

ibuntón, v. to put into a pill.

iburol, v. to lay a corpse in state.

ibusá, v. to roast.

ibuta, v. to leave a thing carelessly.

ibuwál, v. to push down; to pull down, to cut down.

ibuyó, v. to incite, to induce, to stimulate.

ikâ, n. slight lameness.

iká, prefix of ordinal numbers.

ikaanim, adj. sixth.

ikaapat, adj. fourth.

ikákasál, v. will be married.

ikagalák, v. to be gladdened.

ikalabing-isá, adj. eleventh.

ikalat, v. to scatter, to spread out.

ikalawá, adj. second.

ikalimá, adj. fifth.

ikasampû, adj. tenth.

ikatló, adj. third.

ikawalô, adj. eight.

ikawing, v. to fasten to connect.

ikáw, pron. you.

ikay, adj. through.

ikintál, v. to imprint.

ikiskís, v. to rub.

ikit, n. turn, whirl.

iklî, igsî, n. shortness.

iklián, v. to shorten, to abridge.

ikmó, n. betel-nut leaf.

ikot, n. turn, rotation.

iksamen, n. test, quiz, examination.

ikumpás, v. to gesture, to beat time.

ikuwento v. to tell.

idagdág, v. to add.

idaíng, v. to complain, to moan.

idalangin, v. to pray for.

idampî, v. to pat.

igiít, v. to insist.

igláp, n. instant movement, instant.

iglesya, n. church.

ignorante, adj. ignorant.

Igorót, n. Igorot, native of Mountain Province.

igtád, n. tauntless.

igugò, v. to use as shampoo.

iguhò, v. to tear down, to pull down, to ruin.

igulong, v. to roll.

igupò, v. to defeat, to render helpless.

ihagis, v. to throw.

ihain, v. to serve, to offer.

ihalál, v. to elect.

ihalang, v. to lay across, to put crosswise as an impediment.

ihalibas, v. to impel with violence.

ihalili, v. to use as a substitute.

ihalò, v. to mix a thing with

something.

ihambíng, v. to compare.

ihampás, v. to strike against an object someone or something.

ihandâ, v. to prepare, to get ready.

ihandóg, v. to offer, to dedicate.

ihapay, v. to incline.

iharáp, v. to present.

ihasík, v. to sow, to scatter.

ihasík sa diwà, v. to instill, to inculcate.

ihatíd, v. to convey, to conduct, to carry.

ihaw, v. to roast.

ihawan, n. broiler, gridiron, place where broiling is done.

ihì, n. urine.

ihián, n. urinal.

ihilbana, v. to baste.

ihilig, v. to incline, to induce, to persuade.

ihinang, v. to solder.

ihingî, v. to ask for something for someone.

ihingî ng pambagong pagpapasiyá, to recommit.

ihiwaláy, v. to separate, to set apart.

ihuli, v. to catch something for someone.

ihulí, v. to put at the last.

ihulog, v. to drop, to throw down, to translate.

iikot, v. will turn around.

iihaw, v. to broil.

iilán, adj. only a few.

iisá, adj. only one.

ilabás, v. to put out.

ilak, n. contribution.

ilakan, v. to solicit contribution from someone.

ilakip, v. to enclose.

iladlád, v. to unfurl, to unfold.

ilag, v. to avoid, evade.

ilag, n. avoidance, keeping off.

ilagak, v. to deposit.

ilagáy, v. to put.

ilagom, v. to unite, to integrate.

ilagpák, v. to drop, to fail, to give a failing grade.

ilagís, v. to sharpen by friction.

ilahad, v. to expose, to present.

ilahók, v. to enter as a contestant, to submit an entry in a contest.

ilahók, v. to mix, to mingle.

ilalim, prep. under, below.

ilán, v. how many.

ilán, adv. some, few, how many.

iláng, n. deserted spot.

ilang-ilang, n. a species of tree bearing fragrant flower.

ilangláng, n. soaring.

iláp, n. elusiveness.

ilapit, v. to bring near.

ilaŕawan, v. to describe, to paint.

ilatag, v. to spread out, to unfold.

ilathalà, v. to publish.

ilat, n. shallow, rivulet.

ilaw, n. light, lamp.

ilawan, v. to illumine.

ilawít v. to dangle, to hang down.

ilayô, v. to keep away, to take to a far place.

ilibíng, v. to bury, to inter.

ilikô, v. to detour, to misguide.

ilikmô, v. to seat comeone.

iligáw, v. to lead astray.

iligpít, v. to put away, to hoard.

iligtás, v. to save.

ilihim, v. to keep secret, to conceal.

ilihís, v. to detour.

ilimbág, v. to print.

iling, n. shaking of heads.

ilingíd, v. to conceal, to hide.

ilipat, v. to carry, to transfer.

ilitáw, v. to bring out, to expose.

ilit, v. to confiscate.

ilitín, v. to confiscate.

ilog, n. river.

ilóng, n. nose.

ilubóg, v. to submerge, to sink.

ilúg-ilugan, n. rivulet.

iluhog, v. to appeal, to beseech.

ilulan, v. to load.

ilusyón, n. illusion.

iluwâ, v. to spit out.

iluwál, v. to bring forth, to give birth.

imâ, n. grandmother.

imahen, n. image.

imalî, v. to mislead.

imarká, v. to stamp, to mark.

imbák, n. something that has been preserved or conserved. adj. preserved or conserved.

imbargo, n. seizure.

imbáy, n. swinging of arms while walking or moving about.

imbernákuló, n. greenhouse.

imbestigadór, n. investigator.

imbí, adj. mean, abject, despicable.

imbót, n. greed, avarice, coyetousness.

imík, n. movement, talk.

imot, n. extreme economy.

impás, adj. square, even, fully paid.

imperdible, n. safety pin.

impís, v. to flatten.

impís, adj. diminished, thin.

impít, adj. muffed, repressed, curbed.

impiyerno, n. hell.

impó, n. grandmother.

impók, n. to save money.

importante, adj. important.

imprenta, n. printing press.

iná, ináng, n. mother.

ináamá, n. godfather.

ináanák, n. godchild.

inakáy, n. brood.

inaglahì, v. ridiculed, mocked.

inahín, n. female animal with offspring.

inam, n. goodness.

inampalán, n. board of judges.

inat, v. to stretch the arms.

ínklusa, n. foundling hospital.

indá, n. feeling.

indák, n. rhythmic act.

indahín, v. to feel, to heed.

indayog, n. cadence, swing.

indisé, n. index.

indulhénsiyá, n. indulgence.

indulto, n. pardon.

indústriyá n. industry.

inéng, n. a young girl.

inhinyero, n. engineer.

iniksiyón, n. injection.

iníp, n. impatience.

inís, v. to annoy.

inisín, v. to irritate, to suffocate.

init, n. heat, warmth.

inodoro, n. water closet.

inog, n. revolution.

inóm, v. to drink.

insayo, n. practise.

insó, n. term used in calling the wife of an elder brother.

insígnia, n. insignia.

inspirasyón, n. inspiration.

instrumento, n. instrument.

insulto, n. insult.

interés, n. interest.

interno, n. intern.

interpreté, v. interpreter.

intindí, v. to understand.

ínumin, n. beverage, refreshment.

inumín, n. water for drinking.

inunan, n. placenta.

inusente, adj. innocent.

inutil, adj. useless.

inyó, pron. your, yours.

ingat, n. care, caution, v. to be careful.

ingat-yaman, n. treasurer.

ingay, n. noise, din.

ingkanto, n. enchantment.

ingkóng, n. grandfather.

ingít, n. grunt.

Inglés, n./adj. English.
ipá, n. chaff, rice hull.
ipakò, v. to nail.
ipagaypáy, v. to wag to and fro or from side to side.
ipagkailâ, v. to deny.
ipagkaloób, v. to give, to bestow.
ipagkatiwalà, v. to entrust.
ipagdiwang, v. to celebrate.
ipaglaban, v. to defend.
ipagpág, v. to shake.
ipagpaliban, v. to put off.
ipagpalít, v. to exchange.
ipagpatuloy, v. to continue, to prolong.
ipagpáuná, v. to put at the beginning, to say beforehand.
ipagtanggól, v. to defend.
ipahatíd, v. to send, to send with an escort.
ipahayag, v. to tell, to publish, to proclaim.
ipahintulot, v. to permit, to give permission.
ipahirám, v. to lend.
ipahiwatig, v. to convey, to suggest.
ipalabás, v. to have something put out.
ipalagáy, v. to suppose.
ipaloób, v. to insert.
ipamahagi, v. to divide, to distribute.

ipamanság, v. to be boastful of.
ipangakò, v. to promise.
ipanganák, v. to give birth to.
ipangaw, v. to separate in prison.
iparis, v. to compare, to pair with, to model after.
ipasyál, v. to take out for a walk.
ipatalastás, v. to make known.
ipatalo, v. to lose.
ipaubayà, n. to entrust, to put or leave in the care of others.
ipayupoy, v. to wag with quick jerky turns.
ipikít, v. close as of the eyes.
ipil, n. a species of lumber.
ipil-ipil, n. a species of tree good for fuel.
ipinadpád, v. cast by the wind.
ipinugal, v. tied, fastened.
ipis, n. cockroaches.
ipisan, v. to put with, to unite with.
ipit, v. to press, pinch.
ipitin, v. to pinch, to press.
ipod, v. to move over while sitting.
ipon, n. pile, heap.
ipunin, v. to gather, to pile, to collect.

ipuipo, n. whirlwind.

iral, v. to exist, to apply.

irap, n. sullen look.

irapan, v. to glare at.

iré, pron. this.

irí, n. sound made when exerting effort.

Irlandes, adj. Irish.

irog, n. love, affection, adj. dear.

isá, pron./adj. one.

isaalang-alang, v. to consider.

isabit, v. to hang up, to suspend.

isabog, v. to scatter.

isabong, v. to pit against another, to have a rooster fight another.

isaboy, v. to strew, to spill.

isakáy, v. to give a ride, to load.

isahan, adj. singular.

isa-isá, adv. one by one, singly.

isaisip, v. to bear in mind.

isalansán, v. to pile.

isalin, v. to pour, to transcribe, to copy.

isambulat, v. to scatter.

isangguni, to consult about.

isará, v. to close.

isaulì, v. to return.

isawsáw, v. to dip.

iskándaló, n. scandal.

iskaparate, n. show window.

iskarlata, n. scarlet.

iskoba, n. hard brush.

iskór, n. score.

iskultór, n. sculptor.

iskumunyón, n. excommunion.

iskupidór, n. spitton.

iskursiyón, n. excursion.

isdâ, n. fish.

isdáng-dapâ, n. flounder.

isip, n. mind, thought.

isipin, v. to think, to reflect.

isip-isipin, v. to think about.

ismirán, v. to sneer at.

ismo, n. isthmus.

isiwalat, v. to declare, to reveal.

isod, v. to move over.

ispiya, n. spy.

istamen, n. stamen, male fertilizing organ in plants.

istante, n. shelf.

istapadór, n. swindler.

istátuwá, n. statue.

istorbo, n. nuisance.

istorya, n. history.

istupado, n. stew.

isú-isó, n. quibble.

Ita, n. Negrito.

itaás, prep. over, above, up, v. to lift.

itaás, n. upstairs.

itabóy, v. to drive away.

iták, n. bolo.

itakdâ, v. to set, to assign, to schedule.

itakwíl, v. to disown.

Italyano, n./adj. Italian.

itampók, v. to extol, to glorify.

itanóng, v. to question, to ask.

itaób, v. to put face down, to over turn, to capsize.

itatag, v. to establish.

itatwâ, v. to disclaim, to disown.

itayô, v. to build, to let stand.

iti, n. dysentery.

itik, n. duck.

itím, n./adj. black.

itimán, adj. with predominant black color.

itimín, v. to blacken, to make black.

itindíg, v. to put in an upright position, to adjourn (a meeting).

itirik, v. to make stand, to erect.

itiwalág, v. to expel, to remove, to separate.

itlóg, n. egg.

itó, pron. this.

itsá, n. throw, hurl.

itsura, n. appearance.

itudlà, v. to aim at.

itudlók, v. to shove a pointed weapon.

itulak, v. to push.

itulot, v. to permit, to allow.

itumbás, v. to compare with.

itundô, v. to shove a pointed weapon.

iulî, v. to restore, to return to the former place or position.

iunat, v. to stretch out.

iutos, v. to command, to order.

iwà, n. rut, stab.

iwagwág, v. to shake vigorously.

iwan, v. to leave, desert.

iwas, v. to avoid.

iyák, n. cry, weep.

iyakán, v. to cry over.

íyakin, n. cry baby, inclined to cry.

iyakis, n. proportion.

iyá-iyakis, adj. proportional.

iyán, pron. that (near speaker and person addressed).

iyangyáng, v. to hang on the clothesline, to air.

iyó, pron. you, yours.

iyók, n. shriek of fowls.

iyón, pron. that (far from the speaker and person addressed).

—L—

L, n. ninth letter of the Pilipino alphabet.

laab, n. blaze flame.

laán, adj. reserved for.

laáng-gugulín, n. fund.

laba, n. lava.

labá, n. washing of clothes, washed clothes.

lababo, n. washstand, lavabo (eccl.)

labák, n. hollow ground.

labada, n. washed clothes.

labág, adj. against, contrary, opposed.

labaha. n. razor.

laban, n. fight, quarrel, conflict. **adj.** contrary, contradictory.

labanán, n. contest, fight.

labanan, v. to fight against, to contend with.

labandera, n. laundry woman.

labanós, n. raddish.

labangán, n. trough for feeding hogs.

labás, v. go out **n.** acting in a play, result. **adv./prep.** out, outside.

lábasan, n. exit.

labatiba, n. enema.

labatoryo, n. lavatory.

labay, n. skein of considerable length, leafiness.

labayan, n. a kind of fish.

labay-labay, n. bamboo crosspiece, breast stroke in swimming.

laberinto, n. labyrinth.

labhán, v. to wash.

labì, n. lip.

labí, n. remains, remnants, excess, leftover.

labian, n. a species of fish.

labín, labím, labing, prefix of cardinal numbers from 11 to 19.

labimpitó, adj. seventeen.

labinsiyám, adj. nineteen.

labing-apat, adj. fourteen.

labíng, n. ravine.

labis, adj. surplus, more than enough, over.

labnáw, n. thinness of liquid.

labnót, adj. pulled out forcibly, plucked out, uprooted.

labò, n. dimness.

labóg, n. oversoftness due to overcooking. **adj.** overcooked.

labón, n. marsh.

labóng, n. bamboo shoot.

laboratoryo, n. laboratory.

labót, n. maw.

laboy, n. vagrancy.

labsák, n. extreme softness and stickiness due to overcooking.

labusab, n. sound of bubble breaking.

labusák, adj. extravagant, spendthrift, prodigal.

labuyò, adj. undomisticated, wild.

labwáb, n. silt.

lakad, n. walk, course. v. go, walk.

lakambini, n. muse.

lakán n. chieftain, lord.

lakandiwà, n. moderator, judge (in a poetical joust).

lakansugò, n. ambassador, plenipotentiary.

lakás, n. strength.

lakbáy, v. to travel.

lakí, n. bigness.

lakihán, v. to enlarge.

laklák, v. gulp liquid.

lakò, n. things peddled.

lakre, n. sealing wax.

laksâ, adj. ten thousand, a kind of vegetable dish.

laksante, n. laxative.

laktáw, n. omission, gap.

laktawán, v. to omit, to skip.

ladlád, adj. unfurled, unfolded, exposed, made public.

lagà, adj. boiled.

lagaan, n. boiler, boiling utensils.

ladrilyo, n. brick, firebrick.

lagabláb, n. blaze, flame.

lagak, n. deposit.

lagalág, adj. roving, wandering.

laganap, adj. widespread, known in many parts.

lagapák, n. the sound of a heavy, fallen object.

lagarì, n. saw.

lagarian n. sawmill.

lagariin, v. to saw.

lagás, adj. pertaining to falling leaves or petals.

lagas, n. falling or dropping off, as leaves.

lagasáw, n. ripple, loud sound over shallows.

lagasláw, n. a kind of sound like that produced by leaves of trees, running.

lagáy, n. place, position. water and the like.

lagáy ng panahón, weather condition.

lagkít, n. state of being sticky, stickiness.

lagdâ, n. signature.

lagì, n. melancholy, sadness, sorrow.

lagitík, n. creak, squeeking sound, grating sound.

laglág, n. the falling down of something.

laglagán, v. to let something fall on someone, to drop something to someone.

lagmák, adj. helplessly prostrate.

lagnát, n. fever.

lagnatín, v. to be sick with fever, to run a temperature.

lagô, n. growth.

lagók, n. gulp.

lagom, n. summary.

lagós, adj. piercing, penetrating.

lagót, adj. cut, as thread, string, rope, etc.

lagpák, n. an act of dropping, failure.

lágukan, n. Adam's apple.

laguna, n. lagoon, lake.

lagundî, n. a species of shrub.

lagungdóng, n. sound of falling water.

lágusan, n. pass, a narrow passage.

lagutók, n. sharp, short noise made when striking a solid body.

laguyò, n. intimacy.

lagwerta, n. orchard.

lahang, n. rift, cleft.

lahát, pron. all, everybody, everything.

lahì, n. race, clan, lineage.

lahid, n. oblivion, eclipse.

lahók, n. mixture, participant, entry to a contest.

lahoy, n. flowing of blood from a wound.

laib, n. leaves heated over the fire to make it flexible for wrapping purpose.

laitin, v. to insult.

lait, n. villification, insult.

laitin, v. to insult.

lala, n. weave.

lalâ, n. aggravation. **adj.**

serious.

lalaki, n. man, male, boy.

lalamunan, n. throat.

laláng, n. creation, deceit.

lalás, n. stripping off, as leaves.

lalawigan, n. province.

laláy, adj. gradually inclining, gentle, soft or unstressed. (pronunciation).

lalim, n. depth.

laliman, v. to make deeper, to deepen.

lalin, n. contagion, infection. influence.

lalo, adj. more.

lamad, n. membrane.

lamán, n. contents, capacity, flesh.

lamang, adv. only, merely.

lamáng, adv. in greater amount.

lamáng-loób, n. internal organs.

lamáng-lupà, n. elf, underground spirit, tubers.

lamas, n. kneading.

lamás, adj. mussed, crumpled.

lamat, n. slight crack like that on plate, glasses, etc.

lamay, n. vigil, staying awake at night.

lambák, n. valley.

lambáng, adj. without assurance, unsure, hit or miss.

lambanóg, n. whip, lash; coconut wine.

lambát, n. fishing net.

lambayong, n. hanging bunch of fruits.

lambî, n. wattle of fowls, sensitive feeler on lips of fish.

lambitin, adj. hanging from branches of trees by hands or feet.

lambó, n. tassel, branch with leaves.

lambóng, n. mantle.

lambót, n. softness, tenderness.

lamikmík, n. secure, free from care or anxiety, not excited.

lamíg, n. coldness.

lamirâ, adj. viscous, dirty, thick and sticky.

lamiran, n. wild cat.

lamlám, n. dimness.

lamò, n. raft, balsa.

lamók, n. mosquito.

lamod, n. mucuslike substance.

lamóg, adj. bruised, injured.

lamon, n. the act of eating voraciously.

lámpará, n. lamp.

lampás, prep. beyond.

lampasán, v. to go beyond.

lampín, n. diaper.

lamukot, n. the inner flesh of the fruit sticking to seeds.

lamuymóy, n. loose fiber.

lamyós, n. caressing voice.

lana, n. wool.

lanao, n. lagoon, lake.

landás, n. trail, narrow path made by feet of men, animals, belt.

landasín, v. to follow the footsteps, to make a pathway.

landás ng bagyó n. typhoon belt.

landáy, n. camber, shallowness.

lanilya, n. bunting.

laningníng, n. aura, distinctive, atmosphere surrounding a person.

lanitî, n. a species of tree.

lansa, n. lance, spear.

lansá, n. fishiness.

lansák, adj. frank, open, patently sincere.

lanság, adj. destroyed, dismantled.

lansangan, n. road, street.

lanseros, n. a Spanish square dance.

lanseta, n. pocket knife.

lansinà, n. castor.

lansones, n. lanzon tree and fruit.

lantá, adj. withered, faded decayed.

lanták, v. attack.

lantakà, n. small cannon made of bronze.

lantád, adj. exposed, known open.

lantáy, adj. pure, positive (degree of comparison).

lantík, n. bend or curve.

lantóng, n. disagreeable odor like that of rotten fish or bagoong.

lantót, n. disgusting odor of stagnant water.

lantsa, n. launch, boat.

lanubò, n. tender, leafy branch of plants or trees

langaw, n. fly.

langáy-langayan, n. swallow

langkà, n. jackfruit.

langkáp, adj. compound-complex (Gram).

langkáy, n. bunch, cluster, group.

langgám, n. ant.

langgót, n. ng sumbrero-stray fibers, ng gulay-tendrils, ng kambing-goat's beard.

langháp, n. inhale, breathe in.

langíb, n. crust, slab over a wound.

langís, n. oil.

langit n. heaven, sky.

langitngít, n. creaking or squeaking sound.

langó, adj. drunk, tipsy.

langóy, n. sound produced when chewing brittle things.

laón, adj. old.

laós, adj. antiquated, out dated, obsolete.

laot, n. bay, midsea.

lapad, n. width.

lapád, adj. wide.

lapág, n. floor.

lapángi n. piece, slice.

lapas, n. a species of fish.

lapastangan, adj. disrespectful, discourteous.

lapat, adj. well adjusted.

lapát, n. fine strips of bamboo used in weaving baskets and bags.

lapáy, n. pancreas.

lápian, n. political party.

lapian, v. to put an affix.

lápidá, n. gravestone, memorial stone.

lapis, n. pencil.

lapit, n. nearness, closeness.

lapitan, v. to go near.

lapláp, adj. decorticated, as skin.

lapnís, n. stripped from trees.

lapnós, n. decayed or rotten wood, bamboo, post, pole, etc.

lapulap, n. mist.

lapulapo, n. sea bass fish

larang, n. wide open field.

larangan, n. arena. battle-field.

laráw, n. reflected image.

larawan, n. picture, effigy, image.

larawang-diwà, n. mental image.

larba, n. larva.

largabista, n. binocular.

largahán, v. to extend the length, as rope, string and the like.

laringhitis, n. laryngitis.

larô, n. game, play, bamble.

laruán, n. toy.

láruan, n. playground.

láruang-bayan, n. public playground.

laryó, n. brick.

lasa, n. taste.

lasak, n. rooster with white, red and black feather.

lasapín, v. to taste.

lasáw, adj. thin, watery.

lasgás, n. the heart or the hard cover of timber.

lasíng, n. drunked. adj. drunk.

lasingan, n. drinking spree.

lasingín, n. to make one drunk.

laslás, adj. disjoined, detached.

laso, n. ribbon, bow.

lason, n. poison.

lástikó, n. rubber band.

laswâ, n. indecency.

lata, n. can, tin.

latâ, n. softness, feebleness.

latak, n. sediments, dregs.

latag, adj. spread over, extended.

latay, n. bruise, lividness, welt.

latero, n. tinsmith.

lathalà, adj. published, printed.

lathalaín, n. article, literary composition for publication.

latì, n. swampy place, marsh.

latian, n. swamp, wet, soft, spongy land saturated with water.

latík, n. sweet preserved made of coconut milk.

látikó, n. whip, lash (Var. látigó).

Latín, n. Latin language.

Latino, n. Latinist, Latin.

latitúd, n. latitude.

latok, n. low table made of cheap wood.

laugán, n. place of hunting, den.

laurél, n. (Bot.) laurel.

lauya, n. a kind of Filipino dish with ginger.

lawâ, n. lake, a body of water surrounded by land.

lawaan, n. species of tree.

lawak, n. area, an open surface.

lawág, n. bright, dazzling light.

lawalawá, n. a species of spider, spider web.

laway, n. saliva.

lawayan, v. to put saliva.

lawig, n. duration.

lawihan, n. a species of fish.

lawin, n. hawk.

lawít, adj. suspended, hanging.

lawláw, adj. dangling.

layà, n. liberty, freedom.

layà sa pánulaan, n. poetic license.

layak, n. rubbish.

layag, n. sail.

layang, n. dried stem of leaves, flowers or fruits.

layanglayang, n. a species of bird.

layas, v. go away, run away.

layás, adj. vagabond.

layaw, n. ease and comfort, pampering.

layláy, adj. hanging, dropping.

layò, n. distance.

layog, n. elevation into atmosphere.

layon, n. objective, purpose, aim.

layuán v. to keep away from.

láyunin, n. objective, pur-

pose, aim.

laywan n. a species of honeybee.

lebadura, libadura, n. yeast, leaven.

léksikó, n. lexicon, dictionary.

leksikográpikó, adj. lexicograhic.

leksikograpiya, n. lexicography.

lektór, n. lecturer, reader.

legado, n. legate.

legál, adj. lawful.

legasyón, n. legation.

legumbre, n. legumes.

lehisladór, n. legislator.

lehislatura, n. legislature.

lehiyón, n. legion.

lente, n. flashlight lens.

lengguwahe, n. language.

león, n. lion.

leopardo, n. leopard.

leprosarya, n. leprosarium.

leteng, n. small rope, string.

letra, n. letter of the alphabet.

letse-kondensada, n. condensed milk.

líbák, n. mockery, ridicule.

libad, n. position and turn of partners.

libág, n. accumulated dust on the body.

liban, n. postponement.

líbangan, n. amusement, recreation.

libangín, v. to amuse, to comfort

libát, n. occasional recurrence of illness.

libatò, n. a species of plant.

libay, n. female deer.

libelo, n. libel.

liberalismo, n. liberalism.

libid, n. coiling, encircling.

libíd, adj. coiled, encircled.

libintadór, n. firecracker (Var. ribintadór).

libíng, n. burial.

líbingan, n. cemetery.

libís, n. slope.

liblíb, n. hidden place.

libo, n./adj. thousand

libog, n. libido.

libot, n. wandering, roaming.

libót n. rover, wanderer.

liboy, n. circular ripples on the water.

libra, n. pound (weight).

librepensadór, adj. freethinker.

libreriya, n. bookstore.

libreta. n. pass book, bank book.

libreto n. libretto (Mus.)

libró, n. book, the inside stomach of an animal.

libtóng, n. deep holes in river beds.

libumbón, n. host, throng.

likás, adj. natural, native.

likaw, n. coil, roll.

likáw adj. coiled, rolled.

likhâ, n. creation.

likhaín, v. to create.

likidasyón, n. liquidation, settlement of an account.

líkido, n. liquid.

likmô, n. sitting position.

likmuan, n. seat, anything used for sitting on.

likô, adj. curved.

likód, n. back, rear.

likop, n. auger.

likót, n. mischievousness, spontaneous movement.

liksí, n. quickness, agility, liveliness of body or mind.

liksiyón, n. lesson.

likú-likô, adj. winding.

likyád, n. slice

líder, n. leader.

liga, n. league.

ligá-ligatà, n. rash.

ligalig, n. trouble, disturbance.

ligalíg, adj. misplace, lost.

ligamgám, n. foreboding.

ligas, n. garter.

ligás, n. a species of tree.

ligat, n. glutinousness, viscosity.

ligatà, n. vacuole.

ligaw, n. courtship, wooing, courting.

ligáw, adj, wild, strayed, uncontrolled.

ligaya, n. happiness.

ligid n. surroundings, circumference.

ligíd, adj. surrounded.

ligís, adj. ground, triturated.

liglíg, adj. shaken down, referring to a container.

ligò, n. bath.

ligoy, n. roundabout way.

ligpít, adj. arranged or kept in order.

ligsá, n. trial, assay, test.

ligtâ, n. omission.

ligtás, adj. free.

ligwák, n. spilling of liquid.

ligwín, n. omission.

ligwinán, v. to pass over without notice or mention.

liha, n. sandpaper.

lihà, n. a division of a fruit, as orange, lemon and the like.

liham, n. letter.

lihaman, v. to write a letter to someone.

liham na nag-áanyaya, letter of invitation.

liham na pangkaibigan, friendly letter.

liham na pangkalakal, business letter.

liham ng pakikidalamhatì, letter of condolence.

liham ng pagbatì, letter of congratulation.

lihim, n. secret.

lihimin, v. to talk in secret to someone.

lihís, adj. out of the way, erroneous, deviated.

liíg, n. neck.

liít, n. smallness, littleness.

lila, adj. violet.

lilik, n. scythe.

lilim, n. shade.

lilimá, adj. only five.

lilip, n. hem.

lilis, adj. rolled.

liliw, n. a species of bird.

lilo, adj. unfaithful, traitorous, deceitful.

lilok, n. sculpture; engraving, carving.

lilukin, v. to carve.

limá, adj. five.

límahang-gilid, n. pentagon, a figure with five sides and five angles.

limahod, adj. slovenly.

limampú, n./adj. fifty.

limandahon, n. a species of plant.

limatik, n. leech, blood-sucker.

limbág, n. print.

limbagan, n. printing or publishing house.

limbás, n. bird of prey, anyone who preys on others.

limbo, n. limbo (eternal destiny of the unbaptized).

limbón, n. halo, aureola of the moon.

limì, n. attention, reflection.

limit, n. frequency, many times.

limlím, n. brooding of fowls.

limón, n. lemon.

limonsito, n. small lemon.

limós, n. alms.

limót, adj. forgotten.

limpák, n. lump.

limpál, n. big bulk or piece.

impiyabota, n. shoe shinner, bootblack.

limpiyahín, v. clean.

limunada, n. lemonade.

limusán, v. to give alms.

limutin, v. to forget.

lináb, n. fatty scum on the surface of liquid.

linagnág, n. aura, invisible emanation.

linamnám, n. good taste, savor.

lináng, n. field under cultivation.

linangin, v. to develop, to cultivate.

linasa, n. (Bot.) linseed, flax seed.

linatsáy, n. fry of mackerel.

linaw, n. clarity, clearness.

lindól, n. earthquake.

linib, n. small window of a nipa hut.

linimento, n. liniment.

lining, n. reflection, meditation.

liningin, v. to think over.

linis, v. to clean.

linláng, n. deceit, fraud, trick.

linlangín, v. to deceive, to mislead.

linlín, n. pile of cogon grass.

linoleum, n. linoleum.

linsád, adj. dislocated, derailed.

linsíl, adj. erroneous, devious, improper.

linsók, n. small broken waves of the sea.

lintâ, n. leech.

lintawanin, n. pirates.

lintík n. lightning.

lintóg, n. blister. adj. swollen, inflated.

lintós, n. blister.

linya, n. line.

lingá, n. sesame seed.

lingà, v. look here and there or toward all direction.

lingap, n. comparison, care.

lingát, adj. distracted, inattentive, absent-minded, negligent.

lingáw, adj. confused, puzzled.

lingkáw, n. scythe.

lingkís, adj. tightly coiled around.

lingkód, n. one ready to serve.

linggál, n. confused noises.

linggatong, n. mental perplexity, perturbation.

linggáw, n. turbulence combined with din.

linggít, n. smallness, littleness, tininess.

Linggó, n. Sunday, the first day of the week.

linggó, n. week.

Linggo ng Mag-anak, Family week.

Linggó ng mga Nagkákaisáng Bansá, United Nation's Week.

Linggó ng Pag-iingat sa Sunog, Fire Prevention Week.

Linggó ng Paglilinis, Clean Up Week.

Linggó ng Pilipino, Pilipino. Week.

lingguwísta, n. linguist.

lngguwístiká, n. linguistic.

lingíd, adj. hidden, not known.

lingmíng, adj. stupefied, perplexed.

lingón, v. to look back.

lingos, v. look here and there or from side to side.

lipá, n. a species of tree (Cap.) a city in Batangas.

lipà, n. asphaltlike soil used for threshing grains.

lipák, n. callosity.

lipád, v. fly, **n.** flight, flying.

lipanà, adj. widespread, diffused.

lipás adj. passed, out of season.

lipat, v. transfer, move to another place.

lipì, n. tribe, race.

lipon, n. crowd, group, gathering.

lipós, adj. full, covered with.

lipumpón, n. conglomeration of people.

lípunan, n. society.

lipyâ, n. plowshare.

lira, n. lyre.

lirà, n. swollen and reddened eyelids.

lírika, n. lyrics.

líriko, n. lyricist, **adj.** lyrical.

liring, n. second compartment of fish corral.

liryo, n. (Bot.) lily bulb.

lisâ, n. nit, egg of louse.

lisdíng, adj. plain, simple.

lisénsiyá, n. license.

lisensiyado, adj. licensed.

lisik, n. glinting of the eyes as when one is angry.

liso, adj. plain, unadorned.

lisók, adj. dislocate, sprained.

listá, n. list, register.

listahan, n. list.

listo, o lista, adj. clever, alert.

liston, n. ribbon, band.

lisyâ, adj. wrong, incorrect.

litanya, n. litany.

litas, n. opening along a piece of cloth.

litáw, adj. visible, obvious, popular, known.

literál, n. literal.

litháw, n. furrowing.

litid, n. tendon, ligament.

litigasyón, n. litigation.

litis, n. trial in court, investigation, lawsuit.

litlít n. weed.

litó, n. confused, perplexed.

litograpiya, n. lithography.

litógrapó, n. lithographer.

litrato, n. photograph, portrait, picture.

litro, n. liter.

litsón, n. roast pig.

litsugas, n. lettuce.

litúrhiyá, n. liturgy.

liwag, n. slowness in action, delay.

liwalíw, n. pleasure trip, vacation.

líwaliwan, n. vacation or rest resort.

liwanag, n. light, clearness.

líwasang-bayan, n. public plaza.

liwáy, adj. immune.

liwaywáy, n. dawning, (Cap.) a Tagalog weekly magazine.

liyáb, n. blaze, flame.

liyád, adj. bent backward with the abdomen protruding.

liyág, n. darling, dear, beloved.

liyát, n. nick or jag in the edge of tools.

liyáw, n. spying, watching.

liyenso, n. canvass for painting.

liyó, n. dizziness, vertigo.

lobo, n. wolf, balloon.

loko, loka, adj. crazy, foolish, insane.

lóhiká, n. logic.

lóhikó, adj. logical.

lomo, n. loin.

Londres, n. London.

longganisa, n. sausage.

longhitúd, n. longitude.

loób, n. the inside, interior, will, violation **adv.** inside, within.

looban, n. yard.

loobin, n. feeling.

loók, n. bay.

loro, n. parrot.

loryat, n. dinner with many Chinese dishes.

losa, n. porcelain.

lote, n. lot (land).

loteriyá, n. lottery.

lubák, n. depression on the surface of the ground.

lubas, n. calmness, tranquility, peace.

lubalob, n. a species of fish (platy-cephalidae).

lubalób, adj. immersed completely in a liquid, addicted to a vice.

lubhâ, adv. very much, excessively.

lubid, n. rope.

lubigán, n. a kind of game also called **patintero** or **tubigán**.

lubigan, n. a species of herb.

lubirán, n. rope making machine.

lublób, n. walloping.

lubô, n. depression on the ground.

lubò, n. a species of fish (serranidae).

lubóg, adj. submerged.

lubós, adj. total, entire.

lubrikante, n. lubricator.

lukád, n. rut.

lukán, n. a species of clam.

lukayo, n. comic character in a play or drama, clown.

lukbán, n. large orange pomelo.

lukbót, n. pouch.

lukbutan, n. pocket, purse.

luklák, n. species of bird (guava flycatcher).

luklók, v. seat or be seated (on a seat of honor).

luklukan, n. seat of honor.

luknáp, adj. decorticated, stripped.

lukób, n. carpenter's gauge, centering chisel.

lukóng, n. concavity. **adj.** concave.

lukót, adj. rumpled, crumpled (clothes).

luksâ,' adj. in mourning.

luksó, n. jump, hurdle.

luksúng-tiník, n. jump the spine (a native game).

luktón, n. locust without wings.

lugà, n. pus in the ears.

lugamî, adj. prostrate with grief.

luganggáng, adj. empty, without nothing inside.

lugár, n. place, site, spot, locality.

lugás, adj. fallen off, as grains from the stalk.

lugaw, n. gruel, porridge.

lugay, adj. hanging loosely, as long hair.

lugi, n. loss.

luglóg, n. shaking, rocking, a kind of noodle (pansít luglóg).

lugmók, adj. prostrate, exhausted.

lugó, adj. extremely weak due to the disease referring to fowls and birds.

lugód, n. lightheartedness, merriment, delight, satisfaction.

lugon, n. falling off, as hair, feathers and the like.

lugóng, n. basinlike cavity.

lugsô, n. cave-in.

lugtâ, adj. decayed, rotten, as a rope, string, etc.

luhà, n. tear.

luhaán adj. lachrimose, a species of plant called luhang-dalaga.

luhô, n. luxury.

luhód, v. kneel.

luhóg, n. supplication.

luhurán, v. kneel on (something), kneel in front of a statue of a saint, hero,

lulan, n. capacity, passenger.

lulód, n. shin bone.

lulog, n. tinder.

lulón, v. swallow, n. roll (mat, paper money, etc).

lumà, adj. not new, old, antiquated.

lumabás v. to go out. dizziness.

lúhuran, n. place for kneeling.

lulâ, adj. dizzy.

lulà, n. vertigo, seasickness, etc.

lumbâ, n. a kind of shark.

lumakad, v. to walk.

lumbáng, n. a species of tree with fruit that produces oil.

lumaklák, v. drink in gulps, drank in gulps.

lumagô, v. to fall.

lumahan, n. a kind of mackerel.

lumalâ, n. to become worse.

lumanay, n. mildness, softness, gentleness of a voice, action, etc.

lumangóy, v. to swim, swam.

lumapit, v. to come near.

lumasbî, v. to curl the lip.

lumat, n. delay, dilatoriness, slowness.

lumawig, v. extended in duration, was prolonged.

lumáy, n. love, charm, enchantment to attract love.

lumayas, v. to go away.

lumitáw, v. to appear, to become visible.

lumayô, v. to go far away.

lumbago, n. backache.

lumbák, n. depression as between waves.

lumbáy, n. sadness.

lumbó, n. a kind of dipper.

lumbóy, n. a species of blackberries.

lumikô, v. to turn around a corner.

lumitog, n. mullet fish (mugilidae).

lumot, n. moss, algae.

lumpiyâ, n. Chinese dish made of shrimps, pork and vegetables wrapped in rice starch paper.

lumpó, adj. crippled.

lumubóg, v. to sink.

lumuksó, v. to jump.

lumulan, v. to ride in.

lumundág, v. to jump.

lumupagì, v. to sit flat on the ground.

lumusóg, v. to become healthy.

lunán, n. place.

lunas, n. basin (of a river), remedy, relief.

lunasan, v. to remedy, to give relief.

lunaw, n. soft, watery mud.

lundág, n. jump.

lundáy, n. boat, dugout.

lundô, n. depression as between waves.

Lunes, n. Monday, the second day of the week.

Luneta, n. a park in Manila where Dr. Jose Rizal was shot, Lunette.

luningníng, n. brilliance, brightness, scintillation.

lunó, adj. soft, weak.

lunók, n. swallow.

lunod, n. drowning.

lunos, n. pathos, affliction, grief.

lunót, adj. soft by reason of ripeness, mellow.

luntian, adj. green.

lungád, n. vomiting or spewings of food by babies.

lungál, n. lifeless at birth, still born.

lungás, adj. broken referring to teeth.

lungayngáy, adj. head inclined backward with mouth open.

lungkág, adj. light in weight but bulky.

lungkót, n. sadness, sorrow, grief.

lunggâ, n. hole or burrow of rats, snake, etc., hole in the ground.

lunggatî, n. fervent desire, wish.

lungos, n. cape or projection of land.

lungoy, n. entreaty, humble petition.

lungsód, n. city.

luóm, adj. covered airtight and light proof.

luóp, n. fumigation.

luóy, adj. withered, faded.

lupà, n. ground, earth, soil.

lupagì, v. squat.

lupaín, n. land territory.

lupalop, n. continent.

lupaypáy, adj. prostrate, weak.

lupî, n. fold, hem.

lupíg, adj. defeated, vanguished.

lupíng, n. cruelty, savageness.

lupit, n. cruelty.

lupon, n. board, committee, commission.

lurâ, n. sputum, expectoration.

luraán, v. to spit on.

lúraan, n. spittoon.

luráy, adj. mutilated.

lusak, n. mire.

lusáw, adj. melted, liquified.

lusawán, n. melting pot.

luselusé, n. stunting (dwarfing in rice).

Lusipér, n. Lucifer.

lusob, n. attack.

lusóng, n. mortar.

lusót, adj. slipping through, penetrating.

lusubin, v. to attack.

lutang, n. floating, buoy.

lutáng, adj. floating, drift.

lutás adj. solved, cleared up.

lutasín, v. to solve, to clear up.

lutáy, adj. broken or torn into pieces.

lutò adj. cooked. **n.** anything cooked.

lutók, n. sound of bursting fruits in pods or breaking branches of trees.

lutóng, n. brittleness, fragility.

lutós, n. wood borer, weevil.

luwâ, adj. bulging.

luwág, n. spaciousness looseness.

luwagán, v. to loosen, to give more space.

luwál, adj. exterior, outside, out, exposed.

luwalhatì, n. extreme happiness, ecstacy.

luwalóy, adj. uncultured.

luwáng, n. width.

luwás, n. trip from the barrio or town to the city; export.

luwát, n. duration.

luwelang, native basket used for shipping easily crushed fruits.

luya, n. ginger.

luylóy, n. hanging loosely.

—M—

M, m, n. the tenth letter of the Pilipino alphabet.

maáarì, v. to make something possible.

maabala, v. to be delayed, to be interrupted.

maabót, v. to reach, to attain.

máakyát, v. to ascend, to climb.

maaga, adv. early.

maagap, adj. punctual, ever ready, prompt.

maagaw, v. to be snatched

maagnás, v. to worn out as by flowing water.

maagos, adj. with swift running water.

máalaala, v. to recall.

maalab, adj. heated, passionate, ardent, flaming.

maalalad, adj. resounding, resonant.

maalamát, adj. rich in legends.

maalat, adj. salty.

maalikabók, adj. dusty.

maalindóg, adj. beautiful, pretty, charming.

maalinsangan, adj. sultry, hot warm.

maaliwalas, adj. clear.

maalwán, adj. easy.

maamò, adj. tame, domesticated.

maantá, adj. rancid.

maáng, n. simpleton, ignorant.

maanggó, adj. sour (as of milk).

maanghít, adj. having a bad odor.

maáng-maangan, n. ignorance.

maapóy, adj. fiery, flaming.

maapula, v. to stop, to check.

maasim, adj. sour.

maawaín, adj. merciful, kind, charitable.

maayos, adj. orderly.

mababà, adj. low, humble.

mabábahagi, adj. divisible.

mababaw, adj. shallow.

mabábawas, adj. deductible.

mabagal, adj. sluggish, slow.

mabagót, v. to be bored, to be fed up.

mabagsík, adj. fierce, violent, merciless.

mabahò, adj. having bad smell, stinks.

mabaít, adj. virtuous, good, gentle, kind.

mabalahò, v. to get stuck.

mabalasik, adj. ferocious, savage.

mabanaagan, v. to see in dim light.

mabanás, adj. wild, warm

mabangís, adj. cruel.

mabangó, adj. fragrant, aromatic, sweet odor, smelling.

mabibíg, adj. having a wide mouth, talkative.

mabigát, adj. heavy, difficult.

mabiglâ, v. to be taken unaware.

mabigô, v. to be disappointed.

mabilí, adj. salable.

mabilís, adj. swift, speedy, fast and stress.

mabilog, adj. round, spherical.

mabinat, v. to have relapsed.

mabini, adj. gentle, modest.

mabisà, adj. effective, forceful.

mabuay, mabuwáy, adj. weak.

mabuhay, n. long life, **v.** to live.

mabulaklák, adj. having. plenty of flowers.

mábulíd, v. to fall.

mabulas, adj. healthy.

mabulisík, adj. wicked, evil, mean-eyed.

mabulo, adj. full of prickly hairs.

mabuti, adj. good, well.

mabuwáy, adj. unbalanced.

makabago, adj. modern.

makabayan, adj. patriotic.

makabuhay, n. a kind of medicinal plant (Tinospera rumphi).

makagitáw, v. to be able to stand out, to excell.

makahiyâ, n. mimosa plant (Mimosa pudica).

makalág, v. to be untied, to become loose.

makálawá, adj. twice.

makalawá, adv. day after tomorrow.

mákaligtaán, v. to be forgotten, to be left out, to be omitted, to be stepped out.

makalimot, v. to forget.

makálulón, v. to swallow accidentally.

makalumà, adj. old fashioned.

makalupà, adj. materialistic, earthly.

makán, n. a kind of rice.

magbihis, v. to change one's clothes.

magbubó, v. to spill.

magbulay-bulay, v. to muse.

magbulták, v. to glut.

magkabilâ, n. both sides.

magkagurlís, v. to be scratched.

magkalaguyò, n. comrades, chums, intimate, friends.

magkanlóng, v. to hide, to seek shelter or protection.

magkano, pron. how much?

magkapatíd, n. brother and sister.

magkatusak, v. abound, to be in great plenty.

magkita, v. to see each other.

magkuláng, v. to be lacking.

magkurò, v. to reflect.

magkuwento, v. to tell a story.

magdamág, adj. all night long.

magdarayà, adj. dishonest.

magéy, n. maguey, century plant.

maggugò, v. to shampoo.

maghalugáp, v. to seek awkwardly, to fumble.

maghampás-lupà, v. to be a vagabond, to roam around.

maghapon, n. all day.

maghigantí, v. to revenge, avenge oneself.

maghigkát, v. to desist.

maghilom, v. to heal.

magigi, adj. slow.

magiging, v. will become.

magiliw, adj. lovable, affable, amiable.

mag-iná, n. mother and child.

máginoó, n. gentleman.

magisì, v. to wear down.

mágisíng, v. to be awakened.

magiting, adj. heroic.

maglabá, v. to wash clothes.

maglagalág, v. to travel aimlessly.

maglagís, v. to sharpen, (a knife, tool, etc.).

maglahò, v. to disappear, be eclipsed.

maglarô, v. to play.

maglikát, v. to desist.

maglinis, v. to clean.

maglubáng, v. to plant rootcrops or tubers.

maglugaw, v. to cook gruel.

maglunoy, v. to wade through mud.

magmaáng-maangan, v. to feign ignorance.

magmág, n. common sense.

magmalasakit, v. to put interest in, to care for.

magmaliw, v. to be lost, to be transferred, to disappear.

magmanmán, v. to watch, to be on guard.

magmatyág, v. to observe (someone or something) closely.

magmungót, v. to look sullen, to pout.

magnesya, n. magnesia.

magnet, n. magnet.

magnilay, v. to reflect, to meditate.

magngalit, v. to be enraged.

mago, n./adj. magian.

magpaalam, v. to bid good-bye.

magpailanláng, v. to go up in the air.

makapaglalatang, v. to be the cause of kindling.

makapál, adj. thick.

makapangyarihan, adj. powerful, mighty.

makaroni, n. macaroni.

makásagasà, v. to run over unintentionally.

makasalanan, n. sinner.

makata, n. poet.

mákiná, n. machine.

makinarya, n. machinery.

makinasyón, n. machination.

makinilya, n. typewriting machine, shearing machine.

maktól, n. peevishness, fretfulness.

makunsumí, v. to be annoyed, vexed or exasperated.

makurirì, adj. meticulous.

madagtâ, adj. full of resin.

madalíng-araw, n. dawn.

madasalin, adj. prone to praying often; religious.

madiláw, adj. yellowish.

madilím, adj. dark, obscure.

madlâ, n. public.

madre, n. nun (eccl.)

madrekakáw, n. a species of tree (Gliricidia sepium).

madrina, n. godmother.

madulà, adj. dramatic.

madulás, adj. elusive, slippery.

madyóng, n. game of mahjong.

maestra, n. female teacher.

maestro, n. male teacher, instructor, conductor of a band or an orchestra.

magâ, adj. swollen.

mag-aamá, father and children.

magaán, adj. easy, light.

mag-aarál, n. pupil, student.

mag-aararo, n. plowman.

magahís, v. to subdue.

mag-alaala, v. to be anxious.

magalang, adj. courteous, respectful.

mag-aligandó, v. to loiter.

magalíng, adj. good, excellent.

mag-alipód, v. to crawl, to creep.

mag-aliyun, v. to billow (as smoke).

mag-anak, n. family.

magandá, adj. beautiful, good looking.

mag-apuháp, v. grope.

magarà, adj. pompous, splendid.

mag-aral, v. to study.

mag-asawa, n. couple, husband and wife.

magasin, n. magazine.

magasó, adj. naughty, mischievous.

magatô, v. to rot (s.o. wood), to be worn out.

magatod, adj. fastidious.

mag-atubilí, v. to hesitate.

magayót, adj. tough.

mágayuma, v. to be charmed, to be enchanted.

magbasá, v. to read.

magbatâ, v. to bear, to carry through.

magbayad, v. to pay for.

magbigáy, v. to give.

magbigtí, v. to hang oneself.

magpalikwád-likwád, v. to meander.

magpalusóg, v. to be healthy.

magparangál, v. to honor oneself, to fete another.

magparangalan, v. to show off.

magpasyál, v. to take a walk.

magpatiwakál, v. to commit suicide.

magpaumat-umat, v. to dawdle, to dillydally, to delay.

magparke, v. to park.

magpatibay, v. to approve (Law).

magpaunlák, v. to accede, to give in, to give favor.

magprisintá, v. to present oneself, to enlist as volunteer, to volunteer.

magpugay, v. to make a bow, to salute.

magpundár, v. to establish.

magsaka, v. to cultivate soil, to farm.

magsaing, v. to cook rice.

magsikap, v. to work diligently.

magsipag, v. to be busy, to be industrious.

magsisi, v. to regret, to repent.

magsiwalat, v. to expose, to explain.

magsulsí, v. to darn, to mend.

magtagál, v. to stay long.

magtamó, v. to get, to win (a prize or honor).

magtanan, v. to escape, to run away, to elope.

magtanghál, v. to stage.

magtaksíl, v. to turn a traitor.

magtapon, v. to throw away.

magtahán, v. to stop crying.

magtahí-tahí, to fabricate.

magtampisáw, v. to walk barefooted in a muddy place.

magtanggál, v. to disconnect, to lay off, to remove, to cut off.

magtanggól, v. to defend.

magtitingì, n. retailer.

magtugot, v. to yield, to stop, to cease.

magtulóg, v. to sleep repeat-
edly.
magtulot, v. to let by.
magulang, n. parent. adj.
mature, of age, sly tricky.
mágulangan, v. to be taken
advantage of.
mag-ulat, v. to account for.
mag-ulayaw, v. to converse
intimately.
maguló, adj. full of troubles.
magulumihanan, v. to be tak-
en aback.
mag-uyan, v. to make amends
for error or deficiency.
magwari-warì, v. to ponder.
mahabà, adj. long.
mahagwáy, adj. tall and well-
proportioned (in body).
mahál, adj. expensive, dear.
mahalagá,   n.   important,
valuable.
mahalín, v. to love, to be in-
fatuated.
mahalay, adj. vulgar.
mahalpók, v. to rot (s.o.
fish).
mahapdî, adj. painful.
maharlikâ, adj. noble, aristo-
cratic.
mahayáp, adj. very sharp,
piercing.
mahayók, v. to starve.
mahigpít, adj. strict, tight.
mahilig, adj. inclined to.
mahiman, adj. delicate.

máhimláy, v. to fall asleep.
mahinà, adj. weak.
mahinahon, adj. prudent.
mahinusay, adj. orderly.
mahirap, adj. poor, difficult
mahistrado, n. magistrate,
justice, judge.
mahiwagà, adj. mysterious.
máhiyá, n. mhgic.
mahunâ, adj. flimsy.
maiklî, adj. short.
máidlíp, v. to fall asleep.
maidulot, v. to offer, to give.
maigaya, adj. charming, de-
lightful.
maigkál, adj. sinewy, wiry.
maigot, adj. niggardly.
mailáp, adj. wild, untamed,
elusive.
maimbót, adj. greedy, stingy.
maimis, adj. orderly, tidy.
maimot, adj. frugal.
maimpók, adj. thrifty, eco-
nomical.
mainíp, v. to feel impatient.
mainit, adj. hot, fiery.
maingat, adj. careful.
maingay, adj. noisy.
maipagbíbilí, v. can be sold.
maipagsanggaláng, v. to pro-
tect.
maipagtirik, v. can light
candle as offering.
maís, n. maize, corn.
malá, adj. almost dry, semi-.

malabasahan. n. sea water snake.

malabigà, adj. hypocrite, gossipy.

malák, n. consciousness, awareness.

malakapas, n. a species of fish.

malakás, .adj. influential, strong, mighty.

malakí, adj. large, big.

malakolohiya, n. malacology, the branch of zoology which deals with the mollusk.

malakukó, adj. tepid, lukewarm.

malagatas, n. term for rice grains when beginning to develop.

malagkít. n. glutinous rice. **adj.** sticky.

malagihay, adj. half-dry, half-fresh.

malagunlóng, adj. plangent (with sound of breaking waves).

malahiningá, adj. tepid, lukewarm.

malainibay, adj. tipsy, nalf-drunk.

malaíng, v. to become flaccid and dry.

malaispongha, adj. spongy, lóose (said of grains).

malalâ, adj. serious, grave

(illness).

malambót, adj. soft

malamíg, adj. cold, cool.

malamlám, adj. hazy, dim.

malamyâ, adj. fastidious.

malanság, v. to dissolve.

malantá, v. to be wilted.

malapit, adv. near.

malapugò, n. dwarf chicken.

malarya, n. malaria.

malas, n. bad lick.

malasado, adj. soft boiled, half-cooked.

malát, n. hoarseness (of voice).

malatubâ, n. rooster with red feathers.

malatubà, adj. indifferent, unconcerned.

malawak, adj. wide, great.

malaway, n. a species of fish Lelognathus equalus).

malawig, v. to prolong, to take a long time.

malay, n. consciousness, awareness, knowledge.

Maláy, n. Malay people and language.

malayà, adj. free, independent.

malayang pangangalakal, n. laissez faire.

malayang sangkáp, n. independent element (Gram.)

malayang taludturan, n. free verse.

malayò, adj. far, distant.

malayót, v. to wither, to dry out before maturity.

malay-tao, n. consciousness.

malekón, n. wave-breaker, jetty.

maleta, n. valise, suitcase, traveling bag.

maletin, n. small valise or traveling bag.

malî, n. error, oversight. adj. wrong, erroneous.

malikaskás, n. transfiguration, phantasmagoria.

malikmatà, n. vision, apparition.

malikót, adj. mischievous, restless, always moving.

máligáw, v. to be astray.

maligaya, adj. happy.

maligno, n. malign, malignant, pernicious.

maligò, v. take a bath.

máligwín, v. to mislay.

malihim, adj. secretive.

maliít, adj. small in size (relatively).

malilang, n. sulphur.

malilim, adj. shady.

málimali, n. ostentation, pretentious display or showing.

malí-malî, adj. full of mistakes.

malimit, adj./adv. frequent.

malin, n. pilot.

malina, n. nymph.

malinaw, adj. clear.

malining, v. to see clearly in the mind, to comprehend.

malinis, adj. clean.

malingga, n. a species of vine also kundol (Benincasa hispida).

malinggít, adj. quite small.

malipol, v. to be annihilated.

maliputô, n. short-bodied person.

malirip, v. maisip, maunawaan.

malisya, n. malice.

maliw, n. loss of intensity, disappearance.

maliwag, adj. slow, dilatory.

maliwalis, adj. spacious, breezy (Var. maaliwalas).

maliwanag, adj. clear, bright.

malubhâ, adj. grave, serious.

malukóng, adj. concave.

malugód, v. to be pleased.

malumanay, adv. gently, softly.

malumay, adj. penultimate, level syllabic stress, gentle.

malumì, adj. penultimate syllabic stress with glottal ending.

maluningníng, adj. scintillating.

malungkót, adj. sad.

maluráy, v. to be destroyed piece by piece.

malutóng, adj. brittle.

maluwát, adj. long delayed.

maluwáng, adj. wide, spacious, roomy.

mamà, n. uncle, mister.

mamá, n. mamma, mother.

mamád, adj. without feeling, softened and swollen by soaking in liquid.

mamahay, v. to live, reside in.

mamal, n. mammal.

mamali, n. a species of fish (Polynemidae).

mamalík, v. to act in response to stimulus.

mámamahayág, n. journalist, newspaperman.

mámamayán, n. citizen, inhabitant, population.

mamansíng, v. to fish with hook and line.

mamatáy, v. to die, to extinguish, to put out (light).

mamáy, n. wet nurse.

mámayà, adv. by and by, later, after a while (Var. mayamaya).

mameluko, n. a kind of attire for children.

mamera, adj. one centavo each.

mamintás, v. find fault with.

mamirinsá, v. to iron clothes.

mamiyapis, v. to cringe.

mamón, n. a kind of soft cake.

mámukhaán, v. to happen to identify or recognize someone by face.

mamuninì, v. to abound, as in worms.

mamuô, v. to solidify.

mamutawì, v. to utter, to fall (words from the lips).

mamutiktík, v. to teem.

man, adv./conj. although, even if, even, though, also, too.

mana, n. inheritance, heritage, divine bread, manna.

manakánakâ, adv. from time to time, infrequent, seldom.

manalig, v. to believe.

manalo, v to win.

manaluntón, v. to follow, trace.

mánanakop, n. conqueror.

mánanaliksík, n. researcher.

mánananim, n. planter, farmer.

mananid, n. a kind of monkey.

manapát, adj. of equal weight, value, size, etc.

manás, n. beriberi.

manatili, v. to remain.

mandalá, n. heap of palay stalks ready for threshing.

mandamus, n. mandamus.

mandarambóng, n. plunderer.

mandarangkál, n. praying manthis.

Mandarín, n. Mandarin Chinese language.

mando, n. command, order.

manJolina, n. mandolin, musical instrument.

mandríl, n. contrivance for holding or tighténing holds, as in lathes, chuck.

mandudulà, n. dramatist, playwright.

mandurukot, n. kidnapper, pickpocket.

manedyér, n. manager.

maneho, n. handling, management, driving.

manhíd, n. numbness.

manî, n. peanut.

manibaláng, adj. matured.

manibela, n. steering wheel, crank.

manikà, n. doll.

manikí, o manikín, n. manequin in a dress shop.

manikmát, v. to utter sharp words.

manigò, adj. fine, favorable.

manimpuhò, v. to sit upon the heels.

maningníng, adj. brilliant.

maniwalà, v. to believe.

manlilimbág, n. printer.

manlilingó, n. assasin.

manlimbáng, v. to make playful love, to flirt.

manlupaypáy, v. droop.

Manobo, n. tribe in Mindanao.

manók, n. chicken, hen or rooster.

manoód, v. to watch or see a program, game, show, etc.

mansanas, n. apple.

mansanitas, n. little apple.

mansera, n. plowhandle.

mansó, adj. tame.

manta, n. woolen blanket.

mantekado, adj. buttered, larded.

mantél, n. tablecloth.

mantikà, n. lard.

mantikilya, n. butter.

mantelya, n. mantilla, Spanish veil or scarf for the head.

manugang, n. son-in-law or daughter-in-law.

manugón, v. to act in response to stimulus.

mánunubos, n. redeemer.

manuso, n. band, sash for newly born babies.

manuynóy, adj. meticulous.

manwal, n. manual, handbook.

manyá, n. mannerism.

mang-aangkát, n. importer.

mangabáng, v. to go near people eating, expecting to receive food.

mangakò, v. to promise.

mangalumatá, v. to have rings around the eyes.

mangkók, n. bowl.

manggá, n. mango.

manggagamot, n. doctor.

manggagawà, n. laborer, work.

manggagaway, n. witch.

manggás, n. sleeve.

manggiting, v. to pinch between teeth.

manghâ, adj. surpised, amazed.

manghaki, v. to checkmate.

manghád, n. tabulation.

manghuhuthót, n. profiteer.

mángingisda, n. fisherman.

mangisdâ, v. to fish.

mangmáng, adj. ignorant.

mangulag, v. to have the hairs on feathers stand on end.

mangulila, v. to be lonely.

mangulabát, v. to toddle.

mangulubót, n. shrivel.

mangumpisál, v. to confess.

mang-uróy, v. to sneer, to scoff.

Mangyán, n. tribe in the mountain of Mindoro.

mangyari, v. to occur, to take place, conj. because.

mapaknít, v. be detached.

mapagkamkám, adj. greedy.

mapagkandili, adj. solicitous.

mapaghiliín, adj. envious.

mapagmataás, adj. supercilous, naughty, proud.

mapagpaimbabáw, adj. hypocritical.

mapagsamantalá, adj. opportunist.

mapagsimpán, adj. provident.

mapag-unawà, adj. understanding.

mapaít, adj. bitter.

mapalad, adj. lucky, fortunate

mápalulóng, v. to be indulged in an activity.

mapanagpáng, adj. rapacious.

mapanatili, v. to maintain.

mapanudyó, adj. inclined to teasing.

mapanuyâ, adj. satirical.

mapangamkám, adj. avaricious, greedy.

mapanghamít, adj. bellicose.

mapangláw, adj. gloomy.

mapang-uyam, adj. sarcastic.

maparam, v. cause to disappear.

mápariwarà, v. be misled.

mapasal, v. to be famished.

mapasamá, v. to suffer spasm, numbness.

mapátanyag, v. to be made famous.

mapawì, y. vanish, disappear.

mapayapà, adj. peaceful.

mapilit, adj. insistent.

mapipilan, v. to vanquished.

mapundí, v. to blow a fuse.

mapungay, adj. lambent.

mapuról, adj. dull.

maputì, v. to be killed or destroyed.

maputî, adj. white.

maputlâ, adj, pale.

marahan, adj. slow.

marahás, adj. aggressive.

marahil, adv. perhaps, may- be.

marálitâ, adj. poor, destitute, impoverished.

máramay, v. be involved.

maramdamin, v. sensitive.

marami, adj. many, plenty, much.

maramot, adj. selfish, stingy.

marangál, adj. honorable.

marawal, adj. abject, con- temptible gloomy.

marká, n. mark.

Markismo, n. Marxism.

Markista, n. Marxist.

marko, n. casing of doors and windows.

margarina, n. margarine.

marikít adj. pretty.

marimba, n. xylophone, a kind of drum used by American Negroes.

marina, adj. marine collar hanging over the back of a dress.

marinero, n. sailor.

máriníg, v. to hear.

marino, n. seaman, mariner.

maringal, adj. bright.

mariskál, n. field marshall.

marmól, n. marble.

Marso, n. March.

Marte, n. Mars. (planet).

Martés, n. Tuesday.

martilyo, n. hammer.

martinete, n. drop hammer, pile driver.

martir, n. martyr.

marubdób, adj. ardent.

marugô, adj. bloody.

marumí, adj. dirty.

marunong adj. wise, in the know, intelligent.

marungis adj. dirty, mean, bad.

marupók, adj. fragile, weak.

marurók, adj. profound.

mas, adj. more.

masa, n. dough.

masakím, adj. greedy.

masakít, adj. painful.

masakláp, adj. bitter, acrid.

masaksihán, v. witness.

masagabal, adj. full of ob- struction.

masaganà, adj. prosperous, plentiful.

masahe, n. massage.

masahol, adj. worse than.

masamâ, adj. bad.

masamyô, adj. fragrant.

másangkót, v. involved.

masanlíng, adj. sound in morals, moral.

masanghaya, adj. noble, poetic.

masanghíd, adj. sharp to the smell.

masaráng, adj. refulgent.

masaráp, adj. tasty, delicious.

masawî, v. meet misfortune.

masayá, adj. cheerful, happy.

maskada, n. chewing tobacco.

maselan, adj. fastiduous, delicate.

masikap, adj. diligent, active, assiduous.

masidhâ, adj. active and energetic.

masidhî, adj. intense.

masigasig, adj. persistent, industrious.

masiging, adj. conceited.

masiglá, adj. gay, lively.

masilaw, v. be dazzled.

masilyo, n. hammer of a piano.

masining, adj. artistic.

masinop, adj. industrious,

hard-working, diligent.

masinsín, adj. close.

masinggán, n. machine gun.

maso, n. big hammer.

masón, n. mason.

masugid, adj. energetic, intense.

masúnurin, adj. obedient.

masungit, adj. ill-tempered.

masurka, n. the mazurka dance.

masurì, v. be able to analyze.

masuyò, adj. full of affection.

matá, n. eye.

mataás, adj. high, tall.

matabâ, adj. stout, fat.

matabáng, adj. tasteless, without salt or sugar.

matabíl, adj. talkative.

matakalyo, n. corn plaster.

matakaw, adj. voracious, greedy.

matadero, n. slaughter house.

matadór, n. bullkiller.

matahán, adj. big-eyed, wide-eyed.

matahín, v. to be critical of, to belittle (fig.)

matalas, adj. sharp, acute.

matalik, adj. intimate.

matalím, adj. sharp.

matalino, adj. intelligent, talented.

matalisik, adj. sagacious, erudite.

matalo, v. to lose.

matamán, adj. careful thoughtful.

matambók, adj. protruding, bulky.

matamís, adj. sweet.

matandâ, adj. old, aged.

matansa, n. butchery, cruel slaughter.

matáng-manók, adj. having eyes that cannot see in the dark.

matáng-pusà, adj. almond-eyed.

mataós, adj. sincere.

matapang, adj. brave, valiant.

matapát, adj. faithful, loyal.

mata-pobre, n. a person who is cruel or selfish to the poor.

matatás, adj. fluent.

matayog, adj. high, high flown.

matemátiká, n. mathematics.

matemátikó, n. mathematician.

materyál, n. material.

materyalismo, n. materialism.

materyalista, n. materialist.

matigás, adj. hard.

matimtimán, adj. constant.

matiník, adj. thorny.

matinis, adj. shrill, high pitched.

matinô, adj. normal, full of common sense.

matingkád, adj. brightly or strongly colored.

matiyagâ, adj. patient, persevering.

matón, n. bully, browbeater.

matríkulá, n. matriculation.

matrís, n. uterus.

matsete, n. machete, large heavy knife.

matsíng, n. monkey.

matúlain, adj. poetic.

matulin, adj. swift, rapid.

matulis, adj. sharp, pointed.

matulog, v. to sleep.

matumal, adj. slow, not salable.

matunóg, adj. resounding, clever.

mátuto, v. to be glad.

matuwíd, n. reason, argument.

mauhaw, v. to get thirsty.

maulán, adj. rainy.

maulit, adj. insistent, repetitious.

maunlád, adj. progressive, prosperous.

mausisà, adj curious, inquisitive.

mausoleo, n. mausoleum.

mautdó, adj. short, lacking in required or standard length.

mawalâ, v. to be lost.

may, v. having, possessing, prefix, denoting possession.

maya, n. rice bird, sparrow.

mayabang, adj. proud, showy, boastful.

mayabong, adj. luxuriant, thriving.

maya-kapra, n. a species of bird (Rhipidura nigritorquis).

may-akdâ, n. author.

mayamayâ, adj. later, in a moment.

mayamò, adj. covetous, avaricous.

mayang-bató, n. a species of bird, tree sparrow (Passes montanus).

mayang-kosta, n. a species of bird (Munia oryzivora).

mayang-pakíng, n. a species of bird, Luzon broom weaver sparrow (Munie cabanisi).

mayapá, adj. flaccid and insipid.

may-arì, n. owner, proprietor.

maybahay, n. wife, housekeeper, owner of the house.

may-kahílingan, n. petitioner.

Maykapál, n. Creator, God,

maygawâ, n. maker, author.

Maynìlà, n. Manila.

Mayo, n. May.

mayonesa n. mayonnaise dressing.

mayordomo, n. majordomo, steward.

maypakanâ, n. instigator.

maysakít, n. patient, sick.

mayumì, n. demure, modest.

may-utang, n. debtor.

mekánikál, n. mechanical.

mekánikó, n. mechanic

mekanismo, n. mechanism.

medalya, n. medal.

medalyón, n. medallion, large medal.

médikó, n. physician.

medisina, n. medicine, medical profession.

medyaluna, n. half-moon.

medyanotse, n. midnight.

medyas, n. stocking.

Mehikano, Mehikana, n./adj. Mexican.

melodrama, n. melodrama.

melody, n. melody.

memorandum, n. memorandum.

memorya, n. memory.

memoryal, adj. memorial.

meninghitis, n. meningitis.

ménopós, n. menopause.

menór, n. lower key (mus.).

menór de edád, adj. underage, of minority age.

menos, adj. less, of less degree or value.

mensahe, n. message.
mentól, n. menthol.
mensahero, n. messenger.
menú, n. menu.
merkantilismo, n. mercantilism, commercialism.
meridyano, n. meridian.
meryenda, n. snack.
mesa, n. table.
mesita, n. small table.
Mesiyas, n. Messiah.
metabolismo, n. metabolism.
metál, n. metal.
metapísiká, n. all of the more abstruse branches of philosophy.
metáporá, n. metaphor.
metonimya, n. metonymy.
métrikó, adj. metric.
metro, n. meter.
metropolitan, adj. metropolitan.
mga (manga), particle placed before a noun.
miki, n. a kind of noodle.
mikmík, adj. very little, small, tiny.
mikrobyo, n. microbe, germ.
mikroskopyo, n. microscope.
midida, n. tape measure.
midyú-midyó, adj. slightly unbalanced mentally.
miga, n. crumb (of bread).
milagro, n. miracle.
milagrosa, milagroso, adj. miraculous.

miligramo, n. milligram.
milimetro, n. millimeter.
milisya, n. militia.
militar, adj. military. n. military man.
milón, n. melon.
milya, n. mile.
milyón, n./adj. million.
milyonarya, milyonaryo, n. millionaire.
mimahín, v. to pamper.
mina, n. mine.
minámahál, n. beloved, object of affection
minerál n. mineral.
mineralohiya, n. minerology.
ministeryo, n. ministry.
minorya, n. minority.
minsan, adv. once.
mintís, adj. inaccurate, failed, as of a plan that did not materialize.
mira, n. myrrh.
mirasól, n. sunflower.
mirindál, n. snack, refreshment.
misa, n. mass (Sp.).
misa-de-galyo, n. midnight mass.
misál, n. missal.
misa mayór, n. high mass.
misa-resada, n. short mass.
misáy, n. mustache.
mismís, n. particle of food left after eating.
misteryo, n. mystery.

misteryoso, misteryosa, adj. mysterious.

místikó, místiká, n. mystic. believer in mysticism.

mistisismo, n. mysticism.

mistiso, mistisa, n. person of mixed blood.

mistulà, adj. similar to, like.

mithiin, n. objective, desire.

misyón, n. mission.

misyonero, n. missionary.

mithî, n. ardent wish or desire.

mitig, n. numbness.

miting, n. meeting.

mitolohiya, n. mythology.

mitosis, n. mitosis.

mitra, n. the official headdress of a bishop; bishopric.

mitsá, n. wick.

mitsado, n. stuffed rolled meat.

miyelitis, n. myelitis (Med.)

miyembro, n. member.

miyentras, adj. meanwhile, while.

Miyérkulés, n. Wednesday.

miyopia, n. myopia, shortsightedness.

mo, pron. of yours, by you (singular).

mobil, adj. mobile.

moda, n. mode, fashion.

modelo, n. model, pattern.

moderno, adj. modern.

modista, n. modiste, dressmaker.

modo, n. good manners.

moléstiyá, n. annoyance, bother.

monasteryo, n. monastery.

monsenyór, n. monseigneur.

mongha n. nun.

monghe, n. monk.

moóg, n. fort.

moras, n. vetiver.

moreno, morena, adj. brown.

Moro, Mora, n. Moor, Moslem, Mohammedan.

Morong, n. a town in Rizal province.

morpina n. morphine.

morpolohiya, n. morphology.

mortál, adj. mortal.

motas-motas, n. polka dots.

motór, n. motor.

motorsiklo, n. motorcycle.

muál, adj. filled, full, as of mouth when full of food. (Var. muwál)

muáng, n. intelligence, knowledge; a kind of fish (Var. muwáng).

mukhâ, n. face.

mukmukán, v. to talk about something in private.

mudmód, n. act of distributing (something around).

mugmóg, adj. made painful by mauling or beating, softened by pounding.

mulî, n. irritation, repug-
nançe.

muhón n. landmark, mile-
stone.

mulâ, n. source, origin, adv.
since then, from then,
since that time.

mulagat n. staring.

mulát, adj. open-eyed, edu-
cated, civilized.

mulawin, n. molave tree.

mulî, adv. once more, again.

mulinilyo, n. chocolate beat-
er.

mulmól, n. threads ravelled
out of a cloth.

mulós, n. spilling or slip-
ping through as grains slip
ping through a hole in a
container.

multá, n. fine.

multó, n. ghost, apparition.

mumo, n. grains of cooked
rice falling off dish.

mumog, n. gargle.

muna, adv. first.

munakalà, n. plan, project
(var. manukalà).

mundó, n. earth, world, uni-
verse.

munì, n. rationalized think-
ing.

munisipál, adj. municipal.

munisipyo, n. municipality.

munmón, n. distillation from
rose petals.

munsík, adj. tiny, dimunitive.

munsíng, adj. quite tiny.

muntî, adj. small, little.

muntík, muntík na, adv. al-
most. nearly on the verge
of.

munukalà, n. idea, plan.

munyeka, n. wrist-bones, car-
pus.

mungkahì, n. suggestion, mo-
tion.

munggó, n. a kind of beans.

mungláy, adj. torn to pieces.

munglayín, v. to reduce to
smithereens.

muóg, n. fort, thick stone
wall.

mura, n. scolding reproach,
slander, adj. cheap, not
costly.

murà, adj. immature, unripe.

muralya, n. fort, wall.

murkón, n. large sausage.

musa, n. muse.

musang, n. civet cat, wild
carnivorous cat.

museo, n. museum.

músiká, n. music (Sp.).

musmós, adj. innocent, tod-
dling.

musón, n. landmark, mile-
stone.

mustasa, n. mustard.

mutà, n. gummy secretion of
the eye.

mutsatso, n. manservant, boy.

mutuneriya, n. assemlage of ropes and pulleys.

mutyâ, n. pearl, loved one. **adj.** dear, beloved, alone, single.

muwáng n. knowledge.

muwebles, n. furniture.

muyág, adj. spongy, loose (said of grains).

muyangit, n. adhesion of thick liquids or sweet along the side of a container.

—N—

N, n, n. the eleventh letter of the Pilipino alphabet.

na, adv. already, now. **pron.** (relative) who, which, whom, that.

naáalaala, v. being recalled, being remembered.

naális-isán, adj. restless, uneasy.

naakit, v. attracted, had been fascinated.

náalaala, v. have recalled have remembered.

naalimpungatan, v. suddenly awakened.

naamís, v. was rejected, was jilted, was disappointed.

naanod, v. was drowned, was carried by the current.

naangát, v. was lifted.

naawà, v. had taken compassion on; had taken pity on.

naayos, v. had arranged, had put in order, had put into shape.

nabagabag, v. was disturbed, was filled with pity.

nabagót, v. had grown tired of something, had lost patience.

nabalì, v. was broken, was dislocated.

nábalták, v. had been pulled harshly.

nábanggít, v. was mentioned.

nabigasyón, n. navigation.

nabigô, v. was disappointed.

nábihag, v. was captured, had been charmed, had been taken captive.

nábitin, v. was postponed, was delayed, was suspended.

nabuhat, v. was lifted.

nabuhay, v. came back to life.

nabuwág, v. was demolished, was broken down.

nakaáabót, v. can reach.

nakaáakit, v. can attract, can call attention.

nakaáalibadbád, v. can cause
nausea.

nakaáalíw, v. can console,
can soothe.

nakaáamóy, v. can smell.

nakaalpás, v. was able to
escape.

nakabasag, v. had broken
something accidentally

nakabukód, v. has been set
aside.

nakakain, adj. eatable.

nakakalat, v. are scattered
around.

nakakátawá, adj. humorous.

nakakuha, v. was able to get.

nakakikiliti, adj. ticklish.

nakádaló, v. was able to at-
tend.

nakadayà, v. was able to
cheat.

nakadungaw, v. looking out
of the window.

nakagágaling, adj. curative,
can give relief to pain.

nakagágalit, adj. vexatious,
offensive, disagreeable.

nakaganti, v. was able to
avenge oneself.

nakagayák, adj. dressed up,
ready, prepared.

nakaháhalina, adj. attractive,
alluring.

nakáhalatâ, v. was able to
detect.

nakaharáp, adv. face to face.

nakahigâ, adv. lying down.
in a supine position.

nakahíhikayat, adj. inciting,
provoking.

nakahihiyâ, adj. shameful.

nakahilig, adj. inclined. lean-
ing.

nakahubád, adj. nude, with-
out clothes, uncovered.

nakáiigaya, adj. inciting en-
vy.

nakaíiyák, adj. sad, con-
ducive to tears.

nakalabás, adj. exposed. v.
was able to go out.

nakalagáy, v. placed,
situated.

nakalílibáng, adj. diverting,
recreative.

nakalilimot, v. forgetting.

nakalíliwanag, adj. illumi-
nating.

nakaluksâ, adj. in black, in
mourning.

nakalúlugód, adj. pleasing.

nakamámanghâ, adj. wonder-
ful, marvelous, astonish-
ing.

nakamámatáy, adj. deadly,
fatal.

nakamumuhî, adj. vexatious.
disgusting.

nakangangá, adj. open
mouthed, gaping.

nakangitî, adj. smiling.

nakangiwî, adj. distorted (face).

nakapag-áanták, adj. conducive to sleep.

nakapanghihinayang, adj. regrettable.

nakapagpápalakás, a d j. strength-giving, healthful.

nakapangingilabot, adj. terrifying.

nakapápagod, adj tiresome, tedious.

nakapápangit, adj. disfiguring.

nakapápawis, adj. sweat producing.

nakar, n. mother of pearl.

nakarárahuyò, adj. enticing.

nakararami, n. majority.

nakarugtóng, v. is joined. adj. adjacent.

nakasalamín, adj. bespectacled.

nákasalubong, v. have met on the way accidentally.

nakasísindák, adj. frightful, awful.

nakatangkál adj. exposed.

nakatarak, adj. stuck up.

nakatátarók, v. can fathom, can understand thoroughly.

nakatátawá, adj. humorous, funny.

nakatirá, v. living in.

nakaw, adj. stolen, n. thing stolen.

nakíkiisá, v. cooperating.

nakíkiugalì, v. adapting oneself to other's customs.

nakisama, v. mingled with others.

naknák, adj. filled with pus, abscessed.

naga, n. a species of tree belonging to the narra family (Pterocarpus indicus), (cap.) a city in the Bicol region.

nag-aaral, v. studying.

nag-aarì, n. owner.

nagalit, v. was angry.

naganáp, v. consummated a certain action.

nagbalità, v. gave news.

nagbihis, v. dressed up; changed one's clothes.

nagbubuhat, v. coming from a direction.

nagbuhát, v. carried something from one place to another.

nagkasakít, v. became sick.

nagkásala, v. was guilty.

nagkusà, v. volunteered.

nagdárasál, v. praying.

nagdúrugô, n. bleeding.

nagháhaból, n. apellant, or a person who appears to a higher court.

nagháhandâ, v. preparing.

naghálikan, v. kissed each other.

naghamok, v. fought.

naghanáp, v. searched for, looking for.

naghíhílík, v. snoring.

naghíhimatón, v. giving direction or information.

naghíhinalà, v. is suspicious.

naghimatón, v. gave direction or information.

naglakás-loób, v. took courage.

naglálagak, n. bailor. v. bailing, giving bail.

naglipanà, adj. scattered about.

naglipatán, v. transferred, had moved from one place to another.

naglugaw, v. had cooked porridge.

nagpagibik, v. called for help.

nagpápaliwanag, v. explaining; clarifying.

nagsásakdál, n. complainant.

nagsasaing, v. cooking rice, boiling rice.

nagsisiilag, v. evading something, moving away from one's path.

nagsisinungalíng, v. telling a lie.

nagtaká, v. was surprised.

nagtagô, v. had hidden.

nagúguló, v. is in a state of confusion.

nágulat, v. was surprised.

nag-ulat, v. rendered an account.

nag-úutos, v. commanding, ordering.

nagwas, n. underskirt, half slip, petticoat.

nagyakap, v. embraced each other.

nahihiyâ, v. is embarrassed.

naínggít, adj. envious.

naíiníp, adj. impatient, tired of waiting.

naimpók, n. savings.

nais, n. desire, wish.

nalapitan, v. managed to get near.

nalóloko, v. is in the state of insanity.

nalungkót, v. became sad.

namámasyál, v. is taking a walk.

namán, adv. also, too.

namî, n. a species of plant (Dioscorea sativa).

namin, pron. our, by us (exclusive).

namnám, n. taste, savor.

namúmuninì, adj. teeming, crowding.

namúmutiktík, adj. all covered, abundant, replete.

nana, n. address for grandmother or mother.

nanà, n. pus.

nanánagót, n. respondent.

nanangis, v. wept.

nanáy, n. address for mother. (Var. of Ináy).

nang, conj., adv. when.

nangaso, v. went hunting.

nangángalirang, adj. extremely dried up, overdried.

nangángalungkóng, v. feeling depressed.

nangángaral, v. advising, counseling. adj. didactic.

nangkâ, n. jack fruit (Var. langkâ).

nangínginíg, v. is trembling.

nanghíhimasok, v. is intervening. n. one who intervenes.

nápakalakí, adj. very big.

nápakatabíl, adj. very talkative.

nápansín, v. had noticed.

nápapansín, v. is being noticed.

nápasadlák, v. was thrown on the ground.

napkin, n. napkin.

naptalina, n. napthalene.

nara, n. narra tree

narkótiko, adj. narcotic.

náritó, adv. here, now.

náriyán, adv. over there.

nároón, adv. there (far).

nars, n. nurse.

nasà, n. desire.

nasa, prep. on.

násaán, adv. where, at which place.

nasaksihán, v. had witnessed.

nasain, v. to desire, to wish.

Nasareno, n. Nazarene.

násasakdál, n. defendant.

nasásakupan, n. subject, a person under one's rule.

nasipà, v. was kicked.

nasok, v. went in, entered.

nasyón, n. nation.

nasyonalisasyón, n. nationalization.

nasyonalismo, n. nationalism.

nasyonalista, n. nationalist, member of the Nationalista Party.

natá, pron. our, our (for the two of us).

natakot, v. became afraid.

natagpuán, v. was found.

natalós, v. knew, had learned.

natarók, v. understood.

nátatagò, adj. hidden.

natin, pron. ours.

natinag, v. was moved.

nátirá, v. was left out. n. what was left, leftover.

nátiwalág, v. was removed from office or work.

natunaw, v. was melted.

natupád, n. was consummated, accomplished.

naturál, adj. natural, inborn.

naturalesa, n. nature, physiology, constitution.

naunsiyami, v. was stunted.

nayon, n. barrio, village.

nektár, n. nectar.

negatibo, adj. negative.

negosyante, n. business man.

negosyo, n. business trade.

Negrito, n. small mountain people of the Philippines.

negro, adj. black. **n.** Negro.

nematolohiya, n. nematology, the department of zoology that treats of nematodes.

nenè, n. endearing term for a baby girl or a girl.

nepritis, n. nephritis, inflammation of the kidneys.

nérbiyós, n. nervous breakdown.

nerbiyoso, nerbiyosa, adj. nervous.

neurolohiya, n. neurology, the branch of science dealing with the nervous system, specif. with the disease of the nervous system.

neurosis, n. neurosis.

ng, art./prep. of, belonging to, concerning, out of.

ni, art. (personal) of.

nikel, n. nickel.

nikník, n. owl midge.

nikotina, n. nicotine.

nigì, n. a species of tree (Xylocarpus abovatus).

niig, n. tete-a tete.

nilá, pron. their.

nilad, n. a species of plant.

nilaláng, v. was created. **n.** creature.

nilapitan, v. had approached, went near.

nilay-nilay, n. reflection, meditation, (Var.) pagninilay.

nilikhâ, v. created, made. **n.** creation.

nilitsón, v. roasted over live embers.

nilugaw, n. rice gruel, porridge.

nimpa, n. nymph.

nimpuhô, adj. seated flat on the thighs.

niná, art. plural form of ni.

niñang, n. godmother.

nino, pron. (interrogative) whose.

ninong, n. godfather.

ninunò, n. ancestors, grandparents.

ninyó, pron. yours, you, by you (plural).

ningas, n. flame.

ningas-kugon, adj. short-lived.

ningníng, n. sparkle, scintillation, brillance.

nipa, n. nipa palm.

nipís, n. thinness.

nirí, adj. of this (Var. niya-rí).

nisnís, n. frayed condition of a piece of cloth.

nitó, pron. this.

nitróhenó, n. nitrogen.

nitso, n. niche.

niyá, pron. his, her.

niyán, adj. of that (thing near the person adressed).

niyebe, n. snow..

niyóg, n. coconut.

niyón, adj. of that (thing far from the speaker or the person addressed).

nobela, n. novel, fiction.

nobelista, n. novelist.

nobena, n. novena, prayers.

nobenta, n./adj. ninety.

nobya, n. bride, fiancee, sweetheart.

Nobyembre, n. November, eleventh month of the calendar year.

nobyo, n. bridegroom, sweetheart, fiance.

nombrahan, v. to appoint, nominate.

nombramyento, n. nomination, appointment.

noó, n. forehead.

noón, adv. then, at that time.

normál, adj. normal.

norte, n. north.

nilapitan, v. had approached, went near.

nota, n. note, memo.

notaryo-públikó, n. notary public.

notsebuena, n. Christmas Eve.

nukál, v. had sprung from.

nukleo, n. nucleus.

númeró, n. number, figure.

nunò, n. grandparent, dwarf.

nunót, adj. softened or weakend.

núnsiyó, n. papal nuncio, herald, messenger.

nupô, v. sat down.

nutnót, adj. shabby.

nuwebe, n./adj. nine.

nuynóy, n. exploration, tracing.

nuynuyín, v. to explore, to trace, to examine.

—NG—

Ng, ng, n. the twelfth letter of the Pilipino alphabet, pronounced as nga, **prep.**

ngâ, adv. really, truly.

ngabngabìn, v. to bite off as meat from the bones.

ngakngák, n. loud cry of a child.

ngadyî, n. prayer.

ngalan, n. name.

ngalanan, v. to give a name.

ngalangalá, n. palate.

ngalay, n. numbness, fatigue.

ngaligkíg, n. shivering, especially from the chills.

ngalingalí, adv. almost, at at the point of (acting).

ngalit, n. gnashing or gritting of the teeth esp. when angry, fury.

ngalitngít, n. sound produced when chewing brittle food.

ngalngál, n. loud crying or weeping.

ngalóg, n. trembling or shaking, esp. of the knees when one is frightened.

ngalót, adj. crashed by masticating.

ngalumatá, adj. having rings around the eyes due to worries or lack of sleep.

ngalutín, v. to masticate noisily.

ngalutngót, n. sound produced when chewing hard or brittle objects. (Var. langutngót).

ngamay, n. numbness or tiredness, esp. of the hands.

nganinganì, n. apprehension.

ngangà, v. chew prepared buyo. **n.** prepared buyo.

ngangá, v. open the mouth.

ngasáb, n. loud smacking of the lips done esp. by pigs while eating.

ngasngás, n. talkativeness, gossip and the result produced.

ngatál, n. trembling of the voice when speaking.

ngatngát, n. gnawing.

ngawâ, n. too much and loud empty talking.

ngawit, n. numbness due to continuous sitting, standing, writing, etc.

ngawít, adj. numb, tired.

ngayabngáb, n. sound produced by chewing.

ngayón, adv. now, at this time, at present.

ngibít, n. twisting of the lips, grimace.

ngiki, n. chill.

ngikihin, v. to have a chill.

ngidngíd, n. gums of the teeth.

ngilin, n. abstinence, observance of a holiday.

ngiló, n. setting of teeth on the edge as on eating something sour or hearing a rasping sound.

ngima, n. tiny particles of food left between the

teeth after eating.

ngimî, adj. timid.

ngingì, n. angle or space between fingers and toes.

ngipin, n. tooth.

ngisi, n. grin, giggle.

ngisihan, v. to smile mocking at someone.

ngisngís, n. giggle, with the mouth open, showing the teeth.

ngitî, n. smile.

ngitngít, n. fury, rage.

ngiwî, adj. twisted (lips), crookmouthed.

ngiwián, v. to make faces at someone, to look at one with twisted mouth.

ngiyáw, n. mewing of the cat or kitten.

ngongò, adj. speaking with nasal twang.

ngubngób, adj. without teeth.

ngumitî, v. to smile.

ngumiwî, v. to twist the mouth because of pain.

ngunì, nguni't, conj. but.

ngusò, n. the upper lip.

nguyâ, n. chewing, mastication.

nguyaín, v. to masticate, to chew.

nguyngóy, n. continuous sulky crying.

—O—

O, o, n. the thirteenth letter of the Pilipino alphabet.

o, interj. o, oh.

oasis, n. oasis.

obaryo, n. ovary.

obispado, n. bishopric.

obispo, n. bishop.

obligasyón, n. obligation, duty.

obrá, adj. possible, can do, can be.

obra-maestra, n. masterpiece.

obserbatoryo, n. observatory.

okoy, n. native food with ingredients of mongo sprouts, shrimps and bean cake, spiced with vinegar and garlic.

okra, n. okra.

oksíheno, n. oxygen.

oktaba, n. octave.

oktágonó, n. octagon.

oktohenaryo, adj. octogenarian.

Oktubre, n. October.

okulista, n. oculist.

oda, n. ode.

ohò, adv. variation of opo, a positive answer of respect.

oleo, n. holy oil, anointing oil.

olerikultura, n. olericulture, culture of edible vegetables.

oliba, n. olive palm and tree.

om; n. ohm.

onomatopiya, n. onomatopeia.

onsa, n. ounce.

onse, n./adj. eleven.

ontolohiya, n. ontology, the science of being and reality.

oo, adv. yes.

ópaló, n. opal (mineral).

óperá, n. opera.

operahín, v. to perform surgical operation.

operasyón, n. operation.

opereta, n. operetía, a short, light musical drama.

opisina, n. office.

opisyál, n. official, officer.

opò, adv. yes, sir, yes, madam.

optalmolohiya, n. ophtalmology.

óptikó, n. optician.

opyo, n. opium.

oradór, n. orator, public speaker.

oras, n. hour.

orasán, n. watch, clock.

orasan, v. to time.

orasyón, n. prayer, especially at 6:00 p. m.

orbit, n. orbit.

orkestra, n. orchestra.

orden, n. order, command, congregation.

ordinansa, n. ordinance, decree, law.

ordinaryo, adj. ordinary, usual, common.

ordinasyón, n. ordination.

oréganó, n. a species of herb (coleous emboinicus).

órgandí, n. organdy.

organista, n. organist.

órganó, n. organ.

orihinál, n. original.

orihinalidád, n. originality.

ortograpiya, n. orthography.

osaryo, n. charnel house.

ósmosís, n. osmosis.

oso, n. bear.

óstiyá, n. host.

ospitál, n. hospital.

otsenta, n./adj. eighty.

otso, n./adj. eight.

oy, interj. hello there, hey you.

oyayi, n. lullaby.

—P—

P, p, n. fourteenth letter of Pilipino alphabet.

pa, adv. more yet.

paá, n. foot.

paabakada, adv. alphabetically.

paahán, adj. characterized by big feet.

paanán, n. at the foot.

paahín, v. to kick, to use the foot.

paalam, n. good-bye, farewell.

páalamán, n. act of bidding good-bye.

paalisín, v. to drive away.

paano, pron. how.

paamuin, v. to tame.

paáng-bibi, adj. webfoot.

paanyaya, n. invitation.

páaralán, n. school, schoolhouse.

paaraláng-bayan, n. public school.

páaraláng-sarili, n. private school.

paarî, adj. possessive.

paayap, n. cowpea.

paayón, adv. along the same line, horizontal.

pabahay, n. house allowance.

pabalisunsóng, adj. conical.

pabangó, n. perfume, scent.

pabaon, n. provision given to a person making a trip.

pabayâ, adj. careless, neglectful.

pabayaan, v. to neglect, to leave alone.

pabilin, n. requisition.

pabilo, n. candle wick.

pabilóg, adj. circular.

pabinyág, n. christening.

pabór, n. favor, help, aid, kindness.

paborito, adj./n. favorite.

pábulá, n. fable.

pabulaanan, v. to disprove.

paburán, v. to favor.

pabuô, n. synthetic method.

pabuód, adj. inductive.

pabuyà, n. reward.

pakâ, n. a species of mollusk.

pakabayo, n. beam (of a plow).

pakakak, n. trumpet, bugle.

pakakas, n. boat decoration.

pakalóg, n. rattle for babies.

pakámahalín, v. love dearly.

pakanâ, n. guile.

pakanluran, adv. westward.

pakasál, n. marriage, wedding.

pakasál, v. to get married.

pakaskás, n. sugar and coconut sweets prepared in pure leaf container.

pakasíng, n. cascabel.

pakay, n./adj. aim.

pakete, n. package.

pakikiapíd, n. adultery.

pakikibaka, n. struggle, combat.

pakikihamok, n. battle.

pakikiníg, n. the act of listening.

pakikipagkapuwà, n. social intercourse, amenities.

pakikipagkasundô, n. deal.

pakikipagkayarî, n. compromise.

pakikipamuhay, n. living with others, associating with others.

pakikiramay, n. condolence, sympathy.

pakikiusap, n. request.

pakimkím, n. gift or money given by the godfather or godmother during baptism or fiesta.

pakinabang, n. profit, benefit, (cap.) Holy Communion.

paking, adj. deaf, hard of hearing.

pakinggán, v. to listen to.

pakipkíp, n. present given by sponsor to godchildren.

pakita, n. showing off, display.

pakitang-gilas, n. showing off.

pakitang-tao, n. appearance, hypocrisy, pretense.

pakiusap, n. entreaty, request.

pakiutang na loób, request.

pakiwarì, n. feeling, intuition.

paklá, n. acerbity, esp. of fruits.

paklí, v. reply, answer.

paknít, adj. detached, unglued.

paknós, adj. scalded, stripped.

pakò, n. nail.

pakô, n. fern.

pakpák, n. wings.

paksâ, n. subject matter, topic.

paksáng-aralín, n. subject as in a study.

paksíw, n. a native dish cooked with vinegar and ginger.

paktura, n. invoice.

pakumbabâ, n. humility, submission.

pakundangan, n. respect.

pakunwarî, adj. dissimulative. adv. dissimulatedly.

pakupis, n. snake gourd.

pakupyâ, n. circumflex (accent).

pakusâ, adj. voluntary. adv.

voluntarily.

pakwán, n. watermelon.

pakyáw, adv. wholesale.

pakyawan, n. wholesale.

padaplís, adj. indirect, sideways.

padaskúl-daskól, adj. bungling, clumsy.

padér, n. wall.

padpád, adj. shipwrecked, driven or carried (by a storm or tide).

padrón, n. pattern, model.

pag-aagapay, n. parallelism.

pag-aampón, n. adoption.

pag-aaral, n. the act of studying.

pag-aari, n. property.

pag-aasawa, n. marriage, matrimony.

pagaayaw-ayaw, n. allotment.

pag-aayos, n. settlement, arbitration.

pagák, adj. disagreeably harsh (voice).

pagakpák, n. flapping of wings.

pagál, adj. tired.

págano, n., adj. pagan.

pag-amin, n. admission, confession.

pagamutan, n. infirmary, hospital.

pagandahan, n. beauty contest.

pag-ani, n. harvesting.

pag-aarugâ, n. taking care.

pag-asa, n. hope.

pagaspás, n. shaking and swaying (hanging cloth, sail, etc.).

pagatasan, n. dairy.

pagáw, adj. hoarse, due to pharyngitis or laryngitis.

pagaypáy, n. flapping of leaves, hanging cloth, etc.

pagbabakasyón, n. vacation time.

pagbabago, n. change, revision.

pagbabahagi, n. division.

pagbabalak, n. plan.

pagbabantâ, n. threat.

pagbabantô, n. adulteration.

pagbabangko, n. banking.

pagbabangháy, n. conjugation.

pagbabawal, n. prohibition.

pagbabaybáy, n. spelling.

pagbaka, n. act of fighting against.

pagbalík n. act of returning, act of coming back.

pagbalikáng-aral, v. to review.

pagbasa, n. act of reading.

pagbibitíw, n. resignation.

pagbigkás, n. pronunciation.

pagbilang, n. act of counting.

pagbubulaán, n. lying, lie,

perjury.

pagbubuntís, n. pregnancy, booting (in palay).

pagbubunyî, n. celebration, exultation.

pagbubulták, n. act of eating voraciously.

pagbulaybulayin, v. reflect on.

pagbuntuhán, v. be a receiver of something accumulated.

pagkabiglâ, n. shock.

pagkabuhay, n. livelihood, resurrection.

pagkabinat, n. relapse.

pagkakákilanlán, n. means of identification.

pagkakaibá, n. difference.

pagkakailâ, n. denial, refusal.

pagkakánuló, n. act of betrayal, act of being a traitor.

pagkakátaón, n. chance, opportunity.

pagkakásala, n. offense, felony, fault, sin.

pagkakátiklóp, n. state of being folded.

pagkakáwangis n. similarity.

pagkadayukdók, n. extreme hunger.

pagkain, n. food.

pagkalingà, n. care, protection.

pagkamámamayán, n. citizenship.

pagkampáy, n. act of flying, act of spreading the wings.

pagkamuhî, n. state of being disgusted.

pagkaraka, adv. suddenly, instantly, at once.

pagkasi, n. act of loving.

pagkatao, n. human nature, being.

pagkatapos, adv. afterwards.

pagkít, n. wax.

pagkuru-kuruin, v. think over and over.

pagdaló, n. attendance.

pagdarahóp, n. poverty, need.

pagduwál, n. nausea.

paggalíng, n. recovery, from sickness.

paggalugad n. exploration.

pagganyák, n. motivation, stimulation.

paghahabol, n. appeal.

pagi, ṇ. ray fish.

pag-ibig, n. love, affection.

pag-iitíng, n. fit of fury, rage.

pagispís, n. slight touch or strike.

pagitan, n. interval, distance.

pagitawín, v. allow to stand out, allow to dominate.

paglalakbáy, n. journey, voyage.

paglalahad, n. presentation.

paglalahò, n. eclipse.

paglalandî, n. estrus, oestrus.

paglalarawan, n. description.

paglalarawang-tauhan, n. characterization.

paglambitinan, v. to hang on.

paglilibáng, n. recreation.

paglilitis, n. trial, investigation.

paglilimahid, n. dirtiness, slovenliness.

paglilimás, n. act of draining a ditch or a stream, drying.

paglilingkód, n. service.

paglingó, n. treacherous killing, assassination.

paglisan, n. departure, abandonment.

paglisaw-lisaw, n. swarming to and fro.

paglukob, n. act of crying.

pagluhog, n. entreaty, supplication.

paglusob, n. aggression.

paglustáy, n. embezzlement, destruction.

pagmamalabís, n. abuse, exaggeration, hyperbole.

pagmamasíd, n. observation.

pagmamatuwíd, n. argumentation.

pagmulagaan, v. to look at with distended eyes.

pagmumurá, n. slander.

pagniniíg, n. intimate conversation between two people.

pagod, n. state of being tired, state of being fatigued.

pagód, adj. tired.

pagóng, n. turtle.

pagpág, n. shaking off (mat, cloth, etc.)

pagpagín, v. shake off.

pagpapakahulugán, n. interpretation.

pagpapakasakit, n. sacrifice.

pagpapahalagá, n. appreciation, evaluation.

pagpapalakí, n. bringing up.

pagpapalayaw, n. act of indulgence.

pagpapalitang-kurò, n. open forum, exchange of ideas.

pagpapawaláng-bisà, n. annulment.

pagpapawaláng-sala, n. acquittal.

pagsang-ayon, n. consent, approval.

pagsasag-op, n. convergence.

pagsasagupà, n. encounter.

pagsasalaysáy, n. narration.

pagsasaulo, n. memorization.

pagsauláng-loób, n. regain consciousness or courage.

pagsisinop, n. assimilation.

pagsubok, n. test, quizz, trial.

pagsusurì, n. auditing, analysis, review, editing.

pagtalikwás, n. retraction.

pagtalimuwáng, n. denial.

pagtalikód, n. refusal, turn about.

pagtalunan, n. argue about.

pagtangkilik n. act of supporting.

pagtasa, n. assessment.

pagtataká, n. wonder, surprise.

pagtataksíl, n. treason.

pagtatag-op, n. convergence.

pagtatahíp, n. winnowing.

pagtatálakayán, n. discussion.

pagtatalagá, n. induction, (of officers).

pagtatalo, n. debate.

pagtatalu-sirà, n. breach.

pagtatamà, n. coordination.

pagtatamasa, n. bounty, enjoyment.

pagtatambák, n. dumping.

pagtatampók, v. to emphasize, to popularize.

pagtatangkilikán, n. cooperation, mutual aid.

pagtatanggól, n. defense.

pagtibayin, v. to approve, (law).

pagtitindá, n. merchandizing, selling, peddling.

pagtitingî, n. retailing.

pagtubós, n. redemption, salvation.

pag-ubos, n. consumption, process of consuming, waste.

pag-uunú-unó, n. prevarication.

pag-uusig, n. prosecution, investigation.

paha, n. band, sash.

pahaláng, adj. horizontal, crosswise.

pahám, n. wise man, sage.

pahát, adj. immature, meager, dull, thin.

pahayag, n. statement, proclamation.

páhayagán, n. newspaper.

pahibaló, n. notice, information.

pahimakás, n. farewell.

páhiná, n. page.

pahintulot, n. permission.

pahinuhod, n. acquiescence.

pahingá, n. rest.

pahiran, v. to smear on.

pahirin, v. to wipe off, to remove.

pahò, n. a species of mango.

paimbabáw, adj. artificial, superficial, affected.

pain, n. bait.

pairíng, adv. disdainfully.

paismíd, adv. disdain.

paít, n. bitterness.

paiyahan, v. to spur on, to incite.

pala, n. spade, shovel.
palá, interj. expression of surprise.
palabâ, n. halo of the moon.
palábabahan, n. window sill.
palabok, n. spice, flattery.
palakà n. frog.
palakat, n. squeal, shrill, sharp cry.
palakhín v. let grow, increase.
palakól, n. ax.
palakpák n. applause, clapping.
palad, n. fortune, palm, adjustable heel (of a plow).
palág, n. spasm, intermittent, sudden movement.
palagad, n. dry season culture (palay).
pálagarián, n. sawmill.
palagáy, n. idea, opinion.
palahaw, n. squeal, shrill, sharp cry
paláhudyatan, n. system of signals.
paláisdaan, n. fish pond.
palalò, adj. boastful, proud.
palamán, n. stuffing.
palamara, adj. ungrateful.
palamuti, n. decoration.
palanas, n. rocky shore.
palanggana, n. washbasin.
palapà, n. petiole, whole leaf, as as of coconut, banana, palm etc.

palapág, n. floor, story of a building.
palapagan, n. airfield.
palápintasih, adj. critical, fault finding.
palarâ, n. tinsel, tinfoil.
palarin v. be lucky.
palás, adj. pared, lopped off.
palasák, adj. common, ordinary, vulgar.
palasan, n. species of rattan.
palasô, n. arrow.
palaspás, n. palm leaves artistically wooven and blessed in the church during Palm Sunday.
palasyo, n. palace.
palaták, n. clacking sound produced by the tongue.
palatáw, n. hatchet.
palatol n. allowance, like that given when measuring cloth, days of grace.
palatpát, n. stripped bamboo.
palawıngwíng, n. fringe, tassel.
palay, n. rice plant, unhulled rice—palay-katihan, non-irrigated rice, — palay-tubigan, irrigated rice.
palayan, n. rice paddy.
palayát, n. chaff, rubbish of coconut meat after extracting the meat.
palayaw n. nickname.
palayawin, v. pamper, to

spoil.

palayók, n. earthen pot for cooking.

palaypaláy n. gentle breeze.

palaypáy, n. fin.

palda, n. skirt.

paldiyás, n. brim of a hat.

palengke, n. market.

paleontolohiya, n. paleontology, the science that deals with the life of past geological periods.

pali, n. spleen.

palibhasà, conj. because, for, in as much as. **n.** insult, underestimation.

palibís, v. going downward.

palibot, n. surroundings.

palikero, adj. flirtatious (male).

palikpík, n. fin.

palikuran, n. toilet.

paligid, n. surrounding.

paligo, n. bath.

paligpíg, n. shaking of the body, as of a dog or a chicken when wet or removing the dust.

páligsahan, n. contest, rivalry, competition.

paliguan, v. to bathe (someone).

páliguán, n. bathing place, bathroom.

palihán, n. anvil.

palihís, adj. diverting from a path.

pálimbagan, n. printing press.

palintâ, n. plowshare.

paling, n. inclination, drooping.

palíng, adj. inclined, bent, tilted.

pálingkuran, n. service.

palingharáp, adj. hypocritical.

palirit, adj. strident.

palís, n. duster.

palít n. exchange.

pálitan, n. exchange, barter.

palitáw n. a kind of native dish made of malagkit rice and eaten with shredded coconut meat and sugar.

paliwás, adj. deviating from the course, as river, brook, etc.

palò n. stroke, hitting, beating.

palong, n. cockscomb.

palós n. eel.

palot, n. disagreeable odor of urine.

palsó, adj. false, untrue, unreal, deceitful.

paltík, n. swift, jerky blow, native crude gun; blight (in plants).

paltók n. highland.

paltós, n. blister, miss.

palubag-loób, n. consolation.

palugit, n. extension of date

of payment, handicap allowance (in reports).

palumpóng n. shrubs, plants growing freely even without planting them.

palupalò, n. a smooth piece of wood used for beating laundry.

palupo, n. ridge of a roof.

palwá, n. a small open boat.

palyá, n. absence, non-attendance.

palyo, n. pallium (eccl.)

pamagát, n. title, headline.

pamahiin n. superstition.

pamalaypáy, n. dorsal fishbone, roofing of the main rafters.

pamalila, n. bamboo strips used as a frame on support for the nipa walls.

pamalít, n. substitute, exchange.

pamamahay, n. actual dwelling.

pamamahayag, n. journalism.

pamamalì, n. rut.

pamamanás, n. swelling of body due to illness, beriberi.

pamamaraán, n. method, procedure, technique.

pamana n. heritage, inheritance.

pamanhík, n. entreaty.

pámantasan, n. university.

pámantayan, n. standard, criterion.

pamangkín, n. nephew or niece.

pamangkól, n. pieces of bamboo used to support the nipa roof.

pamatáy-amag, n. fungicide.

pamatáy-kulisáp, n. insecticide.

pamatok, n. yoke.

pâmayanan, n. community.

pambatà, adj. juvenile.

pambatás, adj. legal.

pambayan, adj. civil.

pambiyolohiya, adj. biological.

pambungad, n. prologue, introduction.

pamburá n. eraser.

pamilang, n. numero.

pamilihan, n. market.

pamilya n. family.

pamintá, n. pepper.

pamintón, n. red cayenne pepper.

páminggalan, n. cupboard.

pampánitikán, adj. literary.

pampáng, n. shore.

pamumuná n. criticism.

pamumusangsáng, n. opening of flower buds.

pamunô, n. appositive noun in opposition (Gram).

pámunuán, n. officers.

pamuók, n. hand to hand

fight.

pamuran, n. thin strips of bamboo used for trying nipa roofing.

pumutat, n. dessert, additional dish to compliment the regular menu.

panà, n. bow and arrow.

panabò, n. water scoop made of coconut shell.

panaklayan, n. single tree (part of a plow).

panaklóng, n. parenthesis.

panagano, n. mood (Gram.).

panaghilì, n. envy.

panaghóy, n. wailing.

panagimpán, n. daydream.

panaginip, n. dream (deep, not easily remembered).

panagót, n. collateral.

panahón, n. time, weather, season.

panahunan n. tense (Gram.) **adj.** seasonal.

panalangin, n. prayer.

panambíl, n. refrain, chorus.

panambít, n. ejaculation.

panambitan, n. lament.

pananakot, n. intimidation.

pananágutan, n. responsibility, accountability, liability.

pananalapî, n. finance, money.

pananamít, n. way or manner of dressing, attire.

pananatilì, n. permanence, prevalence.

pananím, n. plant.

panaog, v. to go down, come down (from a house).

panastán, n. water basin.

panata, n. vow.

panátikó, n./adj. fanatic.

panauhin v. visitor, guest.

panauhing mánanalumpatì, n. guest speaker.

panauhing pandagál, n. guest of honor.

panauhing sanggunián, n. resource person.

panawagan, n. apostrophe (Lit.), pleading call.

panáy, adj. continuous.

panayám, n. conference.

pandák, adj. short of stature.

pandakót, n. dust pan.

pandamdám, n. interjection (Gram.).

pandán, n. a species of plant whose leaves are used for making mats, hats, etc. (Pandanus odoratissimus).

pandanggo, n. fandango (dance).

pandarambóng, n. piracy.

pandáw, n. going over and inspecting to see if there is any catch (traps, fish corrals, etc.).

pandáy, n. clique, small exclusive set of person; blacksmith.

pandereta, n. tambourine, small drum.

pandisál, n. salt bread.
pandiwà, n. verb (Gram.).
pandiwarì, n. verbal (Gram.).
pandong, n. covering for the head.
pandóng-ahas, n. toadstool.
panhík, v. go up, come up the stairs.
panibughô n. jealousy, spite.
paníkbí, n. eyetooth.
panikì. n. big bat.
panikluhód, n. falling on the knees (when asking favor or pardon).
panig, n. side, part, direction.
panihalà n. disposition, management.
panilán, n. beehive.
panimbós, n. extra piece, as of weapons.
panimdím, n. profound grief or sorrow.
panimulâ, adj. beginning, elementary.
panindá, n. merchandise goods.
paniniktík, n. detection.
paninirang-puri, n. libel, defamation.
panís, adj. stale and spoiled, referring esp. to food.
panistís, n. scalpel, instrument used for operation.
pánitikán n. literature.
paniwalà, n. belief, faith.
panlapì, n. affix (Gram.)

panliligalig, n. breach of peace.
panlukbutan, adj. purposely for pocket keeping.
panlulumò, n. pathetic feeling, extreme grief or sympathy for a tragic situation.
pánoorín, n. show, spectacle.
panorama, n. panorama.
panót, adj. bald.
pansamantalá, adj. temporary, tentative, acting.
pansarili, adj. subjective, personal, private.
pansimbá, adj. for church wear.
pansín, n. notice, attention, criticism.
pansipít, n. a kind of rattrap.
pansirok, n. spoon-shaped instrument used in surgery.
pansít, n. a kind of dish made of noodles, shrimps, pork and other ingredients.
pansól, n. organ tube, water pipe.
pantat n. wale, wet.
pantalón n. trousers, pants.
pantangì, adj. proper (Gram.)
pantás, adj. sage, learned, erudite.
pantauhín, adj. sexual.
pantáy, adj, of the same

lenght or height, even, level.

pantayanin, n. plateau.

pantí n. large fishing dragnet; trawl.

pantíg, n. syllable (Gram.), beating, throbbing.

pantíng, n. beating on sonorous material, fury, ire.

pantiyón, n. pantheon.

pantóg, n. bladder.

pantomina, n. pantomine, dumb show.

pantót, n. boredom, enui.

pantukoy, n. article (Gram.)

panukalà n. proposition, project.

panukalang-batás, n. bill.

panukat, n. gauge.

panulaan, n. poetry.

panunudyó, n. mockery.

panunumbalik, n. return, coming back.

panununog, n. arson.

panunurì, n. criticism, inspection.

panunuyâ, n. satire, irony, sarcasm.

panunuyò, n. act of ingratiating one's self.

panuring, n. modifier (Gram)

panustós, n. supply.

panuto n. instruction.

panutsó, n. peanut candy.

panwelo, n. shoulder kerchief.

panyô, n. handkerchief,

neckerchief, scarf.

pangá, n. jaw.

pang-aapí, n. abuse, maltreatment.

pang-abay, n. adverb. (Gram.)

pangakò, n. promise.

pangadyî, n. prayer.

pangahás, adj. daring, bold.

pangál, adj. dull-edged, blunt.

pangalan, n. name.

pangambá, n. fear.

panganay, n. the first born child.

panganib n. danger.

panganorin, n. cloud, atmosphere.

panganyayà, n. perdition, destruction (of property crops, labor, etc.)

pangangailangan, n. demand, necessity.

pangangalakal, n. business transaction.

pangangalagà, n. care, conservation.

pangangalandakan, n. spreading of rumor all around.

pangangalisag, n. standing of hair or feathers on their ends.

pangangalabukáb, n. peeling off or falling off (coating).

pangangaluktíng, n. shivering or shattering of the

teeth due to cold.

pangangalumbabà, n. resting the chin on one or both palm of the hand esp. when one is in pensive mood.

panganganák, n. parturition.

pangangandi, n. estrus, oestrus.

pangangapâ, n. groping in the dark, acting clumsily and awkwardly.

pangangayupapà, n. self-humiliation.

pang-angkóp, n. ligature.

pangarap, n. dream (relatively clear upon waking up).

pangás, n. optical illusion, mirage.

pangasiwaan, v. to administer.

pángasiwaán, n. administration.

pangát, n. boiled fish cooked with salt and water and usually served with lemon juice.

pangati, n. decoy.

pangatníg, n. conjunction (Gram.)

pangawíng, adj. linking, copulative (Gram.)

pangkabuhayan, adj. pertaining to life, economic.

pangkasalukuyan, adj. present (Gram.)

pangkát, n. group, party, sec-

tion.

pangkuhín, v. to carry a person in one's arm.

pangkulap, n. fogger.

panggagagá, n. usurpation.

panggagahís, n. coercion.

pangganyák, n. motivation.

panggáp, n. pretension.

panggatong, n. firewood, fuel.

panghaharang, n. brigandage.

panghalíp, n. pronoun (Gram.)

panghatimbilang, n. denominator.

panghí, n. offensive odor from stale urine.

panghila, n. draw rope (part of a plow).

panghináharáp, adj. future (Gram.)

panghugpóng, n. adapter.

panghuhuthót, n. extortion.

panghuhuwád, n. counterfeiting, forgery.

pangikì, n. trembling caused by malaria.

pangikig, n. hen's feather used to remove earwax.

pangil, n. fang.

pangilin, n. religious observance, abstinence, fasting.

pangimay, n. anesthesia.

pangimbuló, n. jealousy.

panginoón, n. master, lord.

panginorin n. atmosphere.

pangingibaLaw, n. predominance.

pangingilin, n. abstinence, observance of a holiday.

pangingisdâ, n. fishing.

pangit, adj. ugly.

pangitaín, n. vision, premonition.

pangláw, n. solitariness, solitude.

pangmarami, adj. plural.

pangnagdaán, adj. past (Gram.).

pangnán, n. round-bottom native basket used as a container for fisherman's catch.

pangngalan, n. noun.

pangód, adj. blunt, dull.

pangós, v. masticate, chew, as sugar cane.

pang-ukol, n. preposition (Gram.).

pang-ugnay, n. connective (Gram.).

panguling, n. breaking of a promise.

pangulo, n. president, leader, chief.

pang-ulo, adj. used for the head.

pangulong-bayan, n. capital city.

pangungulila, n. loneliness.

pangunguling, n. retraction of something said or pro-

mised.

pangungurì, n. fuss.

pangungusap, n. sentence (Gram.).

pang-urì n. adjective (Gram.).

pangwakás, n. epilogue, conclusion final, last.

pangyayari n. happening, incident.

paód, n. yoke.

paós, adj. raucus, hoarse (voice).

Papa, n. Pope (Eccl.).

papa, n. breath of cloth.

papák, n. eating one kind of food only.

pápakól, n. a species of fish (Ballistidæ).

papag, n. low bamboo bed.

paparô, adj. unroofed, stripped off (roof).

papawirín, n. space above.

papaya, n. papaya tree and fruit.

papél, n. paper, role.

papél-de-bangko n. bank note.

papeles, n. documents and pertinent papers.

papintasán, v. to have something criticized.

para, v. stop, **adj.** like, similar to the qualities, degree or appearance, **prep.** for, as if.

paraán n. way, means, manner.

parábulá, n. parable.

páradahán, n. parking space, lot.

paragis, n. yard-grass.

paragala, n. tip for services rendered.

paragos, n. sled or wooden bamboo harrow.

paraiso, n. paradise.

parait, n. alliance, ally.

paralelo, adj. parallel.

paralelogramo, n. parallelogram.

parali, n. representation, claim, defamation, hurtful rumors.

paralís, n. log placed under heavy object to move them easily.

paralisado, adj. paralized.

parálisís, n. paralysis.

paraluman, n. muse.

param, n. disappearance, erasure.

parang, n. meadow.

parangál, n. honor given to someone.

parangalán, v. to fete, to honor.

parapina, adj. biting, pungent, as of the taste of paper.

parasito, n. parasite.

parasitolohiya, n. parasitology

paratang, n. false accusation.

parati, adv. from time to time.

paráw, n. a kind of native boat.

parayà, n. good-natured tolerance.

parke, n. park.

pardo, n. bale, closely pressed package.

parè n. priest.

pareho, adj. equal, equivalent.

pares, n. pair.

parikít, n. decoration, building of fire.

parigilid, n./adj. equilateral

parihabâ, adj. rectangular.

paríl n. flat-nosed.

parilya, n. broiler, toaster.

pariníg, n. insinuation.

paripá, adv. with arms extended sideward, crosswise, across.

parirala, n. phrase.

paris, adj. similar, like, equal to.

parisidyo n. parricide.

parisukát, adj./n. square.

parisulók, adj. equiangular.

pariugát, n. square root.

parlamento, n. parliament.

parmasya, n. pharmacy.

paro, n. signal station.

párokó, n. parish priest.

parokya, n. parish (eccl.).

parodya, n. parody.

paról, n. lantern.

parola, n. lighthouse.

paros, n. a species of clam (Dalliella subrassa).

partikulár, adj. particular, specific.

partido, n. party.

partihín, v. to divide, to give a share to.

parti, parte, n. share, part, division.

partisyón n. partition, division, separation.

parukâ, n. sandals.

parugô, n. repaciousness, duel.

parunggít, n. derogatory remark.

parúparó, n wing-tailed butterfly.

paruparóng-gabí, n. moth.

parusa, n. punishment.

pasak, n. plug, filling

pasakalye n. lively musical opening.

pasada, n. passing, passage, pace.

pasado, adj. successful (in an examination).

paság, n. spasm, wriggling, as of fish, stamping of the feet.

pasahe n. fare.

pasahero, n. pasenger.

pasalap, n. dowry for the bride.

pasamano, n. window sill.

pasán, n. something carried on the shoulder, burden, load.

pasanín, v. to shoulder.

pasang, n. well-adjusted wedge.

pasangit, n. anchor.

pasaporte, n. passport.

pasaríng, n. invective, innuendo, insinuation.

pasasà, n. enjoying the abundance of.

pasaysáy, adj. declarative (Gram.)

paskíl, n. poster, placard. cf, paskin.

Paskó n. Christmas.

paseo, n. walk, ride, drive.

pases, n. pass, permit.

pasík, n. rotting of plant stalks.

pasig, n. beach, shore.

pasilambáng, adj. vague, lacking.

pasilyo, n. corridor.

pasimulâ, n. beginning, introduction, commencement.

pasimunò, n. leader.

pasinayà, n. inauguration.

pasintabi, n. permission to pass by.

pasípikó, n. pacific, peaceful.

pasiti, adj. short in stature.

pasiyá, n. decision.

pasiyénsiyá, n. patience.
pasiyók, n. kind of whistle.
pasláng, n. insult, abuse.
paslangín, v. to murder.
paslít, adj. young and inno-
cent.
pasmado, adj. numb.
paso, n. pass, passage.
pasò, n. burn, scald.
pasô n. flower pot.
pasok, v. enter, come in, go
in.
paspás, n. dusting off, shak-
ing off (dust). adv. rapid-
ly, swiftly.
paspasán, v. to shake off,
fight, speed up.
pasta n. dental filling, paste.
pastilyas n. small candy.
pastól, n. shepherd, herder.
pasubalì, n. reservation.
pasukán, n. school opening,
entrance.
pasulo, n. crossbow, harpoon.
pasumalá n. contingency,
possibility, chance, adj. at
random, chance.
pasuwít, n. whistle.
pasyál, n. promenade.
pasyente, n. patient.
pata, n. leg of animal.
patâ, n. tiredness.
pataan, n. allowance.
patabâ, n. fertilizer.
paták, n. drop.
paták-paták, adj. by drops.

pátakarán, n. by laws, regu-
lations.
patadyóng, n. native shirt.
patag, adj. level, smooth.
patalastás, n. announcement.
patalím, n. pointed weapon.
patanì, n. lima bean.
patanóng, adj. interrogative
(Gram.)
patangán, n. bridal chamber.
patangin, n. chopping block.
patáng-patâ, adj. terribly ex-
hausted.
patangwá, n. edge of a high
place, balcony
patapós, n. celebration on
the last day of the novena
for the dead.
patas adj. equal, tied.
patatas, n. potato.
pataw, n. imposition, weight.
patawá, n. parody.
patawad n. pardon, forgive-
ness.
patawan, v. to impose some-
thing, to put a weight.
patáy, n. dead person.
pataygutom, adj. ravenous,
extremely hungry, para-
site.
patay-patay, adj. sluggish,
lazy.
patente, n. patent.
patí, adv. also included.
patibay, n. evidence.
patibóng, n. trap, snare.

patíbuló, n. stage for hanging criminals.

patík, n. mattock.

patiki, n. concubine, paramour, illicit lover.

patíd, adj. cut, as string, rope and the likes.

patihayâ, adj./adv. lying on one's back.

patíng, n. shark.

patinga, n. collateral, first installment.

patirin, v. to strip one's foot.

patirín, v. to cut, as a string.

patís, n. brine, salty sauce.

patitís, n. plummet, plumb bob.

patiwakál, n. suicide.

patiwarík, adj. head down and feet up.

patnáw, n. bet.

patníg, n. repartee, reply.

patnó, n. retribution.

patnubay n. guide.

patnugot, n. editor, director.

pato n. duck.

patók, n. (Sl.) sure winner (in games).

patohenesis, n. pathogenesis.

patola, n. sponge guard.

patólogó, n. pathologist.

patolohiya, n. pathology, science of treating diseases.

patong n. something put or placed on; accrued interest in a business transaction.

patos, n. wedge, metal reinforcement, as of a wheel, horseshoe and the like, adjustable heel (of a plow).

patpát n. piece of bamboo.

patpatin, adj. scrawny.

patrona, n. patroness, a woman patron saint.

patrulya, n. patrol.

patubig, n. irrigation.

patubilíng, n. weathercock vane.

patubò, n. interest.

patulan, v. to deal with, mind.

patuloy, adj. continuous.

patulugin v. cause to sleep.

patumanggâ, n. respite.

patumapát, n. hypocrisy.

patunay, n. proof.

patunayan, v. to prove.

patungan, v. to put on, pile.

patupat n. smoky cigar in the mouth.

patuto, n. boundary mark, small beam, joust.

pátuyuan, n. drying place.

patyò, n. courtyard.

paud, n. yoke.

páuná, n. advance, warning.

páunang-salitâ, n. preface.

paunawà n. notice.

pautós, adj. imperative (Gram.).

pawì, n. erasure, disappearance.

pawikan, n. tortoise, turtle.

pawid, n. palm leaves.
pawiin, v. to erase.
pawis, n. sweat, perspiration.
paya n. tally mark.
payabat, n. spawning of fish.
payák, adj. simple.
payag, n. acquiescence.
payagan, v. allow, to permit.
payagód, adj. lean and bony.
payagpág, n. flapping of wings as in fowls.
payapà, adj. peacefully quiet.
payapain, v. to calm down.
payaso, n. clown.
payát, adj. thin, lean.
payo, n. counsel, advice.
payong, n. umbrella.
payong-ahas, n. toadstool.
paypáy, n. scapula, shoulder blade.
paypayán, v. to fan.
payúng-payungan, n. mushroom.
Pebrero, n. February, the second month of our Catholic calendar.
pekas, n. freckles, spots.
peklat, n. scar.
pedestál, n. pedestal, base.
pediatriya, n. pediatrics.
pedolohiya, n. pedology, the science which treats of soils.
pelikula, n. film, movie.
peluka, n. wig.
pena, n. penalty.

pendón, n. long triangular flag.
pénduló, n. pendulum.
penínsulá, n. peninsula.
penitensiyá, n. penance.
penoy, n. infertile egg.
pensiyón, n. pension, allowance, scholarship for study.
pera, n. centavo.
peras, n. pear.
peregrino, n. pilgrim.
perhuwisyo, n. damage.
perlas, n. pearl.
permanente, adj. permanent, fixed.
permiso, n. permit.
pero, conj. but. yet.
peróksidó, n. peroxide.
perpendikulár, n./adj. perpendicular.
personál, adj. personal.
personalidád, n. personality.
perya, n. fair.
peryódikó, n. newspaper.
peryodista, n. newsman.
pesà, n. a kind of native fish dish with ginger, onion, boiled in water.
peste, n. pest.
petsa, n. date.
petsay, n. Chinese cabbage.
pikadilyo, n. minced meat, meat and vegetable dish.
pikahin, v. to spur, to prick, to strike.
pikat, n. scar.

pikî adj. knock-kneed.
pikít, adj. closed.
piko, n. pick-ax.
pikô, n. children's game.
pikón, adj. touchy.
pikpík, adj. pressed, compressed.
pidpíd, n. piece, as of firewoods.
pigâ, adj. pressed, squeezed.
pigaín, v. to squeeze.
pigapít, adj. tight, difficult to get through or out.
pighatî, n. sorrow.
pigî, n. buttock.
pigil, adj. controlled.
pigilin, v. to suspend, hold, stop.
piging n. banquet, feast.
pigipit, n. pressure, constraint.
pigipitin, v. to pressurize.
piglás, n. struggle.
pigsá, n. boil.
pigtâ, adj. drenched.
pigtás, adj. ripped, detached.
pigura, n. figure.
pihikan, adj. finicky.
pihíng, adj. unsymmetrical.
pihit, n. turn, dial.
pihitán, n. dial.
piho, adj. sure, certain.
pila, n. line, row, flashlight battery, clay.
pilak n. silver, money.
pilansík, n. liquid's splash.

pilantropiya, n. philantophy.
pilántropó, n. pnilantropist.
pilapil, n. dike.
pilas, n. a small piece, a tear, a rip.
pilasin, v. to rend, tear, rip.
pilat n. scar, cicatrix.
pilay, n. lameness, broken bone, sprain.
piláy, adj. lame, cripple.
píldorás, n. pills.
pileges, n. pleat, fold.
pilì, adj. chosen , selected.
pilikmatá, n. eyelash.
pilikséluá, n. cilia, hairlike processes in cells.
pilíg, n. jerking shake of the head.
piligro, n. danger.
piligroso, adj. dangerous.
pilihín, v. to twist, wring.
piliin, v. to choose.
piling, n. side.
pilíng, n. hand (of bananas).
Pilipinismo, n. Filipinism.
Pilipino, n. citizen of the Philippine Republic, Filipino national language based on Tagalog. adj. Philippine.
pilipisan, n. temple (of head).
Pilipinas, n. Philippines.
pilipít, adj. twisted, wound, twined.
pilipitin, v. to twist, twine.

pilipot, n. occiput.

pilit, n. insistence.

pilitin, v. to force, to insist.

pilók, n. twisted foot.

pilosopiya, n. twisted foot.

pilósopó, n. philosopher.

piloto, n. pilot.

pilyo, adj. mischievous.

pimbrera, n. dinner pail.

pimpín, n. retaining wall.

pinák, n. marsh.

pinaká , prefix denoting superlative degress.

pinakamatalik, adj. most intimate.

pinangát, n. a native dish consisting of boiled fish with tomatoes, calamansi, (juice) and lard.

pinawà, n. husked rice in color, unpolished rice.

pindáng, n. jerked beef.

pindanggâ, n. a species of eel (Muraenesox cinereus) sea water snake.

pindóng, n. a kind of covering worn over head or face.

pindót, n. tight hold, squeeze.

pindut'n, v. to hold tight, to squeeze.

piníd, adj. closed, locked.

pinipig, n. green rice pressed flat by pounding.

pino, adj. fine, delicate, re-fined.

pinsalà, n. damage.

pinsalâ, adj. damaged, destroyed.

pinsalain, v. to damage.

pinsan, n. cousin.

pinsél, n. painter's brush.

pintá, n. paint.

pintakasi, n. patron saint.

pintado, adj. painted.

pintás, n. criticism.

pintíg, n. beat, throb.

píntô, n. door.

pintóg, n. painter.

pintuan, n. doorway.

pintuhò, n. tribute of affection, admiration, love and respect.

pintuhuin, v. to woo, to adore.

pintungan, n. warehouse.

pintura, n. paint, color, painting.

pinunò, n. officer, official.

pinyá, n. pineapple.

pingá, adj. warlike, bellicose.

pingál, n. nick in the edge of cutting instruments.

pingas, n. small break at the edge.

pingás, adj. dented, broken.

pingkas, n. real estate.

pingkáw, adj. crooked, hooked, referring to arms.

pingkî, n. striking fire with flint, collision, touch.

pingkian, n. friction.
pingkít, adj. almond eye.
pingkók, adj. clow-handed.
pinggá, n. a pole used to balanced two weights.
pinggán, n. plate.
pingol, n. tweak.
pipa, n. cigarette holder, cigar pipe.
pipi, adj. dumb.
pipî, adj. flattened, pressed.
pípikat, n. a species of fish (Cavalla).
pipino, n. cucumber.
piping palabás, n. pantomine.
pípis, adj. compressed, flat.
pipit, n. pinch, pinching.
píramíd, piramide, n. pyramid.
piraso, n. a piece.
pirasuhin, v. to cut a piece of.
pirdisyón, n. perdition, loss, ruin.
pirikpirik, n. a species of bird (Chessnut- headed bee bird).
pirinsa, n. smoothing iron.
pirinsahin, v. to press, or to iron.
piríng, n. blindfold.
piringán, v. to cover the eyes.
pirmá, n. signature.
pirmahán, v. to sign.

pirot, n. pinch and twist with the fingers.
pirurutong, n. a kind of rice.
pisâ, adj. hatched, crushed, pressed.
pisák, n. one-eyed (blind of one eye).
pisaín, v. to hatch.
pisan, n. gather, living together.
pisanin, v. to put together.
pisara, n. blackboard.
pisáw, n. a thin narrow and long bolo.
piskál, n. fiscal, judge.
piskalyá, n. fiscal's office.
piseta, n. twenty centavos.
pisì, n. string.
pisík, n. sputtering as of boiling lard.
písiká, n. physics.
pisig, n. bamboo almost without a cavity.
pisíl, n. hold, press.
pisngí, n. cheek
piso, n. peso.
pisón n. steam roller.
pipis, n. particles of food left on the table after meal.
pistá, n. fiesta, celebration.
pistil, n. pistil, seed organ of a flower.
pistól, pistola, n. pistol.
pistón n. piston (Mech.),
pita, n. longing.

pitak, n. division, section, compartment.

pitakà, n. purse, money-folder

pitada, n. blow of a whistle.

pitagan, n. respect.

pitahin, v. to desire, to wish for.

pitás adj. picked off or out, pulled off.

pithayâ, n. wish, desire.

pitík, n. fillip, carpenter's line used for marking boards.

pitís, adj. tight, close-fitting

pitisyón, n. petition, request.

pitó, adj./n. seven.

pito n. whistle, toy flute.

pitók, n. tug (of fish at line).

pitpít, adj. flattened by pounding.

pitpitín, v. to flatten, to pound.

pitsâ, n. chips, (games).

pitsél, n. pitcher, water container.

pitser n. pitcher (Sports).

pitsó, n. breast or chest of animals.

pituhan, v. to whistle at.

pitumpú, n./adj. seventy.

piyadór, n. bondsman, guarantor, backer.

piyanista, n. piyanist, skilled performer on the piano.

piyano, n. piano.

piyano-de-kola, n. grand piano.

piyansa, n. surety, bail, bond.

piyapis, n. heat of fight between two forces.

piyapís, adj. defeated, vanguished, conquered.

piye, n. foot measure.

piyér, n. pier.

piyesa, n. bolt or rot of cloth, piece of cloth.

piyò, n. gout.

piyoréa, n pyorrhea.

plaka, n. phonographic disk record.

plaké, n. plaque.

pláhiyadór, n. plagiarist.

pláhiyó, n. plagiarism.

planeta, n. planet.

plano, n. plan, map, diagram.

plansa, plantsa, n. flatiron, metal plate.

plantsa, n. plant works.

plantilya, n. list of employees, positions and salaries.

plantsado, adj. ironed (said esp. of clothes).

plasa, n. public square.

plasma, n. plasma.

plaso n. term, time extension of credit.

plastado, adj. flattened, fallen flat.

plastik, n. plastic.

plata, n./adj. silver.

plateriyá, n. silversmith shop.

platero, n. silversmith, jeweler.

platino, n. platinum.

plato, n. dish plate.

plauta, n. flute.

plebisito, n. plebiscite.

plegarya, n. knell, prayer bell.

plema, n. phlegm.

plete, n. fare, freightage.

plomero, n. plumber, one who repairs water pipes, water closets.

plorera, n. flowerpot.

plorikultura n. floriculture.

pluma, n. pen.

plumero, n. duster made of feather.

plurlider, n. floor leader.

pô, a particle used in respectful address, sir, madam.

poblasyón n. downtown district of a municipality.

pobre, adj. poor.

pohas, n. page of a book.

polka, n. polka (dance).

polen, n. pollen (Bot.)

poligamya, n. polygamy.

polilya, n. moth, tinea (on clothes).

polo, n. polo.

polyeto, n. pamphlet.

pomolohiya, n. pomology, science of cultivating fruits and fruit trees.

pondo, n. fund.

ponógrapó, n. phonograph.

póntimpén, n. fountain pen.

pontipikál, adj. pontifical.

pontipise, n. pontiff, a high priest.

poón, n. Lord.

poonín, v. to worship.

poót, n. hate, fury.

populár, adj. popular.

populasyón, n. population.

porma, n. form, shape, figure.

pormál, adj. formal, serious

pormalidád, n. formality.

pórmulá, n. formula.

porselana, n. porcelain.

portabarena, n. drillstock.

portamoneda, n. pocketbook.

porteriya, n. porter's lodge or box.

portero, n. gatekeeper, porter.

Portugés, adj. Portuguese.

posesyón, n. possession, apartment room.

positibo, adj. positive.

poso, n. well, pit, hole.

pósporó, n. friction, match.

postál adj. postal.

poste, n. post, pillar.

potograpiya, n. photography, photograph.

potógrapó, n. photographer.

prak, n. frock, dress, coat.

pranela, n. flannel.

Pransés, n./adj. French,

Frenchman.

prangko, adj. frank, open, sincere.

prangha. n. officer's braid on sleeve, stripe.

praskó, n. flask, wide-mouth glass bottle with glass stopper.

prayle, n. friar.

prelado, n. prelate.

premyo, n. prize, reward, recompense.

prenda n. pawn, pledge, security.

preno, n. brake.

prensa, n. press, printing press.

preparado, adj. prepared.

preperénsiyá, n. preference.

preskripsiyón, n. prescription, written direction for the use and preparation of medicin

presidénsiyá, n. presidency, municipal building.

presidente, n. president.

presinto, n. booth, station.

preso, n. prisoner.

presupwesto, n. budget, estimate.

presyo n. price, worth, value.

presyón, n. pressure.

pribado, adj. private.

pribiléhiyó, n. privilege.

primarya, adj. primary, principal.

primer mano, adj. first, former, leading.

primo, n. male cousin.

prinsipál, n./adj. principal.

prínsipé, n. prince.

prisma, n. prism.

pritada, n. dish of anything fried.

prito, adj. fried.

probabilidad, n. probability.

probasyón, n. probation.

probínsiyá, n. province.

probinsiyano, probinsiyana, adj. provincial, **n.** person from the province.

problema, n. problem.

proklama, n. proclamation.

produkto, n. product, yield.

programa, n. program.

progreso. n. progress.

prólogó, n. prologue.

propaganda, n. propaganda, any organization for spreading a particular doctrine.

propesór, n. professor.

propeta, n. prophet.

proposisyón, n. proposition, proposal.

prostitusyón, n. prostitution.

proteksiyón, n. protection.

protektór, n. protector, guardian.

proteina, n. protein.

protesta, n. protest.

protestante, n. protestant.

protoplasma, n. protoplasm.

proyekto, n. project.

prueba, n. proof.

prusisyón, n. procession.

prutas, n. fruit.

púa, n. plectrum (as for a mandolin).

públikó, n./adj. public audience.

publisidád, n. publicity.

publisista, n. publicist.

pukas, n. space between neighboring towns or barrios.

pukawin, v. to awaken.

puknatín, v. to cease.

puknát, adj. unglued, separated from fighting.

pukól, n. throw.

pukot, n. a kind of fishing net.

pukpukan, n. free-for-all combat.

pukpukín, v. to hit, to hammer.

puksâ, adj. destroyed, ruined, exterminated.

puksaín, v. to destroy, to annihilate.

puktô, adj. swelling.

pukulín, v. to throw at.

pukyutan, n. bee.

pudpód, adj. worn-out.

pugá, n. eggs of crabs.

pugad, n. nest.

pugal, n. tie, bind, binding.

pugay, n. salute.

pugatà, n. campfire.

pugayan, v. to salute, to abuse.

pugità, n. octopus, cuttlefish, squid.

pugnáw, adj. razed, demolished by fire.

pugò, n. quail.

pugón, n. cooking store, kitchen range.

pugong, n. a piece of cloth for head covering.

pugóng, adj. closed, as bag, pouch and the like.

pugos, n. washing of the dirt or stain on cloth.

pugót, adj. headless, abbreviated.

pugtô, v. cut off.

pugutin, v. to behead.

pugpóg, adj. rotten referring to the end of a piece of wood.

puhunan, n. capital, investment.

puhunanin, v. to invest.

pulà, n. beration, adverse criticism.

pulá, adj. red.

pulaan, v. to besmirch, to stain.

pulad, n. vane (often placed at the rear end of the arrows).

pulandít, n. spurt, squirt.

pulangan n. squadron, division, military.

pulás, n. escape.

puláw, n. death-watch.

pulbera, n. powder box, compact.

pulbós, n. powder, adj. crushed to powder, powdered.

pulburá, n. gunpowder, fireworks.

pulburón n. loose starch cookies.

pulekos, n. fringe, flounce.

pulgada, n. inch, space.

pulgás, n. flea.

pulikat, n. cramps.

pulido, adj. polished, refined, polite, neat.

pulilan, n. lagoon.

pulilya, n. copperworm.

pulís, n. policeman.

pulítiká, n. politics.

pulítikó, n. politician.

pulô, n. island.

pulong, n. meeting.

pulós, pron. all. adj. unmixed, pure.

pulót, n. honey.

pulot, n. something picked up, accidental finding, imitation.

pulót-gatâ, n. honeymoon.

púlpitó, n. church pulpit.

pulpól, adj. dull-pointed.

pulseras, n. bracelet.

pulsó, pulse, beat.

pulubi, n. beggar.

puluhán, n. hilt.

pulungin, v. to call a meeting.

pulupót, adj. winding.

pulutóng, n. group.

pumada, n. pomade.

pumagitnâ, v. to stay at the middle.

pumailangláng, v. to go up in the air.

pumanaog, v. to go downstairs.

pumalít, v. changed, took the place of.

pumanaw, v. died, lost, vanished.

pumanhik, v. to ascend, to go up.

pumápaling, v. is inclined, siding with.

pumara, v. to stop.

pumarito, v. come, came.

pumaroón, v. go, went.

pumasok, v. enter, entered.

pumilì, v. to choose.

pumpiyáng, n. cymbal.

pumpóng, n. bouquet, bunch (of flowers), sheaf of rice.

pumuntá, v. to go, went.

pumúpusyáw, n. fading, getting pale.

pumusta, v. to bet on.

pumuták, v. to make irritating noise like the chickens.

pumutók, v. to burst.

puná, n. remark.

punahín, v. to remark on something, to notice something.

púnahin, adj. easily noticeable.

punasan, v. wipe away.

punay, n. a species of bird (Phil. green pigeon).

pundá, n. pillowcase.

pundido, adj. with burnout fuse.

pundiyó, n. seat of the pants.

pundó, n. anchor, anchorage.

punerarya, n. funeral parlor.

punitin, v. to tear.

punít-punít, adj. torn.

punlâ, n. seedling.

pungos, adj. cut.

punò, n. tree; head, chief, leader.

punô, adj. filled, full, replete.

punong-abalá, n. host, hostess.

punong-bayan n. town head.

punong-gurò, n. head teacher, principal.

punong-lalawigan, n. head of a province, governor.

punsó, n. anthill.

punsón, n. stylus, -ng yelo, Ice pick, holeborer, awl.

puntá n. direction.

puntahán, v. to go over there.

puntás, n. lace.

puntiryá, n. aim. as with a gun.

puntó, n. provincial accent.

punto, n. period, point.

puntód, n. mound.

punúng-punô, adj. filled to overflowing.

punyagî n. endeavor, determination, ambition.

punyál, n. dagger.

punyós, n. cuffs.

pungahan, n. a species of palms.

pungapong, n. a species of plant (Amorphophallus campanulatus).

pungát, adj. with one eyelid fallen.

pungay, n. languidness of the eyes.

pungkól, adj. claw-handed.

punggî, n. tailless dog.

punggók, adj. bob tailed, stocky.

punggós, n. tie, bind, binding.

punglô, n. bullet.

pungos, adj. cut off, lopped off (extremity).

pupitre, n. writing desk.

pupog, n. attack of a fowl with the beak.

purás, n. orange blossoms.

purbahán, v. to prove, taste, sample.

purgá, n. purgative, laxative.

purgatoryo, n. purgatory.

purgón, n. baggage car.

puri, n. honor.

purihin, v. to promise, to appreciate.

puríl adj. stunt.

purista, n. purist.

Puritano, n. Puritan.

puro, adj. pure, clean, chaste.

purók, adj. blunt.

puról, adj. blunt.

purpurina, n. bronze powder.

purunggô, n. broken crystals.

pusà, n. cat.

pusa-pusà, n. one who serves wily to attain his selfish ends.

pusakál, adj. arrant.

pusalì, n. mire.

pusikít adj. dark.

pusilyo, n. chocolate cup.

pusisyon, n. position, posture, status.

puslít n. squirt, gate- crusher.

pusngát, n. pop.

pusò, n. heart.

pusók, n. aggressiveness, impetuosity.

pusód, n. topknot, bun.

pusod, n. navel.

pusóg, n. convulsion, spasm, agitation.

pusón, n. abdomen.

pusong, n. buffoon.

pusong, adj. impudent, shameless.

puspós, adj. complete.

pustá, n. stake, bet.

pustiso, adj. false, artificial.

pustura, adj. elegantly dressed.

pusyáw, n. paleness, discoloration.

puta, n. prostitute, whore.

puták, n. cackle.

putaktí, n. wasp.

putahe, n. servings, menu.

putá-putaki, adj. sporadic.

putál, n. amount in excess of round numbers.

putbol, n. football.

putháw, n. ax.

putî, adj. white.

putik, n. mud.

putikán, adj. muddy.

putihin, v. kill, to cut.

putlâ, n. paleness.

putlain, adj. pale.

puto, n. a kind of native rice cake.

putók, n. explosion.

putól, adj. cut off.

putong, n. headgear.

putós, adj. full, replete.

putót, n. short pants.

putót, adj. bent, full of weight.

putrangka, n. young female horse.

putsero, n. meat and vege-

table stew.
putulin, v. to cut.
puwáng, n. space.
puwede, adj./adv. can be, possible, possibly
puwera, adj. not included.
puwerikultura, n./adj. puericulture.
puwersa, n. force, power, strenght, violence, compulsion.
puwesto, n. place, stand, position, job.

puwíng, n. foreign matter in the eye.
puwít, n. anus.
puyao, n. sugar cane juice.
puyát, adj. sleepless.
puyat, n. insomnia.
puyó, n. cowlick on the head.
puyok, n. strike with the beak.
puyód, n. topknot chignon.
puyós, n. producing fire by friction, friction.

—R—

R, r, n. fifteenth letter of the Pilipino alphabet.
rabí, n. rabbi.
raketa, n. racket (sports).
radikál, adj. radical.
radyasyón, n. radiation.
radyo, n. radio.
radyoaktibo, n. radioactive.
radyograma, n. radiogram.
ragasâ, adj. hasty, reckless violent.
raha, n. rajah, Moslem ruler, Indian prince, Hindu ruler.
rahuyò, n. fascination, charm, appeal, enticement.
rahuyuin, v. to charm, to attract, to entice.
ramdám, n. feeling.
rapsodya, n. rapsody.
raso, n. silklike fabric.

rasón, n. reason.
raspahín, v. to rasp, to scrape.
rasyón, n. allowance, ration.
ratán, n. rattan.
raw, adv. "it is said"
raya, n. line, line mark made by pencil or ink.
rayà, n. deception, fraud.
rayamà, n. intimate intercourse.
rayo, n. radius.
rayos, n. spoke of wheels.
rayuma, n. rheumatism.
reaksiyón, n. reaction.
rebalida, n. oral examination for graduate students.
rebelde, n. rebel, adj. rebellious.
rebentadór, n. firecrackers.

rebisino, n. kind of card game.

reklamo, n. complaint, protest.

rekord, n. record.

rektór, n. rector.

rekuluta, n. recruit.

rekurida, n. going about or around.

reeleksiyón, n. reelection.

regadera, n. sprinkler.

regadero, n. ditch for irrigation.

regalo, n. gift, present.

regla, n. rule, menstruation.

reglamento, n. regulation.

regulár, adj. regular, ordinary, moderate.

rehente, n. regent

rehistradór, n. registrar.

relasyón, n. relation.

relikya, n. relic.

relihiyón, n. religion.

relihiyoso, relihiyosa. adj. religious, pious.

reloheriya, n. watchmaker's shop.

relohero, n. watchmaker.

relós, n. watch

relós-pamulsá, n. pocket watch.

relós-pamulsó, n. wrist watch.

relós-pandingdíng, n. wall-clock.

remedyo, n. remedy, help, re-

sort.

renda, n. rein, the strap of a bridle, rein of a bride.

renta, n. rent, rental.

rentas, n. revenue.

rentas internas, n. internal revenue.

renúnsiyá, n. renunciation.

reparasyón, n. reparation, re-

reperendum, n. referendum

repinado, adj. refined.

repineriya, n. refinery.

repormatoryo, n. reformatory.

repórt, n. report.

reporter, n. reporter.

representante, n. representative.

representasyón, n. representation. dignity, performance.

repúbliká, n. republic.

resibo, n. receipt.

resibo opisyál, n. official receipt.

residénsiyá, n. residence.

resina, n. resin.

resisténsiyá, n. resistance.

resolusyón, n. resolution.

responsable, adj. responsible.

restitusyón, n. restitution.

restriksiyón, n. restriction, limitation.

resulta, n. result, outcome, effect, consequence.

resureksiyón, n. resurrection

retablo, n. altar-piece.

retensiyón, n. retention.

retinihin, v. to retain,

reto, n. wager, bet, challenge.

retóriká, n. rhetoric.

retraksiyón, n. retraction.

retratista, n. photographer.

retrato, n. picture.

retunyón, n. reunion, meeting.

reyna, n. queen.

ribál, n. rival, competitor, enemy.

rikado, n. seasoning, garnish, condiment.

rikisa, n. search in a dwelling, etc, search of a place.

rigalo, n. gift, present.

rigudón, n. rigadoon (dance).

riles, n. railways, tramway truck.

rilyeno, n. cooked chicken with meat stuffing.

rimarim, n. nausea, loathing.

rimas, adv. breadfruit.

rimatsé, n. rivet, riveting.

rin, n. also.

rindido, adj. fatigued, tired out, confused.

ripa, n. lottery.

ripaso, n. review.

riple, n. rifle.

ripolyo, n. cabbage.

risés, n. recess.

riseta, n. prescription.

risibo, n. receipt.

risoma, n. rhizome.

ritaso, n. remnants of cloth.

ritoke, n. retouch.

ritrato, n. picture, photographer, photo.

riwasâ, n. ease, comfort.

riyán, adv, there.

robledo, n. oak.

rolyo, n. roll, bundle.

Romano, n./adj. Roman.

romansa, n. romance.

romero, n. rosemary.

ronda, n. guard, guard house, night patrol.

rondalya, n. rondalla.

rosaryo, n. rosary.

rosas, n. rose, adj. pink.

roskas, n. screw thread.

rotonda, n. rotonda.

rubarbo, n. rhubarb.

rubí, n. ruby.

rumaragasa, v. to be plentiful.

rumbo, n. coarse, route, direction of voyage.

rupeke, n. ringing of bells.

rupero, n. hanger for clothes, basket for soiled clothes.

rurok, n. climax, topmost, summit.

Ruso, n./adj. Russian.

ruweda, n. ring as in a stadium or cockpit, wheel.

—S—

S, s, n. the sixteenth letter of
the Pilipino alphabet.

sa, prep. to, from, on, under,
with, beside, near.

saá n. tea.

saád, n. layunin, what one
said, answer, reply.

saán, adv. where, at which
place.

saanmán, adv. wherever.

sabá, n. a kind of banana.

sabák, n. canyon, dovetail.

sabak, n. assault, blow.

sabakan, v. to assault, to be-
gin to hurt, to slap.

sabád, n. act of interrupting.

Sabado, n. Saturday, the
seventh day of the week.

sabalás, n. northeast, north-
east monsoon.

sabanilya, n. altar-cloth.

sabang, n. crossing, inter-
section.

sabat, n. design, embroidery
on fabrics.

sabát, n. securing piece of
wood or bar; interception.

sabáw, n. soup, broth.

sabáy, adv. at the same
time. adj. simultaneous.

sabayán, v. to walk beside
another.

sabay-sabáy, adv. together;
at the same time.

sabi, n. say, what is said.

sabi-sabi, n. hearsay.

sabík, adj. eager, anxious.

sabíd, adj. entangled.

sabihin, v. to tell, to say.

sábilá, n. a species of plant
(aloe barbedensis).

sabit, n. hanging.

sabitán, n. hanger.

sabitan, v. to hang (some-
thing).

sabog, n. act of scattering,
sowing of seeds, disper-
sion.

sabóg, adj. scattered, spread.
strewn, dispersed over.

sabón, n. soap.

sabong, n. cockfight.

sabotahe, n. sabotage.

saboy, n. throwing or sprink-
ling of water or any liquid.

sabsáb, n. noisy and vora-
cious eating, as of a pig.

sabsaban, n. trough, manger

sabukayín, v. to comb back
(the hair), beat, strike.

sábukót, n. a person with di-
sheveled hair; a species of
bird (red-winged caucal).

sabunot, n. pulling of the
hair.

sabungán, n. cockpit.

sabután, n. a species of plant (Pandanus sabotan).

sábuwatan, n. conspiracy.

saka, n. cultivation or tillage of the land.

saká, adv. afterwards, then.

sakág, n. a kind of fishnet.

sakál, n. choking with the hands.

sakalì, n. in case, just in case.

sakalín, v. strangle.

sakáng, adj. bow-legged.

sakate, n. grass, hay.

sakáy, v. to ride. n. passenger, cargo.

sakbát n. band across the shoulder, something carried across the shoulder.

sakbibi, n. something carried on one's arms or hips, as a child.

sakbutín, n. (sakbót) to support a falling object or that which is about to fall.

sakdál, n. suit (law) adv. extremely, very.

sakím, adj. greedy, selfish.

sakit, n. endeavor, concern in an affair.

sakít, n. physical suffering, sickness, pain.

saklâ, n. ring around handle of a bolo, knife and the like.

sakláng, n. bamboo pieces

across nipa roofing.

sakláp, n. bitterness, acridity.

sakláw, n. the area one occupies, extent, inclusion, comprehension.

sakláy, n. something hanging, as a shawl, yoke.

saklít, n. catching fish in groups with a net.

saklô, n. sheathing at bottom of leaves (of some grasses).

saklób, n. covering, cover.

saklolo, n. succor, help, - assistance, aid.

saklolohan, v. to rescue, to help, to give assistance.

saklóng, n. a person's portion in harvesting rice.

saklubán, v. to cover.

sakmál, n. something held in the mouth.

sakmalín, v. to snatch with the mouth.

saknóng, n. stanza.

sako, n. sack, bag.

sakol, v. to cut sugar canes and bring them to the sugar mills.

sakong, n. heel, heelbone, calcaneum.

sakóp, adj. included, conquered, subjugated.

sakop, n. subject.

sakramento, n. sacrament.

668

sakriléhíyó, n. sacrilege.

sakripisyo, n. sacrifice.

sakristán, n. sexton, acolyte.

saksák, n. stab.

saksí, n. witness.

saksihán, v. to witness.

sáksopón, n. saxophone.

sakuná, n. accident, misfortune, disaster, calamity.

sakwá, n. corm, a stump or trunk, as of a banana plant.

sakyód, n. net for catching birds insects, and the like.

sakyurín, v. to catch insects birds with a net, to get one's movable property.

sadlák, n. falling into or off, lapsing into.

sadsád, adj. grounded, anchored.

sadyá, n. purpose, intention, object.

sagá, n. a species of vine with black and red seeds.

sagabal, n. hindrance, obstacle, impediment.

sagád, adj. to the root completely, used up, exhausted.

sagadsád, n. skidding, adj. continuous.

sagal, n. slowness of movement due to some obstruction.

sagala, n. usually a little girl dressed in white and crowned with flowers.

sagalsál, n. continuous gushing (of liquids). adj. continuous, uninterrupted.

saganá, n. abundance, ample, sufficiency. adj. abundant, bountiful.

sagansán, adj. continuous, without stopping, like a blow, beating, asking and the like.

sagap, n. scoop, exposure to the elements.

sagasaan, v. to run over.

sagayad, n. train of a gown.

sagi, n. passing by or dropping in (at a house), slight touch or collision.

sagimsím, salagimsim. n. misgiving.

saginsín, adj. closely-woven.

saging, n. banana.

sagipín, v. to save, help, deliver from.

sagisag, n. symbol, emblem, insignia.

sagitsít, n. hissing sound.

saglít, n. second, a short moment. v. go to a place for a very short time, minute (time), instant moment.

sago, n. dripping as of mucus, saliva and the like.

sagó, n. a species of palm (Metroxyton rumphii).

sagót, n. answer, reply.

sagpáng, n. snatch or snatching with the mouth.

sagrado, adj. sacred, consecrated.

sagság, n. blunt edge or point, trot.

sagubang, n. temporary hut in the field for shelter.

sagúnsón, n. hemming of a garment.

sagupà, n. encounter, clash

ságupaán, n. encounter, conflict.

sagupain, v. to face, to meet.

sagutin, n. responsibilities, obligations.

sagutín, v. to answer.

sagutsót n. noisy sip or suck.

sagwán, n. paddle. v. to row, to paddle.

sagwíl, n. obstacle, hindrance.

sahà, n. sheathing of banana, abaca plant or palm.

saháng, n. strength of wine.

sahig, n. floor.

sahing, n. maltha.

sahod, n. salary, wage.

sahóg, adj. mixture.

sahól, adj. lacking, falling short.

saíd, adj. consumed, used up, exhausted.

saimsím, n. seepage.

saing, n. cooking rice.

saingán, n. cooking pot for rice.

sala, n. sin, mistake, fault. adj. not agreeable to, against, not hitting the target.

salá, n. lattice, split bamboo used as a railing.

salà, n. sieve, act of filtering, filtration.

salâ, adj. filtered, sieved, physically defective, injured.

salaán, n. filter, sieve.

salab, n. scorching, searing.

saláb, adj. scorched, seared, roasted.

salabát adv. crosswise.

salabát, n. ginger beverage.

salabíd, n. obstruction, obstacle, entanglement.

salabsáb, adj. smoked, referring to fish or meat.

salakáb, n. a kind of fish trap made of split bamboo.

salakatá, n. jolly person who often laughs.

salakay, n. attack with intent to capture.

salakót, n. a native wide-brimmed hat.

salakuban, n. a kind of container of provisions, usually carried by fisherman.

salag, n. attendant to a midwife.

salag, v. to parry a blow.

salaghatì, n. resentment, sentiment.

salagimsím, n. premonition, presentiment.

salagóy, n. slight touch.

salaguntíng, n. tripod.

salain, v. to filter, sieve.

salalak, n. logs or bamboo in the form of a cross used as a support.

salalay, n. support, something used as underlayer usually for keeping away cockroaches, ants and the likes.

salamangká, n. magical performance.

salamat, n. thanks.

salambáw, n. big fishing net.

salamín, n. mirror, sunglasses.

salamisim, n. reminiscence, recollection of the past experience.

salampáy, n. muffler, shawl.

salansán, n. heap, pile.

salantá, adj. damaged, injured.

salang, n. putting (of something) over the fire.

saláng, n. light touch.

salangà, a species of ray (spineless devil ray).

salangat, n. a piece of stick attached askew at the end of a pole usually used for picking fruits.

salangkipót, adj. narrow at the end.

salanggapáng, adj. mischievous, knavish.

salangín, v. to touch lightly.

salangsáng, n. objection, opposition (to a proposition).

salapáng, n. harpoon, trident.

salapáw, adj. artificial.

salapî, n. money.

salapong n. union of adjacent objects, as roads, streets, rivers, etc.

salapsáp, adj. superficial, shallow.

salarín, n. criminal.

salas, n. hall, parlor, receiving room.

salát, adj. wanting in material riches.

salatan, n. southwest, southwest wind.

salaulà, adj. unhealthy, unwholesome, unsanitary.

salawak, n. spilling of liquids.

salawag, n. long pole attached to nipa roofing.

sálawahan, adj. fickle, changeable.

salawál, n. underwear, panties.

sálawikaín, n. proverb.

salay, n. nest of a bird or
rat.

salaysáy, n. declaration, nar-
ration of event.

salbabida, n. life preserver.

salbahe, adj. wild, savage,
naughty.

salbiya, n. sage, a species of
perrenial herb whose gray-
ish-green leaves are used
in medicine and for sea-
soning in cookery.

salibad, n. snatch, snatching
by a bird of prey.

salibat, n. interruption in a
conversation, speech, etc.

saliksik, n. research.

saliksikín, v. to research, to
inspect.

salikupin, v. to besiege, to
beleaguer.

salig, adj. based on, leaning
back.

sáligan, n. basis.

saligáng-batás, n. constitu-
tion.

saligawsáw, n. noisy stir,
bustling.

saligutgót, adj. chaotic, com-
pletely disordered, intri-
cate.

salimaó, n. tusk of animals.

salimbáy, n. swoop of a bird.

salimuót, n. mess. adj. en-
tangled, complicated, com-
plex.

salin, n. transfer, transla-
tion, copy.

salindayaw, n. young stag.

saliniahì, n. generation, pro-
creation.

salingít, v. slip, sneak, es-
cape secretly.

salingsíng, n. ring (of cur-
tains), hangnail.

salinók, n. recurring gusts
of wind.

salipadpád, n. flying round-
about, flapping, fluttering.

salipanyâ, n. impertinent
reasoning.

salisí, adv. alternately.

salisod, n. rooting of the feet
or snout of animals.

salít, n. alternation.

salitâ, n. word.

salitre, n. salt peter.

saliw, n. musical accompani-
ment, harmony.

saliwâ, adj. wrong, misdi-
rected, misleading.

salmo, n. psalm.

salmón, n. salmon.

salo, n. dining, taking part
(in a meal, conversation,
etc.).

saló, n. catching (of a ball
or falling objects).

salok, n. scooper, scooping
or fetching water, swoop-
ing of a kite.

salog, n. pool, puddle.

salón, n. salon, hall, large room.

salóp n. ganta.

salot, n. epidemic, pest.

saloy, n. current (of stream, brook, etc.).

salpók, n. encounter, collision.

salsa, n. sauce (Var. sarsa).

salubayó, n. shock absorber.

salubong, n. meeting, encounter.

salubsób, n. sliver.

salukbít, n. tuck in the skirt, something carried at the waistband.

saluksók, n. something carried at the waist, as knife, bolo, dagger, etc.

saludo v. salute, nod. n. salute.

saludsód, n. uprooting grass with a blunt instrument.

salugsóg, n. splinter penetrating skin, investigation, search, inquiry.

salunga, n. going uphill or upstream. adj. contrariwise.

salungát, adj. opposed, contradictory.

salungsóng, n. going against (the wind, current, crowd, etc.).

salupil, n. something used as reinforcing layer.

salu-salo, n. banquet, party.

salutatoryan, n. salutatorian.

saluysóy, n. brook, babble of brooks.

sama, v. go with accompany.

samâ, adj. evil.

samahan, v. to accompany.

samahán, n. society, club, organization.

samantala, conj. while. meanwhile, in the meantime.

samantalahín, v. to take advantage of a chance, grab the opportunity.

Samaritano, n. Samaritan.

samát, n. betel leaf, also called ikmo.

sambahayán, n. household.

sambalilo, n. hat.

sambilat, n. violent, snatch, clutch, grab.

sambít, n. mention in passing, say.

sambitlaín, (sambitlá), v. to invoke, say.

sambóng, n. a species of medicinal herb (Blumea balsamitera).

sambót, n. catching of falling or thrown objects.

sambuhat, n. chorus of voices.

sambulát, n. spread, scattered, disordered, divulged.

samíd, n. choke, obstruction

at the wind pipe.

samláng, adj. filthy.

samò, n. entreaty, supplication, request.

sampá, v. to go up, climb.

sampák, adv. up to the limit, to the limit.

sampaga, n. a species of plant (Jasminum sambac).

sampagita, n. sampaguita, the native flower of the Philippines.

sampái, n. slap.

sampalataya, n. faith, belief.

sampalín, v. to slap.

sampalok, n. tamarind.

sampáy, n. something hang like clothes on the line.

sampayan, n. hanger.

sampón, adv. including.

sampú, n./adj. ten.

samsamán, (samsam), v. to confiscate, seize, forfeit.

samulâ, n. something inherited from the ancestors, tradition.

samutsamot, n. potpourri.

samut-sari, adj. variegated.

samyó, n. fragrance, odor.

samyuín, v. to smell the fragrance.

sanát, n. slight fever.

sanatoryo, n. sanatorium.

sanáy, adj. skilled, experienced.

sanꞮyin, v. to practice, ex-

ercise, train.

sanaysáy, n. essay.

sanaw, n. inundation.

sankutsá, n. parboil.

sandaigdíg, n. earth.

sandál, n. reclining, leaning.

sandalî, n. minute, moment.

sándaló, n. sandal-wood.

sandalyás, n. sandals.

sandát, adj. stuffed, full, stodgy.

sandata, n. weapon.

sandigan, n. background.

sandók, n. ladel, large spoon.

sandugô, n. blood compact (sanduguán).

sanduguan, n. blood compact.

sanhî, n. cause, reason.

sanib, v. join, unite.

sanidád, n. sanitary officer.

sanlibután, n. universe.

sanlupaín, n. continent.

sansalain, (sansalà), v. to interrupt, suspend, obstruct.

sansán, adv. repeatedly, incessantly.

sansé, n. third oldest sister.

santán, n. a species of shrub (Ixora stricta).

santipikado, adj. sanctified.

santipikasyón, n. sanctification.

santísimo, adj. most holy.

santo, santa, adj. saintly, holy, sacred.

santól, n. a species of tree
and its fruit (Sandoricum
indicum).

Santo Papa, n. Holy Father.

santuwaryo, n. sanctuary.

sangá, n. branch.

sangág, adj. toasted, fried.

sangál, n. breaking of a
branch of tree.

sangandaán, n. crossroad.

sangáng-ilog, n. tributary.

sangat, n. barb of arrow,
notch. n. fish hook.

sangáy, n. division or branch
of an office.

sang-ayon, in favor, accord-
ing to.

sangkál, n. hardening of a
mother's breast due to too
much milk.

sangkalan, n. chopping block.

sankáp, n. elements, part of.

sangkayungkóng, n. armful.

sangki, n. a species of spice
(Clausena).

sangkó, n. address for the
third eldest brother.

sangkót, adj. dragged into,
involved in.

sanduyong, n. a kind of
sugar cane.

sanggá, v. to ward of, to
parry.

sanggahán, n. defense, pro-
tection.

sanggól, n. babe, baby, in-

fant.

sanggumay, a. a species of
plant (Dendrobium cru-
menaltum).

sangguni, n. honor, dignity.

sanggunian, n. reference,
consultant, advisory board.

sangguwasa, n. sanguaza,
reddish substance in
vegetables.

sanghód, n. smell, smelling.

sanglâ, n. mortgage, pawn,
guarantee.

sanglaan, n. pawnshop.

sangsáng, n. strong dis-
agreeable odor.

saog, n. rivulet.

sangyawà, n. sulphur.

sapá, n. bagasse (after chew-
ing).

sapà, n. pond, marsh, track
of swampy land.

sapak, n. cleavage, splitting
or breaking as branches
of trees.

sapák, n. clacking sound pro-
duced when eating.

sapakát, n. secret agreement,
accomplice.

sápakatan, n. connivance.

sapád, adj. flat, flattened.

sapagká, conj. because, for,
as, usually used with at-

sapal, n. bagasse, residium,
as squeezed coconut meat.

sapantahà, n. suspicion, inkling, presumption.

sapatilya, n. slipper of women.

sapát, adj. enough.

sapatero, n. shoemaker.

sapatón, n. step-in (shoes).

sapì, n. stock. v. join, be a member of an organization or society.

sápilitán, adj. mandatory.

sapì-lulód, n. tibia.

sapín, n. underlayer.

sapisapì, n. a kind of kite.

saplád, n. dam, embankment.

saplót, n. clothes, dress (in a depreciative sense).

sapól, conj. since, ever since.

sapongbulaklák, n. torus, receptacle (of a flower).

sapot, n. black shroud for the dead.

sapsáp, n. a species of fish (Leighnathus equulus).

sapukín, v. to box, strike violently.

sapuhín, v. to support a falling object.

sapupuhin, v. to support with the hands and arms.

sapyáw, n. a kind of fishing net, adj. superficial.

sará, adj. closed, locked, shut.

sarampiyón, n. measles.

saramulyó, n. knave.

saráng, n. refulgence.

saranggola, n. big kite.

saráp, n. savor, deliciousness.

saray, n. stut or strutting, as of a cock or person; number of floors or compartments of a building, case, shelf, etc.

saray, n. beehive.

sardinas, n. sardines.

sarhán, v. to close.

sarhento, n. sergeant.

sarili, adj. private, n. oneself.

sarisarì, n. a kind, sort. variety, species.

sariwà, adj. fresh, new, recent.

saro, n. small jar, jug.

sarsa, n. sauce.

sarsaparilya, n. sarsaparilla.

sarsuwela, n. musical comedy.

sartén, n. frying pan, drinking cap.

sasá, n. a species of palm (Nipa fructicans).

sasakyán, n. vehicle, means of transportation.

saság, n. stripped or crushed bamboo used for floors or walls of houses, sometimes used also as a torch for catching fish, crabs, etc.

sasál, n. rage, fury, as of a storm, aggravation as of

coughing.

sasáng, n. candle.

sasangán, n. candle stick.

sasapnán, n. pelvis.

sasatín, n. priest.

sastré, n. tailor.

sastreriyá, n. tailor's shop.

Satanás, n. Satan.

satín, n. satin.

satsarón, n. fried large scraps (Var. sitsaron).

satsát, n. gossip, idle talk; clerical tonsure.

Saturno, n. Saturn.

saubát, n. complot, a plotting together, secret understanding or agreement.

sawà, adj. tired of, fed up.

sawá, n. python, boa.

sawalì, n. interwoven thin splits of bamboo used as walls.

sawan, n. dizziness, giddiness, vertigo.

sawataín, v. to stop, check, obstruct.

sawayín, v. to stop, to prevent, to prohibit.

sawì, adj. in despair, unfortunate, unlucky.

sawíng, n. straw hat.

saya, n. skirt.

sayá, n. joy, happiness.

sayád, adj. trailing, dragging on; needy, poor.

sayang, interj. It's too bad!

What a loss!

sayangat n. tuning fork.

sayáw, n. dance.

sayíd, adj. consumed, exhausted (Var. saíd).

sayód, adj. consumed or used up, described.

saypon, n. siphon.

saysáy, n. value, importance, declaration, explantion.

sayurin, v. to use up, consume.

sayusay, n. rhetoric.

sebada, n. barley.

sebo, n. tallow, fat, grease.

sebra, n. zebra.

sekreta, n. secret service man.

sekretaryo, sekretarya, n. secretary.

sekreto, n. secret.

seksahenaryo, n. sexagenarian, person between sixty to sixty nine years old.

seksiyonalismo, n. sectionalism.

seks, n. sex.

sekso, n. sex.

seksuwál, adj. sexual.

sekta, n. sect.

sekulár, n. secular, lay.

sekularisasyón, n. secularization.

seda, n. silk.

sedatibo, n. sedative (drug).

sédulá, n. certificate, personal identification.

segundo, segunda, adj. second (in order).

seguro, n. insurance.

selda, n. cell.

selos, n. jealousy.

selulosa, n. cellulose.

seluloyde, n. celluloid.

selyado, adj. sealed, stamped.

selyo, n. stamp.

Semana Santa, n. Holy Week.

semántiká, n. semantics.

semántikó, n. semantician.

sementeryo, n. cemetery.

semento, n. cement.

semestrál, adj. semestral.

semestre, n. semester

semilya, n. semen.

seminarista, n. seminarist.

seminaryo, n. seminary.

senákuló, n. passion play.

senado, n. senate.

senadór, n. senator.

sensasyonál, n. sensational.

sensitibo, adj. sensitive.

senso, n. census.

senteno, n. (Bot.) rye.

senténsiyá, n. sentence, verdict, judgment.

sentensiyado, adj. sentenced, found guilty.

sentigramo, n. centigram.

sentimentál, adj. sentimental.

sentimetro, n. centimeter.

sentimyento, n. sentiment.

senyas, n. signal, sign.

sepal, sepalo, n. sepal.

serbilyeta, n. table napkin.

serbisyo, n. service, toilet seat.

sereno, n. night coolness, dew.

sermon, n. sermon.

sisenta, n./adj. sixty.

sesura, n. caesura.

sesyón, n. session.

setenta, n./adj. seventy.

Setyembre, n. September.

si, art. article placed before personal proper nouns in the nominative case (sing.).

Siamés, n./adj. Siamese.

sibà, n. gluttony.

sibák, v. to split.

sibakín, v. to cleave.

sibát, n. a spear.

sibi, n. wing of a building

sibol, n. germination, sprout, budding forth, spring of water.

sibsíb, n. setting of the sun.

sibukáw, n. a species of plant (Caesalpina sappan).

sibuyas, n. onion.

sikad, n. kick.

sikal, n. attack of pain, intensity.

sikante, n. blotting paper.

sikang, n. crosspiece.

678

sikapat, n. real, monetary denomination equivalent to 12 1/2 centavos.

sikapin, v. to strive.

sikat, n. rising of the sun, moon or star.

sikatsikat, n. a species of marine crustacean.

sikdó, n. palpitation of the heart.

sikháy, n. diligence, assiduity.

sikî, adj. tight, difficult to get through or out.

síkil, n. stroke of the handle of a paddle or oar, light touch or stroke with the elbow.

sikíp, adj. tight, crowded, narrow.

sikiya, n. drought.

siklát, n. cleavage.

siklo, n. cycle.

siklót, n. a kind of game.

siklutín, v. to toss upward, toss up and down, as waves tossed by the wind.

sikmát, n. a snatch with the the mouth.

sikmurà, n. stomach.

siko, n. elbow.

sikolohiya, n. psychology.

síkot, n. beating around the bush.

siksík, adj. crowded, packed up tightly.

sikut-sunat, n. fuss, ado.

sikwán, n. tool used for weaving nets.

sikwás, adj. saquacious.

siwát, v. push up with the help of a wedge or level, thrust with the horn.

sidhá, n. diligence, industry.

sidhî, n. intensity, tenacity, constancy.

sidsíd, adj. excessive, to the extreme.

sigâ, n. smudge, bonfire.

sigabó, n. cloud of dust (Var. sigalbo).

sigadilyas, n. wing bean.

sigalót, n. disagreement, quarrel.

sígalutan, n. dispute, quarrel, disagreement, misunderstanding.

sigám, adj. consumptive, affected with tuberculosis.

sigáng, n. stew of fish or meat and vegetables with plenty of water.

sigasig, n. persevering application.

sigaw, n. shriek, shout, yell, loud call.

sigay, n. shells; cowrie.

sigbuhán, v. extinguish fire with water.

sige, v. go on.

sigid, adj. short-necked.

siging, n. ego, conceit.

siglâ, n. animation, liveliness.

sigláw n. short, hurried view, glimpse.

sigsá, n. assiduity.

sigsag, adj. zigzag.

sigsíg, n. torch made from bamboo joints, tubes, or from bundle weeds.

sigurado, adj. sure, certain.

siguro, adv. perhaps, maybe.

sigwá, n. storm at sea.

sihà, n. space between the fingers, slit.

sihang, n. jaw, jaw bone.

siíd, n. a kind of corral like fishing trap.

siíl, n. violent shove or push with the elbow, oppression.

siilín. v. to oppress.

siit, n. branchlet of bamboo.

silá, pron. they.

silà, n. prey.

siláb, n. bonfire, blaze.

silakbó, n. violent outburst of passion.

silag, n. shortsightedness, myopia.

silahis, n. sun's rays breaking through clouds.

silain, v. to kill, destroy (by wild animals).

silam, n. smarting of the eyes due to soap foam or contact with the skin of oranges, lemon, etc.

silambág, n. irresponsive answer.

silan, n. fastidiousness, (Var. selan).

silang, n. appearance rising as the heavenly bodies, birth, origin, pathway traced in the midst of the forest or mountain.

silangan, n. east, orient

silanganin, adj. eastern.

sila-silá, adj. only among themselves.

silát, n. space or slit between strips of floor, slip through slits on floors, bridges, etc.

siláw, adj. dazzled, feeling inferior.

silay, n. glance, glimpse.

silayan, v. to gaze, to look at someone.

silbato, n. whistle, as of a boat.

sili, n. peppers.

silíd, n. room.

silíd-páhingahan, n. rest room.

silíd-taguán, n. storeroom.

silíd-tulugán, n. bedroom.

silinyasì, n. a species of fish also called tunsóy (Sardinella fimbriata).

silip, n. peep, peering glance.

silíw, n. a species of fish also called **buging** (Hemiramphidae).

silò, n. noose, snare, trap.

snok, n. spoon, bait, usually made of leaves of palm.

silong, n. ground floor, downstairs.

silópono, n. xylophone.

silsíl, adj. blunt, dull.

silsilán, v. to attack with kisses.

silungán, n. shed.

silya, n. chair.

silyón, n. armchair, easy chair.

simà, n. fork, prong as of a harpoon, arrow and the like.

simangot, n. sour mien or look.

simbá, v. attend holy mass, go to church.

simbolismo, symbolism.

simbuyó, n. outburst of passion.

simétrikó, adj. symmetrical.

simetríya, n. symmetry.

simì, n. refuse of fish left on the table after meals.

simót, n. act of taking everything, consuming, pick-up.

simoy, n. breeze.

simpátikó, simpátiká, adj. good-looking.

simple, adj. simple, plain.

simponiya, n. symphony.

simsimín, v. to taste, to enjoy the pleasure of.

simulâ, n. start, beginning.

simulain, n. principles, axiom.

simunò, n. subject.

simento, n. cement.

siná, art. article placed before proper names of persons or animals (plural of si).

sinag, n. rays of light.

sinaing, n. boiled rice.

sinamáy, n. a kind of native fabric from abaca fibers.

sinat, n. slight fever.

sindák, n. fright, fear.

sindihán, v. to kindle, light.

sinékdoké, v. synedoche.

sinelas, n. slippers.

sinhâ, n. hard bamboo.

sinibuyas, n. bulb (plant).

sinigwelas, n. a species of plant (Spondias purpurea).

sining, n. art.

sinipit, n. anchor.

sino, pron. who.

sinók, n. hiccough or hiccup.

sinop, n. orderliness, neatness.

sinopsís, n. synopsis.

sinsáy, adj. erroneous, objection, violation as of rules, regulations, etc.

sinsilyo, n. loose change of money. **adj.** simple, plain.

sinsín, adj. close (weave), thick, dense (growth of plant).

sintá, n. dear one, beloved one.

sinták, n. a kind of game done by tossing and catching on object alternately with the palm and back of the hands.

sintandâ, adj: as old as.

sintás, n. string.

sintido, n. sense, understanding.

sintido kumón, n. common sense.

sinturón, n. belt.

sinulid, n. thread.

sínumán, pron. whoever, whosoever.

sinundán, adj. preceding. **v.** was followed.

sinungaling, n. liar.

sinusitis, n. sinusitis (Med.)

sinyora, n. lady, mistress.

sinyorita, n. young mistress.

sinyorito, n. young master.

singá, v. blow the nose.

singasing, n. puff with anger, like that of an angry cat.

singáw, n. vapor, steam.

singkád, adj. exact, complete, whole.

singkamás n. a species of plant (Pachyrhyzus angulatus).

singkáw, n. yoke, harness of a draft animal, esp. of a horse.

singkî, n. green hand, greenhorn, rookie.

singkíl, n. a blow with the elbow or shoulder; a wedding dance in Moroland.

singkít, adj. slit-eyed.

singkól, adj. twisted, crooked referring to the arms.

singalong, n. small bamboo wine cup.

singhál, n. a snatch with the mouth, as of dogs, snake, etc; reprimand, scolding.

singíl n. collection of payment for debts, rent, etc.

singilín, v. to collect.

singit, n. groin.

singsíng, n. ring.

sipà, n. kick, a kind of football game.

sipák, n. cleavage, crack.

sipag, n. industriousness.

sipan, n. toothbrush, usually of husk of betel nut.

sipatin, v. to see and observe (an alignment).

sipaw, n. a species of bird also known as pied chat.

siphayò, n. frustration, disappointment.

sipì, n. copy, excerpt.
sipiin, v. to copy.
sípilís, n. syphilis.
sipilyo, n. brush.
siping, v. sleep beside a person. prep. beside, by the side of.
sípit, n. tongs, pincers.
sipol, n. whistle.
sipón, n. cold, catarrh.
sipót, n. showing up, appearance, arrival.
sipsíp, n. suck, drawing liquid with the aid of a tube.
sipsipín, v. to suck, to absorb.
sirà, n. tear.
sirâ, adj. broken.
sirain, v. to break down, to destroy, to tear.
sirá-sirâ, adj. worn-out, destroyed, broken into pieces.
sirena, n. siren, whistle.
siról, n. reproach, reprimand.
sirukin, v. to take out with a scoop.
siryales, n. tall church candle sticks, silver candelabra.
sisi, n. regret, repentance, blame.
sisid, v. dive.
sisiw, n. chick.
sisiwa, n. wet nurse.
sisté, n. jest, witty saying.

sistema, n. system.
sistema métrikó, n. metric system.
sistemátikó adj. systematic.
sitasyón, n. citation.
sitaw, n. six-foot bean, string bean.
sitolohiya, n. cytology, the branch of biology treating of cells with reference to their structures, functions, multiplication and life history.
sítsaró, n. garden pea.
sitwasyón, n. situation, position, condition, state.
siwalat, adj. declared openly, revealed, made known.
siwang, n. slit, crevice. space.
siyá, n. saddle; sufficiency. pron, he, she.
siyám, n./adj. nine.
siyáp, n. chirping of a chick.
siyasat, n. inquiry, investigation.
siyasig, n. painstaking and careful prosecution of work, inquest (Law).
siyasip, n. prudence.
siyempre, adv. always, of course.
siyete, n./adj. seven.
siyók, n. cry of a frightened chicken.
sobre, n. envelope.

Sobyét, n. Soviet.

soda, n. soda.

sodyo, n. sodium.

solar, n. lot, ground, plot.

solo, adj. alone, solitary.

solo-antso, n. single width.

sona, n. zone.

sonata, n. sonata.

soneto, n. sonnet.

soolohiya, n. zoology.

sopas, n. soup.

soprano, n. soprano.

sorbetes, n. ice cream.

sosa, n. soda ash.

sosyál, adj. social, sociable, friendly.

sosyalismo, n. socialism.

sosyo, n. associate, partner.

sosyolohiya, n. sociology.

subà, n. embezzlement, convulsion.

subali't, prep. but.

subasob, v. lie with face downwards.

subasta, n. auction.

subaybayán, v. to follow closely.

subida, n. doctor's call.

subò, v. to take into the mouth.

subok, n. test, trial.

subók, adj. tested, tried, known.

subpena n. subpoena.

subsób, v. strike the head lightly or force against a low surface.

subuan, v. to feed.

subukin, v. to spy on, to watch secretly.

subukan, v. to test, to try.

subyáng, n. splinter penetrating skin, thorn.

sukà, n. vinegar.

suka, n. something vomitted.

sukáb, adj. treacherous, traitorous, malevolent.

sukal, n. rubbish.

sukat n. measure, dimension.

sukát, adj. measured, fitting, adequate, sufficient.

sukatán, n. standard, gauge.

sukbít, n. something carried or kept at the waistband.

sukdán, conj. even, even if.

sukdulan, adj. maximum.

sukì, n. customer.

suklám, n. nausea, loathing, disgust.

sukláy, n. comb.

sukdulan, adj. maximum.

suklî, n. change.

suklob, n. pot lid.

sukò, v. surrender, give up.

sukob, v. seek shelter or protection.

sukób. n. fabric of any kind used for lining and stiffening skirt.

sukól, n. trapped, cornered, caught.

sukong, n. bundle of rattan.

sukot n. humiliation, dejection.

sukpô, n. lobster, big shrimps. (Var.) sugpô.

suksino, n. something inserted into and between, mending, as of mats and the like.

sudlóng, n. union, juxtaposition of two ends.

sudlungán, v. to unite, join, increase the lenght.

sudsód n. ploughshare.

sudsuran, n. mutual verbal accusation.

sugál, n. gambling.

sugapà, n. a kind of fishing net tied to two crossed poles; extreme addiction to drinks.

sugaról, n. gambler.

sugat, n. wound.

sugatan, v. to inflict wound or pain.

sugatán, n. wounded, full of wounds.

súgatin n. ulcerous.

sugbá, v. rush with force and violence.

sugid, n. assiduity, industry, faithfulness as of a follower.

sugnáy, n. clause (Gram.)

sugò, n. delegate, ambassador.

sugod, v. rush forward, advance.

sugpô, n. big shrimp; act of stopping, act of nipping.

sugpóng, n. joint, union, connection.

sugpuín, v. to prevent, suppress, nip in the bud, stop.

suhà n. a species of large orange (citrus lystrix).

suhay, n. support, prop.

suhî n. cross birth.

suhol, n. bribe.

suhóng, n. mole cricket.

sulà, n. carbuncle, a precious gem.

sulák, n. boiling.

sulam, n. embroidery on fabrics or mats.

sulambî, n. shedlike compartment of a house.

sulat, n. letter.

sulíb, n. species of shell also known as paros (Macoma pellucida).

sulikap, n. foot of a cloven-hoofed animal.

sulid, n. thread.

sulig, n. flaming torch.

sulimpát, adj. squint-eyed.

suling, n. bewilderment, confusion.

sulipát, adj. squint-eyed, cross-eyed.

sulirán, suliran, n. spool.

súliranin, n. problems in general. súliranín, n. immediate problem.

sulit, n. accounting of; test, quizz.

sulô, n. torch.

sulok, n. angle.

sulong, v. go ahead, advance, continue, shove, push.

sulót, n. poking, putting through a hole.

suloy, n. accretion, new growth (Bot.).

sulsí, n. darning.

sultada, n. fighting of the cocks.

sultán, n. sultan.

sulukasok, n. loathing, disgust, displeasure.

sulupikâ, adj. traitorous, prone to duplicity and falsehood.

sulyáp, n. glance from the corner of the eyes.

sulyáw, n. large cup or bowl.

sumà, n. a species of vine (Anamirta cocculus).

sumakáy, v. to ride.

sumakil, v. to put the arm on anothers shoulders, to ride with another on a vehicle.

sumaksí, v. to testify.

sumagbát, v. to intersect, to cross.

sumali, v. participate, take part in.

sumalilong, v. to be under the protection of, take

shelter.

sumalo, v. to eat with.

sumaló, v. to catch.

sumama, v. to go with.

sumamâ, v. to turn bad.

sumambá, v. to adore, worship.

suman, n. native delicacy made of sticky rice wrapped in banana or palm leaves.

sumandíg, v. to recline, lean.

sumáng, n. repudiation, objection.

sumapit, v. to arrive, came.

sumbáng tao, n. dung beetle.

sumbát, n. flaunting.

sumbilang, n. a species of sea catfish (Plotosus anguillaris).

sumbóng, n. complaint, report.

sumbrero, n. hat.

sumikat, v. to shine, to appear.

sumigláp, v. to glance at quickly.

sumigláw, v. to glance at for a moment or two.

sumipót, v. to appear, to come.

sumipsíp, v. to suck, to sip.

sumisid, v. to dive.

sumpâ, n. oath, pledge.

sumpaín, v. to curse.

sumpák, n. popgun made of

bamboo reed.

sumpál, n. stopper, plug, mouthful.

sumpít, n. blowgun.

sumpóng, n. periodic manifestation, caprice, whim.

sumukò, v. to succumb, yield, surrender.

sumuskribí, v. to subscribe.

sumúsugpô, v. overcoming or preventing.

sumúsunód, v. following.

sumuwáy, v. to disobey, contravene, violate.

sona, n. zone.

sundalo, n. soldier.

sundáng, n. kitchen knife.

sundô, n. one who fetches or escort (someone).

sundól, n. probe, instrument for examining a cavity.

sundót, n. puncture, poke.

sunduín, v. to fetch, escort (someone).

sunip, n. nearsightedness.

sunò, v. live with a person or family.

sunók, n. surfeit, cloying.

sunód, v. follow. adv. in accordance with, in conformity with.

sunog, n. fire; conflagration.

sunóg, adj. burnt.

sunong, n. something carried on head.

suntók, n. a blow of the fist.

sunúd-sunód, adj. successive, consecutive.

sunungin, v. to carry on the head.

sungabang, v. to fall headlong.

sungalngál, n. a strike or chuck under the chin (Var. sungangà)

sungangà, n. horned, disrespectful, insolent.

sungkál, n. uprooting with an instrument or snout, as of a pig.

sungkî, n. irregular growth of teeth. adv. uneven, irregular.

sungkít, n. picking of fruits with a hook, hook used for picking fruits.

sunggáb, v. grasp, seize, snatch.

sunggó, n. a light bump.

sungit, n. sulkiness, cruelty.

sungót, n. feelers, antennae.

sungsóng, v. sail against the current or wind.

suób, n. fumigation.

suong, n. a push with the head and shoulder.

suót, n. garment, clothes. v. wear, put on (dress, shoes, hats, etc.), enter or go through a narrow opening.

supang, n. scion, cion.

superbisór n. supervisor.

superintendente, n. superintendent.

superyór, n. superior.

supí, interj. expression used to drive away a cat.

supilin, v. to subject, discipline, control.

suplado, suplada. n. conceited.

suplina, n. whip.

supling, n. scion, cion sprout shoot, offspring.

supok n. burning to charcoal.

supók, adj. burnt to charcoal, carbonized.

supot, n. cocoon, bag.

supót, adj. uncircumcised.

supsóp, n. suck, drawing liquid by action of mouth or lips.

suray, n. a stagger, sway.

surì, n. shirrs (sewing).

surián, n. institute.

suriin, v. to examine, criticize, analyze, review, edit (book).

suring-aklát, n. book review.

surot, n. bedbug.

súrusuru, n. cactus leaf.

suskrisyón, n. subscription.

suskritór, n. subscriber.

susì, n. key.

susian, v. to lock with a key, to wind a watch.

suso, n. nipple, breast.

susô, n. snail.

susog, n. amendment.

susón, adj. double, doubling.

suspensiyón, n. suspension, postponement, delay.

suspindihín, v. to suspend, to stop, to defer.

sustánsiyá, n. substance.

sustento, n. alimony, support.

sustinihán, v. to sustain, support.

susugan, v. to amend.

súsulat, v. will write.

susulbót, n. a species of bird (Asiatic kingfisher).

sutana, n. cassock.

suteá, n. the flat roof of a house.

sutíl, adj. stubborn, disobedient.

sutlâ, n. silk.

sutsót, n. whistle.

suungin, v. to push with the head and shoulder, to face (a danger), to move swiftly (toward an enemy).

suutín, v. to undergo, to go under, to undertake, to go beneath.

suwabe, adj. soft, smooth, mild, gentle.

suwág, n. horn, gore.

suwagan, n. a species of fish (Long finned gizard shad).

suwagín, v. to thrust with the horns.

suwaíl, adj. rebellious, disobedient, insolent.

suwatò, n. harmony, concurrence.

suwekos, n. wooden clogs.

suwelas, n. sole.

suweldo, n. salary.

suwerte, n. luck, fate, fortune, chance.

suwí, n. sucker, tiller.

suwíng-gapang, n. runners.

suwitik, adj. tricky, crafty, cunning, knavish.

suyâ, adj. fed up.

suyak, n. spike, tine, prong.

suyò, n. ingratiation, working (esp. oneself) into anothers favor.

suyod, n. a fine toothed comb for taking out lice.

suwípistík, n. sweepstake.

—T—

taad, n. ratoon, shoot of a perennial plant (as sugar cane).

taál, adj. native or genuine, legitimate.

taán, n. something reserved, allowance for change.

taás, n. height, altitude.

taasán, v. make high, raise to increase the altitude.

tabâ, n. fat, fatty portion of meat.

tabák, n. bolo, word, bladed weapon.

tabako, n. tobacco.

tabanan, v. hold.

tabáng, n. tastelessness, lack of seasoning or spices, insipidness. **adj.** not salty.

tabangán, v. to make less seansoning or spice; to become indifferent.

tabas, n. cut, style, shape, fashion.

tabás, adj. cut into style.

tabasan v. to pare off, to cut, to cut into shape.

tabernákulo, n. tabernacle.

tabí, n. side, brim, border.

tabì, n. way.

tabike, n. wall between rooms.

tabig, n. shove, act of pushing aside.

tabigin, v. to shove, to put aside.

tabihán, v. to sit beside.

tabíl, adj. talkative. n. talkativeness.

tabing, n. screen, cover, curtain.

tabingan, v. to put a screen, to cover.

tabíng-dagat, n. seashore.

tabingî, adj. unbalanced, unsymmetrical.

tablá, n. sliced lumber, wood-board. adj. tie as in games.

tableta, n. tablet (Med.).

tabò, n. dipper, water scooper.

tabol, n. swelling of boiling liquid.

tabon, n. soil, dirt, chaff, or grain that is used to fill up a hole or pit; soil or dirt used.

tabóy, n. driving away.

tabsák, n. sudden splash.

tabsáw, n. misty drops from splashes.

tabsík, n. splash (from rolling things, as wheels).

tabsíng, n. tide, salty water.

tabsók, n. high splash.

tabsóng, v. sink in the mud.

tabtáb, n. hewing, trimming.

tabugí, n. coccyx, pin bone.

tabunan, v. to cover with soil or dirt, to fill up.

takà, n. prong.

takád, n. stamping of feet.

takal, n. measure, price in selling.

takalan, v. to measure.

takalin, v. to measure.

takám, n. longing, desire.

takapán, v. to bawl out.

takas, n. escape.

takaw, n. greediness, voracious, covetousness.

takbá, n. chest, trunk made of palm leaves, split, bamboo, rattan etc.

takbó, v. run.

takbuhín, v. to run.

takdâ, n. limit, limitation.

takdáng-aralín, n. assignment.

takdawan, n. rice plant upon stemming and graining.

takid, v. trip one's leg.

takigrapiya, n. stenography.

takígrapó, n. stenographer.

takilya, n. ticket office.

takín, n. barking of a dog, once, as if noticing.

taking, n. male child.

takíp-silim, n. twilight.

takitáki, n. idea, imagination, hint.

takláb, n. granary.

taklób, n. cover, covering.

taklobo, n. mother-of-pearl.

taklubán, v. to put a cover.

takóng, n. heel-piece of shoes.

takot, n. fear, fright.

takót, adj. frightened, afraid.

taksi, n. taxi.

táksikáb, n. taxicab.

taksíl, adj. traitor.

táktiká, n. tactics.

takukóng, n. hat or helmet usually made of stripped leaves of palm.

takupis, n. calyx.

takurî, n. teakettle.

takutin, v. to frighten.

takuyan, n. native basket smaller than bakol.

takyád, v. walk on stilts.

takyaran, n. stilts.

tadhanà, n. fate, nature, destiny, provisions (of a law).

tadtád, n. act of mincing. **adj.** chopped.

tadtarín, v. to chop, to mince.

tadyák, n. stamping of the feet.

tadyakán, v. to kick forcefully, stamp upon.

tadyáng, n. rib.

tagá, prep. from.

tagâ, n. fish-hook; a strike with a cutting instrument; the wound cause by a cutting blade.

tagaararo, n. plowman.

tagaayos, n. sergeant-at-arms, coordinator.

tagabilang, n. teller, one who counts.

tagabukid, n. one who comes from the field or farm.

tagák, n. heron, egret.

tagakták, n. downpour, as of perspiration, tears, etc.

tagahalagá, n. assessor.

tagaingat-salapî, n. cashier.

tagaingat-yaman, n. treasurer.

tagál, n. duration, prolongation of time.

Tagalog, n. the Tagalog people and language.

tagamasíd, n. observer, supervisor.

tagamatyág, n. watcher and observer.

tagán, n. a species of fish (Pristis microdon).

taganás, adj. entire, **pron.** all, everything.

tag-ani, n. harvest season.

tagapakinabang, n. beneficiary.

tagapag-alagà, n. care-taker, one who takes care.

tagapagbalità, n. reporter.

tagapagbayad, n. disbursing officer.

tagapaghatíd, n. messenger.

tagapaglutò, n. cook.

tagapagmana, n. heir, heiress.

tagapagpaganáp, n. executive.

tagapamagitan, n. moderator.

tagapamahagi, n. dealer, retailer.

tagapamahalà, n. business manager.

tagapamanihalà, n. superintendent.

tagapamayapà, n. sergeant-at-arms.

tagapamilí, n. buyer.

tagapanagót, n. surety.

tagapaningíl, n. collector.

tagapangasiwà, n. manager, administrator.

tagapangulo, n. chairman,

presiding officer.
tagapayò, n. adviser.
tag-araw, n. summer, sunny day.
tagas, n. leakage (liquĭd).
tagasalungát, n. opposition.
tagasulat, n. clerk.
tagasulit, n. examĭner.
tagasuri, n. auditor.
tagataya, n. assessor.
tagatuós, n. accountant.
tagatustós, n. supplier.
tagausig, n. prosecutor.
tagay, n. toast (with wine) to the health of somebody.
tagayán, n. wine glass or cup.
tagaytáy, n. summit, ridge, range.
tagbisî, n. drought, season of dryness.
tagdán, n. flagpole.
tagdilím, n. season of darkness, moonless nights.
taggináw, n. cold season, winter.
taggutóm, n. famine.
taghók, n. violent coughing.
taghóy, n. lament, lamentation, loud weeping.
tagibáng, n. unsymmetrical, inclined, tilted, unbalanced.
tagibuhól, adj. easy to undo or untie.
tagikaw, n. snout ring.
tagigapay, n. trapezoid.
tagihabâ, n. elongated.

tagihawat, n. pimples.
tagilíd, adj. tilted, inclined; in danger.
tagiliran, n. side.
tagiló, n. pyramid.
tagimpán, n. illusion.
tag-inít, n. summer, hot season.
tagintíng, n. noise made by two metallic objects, tinkling.
tagipós, n. log or lumber that burns poorly.
tagís, n. a whetting.
tagistís, n. rapid dripping, as of sweat, noise produced by such leaking or dropping (liquid).
taglagás, n. autumn fall.
taglamíg, n. winter.
tagláy, adj. carried on one's person, accompanied with or by.
tagnî, n. patch, piece of cloth used as patch.
tagò, n. something kept or hidden.
tagô, adj. hidden.
tagók, n. gulp, swallow.
tagós, adj. penetrating, passing through.
tagpás, v. cut down, as branches of tree, palm leaves, etc.
tagpî, n. patch.
tagpián, v. to patch.

tagpô, n. scene in a play or drama, meeting of two or more persons or objects.

tagpós, adj. penetrating through and through.

tagpuan, n. meeting place, rendezvous.

tagpuín, v. to date, to meet.

tagsalát, n. depression.

tagsiból, n. spring.

tagtág, n. unfastened, detached, loosened.

taguán, n. hide and seek.

tagubilin, n. recommendation, instruction, direction.

taguktók, n. thud.

tagulabáy, n. hives.

tagulamín, v. mildew.

tag-ulán, n. rainy season.

tagulayláy, n. a kind of melody like that used in reading the Passion.

taguling, n. irrigation canal or ditch.

tagumanak, n. pregnant woman about to give birth.

tagumpáy, n. success, victory.

tagungtong, n. sharp, metallic sound.

tagupák, n. abrupt noise of objects striking together, clock.

tagurî, n. nickname appellation, endearing call.

tagurián, v. to give a nickname, to call by a name.

tagwáy, n. tallness and slenderness.

tahák, adj. explored, touched by human feet.

tahakin, v. to explore a new and unfamiliar ground or path, take a short cut.

tahán, v. to live, to reside, to stop crying.

táhanan, n. home.

tahás, adj. direct, clear (referring to speech), concrete, tangible.

táhasan, adj. active (Gram.) adv. directly.

tahaw, n. clearing, (in a place cleared of trees); empty space, vacuity.

tahî, n. sewing.

tahíd, n. cock's spur.

tahiín, v. to sew.

tahilan, n. beam of the house, rafter.

tahimik, adj. peaceful, quiet, silent.

tahíp, n. winnowing, palpitation.

tahipín v. to winnow.

tahô, n. a kind of food made of soybean and syrup usually sold around by Chinese vendors.

tahól, n. bark.

tahulán, v. to bark at.

tahúp, n. corn cob meal.

tahúr, n. gambler.

taimtím, adj. devoted, hearty.

tainga, n. ear.

talà, n. a big star.

talâ, n. notation, notes, record.

taláaklatan, n. bibliography.

talaan, n. list, writing book, register.

tálaang-itím, n. blacklist.

taláarawán, n. diary.

taláb, n. effectiveness as of medicine, weapon and the like, susceptibility (to sickness).

talabá, n. oyster.

talabing n. something that shelters or protects from exposure to the elements.

talabís, n. declivity, slope.

talabóg, n. a kind of fishing trap made of twigs and placed for sometime in a river or stream.

talabsók, n. bolt.

talák, v. talk in a fast, loud voice.

talakay, n. discussion, discourse, term.

talakitok, n. a species of fish (Caranx armatus).

talakop, n. encounter between two or more forces, as in guerilla warfare.

talaksán, n. file, as of firewood.

taláktakín, v. to pass across, go through, esp. a thorny or stony path.

taladora, n. drill press.

taladro, n. drill chuck.

talaga, n. cistern well.

talagá, adv. naturally, intentionally, purposely.

talagáwain, n. agenda, list of things to do or make.

talagos, n. streamline flow.

talahib, n. a species of grass.

talahiban, n. a place overgrown with **talahib.**

taláhuluganán, n. glossary.

talalà, n. the first steps of the child.

talamák, adj. prostrate.

talambuhay, n. biography.

talamitam, n. intermingling, as in a conversation, work, etc.

talampakan, n. sole of the foot.

talampakán, v. to speak to one's face, talk directly (to someone).

talampás, n. plateau, cliff.

talampunay, n. a species of plant (Datura alba).

talán, n. first attempt of a child in learning to speak.

talang n. red clouds at sunset or early morning.

talangkâ, n. river crab.

talangguhit, n. graph.

talaok, n. cock's crow (Var.

tilaok).

talaos, n. bold, daring.

talapyá, adj. flat, blunt, referring esp. to the nose.

talapyâ n. a species of fish also called yellow leather jacket (Var. tilapyà)

talarô, n. scale, balance.

talarok, n. an instrument for measuring the deepness of water.

talas, n. sharpness, keenness.

talásalitaan, n. vocabulary, list of words.

talasan, v. to make something sharp, to sharpen.

talasin, v. to scrape the leaves from the stalk.

talasok, n. prop or cross board used to secure or fasten a door, cotter.

talasók, n. diarrhea.

talastás, adj. known, understood. v. understand, know.

talatà, n. a line in a paragraph.

tálataán, n. paragraph.

talatag, n. arrangement, order, row.

talátinigan, n. dictionary.

taláusapan, n. agenda. list of things to talk about.

talaytáy, n. flow or drip, as of blood or pus from a wound, etc.

talbóg, n. rebound (of a

ball), a dive or plunge.

talbós n. young tender leaves.

talko, n. talc (mineral).

talhák, n. clearing of the throat.

talì, n. tie, string, anything used for tieing.

talian, v. to tie.

talibâ, n. guard, sentinel.

talibaan, v. to act as guard or sentinel, to guard, to watch.

talibás, adj. oblique, aslant.

talibatab, v. wet the lips with saliva.

talibóng, n. poniard, dirk, long dagger.

talibugsô, adj. easy to undo or unite, n. bowknot (Var. talihabsô).

talik, n. a dancing movement.

talík, n. intimacy.

talikakás, v. exert efforts.

talikás, adj. turned over, as a cover.

talikbá, n. deceit, fraud, cheat.

talikdán, v. to turn one's back to.

talikód, v. turn the back, renounce.

taliktík, n. frontier, boundary, resonant voice.

talikupan, (talikop), v. to surround, to encircle the

enemies.

talikupin, v. to be besieged, to be hemmed in.

talihabsô, n. bowknot, **adj.** easy to unfasten or untie.

talilís, v. slip furtively, escape from work or responsibility.

talilong, n. a species of mullet.

talím, n. blade, sharpness.

talimusák, n. a species of fish.

talindáw, n. boat song.

talino, n. talent, intelligence.

taling, n. mole.

taling-bilao, n. coral snake.

talinghabâ, adj. oval, oblong.

talinghagà, n. parable; allegory; figurative story, metaphor.

talipá, n. immature fish.

talipandás, adj. fickle, not constant, changeable, imprudent.

talipapâ, n. small market place.

taliptíp, n. bernacles.

talipyâ, adj. flat-headed.

talisay, n. a species of tree (Terminalia catappa).

talisik, n. keenness of mind.

talisuyò, n. free service, esp. that given by a suitor to a girl or to the family of the girl being courted.

talitis, n. small intestines.

taliwakás, n. abandonment of what was agreed upon.

taliwás, n. exception, evasion of responsibility or agreement.

talo, adj. defeated, beaten.

talob, n. cover, usually made of leaves, cloth, etc.

talón, n, falls, waterfalls, stub (in a check or receipt book. v. jump, leap, deviate (from a course).

talóng, n. eggplant.

talóp, adj. peeled, skinned, decorticated.

talós, v. comprehended. **adj.** known, understood.

talsík, n. splash, splinter, a sudden, bounce or leap as of a chip of wood.

talsikán, v. to splash.

taltál, n. verbal quarrel or argument.

talubatâ, adj. middle-aged.

talukab, n. carapace of crabs, and the like.

talukap, n. eyelid, palm sheath.

talukbóng, n. head covering.

talukbungán, v. to put a veil on.

talukod, n. supporting poles.

taluktók, n. summit, peak, top.

taludtód, n. line (as in verse).

taludturan, n. stanza.

taluhabâ, adj. oblong.

taluhimig, adj. equivocal.

taluhiyáng, n. allergy. adj. allergic.

talulot, n. petàl.

talumpatì, n. speech, oration, address.

talumpók, n. heap of newly harvested palay kept for sometime in the rice field.

taluntón, n. straight line or row.

taluntunín, v. to follow (a pathway) to observe strictly (rules and the like).

talunghabâ, adj. long and with rounded ends.

talungtóng, n. barn, granary.

talunyuhay, n. evolution.

talupàk, n. palm sheath.

talupan, v. to peel off, strip off (skin, bark, etc.)

talusalíng, adj. temperamental.

talusaya, adj. henpecked, uxorious.

talusin, v. to understand.

talutô, n. germ of flowers, cone made of leaves used for holding liquids.

talyasì, n. iron vat.

talyér, n. factory shop.

tamà, adj. correct, right, true.

tamaan, v. to hit the target.

tamád, adj. lazy, indolent.

tamád-tamaran, v. pretending to be lazy.

tamahaníl, n. shingle (for roofing).

tamán, n. perseverance, persistence.

tamarindó, n. tamarind.

tamarin, v. to be lazy, to feel lazy.

tamasain, v. to enjoy.

tamasok, n. mango, tip borer.

tambák, n. heap, pile, mound.

tambakol n. a species of tuna fish.

tambád, adj. exposed to view.

tambál, n. pair, double, reinforcement.

tambalan, n. compound (gram.)

tambán, n. a species of herring.

tambáng, n. poles at the two ends of a trap net.

tambangan, n. the vantage point where hunters watch and wait for their prey.

tambangán, v. to watch for the coming of someone from a hidden place, to hunt upon a vantage point for wild game.

tambáw, n. barking with fear.

tambilang, n. digit.

tambíng, adv. immediately, at once.

tambingán, v. to put an equivalent or equal share.

tambís, v. talk in a roundabout way or indirectly.

tambô, n. species of grass, reed.

tambók, n. convexity, bulge, protruberance.

tambóg, v. dive, plunge.

tamból, n. drum.

tambubong, n. barn, granary.

tambulero, n. drummer.

tambulì, n. horn, bugle.

tambulukan, adj. half-rotten, spoiled, referring only to fish.

tamburín, n. small drum, tambourine.

tambusan, n. balcony.

tamís, n. sweetness.

tamláy, n. temporary weakness (of body and will).

tamô, n. a species of plant.

tamód, n. semen.

tampá, n. advance pay or payment.

tampák, adj. exposed to view, evident, shield against wind or rain.

tampál, n. slap.

tampalasan, adj. malign, prodigal.

tampáy, n. serenity, tranquility.

tampî, n. tight slap.

tampipì, n. small trunk or

chest made of palm leaves, split, bamboo or rattan, etc.

tampisáw, n. playing in the water, splashing it with the hand or feet.

tampók, n. stem of a fruit, breaking of the waves against a rock or shore.

tampól, n. dashing of the waves against the shore or rocks.

tampós, n. malediction, curse.

tampuok, n. column of smoke.

tamuhín, v. to acquire, to realize.

tanak, adj. antique, old as wares.

tanan, v. elope.

tanán, pron. everyone.

tanáw, n. sight, outlook. **adj.** seen or visible from afar.

tanawan, n. a point from one views.

tanawín, v. to look, to see.

tanawin, n. scenery, view, landscape.

tandà, n. sign, mark, age, token, memory.

tandaán, v. to remember.

tandakíl, adj. flat-headed.

tandáng, n. rooster.

tandayag, n. whale.

tandós, n. shaft, lance.

tanikalâ, n. chain.

tanigì, n. a species of fish, tanguingue (spanish mackerel).

taním, n. plant.

taning, n. limit, time allotment.

tanod, n. guard, watchman.

tanóng, n. question, interrogation.

tansô, n. bronze.

tantán, n. cessation, stopping.

tantiyá, n. calculation, estimation.

tantô, adj. known, understand, to realize.

tanyág, adj. well-known, famous, popular.

tangà, n. clothes moth.

tangá, adj. stupid, ignorant, idiot.

tangab, v. cut obliquely.

tangáb, n. harelip.

tangad, v. fetch drinking water from a river or stream.

tangan, n. something held in the hand.

tanganan, v. to hold.

tangantangan, n. a species of tree.

tangáy, n. something carried away as a piece of meat or bone carried by a dog and the like.

tangayín, v. carry away.

tangkâ, n. attempt, intention to do something.

tangkakal, n. support, maintainance, defense, protection.

tangkád, n. slenderness and tallness of stature.

tangkaín, v. plan, intend.

tangkál, n. chicken cage.

tangkalag, n. pulley.

tangkalagín, v. to disband, to break ranks.

tangkalán, n. pulley.

tangkás, n. bundle.

tangkáy, n. stem.

tangkaybɩgà, n. a kind of snake.

tangké, n. reservoir, tank.

tangkíl, n. compartment or division of a house with a separate roof.

tangkilik, n. support, care, help, protection.

tangkilikán, n. mutual aid.

tangkilikin, v. to support, to care for, to protect, to patronize, to help.

tangkilin, adj. easily excited.

tangkô, n. very light touch.

tangkulok, n. hat with a wide brim.

tangga, n. a kind of native game, usually played by young boys.

tanggál, v. loose, disconnected.

tanggáp, v. accepted, received.

tanggapan, n. office, reception room.

tanggapín, v. to accept, to receive.

tanggí, v. deny, refuse. **n.** denial, refusal.

tanggo, n. tango (dance).

tanggulan, n. defense.

tanghál, n. show, display.

tanghalan, n. stage.

tanghalì, n. noon, midday.

tanghalian, n. lunch.

tanghalín, v. to honor, exalt.

tanghaling-tapát, n. midday.

tanghód, v. wait and watch patiently and hopefully.

tanghól, n. effigy, manikin, idiot, fool.

tangì, adj. special.

tangili, v. a species of tree.

tangis, v. weep, cry, lament.

tanglád, n. a species of plant, lemon grass.

tangláw, n. light, lamp, illumination.

tanglawán, v. to light, enlighten, illumine.

tangló, n. beg.

tanglóy, n. calling for the dogs for hunting.

tangô, n. confirmation by nodding, nod, affirmation with a nod.

tangos, n. cape (geography)

prominence, pointedness.

tangtangín, (tangtáng), v. to pull with a jerk, as a rope.

tangwá, n. stand out, just out. **n.** projecting ridge, bridge, edge.

tangwás, n. the end of a street, the boundary of a town or barrio.

tangwáy, n. peninsula.

tao, n. human being, husband.

taób, v. lie with the face downward.

taól, n. a kind of disease of children.

taón, n. year, age.

taóng, n. a kind of water bucket or pail, tub.

taós, adv. through and through from side to side, penetratingly.

tapa, n. dried meat, smoked meat, smoked fish.

tapak, n. footstep. **v.** step on.

tapák, adj./adv. barefoot, barefooted.

tapahin, v. to make tapa out of.

tapal, n. patch, poutice, plaster.

tapang, n. bravery, courage, strength, boldness.

tapát, adj. faithful, sincere, honest, frank, loyal. **n.** opposite.

tapatan, adj. sincere, frank.

tapatín, v. to confess, to talk frankly.

tapayan, n. large eathen jar.

tapete, n. small carpet, rug.

tapî, n. apron.

tapík, n. a tap with the palm of the hand.

tapil, n. a flat, thin and blunt piece of bamboo used for digging.

tapíl, n. flat forehcad.

tapilók, v. trip and sprain the foot.

taping, n. pest (animal), dirt or freckles on the face.

tapis, n. piece of cloth worn by women over the skirt.

tapon, n. something thrown away, an exile.

tapón, n. cork, stopper.

tapós, v. finished, concluded.

tapsák, n. sound of a falling water.

tapusin, (tapos), v. to finish, end, conclude.

tapya, n. mudstone, mudwall.

tapyás, n. a chip, splinter, slant.

tapyukín, v. to trip the leg.

tara, n. tally, allowance for loss in weight.

tarak, n. stake, stab.

tarantá, adj. confused, perplexed.

taráng, n. stamping of the feet in succession.

tarangkahan, n. gate.

taraytaray, n. affected gait.

tarheta, n. card.

tari, n. cock's spur.

tarik, n. precipitousness, steepness.

tarima, n. dais, platform.

taripa, n. tariff, rate.

taritari, n. malicious gossip.

taro, n. porcelain or china jar.

tarók, adj. understood, known, comprehended.

tarol, n. stuffing of wound, catheter.

tarukín, v. to measure the depth of, to sound (depth of water, knowledge, etc.).

tarugo, n. dowel.

tarulin, v. to measure the depth of liquid in a container.

tarundón, n. sloping bank.

tasa, n. cup.

tasá, n. sharp point of a pencil.

tasahán, v. to sharpen, esp. the point of a pencil and the like.

tasik, n. salt water, brine.

tasok, n. peg.

tastás, adj. unstitched, untied, dismantled.

tastasín, v. to unstitch, undo, untie.

tatà, n. appellation for grandfather or father.

tata, n. mark made by sharp edge.

taták, n. stamp, mark, seal, writer's style.

taták-kalakal, n. trade mark.

tatagukán n. Adam's apple

tatal, n. chips of wood, splinter.

tatang, n. appellation for father.

tatás, n. a child's ability to speak intelligently and fluently.

tatáw, n. doll.

tatay, n. father, appellation for father.

tatló, n./adj. three.

tatsó, n. sugar, evaporator.

tatyaw, n. breeding cock, rooster.

tauhan, n. personnel.

tauhin, n. sex.

táunan, adv. annually, yearly.

taós-pusò, adj. cordial, heartfelt.

tawa, n. laugh.

tawák, n. a person immune from snake bites and can cure with his saliva a snake-bitten person, quack.

tawad, n. haggle, bargain, pardon.

tawag, n. call, name.

tawagin, v. to call.

tawang-aso, n. sarcastic laugh.

tawas, n. alum.

taway, n. a strike, as with a bolo at arm's length.

tawíd, v. cross, as a street or river.

tawilis, n. a species of fish.

tawíng, adj. hanging and swaying pendant.

tawisî, n. malformation, askew, awry.

taya, n. calculation, estimation.

tayâ, n. a wager, bet.

tayabutab, n. a wet, spongy ground.

tayakád, n. a portable nipa shed.

tayangtáng, n. rubbish, refuse.

tayangtáng, adj. overheated or overtoasted.

tayasín, v. to chip off, to cut obliquely.

tayo, pron. we.

tayô, v. stand up.

tayog, n. height, altitude, elevation.

tayom, n. indigo, dye.

tayong, n. delay or temporary suspension of work.

taytáy, n. bamboo bridge.

tayuán, v. to stand for, to guarantee.

tayubasi, n. metal filings.

tayukód, n. forked pole.

tayudtód, v. lean or rest on the cane.

tayuman, n. place for dyeing clothes.

tayutay, n. figure of speech.

taywanák, n. soft bamboo.

teatro, n. theatre.

teklado, n. keyboard of piano.

téknikó, n. technician.

tela, n. cloth, fabric.

telegrama, n. telegram.

telegrapiya, n. telegrahy.

telegrapó, n. telegraph.

telépono, n. telephone.

teleskopyo, n. telescope.

telón, n. curtain, screen.

temperatura, n. temperature.

templo, n. temple.

tenedór-de-libro, n. book-keeper.

tenis, n. tennis.

tenyente, n. lieutenant.

términó, n. completion, end, limit.

termometro, n. thermometer.

termos, n. thermos bottle.

terno, n. suit of apparel.

terorista, n. terrorist.

térsiyá, adj. third. **n.** one third.

tesorero, n. treasurer.

testadór, n. testator.

testamento, n. testament, will.

testigo, n. witness.

testimonya, n. testimony.

testo, n. text.

tianak, n. frankster, sprite, elf.

tibâ, adj. cut down.

tibak, n. foot disease, a peeling of the sole.

tibadbád, n. false alarm or news.

tibág, n. landslide, a dramatization of the finding of the Holy Cross presented during the holy week.

tibaín, v. to cut down, as a banana plant.

tibalbál, adj. plump and round, flabby.

tibalsík, n. foam blown from waves.

tibalyáw, n. correct news.

tibatib, n. a kind of small-pox, dirt of the skin.

tibaw, n. a sort of a party in memory of a dead person usually held on the ninth day with prayers.

tibay, n. strength, durability.

tibayan, v. to strengthen, to be courageous.

tibò, n. big thorn of fish.

tibók, n. palpitation.

tibog, v. run after, drive away.

tibong, n. steepness, as roof of a house.

tibtíb, n. sugar cane point.

tibubos, adj. true, real, fine, unmixed.

tibukán, v. to feel, to palpitate.

tika, n. proposition, intention, repentance.

tikà, n. a species of bird (Phil. ashy crake).

tikâ, adj. lame, limping.

tikán, n. a species of clam. (Var. of tikhan).

tikáp, n. glimmer, feeble light, as of a candle.

tikas, n. bearing, form, figure, carriage.

tikatík, n. continuous but light rain.

tikhán, n. a species of clam (Pharella acutidens).

tikhím, n. soft cough sometimes purposely done to call attention.

tikím, v. taste, try by tasting.

tikín, n. pole.

tikís, adj. intentional.

tikisín, v. to spite, vex, irritate, annoy.

tikláp, adj. unglued, detached, disjoined.

tiklapín, v. to detach, unglue, separate.

tiklíng, n. a species of bird (Phil. rail).

tiklís, n. a big basket with two handles at the edge.

tiklóp, adj. folded.

tikluhod, v. kneel.

tiklupín, v. to fold as clothes.

tikmán, v. to taste.

tikód, adj. lame, limping, cripple.

tikóm, adj. closed. shut. as a mouth.

tikop, n. perimeter, periphery. adj. encircled, surrounded.

tiktík, n. spy, detective, a kind of bird (Apira) and its song.

tikupin, v. to encircle, surround, as enemies.

tikwás, adj. tilted back.

tikwasín, v. to raise or lift with a lever, to tilt, incline.

tigagal, adj. lazy, indolent, sluggish. n. obstruction, impediment.

tigang, n. extreme dryness.

tigáng, adj. dry.

tigás, n. hardness, tenacity.

tigatig, n. annoyance, vexation.

tigatigin, v. to annoy, excite to action.

tigbí, n. a species of grass, the fruit of which is used for beads (Coix lachyma jobi). job's tears.

tigkál, n. lump.

tigdás, n. measles.

tigháw, n. alluration (of physical or mental trouble).

tighím, n. cough (once only).

tighóy, n. temporary stopping of rain.

tigíb, adj. overburderned, overloaded, filled.

tigil, v. stop.

tigíl, adj. dilatory, slow.

tigis, n. sediments of liquid.

tigiti, n. the young of kanduli fish.

tigmák, adj. soaked, wet.

tigók, n. sound produced in the throat, as when gulping water.

tigpás, v. cut with one stroke or blow.

tigpasín, v. to cut down.

tigpáw, n. a kind of trap for catching sea crabs at night, nightmare.

tigpô, n. shooting mark or target.

tigtíg, adj. shaking and jerking.

tihayà, v. lie on the back.

tiisín, v. to suffer, bear, endure, tiisin, **n.** suffering.

tila, adv. perhaps, maybe.

tilà, n. cessation, stopping, as of rain.

tilád, n. small pieces of hard objects, as of wood.

tilalay, n. a loud call from a distance.

tilamsík, n. a spatter, splash.

tilandáng, n. the flying asunder, as of chips of wood.

tilandóy, n. violent issue of liquid.

tilaó, n. uvula, hanging palate

tilaok, n. cock's crow.

tilapyâ, n. a species of fish (Scomberoides lysan).

tilarín, v. to chop wood into pieces.

tilasok, n. diarrhea (Var. of tulasok).

tilay, n. slight scald or burn.

tilî, n. shriek, shrill, wild cry.

tilis, n. lye, lixivium.

tilos, n. pointedness, the pointed end.

tilós, adj. pointed.

tim, n. team (sports).

timák, n. humid lowland.

timbâ, n. bucket, pail.

timbabalak, n. skink, lizard-like reptile.

timbál, n. kettledrum.

timbáng, n. weight. **adj.** balance, in equilibrium.

timbangan, n. balance, scale.

timbáw, n. addition to the contents of a container.

timbóg, v. dive, plunge.

timbós, n. extra or spare part, reserve object.

timbre, n. seal, stamp, call bell or buzzer.

timbulan, n. life buoy, life preserver.

timbuwáng, adj. fallen down on the back with the legs and arms outstretched.

timik, adj. quiescent.

timig, n. humidity, moisture, dampness.

timog, n. south.

timog-kanluran, n. southeast.

timpalák, n. contest.

timpalák-bigkasan, n. declamation contest.

timpalák-kagandahan, n. beauty contest.

timpalák-tálumpatián, n. oratorical contest

timpî, n. temperance, moderation, self-control.

timplá, n. mixture, seasoning.

timsím, n. the medulla of a certain kind of rattan used as a wick of an oil lamp.

timtím, n. sufferance, patience.

timyás, n. full and fat grains of rice husked or unhusked.

tinà, n. indigo, dye.

tinag, n. movement usually used in the negative as **Waláng tinag.**

trópikó, n. tropic.

tinapá, n. smoked fish.

tinapay, n. bread.

tinasilya, n. curling irons.

tindá, n. merchandize or goods for sale.

tindág, n. brilliance, as of splash of water at night.

tindahan, n. store.

tindalô, n a species of tree (Pabudia rhomboidea).

tindero, tindera, n. storekeeper, shopkeeper.

tindí, n. gravity, seriousness, intensity as of pain.

tindíg, n. posture. **v.** stand erect.

tiník. n. thorn.

tinidor, n. fork.

tinig, n. voice.

tining, n. sediment, lees, dregs, serenity, calmness.

tiníp, n. a fellow of few words.

tinis, n. shrillness of voice.

tinitirhan, n. address, place where one lives.

tinô, n. righteousness, moral integrity.

tinta, n. ink.

tíntero, n. inkstand, inkwell.

tintura, n. tincture.

tingá, n. particles of food felt between the teeth after eating.

tingadngád, adj. tilted with one end turned up.

tingalâ, v. look up.

tingáy, adj. unaware.

tingkâ, n. fowl's crop or craw.

tinubuang lupà, n. native country.

tingkáb, adj. dislodged, detached, open with force.

tingkád, n. brightness, as of color, intensity, as of sun's heat.

tingkál, n. lump of earth, clod.

tingkayád, v. to sit on the heel.

tinggâ, n. lead (metal).

tinghád, n. strain the neck to see something above the eye level.

tinghóy, n. a kind of wick lamp fed by oil contained in a concave shallow clay or copper bowl.

tingî, n. retail business transaction, discrimination

tingín, n. look. **v.** look, see.

tingnán, v. to look.

tingtíng, n. midrib of palm leaves used for making brooms.

tipák, n. a split, as of firewood, a species of solid material, lump of earth, clod.

tipaklóng n. a species of grasshopper.

tipán, n. covenant, testament, as the old and new testament.

tipanan, n. date, appointment.

tipî, adj. pressed, compressed, massive.

tipík, n. particle, small solid piece.

tipíd n. economy.

tipiín, v. to press, compress.

tipirín, v. to economize.

tipo, n. notch, nick, indentation.

tipô, adj. notched, indented.

tipo, n. type (print), class, kind.

tipón, adj. gathered, collected, assembled.

tipunggól, adj. irregularly short in size.

tipus, n. typhus.

tirá, n. left over.

tirada, n. throw, issue, edition, printing.

tiradór, n. slingshot.

tirahán, v. to live, reside in a certain place or house.

tirahan, n. residence, habitation.

tirante, n. suspender for trousers.

tirintás, n. trees, braid of

hair.

tirisín, v. to crush between the thumb nails, as a louse.

tisà, n. tile, chalk.

tisis, n. tuberculosis, consumption.

tisod, v. trip the foot.

tistís, n. surgical operation, hewing or cutting of lumber.

titik, n. letter of the alphabet.

titig, n. stare, square look.

titis, n. cigar or cigarette ash.

títuló, n. title, degree.

tiwa, n. intestinal worm.

tiwakál, n. suicide, self-destruction.

tiwalà, n. trust, confidence, faith.

tiwalág, adj. separated, segregated, removed, dropped (from an organization).

tiwalî, adj. inverted, incorrect, erroneous.

tiwangwáng, adj. widely open, totally exposed.

tiwarík, adj. upside down.

tiwás, adj. inclined, tilted, askew, devious.

tiwasáy, adj. calm, composed secure.

tiyá, n. aunt.

tiyab, n. notch, as on tree trunk, post, etc.

tiyák, adj. certain, sure

tiyakád, n. bamboo stilt.

tiyakín, v. to ascertain, to be sure of.

tiyád, v. tiptoe. **adj.** on tip toes.

tiyagâ, n. perseverance.

tiyán, n. stomach.

tiyanì, n. tweezers.

tiyáp, n. engagement, appointment, accomplice.

tiyapan, n. appointment.

tiyempo, n. time, timing (Mus.)

tiyó, n. uncle.

tokadór, n. dressing table.

toksikolohiya, n. toxicology, the science which treats of poisons, their effects, antidotes, and recognition.

todo adj. all, whole.

toga, n. academic gown.

tonelada, n. ton.

tono, n. tone, tune.

tore, n. tower, castle.

torero n. bullfighter, lean.

tornasól, n. litmus paper.

torneo, n. tournament.

toro, n. bull.

torpe, adj. stupid, dull.

torta, n. omelet.

totalitaryanismo, n. totalitarianism.

totalitaryo, adj. totalitarian.

totoó, adj. true.

totohanin, v. to make true.
trabaho, n. work, labor.
trak, n. truck.
trahe, n. costume, dress, apparel.
trahedya, n. tragedy.
traidór, n. traitor, betrayer. adj. treacherous, traitorous.
transaksiyón, n. transaction.
trangka, n. door fastener.
trangkaso, n. influenza, flu.
trápikó, n. traffic.
trapitse, n. sugar mill.
trapo, n. rag.
trato, n. treatment, deal pact, agreement.
treinta, n./adj. thirty.
tren, n. train, railway train.
tres, n./adj. three.
trese, n./adj. thirteen.
trimestrál, adj. quarterly.
trimestre, n. quarter period of three months.
tripulante, n. a crewman.
trombón, n. tombone.
trompa, n. proboscis of an elephant.
trono, n. throne.
tropeo, n. trophy.
trópikó n. tropic.
troso, n. timber.
tsa, n. tea (Var. tsaá).
Tsabakano, n. contact vernacular of Spanish.
tsaleko, n. a kind of garment

or jacket worn by women, waistcoat.
tsalét, n. chalet.
tsamba, n. good luck, guess.
tsek, n. check.
tseke, n. check (banking).
tses, n. chess (game).
tuba, n. a species of plant (Croton tiglium).
tubâ, n. native coconut wine.
tubal, n. dirt on clothes.
tuberkulosis, n. tuberculosis,
tubig, n. water.
tubigan, v. to put water on.
tubigán, n. a kind of children's game.
tubo, n. chimney, tube, pipe.
tubò, n. gain.
tubó, n. sugar cane.
tubóg, adj. soaked, submerged.
tubós, n. redemption.
tubuan, v. to have sprout.
tubusan, n. pawn shop.
tubusín, v. to redeem.
tukâ, n. bill.
tukaín, v. to peck.
tukang, n. featherless bird or fowl.
tukaról, n. cowl, monk's hood.
tukayo, tukaya, n. namesake.
tukbóng, n. head covering (of nuns).
tukil, n. liquid container made of bamboo.

tukláp, adj. detached, disjoined.

tuklás, n. discovery.

tukláw, n. bite (as a snake).

tuklóng, n. a temporary structure usually made of bamboo and nipa used as a place of worship, especially during the month of May.

tukmô, adj. haphazard.

tukô, n. gecko.

tukod, n. standard of a plow; support.

tukól, n. even number; rice plant with stems bending due to ripening grains.

tukong, n. tailless fowl or bird.

tukoy, n. indirect reference, mention, allusion.

tuksó, n. temptation.

tuktók, v. knock at the door. **n.** crown of the head, mountain top, peak, summit.

tukud-siko, n. funny bone.

tukuyín, v. to point out, specify.

tudlâ, n. aim.

tudling, n. furrow, column.

tudlók, v. prick, puncture.

tudyó, n. tease, parody.

tugatog, n. hill, top, height, altitude.

tug:, n. a species of plant (Dioscorea).

tugis, v. pursue, run after.

tugmâ, n. rhymes.

tugnás, adj. totally burned, as fire woods, melted, liquified.

tugón, n. reply, answer.

tugóy, n. a swing, oscillation.

tugpá, v. go to a landing place or to a river. **n.** load of a ship, cargo.

tugtóg, v. play on a musical instrument, ring a bell. **n.** the music produced, strike of a clock to announce the time.

tugtugin, n. music.

tugtugín, v. to play a music piece or selection.

tuhod, n. knee.

tuhóg, adj. strung together or pierced through and linked together.

tuhugin, v. to string or link together, as beads, sampaguita flowers, fish, etc.

tul, n. tulle.

tula, n. a kind of disease of the mouth of a newly born babe.

tulâ, n. poem, poetry.

tulak, n. a push, shove, departure as of a boat.

tulakis, n. doggerel.

tulad, adj. like, same, as.

tulág, n. spear, lance.
túlain, n. poesy, poem.
tulalâ, adj. ignorant, simple.
tulambuhay, n. metrical tale.
tulas, n. liquefaction, melt-
ing, grease, fats.
tulasók, n. diarrhea (Var.
tilasók).
tuláy, n. bridge.
tulayán, v. to cross the
bridge.
tuldík, n. accent.
tuldikán, v. to accent.
tudók, n. period, dot (punc-
tuation mark).
tulík, adj. multicolored.
tuliktulík, n. the waning of
light.
tulíg, adj. deafened by shock.
tuligín, v. to render deaf.
tuligsâ, v. criticism.
tuligsaan, n. an exchange of
destructive criticism.
tuligsain, v. to criticize,
destructively.
tulin, n. velocity, speed,
rapidity.
tulingág, adj. stunned,
stupefied, bewildered.
tulingan, n. a species of fish.
tuliró, adj. confused, puz-
zled.
tulis, n. point.
tulís, adj. pointed.
tulisan, v. to make pointed.
tulisán, n. robbers.

tulò, n. leak, drip.
tulók, n. ear disease.
tulod, n. candle of a banana
plant or palm.
tulóg, adj. asleep.
tulog, n. sleep.
tulong, n. help, aid, support.
tulos, n. stake, pile.
tulóy, v. live temporarily in
another's house, continue,
proceed, go ahead, ad-
vance.
tuluan, v. to be wet because
of drips.
tulugan, v. to sleep on.
tulugán, n. bedroom.
tulutan, v. to permit, allow.
tuluyan, n. prose.
tulyá, n. a species of clam
(Corbicula fluminea).
tulyapis, n. unsubstantial
grain.
tuma, n. tiny insects on
fabrics.
tumaás, v. to become higher.
tumabì, v. to get out of the
way.
tumagistís, v. to fall freely
(as of tears).
tumaláb, v. to take effect
tumaldík, v. to trip, to per-
form nimbly (as a dance).
tumalikod, v. to turn one's
back.
tumali, n. vertical piece of
wood or bamboo placed on

the walls of a house.

tumalima, v. to obey.

tumalón, v. to jump.

tumalungkô, v. to squat.

tumanà, n. land on river bank, vegetable patch.

tumanod, v. to keep guard.

tumantiyá, v. to estimate.

tumbá, adj. tumbled down, fallen down.

tumbaga, n. alloy of gold and copper.

tumbalík, v. inverted.

tumbás, n. equivalent.

tumbasán, v. to give equal share, to give equivalent.

tumbóng, n. rectum.

tumbukan, n. collision.

tumbukín, v. to strike against an object.

tumikód, v. to walk lamely, to limp.

tumikom, v. to shut close, as

tumikom, v. to shut, close, as

tumimò, v. to lodge.

tumingín, v. to see, look, to take care, protect.

tumipas, v. to escape.

tumok, n. thickness or closeness of grass, creeping vines, etc.

tumór, n. tumor.

tumpá, n. direction, proper, route.

tumpák, adj. correct, proper, right.

tumpahin, n. (fig.) horizon, ambition.

tumpók, n. heap, mound, pie.

tumugot, v. to yield.

tumulóy, v. to go on, to drop in.

tumumbá, v. tumble down.

tumuntóng, v. to stand on.

tumunggâ, v. to drink.

tumurò, n. the span between the ends of the extended thumb and forefinger.

tunáw, adj. dissolved.

tunay, adj. true.

tundô, n. thrust.

tundós, n. hill.

tunél, n. tunnel.

tunis, n lard

tunód, n. dart, short lance. arrow.

tunóg, n. sound, timbre.

tuntungan, n. platform, pedestal.

tuntungán, v. to step on (something).

tungâ, n. slug.

tungangà, adj. open mouthed, as when one is curious or surprised.

tungáw, n. a kind of tiny insect.

tungayaw, n. an insulting and dirty language.

tungkáb, adj. open with force.

tungkabín, v. to open forcefully.

tungkód, n. cane.

tungkól, prep. with reference to.

tungkulin, n. duty, obligation

tunggâ, v. gulp down a drink.

tunggák, adj. unfit.

tunggálian, n. rebuttal, conflict.

tunglán, n. downy mildew.

tungó, n. bow the head, stoop. **adj.** with bowed head.

tungod, prep. referring to, about.

tungtóng, n. cover for pots or jars.

tulod, n. banana shoots.

tunóg, n. sound.

tuód, n. stamp of root.

tuóng, n. water barrel of metal, tun.

tuós, n. settlement.

tupa, n. sheep.

tupád, v. comply with, fulfill (a promise).

tuparín, v. to fulfill.

tupî, n. fold, plait, pleat.

tupók, adj. burned or burnt.

turan, v. to point out, indicate, name.

turba, n. peat.

turban, n. turban.

Turko, n. Turkish people or language. **adj.** Turkish.

turismo, n. torismo.

turista, n. torist.

turnilyo, n. screw.

turno, n. turn, alternate order.

turók, n. stag (just beginning to branch in horns); injection.

turukán, v. to inject (medicine).

turò, n. nipa bat.

turote, n. tort, as a horse.

turumpó, n. top (toy).

tusak, n. superabundance, oversupply.

tusino, n. bacon.

tuso, adj. astute, wily.

tusok, n. piercing, prick.

tustado, adj. toasted.

tustós, n. allowance.

tustusán, v. to support.

tusukin, v. to prick.

tutà, n. puppy.

tutok, n. point (as of gun).

tutog, n. snuff of a cigarette or cigar.

tutol, n. opposition.

tutóng, n. burned part of boiled rice.

tutóp, n. trimmings.

tutos, n. running stitch.

tutubí, n. dragon fly.

tutukan, v. to point a gun on somebody.

tutugán, n. ashtray.

tutulí, n. ear wax.

tutupán, v. to put trimmings on.

tuusín, v. to settle, to liquidate.

tuwâ, n. gladness.

tuwabak, n. a species of herring (Ilisha hoevenii).

tuwád, adj. with the buttocks protruding backward and the head forward.

tuwalya, n. towel.

tuwangan, n. coordination.

tuwangán, v. to help.

tuwî, adv. often, everytime.

tuwíd, adj. straight.

túwirang layon, n. direct object (Gram).

tuyâ, n. sarcasm.

tuyaín, v. to mock, to make fun of.

tuyô, adj. dry, dried. n. fish herring, consumption, tuberkulosis.

tuyót, adj. totally dried.

—U—

U, u, the eighteenth letter of the Pilipino alphabet.

ubad, n. dowry.

uban, n. gray hair.

ubas, n. grapes.

ubas, n. woman's first bath after menstruation.

ubi, n. a species of plant (Discorea alata), yam.

ubó, n. cough.

ubò, n. transplanting as of palay.

ubod, n. pith, heart or the very center as of palm, rattan, etc., core, gist, substance.

ubós, adj. used up, exhausted consumed.

ubusin, v. to consume, exhaust, use up.

ukab, n. big bite at the side

or edge.

ukang, n. laziness due to old age.

ukilkíl, n. persistent asking or requesting.

ukilkilín, v. to ask or request persistently.

ukit, n. carving, sculpture, engraving.

ukló, n. stoop, hump. adj. stooping, humping due to heavy weight on the back or shoulder.

ukò, n. babble of infants.

uk-ók, n. boring in, as of a pus.

ukol, prep. for.

ukupahán, v. to occupy.

ukyabít, v. to grasp forcefully with the hands.

udlót, v. draw back, fall

back.

udyók, n. excitement, inducement, provocation.

udyukán, v. to incite, to induce, provoke.

ugâ, adj. shaken, loose and shaking, as tooth.

ugagà, n. movement usually used in negative form, as **di-makaugagà**, could hard-**di-makaugagà**, could hard-illness.

ugalì, n. custom, habit.

ugát, n. root, vein, cause, source as of trouble.

ugit, n. beam of the plow, rudder.

ugmâ, adj. fit, adjusted, proper.

ugnayan, n. connection, union, relation.

ugnayán, v. to increase the length, unite, join, connect.

ugók, n. a low, heavy rolling sound. **adj.** stupid, silly.

ugód, adj. extremely weak or feeble due to sickness or old age.

ug-óg, n. violent shake.

ugong, n. roaring sound as of a gale, deafening uproar.

ugóy, n. swinging, rocking.

ug-ugín, v. to shake violently

ugwák, n. bubbling sound, a

gushing of liquid.

uhâ, n. cry of a new born babe.

uhales, n. buttonhole.

uhaw, n. thirst.

uháw, adj. thirsty.

uhetes, n. eyelets.

uhô, v. to pour out as grains from a sacks.

uhog, n. mucus.

ulak, n. reel, spool.

ulag, n. molting of fowls.

ulalo, n. caterpillar that eats tubers.

ulam, n. viand.

ulán, n. rain.

uláng, n. lobster.

ulap, n. cloud, fog, mist.

ulat, n. report account.

ulayaw, n. harmonious relation or intercourse

ulbô, n. pigpen, pigsty.

uldóg, n. priest, lay brother.

ule, n. carecloth.

ulì, adv. once more, once again, again.

ulianin, adj. forgetful (due to senility.).

ulikbâ, n. fowl with black meat.

ulila, n. orphan.

ulinigin, v. to hear distinctly.

uling, n. charcoal.

ulipores, n. servile dependent.

ulirán, v. model, pattern, example.

ulirát, n. consciousness, sense of feeling.

ulitin, v. to repeat, to do again.

uliuli, n. whirling current, eddy.

ulí-ulî, adv. next time.

ulók, n. incitement, instigation, provocation.

ulok, n. a species of aquatic bird (moorhen).

ulog, v. move from one town or barrio to another.

ul-ól, n. addition, increase in content.

ulól, adj. fool, mad, crazy.

ulót, n. provocation.

úlserá, n. ulcer.

ultimatum, n. ultimatum.

últimó, adj. last, final.

ulukan, v. incite, instigate, provoke.

ulugin, (ulog), v. to shake as a tree to let the fruit fall or one who is asleep, to wake him up.

uluhán, adj. big-headed.

ulumbayan, n. head of the town, capital.

ulunán, n. direction of the head.

ulupóng, n. a species of poisonous snake, cobra.

ulusin, v. to pierce with a pointed weapon.

uluuló, n. tadpole.

ulyabid, n. tapeworm.

umaga, n. morning.

umagahin, v. to be caught by dawn.

umalapaw, v. to clamber, said of animal, as of carabaô.

umalatwát, v. to re-echo.

umalimbukáy, v. to surge upward.

umalingasaw, to give out a strong odor, to spread out.

umalingawngáw, v. to be repeated in whispers, to echo.

umang, n. trap, snare, allurement.

umangkát, v. to import.

umasistí, v. to assist, help.

umat, n. dilatoriness, procrastination.

umbók, n. convexity, convex, bulkiness.

umbrál, n. doorsill.

umbuyan, n. curing house.

umibag, v. to wince, dodge.

umibís, v. to alight.

umíd, adj. timid, shy.

umidlíp, v. to take a nap.

umigíb, v. to fetch water.

umilandáng, v. to be thrown away or far.

umilíng, v. to shake one's head.

umis, n. smile with dislike.

umisip, v. to think of.

umitín, v. to filch, pilfer.

umiyák. v. to cry.

umpís, adj. deflated. flat, pressed.

umpók, n. small group of people huddled together.

umpóg, n. bump (of not so big objects).

umugin, v. to beat to helplessness.

umulán, v. to rain.

umulpót, v. to emerge.

umultáw, v. to emerge.

umurong, v. to go back, to retreat.

umutang, v. to owe, borrow.

una, adj. first.

unahán, n. front.

unahan, v. to be ahead, to be first.

unan, n. pillow.

unat, v. stretch (body).

unát, adj. stretched, straightened.

unatin, v. to straighten, to smoothen.

unawain, v. to understand, comprehend.

undáp, n. flickering of light.

undót, v. fall back, draw back, offer.

unibersidád, n. university.

uniporme, n. uniform.

unlád, n. progress, growth, advancement.

unlapì, n. prefix.

unós, n. wood borer, drywood termite, weevil, fog, storm.

unsík, n. smallness.

unsiyamî, n. stunted growth, frustration.

untagín, v. to remind someone of what has been forgotten.

untí-untî, adv. little by little, slowly.

untóg, n. bump, (of the head).

untós, n. dimunition, decrease, discount.

unyón, n. union.

ungâ, n. the lowing of the carabao.

ungal, n. continuous and loud weeping.

ungás, n. stupid, ignorant.

ungkatín, (ungkát) v. to recall, bring up again.

unggóy, n. monkey.

ungguwento, n. ointments.

ungî, adj. tilted, unbalanced.

ungol, n. grunt, growl, grumble.

ungós, adj. projecting, protruding, prominent.

ungót, n. mumble of a child especially when asking for something.

uod, n. worm.

upa, n. remuneration, payment for service rendered, rent.

upak, n. sheathing, as of palm, banana plant, etc.

upang, conj. so that, in order that, in order to.

upaop, n. cigar.

upasalà, n. abuse in words, malevolence, invective.

upatan, v. to abet, to incite.

upaw, n. baldness.

upáw, adj. bald-headed, bald.

upisina, n. office.

upo, n. common gourd.

upô, v. sit down, be seated.

upós, n. cigarette or cigar stub.

úpuan, n. seat, chair, bench.

upungin, v. to feed fire with dry stick or firewood.

urang, n. long and slender stake employed in making fences.

uranyo, n. uranium.

uray, n. pigweed.

urbanidád, n. manners, courtesy, politeness, refinement.

urì, n. kind, quality, class.

uriin, v. to classify.

urilis, n. a species of fish (Linnaeus's hardtail).

urinola, n. chamber pot.

urirà, n. tease, jeer, redicule.

úruraín, adj. prone to teasing or redicule.

urong, v. to step back, retreat, shrinkage, as of cloth.

uróy, n. sneer.

uryá, n. selvage.

usá, n. deer, slag.

usad, v. move on the buttocks.

úsapan, n. conversation.

usapín, n. litigation, suit, case (legal).

usbóng, n. sprout, bud, protrusion, projection.

usig, n. investigation.

usigin, v. to investigate, persecute.

usisà, n. inquiry.

usisain, v. to inquire, to look into the matter.

uslák, adj. foolish, silly, stupid, feebleminded.

uslî, adj. protruding, projecting.

uso, n. fashion, style.

usok, n. smoke, fume.

usog, n. flatulence.

us-ós, adj. slipping or gliding down.

usong, n. cooperation.

usungin, v. to carry an object with the help of one more person.

usurero, n. usurer.

utak, n. brains.

utál, adj. stammering.

utang, n. debts, indebtedness.

utangan, v. to owe someone

something.

utangin, v. to owe.

utás, adj. finished, accomplished, terminated.

utaw, n. soy-bean.

utáy-utáy, adv. little by little, foot by foot, slowly.

utero, n. uterus.

utitab, n. mucous film over the eyeballs.

utô, n. simpleton, fool.

utód, adj. cut off, worn-out.

utog, n. libido.

Utopya, n./adj. Utopia.

utos, n. order, command, commandment.

utót n. fowl air.

utu-utô, adj. foolish, silly.

utusán, n. hired helper, servant.

utusan, v. to order, to command.

ut-utín, v. to suckle, suck.

uúm, n. nightmare.

uwák, n. crow, raven.

uwáng, n. beetle.

uwáy, n. rattan.

uwî n. something brought home as candies for the kids.

umuwî, v. to go home.

uyám, n. mockery, sarcasm, irony.

uyamín, v. to be sarcastic.

uyan, n. recoupment.

uyayì, n. lullaby.

—W—

W, w, n. nineteenth letter of the Pilipino alphabet.

wakás, n. end, last finish.

wakasán, v. to end, to finish, to stop.

wakawak, adj. opened.

wakwák, n. tear, rent.

wagás, adj. unfeigned, true, pure, sincere.

wagaywáy, n. waving (of the flag or the hand).

waglít, adj. misplead, mislaid.

wagwág, n. act of shaking something.

wailin, v. to twist violently.

walâ, n. absent, **pron.** none, no one. **adj.** not any, absent. **adv.** not at all. **prep.** without.

waláng-bisà, adj. ineffective, void.

waláng-habas, adj. unrestrained.

waláng-hanggán, n. eternal.

walanghiyâ, adj. shameless.

waláng-humpáy, adv. without ceasing.

waláng-muwáng, adj. without sense, ignorant, innocent.

waláng-walâ, adj. poor, dead
broke.

walát, adj. destroyed.

waldás, n. squanderer.

waldasín, v. to squander, to
spend money like water or
extravagantly.

walís, n. broom.

walisán, v. to sweep, as a
floor, ground, etc.

walisín, v. to sweep away.

waló, n./adj. eight.

waluhan, adj. with a capa-
city for eight, by eight.

waluhang-gilid, n. octagon.

walumpû, adj. eighty.

wangkî, n. similarity, like-
ness, resemblance.

wanlâ, n. weaving with pat-
terns.

wari-warì, n. a vague idea or
opinion.

wasák, adj. totally destroyed,
demolished.

wasakin, v. to destroy com-
pletely.

wastô, adj. correct, right.

waták-waták, adj. separated,
scattered, not united.

watawat, n. flag, banner.

watíng-watíng, n. temporary

dimness of the eyesight.

wawà, n. mouth of a river,
nonsense.

wawagá-wagaywáy, adj. wav-
ing, as a flag.

waywáy, n. a long piece, as
of sugar cane, a bamboo,
wood, etc.

weko, n. vacuum.

welga, n. strike.

welgista, n. striker.

wikà, n. language.

wikain, v. to say.

wikaín, n. dialect, saying
maxim.

wilí, adj. interested, accus-
tomed.

wilíg, n. act of sprinkling
with the fingers, spray
(liquid).

wiligán, v. to sprinkle water
or liquid.

windáng, adj. torn into tot-
ters.

wiski, n. whisky.

wisík, n. spray.

wisikán, v. to spray.

wisit, n. good-luck charm,
source of annoyance; big
red ants that do not bite.

—Y—

Y, y, n. twentieth letter of the Pilipino alphabet.

yábág, n. footstep.

yabang, n. boastfulness.

yabat, n. debris, rubbish.

yabong, n. growth, luxuriant foliage.

yakagin, v. to induce, to ask.

yagáng, adj. scrawny.

yagít, n. rubbish.

yagóng, adj. scrawny, scraggy.

yagyág, n. trot, trotting.

yahod, n. contact of surfaces.

yaman, n. riches, wealth.

yamás, n. bagasse.

yamót, n. annoyance, boredom.

yamungmóng, n. expansion, enlargement, favor; grace. mantle.

yamutín, v. to annoy.

yamutmót, n. refuse, rubbish.

yamutyót, v. to sag.

yamuyam, n. scrapings.

yanigín, v. to shake, to vibrate.

yantás, n. rim of the wheel.

yantók, n. rattan.

yangót, n. thick hair or beard.

yaón, pron./adj. that.

yapa, n. tastelessness said of solid food.

yapak, n. footprints.

yapák, adj. barefooted.

yapakan, v. to step on.

yapós, n. embrace.

yapusan, n. necking.

yapusín, v. to embrace.

yapyáp, n. talk, gab.

yarda, n. yard (length).

yarì, n. product.

yarí, pron./adj. this.

yarì, adj. manufactured, finished, made.

yariin, v. to finish to make.

yasakin, v. to tramp heavily on so as to bruise.

yasyás, n. scrapings, filings.

yasyasín, v. to scrape.

yatà, adv. perhaps, maybe.

yatab, n. small hand sickle.

yatyát, n. gnawing an object.

yawe, n. key.

yaya, n. governess, child's nurse.

yayà, n. invitation.

yayain, v. to invite, to persuade.

yayamang, yamang, conj. since, in as much as.

yayát, adj. emaciated, thin.

yelo, n. ice.

yema, n. yolk of an egg.

yero, n. galvanized iron

sheet.

yeso, n. chalk.

yodo, n. iodine.

yoyò, n. a kind of toy.

yukayók, adj. crestfallen.

yukô, adj. stooped.

yukód, n. salute, stoop, a slight nod.

yukuán, v. to stoop.

yukyók, v. to stoop low, to crouch in fear.

yugtô, n. act in a play or drama.

yugyugín, v. to shake.

yugyugín, v. to shake.

yumakag, v. to invite, to call.

yumao, n. deceased.

yumao, v. to leave, to go away.

yumì, n. modesty, meekness.

yungíb, n. cave.

yungyóng, n. shelter, shade, protection.

yungyungán, v. to shelter, to shade, to protect.

yunta, n. team of animals in harness.

yupî, adj. flattened, distorted.

yupiín, v. to flatten, to distort.

yupyóp, n. act of covering or sheltering as what is done by hen with its chicks or eggs.

yurak, n. trampling.

yurakan, v. trample, to tread under the feet.

yutà, n. a hundred thousands.

yutyót, n. shake, shaking.

yutyutín, v. to shake vigorously.